中国自动化
产业发展报告
2025

孙优贤　于海斌　等 编著

化学工业出版社
·北京·

内容简介

《中国自动化产业发展报告（2025）》分4篇内容，第1篇发展环境分析，介绍了全球和中国视角下的自动化产业发展环境、挑战与机遇以及自动化技术对我国行业发展的作用分析；第2篇自动化产品，包括控制系统、自动化仪表、核心工业软件、机器人、数控系统、工业互联网和工控安全产品；第3篇行业自动化，包括电力自动化、冶金自动化、炼油自动化、石油化工自动化、煤化工自动化、合成橡胶自动化、水泥自动化、环保自动化和纺织自动化共九大行业的发展状况、自动化技术和产品的应用现状、存在问题以及行业发展预测等；第4篇装备设备自动化，主要介绍了车辆驾驶自动化、列车运行自动化、航空航天自动化、船舶工业自动化共四大领域的装备自动化情况。

本书适合自动化领域广大技术人员、科研人员和管理者阅读，也适合高等院校相关专业师生学习参考。

图书在版编目（CIP）数据

中国自动化产业发展报告. 2025 / 孙优贤等编著. 北京 : 化学工业出版社, 2025. 8. -- ISBN 978-7-122-48401-7

Ⅰ. F426.67

中国国家版本馆CIP数据核字第2025WG5974号

责任编辑：宋　辉　耍利娜　于成成　　文字编辑：李亚楠　侯俊杰
责任校对：张茜越　　装帧设计：王晓宇

出版发行：化学工业出版社
（北京市东城区青年湖南街13号　邮政编码100011）
印　　装：盛大（天津）印刷有限公司
787mm × 1092mm　1/16　印张$53^3/_4$　字数1353千字
2026年1月北京第1版第1次印刷

购书咨询：010-64518888　　售后服务：010-64518899
网　　址：http://www.cip.com.cn
凡购买本书，如有缺损质量问题，本社销售中心负责调换。

定　　价：280.00元

中国自动化产业发展报告（2025）

CHINA AUTOMATION INDUSTRY DEVELOPMENT REPORT 2025

编写委员会

CHINA AUTOMATION INDUSTRY
DEVELOPMENT REPORT (2025)

2025

前言
PREFACE

工业自动化系统由控制装备（如DCS、PLC、FCS、PAS、SIS等）、变送器（气动、电动、混合等）、执行器（电动、气动、液动等）、工业软件（APC、RTO、PS、SCADA等）和工业装备（或过程）组成，主要进行生产过程和生产装备的检测、建模、控制、优化、管理、调度、决策、运维等工作，以实现工业生产的优质高效、节能降耗、绿色环保、安全可靠。自动化技术广泛应用于工业、农业、交通、环境、军事、生物、医学、经济、金融等各个领域。

自动化产业的发展水平与一个国家工业发展水平紧密相关。我国自动化产业起步于20世纪80年代，大多是在引进成套设备的同时进行消化吸收，然后进行二次开发和应用。随着国内工业自动化技术的积累和创新以及国家相关产业政策的支持，自动化产业逐步走上规模化自主研发的道路，国产自动化产品在安全性、可靠性、实时性、适应性、性价比、技术服务等方面逐步显现出优势，形成了具有较强竞争力的自主品牌，并在细分品种和细分行业取得突破，国内企业的整体市场份额不断稳步增长。

为全面总结我国自动化产业发展现状，着重分析自动化产业的发展情况，促进自动化赋能新型工业化，中国自动化学会组织业内专家编写了《中国自动化产业发展报告》，主要分为4大部分。第1篇发展环境分析，介绍了全球视角下的自动化产业发展环境，包括自动化产业发展现状、发展趋势、技术创新，以及合作与竞争状况。第2篇以自动化产品为主线，详细分析了工业控制系统、自动化仪表、核心工业软件、机器人、数控系统、工业互联网和工控安全产品等的产业现状、市场分析、产业布局、发展趋势，以及典型企业分析。第3篇是国民经济重点行业应用，介绍了发电自动化、冶金自动化、炼油自动化、水泥自动化、环保自动化、纺织自动化、石油化工自动化、煤化工自动化、合成橡胶自动化等的行业发展现状、关键技术分析、人工智能融合、行业发展预测，以及自动化新技术、新成果。第4篇装备设备自动化，主要介绍了车辆驾驶自动化、列车运行自动化、航空航天自动化、船舶工业自动化等的国内外现状分析、新技术新方法应用、产业发展与瓶颈制约、技术创新与重大突破。

《中国自动化产业发展报告》聚集了我国自动化领域多位深孚众望的专家学者，通过2023年4月在杭州湘湖召开的编委会全体会议，确定了全书的架构及主要内容。在本书的筹划和组织过程中，中国自动化学会做了大量的工作，所有编委所在单位给予了大力帮助与支持，在此谨表示衷心的感谢。

2025年5月20日

于湖州工业控制技术全国重点实验室

目录
CONTENTS

CHINA AUTOMATION INDUSTRY
DEVELOPMENT REPORT (2025)

综述

随着新一代工业制造技术、新一代人工智能技术、新一代信息通信技术和新一代工业控制技术的深度融合，控制学科取得了突破性发展，在当今科技和社会发展中起着至关重要的作用，并且正经历着日新月异的变化。为全面展示自动化和相关产业的发展概貌，推动自动化行业和产业的快速发展，中国自动化学会组织行业专家编写出版《中国自动化产业发展报告》。

2016年7月，孙优贤院士牵头，与陈杰、于海斌等院士和专家编写了第一期《中国自动化产业发展报告》，得到了广大科技工作者好评。本期中国自动化产业发展报告主要总结、交流、推广在冶金（钢铁、有色）、电力（火电、核电、水电、风电、光热、光伏）、炼化（炼油、化工、石化、煤化、生化）、机械、电子、交通、建筑、船舶、环保、航空航天、陆用装备等领域成功应用的自动化系统技术、装备及软件。自动化系统的工作内容包括分析、设计、综合、仿真、安装、调试、运行、检测、维护等，技术内容包括建模、控制、优化、调度、管理、决策、诊断、运维、安全等。本期发展报告重点介绍了自动化相关产业的国内外发展现状，以及自动化系统的最新技术、应用推广、发展趋势、典型企业分析、政策建议等情况。

1. 自动化产业发展状况

自动化产业发展主要依赖于关键技术、核心软件和关键产品三个方面。关键技术主要涉及基础的操作系统、编程平台，以及网络、数据、建模、控制、优化、安全等内容；核心软件最基本的有先进控制软件APC、实时优化软件RTO、实时数据库软件RTDB、制造执行系统软件MES、企业资源管理软件ERP等；关键产品应用最广泛的有集中分散控制系统DCS、可编程控制系统PLC、安全仪表系统SIS、现场总线仪表、数据采集和监控系统SCADA等自动化产品。

（1）关键技术

1）实时操作系统

实时操作系统（RTOS）是专为工业控制、自动化等实时应用程序（包括高性能控制器、运动控制器、智能仪表等）设计的操作系统，主要研究高并发计算处理、多优先级任务调度、高精度系统时钟、多进程通信与同步、快速中断响应及多级中断管理、多级安全域动态管理等技术，研发RTOS内核，支持国内外多种主流架构，满足工业各种复杂应用场景对高实时性、高可靠性、高适应性、高安全性和可伸缩性的严格要求。

近年来，我国RTOS研发已取得了一定成果，有的基于Linux开发并逐步建立开源生态，有的自主开发，主要实时操作系统产品有：道系统（Delta OS）、翼辉系统（Sylix OS）、天脉系统（ACore OS）、科东软件系统（Intewell OS）、赛睿德（RT-Thread）等。目前，国产RTOS产品与国外产品相比，在技术成熟度与可靠性、生态系统与兼容性、市场份额与品牌影响力等方面还存在不足。

2）控制编程平台

可编程控制编程平台用于PLC程序的编写、调试和管理，主要研发编程与实时运行内核软件，研究混合语言编程、模块化低代码编程、多种主流通信协议、控制运行实时库重载等技术，开发集成开发环境（IDE）、编译器、调试工具、仿真环境。未来一个研发方向是云化编程调试仿真一体化协同技术及平台工具，并将PLC编程扩展到运动控制、机器人控制等复杂应用场景，实现PLC、运动控制、机器人一体化编程。

近年来，我国PLC编程软件开发平台的国产化取得了显著进展。国内和利时、中控技术、汇川等公司在PLC编程软件开发领域取得了重要突破，推出了具有自主知识产权的PLC编程软件，逐渐在国内市场上占据一席之地。然而，与国外知名品牌相比，国产PLC编程软件开发平台在品牌知名度、市场占有率和技术成熟度等方面仍存在差距。

3）工业通信网络

工业通信网络将工厂中的所有传感器、控制器、执行器、机器装备以及管控系统等连接成生产线或生产单元，实现自动控制和生产管控功能。传统工业通信网络主要研究现场总线、工业以太网、工业无线网络等技术，当前研究主要包括：面向智能制造的新型工业网络架构，用于流程自动化的先进物理层（APL）及APL智能仪表、交换机和控制器等，超高速高可靠运动控制网络，工业光通信网络，基于OPC UA的现场级通信（FLC），面向高速控制的实时网络与互操作技术（如OPC UA over TSN），以及TSN、5G、WIF等工业应用。

近年来，我国工业通信网络技术在技术研究、国际标准化等方面取得了显著进展，浙江大学和中控技术、中国科学院沈阳自动化研究所、北京东土科技等企事业单位组织国内优势单位，研发了具有自主知识产权的工业以太网EPA、工业无线网络 WIA-PA和WIA-FA、宽带工业总线AUTBUS等工业网络技术，华为、中国移动、仪综所等企事业单位围绕典型场景开展5G工业应用研究。然而，国产工业网络技术与国外主流网络技术相比，在产品线和生态建设方面存在较大的差距。

4）现场数据采集和处理

工业现场的大量数据（包括生产实绩、工艺参数、设备状态、质量检测、能源消耗等）是一切控制、分析、优化的基础。数据采集和处理主要研究异构网络数据源的集成与访问、实时数据统一接口、数据预处理、多源异构数据融合、信息特征快速提取、工况分类和异常检测、全景信息感知与交互、数据实时计算和分析处理等技术，满足工业自动化控制和生产过程管控等需求。

近年来，随着智能制造、工业互联网的深入推进，企业已越来越重视现场数据的采集、分析和处理，纷纷打破“信息孤岛”，推进IT/OT融合。特别是视觉检测、预测性维护等工业智能应用，使工业现场的数据类型和数据量呈现爆发式增长。但是，当前我国企业现场还存在数据采集来源较单一、工业数据积累不足、融合分析不够、智能应用不多等问题。

5）控制系统建模

智能制造对自动化系统提出了软硬件解耦、可重构、可互操作、可移植和分布式等方面的更高要求。控制系统建模主要研发开放自动化集成开发环境，研究云边端协同的分布式控制架构、分布式控制系统统一建模、基于事件的功能块封装、模块化低代码编程、时间扫描和事件驱动的混合调度机制、可重构动态接入与集成、应用软件跨平台移植和互操作、实时资源调度与控制一体化等技术，为新一代PLC和DCS等工控系统提供更高效和灵活的设计和开发模式。

IEC 61499定义了分布式控制系统的设计和建模语言，提供图形化功能组件设计、事件驱动的任务执行、跨多个任务的分布式自动化应用程序封装等。当前，基于IEC 61499开发控制工程的软件平台技术在我国刚刚兴起，上海交通大学自动化系团队取得了较好的科研成果，上海乐异自动化科技有限公司自主研发的面向分布式工控系统和工业边缘计算的IEC 61499开发环境取得了初步应用。

6）工业安全管控

工业安全一体化管控技术用于避免工业控制系统性失效、随机硬件失效及信息安全威胁导致的功能失效。主要研发高可信的工业安全一体化控制系统，研究工控功能/信息/物理一体化安全防护、设备异常和外部威胁关联风险分析、多维风险动态感知与预测、嵌入式软硬件安全可信设计、功能安全通信协议及轻量化加密等技术。

我国工业安全一体化管控技术研发基本与国际同步开展，但当前还属于初级阶段。传统工业信息安全和功能安全的研发应用是分别进行的。国内大型自动化公司如中控技术、和利时等都有工业信息安全或功能安全的自动化产品。在工业信息安全领域，既有华为、绿盟科技等IT领域供应商向工业扩展，又有如海天伟业等专业工控安全厂商，无论国产功能安全产品还是工业信息安全产品的技术水平，已接近或达到国际先进水平，但安全一体化产品较少。

（2）关键产品

1）集中分散控制系统DCS

DCS主流供应商有近20家，主要分为欧美品牌、日本品牌和国产品牌。欧美品牌以艾默生、ABB、西门子、霍尼韦尔等为代表，聚焦大型电力、石化、化工等领域；日系品牌以横河为代表；国产品牌以中控技术、和利时、新华控制等为代表。其中，艾默生、ABB、西门子、中控技术、和利时等国内外大型公司的DCS产品稳居技术水平和市场规模的第一梯队。

国外DCS产品布局较早，在技术水平、客户信赖度以及供应链等方面具有先发优势。随着技术的发展，国产DCS产品在各自优势领域实现扩张，在化工、电力、石油等国民经济支柱产业逐渐扩大应用。当前，我国DCS市场国产化率较高，据统计，2016年至2021年我国 DCS国产化率从46.2%不断提升至55.7%，且呈现逐年增长趋势。其中，中控技术连续十三年蝉联国内DCS市场占有率第一名，2023年更是达到了37.8%，其产品以CS-700系统为代表，支持供电系统、通信网络、操作站及控制站的全冗余系统结构，同时具备故障安全功能与工程管理功能。和利时DCS产品以MACS系列分布式控制系统为代表，该系统采用了全冗余、多重隔离等可靠性设计技术，并引入安全系统的设计理念，从而保证系统能够长期稳定运行。

虽然国产DCS产品在市场占有率及技术水平等方面已取得长足进步，但在实时操作系统、控制软件开发平台及底层芯片等方面仍需加快发展。

2）可编程逻辑控制系统PLC

全球有200多家PLC制造商，400多个PLC品种的产品，按地域可分成美系、欧系、日系，著名的包括美国的罗克韦尔、通用电气，德国的西门子，法国的施耐德，日本的三菱电机、欧姆龙、松下、富士等，这些制造商的PLC产品占据80%以上市场份额。其中，大型PLC 以欧美品牌为主，罗克韦尔、西门子和施耐德在大型PLC市场排名前三，占据76.8%的市场份额。

国内PLC制造商已超过了40家，主要包括汇川、台达、和利时、中控、信捷等，经过近些年不断努力，国产PLC在技术、产品和市场等方面均取得了显著成果。国产大型PLC

主要以和利时LK中大型PLC产品为代表，该PLC充分融合了DCS和PLC的优点，采用了高性能的模拟量处理技术、小型化的结构设计、开放的工业标准、通用的系统平台，适用于中、高性能控制领域，主要应用于电力、石化、化工、冶金、纺织、食品、造纸、印刷、制药、采矿、能源、交通、市政等行业。

虽然国产大型PLC取得了一定成就，但总体上还呈现“小弱散”状态。各制造商的市场占有率较低，主要依赖进口关键零部件和实时运行软件来研制产品，面向细分行业的整体解决方案能力不强，与国外大型PLC相比竞争力较弱。

3）安全仪表系统SIS

在流程工业，国外知名的安全仪表系统（SIS）制造商有施耐德、罗克韦尔、霍尼韦尔、横河、HIMA、艾默生、ABB、西门子等，国内知名的SIS制造商有中控技术、和利时、龙鼎源、北京康吉森、优稳等。这些国内制造商的SIS产品通常采用三重化表决架构（2oo3D）、冗余容错设计等先进技术，确保系统的高安全性和可靠性，同时均符合功能安全国际标准（如IEC 61508和IEC 61511），满足安全完整性等级 SIL3要求，并通过了国内外权威机构的功能安全认证，展现了国产SIS产品的高技术水平和国际竞争力。特别是中控技术的ECS-500连续两年居国内市场第一位。

但是也应该看到国产SIS在技术成熟度和稳定性、品牌认知度等方面与国际先进水平相比仍存在一定差距。同时，随着智能制造的推进，用户对于SIS系统的智能化和集成化水平提出了更高要求。

4）智能现场总线仪表

在流程行业智能现场总线仪表领域中，国外知名的制造商有霍尼韦尔、恩德斯豪斯（Endress+Hauser）、罗克韦尔、横河、艾默生、ABB、西门子等，国内知名的制造商有重庆川仪、上自仪、京仪、天津仪表、中科博微等。这些国内外制造商都提供具有CAN、HART、MODBUS、PROFIBUS PA、FF H1等现场总线接口的自动化仪表。重庆川仪产品Flowmaster系列电磁流量计、VF系列涡街流量计、电磁冷水表、节流装置等，广泛应用于流程工业、核电军工、智慧水务、海外等领域，产品国内市场占有率居首位。上自仪产品主要有3051系列压力变送器、数字远传压力表、膜片压力表、不锈钢隔膜压力表、真空压力表、压力控制器等，可用于测量液体、蒸汽、气体等介质的压力。

从产品的覆盖面看，国内自主知识产权的现场总线仪表产品与国外进口产品种类相当，但在测量精度、稳定性与可靠性、智能化等方面具有一定差距，尤其是在核电等特殊领域，国产仪表可选择范围较小。

5）数据采集和监控系统SCADA

国外知名的SCADA供应商主要是各大自动化公司，包括西门子、艾默生、施耐德、三菱电机、罗克韦尔、欧姆龙等。国内知名供应商除中控技术、和利时等自动化公司外，还有力控科技、亚控科技等专业工业软件公司。据工控网报告，当前国产主流SCADA供应商产品占领中国市场40%的份额。以亚控科技的KingSuperSCADA产品为例，该产品是一款全组态型监控平台软件，具有模块化开发、可视化操作、分布式部署、安全可靠等特点，支持1600余个国内外制造商6000余种设备驱动。2018年美国ARC咨询报告数据显示，亚控科技的SCADA软件在国内市场占有率首次超过国际品牌，并连续多年蝉联国内市场第一。

SCADA系统在多个行业，尤其是电力、水务、石油和化工等领域广泛应用，现已作为基础平台，实现了现场数据实时采集，生产过程异常监控，集成了更多的管理控制和报警功能。今后，国产软件还需在大数据量处理、高并发请求、异构系统集成等方面进一步提升。

（3）核心软件

1）先进控制软件APC

先进控制是鲁棒控制、预测控制、最优控制、解耦控制、优化控制等的总称。国外知名的先进过程控制（APC）软件供应商主要有艾斯本、霍尼韦尔、艾默生、施耐德等，这些公司产品占据了全球APC市场的主导地位。国内市场上，随着国产APC软件持续加大研发投入，产品水平不断提高，市场占有率已经达到50%左右。国内APC供应商主要包括中控技术、和利时、石化盈科等。和利时研发的先进控制软件包HiaAPC，整套软件包括：先进控制运行平台、多变量模型预测控制、基于该平台的PID自整定、软测量软件和控制回路性能评估软件，其功能和性能与Aspen和霍尼韦尔的产品相当。中控技术研发的先进控制软件InPlant APC，集成了先进控制平台、多变量鲁棒预测控制软件及智能软测量软件等关键组件，连续五年蝉联国内市场占有率第一，2023年国内市场占有率达28.2%。杭州优稳在智能运行优化、智能运行控制等方面的先进控制软件也有突出表现。

与国外顶尖产品相比，国产APC软件在技术成熟度、算法优化、模型精度等方面存在一定差距。

2）实时优化技术RTO

实时优化软件（Real-Time Optimization，RTO）是一种用于工业过程控制的高级软件工具，旨在实时优化生产过程中的操作决策，以提高效率、减少能耗、降低成本并优化资源配置。RTO通常与先进过程控制（APC）技术结合使用，以提供连续的优化决策支持。

国内市场上，随着实时优化实施后的惊人效益，市场占有率不断提升，2022年达到45.8%。目前在工业现场实施的主要实时优化软件包括：过程静态优化软件、过程动态优化软件、过程节能优化软件、能源综合优化软件、多目标动态优化软件、多目标动态智能优化软件、性能指标综合智能优化软件。主要RTO厂商包括中控技术、石化盈科、杭州优稳、上海优铖、中智达科技，特别是后面几家发展势头十分强劲。

RTO作为一种先进的优化工具，在提高生产效率、降低成本和提升产品质量等方面具有显著优势。然而，技术复杂性、数据问题和人才短缺等挑战也需要企业在实施过程中加以应对。随着国内市场对自动化和智能化需求的增加，RTO的市场潜力依然值得期待。

未来，实时优化软件在国家政策和工信部重大项目支持下，一定会有重大突破，但国产RTO在工艺机理十分复杂、生产过程超大规模的场景下表现出无能为力，动态模型与控制算法研究受到基础科学问题的制约。

3）制造执行系统软件MES

制造执行系统（Manufacturing Execution System，MES）是一种用于管理和监控制造过程的综合软件系统。MES在生产过程中起到桥梁的作用，连接企业的计划系统（如ERP）和现场的控制系统（如PLC、SCADA等），以提高生产效率、透明度和灵活性。

制造执行系统（MES）在现代制造业中发挥着至关重要的作用。它不仅提高了生产效率、质量控制和透明度，还帮助企业实现了更高水平的管理和决策支持。随着技术的不断进步，MES的功能将更加丰富，集成的新技术将推动制造业向智能化、数字化转型。企业在实施MES时需要充分考虑自身的需求和行业特性，克服实施过程中的挑战，以最大化地发挥MES的潜力。

IDC数据显示，2023年中国MES解决方案总市场份额（含软件和服务，不含硬件）达到142.8亿元，年增长率为13.9%。其中，MES软件总市场份额达到54.1亿元人民币，年增长率为17.2%，增速虽稍有回落，但仍在合理区间。

从软件市场（不含服务和硬件）竞争格局来看，西门子、黑湖科技、新核云排名前三。其中，西门子虽然仍保持领先，但市场份额占比从9.4%下降到7.5%；而黑湖科技、新核云作为MES市场“新势力”，凭借SaaS天然的高产品低服务，以及自身业务快速增长，分别位居二、三位；汉得信息、赛意信息、鼎捷数智和浪潮通软作为老牌工业软件和泛ERP服务商，持续加大对生产制造领域数字化业务的投入，位居第四至七位。

2023年，中国公有云SaaS MES软件市场规模达8.73亿元人民币，占MES软件整体市场的16.1%，年增长率为13.7%，低于整体市场增速。相比2022年43.6%的增速，放缓趋势明显。尽管以黑湖科技为代表的主要厂商仍保持着较高的增长势头，但该市场已呈现明显的头部厂商虹吸效应，其他厂商SaaS模式增长有限，有部分厂商逐渐退出该市场，第一阶段的市场格局已初步形成。

4）企业资源规划系统软件ERP

企业资源规划（ERP）系统是一种集成软件平台，旨在帮助企业有效地管理和整合其核心业务流程。通过集中化的数据管理，ERP系统可以确保信息在不同部门之间的流通与共享，从而提高决策效率和业务运行效率。

ERP系统在现代企业管理中扮演着至关重要的角色。通过集成和优化企业的各项资源与流程，ERP系统帮助企业提升了运营效率、降低了成本，并增强了市场竞争力。尽管在实施和运用过程中面临一些挑战，但随着技术的不断发展，ERP的未来发展前景广阔。企业应根据自身的需求和实际情况，选择合适的ERP。

随着企业在全球范围内扩张，他们需要能够支持其国际运营的工具。ERP系统可以处理多币种交易、多种语言，并符合国际会计标准。越来越多地采用创新和先进技术、扩大现有ERP系统的价值、最大限度地减少第三方依赖、更高度安全的资源、先进的财务系统以及其他显著因素，正在推动对ERP软件的升级，全球ERP软件行业市场规模逐步提升，2023年全球ERP软件市场规模约为482.9亿美元。

中国ERP软件行业经历了起步、发展、成熟阶段，目前正处于新的转折和增长时期。随着云计算、大数据等技术的发展，ERP软件行业正逐步向云ERP转型，这为行业带来了新的增长机遇。“十四五”规划中强调了数字产业化的重要性，提出了培育壮大人工智能、大数据等新兴数字产业的目标，这为ERP软件行业的发展提供了政策支持。随着信息技术的进一步发展，ERP上云已成为行业共识，预计未来ERP产品将以云ERP为主。2023年中国ERP软件市场规模约为481.9亿元。

在2023年的中国ERP市场，中小企业领域出现了明显的国产化趋势。前五名的ERP供应商中，有四家是本土企业，其中用友网络凭借其强大的市场影响力，占据了30%的市场份额，稳坐头把交椅。然而，对于大型企业而言，ERP软件市场仍然被外资企业所主导，特别是ASP和Oracle这两大巨头，它们的市场份额加起来高达53%。尽管在技术水平与产品能力方面，国内高端ERP与国际上的大型企业相比还存在一定的差距，但国产ERP厂商在价格、实施成本以及与中国实际经营环境的融合上表现出了明显的优势。从长远的角度看，随着国内厂商在技术和经验上的不断积累，以及国家对于自主可控技术的推动，国产ERP厂商有望在未来实现更快的发展。

用友持续领跑中国企业云服务市场，在中国aPaaS市场、中国SaaS市场、中国企业应用SaaS市场、中国超大型及大型企业应用Saas市场、中国ERP云市场、中国财务云市场，中国人力云市场占有率均为第一。

5）流程模拟软件PS

流程模拟软件（Process Simulation Software）是一种用于模拟、分析和优化工业流程的工具。这类软件常用于制造业、物流、能源等行业，帮助企业理解和改善其操作流程，以提升效率、降低成本和减少风险，其显著特点是：

可视化：流程模拟软件提供可视化界面，使得用户能够直观地理解复杂的流程和系统；

优化决策：通过模拟不同的情景，企业能够评估不同决策的影响，从而做出更明智的选择；

提高效率：通过识别瓶颈和低效环节，企业能够优化流程，提高生产效率；

降低风险：在实施新流程或技术之前，通过模拟评估潜在风险，帮助企业避开可能的问题；

成本节约：通过优化资源配置和减少浪费，企业能够实现显著的成本节约。

主要厂家及其市场占有率：

Siemens（西门子）市场占有率约20%～25%，主要应用于汽车、航空航天、重工业等。

Dassault Systèmes（达索系统）市场占有率约15%～20%，主要应用于产品设计、工程仿真、PLM解决方案。

PTC市场占有率约10%～15%，主要应用于产品生命周期管理、CAD工具。

Altair市场占有率约5%～10%，主要应用于工程仿真、优化。

AnyLogic市场占有率约5%，主要应用于流程模拟、供应链管理。

其他厂商市场占有率约20%～30%，包括多种小型和新兴厂商的解决方案。

国内中控、青岛软控、杭州百子尖等科技公司在炼油、化工领域开发了一批流程模拟软件，特别是青岛软控在核心流程模拟软件方面耕耘30多年，目前正朝着高度复杂、超大规模的流程模拟软件发起总攻。

2. 自动化典型企业发展状况

改革开放以来，我国自动化领域涌现出一大批优秀企业和优秀团队，为推动自动化产业快速发展作出了重要贡献。这里着重介绍自动化仪表、控制系统、工业软件、环境保护领域的四个典型企业。

（1）重庆川仪自动化股份有限公司

重庆川仪自动化股份有限公司（以下简称川仪或川仪股份）的前身四川仪表总厂（以下简称川仪，或川仪总厂），是贯彻落实国家调整工业布局、加速三线建设的战略部署，经国家计划委员会（以下简称计委）、国家第一机械工业部（以下简称一机部）批准，由上海、江苏、辽宁等地仪器仪表及配套企业内迁重庆组建而成的西南仪器仪表工业基地。

1）川仪的主要产品

川仪的主营业务是工业自动化系统及工程成套，建有完善的工业测量与分析、系统执行与控制、控制系统与设备的产品体系。如图0-0-1所示。

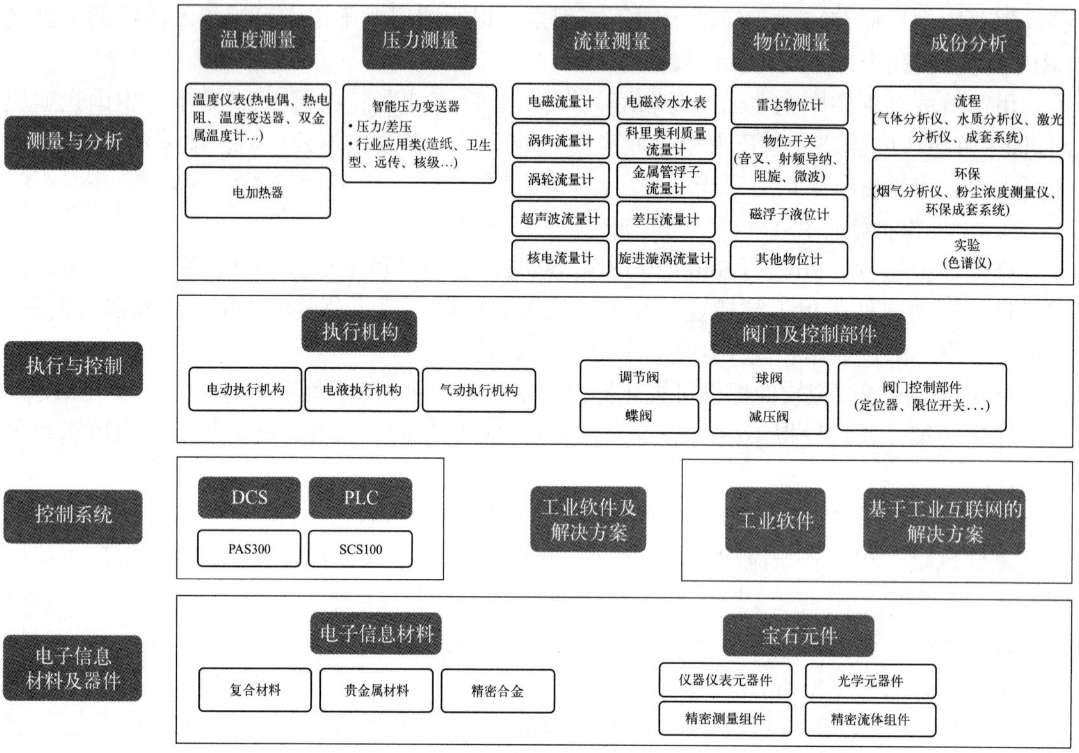

图 0-0-1 川仪的产品体系

2）川仪的核心技术

川仪主要产品及其核心技术列举如表0-0-1所示。

表 0-0-1 川仪的主要产品及其核心技术

产品	图示	核心技术	功能介绍	应用领域
智能调节阀		•高硬度硬质合金表面硬化工艺技术 •严苛工况阀内件结构设计技术 •VOC在线监测的智能阀门定位器技术 •严密密封及低逸散结构设计技术 •阀内件参数化结构设计技术 •多物理场耦合仿真分析技术	接收控制系统的指令，实施对管道中介质流量的控制及信号反馈	石油、化工、冶金、电力、煤化工、医药、水务、核工业、新能源等
智能执行机构		•动态力平衡定位技术 •PHB高速总线技术 •智能变频控制技术 •高参数阀门控制技术 •高压油路密封技术 •精密传动副设计制造技术 •火灾保护技术 •精密流量配对技术 •高频率运动传递技术 •高稳定性力矩传递技术 •高性能膜片运动控制技术 •复合型耐磨材料应用技术	接收控制系统的指令，完成对各种直通或旋转类阀门及风门挡板的控制	石油、化工、冶金、电力、煤化工、医药、水务、核工业、新能源等

续表

产品	图示	核心技术	功能介绍	应用领域
智能变送器		• 高灵敏度传感器技术 • 多参数复合补偿技术 • 差压变送器静压技术 • 传压介质微量充灌技术 • 超薄膜片均热焊接技术 • 超薄传压膜片设计及成型控制技术	对被测介质的压力、差压进行检测和信号传输	电力、冶金、化工、煤化工、石油、石化、市政环保、轻工建材、医药、造纸、核工业、新能源等
智能流量仪表		• 三态励磁技术 • 瞬态励磁技术 • 动态频谱分析技术 • 动态零点补偿技术 • 工频干扰消除技术 • 多参数复合补偿技术 • 高浓度浆液测量技术 • 线性电源单双频励磁控制技术	对被测介质的流量进行检测及信号传输	石油、化工、冶金、水务医药、食品、核工业、新能源等
分析仪器	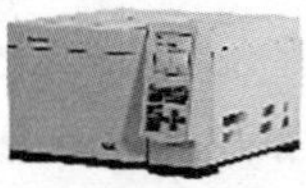	• 色谱分析技术 • 气体取样技术 • 磁氧分析技术 • 激光气体分析技术 • 高精度不分光红外检测技术	对被测介质的化学特性、组成成分及含量进行在线或离线检测及分析	石油、化工、环保、轻工建材、新能源等
温度仪表		• 套管频率及强度校核技术 • 多传感器整体成形封装技术 • 热敏绝缘材料配方 • 微细传感器焊接封装技术	对被测介质的温度进行检测及信号传输	石油、化工、煤化工、医药、纺织以及信号传输染、轻工建材、核工业等
物位仪表	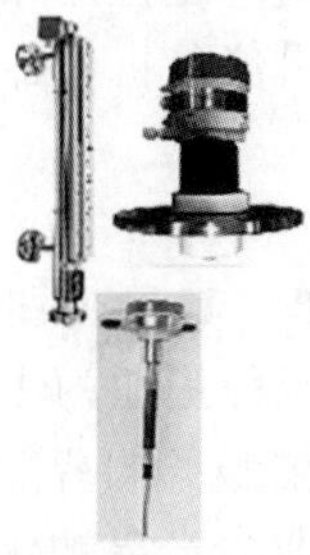	• 智能化过程状态监测与诊断技术 • 智能化多变量检测与补偿技术 • 高温高压蒸汽补偿测量技术 • 全自动标定检测工艺 • 低密度物料识别技术 • 防挂料技术	对被测介质的料位、液位进行检测及信号传输	电力、冶金、化工、煤化工、石油、石化、市政环保、轻工建材、医药、造纸、核工业、新能源、粮油仓储等
控制装置		• 自研 TCP 通信技术 • 冗余总线技术 • 控制器冗余技术 • 多通道并行采集技术 • 热备服务器冗余方式技术 • 4～20mA 模拟量输入输出 0.1% 精度技术	以控制器和现场设备为基础，运用自动控制技术对生产过程进行自动调节和控制	电力、环保、石油化工、煤化工等

3）川仪的创新发展

川仪创新体系以研究院为主体，下设8大领域中心、15个专业研究所，中心承担共性技术和前沿技术的研发，研究所承担专业产品技术研发，已完成以下十大产品研发，大力推动自动化产业发展，有效促进国民经济快速增长。

• 打造了智能压力变送器、智能电磁流量计、智能电动执行机构、智能阀门定位器等4个具备世界先进水平的产品；

• 主力产品智能压力变送器、智能流量仪表、温度仪表、执行机构、控制阀等国内市场占有率均排名国产品牌第一；

• 聚焦国家重大需求和关键环节自主可控，14项产品突破了我国核电、石化、冶金、新能源、新材料等重大工程、重点领域“卡脖子”难题，打破国外垄断、填补国内空白；

• 30余项产品替代进口，实现首台套应用。永磁式电磁流量计和钠中气泡噪声探测器填补了国内在核电领域超高温高导电介质测量的空白，通过重庆市首台套重大技术装备产品认定，正在国家能源局进行能源领域首台套重大技术装备评价认定；

• E级磁浮子液位计、1E及差压/压力变送器、1E级安全壳淹没液位变送器、热式质量流量计、主给水调节阀、汽机旁路阀、最小流量阀等产品通过国家能源局验收，整体技术水平达到国际先进、部分指标国际领先；

• 调节型核级电动执行机构、铅铋流量计远传核级变送器、高精度主给水超声波流量计、核电站内废气氢氧分析仪装置等核电产品研制成功，有力保障我国核电厂运行的安全性和可靠性；

• 超低温调节阀研制成功并实现产业化，满足20K液氢（−253℃）、4K液氦（−269℃）工况需求，大口径、高磅级、高压差LNG低温调节阀通过国家能源局、中国机械工业联合会鉴定，已应用于实际工程；

• 智能执行机构实现板卡级智能模块化应用及国产化芯片替代，产品控制精度、力矩范围等主要性能指标达到世界领先；小型管道用防爆执行机构通过全性能试验，取得防爆产品合格证和3C认证；

• 推出高端智能诊断压力变送器、高参数电液执行机构，热式气体质量流量计、高精度HART温度变送器等20余种新产品；

• 积极推进微型紫外光谱仪、超低粉尘浓度测量仪、在线傅里叶红外光谱仪等环保产品研发，服务环境保护和美丽中国建设。自主研发的HVP3系列智能阀门定位器和PDS智能压力变送器两大产品荣获“2023中国自动化领域用户信赖产品”，川仪分析仪器公司研发的多组分气体分析器入选2024年度重庆市重大产业技术创新产品。

（2）浙江中控技术股份有限公司

浙江中控技术股份有限公司（简称“中控技术”）成立于1999年（其母公司建立于1993年），始终秉承“让工作与生活更轻松”的使命，致力于面向以流程工业为主的工业企业提供以自动化控制系统为核心，涵盖工业软件、自动化仪表及运维服务的智能制造产品及解决方案，赋能用户提升自动化、数字化、智能化水平，实现工业生产自动化、数字化和智能化管理。先后获得国家科学技术奖5项：

1998年“集散控制系统JX-100”获国家科技进步奖三等奖；

2001年“现场总线控制系统”获国家科技进步奖二等奖；

2009年“新一代工业控制系统高性能现场总线—EPA”获国家技术发明二等奖；

2010年“中控以标准国际化为核心的自动化技术创新工程”获国家科技进步奖二等奖；

2012年“炼油化工重大工程自动化控制与优化一体化关键技术”获国家科技进步奖二等奖。

1）主要产品及工业应用

中控技术从1993年推出第一套DCS产品开始，历经30年，陆续推出Webfield® JX-300XP、ECS-700、远程I/O系统SmartEIO、ECS-700neo、基于APL的先进工业网络解决方案、新一代控制系统OMC等产品。

① 主要产品

• Webfield®JX-300XP 控制系统

Webfield®JX-300XP控制系统是Webfield系列控制系统之一，它吸收结合了通信技术、微电子技术，充分应用了最新信号处理技术、高速网络通信技术、可靠的软件平台和软件设计技术以及现场总线技术，采用了高性能的微处理器和成熟的先进控制算法，全面提高了控制系统的功能和性能，同时，它实现了多种总线兼容和异构系统综合集成，各种国内外DCS、PLC及现场智能设备都可以接入，是一个全数字化、结构灵活、功能完善的开放式集散控制系统，能适应更广泛更复杂的应用要求。

• Webfield®ECS-700系统

Webfield®ECS-700系统是中控技术SPlantTM整体解决方案的核心平台。ECS-700系统具有管理大型联合装置的一体化能力，系统在设计时已经充分考虑到大型工厂信息共享与协同工作的需求，其一体化的系统结构和系列应用软件可帮助用户及时获得决策信息，协同不同部门的人员工作，减少维护费用，提升生产效率。ECS-700系统具有与上位信息系统易于进行数据交换的开放接口，能够充分满足企业信息系统的各种信息需求。同时，ECS-700系统具备灵活的系统结构，支持持续的在线系统扩容，从而保护用户的投资。

• SmartEIO

SmartEIO是中控技术根据现场应用需求，最新推出的通用I/O产品。其可通过软件定义通道硬件属性，从而简化I/O配置，优化接线设计，极大程度提高了项目设计的灵活性和实施的便捷性。SmartEIO既支持控制室部署，又支持远程部署。用于远程部署的SmartEIO防爆远程IO机箱已通过CCC 防爆认证，可安装于防爆2区现场，连接各区域的本安或隔爆信号。

• OMC（Intelligent Operation Management & Control）

OMC全流程智能运行管理与控制系统是中控技术于2022年7月发布的新一代控制系统，实现了工业过程控制、操作效能优化、生产运行管理等重要能力的融合与重构，满足流程工业全生命周期生产运行安全、高效、绿色的需求。OMC系统通过控制技术、计算机技术结合工艺建模技术、设备健康管理技术和生产运行技术，以百万级分布式实时数据库承载海量生产运行数据，由高可靠性控制系统支撑将自主过程控制、可安全运行、高效工程管理、数据挖掘和价值优化等功能有效融合，实现流程工业工艺装置“安、稳、长、满、优”的生产运行，通过信息化技术IT、自动化技术AT、运营技术OT与工艺技术PT和设备技术ET的融合达到企业生产高效安全、智能管控的目的。

② 工程应用

• 石化行业

中控已经成为中石化、中海油等国际500强企业的主力供应商，且在中石化DCS市场份额排名第一。自2007年中控DCS进入中石化武汉石化500万吨炼油主装置以来，中控不断打破国外系统垄断，已服务于长岭石化、北海石化、塔河石化、扬子石化、石家庄炼化、茂名石化、安庆石化、九江石化等多家企业，并成功实施了中石化70%的千万吨级炼油项目。近年来的中天合创世界级的煤质烯烃项目、神华宁煤乙烯项目使得中控触碰到行业的“天花板”。

• 化工行业

中控在化工行业已连续多年保持市场占有率第一，遥遥领先于国内外品牌，中控的控制系统目前已广泛应用于煤化工、盐化工、精细化工等装置，成功实施了360万吨/年甲醇、137万吨/年聚烯烃、8万空分、52/90大化肥、30万吨/年醋酸乙烯、20万吨/年乙二醇、40万吨/年PVC、5000吨/年多晶硅、IGCC等项目。中控可以在化工项目中担当主自动化承包商（MAC）的角色，项目的自动化部分整体可以由中控负责，中控有自己的设计院，可以更早参与前期设计，为终端用户降低项目设计开支。同时中控集团有丰富的化工项目实施经验和SPlant产品解决方案，可以为业主提供智能工厂整体解决方案；同时中控拥有一支有资质、有丰富经验的团队来实施项目并运营，在减少用户投资风险的同时也可以帮其降低运营成本。

• 电力行业

中控在电力与热电行业已有3000多套应用业绩，先后为华能、大唐、华电、国电、国电投、神华、中核、中广核、浙能、华润、粤电、新疆天业、创冠环保、光大生物能源等多家大型电力、核电企业、自备电厂企业提供了可靠产品和优质服务。中控具有完整的电力行业解决方案，提供了DAS、MCS、SCS、FSSS、BPS、DEH、MEH、ETS、ECS等全系列的关键控制及联锁保护技术，形成了从锅炉控制到汽轮发电机组控制的全厂一体化解决方案和完善的控制系统产品体系；同时可提供丰富的生产管理平台，如厂级监控管理系统SIS、操作员仿真系统OTS及专业增值平台，如设备管理系统IDM、锅炉优化系统APC、PID性能评估软件、手机监控软件SimField、远程故障诊断维护系统RDMS、智能报警管理系统、设备仪表及现场总线系统等。

• 百万吨乙烯工程

神华宁煤百万吨级烯烃（煤化工副产品深加工综合利用）智能制造项目入围2016年工业转型升级（中国制造2025）智能制造综合标准化与新模式应用项目，并获得智能制造专项资金4500万元，是在百万吨乙烯装置上的突破。

百万吨级烯烃智能工厂生产工艺复杂、反应条件苛刻、产品种类多、投资规模大，是石油化工行业的典型高端装置，该项目已完成百万吨级烯烃联合装置自动控制系统、先进控制优化系统、生产执行系统能源管理系统、设备运行管理系统、安全风险分级管控与安全应急指挥系统、目标传导式绩效管理系统、业务综合决策分析系统等的国产化示范应用，实现数据的互联互通，应用信息安全技术智能工厂集成技术，涵盖了从生产底层的智能传感与控制装备到上层的软件及网络设备的产品和系统级应用，最终将建成一个高效节能安全绿色的智能工厂，探索出一种自主可控、特色鲜明的石油化工行业智能制造新模式，为更多用户推广应用提供示范。

• 千万吨炼油工程

中控技术承接了近10套千万吨炼油工程项目。九江石化常减压装置基于分子炼油的实时优化（RTO）系统，采用中控软件公司最新的原油分子数据库、原油物性计算和原油分子切割软件，将常减压装置的机理建模和实时优化真正提升到分子水平。在此基础上，还包含核磁共振分析仪在线改造、先进控制系统（APC）性能提升、实时优化模型开发和实时优化平台搭建等内容。

该系统实时提供1#常减压装置各馏分油温度点的切割方案，自动下达给APC系统在线执行，并建议各馏分的二次加工路线。随着常减压装置RTO系统的投用，九江石化所加工的每种原油表征水平将达到1万个分子以上，常减压装置的模拟和切割预测精度将明显提升，并通过实时优化切割方案，提高分馏精度，大大降低综合能耗，装置的整体效益显著提高。

2）市场定位及战略走向

• 市场定位

中控将继续保持和巩固在国内传统业务领域的优势地位，积极扩大市场占有率，加强集团型大客户的深入挖掘，争取重大项目突破，努力实现业务增长；积极推进向服务型制造的延伸，加快行业解决方案开发和推广，打造更贴近用户的服务模式，增强用户黏性，通过仪表、阀门、信息化等产品和解决方案的销售推动传统业务的转型升级。

• 战略走向

综合战略是根据新业务战略评估的结果，统筹资源投入，调整公司业务发展策略和方法，引导公司传统业务的优势资源向新业务转移，逐步建立完善既适合传统业务、也适合新业务发展的生态环境。

重视公司自身的流程优化、信息化和智能工厂建设，结合PLM与MES项目的实施，梳理公司的业务和流程，推进股份公司流程优化及信息化建设，提升业务的整体运作效率和资源利用效率，建设自身的智能工厂。

由“增量市场为主”逐步向“增量市场与存量市场并重”转型，全面加强存量市场的开拓，从公司层面加大资源投入，建立相对应的组织架构和考核激励政策，主动引导客户需求，通过点检维修、升级替换等途径推动存量市场的机会发掘和业绩突破。

继续坚持开拓海外市场不动摇，着力引进和培养海外市场开拓的高端人才，优化人才结构，强化海外业务的开拓力量，为海外业务突破蓄能。

加快关键控制业务发展，一方面大力提升安全控制系统的销售规模和市场占有率，另一方面持续推进机组控制系统解决方案的研发、测试和应用，以尽快实现中控在该领域的产品覆盖和品牌优势。

（3）国家橡胶与轮胎工程技术研究中心

国家橡胶与轮胎工程技术研究中心于2009年由科技部批准设立，由软控股份2000年建立，青岛科技大学、赛轮集团等橡胶轮胎行业优势单位共同承建，是中国橡胶与轮胎行业开放的、最高的科技研发与创新管理平台，形成了以国橡中心为产业链顶层设计，统筹上下游创新主体深度融合的全产业链技术创新和产业化平台。

1）软件的形成

流程工业是国民经济的一大重要支柱产业，包括石油、石化、化工、轻工、医药、冶金等工业。它的技术水平和竞争力的高低将直接影响国民经济的发展水平。过程系统工程是一门关于流程工业决策方法论的技术科学。石油化工过程模拟软件是为流程工业实现优化控制、集成制造、技术开发、优化设计乃至建立MES提供数据、模型、模拟分析和优化综合结论，并为实现信息化提供平台的基础支撑软件。该方法论为各种类型的单元操作、过程乃至流程工业指出如何规划，如何设计，如何操作，如何控制。其主要内容是过程模拟、分析、优化和综合。过程模拟软件是过程系统工程思想的软件化，是进行过程模拟、分析、优化的基本工具，也是过程综合的基础。因此，通用化工过程模拟软件的研发和应用状况在很大程度上反映了一个国家整体过程工业的理论水平和技术水平。

化工流程模拟工业软件的研制一直是化工行业关注的热门课题。四十多年来国内外都投入了大量的人力、物力进行这方面的工作。美国起步最早，推出的ASPENPLUS，PLUS，PRO/ Ⅱ等都有很大的影响，处于国际领先水平。国内方面，青岛科技大学化工学院早在上世纪80年代就在著名化工系统工程专家韩方煜教授的带领下开展过程模拟软件的研制与开发工作。团队运用计算机与系统工程思想，在化工过程设计软件开发、过程工程设计与改造、化工物性的测定与关联、化工单元的模拟与优化过程系统的模拟分析、过程系统综合等方面取得了令人瞩目的成就，在国内化工系统工程领域处于先进水平。

此外，化工仿真软件模拟动态的化工装置参数变化过程，对于了解装置参数发展趋势和分析设备间相互影响关系十分有利。由于化工稳态过程只是相对和暂时的，实际过程中总是存在各种各样的波动、干扰以及条件的变化，都会引起原有的稳态过程和平衡发生破坏，而使系统向着新的平衡发展。这一过程的分析，必须由化工仿真软件来进行。由于化工仿真软件考虑到了物料和热量的累计量，所以可以获得更多更详细的化工过程动态信息。青岛科技大学化工学院通过20多年的自主研发，在化工系统工程领域国内仿真培训和安全分析等领域处于先进水平。

2）化工软件的发展历史

计算机模拟与分析一直是青岛科技大学教学和科学研究的主要方向。在国家自然科学基金的资助下，学院的许多教师在上世纪80年代就在韩方煜教授的带领下开展化工系统工程方面的研究与应用工作，独立开发的完全拥有自主知识产权的ECSS工程化学模拟系统，已在80余家单位推广应用，在装置扩建改造、节能降耗、优化操作、设计计算和科研开发过程中发挥了重要作用。ECSS获国家科技进步奖二等奖，是国内唯一的化工过程模拟商品化软件。此外，MDI制造技术开发、环流式旋风除尘设备与技术和有机硅生产技术等研究成果也在国内处于领先地位，已成功地应用于齐鲁石化、烟台万华、中海油等几十家大型企业，取得了显著的经济和社会效益，曾获国家级科技奖励2项，省部级以上科技奖20余项。学院在化工过程仿真方面也具有悠久的历史，早在上世纪90年代就独立开发了动态模拟与分析系统（Dynamic Simulation and Analysis System，DSAS），拥有成熟的化工过程仿真开发技术，开发了包括合成氨、醋酸、聚甲醛在内的众多商业仿真软件，在众多化工企业中得到了广泛应用。

化工过程模拟系统ECSS是学院的第一个软件产品，于1987年完成。ECSS工程化学模拟系统是通用化工科技软件，可广泛用于天然气加工、石油炼制、石油化工、化学工业及轻工等过程工业的以下应用：新过程设计、流程筛选、流程改造（扩产、节能、节水等）、发现过程瓶颈及去瓶颈分析、过程最优化、过程环境影响评价和化工设备的设计及核算。

学院自主研发的第二个软件是通用石油化工流程模拟软件——优化工程师OPEN（Optimization Engineer），基于CAPE-OPEN标准开发，具有国内领先水平，拥有自主知识产权。该软件是面向流程工业的通用流程模拟和知识库软件，没有任何依赖项，对内存占用量很小，安装也比较便捷，拥有丰富的基础物性数据、热力学数据、热力学模型、单元操作模块、先进的求解计算方法以及友好图形界面，可方便、高效实现对石油化工过程的数学模拟，从而打破国外流程模拟软件的垄断。通过流程模拟与优化技术，可以对装置进行诊断、优化操作，从而提高附加值产品收率、实现节能降耗、挖潜增效、减少排放，不仅可产生直接经济效益，还可带来巨大的社会效益。

学院独立研发出的第三个软件是化工过程仿真系统DSAS。DSAS继承了经典稳态流程模拟系统的数据结构和重要算法，并采用“跟踪逼近法”开发机理模型，取得了动态模拟快速精确的效果。该系统采用 Visual C++面向对象开发，可模拟各种化工过程常规和事故状态的动态行为，并可对人员的操作情况进行自动评分。DSAS已成功应用于20余套化工装置的动态仿真系统开发，涉及合成氨、聚甲醛、醋酸、己内酰胺、氯乙烯、甲醇等工艺。DSAS采用统一的严格机理模型来实现不同工艺状况的动态。目前，许多化工仿真软件由自控专业的人员开发，在不同层次上为了不同的目的往往采用不同的数学模型。这种做法是不合理的，这使整个工艺计算信息难以相互衔接，形成一些“孤岛”，用户使用也不方便，维护则更加困难。与之不同，DSAS采用统一模拟仿真系统，具体的功能如下：

- 采用相同的物性计算方法，使之可适应整个操作范围；

• 采用统一化工设备数学模型来模拟、优化、培训、校正数据；

• 统一模型包括了设备正常和异常变化方程，可以在模拟正常操作过程时，随时进行异常工况模拟；

• 统一的关系数据库，避免“数出多源”，保持数据的一致性，具有状态记忆、时标设定等功能。

3）软件自主创新技术

ECSS开发成功以后，青岛科技大学一方面不断完善和增加功能，另一方面继续进行其他化工软件产品的研制与开发工作，开发了多套化工通用和专用模拟系统，包括：ECSS-HENS换热网络综合系统、ECSS-SPSS分离过程综合系统、ECSS-APSS合成氨流程模拟系统、ECSS-URPS（尿素流程模拟系统）、ECSS-MDI、ECSS-TDI、DOPS数据驱动的化工过程模拟系统、氯乙烯过程模拟软件（VCM）、HDPE全流程仿真培训系统、大型乙烯裂解装置仿真培训系统、青啤实验室数据比对系统、TDI绿色工艺设计平台软件。

此外，青岛科技大学化工学院依托DSAS动态模拟平台，主要在过程系统工程领域从事化工生产工艺仿真、流程优化、故障诊断、智能安全分析、清洁生产等创新性理论研究。

① 动态模拟：学院长期从事动态模拟工作以实现工艺优化、安全控制以及源头污染控制及后续处理的设计验证。立足于国家“碳达峰”“碳中和”的时代背景，积极响应“零液体排放”的政策号召，充分发挥过程系统工程优势，将多种优化算法应用于参数的重要性分析及筛选，对传统工艺进行改进，实现能量、经济及环保的全方位优化，提高工艺的经济性、环境友好性及操作弹性。

② 化工故障诊断：学院长期研究混合式故障诊断体系，克服单一基于解析模型、知识、数据驱动方法的局限性，充分挖掘各类方法的针对性以及应用场景，全面考量故障的早期检测、诊断、根原因追溯及过程状态变量的变化趋势，构建优势互补的“全流程”混合故障诊断体系。

③ 智能安全分析：学院重视深度学习方法与化工过程故障诊断、参数预测与风险评估的融合式发展。依靠动态机理分析与数据特征挖掘方法，深入分析过程数据与工况信息，从时空维度还原化工运行本真状态，将深度学习的高效特征学习能力与机理模型的可解释性相结合，充分发挥双方优势，构建起智能化工安全管控平台。

4）主要工业软件产品与用途

化工过程工业软件是基础研发向工程应用转化的关键。配合化工过程的新设计和扩产改造，针对不同物料和装置特点，将小试、中试和工厂实际生产过程中收集、整理和开发出来的数据和模型，通过计算机技术开发出化工专用软件，为各种化工工艺过程提供计算机辅助决策平台和工具，产品应用前景好。

除了前面介绍的ECSS系统，目前开发的主要工业软件产品及用途介绍如下。

① ECSS工程化学模拟系统　ECSS工程化学模拟系统是通用化工科技软件，可广泛用于天然气加工、石油炼制、石油化工、化学工业及轻工等过程工业的以下应用：新过程设计、流程筛选、流程改造（扩产、节能、节水等）、发现过程瓶颈及去瓶颈分析、过程最优化、过程环境影响评价和化工设备的设计及核算。

② DOPS数据驱动化工过程模拟系统　数据驱动的化工过程模拟系统DOPS是在ECSS基础上采用数据驱动总体结构的大型化工过程模拟系统。

该项目是由原化工部资助完成的，并通过了化工部科技司主持的技术鉴定。鉴定委员认为：DOPS所采用的数据驱动的总体结构及所实现的数据驱动的基于序贯模块法二次规划法优化算法，达到了国际先进水平并具有广阔的应用前景。

③ 面向对象的通用化工过程模拟分析系统　该项目采用面向对象技术对ECSS系统重新设计，增加了部分功能，并且增强了系统鲁棒性和可移植性。

该项目是由山东省科委资助完成的，并获得山东省科技进步三等奖（2001），山东省计算机应用优秀成果二等奖（2000），石油化工协会计算机应用优秀成果二等奖（2002）。

④ HEN换热网络综合系统　该软件是在对能量系统的模拟、综合、优化理论和实用软件研究的基础上开发的应用技术成果。主要功能为：换热网络的优化合成；换热网络的分析；换热器的最优化设计、核算和求解；换热网络的流程模拟及灵敏度分析。

⑤ URPS尿素流程模拟系统　在深入探讨尿素生产过程动力学、相平衡的基础上，开发了相应的尿素合成、分离、吸收、解析、蒸发等专用模块，建立全流程专用模拟软件。该项目获山东省科技进步二等奖（1996），山东省化工科技进步奖一等奖（1995）。

⑥ APSS合成氨流程模拟系统　包括转化、变换、脱碳、甲烷化、换热、压缩合成等单元模块，适用于不同天然气料制氨过程的模拟与分析，可给出全过程的物料和能量平衡数据。

⑦ MDI装置专用模拟软件　该软件是运用系统工程和工程化学知识，剖析引进装置技术，综合工程经验和操作数据而开发成功的专用模拟软件，可用来查询、推算MDI装置所设计物质的常用物性；计算管路阻力；进行流程模拟、工况分析、灵敏度分析及设计计算。

⑧ TDI专用模拟系统　该软件结合TDI装置特点，根据试验和现场数据对物性进行回归，对单元模块进行修正，将一些自己开发的专用技术融于软件之中。

⑨ VCM氯乙烯生产过程模拟软件　主要功能为：氯乙烯专用物性数据的查询、推算；单元设备的模拟计算，全流程的模拟与分析。

⑩ HDPE全流程仿真培训系统　本软件是针对气相法高密度聚乙烯（HDPE）全流程开发的仿真培训系统。软件由教师指令台软件、过程仿真软件、过程控制软件、DCS仿真软件和现场操作站软件组成。该系统仿真DCS的基本操作和功能，仿真HDPE 过程的开车、正常操作、停车、紧急停车、事故等各种工况。

⑪ 大型乙烯裂解装置仿真培训系统　该软件是为大型乙烯厂裂解装置开发的集成仿真培训系统。能够仿真现场DCS的基本操作和功能，仿真工艺过程的开车、正常操作、停车、紧急停车、事故等各种工况。

⑫ TDI产品绿色设计平台软件　这些软件是综合运用化学工程、应用化学、工程数学、系统工程和计算机科学等理论，结合大量工程实践经验开发而成的计算机软件系统，属信息技术在过程工业应用的高新技术成果。可广泛用于过程研究开发、过程设计、装置的模拟与优化、过程去瓶颈分析、装置扩产节能挖潜改造等，是利用信息技术改造传统过程工业的基本工具和手段。该系统具有强大的过程模拟、分析、优化、设备设计及环境评价等功能。

（4）北京工业大学环保自动化团队

北京工业大学环保自动化团队创建于2008年，先后入选北京市战略科技人才团队、中国自动化学会首批中国自动化与人工智能创新团队，创建了计算智能与智能系统北京市重点实验室、智能感知与自主控制教育部工程研究中心、智慧环保北京实验室等多个省部级优质科研平台。面向国家生态文明和新型工业化建设重大需求，聚焦污染防治过程中的科学问题和环保产业高质量发展的技术难题，团队承担了国家自然科学基金重大项目、国家自然科学基金科技创新2030——新一代人工智能重大项目等多项重大科研任务，在智能特征建模、自组织模糊控制、多目标动态优化等方面取得了系列理论突破，攻克了水质指标实时检测、污水处理过程优化控制等关键技术。

1）城市固废焚烧过程运行优化控制

① 背景及思路

城市固废又称生活垃圾，是指在日常生活中或者为日常生活提供服务的活动中产生的固体废弃物。随着世界人口的迅速增长和经济社会的快速发展，城市固废产生量与日俱增，每年产生的城市固废量超过20亿吨，世界银行预测2050年全球产生的城市固废总量将达34亿吨。联合国环境规划署在2021年发布的综合报告《与自然和平相处》中指出，日益增多的废弃物处置问题，正在破坏来之不易的发展成果。固废污染问题已成为世界各国共同面临的环境危机。我国高度重视固废污染问题，早在1995年就制定了《中华人民共和国固体废物污染环境防治法》。2020年，面向新时代生态文明建设新形势新任务，国家再次修订《中华人民共和国固体废物污染环境防治法》，明确强调固体废物污染环境防治要坚持减量化、资源化和无害化的原则。固体废弃物处置问题是持续深入打好污染防治攻坚战和生态文明建设的重要任务，是推进美丽中国建设的关键举措。

城市固废焚烧通过高温热处理，使得固废中的有毒有害物质热解、燃烧被去除，同时回收可再生能源，具有减量化、无害化、资源化等特点。焚烧技术占地面积小且减容减量效果显著，不仅能有效避免填埋处理产生的甲烷，还能减少燃煤发电产生的二氧化碳，已成为国内外治理固废污染的主要方式。我国在1988年引进国外焚烧技术，起步晚却发展迅速，截至2022年底，已建成城市固废焚烧厂930座，固废焚烧处理占比达到70%以上，日处理能力达到104.53万吨，工艺设备已达到国际先进水平。然而，我国城市固废成分复杂，含水率、热值随季节、区域波动频繁，生产运行工况复杂多变，实际调控仍以人工操作为主，企业自动化、智能化水平不高，固废燃烧不充分、烟气污染物稳定达标排放难、能源转化率低、运行成本高等是当前城市固废焚烧企业共同面临的问题，制约固废焚烧产业高质量发展。

城市固废焚烧的本质是多形态、多组分污染物迁移转化去除过程，内含系列并行或递进发生的生化、物理、化学反应，是气液固多相共存的连续化复杂过程，运行机理复杂、演化机制不清，难以实施精准高效调控，全流程无法优化运行。

面向国家生态文明建设和固废污染治理及资源化利用重大需求，北京工业大学环保自动化团队以实现城市固废焚烧企业高效化、绿色化运行为愿景目标，探索城市固废焚烧过程优化运行新方法、新技术，经过近10年研究，建立了城市固废焚烧过程智能表征和运行优化控制理论方法，突破了烟气污染物实时检测、工艺参数精准控制、运行过程动态优化等关键技术难题，率先研发出城市固废焚烧全流程运行优化控制系统，在北京多家城市固废焚烧企业实施应用，助力合作企业技术革新，引领城市固废焚烧产业数字化转型，为国家持续深入打好污染防治攻坚战和建设数字生态文明提供科技支撑。

② 技术与创新

• 烟气污染物智能特征检测技术

城市固废焚烧过程运行调控目标之一是烟气污染物排放达到国家标准（GB 18485-2014），主要有氮氧化物、二氧化硫、氯化氢、二噁英、一氧化碳等。烟气污染物的在线精准检测，是实现城市固废焚烧过程闭环精准控制的前提。

根据污染物浓度测定方法标准，上述污染物均需经过化学分析后测定，耗时较长。为此，国内外专家学者尝试通过简化步骤来缩短测量时间，美国艾默生和日本岛津推出了烟气连续排放监测系统（CEMS），是目前工业现场和环保部门采用的主流检测方式。然而，以CEMS为代表的仪器仪表检测原理仍是基于化学反应进行分析，并未打破化学反应分析带来的技术壁垒，且步骤的简化也易导致精度的损失。

环保自动化团队在深入分析污染物迁移转化规律基础上，创造性地将污染物直接检测转为探究其与特征变量间关联关系，创建了烟气污染物智能特征检测新模式，攻克了污染物无法实时检测的行业难题。首先，提出了基于信息熵的变量相关性分析方法，实现烟气污染物特征变量的自适应提取；其次，建立了人工神经网络自组织设计机制和快速学习算法，构建了烟气污染物智能特征测量模型，实现了烟气污染物动态表征；最后，建立了基于化验数据的测量模型自校正策略，实现了不确定环境下智能特征测量模型的自演化，确保其在实际工业过程中的稳定可靠应用。应用效果表明，智能特征检测技术可以实现对主要污染物的在线精准检测，烟气污染物排放检测精度提升至少16%，其中氮氧化物精度为97%、一氧化碳精度为93%、氯化氢精度为95%、二氧化硫精度为94%，测量时间均小于1s，系统自校正时间小于2s，可以满足城市固废焚烧运行过程实时调控需求。

• 端边云协同的工艺参数自适应方法

炉膛温度、烟气含氧量、主蒸汽流量等关键工艺参数的稳定精准控制，是实现城市固废焚烧过程安全稳定运行的前提。由于入炉固废成分频繁波动，实际运行过程受到外界随机干扰，现有控制系统难以可靠使用，实际控制仍以人工为主，当工况变化频繁时，仅依赖操作人员经验无法及时准确调控，难以安全稳定运行。

城市固废焚烧过程关键工艺参数的控制问题的本质是一类复杂非平稳系统的控制问题，环保自动化团队深耕计算智能与智能优化控制领域多年，提出了端边云协同的自适应控制架构，研发出城市固废焚烧过程智能控制技术，实现了炉膛温度、烟气含氧量等关键变量的精准控制。首先，提出了基于深度学习的被控变量智能预测模型，实现了对炉膛温度、烟气含氧量变化趋势的实时预测；然后，通过梯度下降法求取多步控制律，实现对工艺参数的快速稳定跟踪。此外，搭建了端边云协同的智能控制系统架构，在云侧利用存储数据对智能预测模型进行自适应更新，以确保模型在实际应用过程中的精准性；在边侧建立了基于事件触发的控制策略，结合控制精度和误差精度设计事件触发机制，在保证控制精度的同时有效降低控制器更新频次，以降低设备损耗和能耗。应用效果表明，城市固废焚烧过程智能控制技术精度提升至少12.8%，炉膛温度控制精度可以达到99.6%，烟气含氧量控制精度可以达到95.9%。

• 全流程运行优化控制系统

城市固废焚烧过程优化运行的目标是在固废充分完全燃烧的前提下，实现烟气污染物稳定达标排放、提高能源利用效率以及降低运行成本，从而达到全流程高效化和绿色化运行。由于固废燃烧、烟气净化、余热发电等不同工艺环节相互耦合，运行操作受技术规范、设备能力、作业条件等多项约束，同时由于入炉固废、运行工况、设备状态动态变化，其全局优化是学术界和工业界悬而未决的难题。

围绕城市固废焚烧过程全流程优化运行中的挑战难题，研究团队建立了数据驱动的运行指标智能模型，提出了多工况智能优化策略，研发出城市固废焚烧过程智能优化系统，实现了燃烧效率、烟气污染物等多运行指标的协同提升。首先，建立了基于自组织神经网络的运行指标模型，实现了对运行性能的实时动态评价；然后，提出了一种基于运行工况的优化任务分解方法，设计了基于双档案更新策略的动态多目标粒子群算法，实现了操作变量的实时优化设定；最后，研发出集智能检测、自适应控制、动态优化功能于一体的智能优化控制系统。实际应用效果表明，城市固废焚烧过程燃烧效率平均可提高21.21%，烟气污染物排放浓度平均可降低23.42%。

以上技术成果申请发明专利61件，授权发明专利17件，相关技术已在北京多家企业推广应用，取得优良的技术指标，产生了重大经济和社会效益，并对环境治理做出重要贡献。

2）城市污水处理过程运行优化控制

① 背景及思路

城市污水处理是指通过去除工业废水、生活污水等水体污染物质，使污水能够达到排放或再次使用的水质要求。城市污水处理可以实现废水循环利用，减少社会对自然水的需求，有效缓解水资源危机，同时，可以去除水体污染物，保证出水水质达标排放，保护水生态环境。因此，实施城市污水处理已成为我国水资源综合利用的重要举措。20世纪80年代，我国城市污水排水设施建设得到了较快的发展，但是运行效率较低。2015年以来，“水十条”在全国各地贯彻落实，污水处理行业规模快速上升。截至2022年底，全国污水处理厂建设总量达4000余座；城市污水处理量达611.9亿立方米；污水处理率达97.89%；全国城市排水管道总长度91.35万公里；污水处理厂处理总量达601.57亿立方米，污水日处理能力达2.16亿万立方米；污水处理行业市场总规模超过1400亿元。然而，城市污水处理过程受到进水流量、天气变化的干扰，污染物组分存在强不确定性，实际调控仍以人工操作为主。污水处理过程自动化、智能化水平不高，水质超标现象频繁、运行能耗高等问题是当前污水处理领域的行业痛点，严重制约污水处理行业的快速发展。

城市污水处理的本质是利用活性污泥中的微生物群体，吸附、分解污水中的有机物，经过脱氮除磷生化反应去除氮磷污染物。污水进水组分复杂、运行指标多，内嵌多个物理、生化反应，机理复杂多变，传统控制方法无法直接使用，现有控制措施有限，难以实现全流程优化运行。

北京工业大学环保自动化团队历经20年的关键技术研究和攻关，取得了一系列创新成果及技术。形成了具有自主知识产权的城市污水处理过程运行优化控制技术，突破了出水水质在线检测、非平稳不确定过程精准控制、全流程过程动态优化等关键技术难题，率先研发出城市污水处理全流程智能优化控制系统。开发的城市污水处理优化控制系统，在东北、华北和华南不同地区、不同工艺的20多家污水处理厂得到成功应用，取得明显社会效益和经济效益。

② 技术及创新

• 城市污水处理出水水质智能检测技术

城市污水处理过程运行调控的首要目标是保证出水水质满足国家排放标准（GB 18918—2002），主要包括COD、BOD、氨氮、总磷等。出水水质的在线测量能够反应污水处理过程运行状态变化和污水处理过程控制效果，对于控制系统运行、优化和决策具有重要意义。目前，城市污水出水氨氮、总磷浓度等关键出水指标的检测一般采用化学分析法、光谱分析法、电极法等完成。基于化学反应法测量原理的污染物快速检测仪，其测量时间多在30min至2h左右，测量精度多在80%～85%。如何实现出水水质实时检测是国内外污水企业共同面临的难题。

聚焦城市污水处理过程出水水质无法在线测量的行业难题，环保自动化团队建立了出水水质原位特征检测新范式，提出了出水水质智能特征检测技术，实现了出水水质动态表征和实时检测。首先，提出了基于主元分析的特征变量提取技术，实现了污水处理过程中原位特征信息的动态提取；其次，建立了基于人工神经网络的水质智能检测模型，揭示了特征变量与出水水质之间潜在规律；然后，建立了检测模型结构和参数自适应学习算法、自校正机制，保证动态、时变环境下检测模型的信息处理能力和普适性；最后，研发了出水氮、磷等多种水质检测装置及系统。应用结果表明，总氮和总磷检测时间仅需要14ms，测量精度分别达到99.07%和97.39%，攻克了化学分析检测反应耗时长的技术壁垒。当前，水质检测系统已经在国内北京、南京、青岛等地多个水厂得到成功应用。国际上，也已经被伊朗、波兰、西班牙、韩国等11个国外企业借鉴应用。

• 污水处理过程精准控制技术

城市污水处理过程涵盖曝气控制、加药控制、提升控制等，溶解氧浓度、硝态氮浓度、污泥回流比等关键过程参数的精准控制，是实现城市污水处理过程稳定运行的前提。但是，污水处理过程容易受到进水流量、天气变化以及内部反应速率干扰，污染物组分存在强不确定性，系统经常运行在非平稳状态，传统控制方法无法直接使用，如何实施精准稳定控制是污水行业面临的技术难题。

围绕城市污水处理过程精准控制问题，环保自动化团队提出了模糊自组织控制理论，建立了控制规则自校正机制，研发出模糊自组织控制系统，实现了溶解氧浓度、硝态氮浓度等关键变量的精准控制。首先，提出了基于分裂—合并的模糊规则增长—删减机制，建立了基于隶属度、贡献度等的模糊规则自校正机制，保证了控制算法稳定性；其次，提出了基于梯度的隶属函数宽度和中心值的动态调整算法，实现非平稳环境下控制率的动态调整；然后，结合执行器饱和约束和控制率约束，设计控制器自适应调整机制，有效降低设备非正常停机次数；最后，研发出规则自适应控制器、带约束条件的自适应控制器等多种模糊自组织控制系统。城市污水处理过程智能控制技术精度提升22.22%，溶解氧模糊自组织控制系统精度达到 98.5%。在光大水务（济南）有限公司等36家污水处理企业应用，替换了德国WTW溶解氧控制系统，溶解氧波动范围缩小了一倍。

• 基于工业互联网的城市污水处理全流程智能优化控制

城市污水处理过程优化控制的目标是在考虑执行器饱和等约束条件下，实现出水水质达标排放并降低系统能耗、药耗等经营成本，进而实现全流程安全、高效、稳定运行。但是，城市污水处理过程具有大规模、长流程等特点，脱氮和除磷工艺对控制变量要求相互矛盾，出水水质和运行成本相互冲突。另外，国务院发布《2030年前碳达峰行动方案》，将碳达峰、碳中和纳入经济社会发展目标体系。联合国数据显示，全球污水处理行业碳排放量大约占全球碳排放量2%。我国平均吨水耗电量约为0.24千瓦时，约为发达国家吨水耗电量的2倍。因此，实现城市污水处理全流程优化运行已经迫在眉睫。

聚焦城市污水处理全流程优化控制的挑战难题，环保自动化团队建立了包括操作约束和物料平衡的全流程优化评价模型，提出了动态多目标优化算法和自适应评判智能控制方法，研发了基于工业互联网的城市污水处理全流程智能优化控制系统，实现了多个控制变量的实时优化和控制。首先，设计了传感器布置优化方案，铺设“五感”传感器采集各项水质数据，建立了多速率、多尺度的过程运行指标模型；其次，设计了数据驱动的环境响应策略，提出了基于集成预测策略的动态多目标优化算法，实现了控制变量的实时优化设定；然后，建立了智能评判学习机制，研发了自适应评判智能优化控制方法；最后，开发了标准化、可移植的建模、优化、控制类工业软件，搭建了基于工业互联网平台的城市污水处理全流程智能优化控制系统。实际应用效果表明，城市污水处理过程设备能耗平均降低10%以上，设备故障率降低5%以上，控制精度提高20%以上。

以上技术成果获得美国发明专利4件、中国发明专利60余件，成果已获得成功应用，产生了重大经济效益和社会效益。

3. 自动化产业发展技术支撑

自动化及相关产业的发展，主要依赖于自动化技术、装备及软件。本期中国自动化产业发展报告着重介绍我国自2016年以来在自动化产品、行业自动化、装备自动化等方面取得的重大技术成果。

这些核心关键技术的大面积推广应用，必将极大地支撑和推动我国自动化及相关产业的快速发展，并产生重大的经济效益和社会效益，加强我国的工业安全和经济安全。

（1）高速高精度表面贴装装备关键控制技术及产业化应用

1）背景及意义

电子制造业是国民经济的重要支柱产业，贴片机是高端电子制造装备的典型代表，被广泛用于国防军工、工业、医疗等领域的集成电路板制造中。中国自1985年引进第一条表面贴装产线至今，高端贴片机数十年来长期依赖进口，一直被德国西门子、日本松下等国际著名公司垄断。由于长期依赖进口，在复杂国际形势下，贴片机随时面临断供隐患，我国电子制造业产业链安全存在重大风险。攻克贴片机关键核心技术，实现高速高精度贴片机国产自主可控意义重大。

2）技术及创新

高速高精度表面贴装装备关键控制技术团队自2008年起，攻克了长期制约我国贴片机研制的系列技术难题，提出如下关键创新点：

① 基于动态在线补偿的高精度运动控制技术；

② 基于多元信息融合的伺服控制技术；

③ 基于多维多模态鲁棒数据分析的感知技术。

自主研制了系列高速高精度贴片机，核心性能指标达到同类装备的国际最先进水平。

3）成效及应用

该技术与装备应用于中国电科集团、华为、深圳嘉立创等300余家军民企业，涉及军工、通信、仪器等数十个行业，产生了显著的经济效益和社会效益。

授权国家发明专利50余件，立项IEEE国际标准2项。发表SCI论文68篇，SCI他引3000余次。引用学者遍布中、美、德等全球50个国家，包括130余位院士与IEEE Fellow，2篇论文分别获《IEEE工业电子学汇刊》《IEEE神经网络与学习系统汇刊》杰出论文奖。成果支撑团队获IEEE诺伯特·维纳奖、IEEE尤金·米特尔曼成就奖、日本永守奖等重要国际荣誉。由多位院士组成的鉴定委员会意见：“项目系统复杂、技术难度大、创新性强，实现了高速高精度贴片机的国产化替代，产生了显著的社会、经济和军事效益，推广应用前景广阔”。

（2）高端制药机器人视觉检测与控制关键技术及应用

1）背景及意义

医药工业关乎国民生命健康和社会稳定，我国医药产量位居世界第一，制药装备需求量大，但传统制药技术装备既无法满足制药过程中无菌化控制的要求，也无法达到异物检测的国际标准。因此亟需研制高端制药机器人视觉检测控制技术与装备。研制高端无菌化制药机器人面临的重大挑战是：①制药技术装备工艺复杂，无菌化控制难度大；②制药过程污染颗粒微小、种类多，检测难度大；③高端制药过程中多工序、多任务、多机器的协同控制难度大。这些技术难题严重制约了高端制药行业的发展，致使制药过程无法脱离人工作业，造成药品污染严重、生产效率低、质量差、价格高。

2）技术及创新

项目组在国家“863”计划重大项目、国家自然科学基金重点项目等支持下，经过多年技术攻关，突破了高端制药机器人机构设计、环境感知、作业规划、视觉检测和协作控制等关键技术。发明研制出无菌化配药双臂机器人、药品灌装—转运—封口机器人、药品质量视觉检测机器人、药品分拣机器人等自动化生产线装备，首次实现高端制药过程的无菌化、无人化、智能化。取得的主要技术发明点如下：

① 高端制药灌装封口机器人协作控制技术：发明双臂机器人鲁棒视觉伺服协作控制、机器人自适应视觉伺服控制等技术，研制出无菌化配药双臂机器人、无菌化药品灌装—转运—封口机器人，首次建立隔离器—屏蔽技术与机器人相结合的多层防护控制体系，实现药品定制化、多品种的机器人自动化操作柔性生产，经检测污染率从现有0.1%控制到0.001%，达到了世界最先进无菌化制药水平。

② 高端制药检测机器人视觉识别技术：发明医药制造复杂环境下的微弱异物目标图像获取、高速高精度视觉检测与识别等技术，研制出国内首台医药质量视觉检测机器人，检测精度突破了国际FDA药品认证标准50μm，制定了行业标准，改变了人工检测一致性差、精度低、存在重大安全隐患的局面。

③ 高端制药分拣机器人视觉控制技术：发明多机器“手眼”协调的高速跟踪—包装—分拣控制技术，研制出高速高精度药品分拣机器人，开发出成套高端制药自动化生产线的多机器协同优化运行控制软硬件系统，使生产速度从1.6万瓶/时提高到4.6万瓶/时，实现了制药过程的无菌对接与无人化生产。

3）成效及应用

该项目组授权国家发明专利53项，欧洲专利5项，软件著作权19项，制定国家机器人制药行业标准7项，发表论文被SCI收录52篇，EI收录130篇。经专家鉴定：“成果填补了国内空白，无菌化制药控制、药品质量检测等技术达到国际领先水平。”发明的高端制药关键技术装备大规模应用于哈药集团等430多家药企，远销欧美50多家药企。依托项目成果等，建成机器人视觉感知与控制技术国家工程实验室，“首次突破无菌配药—灌装—封口机器人、医药质量视觉检测机器人技术，推动了我国高端制药机器人技术装备进入国际领先行列”。项目研制的制药成套装备生产的航天专用软袋成功应用于“神舟九号”“神舟十号”载人航天。

（3）高安全成套专用控制装置及系统

1）背景及意义

工业控制装置及系统是能源、冶金、石化、环保等领域现代工业装备的重要组成，是工业生产安全可靠和高效优化运行的重要保证，是国家实现重大工程节能、降耗、减排总体目标的重要手段。但是，我国能源、冶金、石化、环保等领域的关键工业装备，其工业控制装置及系统大部分被国外垄断，特别是具有高安全性能的成套专用控制装置及系统CCS（Customized Control System）绝大多数依赖国外引进。针对国内外工业生产安全事故频发的严峻态势，经过十多年的研究开发和推广应用，高安全成套专用控制装置及系统项目组先后解决了工业控制装置及系统的功能安全、工程安全等一系列关键技术，成功研制出保障控制系统全生命周期安全稳定运行的高安全成套专用控制装置及系统，并大规模推广应用，形成了自主知识产权的核心技术体系，打破了国外的技术垄断，推动了国家经济安全和产业安全，促进了装备工业和流程工业发展，具有重要战略意义。在研发应用中，形成了硬件系统技术、软件系统技术和工程系统技术三大系统性核心技术。

2）技术及创新

① 高安全成套专用控制装置的硬件系统技术：发明了多种现场总线模块多重化冗余配置的本质安全型总线测控单元技术，首创本安型通用模拟量输入模块，实现工业测控单元的本安异构互联；优化了制造过程工业工程技术，研制出系列专用智能工装设备，实现制造流程设备的规范封装，保证了制造过程质量控制和工程安全；提出了实时数据质量戳与可信戳轻量化标识技术，成功解决了实时数据可靠性、精确性和安全性问题。

② 高安全成套专用控制装置的软件系统技术：首次提出以设备多领域知识封装和流程在线重构为核心的工程设计技术，定义构建规范化制造流程，保障设备安全与运行安全；提出了基于工业控制对象安全连锁集合的操作审计规则生成系统，解决了编程中发生多变量连锁、程序死锁等一系列问题；发明了控制装置及系统的动态再分配控制技术和远程协同服务技术，支持多主冗余控制、多主协调控制和远程运行维护。

③ 高安全成套专用控制装置的工程系统技术：运用高安全成套专用控制装置的硬件系统技术、软件系统技术，结合相关领域工艺技术，研制出超/超超临界汽轮机、超/超超临界直流炉、高速/超高速电梯等三类成套专用控制系统CCS，攻克了控制对象温度/压力剧烈变化、大容量高参数运行、强耦合非线性大时变控制的国际性难题，实现了超/超超临界汽轮机、超/超超临界直流炉、超高速电梯高可靠、高精度、高安全控制的重大突破。

3）成效及应用

为全面推广高安全成套专用控制装置及系统，建立了8条大型生产线，在汽轮机、直流炉、电梯、脱硫、脱硝、除尘、污水处理等领域关键工业装备推广应用13000余套，超/超超临界汽轮机CCS占全国市场65%以上，超/超超临界直流炉CCS占全国市场65%以上，高速/超高速电梯CCS占国产电梯80%，技术经济指标达国际先进水平，产品出口美、日、韩、俄等20多个国家。形成授权发专利104项，SCI/EI论文54篇。近三年新增销售额111.15亿元，新增利润18.81亿元。在大型汽轮机控制系统的允许高排压力2MPa，启动至转速3000r/min时间5min，油动机快速响应时间1.6s，超速保护响应时间10ms，满负荷下甩负荷最高飞升速度＜3180r/min、稳定时间＜2min等6项安全性指标上列为全球第一。多位院士和专家指出“本成果具有不可替代性，为我国控制装置的安全高效运行树立了标杆”。

（4）广域协同的高端大规模可编程自动化装置与系统

1）背景及意义

我国现代工业生产日趋大型化、高速化、精细化，能源、冶金、石化、环保等领域对高端大规模可编程自动化系统提出了迫切需求，但这种装置及系统85%被国外垄断。在国家863计划等的支持下，项目团队突破了广域协同的高端大规模可编程自动化装置及系统的总体设计技术、功能安全与信息安全融合的综合安全技术、感知网络优化技术和运行优化技术等四大难题，形成了自主知识产权的核心技术体系，研制出广域协同的高端大规模可编程自动化装置及系统，并大规模推广应用，这对于经济安全和社会发展具有重大意义。

2）技术及创新

① 广域协同的高端大规模可编程自动化系统的总体设计技术：提出了广域分布式协同

自动化系统体系架构，构建了全链接和全集成的协同自动化系统平台；首创数据驱动、事件触发的控制策略分布式高效并行协同执行机制，实时检测并发过载与突发任务等引起的实时性异常，实现了调度同步性的异常检测与快速恢复，调度周期5ms，同步抖动<10μs；成功研制出系列硬件模块与广域监控软件平台，提出工程程序自动生成与云端协作机制，编程效率提高90%。

② 广域协同的高端大规模可编程自动化系统的综合安全技术：提出并实现了控制模块等的多重异构冗余容错技术，有效防范单点故障失效及共因故障失效，控制冗余5ms，输入输出冗余1ms；提出了工程程序综合安全技术，实现了程序编辑、编译、发布、更新等的全生命周期安全防护；提出了工控系统运行安全技术，解决了工控场景识别与快速身份认证、设备程序形式化封装与流程可信重构等难题。

③ 广域协同的高端大规模可编程自动化系统的感知网络优化技术：提出了负载自适应的信道接入协议与高能效的实时路由协议、高鲁棒的感知节点部署策略与拓扑优化技术、高利用率的时-空稀疏信号联合采集与传输技术，突破了工业网络高性能传输与动态自组织难题，保障了高端大规模可编程自动化系统运行稳定性、通信实时性、动态网络自适应性。

④ 广域协同的高端大规模可编程自动化系统的运行优化技术：提出了求解动态优化、静态优化等复杂问题的多种优化新方法，形成了系列工程优化软件，突破了大规模自动化系统运行优化的技术难题，成功应用于高炉炼铁、烯烃聚合等多种工业过程，解决了多个运行优化的国际性难题，特别是大型高炉性能指标和操作参数多目标智能优化系统等。

3）成效及应用

已获授权发明专利112项，编制国家标准草案2项，发表论文115篇；8位院士领衔的两次鉴定委员会一致认为：系统的多种优化算法，形成系列工程优化算法和软件，成功应用于高炉炼铁、烯烃聚合等多种工业过程，特别是大型高炉性能指标和操作参数多目标智能优化系统等取得突破性成果。该项目系统复杂、整体技术难度大，成果达到国际先进水平，其中控制器多重异构冗余容错、分布式并行协同执行、负载自适应工业网络优化及控制系统运行优化技术达到国际领先水平。

实现产业化与规模化推广，应用于能源、冶金、石化、环保等行业4000余套，特别是智能运行优化技术在九江石化应用中，在空气分离装置中取得了4.4%的惊人节能效果。国际空气分离专家联合调查表明：这是20多年来世界空分节能最高指标。近3年新增销售额475.34亿元，新增利税79.89亿元，合计经济效益81.13亿元，取得重大经济效益，并形成自主可控的系列硬软件产品与行业工程解决方案。

（5）高比例新能源电力系统电能净化关键控制技术及应用

1）背景及意义

电能质量是保障电网安全运行、可靠用电的基石，近30年全球大停电和新能源大规模脱网事故几乎都与电能质量问题直接相关。我国电网新能源接入规模最大（占全球30.9%）、重污染工业用电最多（占我国用电38.9%，远超欧美），电网架构复杂特殊，因而电能质量问题更为突出，电能净化（消谐波、补无功、稳电压）难度全球最大：①新能源电网电压波动大、谐波变化快，快速精准补偿难；②容量需求大、装备性能差，降本增效扩容难；③电网故障率高，暂态失稳、宽频振荡频发，故障穿越稳定难。亟需从基础理论到核心技术自主创新。

项目组历经10年“学研产用”联合攻关，在国家重大项目支持下，按照理论→技术→产品→应用的研发布局，突破3项核心技术，形成一批具有国际水平的成果及装备，带动了电能净化产业升级换代和跨越发展。

2）技术及创新

① 快速精准锁相-检测-控制技术。揭示了电能净化装备的非线性多变量耦合机理，提出了广谱频域解耦理论方法。首创了“一锁二检三闭环”的非线性控制体系新方法，发明了一类自适应锁相-检测及零时延电流预测控制技术，研制成功多模态智能柔性通用控制器，提高了装备的补偿速度、精度和场景适应性。锁相、控制速度比国际同类产品提高约1个数量级，检测误差降低79.8%。

② 大容量高性能拓扑与调控技术。首创了级联H桥+三相全桥混合型宽频带高压直挂式拓扑，提出负序注入全局-混合-相间-相内四层电压均衡控制方法，攻克了100Mvar级35kV直挂式电能净化关键技术瓶颈。首次将最高谐波补偿次数从17次增至50次，损耗仅为变压器方案的1/3。发明了主动阻尼型低压高效并联拓扑及无差拍环流抑制方法，环流降低1个数量级，效率高达97.74%。

③ 多机协同故障穿越与振荡抑制技术。揭示了源-机暂态失稳、源-网-机-荷宽频振荡机理，首次发明了有功-无功协同故障穿越及同步稳定技术、自适应阻抗匹配宽频振荡抑制技术，研制成功暂态能量智能管理平台。应用于我国2000余座新能源场站，新能源脱网率降低约81%，消纳能力平均提升约20%。

3）成效及应用

自主研制成功240余种规格、220V～35kV/±30kvar～±120Mvar全系列电能净化装备产品，通过了CE、TÜV等国际认证，性能指标明显优于国际顶级产品，被列入国家重点新产品。近三年产品销往全国30余个地区，服务于全国各大区域电网，并远销国外。近三年高压产品配套的新能源场站容量占新增总装机容量的一半，居国内首位。

编制推广国标/行标14项，授权发明专利56件、软著31件，获中国专利奖1项。发表SCI/EI论文152篇，他引2000余次。成果支撑团队获2018年国家基金委创新群体。7位院士领衔的鉴定会意见：“技术难度大，创新性强，整体技术居国际领先水平。”

（6）高性能光伏发电系统关键控制技术与产业化应用

1）背景及意义

光伏发电系统是解决国家能源和环境危机的关键途径之一，对我国经济社会发展和国家安全具有重大作用和意义，是能源自动化领域的战略必争之地。该项目在光伏逆变系统、精准友好并网控制、光伏组件高效制备等三方面实现了重大技术创新与突破，自主研制成功集中式和分布式全功率等级光伏发电系列产品，主要技术指标达到或超过国际同类产品先进水平。

2）技术及创新

① 光伏逆变系统新拓扑及高性能控制关键技术。揭示了光伏逆变三电平电路拓扑共模漏电流与中点不平衡的内在耦合机理，率先提出了多电平变换器拓扑生成理论方法，发明了集中式混合钳位型、分布式非隔离型T型三电平逆变拓扑、高频隔离型宽范围软开关DC/DC拓扑，并提出了三维正弦波脉宽调制、非对称移相PWM等控制方法，研制成功全系列高效光伏逆变系统产品，解决了光伏系统安全可靠性差、效率低、谐波大等难题。ASP-500KTL新产品的最大效率为98.8%、电流总谐波畸变率（THDi）≤2%。实测电站年发电量比国际顶级同类产品高9.51%。

② 电网友好型精准并网与高效运行关键控制技术。揭示了光伏发电系统电流内环、直流电压中环、最大功率点跟踪（MPPT）功率外环的内在关联与控制机理，提出并设计了基于分数阶PID、瞬时电流直接控制策略、高抗扰频率自适应锁相方法的新型三环控制方法体系和并网发电-无功补偿-谐波治理多功能逆变系统，解决了光伏系统控制精度低、并网难、效率低谐波大、电网适应性差等难题，确保安全稳定友好地向电网馈电。ASP-630KTL多功能逆变系统的THDi仅为2.1%，MPPT效率达99.9%，总谐波补偿率95.1%，优于国际先进水平。

③ 新型光伏双玻组件制备与阵列组态优化控制。提出了PVB胶膜技术和电池片LID光照退火技术，研发了多目标协同优化自动控制预压加工设备，解决了双玻组件成品率和生产效率低的难题。双玻光伏组件新产品的耐候性强、衰减率低，转化效率提高0.6%，功率衰减率降为常规的40%～60%，寿命提高20%，成品率提高0.5%，生产效率提高近4倍。研制成功光伏阵列组态优化控制器，在有阴影遮挡时能提高发电效率约10%。

3）成效及应用

获得授权国家发明专利20件，实用新型专利41件，软件著作权3件；起草国家标准1项、行业标准4项；在IEEE会刊、Automatica等期刊发表论文110篇，SCI、EI收录97篇，SCI他引644次。成果受到IEEE电力电子学会主席Hirofumi Akagi、IEEE终身院士Paresh C.S.等国际著名专家的高度评价。

研发了37个规格、1.5kW～1MW全功率等级光伏发电系列产品，由项目完成单位和20余家企业推广应用，产品通过了TÜV、SAA、CE等国际认证，并被评为国家重点新产品，销往20多个省市并部分出口。近三年新增销售额48.23亿元，新增利润11.14亿元。成功打破国外技术封锁和垄断，推动了我国光伏行业的技术进步和产业升级。

（7）高炉炼铁全系统数字孪生关键技术及产业化

1）背景及意义

高炉炼铁流程数字孪生系统是实现炼铁状态深度解析和炼铁流程全局优化的迫切需求，是实现钢铁工业数字化、智能化、绿色化的关键。项目组面向国家重大需求，在国家自然科学基金重大项目、工信部重大项目等支持下，突破了高炉炼铁流程数字孪生系统的高精度模型构建、高实时流程模拟、高效能赋能优化等“三大技术”难题，形成了具有完全自主知识产权的技术体系，在国际上首次研制出高炉炼铁流程数字孪生系列化软件系统，并大规模推广应用，这对于智能制造和“双碳”目标的实现具有重大意义。

2）技术及创新

取得原创性成果如下：

① 炼铁全流程数字孪生模型构建技术；

② 炼铁全过程数字孪生流程模拟技术；

③ 炼铁全系统数字孪生赋能优化技术。

综合上述技术，研制出国际上首个高炉炼铁全过程流程模拟软件系统，打破了我国高端制造流程模拟软件长期受制于人的垄断局面；研制出国际上首个高炉炼铁全流程数字孪生系统开发平台，支持模型开发和算法的封装、复用、调度以及可视化编程，开发了覆盖1000～5800m^3高炉炼铁流程的数字孪生模型1016个，突破了大规模强耦合高维度复杂冶炼流程数字孪生系统低代码敏捷开发的重大技术难题；研制出国际上首套大型高炉炼铁全流程高保真数字孪生系统，攻克了制约高炉炼铁流程数字化观测、智能化决策、绿色化运行的重大技术难题。

3）成效及应用

研究成果已获授权发明专利100件，计算机软件著作权100项国家标准3项，出版专著3部，发表高水平学术论文101篇；成果技术已在宝钢、鞍钢、柳钢、包钢、广钢、攀钢等钢铁企业与上海宝信北京北科亿力等钢铁智能化技术公司推广应用315套，近三年新增销售/产值636.06亿元，新增效益（新增利税、降低成本）95.97亿元，减少碳排放361.62万吨，取得重大的经济社会效益。

四位院士领衔的鉴定委员会认为：该项目系统复杂、技术难度大、创新性强、成果转化率高，填补了高炉炼铁全流程数字孪生系统的国内外空白，总体技术达到国际先进水平，其中炼铁全流程数字孪生模型构建、炼铁全过程数字孪生流程模拟、炼铁全系统数字孪生赋能优化等技术达到国际领先水平。

4. 自动化产业发展建议

面对新一轮科技革命和产业变革的机遇与挑战，自动化产业应加强技术创新与研发投入、优化产业结构与跨界融合、完善政策支持与服务体系、强化人才培养与引进等方面的工作，以推动自动化产业高质量发展。

1）加强技术创新与研发投入

进一步推动人工智能、物联网、大数据、云计算等新一代信息技术与自动化技术的深度融合，加快在高端控制器、高性能伺服驱动设备等领域国产设备的创新突破，提高自动化技术和产品在智能制造、节能减排、替代性需求等方面的附加值和利润空间。鼓励自动化企业持续增加研发投入，建立研发机构或与高校、科研院所合作，共同开展关键技术和共性技术的研发，提升自主创新能力。

2）推动产业结构优化与跨界融合

加快自动化产业在新能源、新材料、新技术等战略性新兴产业和传统制造业的布局和拓展，提高国产设备的市场份额和影响力，提升产业附加值。推动自动化产业与制造业、服务业等产业的深度融合，形成产业链上下游的协同发展，提升整体竞争力。鼓励自动化企业与其他行业企业开展跨界合作，共同探索新的商业模式和市场机会，实现资源共享和优势互补。

3）完善政策支持与服务体系

政府应出台一系列扶持政策，包括财政补贴、税收优惠、融资支持等，为自动化产业发展提供有力保障。例如，鼓励用户企业加大在自动化方面的技改投资，提供首台（套）重大自动化技术装备的应用场景，支持建立自动化领域公共服务平台，为企业提供技术咨询、知识产权保护、市场开拓等全方位的服务支持。

4）强化人才培养与引进

加大对自动化领域人才的培养力度。通过企业与高校、科研机构、行业协会等合作和交流，实现资源共享和优势互补，构建分层次、分梯队的人才培养体系，提高人才储备、技术研发、服务支持等方面的能力和水平。制定优惠政策，吸引国内外自动化领域的顶尖人才和团队，为产业发展提供智力支持。

5）建立测试验证大型实验装置

测试验证是工业软件开发过程中一个十分重要的环节，一个雏形的工业软件，必须经过反复测试、验证、修改、补漏，才能成为一个正式软件产品。美国、德国、日本等世界发达国家，均建有大规模的核心工业软件测试验证装置，目前我国开发厂商、科研机构、高等院校的工业软件，测试验证各自为政，资金投入严重不足，条件鸿沟难以跨越，实验装置小而分散、测试手段不成体系、真实环境严重缺失，这种测试验证环境与实际运行场景有“天壤之别”，环境的不真实，导致测试验证的不可信！特别是我国目前大型核心工业软件，如全过程流程模拟软件PS、全装置动态实时优化软件RTO、全系统大型实时数据库软件RTDB等，根本不可能在现有的装置上进行测试验证，所以，建立一套核心工业软件测试验证的大型实验装置是一项十分迫切的建设任务。

6）建立核心工业软件统一国家标准

建立一套完善的工业软件国家标准已迫在眉睫。建立工业软件标准，能够提高工业软件的可拓展性、可互换性和可维护性，标准包括软件体系、软件架构、开发流程、人机交互、质量评估等诸多方面。目前，一方面国内工业软件技术不过关，达不到高端市场的需求，产品附加值低，只能在中低端市场占有一席之地，在国际上少有话语权；另一方面，即便在中低端市场，也因为没有统一的工业软件国家标准，而造成了十分混乱的局面，往往一个大中型工厂存在“七国八制”的现象。由于缺乏统一的工业软件标准，在用户企业的产业链上下游采购不同主流厂商的工业软件时，数据格式、接口标准难以协同，即使通过格式标准转换，也存在重要特性信息丢失的问题，使得国产工业软件之间无法形成合力，更难以与国外一体化的平台软件相抗衡。

5. 自动化产业发展报告结构

本报告第1篇发展环境分析，介绍了全球视角下的自动化产业发展环境，包括自动化产业发展现状、发展趋势、技术创新，以及合作与竞争状况；中国视角下的自动化产业发展现状、增长情况、政策环境，以及技术研发创新、主要领域进展、科技创新作用；接着介绍了自动化产业发展的挑战与机遇，以及自动化对我国行业发展的作用分析。

第2篇自动化产品，包括控制系统、自动化仪表、核心工业软件、机器人、数控系统、工业互联网和工控安全产品，共7章。叙述了集散控制系统DCS、可编程逻辑控制系统PLC、安全仪表系统SIS、数字采集与监视系统SCADA、自动化仪表等的发展背景及战略意义、发展现状及技术发展趋势、政策建议与重点企业分析。接着介绍了机器人、数控系统、工业互联网、工业安全产品等的发展历程、产业现状、市场分析、产业布局、发展趋势，以及典型企业分析；同时指出了发展核心工业软件的重要性、必要性，我国核心工业软件的现状和发展趋势，以及我国发展工业软件存在的困难和解决方法，提出了核心工业软件发展框架和总体任务的建议。

第3篇行业应用，叙述了发电自动化（火电、核电、水电、风电、光伏、光热）、冶金自动化（钢铁、有色）、炼油（常减压、催裂化、烷基化、铂重镇）、石油化工自动化、煤化工自动化、合成橡胶自动化共6章的行业发展状况、关键技术分析、人工智能融合、行业发展预测，以及自动化新技术、新成果，包括智能运行控制和智能运行优化、数字孪生等对行业发展的重要作用；本篇的水泥自动化、环保自动化和纺织自动化3章，着重分析了行业发展现状、新技术新成果应用、人工智能技术引领、行业发展前景，以及环境污染治理、实现“双碳”目标等问题。

第4篇装备设备自动化，主要介绍了车辆驾驶自动化、列车运行控制系统、航空航天自动化、船舶工业自动化共4章的国内外现状分析、新技术新方法应用、产业发展与瓶颈制约、技术创新与重大突破、需求分析与发展趋势、人才培养与政策建议等内容。

自动化领域2016—2023年国家科学技术奖情况列举如下。

自动化领域 2016—2023 年国家科学技术奖

序号	获奖年份	项目名称	第一完成人	奖励类型	奖励等级
1	2016 年	视觉场景理解的模式表征与计算理论及方法	郑南宁	国家自然科学奖	二等奖
2	2016 年	复杂动态网络的同步、控制与识别理论与方法	吕金虎	国家自然科学奖	二等奖
3	2016 年	高增益电力变换调控机理与拓扑构造理论	何湘宁	国家自然科学奖	二等奖
4	2017 年	仿生机器鱼高效与高机动控制的理论与方法	谭民	国家自然科学奖	二等奖
5	2017 年	网络化动态系统的分析与控制	王龙	国家自然科学奖	二等奖
6	2017 年	预测控制的原理研究与系统设计	席裕庚	国家自然科学奖	二等奖
7	2018 年	网络化系统安全优化理论与方法及在能源电力等系统的应用	管晓宏	国家自然科学奖	二等奖
8	2019 年	随机控制与非线性滤波的数学理论	汤善健	国家自然科学奖	二等奖
9	2019 年	时延系统的鲁棒控制理论与方法	徐胜元	国家自然科学奖	二等奖
10	2019 年	多模图像结构化稀疏表示与融合理论方法研究	李树涛	国家自然科学奖	二等奖
11	2019 年	动态系统运行安全性评估理论与方法	周东华	国家自然科学奖	二等奖
12	2019 年	生产全流程多目标动态优化决策与控制一体化理论及应用	柴天佑	国家自然科学奖	二等奖
13	2020 年	视觉运动模式学习与理解的理论与方法	胡卫明	国家自然科学奖	二等奖
14	2020 年	分布式动态系统的自学习优化协同控制理论与方法	张化光	国家自然科学奖	二等奖
15	2023 年	弱观测成像反问题的 L（1/2）理论与自适应正则化方法	徐宗本	国家自然科学奖	二等奖
16	2023 年	高空间分辨率高光谱成像与识别理论方法研究	李树涛	国家自然科学奖	二等奖
17	2016 年	复杂岛礁水域无人自主测量关键技术及装备	谢少荣	国家技术发明奖	二等奖
18	2016 年	钢铁生产与物流调度关键技术及应用	唐立新	国家技术发明奖	二等奖
19	2017 年	高动态 MEMS 压阻式特种传感器及系列产品	赵玉龙	国家技术发明奖	二等奖
20	2018 年	高端制药机器人视觉检测与控制关键技术及应用	王耀南	国家技术发明奖	二等奖
21	2020 年	复杂工业系统安全高效运行的无线控制系统技术及应用	于海斌	国家技术发明奖	二等奖
22	2020 年	锌冶炼过程智能控制与协同优化关键技术及应用	阳春华	国家技术发明奖	二等奖
23	2020 年	物联网系统数据安全关键技术及应用	马建峰	国家技术发明奖	二等奖
24	2016 年	高性能光伏发电系统关键控制技术与产业化应用	张承慧	国家科技进步奖	二等奖
25	2016 年	高安全成套专用控制装置及系统	王文海	国家科技进步奖	二等奖
26	2016 年	网络交易支付系统风险防控关键技术及其应用	蒋昌俊	国家科技进步奖	二等奖
27	2016 年	大型风电水电机组低频故障诊断关键技术及应用	何斌	国家科技进步奖	二等奖
28	2017 年	高性能数控系统关键技术及产业化	陈吉红	国家科技进步奖	二等奖
29	2017 年	复杂路网条件下高速铁路列控系统互操作和可靠运用关键技术及应用	唐涛	国家科技进步奖	二等奖
30	2017 年	气动元件关键共性检测技术及标准体系	蔡茂林	国家科技进步奖	二等奖
31	2017 年	危险废物回转式多段热解焚烧及污染物协同控制关键技术	严建华	国家科技进步奖	二等奖
32	2017 年	矿山超大功率提升机全系列变频智能控制技术与装备	谭国俊	国家科技进步奖	二等奖
33	2018 年	大规模网络安全态势分析关键技术及系统 YHSAS	贾焰	国家科技进步奖	二等奖
34	2018 年	300m 级特高拱坝安全控制关键技术及工程应用	王仁坤	国家科技进步奖	二等奖

续表

序号	获奖年份	项目名称	第一完成人	奖励类型	奖励等级
35	2018 年	大范围路网交通协同感知与联动控制关键技术及应用	王云鹏	国家科技进步奖	二等奖
36	2019 年	乙烯装置效益最大化的优化控制技术	杜文莉	国家科技进步奖	二等奖
37	2019 年	燃煤电站硫氮污染物超低排放全流程协同控制技术及工程应用	向军	国家科技进步奖	二等奖
38	2019 年	千万千瓦级风光电集群源网协调控制关键技术及应用	汪宁渤	国家科技进步奖	二等奖
39	2020 年	高比例新能源电力系统电能净化关键控制技术及应用	张承慧	国家科技进步奖	二等奖
40	2020 年	海洋窄带环境复杂目标探测识别技术与装备	罗均	国家科技进步奖	二等奖
41	2020 年	广域协同的高端大规模可编程自动化系统及应用	王文海	国家科技进步奖	二等奖
42	2023 年	大容量电池储能系统数智化测试与控制关键技术及产业化	张承慧	国家科技进步奖	二等奖
43	2023 年	有色冶金高效转化精准调控与智能自动化系统	阳春华	国家科技进步奖	二等奖
44	2023 年	复杂装备数字孪生运维管控共性关键技术及标准体系	陶飞	国家科技进步奖	二等奖

本章负责人　**孙优贤　浙江大学**

参加编写人员　**王文海　高会军　王耀南　张承慧　杨春节**

第1篇

发展环境分析

当前全球和我国宏观经济环境都展现出复杂多变的态势，既有复苏的积极信号，也面临着诸多挑战和不确定性。全球经济预计将继续处于中低速增长轨道，美国、欧洲、日本经济保持低速增长态势，印度、中国等新兴市场和发展中经济体增长速度相对较高，为全球经济提供了巨大潜力。

CHINA AUTOMATION INDUSTRY
DEVELOPMENT REPORT (2025)

第1章　全球视角下的自动化产业发展环境

自动化（automation）是指机器设备、系统或过程（生产、管理）在没有人或较少人直接参与下，经过自动检测、信息处理、分析判断、操纵控制，实现预期目标的过程。本书中提及的自动化主要指工业自动化，即通过自动化设备和系统，对工业生产过程进行检测、控制、优化和调度，实现自动加工和连续生产。自动化技术广泛应用于装备制造、电子信息、石油化工、钢铁冶金、能源电力等制造业。

1.1 世界范围内的自动化产业发展趋势

1.1.1 全球市场规模及增长趋势

当前，全球自动化市场呈现出稳步增长的态势。随着工业4.0、智能制造的推进，自动化技术的应用范围进一步扩大，正迅速成为全球制造业转型升级的核心动力，各行业对自动化设备的需求不断增加，尤其是在汽车、电子、机械等制造领域，自动化的应用更为广泛，从而促进了市场规模的持续增长。

从市场规模看，根据北京恒州博智国际信息咨询有限公司《全球工业自动化设备市场研究报告2023—2029》、中商产业研究院《2022—2027年中国工业自动化产业发展趋势及投资风险研究报告》等，如图1-1-1所示，2022年全球工业自动化市场规模约4575.4亿美元，2023市场规模约4807.3亿美元，2024年市场规模约5095.9亿美元，预计2029年市场规模将达到7516.6亿美元，未来几年年复合增长率（CAGR）为5.9%～6.7%，充分展示了自动化技术在全球市场的巨大潜力和广阔前景。

从增长趋势来看，全球自动化市场受益于制造业的转型升级需求，同时随着互联网、大数据和人工智能技术的融合，自动化系统解决方案日益智能化和高效化。2023年全球自动化市场的增长率较为显著，保持着高于全球GDP增速的增长率。值得注意的是，自动化

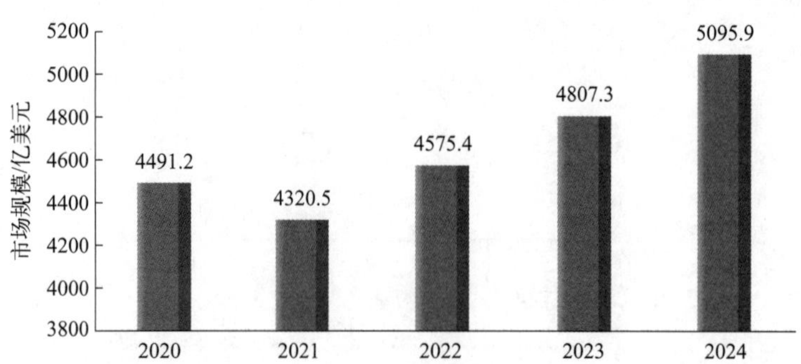

图1-1-1　全球工业自动化市场规模

（数据来源：《全球工业自动化设备市场研究报告2023—2029》）

产业的市场增长呈现稳步上升的趋势，发展具有可持续性和长期性。

从全球范围来看，亚洲地区是自动化市场的主要增长引擎，尤其是中国、印度等新兴国家，受益于庞大的人口红利、代工产业聚落、电商蓬勃发展等因素，对自动化设备的需求持续旺盛。

随着工业4.0、智能制造的持续推进和新兴产业的快速发展，自动化产业的市场规模和增长趋势将继续保持强劲。同时，技术的不断创新和市场竞争的加剧，也将导致自动化市场呈现更加多元化和复杂化的特点。这些趋势不仅反映了技术进步带来的市场需求激增，也预示着未来更加智能化、高效化的生产生活方式。

1.1.2　主导国家及地区的发展现状

自动化领域已历经百余年的发展，日趋成熟。西方国家由于较早开始工业化进程，制造业发展领先，对自动化系统较早地形成巨大的市场需求，因此诞生了全球领先的自动化企业，并逐步占领了大部分市场，同时，这些企业通过持续的技术创新和全球市场拓展来维护其市场地位。

目前世界自动化领域的主导国家及地区主要包括美国、日本，以及以德国为代表的欧洲地区。根据2023年美国《控制》杂志发布的世界自动化公司50强名单，德国西门子市场规模位居榜首，销售额占比超过总销售额（仅统计榜单企业，以下同）的10%；前三名公司分别为德国西门子、美国艾默生、法国施耐德，销售额占比约为总销售额的30%；前十名公司的销售额占比超过总销售额的50%。具体而言，榜单中自动化公司主要分为欧系、美系和日系：

• 欧系公司27个，主要包括德国西门子、瑞士ABB、法国施耐德、德国费斯托等，其中，德国公司17个，市场份额约占27%；

• 美系公司15个，主要包括艾默生、福迪威、阿美特克、霍尼韦尔等，市场份额约占35%；

• 日系公司7个，主要包括三菱电机、欧姆龙、横河、发那科等，市场份额约占11%。

进一步统计，在PLC领域，全球主要PLC制造商，如西门子、罗克韦尔、欧姆龙等占据了市场的主导地位，其中，2023年市场占比最高的是西门子，其市场份额达到了约40%，如图1-1-2所示；在中、大型工程领域的机电设备和电气传动系统领域，欧美品牌占据了较大的市场份额，主要包括西门子、ABB、施耐德、罗克韦尔和艾默生等；在伺

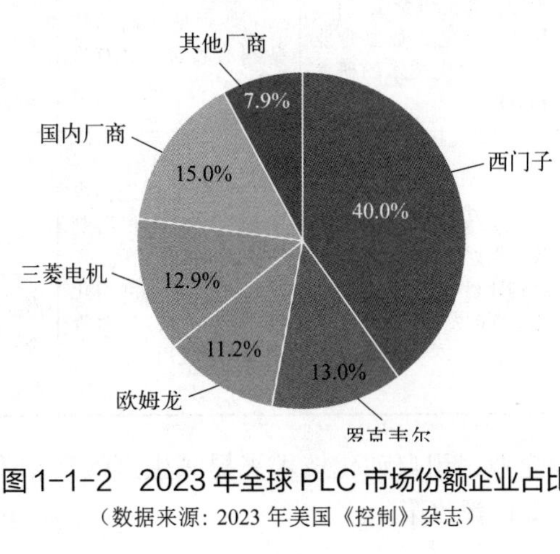

图1-1-2　2023年全球PLC市场份额企业占比

（数据来源：2023年美国《控制》杂志）

服驱动等单机应用占主导的市场，日系品牌占据优势地位，如三菱电机、欧姆龙、安川、松下等。

欧、美、日等国家及地区在自动化领域的创新发展尤为显著。政府进行完善的政策支持和产业链布局，企业具有强大的技术实力、品牌影响力、渠道优势和客户资源，使得他们在全球范围内占据了较高的市场份额和利润空间，并持续引领全球自动化产业的发展潮流。值得注意的是，这些企业传统上主要侧重于控制类设备和驱动类设备的研发和生产，但近年来通过扩张、并购、联盟等方式将业务范围不断延伸到工业软件领域，并且面向不同行业和领域的客户需求提供一体化的解决方案和服务。这些企业在中国市场也有较深的布局和影响，但也面临着国产品牌产品的挑战和压力。

1.2 》国际上的政策、法规与标准

1.2.1 对自动化产业的影响及趋势

随着科技的快速发展，自动化成为现代制造业发展的重要推动力。为了促进自动化产业的发展，各国纷纷出台了相关的扶持政策，同时也制定了一系列标准和安全规范以提供支持和引导，如表1-1-1所示。

表1-1-1 各国促进自动化产业发展的政策和标准

国家	技术导向	政策支持	应用领域	标准战略
美国	•在技术研发、产品制造、系统集成等方面处于全球领先地位 •特别是在机器人技术、传感器技术、人工智能技术等领域具有显著优势	•先进制造业伙伴计划 •政府加大对自动化产业的支持力度，推动产业升级和发展 •政策法规不断完善，以保障自动化产业的健康发展	•在汽车、电子、机械、化工等领域广泛应用 •特别是在汽车制造和电子制造领域，自动化技术的应用尤为突出	•从整体看，美国标准化战略更多呈现出追赶特点，但近年来，在信息及通信领域逐渐掌握控制权 •每5年修订发布《美国标准战略》 •从标准国际化看，战略核心为加大参加国际标准化活动力度，将美国标准更多转化为国际标准，提高美国标准在国际标准体系中的影响力
德国	•以“工业4.0”为核心战略，强调智能制造和数字化生产 •在工业自动化、嵌入式系统、传感器技术等方面具有深厚的技术积累	•“工业4.0战略”“国家工业战略2030” •政府通过一系列政策措施，如提供资金支持、税收优惠等，鼓励企业加大自动化技术的研发和应用	•在汽车制造、机械制造、化工等领域广泛应用 •特别是在高端装备制造领域，具有显著优势	•德国标准化战略不断演进，通过标准的区域化和国际化演进，积极争夺国际标准领导权 •先后出台《德国工业4.0标准化路线图》《德国标准化研究2030》 •从国际标准贡献上看，是现阶段国际标准第一强国
日本	•注重精密制造和机器人技术的发展，特别是在工业机器人和服务机器人领域具有领先地位 •在传感器技术、控制技术等方面也具有深厚的技术积累	•政府通过制定相关政策和规划，如“创新产业结构计划”等，支持自动化产业的发展	•在汽车制造、电子制造、精密仪器制造等领域广泛应用 •积极推动自动化技术在医疗、护理等服务领域应用	•先后出台《标准化战略》《日本国际标准综合战略》《标准化官民战略》 •标准化战略重点逐渐从传统化工产业转向节能、新能源、机器人等日本强势产业等

首先，各国政府鼓励企业采用自动化技术来提高生产效率和降低成本，制定了包括税收优惠、资金补贴和贷款支持等政策。

其次，各国政府加大对自动化相关技术研发和创新的支持力度，包括设立相关科研基金，鼓励并资助企业与科研机构合作进行自动化技术研究和开发，加快技术的创新和应用。

另外，各国政府制定相关法律法规，规范自动化技术标准和安全要求，构建自动化领域标准、计量、检测、认证等质量基础设施体系，建立合格评定和市场监督机制，为自动化产品的质量、服务和安全性提供保障，增强了市场信任。

世界制造强国普遍具备四个主要特征：一是具有雄厚的产业规模和成熟的现代产业体系；二是产业结构合理优化；三是生产技术先进、产品质量优良并占据价值链高端环节；四是自主创新能力强，科技引领能力逐步增长。同时，这些国家制定自动化产业相关的政策、法规和标准体系，为产业发展提供了有力支持和指导，不仅推动了技术创新和产业升级，还促进了国际合作与交流，并应对能源挑战和适应绿色发展趋势。

1.2.2 相关的合作与竞争状况

世界制造强国在自动化产业相关的合作与竞争状况呈现出复杂而多元的局面，“全球竞合”已成为大趋势。首先，各国在合作共赢方面涵盖了多个层次，这些合作不仅促进了技术的交流与融合，还推动了自动化产业的全球化发展。

（1）政策协调与合作

世界制造强国政府之间通过签署合作协议、共建研发机构、共享技术成果等方式，推动自动化技术的国际化和标准化进程。例如：美国、日本和德国作为世界制造强国，在工业4.0领域加强了合作，通过政策协调、技术交流等方式，共同推动工业4.0技术的发展和应用；中国和德国建立了“工业4.0”对话机制，相继签署了谅解备忘录和框架合作协议，在国际规则和标准制定领域开启战略性合作，并建成一批合作示范项目，共同促进两国在智能制造领域的合作实践。

（2）标准化协调与合作

在国际标准组织ISO、IEC、ITU中，各国技术专家合作共同制定国际标准，在技术领域达成共识，有助于消除贸易壁垒和推动技术创新发展。例如：在IEC/TC65工业过程测量控制和自动化技术委员会中，共有来自49个国家800余位技术专家，2190人次专家席位，制定了508项国际标准；中、德、美三国共同开展智能制造系统架构、工业4.0参考模型和工业互联网参考模型架构的互认以及交流。

（3）企业技术合作

跨国企业通过技术合作、合资生产等方式，强强联合、优势互补，在全球范围内共同推动自动化技术的发展和应用。例如：西门子与华为分别作为自动化和IT领域的巨头公司，共同探索5G、物联网（IoT）等新技术在自动化中的应用；ABB和施耐德也建立了战略合作伙伴关系，双方在电力自动化、工业自动化控制系统等领域开展合作。

世界制造强国和自动化巨头公司“天然”存在竞争关系，主要体现在技术创新、市场份额、产业链整合等多个方面。

（1）技术创新竞争

技术创新是自动化产业竞争的核心，自动化巨头一直以来加大研发投入，推动技术创新和产品升级换代。在传感器、控制器、执行器等核心产品方面，企业之间的竞争尤为激烈，随着大数据、人工智能、5G等新技术的引入和融合，自动化产业的技术竞争将进一步加剧。只有尽快提供适应技术发展和市场需求的新型智能化产品，才能引领发展使自己立于不败之地。

（2）市场份额竞争

随着自动化技术的不断发展和应用领域的不断拓展，市场竞争日益激烈。国际巨头公司凭借其先进的技术、知名的品牌，并通过不断提升产品质量、降低成本、拓展市场渠道等方式，在竞争中占据优势地位。同时，国内企业也在不断加大技术研发和市场拓展力度，努力提升自身的竞争力，逐步在全球自动化市场中占据一席之地。

（3）产业链整合竞争

为了提升产业竞争力，各国政府和自动化巨头公司纷纷加强产业链整合优化，充分利用自身的市场优势，与产业链上下游企业形成战略协同，共同开拓国内外市场。通过资源整合、渠道共享、品牌联合等方式，形成紧密的供应链网络，提升整个产业链的市场竞争力和市场份额。例如，三菱电机通过e-F@ctory联盟与其他软硬件公司建立密切合作关系，弥补自身产品线不足，共同为客户提供智能制造解决方案。

综上所述，世界制造强国和巨头公司在自动化产业既存在广泛的合作也面临激烈的竞争。这种合作与竞争并存的局面，推动了自动化技术的不断发展和应用领域的不断拓展。

1.3 技术创新与突破

1.3.1 主要的技术发展趋势

自动化技术的发展经历了多个阶段，从最初的机械自动化、电气自动化开始，经历了数字化、网络化、智能化发展，不断推动着工业和社会的进步。第三次工业革命，电子信息技术的规模化应用，推动了自动化系统的数字化进程；20世纪80年代伴随着现场总线技术的诞生，自动化系统开始进入网络化发展阶段。当前，第四次工业革命到来，随着人工智能、物联网、大数据、云计算等技术的迅速发展，自动化技术也将不断创新和升级。未来，自动化技术将更加注重柔性化、网络化、集成化、智能化发展，不断提高生产过程中的信息透明度、数据分析能力和资源优化能力。

（1）柔性可重构

自动化技术柔性化发展，主要体现在生产系统或设备对市场需求变化的快速响应和灵活调整能力上。一方面，通过自动化系统的标准化、模块化设计，使得自动化系统能够根据不同的生产需求进行灵活配置和快速调整，提升生产控制的可裁剪性和可重构性，以满足复杂多变的市场需求，特别是当前大规模个性化定制制造新模式。另一方面，通过“标准硬件平台+面向应用的软件编程”的应用开发模式，打破了传统自动化硬件设备与应用软件深度绑定的局限，极大地支持了程序（包括工程和代码）的可移植性、系统的互操作性、工厂生产的灵活性。

（2）网络化连接

自动化技术网络化发展，是随着现场总线、工业以太网、工业无线网等工业网络技术成熟应用而进行的，体现在通过网络将自动化系统中的全要素连接起来，以满足工业生产的横向集成与纵向集成。特别是面向当前工业现场中图像、视频、语音信号等对大带宽、高速率的传输需求，以及现场设备“上云上网”需求，5G、TSN、光纤、Wi-Fi等信息通信技术被不断引入工业，在保证自动化系统原有的稳定性、实时性等要求的同时，又增强了系统的开放性和互操作性，极大拓展了自动化领域的发展空间，带来新的发展机遇。

（3）分布式布置

自动化系统分布式布置，是指通过云计算彻底打破原来自动化系统僵化的体系结构，工程项目开发可通过互联网，利用自动化软件供应商服务器上的软件进行开发。现代的大型自动化和信息化项目中，系统变得日益庞大和复杂，现有的网络系统和体系架构已经无法从容应对这些挑战。自动化系统不再是简单运行于单台计算机上，而是运行于包括互联网在内的整个网络之上，基于整个网络来分配系统的资源及实现各种功能。

（4）智能化控制

自动化技术智能化发展，体现在依托人工智能、大数据、物联网、云计算等新一代信息技术融合，基于实时感知生产过程中的各种状态数据、运行数据、工艺参数等，发展数据驱动的智能控制新模式，通过数据分析实现对生产过程的精准控制和预测优化，根据生产环境的变化自动调整控制策略，以及进行设备健康状态分析，实现故障诊断、预测性维护等。

1.3.2 技术创新对产业发展的推动力度

在工业4.0和智能制造的牵引下，自动化技术发展较过去四十年的发展在速度、广度和深度上都更进一步。

一方面，随着科技的不断发展，新型自动化技术不断涌现，不断推动自动化市场的增长。人工智能、大数据、物联网、云计算等技术的应用，使得自动化系统向数字化、网络化和智能化发展，技术创新为自动化市场提供了新的增长点，并进一步拓展了其应用领域。例如：工业机器人、机器视觉、人机接口、传感器、3D打印、工业计算机等软硬件在产业转型升级需求下正在快速与自动化技术融合，使得国际领先的自动化公司，如西门子、施耐德、ABB、艾默生、发那科、通用电气、霍尼韦尔、三菱电机、罗克韦尔、横河、欧姆龙等成为最大受益者。

另一方面，用户对传统自动化供应商要求采用开放、可互操作、可复用和内在安全的IT/OT融合解决方案。因此，自动化借助IT技术的进步而更快发展，例如：利用数字孪生技术来打通虚拟世界和现实世界，基于软件创新应用使得业务价值由硬件驱动转向软件驱动等，促进了制造企业的规模不断扩张、业务快速变化、产品增值服务和业务模式创新。西门子、施耐德、三菱电机等公司，在引领自动化硬件设备发展的同时，加大工业软件业务布局，并基于各自几十年积累的行业优势，为用户提供专业化、产品化解决方案。

第三方面，跨界融合成为自动化产业发展的又一趋势。现代自动化技术与新一代信息技术深度融合，使得跨行业跨领域渗透发展成为可能。典型的如微软、谷歌、英伟达、亚马逊、IBM等国外巨头IT公司，在云计算、机器学习框架、AI芯片等方面为自动化技术的数字化、网络化和智能化发展提供强大的计算、处理、存储能力，并通过IoT平台解决方案进入工厂，帮助企业实现生产设备的互联互通、实时监控和远程管理。

本章负责人　于海斌　中国科学院沈阳自动化研究所

第2章 中国视角下的自动化产业发展环境

中国作为全球最大的制造业国家之一，工业生产逐步和国际接轨，自动化市场呈现出蓬勃发展的态势。近十年来，随着国家对智能制造的大力支持和推动，以及企业对高生产效率和高质量的不断追求，我国自动化市场规模不断扩大，技术水平也不断提升。

2.1 中国的自动化产业发展现状

2.1.1 市场规模及增长情况

从市场结构来看，自动化设备可分为控制类、执行类和传感类三类，如图1-2-1所示。

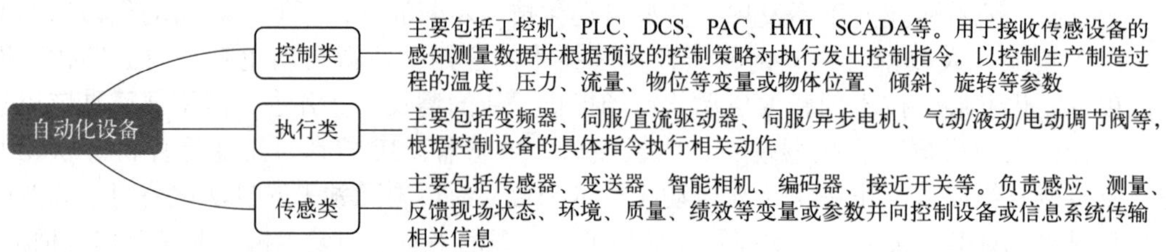

图1-2-1 自动化设备分类

我国自动化产业起步较晚，虽然在关键核心技术方面与国外品牌有显著差距，但发展势头强劲。在制造业转型升级的强大背景下，受益于国家政策支持以及市场需求不断扩大，国产替代进程加快，产业规模持续增长。目前，我国已经成为全球自动化产业的重要市场之一，拥有一批具有国际竞争力的企业和研究机构。

根据工控网、中商产业研究院数据，我国自动化市场规模迅速增长。如图1-2-2所示，2021年，我国自动化市场规模达到2530亿元；2022年，达2807亿元；2023年，达3115亿元；2024年，增至3531亿元。连续多年同比增长10%以上。

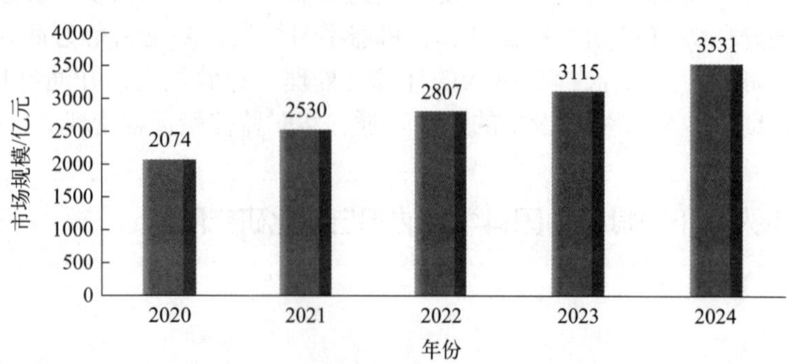

图1-2-2 中国工业自动化市场规模

（数据来源：中商产业研究院）

从供给结构来看，根据尚普咨询集团数据，2023年我国工业自动化市场各细分领域的国产化率如下：PLC约为25%，HMI约为45%，变频器约为48%，伺服约为50%，传感器约为65%。其中，传感器市场国产化率最高，主要受益于国内传感器产业链的成熟和完善，以及国内品牌在低端市场的优势；PLC市场国产化率最低，主要受制于国际大公司在高端市场的垄断和壁垒，以及国内品牌在技术创新和品牌认知上的不足。

从市场增长率来看，根据尚普咨询集团数据，2023年我国工业自动化市场各细分领域的增速如下：PLC约为12%，HMI约为10%，变频器约为9%，伺服约为15%，传感器约为8%。其中，伺服市场增速最高，主要受益于工业机器人、3C电子、半导体等高端制造业的快速发展；PLC市场增速次之，主要受益于智能制造、新能源、化工等传统制造业的升级改造；变频器市场增速最低，主要受制于电力、冶金、建材等周期性行业的波动影响。

近年来，在国家产业政策的支持下，同时受人口老龄化和国际贸易摩擦的双重压力影响，我国工业自动化产业国产品牌市场占有率不断提高，与国际巨头在产品性能、技术水平等方面的差距不断缩小，更是随着国际合作的深化，促进了国内品牌与国际大公司在技术、渠道、客户等方面的互补和协同，提高了国内品牌的技术水平和市场拓展能力。

根据中商产业研究院发布的《2024—2029年中国工业自动化行业深度调查及投融资战略研究报告》数据，2022年我国工业自动化国产品牌市场份额占比为43.70%，2024年国产品牌市场份额占比增至47.70%，如图1-2-3所示。

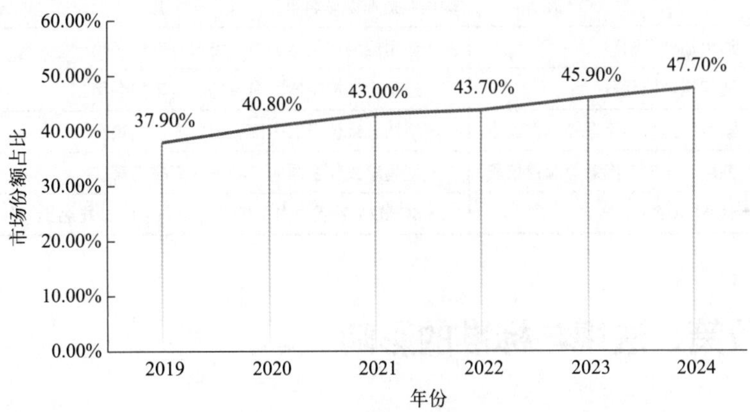

图1-2-3　中国工业自动化国产品牌市场份额占比

（数据来源：中商产业研究院）

2.1.2　主要的参与企业及其状况

中国自动化市场中国外品牌与国产品牌共存，由于技术、可靠性等限制，西门子、ABB、施耐德、欧姆龙等欧美和日系品牌早年在市场竞争中占主导地位，但从2022年受俄乌战争及海外经济形势影响，国外产品交付周期普遍延长，更多的中游设备制造商尝试并使用国产品牌，国内自动化企业加速弯道超车。近年来，伴随国产品牌技术不断迭代，叠加供应链灵活、售后服务及时、产品性价比高等优势，国产替代率有望进一步提升。当前，在中低端市场，国产品牌占据了较大的市场份额；在高端市场，由于国内相关研究滞后，主要制造商的技术水平相对落后，但随着技术不断积累，国内领先的国产品牌已逐步缩小与国外品牌的技术差距。

如表1-2-1所示，中国主要自动化企业包括中控技术、和利时、汇川技术、康吉森、国电智深、固高科技、雷赛智能、重庆川仪、上自仪等。这些企业主要生产PLC、DCS、运动控制器、伺服系统、变频器、现场总线仪表、SCADA系统等自动化产品。

表1-2-1　中国主要自动化企业及产品

企业名称	主要产品	市场占有率
汇川技术	伺服驱动器、变频器、PLC、触摸屏	• 在通用伺服领域，2021～2023年汇川连续保持中国市场占有率第一，并还在持续扩张: 2023年伺服系统产品在中国市场占有率高达28.2% •2023年，其中高压变频器产品在中国市场占有率15.9%，位居第一；低压变频器产品在中国市场占有率17%，排名第二 • 2023年，其小型PLC产品在中国市场占有率15.3%，排名第二
浙江中控技术	DCS、SIS	• 2023年，中控技术DCS产品在中国市场占有率为37.8%，位居第一 • 2023年，中控技术SIS产品在中国市场占有率为28%，位居第二，在国内制造商中位居第一
和利时	DCS、SIS、PLC	• 2023年，和利时DCS在中国市场占有率为19.5%，位居第二 • 2023年，和利时SIS在中国市场占有率为10.5%，位居第三
康吉森	SIS	• 在石油石化领域应用大量的SIS仪表系统，国内市场占有率排名第二
国电智深	DCS	• 主要用于电力行业的DCS系统
禾川科技	伺服和小型PLC产品	• 伺服市场占有率在国内制造商中仅次于汇川
信捷电气	PLC、HMI和驱动系统	• 2023年信捷电气小型PLC在中国市场占有率为7%，位居第四，在国内制造商中排名第二，仅次于汇川
固高科技	通用运动控制器	• 通用运动控制器国内市场占有率排名第一
雷赛智能	通用运动控制器	• 通用运动控制器国内市场占有率排名第二
重庆川仪	温度、压力、流量等流程仪表	• 现场总线仪表国内市场占有率排名第一
上自仪	温度、压力、流量等流程仪表	• 现场总线仪表国内市场占有率排名第二
亚控科技	SCADA系统	• SCADA系统国内市场占有率为40%，排名第一

2.2 》 政策、法规与标准的影响

2.2.1　中国政府对自动化产业的支持及政策环境

近年来，国家各部委出台一系列政策鼓励和支持智能制造、人工智能等科技创新发展和制造业数字化、智能化转型升级，自动化作为推进信息化与工业化深度融合的重点，是政策项目持续关注的发展方向。

（1）科技创新

国家科技计划在“十三五”“十四五”期间持续支持自动化领域的创新发展，部署了“网络协同制造与智能工厂”“工业软件”“智能传感器”“基础科研条件与重大科学仪器设备研发”等重点研发计划，以及“新一代人工智能”科技重大项目（2030）等，其中包括对自动化相关的高端控制器、智能传感器、伺服驱动和执行器、工业网络等基础前沿技术和共性关键技术开展攻关，为自动化技术创新提供有力保障。

（2）产业政策

国家产业政策的支持和鼓励，为自动化市场提供了政策红利和市场空间。我国将制造

强国作为国家发展战略之一，出台了一系列政策或指导意见，如《关于完善制造业创新体系，推进制造业创新中心建设的指导意见》《“十四五”智能制造发展规划》《中华人民共和国国民经济和社会发展第十四个五年规划和2035年远景目标纲要》等，旨在推动制造业转型升级、创新发展、质量提升，促进自动化设备在新能源、新材料、新技术等战略性新兴产业和传统制造业中的广泛应用。同时，通过采取研发投入补贴、税收优惠等政策措施，激发企业的创新活力。

（3）地方政府配套

地方政府积极响应国家政策，出台一系列地方性发展规划和产业扶持政策，主要包括加强关键核心技术研发、建设智能工厂和数字化车间、促进传统产业转型升级、优化产业布局和资源配置、推动数字产业化与产业数字化等措施，鼓励企业加大研发与技改投入，推动产业转型升级。如表1-2-2所示。

表1-2-2 地方性发展规划和产业扶持政策

时间	发布单位	政策名称	相关内容
2016年3月	全国人民代表大会	中华人民共和国国民经济和社会发展第十三个五年规划纲要	提出“实施制造强国战略”，要“加快发展新型制造业”。实施智能制造工程，加快发展智能制造关键技术装备，强化智能制造标准、工业电子设备、核心支撑软件等基础。推动“中国制造＋互联网”取得实质性突破
2017年4月	科技部	“十三五”先进制造技术领域科技创新专项规划	重点研发智能制造标准化共性关键技术，实现智能工厂共性关键技术研发、技术的工程化和产业化。提升我国工业自动化行业的整体创新水平和自主装备能力，满足国家科技创新、产业升级和转型的重大战略需求
2019年9月	工信部	工业和信息化部关于促进制造业产品和服务质量提升的实施意见	实施工业强基工程，着力解决基础零部件、电子元器件、工业软件等领域的薄弱环节，弥补质量短板。加快推进智能制造、绿色制造，提高生产过程的自动化、智能化水平，降低能耗、物耗和水耗
2020年12月	工信部	工业互联网创新发展行动计划（2021—2023年）	加强5G、智能传感、边缘计算等新技术对工业装备、工业控制系统、工业软件的帮助提升，打造智能网联装备，提升工业控制系统实时优化能力，加强工业软件模拟仿真与数据分析能力
2021年3月	国务院	中华人民共和国国民经济和社会发展第十四个五年规划和2035年远景目标纲要	建设智能制造示范工厂，完善智能制造标准体系。在智能制造与机器人技术中，重点研制分散式控制系统、可编程逻辑控制器、数据采集和视频监控系统等工业控制装备，突破先进控制器、高精度伺服驱动系统、高性能减速机等智能机器人关键技术
2021年6月	工信部、科技部等	关于加快培育发展制造业优质企业的指导意见	推动产业数字化发展，大力推动自主可控工业软件推广应用，提高企业软件化水平。依托优质企业组建创新联合体或技术创新战略联盟，开展协同创新，加大基础零部件、基础电子元器件、基础软件、基础材料、基础工艺、高端仪器设备、集成电路、网络安全等领域关键核心技术、产品、装备攻关和示范应用
2021年12月	工信部、国家发展改革委等	“十四五”智能制造规划	聚焦设计、生产、管理、服务等制造全过程，突破设计仿真、混合建模、协同优化等基础技术，开发应用增材制造、超精密加工等先进工艺技术，攻克智能感知、人机协作、供应链协同等共性技术，研发人工智能、5G、大数据、边缘计算等在工业领域的适用性技术
2024年3月	国务院	推动大规模设备更新和消费品以旧换新行动方案	围绕推进新型工业化，以节能降碳、超低排放、安全生产、数字化转型、智能化升级为重要方向，聚焦钢铁、有色、石化、化工、建材、电力、机械、航空、船舶、轻纺、电子等重点行业，大力推动生产设备、用能设备、发输配电设备等更新和技术改造。加快推广能效达到先进水平和节能水平的用能设备，分行业分领域实施节能降碳改造。推广应用智能制造设备和软件，加快工业互联网建设和普及应用，培育数字经济赋智赋能新模式。严格落实能耗、排放、安全等强制性标准和设备淘汰目录要求，依法依规淘汰不达标设备

2.2.2 行业标准对产业发展的引导作用

行业标准是指针对尚无国家标准但又需要在全国某一行业范围内实现统一的技术要求，由国务院相关行业主管部门通过并公开发布的标准。可以说，行业标准是对国家标准的补充。与自动化相关的行业标准包括：JB机械、SJ电子、QC汽车、QJ航天、HB航空、CB船舶、QB轻工、FZ纺织、YY医药、YB黑色冶金、YS有色金属、SY石油天然气、HG化工、SH石油化工等。

行业标准在引领本行业科技创新、促进高质量发展、提升国际竞争力等方面发挥了重要作用。

（1）引领行业科技创新

行业标准是行业科技创新成果转化的“助推器”。当前，新一代信息技术与制造业深度融合，促进了自动化向数字化、网络化、智能化方向快速发展，学术界和产业界都在进行积极的理论研究、技术研发和实践探索。行业标准是这些行业相关理论、技术、经验得以传承和推广的有效载体。通过汇集国内外同行专家共同制定行业标准，可以在行业内就技术路线、关键技术等达成共识，迅速将科技创新成果以标准方式固化，并通过标准化的形式推广和应用，使科技创新发挥更大作用，引领行业技术发展方向。

（2）规范行业高质量发展

行业标准是规范行业高质量发展的基石。当前，一方面新技术、新产品、新模式不断产生，另一方面各行业都面临高端化、智能化、绿色化发展需求。通过制定新需求下的行业标准，规定包括产品功能、服务流程、环境保护、资源节约和作业安全等方面的要求规约和测评方法等标准，以及诸如大数据、人工智能等新技术与行业深度融合的行业适配标准，可以有效指导和规范企业的生产、服务、管理，提高自身技术水平和生产效率，增强市场竞争力，从而确保整个行业的健康、有序和可持续发展。

（3）保障行业产品和服务质量

标准是衡量产品质量好坏的主要依据。标准决定质量，有什么样的标准就有什么样的质量，只有高标准才有高质量。行业标准不仅可以对本行业产品性能做出具体规定，还可对产品的规格、检验方法及包装、储运条件等方面做出明确规定，制定统一的质量要求和测试方法。一方面，企业严格按照标准进行生产、检验、包装、运输和储存，才能确保产品质量；另一方面，客户参考相关行业标准来理解、评估和选择商品或服务。

（4）减少非标产品重复性开发

自动化设备根据行业标准化程度和市场供给特征，可以分为标准自动化设备和非标自动化设备。其中，非标自动化设备是指根据客户需求进行定制化研发制造的设备。然而，同一行业企业在生产流程、工艺机理等方面大同小异，通过制定行业标准提炼典型场景和共性需求，达成行业共识，可以避免或减少企业非标产品的重复性开发，极大降低企业研发成本和缩短研发周期。

（5）助力行业国际化发展

在全球化的大背景下，行业标准也更加注重与国际接轨。在国际贸易领域，行业标准不仅应要求产品符合国际标准，减少因标准差异而导致的贸易障碍，获得国际市场的认可和接受，还应要求企业建立更加完善的国际贸易合作机制，促进产品和服务的跨境流通。这不仅有助于提升我国企业在国际市场上的竞争力，也有助于促进国际经贸合作和交流。

未来行业标准的发展将是一个多维度、跨领域的综合进程，既要适应技术进步的要求，又要顺应全球化和可持续发展的趋势，确保科学性、合理性和有效性。

2.3 》 技术研发与创新

2.3.1 技术研发的主要领域及其进展

自动化产业技术研发领域可分为核心技术和关键产品两方面。核心技术方面，主要包括基础的操作系统和编程平台，以及网络、数据、控制、安全等技术领域，首要解决自动化的数字化和网络化问题；关键产品方面，主要包括各种工控设备和系统，以及现场仪表等自动化产品。

（1）核心技术

① 实时操作系统。实时操作系统（RTOS）是专为工业控制、自动化等实时应用程序，包括高性能控制器、运动控制器、智能仪表等设计的操作系统。主要研究高并发计算处理、多优先级任务调度、高精度系统时钟、多进程通信与同步、快速中断响应及多级中断管理、多级安全域动态管理等技术，研发RTOS内核，支持国内外多种主流架构，满足工业各种复杂应用场景对高实时性、高可靠性、高安全性和可伸缩性的严格要求。

近年来，我国RTOS研发已取得了一定成果，有的基于Linux开发并逐步建立开源生态，有的自主开发。当前主要实时操作系统产品有：道系统（Delta OS）、翼辉（Sylix OS）、天脉系统（ACore OS）、科东软件（Intewell OS）、赛睿德（RT-Thread）等。然而，国产RTOS产品与国外产品相比在技术成熟度与可靠性、生态系统与兼容性、市场份额与品牌影响力等方面还存在不足。

② 可编程控制编程平台。可编程控制编程平台用于PLC程序的编写、调试和管理。主要研发编程与实时运行内核软件，包括混合语言编程、模块化低代码编程、多种主流通信协议、控制运行实时库重载等技术，开发集成开发环境（IDE）、编译器、调试工具、仿真环境。未来的研发方向是云化编程调试仿真一体化协同技术及平台工具，并将PLC编程扩展到运动控制、机器人控制等复杂应用场景，实现PLC、运动控制、机器人一体化编程。

近年来，我国PLC编程软件开发平台的国产化取得了显著进展。国内和利时、中控技术、汇川等公司在PLC编程软件开发领域取得了重要突破，推出了具有自主知识产权的PLC编程软件，逐渐在国内市场上占据一席之地。然而，与国外知名品牌相比，国产PLC编程软件开发平台在品牌知名度、市场占有率和技术成熟度等方面仍存在差距。

③ 工业通信网络。工业通信网络将工厂中的所有传感器、控制器、执行器、机器装备以及管控系统等连接成生产线或生产单元，实现自动化控制和生产管控功能。传统工业通信网络主要研究现场总线、工业以太网、工业无线网络等技术，当前研究主要包括：面向智能制造的新型工业网络架构，用于流程自动化的先进物理层（APL）及APL智能仪表、交换机和控制器等，超高速高可靠运动控制网络，工业光通信网络，基于OPC UA的现场级通信（FLC），面向高速控制的实时网络与互操作技术（如OPC UA over TSN），以及TSN、5G、Wi-Fi等工业应用。

近年来，我国工业通信网络技术研究、国际标准化取得了显著进展，浙江大学和中控技术、中国科学院沈阳自动化研究所、北京东土科技等企事业单位组织国内优势单位，研发了具有自主知识产权的工业以太网EPA、工业无线网络WIA-PA和WIA-FA、宽带工业总线AUTBUS等工业网络技术，华为、移动、机械工业仪器仪表综合技术经济研究所（简称“仪综所”）等企事业单位围绕典型场景开展5G工业应用研究。然而，国产工业网络技术与国外主流网络技术相比，在产品线和生态建设方面存在较大的差距。

④ 现场数据采集、处理与分析。工业现场的大量数据，包括生产实绩、工艺参数、设备状态、质量检测、能源消耗等，是一切控制、分析、优化的基础。主要研究异构网络数据源的集成与访问、实时数据统一接口、数据预处理、多源异构数据融合、信息特征快速提取、工况分类和异常检测、全景信息感知与交互、数据实时计算和分析处理等技术，满足工业自动化控制和生产过程管控等需求。

近年来，随着智能制造、工业互联网的深入推进，企业已越来越重视现场数据的采集、分析和处理，纷纷打破“信息孤岛”，推进IT/OT融合。特别是视觉检测、预测性维护等工业智能应用，使得工业现场的数据类型和数据量呈现爆发式增长。但是，当前我国企业现场还存在数据采集来源较单一、工业数据积累不足、融合分析不够、智能应用不多等问题。

⑤ 开放自动化与分布式控制系统建模。智能制造对于自动化系统提出了软硬件解耦、可重构、可互操作、可移植和分布式等方面的更高要求。主要研发开放自动化集成开发环境，研究云边端协同的分布式控制架构、分布式控制系统统一建模、基于事件的功能块封装、模块化低代码编程、时间扫描和事件驱动的混合调度机制、可重构动态接入与集成、应用软件跨平台移植和互操作、实时资源调度与控制一体化等技术，为新一代PLC和DCS等工控系统提供更高效和灵活的设计和开发模式。

IEC 61499定义了分布式控制系统的设计和建模语言，提供图形化功能组件设计、事件驱动的任务执行、跨多个任务的分布式自动化应用程序封装等。当前，基于IEC 61499开发控制工程的软件平台技术在我国刚刚兴起，上海交通大学自动化系团队取得了较好的科研成果，上海乐异自动化科技有限公司自主研发的面向分布式工控系统和工业边缘计算的IEC 61499开发环境取得了初步应用。

⑥ 工业安全一体化管控。工业安全一体化管控技术，用于避免工业控制系统性失效、随机硬件失效及信息安全威胁导致的功能失效。主要研发高可信的工业安全一体化控制系统，研究工控功能/信息/物理一体化安全防护、设备异常和外部威胁关联风险分析、多维风险动态感知与预测、嵌入式软硬件安全可信设计、功能安全通信协议及轻量化加密等技术。

我国工业安全一体化管控技术研发，基本与国际同步开展，但当前还属于初级阶段。传统工业信息安全和功能安全的研发应用是分别进行的。国内大型自动化公司如中控技术、和利时等都有具备工业信息安全或功能安全的自动化产品。在工业信息安全领域，既有华为、绿盟科技等IT领域供应商向工业扩展，又有如海天伟业等专业工控安全厂商。无论是国产功能安全产品还是工业信息安全产品的技术水平，均已接近或达到国际先进水平，但安全一体化产品较少。

（2）关键产品

① 大规模分布式控制系统DCS。DCS主流供应商有近20家，主要分为欧美品牌、日本品牌及国产品牌。欧美品牌以艾默生、ABB、西门子、霍尼韦尔等为代表，聚焦大型电力、石化、化工等领域；日本品牌以横河为代表；国产品牌以中控技术、和利时、新华控制等为代表。其中，艾默生、ABB、西门子、中控技术、和利时等国内外大型公司的DCS

产品稳居技术水平和市场规模的第一梯队。

国外DCS产品布局较早，在技术水平、客户信赖度以及供应链等方面具有先发优势。随着技术的发展，国产DCS产品在各自优势领域实现扩张，在化工、电力、石油等国民经济支柱产业逐渐扩大应用。当前，我国DCS市场国产化率较高，据统计，2016年至2021年我国DCS国产化率从46.2%提升至55.7%，且呈现逐年增长趋势。其中，中控技术连续十几年蝉联国内DCS市场占有率第一名，2023年市场占有率更是达到了37.8%，其产品以CS-700系统为代表，支持供电系统、通信网络、操作站及控制站的全冗余系统结构，同时具备故障安全功能与完善的工程管理功能。和利时DCS产品以MACS系列分布式控制系统为代表，该系统采用了全冗余、多重隔离等可靠性设计技术，并引入安全系统的设计理念，从而保证系统能够长期稳定运行。

虽然国产DCS产品在市场占有率及技术水平等方面已取得长足进步，但在实时操作系统、控制软件开发平台及底层芯片等方面较国外仍存在一定差距。

② 高可靠大规模PLC。全球有200多家PLC制造商，400多个PLC品种的产品，按地域可分成美系、欧系、日系，著名的包括美国的罗克韦尔、通用电气（GE），德国的西门子，法国的施耐德，日本的三菱电机、欧姆龙、松下、富士等。这些制造商的PLC产品占据80%以上市场份额。其中，大型PLC以欧美品牌为主，罗克韦尔、西门子和施耐德在大型PLC市场排名前三，占据76.8%的市场份额。

国内PLC制造商已超过了40家，主要包括汇川、台达、和利时、信捷等，经过近些年的不断努力，国产PLC在技术、产品和市场等方面均取得了显著成果。国产大型PLC主要以和利时LK系列中大型PLC产品为代表，该PLC充分融合了DCS和PLC的优点，采用了高性能的模拟量处理技术、小型化的结构设计、开放的工业标准、通用的系统平台，适用于中、高性能控制领域，主要应用于电力、石化、化工、冶金、纺织、食品、造纸、印刷、制药、采矿、能源、交通、市政等行业。

虽然国产大型PLC取得了一定成就，但总体上还呈现“小弱散”状态。各制造商的市场占有率较低，主要依赖进口关键零部件和实时运行软件来研制产品，面向细分行业的整体解决方案能力不强，与国外大型PLC相比竞争力较弱。

③ 安全仪表系统SIS。在流程工业，国外知名的安全仪表系统（SIS）制造商有施耐德、罗克韦尔、霍尼韦尔、横河、HIMA、艾默生、ABB、西门子等，国内知名的SIS制造商有中控技术、和利时、龙鼎源、康吉森等。这些国内制造商的SIS产品通常采用三重化表决架构（2oo3D）、冗余容错设计等先进技术，确保系统的高安全性和高可靠性，同时均符合功能安全国际标准（如IEC 61508和IEC 61511），满足安全完整性等级SIL3要求，并通过了国内外权威机构的功能安全认证，展现了国产SIS产品的高技术水平和国际竞争力。

但是，国产SIS在技术成熟度和稳定性、品牌认知度等方面与国际先进水平相比仍存在一定差距，同时，随着智能制造的推进，用户对于SIS系统的智能化和集成化水平提出了更高要求。

④ 先进控制（APC）软件。国外知名的先进过程控制（APC）软件供应商主要有艾斯本、霍尼韦尔、艾默生、施耐德等，这些公司产品占据了全球APC市场的主导地位。国内市场上，随着国产APC软件的研发投入持续加大，产品水平不断提高，市场占有率已经达到50%左右。国内APC供应商主要包括中控技术、和利时、石化盈科等。和利时研发的先进控制软件包HiaAPC，整套软件包括先进控制运行平台、多变量模型预测控制、基于该

平台的PID自整定、软测量软件和控制回路性能评估软件，其功能和性能与艾斯本和霍尼韦尔的产品相当。中控技术研发的先进控制软件InPlant APC，集成了先进控制平台、多变量鲁棒预测控制软件及智能软测量软件等关键组件，连续五年蝉联国内市场占有率第一，2023年国内市场占有率达28.2%。

国外APC软件在复杂系统控制、多变量优化、实时数据处理等方面具有更高的技术水平，国产APC软件与国外顶尖产品相比，在技术成熟度、算法优化、模型精度等方面仍存在一定差距。

⑤ 运动控制与伺服驱动。运动控制器主要有几种产品形态——基于PC的运动控制卡、独立式运动控制器、驱控一体运动控制器，现在发展到聚焦细分行业，提供包括控制器、驱动和电机的整体解决方案。在运动控制器领域，国外知名的制造商主要有美国泰道（DeltaTau）、以色列ACS、英国翠欧（Trio）、美国GALIL等，国内主要有固高科技、雷赛智能、成都乐创、深圳众为兴等。国内市场上，固高科技在运动控制卡领域处于领先地位，雷赛智能排名第二。但国内以固高科技为例，解决方案能力偏弱，伺服配套方案的客户较少，系统整套解决方案多为经销商提供。顶尖的高速高精度细分行业解决方案依然是由进口品牌主导，如以色列ACS在激光LDI行业，通过SPiiPlus系列产品做到微秒级高精度，美国PMAC控制器在高节拍的半导体焊线的赛道上领先。

在伺服驱动领域，国外产品的品牌影响力更为强大，如西门子、三菱电机、安川等，在全球范围内享有很高的知名度。而国内产品的品牌影响力相对较弱，绝大部分集中在中低端，需要进一步提升。

⑥ 智能现场总线仪表。在流程行业智能现场总线仪表领域中，国外知名的制造商有霍尼韦尔、恩德斯豪斯（Endress+Hauser）、罗克韦尔、横河、艾默生、ABB、西门子等，国内知名的制造商有重庆川仪、上自仪、京仪、天津仪表、中科博微等。这些国内外制造商都提供具有CAN、HART、MODBUS、PROFIBUS PA、FF H1等现场总线接口的自动化仪表。重庆川仪产品Flowmaster系列电磁流量计、VF系列涡街流量计、电磁冷水表、节流装置等，广泛应用于流程工业、核电军工、智慧水务、海外等领域，产品国内市场占有率居首位。上自仪产品主要有3051系列压力变送器、数字远传压力表、膜片压力表、不锈钢隔膜压力表、真空压力表、压力控制器等，可用于测量液体、蒸汽、气体等介质的压力。

从产品的覆盖面看，国内自主知识产权的现场总线仪表产品可以与国外进口产品种类相当，但是国产仪表与进口产品相比在测量精度、稳定性与可靠性、智能化等方面具有一定差距，尤其是在核电等特殊领域，国产仪表可选择范围较小。

⑦ SCADA系统。国外知名的SCADA供应商主要是各大自动化公司，包括西门子、艾默生、施耐德、三菱电机、罗克韦尔、欧姆龙等。国内知名供应商除中控技术、和利时等自动化公司外，还有力控科技、亚控科技等专业工业软件公司。工控网报告显示，当前国产主流SCADA供应商产品占领中国市场40%的份额。以亚控科技的KingSuperSCADA产品为例，该产品是一款全组态型监控平台软件，具有模块化开发、可视化操作、分布式部署、安全可靠等特点，支持1600余个国内外制造商6000余种设备驱动。2018年美国ARC咨询报告数据显示，亚控科技的SCADA软件在国内市场占有率首次超过国际品牌，并连续多年蝉联国内市场第一。

SCADA系统在多个行业，尤其是电力、水务、石油和化工等领域广泛应用，现已作为基础平台，实现了现场数据实时采集、生产过程异常监控，集成了更多的管理控制和报警功能。但是国产软件还需在大数据量处理、高并发请求、异构系统集成等方面进一步提升。

2.3.2 技术创新对产业发展的推动作用

在新一轮科技革命和产业变革的时代，互联网、人工智能、大数据等技术创新已经成为了我国自动化产业发展的强大动力，促进了自动化产业的快速发展和转型升级。

（1）引领产品创新

技术创新为自动化产品升级换代提供了核心技术的支撑。智能传感器、先进控制算法、人工智能算法等技术的突破，激发了企业研发自动化产品的创新活力，新型自动化设备不断涌现，功能更加丰富智能，稳定性、精密性、安全性与可靠性显著提升，与国外相比差距逐渐减小，提升了产品的竞争力。

（2）促进产业升级

一方面，技术创新使得自动化技术的应用范围不断拓展，从传统制造业延伸到战略性新兴产业，为自动化技术开辟了新的市场空间。另一方面，在传统制造业内部，技术创新也推动了自动化技术在生产过程中的深入应用，从简单的机械自动化到复杂的智能制造系统，实现了生产过程的全面优化，提高了生产效率，降低了人力成本，推动了产业高端化、智能化、绿色化发展。

（3）推动产业链协同优化

技术创新促进了自动化产业链的优化升级，加强了上下游企业之间的合作与协同，提高了整个产业链的运作效率。同时，还推动了自动化产业与其他相关产业的协同发展，如与信息技术、新材料技术等产业的融合，促进智能制造装备、工业机器人产业发展，形成了更加完善的产业生态体系。

本章负责人　于海斌　中国科学院沈阳自动化研究所

第3章 自动化产业发展的挑战与机遇

3.1 主要的挑战

3.1.1 技术难题与瓶颈

我国自动化技术的发展比国外晚了数十年，目前基础零部件、关键技术、核心软件等产业基础薄弱，还存在短板和“卡脖子”问题；国内整体技术创新性不足，主要还以跟跑为主，引领性、原创性、颠覆性技术较少；国产产品以中低端为主，产品可靠性和稳定性不高，高端产品与国外产品相比差距较大。这些都限制了我国自动化产业的进一步发展和广泛应用。

但近年来，一方面国内人工智能、大数据、新型网络等新技术几乎与国外同步开展研究，有望通过技术集成创新来解决短板“卡脖子”问题；另一方面受益于国家政策支持以及市场需求不断扩大，在相关行业领域，国产替代进程加快，加速了国产产品在应用中不断迭代升级。

当前，我国自动化产业发展存在的主要技术难题和瓶颈包括以下方面。

（1）大型复杂系统建模

随着工厂规模不断扩大，分布式系统、边缘控制、云控制等新技术不断涌现，使得自动化系统的内部结构和功能模块也日趋庞大复杂，传统建模方法难以全面、准确地描述这种复杂性，大型复杂自动化系统的建模仿真问题亟须解决。

（2）模块化编程与柔性组态

面向个性化定制、多品种小批量的生产需求，自动化系统需支持构建柔性可重构生产线，传统自动化系统编程方式依据单一控制器编程体系，具有缺乏灵活性、编程复杂度高和模块化程度不高等局限性，不适合柔性可重构系统编程。

（3）多学科联合仿真

复杂自动化系统通常涉及机械、电气和自动化等多个学科领域，设计、验证技术薄弱，大型重大工程缺乏实施经验。为了在部署实施前全面验证系统的性能，需将各学科领域的仿真模型进行集成和耦合，实现跨学科的仿真和分析。

（4）智能传感与精密测量

用于精密加工、精密装配的自动化系统，对于传感和测量技术有更高要求。由接触式测量转为非接触式测量、由离线检测转为在线检测、由事后检测转为在机测量，对于智能传感技术，特别是精密微力、微距传感要求更高。

（5）智能控制系统与算法

先进的控制系统和算法是自动化系统的核心。复杂系统一般具有非线性、时变性、不确定性等特征，传统人工预设规则的控制方法难以有效应对，并且航空航天、医疗设备等领域对实时性和精确性要求极高，因此，智能控制系统和算法在复杂控制、实时控制和优化策略等方面仍有待突破。

（6）实时数据采集与处理分析

自动化系统需采集大量的数据进行分析、控制和决策。一方面，数据的准确性、完整性和一致性等数据质量会直接影响数据分析的结果和决策的准确性；另一方面，工业数据采集单一、积累不足也会导致数据分析不全面、不准确，增加决策失误风险。因此，应加强工业数据采集分析的实时性、规范性、全面性和准确性。

（7）图像高速生成/处理和控制

工业现场环境复杂多变，如光照、噪声、遮挡等都可能影响图像处理的准确性和稳定性。当前图像处理技术在自动化系统中的应用多是单一环节，如视觉检测、导航，并且模型在特定数据集上表现良好，但在新场景下的适应性较差。因此，需进一步提高图像处理精度、模型的泛化能力，以及多系统、多环节的集成应用。

（8）精密运动/传动控制

精密运动控制和精密传动控制，主要用于工业机器人、精密机床、半导体制造等领域，要求极高的定位精度和重复性，这对传感器、控制器和执行器的性能提出了严峻挑战。随着精度的提升，系统的复杂性和调试难度也逐渐增加，需要开发复杂的控制算法，同时还需要超高速率、超低时延的工业通信网络支持。

（9）人机协作和安全

人和自动化机器共享工作空间并同时作业，应确保机器的安全性、灵活性和可信度，以及支持人与机器之间的交互和决策。例如，机器人应通过感知决策来适应人动作的轨迹和速度，同时须采用安全技术，根据风险等级，在危险时控制机器人的力度和速度，在必要时停机，保证安全性。

（10）人工智能工业适配应用

高质量的训练数据缺乏、算法的可解释性不足、安全与隐私保护未很好解决等问题限制了人工智能在工业中的应用。人工智能通用模型和算法需要与细分行业的数据和专家经验、工艺知识结合，形成垂直化、场景化、专业化的应用模型，才能真正解决工业急需问题。

（11）开放网络安全

在自动化系统开放互联环境下，物理安全、网络安全、数据安全成为重要问题，应保护自动化系统不受网络攻击或非法访问，防止未经授权的篡改或破坏，保障存储和传输数据的机密性、完整性和可用性等。如果安全问题没有得到充分解决，会限制自动化系统的网络化发展。

（12）自动化标准体系

自动化产业标准体系尚不完善：一方面，现有自动化标准尚未能完全覆盖新技术、新产品和新应用；另一方面，由于自动化技术的多样性和复杂性，有些领域缺乏统一的技术标准和测试规范，导致不同系统之间的兼容性和互操作性差。

需要指出的是，自动化技术的发展是一个不断演进和创新的过程。随着科技的进步和解决方案的不断改进，瓶颈问题可能会逐渐得到解决。此外，不同行业和领域的自动化需求和挑战也有所不同，因此具体的发展瓶颈消除，可能会因情境而异。

3.1.2 市场接纳度及推广难度

在产品市场上，既存在高端产品国际竞争力不强，又存在低端产品同质化竞争激烈的问题。在产业链供应链上，供需两端同时受国际贸易、政策和市场波动等影响，弹性和韧性不足，企业抗风险能力较弱。

（1）国际竞争力不足

国际大公司的竞争对自动化市场构成了技术壁垒和市场压力。国际大公司在控制类设备和驱动类设备等高端领域具有强大的技术实力、品牌影响力、渠道优势和客户资源，在全球范围内占据了较高的市场份额和较大的利润空间，在中国市场也有较深的布局和影响，对国内品牌构成了技术壁垒和市场压力。

（2）国内同质化竞争激烈

国内自动化公司在低端产品市场竞争较激烈，存在低端锁定的风险。除了少数企业自主研发核心产品外，大多集中在系统集成环节，通过采购自动化设备为下游用户设计方案，徘徊在高技术产业领域的低附加值环节。此外，国内企业还存在个别的恶性竞争和“一哄而上”式的重复建设，使得企业利润微薄，最终可能制约向产业链高端升级的进程。

（3）产业链供需不确定性

行业周期性和不确定性，对自动化市场造成了需求和供给两侧波动风险。自动化市场的需求方主要包括传统制造业、高端制造业和新兴产业，这些行业受政策、周期、环保、技术、消费、出口等多种因素的影响，需求波动较大。同时，这些行业也面临着贸易摩擦、汇率、原材料等多种不确定性因素的影响，供给变化较快，甚至面临断供风险。这些都会对我国自动化产业发展造成不利影响。

（4）投资回报周期较长

自动化技术的开发和实施，需要投入大量的资金和资源，属于高初始投资。对于某些行业和企业来说，自动化的成本可能相对较高，而且回报率可能需要相当长的时间才能实现。因此，成本和回报率是自动化发展的一个重要考虑因素，中小型企业可能会因为难以承担前期成本而减慢自动化发展速度。

（5）环境保护和可持续发展

随着全球对环境保护和可持续发展的日益重视，我国自动化技术产业也需要强化环境保护和可持续发展意识。企业需要采取有效措施，减少对环境的负面影响，推动产业的绿色发展。

3.1.3 法律、伦理等方面的挑战

2022年《关于加强科技伦理治理的意见》明确提出“提升科技伦理治理能力”“加快推进科技伦理治理法律制度建设”等要求。自动化技术的发展须受到法律和监管的限制和要求。

随着自动化技术的广泛应用，数据的收集、存储和使用变得愈发普遍。这引发了关于数据保护和个人隐私的法律问题。自动化系统在收集企业和个人数据时，必须确保在实现数据有效利用的同时防止数据泄露和滥用。关于“数据产权”，当前尚未有法律法规明确定义，但2022年12月发布的《关于构建数据基础制度更好发挥数据要素作用的意见》中明确指出，“根据数据来源和数据生成特征，分别界定数据生产、流通、使用过程中各参与方享有的合法权利，建立数据资源持有权、数据加工使用权、数据产品经营权等分置的产权运行机制”，同时，“对各类市场主体在生产经营活动中采集加工的不涉及个人信息和

公共利益的数据，市场主体享有依法依规持有、使用、获取收益的权益，保障其投入的劳动和其他要素贡献获得合理回报”。

当自动化系统运行出现故障或造成损失时，责任归属问题变得复杂。传统的责任界定方式可能无法直接应用于自动化系统，因其决策过程往往基于算法和数据分析。法律需要明确在自动化系统中，制造商、运营商、用户等各方的责任范围，以及相应的赔偿机制。工信部、财政部、金融监管总局在2024年5月发布的《关于进一步完善首台（套）重大技术装备首批次新材料保险补偿政策的意见》中，就加快推动重大技术装备和新材料产业高质量发展，进一步优化完善保险补偿政策提出指导意见。

自动化技术的快速发展要求法律监管体系不断更新和完善。然而，法律制定往往滞后于技术发展，导致一些新兴技术和应用在法律上处于灰色地带。例如，人工智能技术在自动化领域中的广泛应用，可能带来人工智能引发的一些伦理和社会问题。国家新一代人工智能治理专业委员会在2021年9月发布的《新一代人工智能伦理规范》提出了增进人类福祉、促进公平公正、保护隐私安全、确保可控可信、强化责任担当、提升伦理素养等6项基本伦理要求，为从事人工智能相关活动的自然人、法人和其他相关机构等提供伦理指引。

自动化、人工智能技术的发展还可能导致失业、不公平等社会问题。例如，工业机器人、自动化生产线的大量使用，导致部分传统岗位被取代，不仅涉及失业人员的生计问题，还关系到社会结构的调整和转型；先进技术的成果不能为社会公众公平分享，高昂的自动化设备和技术可能使得一些企业无法承担，从而进一步拉大企业之间的差距。

综上所述，自动化产业在法律和伦理等方面面临的挑战是多方面的、复杂的。为了应对这些挑战，需要法律、伦理、技术等多方面的共同努力和协作。通过完善法律法规、加强伦理规范建设、推进技术创新和应用等措施，推动自动化产业的健康发展，实现技术与社会的和谐共生。

3.2 》 主要的机遇

3.2.1 新技术带来的发展机遇

工业4.0、智能制造的深入推进，为自动化产业带来了重大机遇。我国制造业的层次和差异很大，发展不平衡，所以有工业2.0补课、工业3.0普及、工业4.0示范之说。“工业3.0”即为自动化、数字化，要实现“工业4.0”的智能化必须首先打好自动化基础。

自动化技术涉及机械、电子、计算机、通信、人工智能等诸多技术领域，涵盖控制类、驱动类、执行类、传感类等自动化设备。这些设备在工厂中通过工业网络，组成网络化的工业自动化系统，实现自动加工和连续生产。因此，第一，人工智能、大数据、物联网、云计算等新一代信息技术直接赋能自动化产品，使得智能控制器、智能传感器、智能驱动器等创新产品不断涌现，产品性能不断提升，同时智能服务叠加不断产生新的附加价值。第二，新一代信息技术赋能到生产制造过程中的自动化生产线、生产单元、控制系统等，提高了控制的执行精度，优化了生产流程，增强了安全性与可靠性，变革了柔性可重构的生产模式。第三，随着信息技术的发展，自动化技术不再局限于传统工业领域，而是逐渐拓展到医疗、交通、教育、金融等多个领域，例如，智慧医疗中的自动化诊断系统、智慧交通中的无人驾驶汽车等，都是信息技术与自动化技术相结合的产物。

综上所述，新一代信息技术应用为自动化产业带来了更多的发展机遇。一方面，使得自动化设备具备自感知、自学习、自适应、自决策的能力，不断适应新的生产及消费领域的环境和需求。另一方面，推动了制造业等传统产业的转型升级，通过引入智能制造等先进理念和技术手段，使得企业能够实现生产过程的自动化、数字化和智能化，提高生产效率和产品质量，增强市场竞争力。

3.2.2 市场需求与应用领域的拓宽

当前，我国已进入传统产业升级和新兴产业崛起的高质量发展阶段，在创新驱动和需求牵引的双重作用下，国内外产品差距逐渐缩小，国产替代进程加速。这些都为我国自动化产业提供了广阔的发展空间。

（1）传统产业升级

石化、钢铁、电力、采矿等流程行业，采用大量自动化成套设备实现全流程精确控制和参数优化，确保产品质量的稳定性和一致性。人口老龄化和劳动力成本上升，促进了自动化设备在纺织、物流、食品等劳动密集型产业的替代性需求，提高了生产过程中的安全性、稳定性和灵活性。

（2）新兴产业快速发展

新能源、新材料、生物医药、高端装备制造、新能源汽车等战略性新兴产业的快速发展，对自动化设备提出更高需求，为自动化市场提供了技术创新和市场拓展的机会，将是重要的市场增长点。

（3）能碳管理与环境保护

“双碳”目标的实现和绿色可持续发展，需要通过自动化设备和系统对工厂中的能源消耗、碳排放以及环境质量进行实时监测、数据分析、预测评估和精准控制，并且在突发事件时实现对事故源快速定位和应急处理。

（4）国际市场开拓

国际市场的开拓和竞争力的提升，为自动化市场提供了出口渠道。随着国内品牌在技术水平、产品质量、服务能力等方面的不断提升，以及在价格端、本土化等方面的优势，国内品牌已逐渐获得国际市场的认可和信任，为自动化市场提供了较强的国际竞争力。

（5）国产替代

国产替代进程的加快，促进了自动化设备在控制类、驱动类等高端领域的技术创新和市场突破，提高了国内品牌的市场份额和影响力。此外，国内制造商还可提供适合特定行业需求的定制自动化解决方案，使其产品适应不同工业的应用而获得竞争优势。

3.2.3 与其他行业交叉融合的可能性

自动化产业是指以自动化控制技术为核心，辅以机械、电子、信息、通信等技术，实现生产工艺的高度自动化，提高生产效率和产品质量的产业。自动化技术本身就是多学科融合、为各种行业服务的综合性应用技术，天然具备与其他行业融合的属性。

从技术创新维度，自动化产业以其先进的技术基础，如传感器技术、控制理论、信息技术等，为其他行业提供了强大的技术支持，促进了其他行业的技术创新，推动了产业升级。一方面，自动化技术与制造业的融合促进了智能制造发展，通过自动化控制与远程监控、自动化生产线、自动化仓储物流、自动化在线检测等应用，实现了生产过程的高效化、柔性化和智能化。另一方面，自动化产业与其他行业的交叉融合不仅促进了技术的交流和共享，还加速了新技术的研发和应用。例如，在医疗领域，自动化技术与生物医学技术结合，推动了手术机器人、智能诊断系统等创新产品的出现。

从市场需求维度，随着社会的发展和人们生活水平的提高，各行业对自动化技术的需求不断增加。这种需求驱动了自动化产业与其他行业的交叉融合。例如，在物流行业，随着电商的快速发展，对物流效率和服务质量的要求不断提高，促使自动化分拣系统、自动化配送系统等自动化技术在物流领域得到广泛应用。另外，不同行业对自动化技术的需求具有差异性，促使自动化产业需提供定制化的解决方案。这些解决方案不仅满足了客户的特定需求，还促进了与产业的深度融合，极大拓展了自动化的应用领域。例如，在农业领域，根据农作物的生长特性和种植环境，定制化的智能灌溉系统和无人机喷洒系统得到了广泛应用。

从经济效益维度，自动化技术的引入，可显著提高其他行业的生产效率，降低运营成本。例如，在制造业通过自动化生产线、智能机器人等设备的应用，极大减少了人力成本，提高了生产速度和精度，为企业带来显著的经济效益；在能源领域，智能电网和智能电表的应用，实现了能源的精细化管理，降低了能源浪费和运营成本；同时，自动化技术在设备维护、故障诊断等方面的应用，也减少了企业的维修成本和停机时间。

从社会服务维度，自动化技术在服务业的应用提升了社会服务水平。例如，在银行、酒店、餐厅等场所，自动化服务机器人的应用为客户提供了更加便捷、高效的服务体验；自动化技术在公共服务领域的应用，如智能交通系统、智能安防系统等，也提高了城市的管理水平和居民的生活质量。

综上所述，自动化产业与其他行业的交叉融合在技术创新、市场需求、经济效益和社会服务等多个维度都具有广泛的可能性和巨大的潜力，不仅能推动各自行业的创新发展，还能促进社会经济的全面进步。未来，随着技术的不断进步和应用场景的不断拓展，自动化产业与其他行业的交叉融合将会更加深入和广泛。

3.2.4 自动化产业发展建议

面对新一轮科技革命和产业变革的机遇与挑战，自动化产业应加强技术创新与研发投入，优化产业结构与跨界融合，完善政策支持与服务体系，强化人才培养与引进等方面的工作，以推动自动化产业高质量发展。

（1）加强技术创新与研发投入

进一步推动人工智能、物联网、大数据、云计算等新一代信息技术与自动化技术的深度融合，加快国产设备在高端控制器、高性能伺服驱动设备等领域的创新突破，增大自动化技术和产品在智能制造、节能减排、替代性需求等方面的附加值和利润空间。鼓励自动化企业持续增加研发投入，建立研发机构或与高校、科研院所合作，共同开展关键技术和共性技术的研发，提升自主创新能力。

（2）推动产业结构优化与跨界融合

加快自动化产业在新能源、新材料、新技术等战略性新兴产业和传统制造业的布局和拓展，提高国产设备的市场份额和影响力，提升产业附加值。推动自动化产业与制造业、服务业等产业的深度融合，形成产业链上下游的协同发展，提升整体竞争力。鼓励自动化企业与其他行业企业开展跨界合作，共同探索新的商业模式和市场机会，实现资源共享和优势互补。

（3）完善政策支持与服务体系

政府应出台一系列扶持政策，包括财政补贴、税收优惠、融资支持等，为自动化产业发展提供有力保障。例如，鼓励企业加大在自动化方面的技改投资，提供首台（套）重大自动化技术装备的应用场景，支持建立自动化领域公共服务平台，为企业提供技术咨询、知识产权保护、市场开拓等全方位的服务支持。

（4）强化人才培养与引进

加大对自动化领域人才的培养力度。通过企业与高校、科研机构、行业协会等合作和交流，实现资源共享和优势互补，构建分层次、分梯队的人才培养体系，提高人才储备、技术研发、服务支持等方面的能力和水平。制定优惠政策，吸引国内外自动化领域的顶尖人才和团队，为产业发展提供智力支持。

本章负责人　**于海斌　中国科学院沈阳自动化研究所**

第4章 自动化产业对我国行业发展的作用

4.1 对装备制造业的作用

装备制造业是指为国民经济各部门进行简单生产和扩大再生产提供装备的各类制造业的总称。根据国家统计局发布的《装备制造业分类》，装备制造业可以分为七类产品，分别是机械设备、通用设备、专用设备、交通工具、电气机械及器材、仪器仪表和其他制造业。自动化技术在装备制造业中应用，一方面作为自动化生产线，实现制造全过程的自动化控制和自动化管理，提升生产效率和保障产品质量；另一方面作为装备产品本身的“大脑”和“四肢”，在装备使用过程中实现自动化精准作业。

（1）对于装备制造过程的作用

当前，自动化技术的应用领域日益拓宽，已在加工、装配、检测、物流、仓储等环节实现广泛应用，实现生产过程的自动化和连续化，并且与机器人、视觉检测、机器学习等技术深度融合，增强了自动化生产线的柔性化和智能化。例如：天津某智慧创新服务产业园的智能工厂内，负责储存、管理和运输成百上千种原料和成品的仓库保持着“黑灯”状态，AGV智能搬运机器人来回穿梭，在“暗中”高效工作；苏州凌云光将视觉技术与自动化技术集成，成功攻克视觉极限识别和智能判决问题，投用后可节约12人，漏检率降至0.1%以下，在提高生产效率的同时显著提高了生产的准确性和可靠性。

同时，企业为了避免由于更换整套生产线而导致高昂成本和复杂实施过程，通常引入自动化技术对老旧设备进行升级改造，提高生产线的联网率和数控化水平，从而提高生产效率，缩短生产周期，降低人工成本。例如：潍柴通过新增智能化装备，改造现有装备，实现了生产线的柔性化升级，使得产线可根据产品型号自动更换工艺设备和工艺参数；黑龙江某汽轮机厂将传统的人工上下料作业、人工检验记录，改造为自动化作业和数字化在线检测，实现了全序全流程自动化。

（2）对于装备本身升级换代的作用

装备是指为国民经济各行业提供的各种技术工具、机电设备和设施等的总称。随着工业革命和技术发展，装备经历了机械化、电气化、自动化的发展历程。在工业4.0背景下，装备已进入数字化、智能化阶段，具备泛在感知、开放互联、精准控制、虚实融合、决策优化等特征，自动化技术在其中扮演了重要角色，包括：

① 传感器应用：在装备及其零部件上嵌入或集成力、热、磁、声、光、电、温、压、流等智能传感器，全面实时感知装备状态、执行结果、作业环境等信息，为装备的控制、管理、应用、运维提供数据基础。

② 控制器应用：在装备上集成PLC、运动控制器、专用控制器等可编程控制设备，接收来自各种传感器的数据，根据预设的程序或算法，向执行机构发出如调整速度、改变方向、开启或关闭某些功能等指令，使得智能装备能够执行各种复杂的任务，比如自动驾驶、智能制造、智能家居等。

③ 工业网络应用：装备具有现场总线、工业以太网、5G、Wi-Fi、千兆光纤等网络接

口，向控制设备、信息系统、云平台等发送全面感知的信息，并接收远程控制信息（配置参数）和作业指令等。

④ 伺服驱动器应用：接收来自控制器关于位置、速度或者力矩的指令，通过一系列复杂的算法和调节，使得伺服电机能够按照指令精确地运动，并将电机的运动状态实时反馈给控制器。

自动化技术广泛应用于各种需要高精度、高速度、高稳定性的数字控制场景，比如机器人的手臂运动、数控机床的精确加工、自动化生产线的快速组装等，它们让智能装备具备了更强大的控制能力和更高的生产效率。

总之，随着技术的不断进步，自动化将进一步深入到装备和装备制造的各个环节，推动装备制造业迈向更高的智能化水平，实现更快、更好、更灵活的升级换代。

4.2 》 对石化和冶金行业的作用

石化和冶金行业具有生产流程复杂多变、生产过程控制连续等特点，这对生产控制系统精准控制、快速响应能力提出了更高的要求，因此自动化技术在石化和冶金行业必不可少。一方面，通过先进自动化技术，实时监测生产中的各项参数，识别生产异常并快速响应突发情况，实现生产过程的精确控制和连续操作，可显著减少人工干预，提高生产效率的同时保证生产的安全性；另一方面，石化和冶金行业作为传统的能源密集型产业，一直以来是高能耗、高排放的代表，面临着巨大的环境压力，自动化技术的应用，已逐渐成为推动石化和冶金行业实现绿色可持续发展的关键。

（1）对于石化和冶金生产过程的作用

自动化技术能够精确控制生产过程中的每一个环节，确保各项操作在最佳参数下进行。通过自动化控制系统，石化和冶金行业可以实现连续生产，减少中间环节的损耗，提升产品质量。近年来自动化技术通过集成人工智能算法，实现了生产过程的智能决策和优化管理，根据实时数据自动调整生产参数，预测潜在的风险，并在出现问题之前采取措施。例如：九江石化智能工厂实现炼油全流程一体化智能协同，厂区实现19套主装置先进过程控制（APC）系统全覆盖，提高了装置运行平稳率，主要工艺参数标准偏差平均可降低45%；唐山首信将图像识别技术与钢铁转炉生产的自动控制系统结合，通过图像识别算法将火焰特性转变为可供自动控制的依据，结合自动控制方法实现了转炉生产全过程的智能化控制。建立的转炉冶炼过程识别及控制模型体系，实现模型稳定运行率超99%，终点控制合格率超92%。

（2）对于绿色环保的作用

通过自动化能效控制系统，实时采集石化和冶金生产过程中的能耗数据，可以动态调整能源使用策略，降低不必要的能量消耗，提升能源利用率。例如：冶金自动化研究设计院通过工序作业计划和工序能耗模型、能源生产回收模型，预测能源管网波动趋势，制定能源的调配计划和调配指令，并根据实际生产和能源的实时信息反馈，为能源调度人员提供决策依据，提高决策效率；安徽海螺水泥智能工厂构建安全环保管理系统，实时采集废气、废水、废物等污染排放数据，实现危险区域作业风险智能监控、污染物排放指标预测预警、事故处置等功能，基于识别的污染排放指标或者高能耗生产活动，由生产控制系统做出能源优化策略，实现了能源消耗下降，质量稳定性提升的目标，大幅提升企业安全环保管理水平。

总之，在石化和冶金行业面临保持产品稳定性和节能减排需求的背景下，自动化技术的应用不仅提升了生产效率和资源利用率，还在推动绿色环保生产方面发挥了关键作用，为经济发展和环境保护的双赢提供强有力的技术支撑。

4.3 》对智能网联新能源汽车的作用

智能网联汽车集成了自动驾驶、车联网、大数据等多种先进技术，且制造过程具有高复杂度、多元化和实时响应的特点，需要自动化系统具备高度的精准控制和快速响应能力。

（1）对于智能网联汽车制造过程的作用

智能网联汽车制造过程中涉及的零部件数量庞大，电气系统和电子控制系统的集成度高，要求制造过程中的每一个环节都必须高度精确。并且，智能网联汽车对产品质量有着严格的要求，特别是电池模块、电控系统等关键部件，必须实现高精度生产制造。传统手工操作和低自动化水平的生产方式无法满足这些需求，自动化技术已成为不可或缺的解决方案。例如：宁德时代研发了高速双面多层挤压式涂布机等一系列国际先进自动化设备，同时开发了相应的以太网总线运动控制系统，能够自动驱动各功能部件协调动作；爱孚迪根据汽车行业智能制造精益化、客户定制化、柔性化的生产制造需求，以自动化技术为基础，集成产线动态监测、在线测量装配、视觉引导等技术，形成面向汽车智能制造的柔性焊装生产线，提高精益管控和柔性制造水平，有效提升生产效率。

（2）对于智能网联汽车本身升级换代的作用

智能网联汽车具有复杂的电子控制系统、高度集成的传感器网络以及快速的功能更新等特点，在这一背景下，自动化技术的应用逐渐成为智能网联汽车升级换代的必然选择。一方面，自动化系统通过先进的传感器融合技术，实时监测汽车运行状态中的各项参数，实现车辆性能的精确调节和智能操作，识别潜在问题并快速响应，显著减少人为干预，在提高车辆智能化水平的同时保障安全性和稳定性；另一方面，自动化技术能够精确调控智能网联汽车的各个功能模块，确保每项操作都在最佳参数下运行，为智能网联汽车的性能提升和技术革新提供了有力支撑。通过自动化控制系统，智能网联汽车可以实现动力系统、传感系统、通信系统的无缝协同，减少信号传输的延迟，提高车辆响应速度。例如，某智能网联汽车制造商通过集成自动化驾驶系统和先进的传感器融合技术，实现了车辆在复杂路况下的精准导航和安全驾驶，系统响应速度提高了30%，突发情况处理能力显著增强，通过实时监控和调节动力系统，提高能源利用效率，延长续航里程。

近年来，无人驾驶概念日趋火热，自动化技术正与人工智能深度融合，通过集成人工智能和大数据分析，实现车辆升级过程中的智能决策和自适应优化管理。基于实时数据，自动化系统可以自动优化驾驶策略、调节车载设备，预测并预防潜在故障，确保车辆在各种复杂环境下的稳定运行。

总之，在智能网联汽车的发展中，自动化技术已经成为推动产品升级换代的核心组成部分，不仅是应对制造技术复杂性和市场需求变化的有效手段，更是提升智能网联汽车整体性能和用户体验的关键动力。

本章负责人　于海斌　中国科学院沈阳自动化研究所

第 2 篇

自动化产品

CHINA AUTOMATION INDUSTRY
DEVELOPMENT REPORT (2025)

2025

第1章　控制系统

1.1 》 可编程逻辑控制系统

1.1.1　PLC 产业发展的背景及战略意义

可编程逻辑控制器（programmable logic controller，PLC）是一种专门为工业环境中的数字运算而设计的电子装置。它使用可编程的存储器，存储器内的程序可以接收输入信号，执行各种逻辑运算、算术运算、顺序控制、计时计数等操作，并且可以通过输出模块发出相应的信号，控制各种类型的机械或生产过程。

初期的PLC主要通过硬连线实现控制，功能比较有限。后来，随着技术的发展，PLC软件开始逐渐发展，出现了许多PLC编程语言和工具，例如LD语言、ST语言、FBD语言等。这些语言和工具的出现，使得PLC软件的功能越来越强大，可以满足更多的控制需求。

到了20世纪90年代，PLC软件开始向模块化、可扩展化方向发展。在这个时期，PLC软件开始支持更多的通信协议和数据格式，例如MODBUS、PROFINET等。同时，PLC软件也开始支持更多的编程语言和平台，例如C++、Java等。

近年来，随着工业互联网的兴起，PLC软件也开始向云端化、智能化方向发展。在这个时期，PLC软件不仅需要支持更多的通信协议和数据格式，还需要支持更多的设备和传感器，实现更广泛的互联互通。同时，PLC软件也需要具备更强的数据处理和分析能力，以便更好地支持工业生产过程中的数据采集、分析和优化。

总之，PLC软件的发展历经了多个阶段，从最初的硬连线实现控制到现在的智能化、云端化方向发展，其功能越来越强大，可以满足更多的控制需求。未来，随着技术的不断发展，PLC软件将继续演化，并将更加广泛地应用于工业控制领域。

随着技术的不断发展，PLC的应用领域逐渐扩展和普及。除了传统的工业自动化领域，PLC在机器人、智能家居、能源管理等领域也有着广泛的应用。

（1）制造业

制造业作为传统的行业领域，对于PLC的应用一直以来都非常重视。无论是在机械制造、汽车制造还是电子制造领域，PLC都发挥着不可或缺的作用。通过精确控制和实时监控生产线上的设备和工艺，PLC为制造业带来了许多优势。首先，PLC能够提高生产效率，减少人工干预，降低生产成本。其次，PLC的应用能够确保产品的质量，减少瑕疵和误差。此外，PLC的灵活性和可扩展性使得生产过程能够轻松适应不同的需求，无论是生产量的变化还是产品种类的调整。随着科技的不断进步，PLC在制造业中的应用也将更加广泛，为企业提高竞争力、实现持续增长提供强有力的支持。未来，随着智能化、自动化技术的不断发展，PLC在制造业中的应用前景将更加广阔。

（2）工业自动化

在工业自动化领域，PLC扮演着至关重要的角色。它承担着监控各种设备与系统的重任，无论是机械设备、传感器、驱动器还是仪表，它都能游刃有余地应对。通过内部编程，PLC可以实现自动化控制，以及实时的数据采集、报警和远程监控功能。这使得工业过程能够更加安全、稳定和高效。PLC的可靠性、灵活性和可扩展性，使其广泛应用于各种工业自动化领域，包括能源、水处理、物流等。随着工业4.0和智能制造的快速发展，PLC将会有更多的应用场景和更高的性能要求。同时，PLC技术的发展趋势也将更加注重系统的稳定性、可靠性和安全性。在未来的工业自动化领域，PLC将会发挥更加重要的作用。

（3）交通运输

PLC系统在交通运输领域扮演着至关重要的角色。无论是在控制交通信号灯、管理电梯运行，还是在门禁系统的控制、地铁车辆的控制方面，PLC都以其卓越的可靠性和稳定性，为提高交通运输的安全性和效率作出了巨大贡献。在关键时刻，例如繁忙的交通路口或紧急情况下，PLC系统能够确保交通信号灯的正常运行，避免潜在的安全隐患。同时，PLC在地铁控制中的应用也十分重要，它能够确保地铁列车的安全、准时运行，为乘客提供更加便捷、安全的出行体验。

（4）能源管理

在能源管理领域，PLC系统发挥着至关重要的作用。无论是石油、天然气还是电力及水资源等的控制和监测，PLC都能通过智能化控制实现能源的有效利用和节约。随着科技的不断进步，PLC系统在能源管理领域的应用越来越广泛，在提高能源利用效率、降低能源消耗和减少环境污染等方面作出了巨大贡献。

PLC系统在能源管理方面的应用涵盖了多个方面。例如，在石油和天然气领域，PLC系统可以实现对油气开采、运输、加工和储存等各个环节的自动化控制，提高能源利用效率，减少能源浪费。在电力和水资源领域，PLC系统可以实现对水电站、火电站和核电站等能源生产场所的自动化控制，实现能源的稳定生产和供应，同时还可以对水资源的开发、利用和保护进行智能化管理，实现水资源的可持续利用。

PLC系统的智能化控制不仅可以实现能源的有效利用和节约，还可以提高能源生产和使用效率，减少环境污染。通过PLC系统的监测和控制，可以实时掌握能源生产和使用的动态信息，及时发现和解决能源浪费和环境污染问题。此外，PLC系统还可以与其他智能化设备进行联动，实现能源的预测、调度和控制，进一步提高能源利用效率和管理水平。

总之，PLC系统在能源管理领域的应用已经成为一种趋势。随着技术的不断进步和应用范围的不断扩大，PLC系统将在提高能源利用效率、降低能源消耗和减少环境污染等方面作出更大的贡献。

（5）医疗卫生

在医疗卫生领域，PLC系统的应用也日益广泛。由于医疗设备对于控制和监测精度的要求极高，PLC以其高精度和高可靠性的特点，成为实现这些要求的关键部件。无论是医疗仪器、医学测试仪器还是其他医疗设备，PLC都能有效提高设备的运行效率和安全性。

通过PLC的控制和监测，医疗设备能够实现更加精准、可靠的操作，这对于提高医疗服务质量、保障患者安全具有至关重要的作用。例如，在医疗仪器中，PLC能够精确控制各种参数，如温度、压力、液位等，确保设备的稳定性和精确性。在医学测试仪器中，PLC能够实现高精度的数据采集和数据处理，为医生提供准确的诊断依据。

同时，PLC系统在医疗设备中的广泛应用，也推动了医疗技术的不断创新和发展。随着技术的不断进步，PLC的功能和性能也不断提高，使得医疗设备能够实现更多的功能和更高的性能。这不仅提高了医疗服务的质量和效率，也为医疗技术的创新和发展提供了更多的可能性。

（6）家庭自动化

PLC系统，一种在工业自动化领域广泛应用的技术，如今也进入到了家庭自动化领域，为我们的生活带来了前所未有的智能化和便捷化。在家庭安防、智能家居、环境监测等领域，PLC都能够通过精确的控制实现各种家庭设备的自动化运行，提高生活品质和舒适度。

在家庭安防方面，PLC系统可以实现监控摄像机的自动化运行，实时监控家庭安全状况。当有异常情况发生时，系统会自动报警并通知主人，确保家庭安全。在智能家居方面，PLC可以实现照明、空调、窗帘等设备的自动化控制，让家庭生活更加智能化和便捷。例如，通过手机APP或语音控制，可以轻松实现家中照明设备、空调的开关，窗帘的升降等操作。

在环境监测方面，PLC系统可以实时监测室内空气质量、温度、湿度等参数，并根据主人设定的参数自动调节家庭设备的运行状态，保证家庭环境的舒适度。例如，当室内空气质量下降时，系统会自动启动空气净化器；当室内温度过高时，系统会自动开启空调降温。

同时，PLC系统在家庭自动化领域的应用也为我们的家居空间布局和设计提供了更多的可能性和自由度。例如，可以利用PLC系统对家中不同的功能区进行分区控制，实现不同区域之间的独立控制或联动控制。此外，还可以利用PLC系统实现家中设备的远程控制或定时控制，提高生活的便利性和智能化程度。

PLC系统的引入，为家庭自动化领域带来了新的发展机遇和挑战，它不仅提高了我们的生活品质和舒适度，也为我们的家居空间布局和设计提供了更多的可能性和自由度。随着技术的不断进步和应用领域的不断拓展，相信PLC系统在家庭自动化领域的应用将会越来越广泛和深入。

（7）人工智能

除了上述行业之外，PLC也与人工智能领域的发展密切相关。现如今，人工智能技术发展迅速，涌现出的众多新技术正改变着各个领域，从1956年提出人工智能到如今阿尔法、元宇宙、ChatGPT，各种各样的智能系统不断涌现。人工智能技术在智慧城市、生物医学、智能交通、智能农业、智能制造、智能物联网等领域扮演着不可或缺的角色，这些智能技术和以PLC为主的智能设备之间进行交互，使得人们的生活便捷又智能。

人工智能技术的核心技术主要包括计算机视觉、机器学习、自然语言处理以及语音识别。机器视觉主要通过智能算法使计算机对复杂图像进行处理从而提取重要信息，例如目前广泛应用的人脸识别技术。机器视觉技术通过图像分类、目标检测跟踪、图像语义分割等技术使机器拥有类人眼功能，机器可以以摄像头为眼睛感知和认知世界，这是智能设备智能化的跨越式升级。例如应用机器学习及机器视觉的无人驾驶技术，让无人汽车在环境中不断提升自己的能力，训练出的模型在基本路测环境中保持稳定。在工业控制领域，智能控制器、PLC、DCS（分散控制系统）等控制器与机器视觉功能的结合，将图像分类、目标检测跟踪、图像语义分割等图像处理功能应用到PLC、运动控制、智能机器人、物联网及HMI（人机交互）的通用控制平台中，这样可以显著提高生产的灵活性和自动化程度。可以说，PLC的发展对于人工智能领域和现代社会的发展起到非常重要的作用。

总之，PLC系统以其高效、稳定、可靠的特点广泛应用于自动化控制领域。未来，随着工业技术的发展，其应用范围还将不断扩大，渗透到更多的行业和领域。

1.1.2 PLC产业国内外技术发展趋势

“机器换人”，是推动传统制造业实现产业转型升级的一项重要举措，是以现代化、自动化的装备提升传统产业，推动技术红利替代人口红利，成为新的产业优化升级和经济持续增长的动力之源。对于技术进步、提升劳动力素质、提高企业生产效率、促进产业结构调整、推进工业转变发展方式等具有重要意义。

随着中国劳动力成本的上升，传统的人口红利正在逐渐消失。全球经济格局的演变使得全球制造业高端化竞争愈演愈烈。在这种情况下，中国制造业必须进行转型升级，以现代化、自动化的装备替代传统生产方式，用技术红利替代人口红利。自2012年底开始，浙江、江苏等地的传统制造企业逐步实现了“机器换人”，自动化生产模式逐渐成为企业改造升级的主流。2014年，东莞市政府一号文件的出台和相关政策的扶持，使得“机器换人”在东莞制造业重镇得到了大力推广，并迅速在全国范围内掀起了一场“机器换人”的浪潮。这场浪潮不仅推动了制造业的转型升级，也为中国经济的持续发展注入了新的动力。而在“机器换人”的潮流之中，PLC无疑发挥着至关重要的作用。

PLC全自动控制包括一系列组件，如控制器、I/O模块、传感器和执行器。它们之间实现了信号的传递，并以此实现工业自动化控制。控制器是PLC全自动控制的中枢，它是控制系统的核心，它可以设置控制程序，控制其他部件的运行，而I/O模块则可以接收传感器和执行器的信号，并将控制器的指令传输给执行器。

PLC全自动控制的优点在于它可以实现快速、灵活的控制，可以检测和监测环境变化，并实时调整控制程序，从而实现自动化控制。此外，PLC全自动控制具有高可靠性，可以长期运行，而且维护成本低，因此受到众多工业企业的青睐。

PLC全自动控制的应用范围很广，可以用于各种机械设备的自动控制，如机床、焊接机、注塑机、组装机等，也可以用于智能家居、智能物流、智能工厂和智能电网等领域。

PLC技术历经数十年发展，从简单的逻辑控制到复杂的算法运算，其性能不断提升，功能日益丰富。在这个过程中，PLC开始呈现出一些引人注目的发展趋势。

（1）工业物联网

随着工业物联网的飞速发展，PLC技术正面临着更高的要求。为了实现设备之间的有效互联互通，PLC需要具备更强大的数据采集、处理和传输能力。同时，为了适应工业自动化领域的多样化需求，PLC需要提供更多类型的接口，以支持各种不同类型的传感器和执行器。这意味着PLC需要具备更高的灵活性、扩展性和可靠性，以满足不断升级的工业自动化需求。

为了应对这些挑战，现代PLC技术正在经历着一场深刻的变革。一些先进的PLC制造商已经开始采用更先进的处理器和更大的内存容量，以提高PLC的数据处理能力。同时，他们还在PLC上提供了更多的接口类型，以支持不同类型的传感器和执行器。这些创新举措不仅提高了PLC的性能和可靠性，还为工业自动化领域带来了更多的可能性。

未来，随着工业物联网技术的不断发展，PLC将会更加智能化和自动化，将会在工业自动化领域中发挥更大的作用，推动工业生产的数字化和智能化进程。

（2）工业4.0与智能制造

工业4.0时代是智能化时代，利用信息化技术促进产业变革。这个概念最早出现在德国，是在2013年的汉诺威工业博览会上正式推出的。它的核心目的是提高德国工业的竞争力，以便在新一轮的工业革命中占领先机。这个理念已经被广泛接受，并被德国政府列入《德国2020高技术战略》中所提出的十大未来项目之一，旨在提升制造业的智能化水平，建立具有适应性、资源效率及基因工程学的智慧工厂，在商业流程及价值流程中整合客户及商业伙伴。工业4.0通过广泛采用通信技术和网络物理系统等技术来促进制造的自动化水平，它注重的是制造业的整个生产流程，从市场需求、产品设计、生产计划、生产制造到销售及售后服务的全过程的数字化和智能化。这使得制造过程更加高效、灵活和可靠，同时也可以更好地满足消费者的个性化需求。

在“机器换人”和工业4.0的时代背景下，PLC发挥着至关重要的作用。PLC技术作为工业自动化中的核心技术，通过全自动控制实现全方位的自动化控制。它为“机器换人”和工业4.0提供了重要的技术支持，使得生产过程更加高效、精准和可靠。随着工业自动化技术的不断发展，PLC在实现“机器换人”和推进工业4.0方面将发挥越来越重要的作用。

在工业4.0时代，PLC被设计用于控制工厂内的机械设备，如机器人或伺服电机等。它们是可编程的计算机，装在方形柜子里，可以承受极端的温度和湿度。由于采用模块化结构，如果需要，这些设备的多个单元可以堆叠起来执行更复杂的控制。它们可以轻松运行代码，接收传感器设备的输入，并将决策输出到警报器、显示器或打印机。这些代码通过输入或时钟来实现循环和触发。

在工业4.0之前，一台PLC用于控制一组机器。进入工业4.0时代后，多台PLC可以分布在工厂的多个位置。每个机器人或伺服电机都有自己的控制器，控制器必须相互通信并与云通信，通过工厂Wi-Fi进行身份验证以保证安全，并响应客户订单。

工业4.0和智能制造是当前工业发展的主要趋势，PLC作为工业自动化领域的重要控制设备，需要适应这一趋势，具备更强的实时性、可靠性和灵活性，以支持生产过程的智能化、自适应化和柔性化。为了满足不断升级的工业需求，PLC需要具备更高的性能和更低的故障率，同时能够应对各种复杂的生产环境和生产过程的变化。在智能制造的背景下，PLC需要与传感器、机器人、物联网等设备进行更紧密的集成和互联，以实现生产过程的自动化、信息化和智能化。因此，PLC需要具备更强的实时性、可靠性和灵活性，能够实现快速响应、高精度控制和高效的数据处理，以满足不断升级的工业需求。

（3）边缘计算与云计算

随着云计算和边缘计算技术的飞速进步，PLC设备必须紧跟时代潮流，实现云端与边缘的协同计算和存储，以提高数据处理效率和系统可靠性。在工业自动化领域，PLC作为关键设备，对整个生产流程的稳定性和效率起到至关重要的作用。为了更好地满足现代工业的需求，PLC需要支持更高效、更灵活的计算和存储方式。通过实现云端和边缘的协同计算与存储，PLC将能够提高数据处理速度和系统可靠性，为工业自动化领域的发展提供更强大的支持。

（4）网络安全与故障预防

随着工业自动化领域的不断发展，PLC系统作为关键组成部分，其网络安全问题愈发凸显。为了应对这一挑战，PLC系统需要具备更强大的网络安全防护能力，以确保在日益复杂的网络环境中安全稳定地运行。同时，为了保障系统的可靠性和稳定性，PLC系统还需要提供更完善的故障预防和恢复机制。这意味着在面对各种潜在风险时，PLC系统需要具备有效的应对策略，以确保生产过程的顺利进行。这不仅有助于提高工业自动化水平，还有利于实现更高效的生产管理。

（5）人工智能与机器学习

人工智能（AI）和机器学习（ML）技术在工业自动化领域的应用正逐渐成为主流，对于PLC来说，适应这一趋势并加强人工智能和机器学习算法的支持能力是未来发展的必经之路。PLC需要提供更强大、更高效的AI和ML算法库，以满足工业自动化领域对于智能化控制和优化的需求。通过引入先进的AI和ML技术，PLC能够更好地应对工业自动化领域的各种挑战，在提高生产效率、降低成本、优化资源利用等方面具有重要意义。同时，PLC还需要提供更加灵活、易用的开发工具和解决方案，以帮助用户更好地实现智能化控制和优化。随着人工智能和机器学习技术的不断发展，PLC将在工业自动化领域发挥更加重要的作用，引领工业自动化技术的新一轮变革。

（6）远程监控与维护

随着工业自动化程度的不断提高，PLC系统的远程监控和维护变得至关重要。为了满足这一需求，PLC必须提供更强大、更全面的远程监控和维护功能。这不仅有助于系统的调试，还有助于在故障发生时快速定位和排除故障，以及进行日常维护。

PLC系统的远程监控和维护是工业自动化发展的重要趋势。通过PLC提供的远程监控和维护功能，可以大大提高系统的可靠性和稳定性，降低维护成本，提高生产效率。

在实现PLC系统的远程监控和维护方面，需要解决许多技术难题。例如，如何保证远程监控的实时性和准确性，如何保证维护操作的安全性和可靠性，以及如何对远程监控和维护功能进行有效的管理和控制等。

然而，随着技术的不断进步和PLC系统的不断升级，我们相信这些难题都将得到解决。未来，PLC系统的远程监控和维护功能将更加完善、更加智能、更加高效，为工业自动化的发展提供更强大的支持。

（7）灵活性与可拓展性

随着生产需求的不断变化，PLC系统需要具备更强的灵活性和可扩展性。为了适应这种变化，PLC需要提供更灵活的编程环境和配置方式，以支持不同类型的应用场景。这意味着PLC系统需要具备更强的可定制性和可扩展性，以便用户根据自己的需求进行自定义编程和配置。同时，PLC系统还需要支持更多的通信协议和接口，以便与更多的设备和系统进行无缝集成。这样，用户可以更加灵活地使用PLC系统来满足不断变化的生产需求，提高生产效率和产品质量。

（8）多功能性与适应性

随着工业自动化进程的持续推进，PLC系统的多功能性和适应性越来越受到关注。为了满足不同应用场景的需求，PLC系统需要提供更丰富的功能模块和扩展接口。这样，PLC不仅可以支持各种类型的传感器和执行器，同时还可以适应不同的通信协议，实现更加灵活和高效的控制方案。在功能扩展方面，PLC系统需要具备更高的可配置性和可扩展性，以便根据具体应用需求进行定制和扩展。这不仅可以提高PLC系统的适用范围，同时也可以降低系统的成本和维护难度。通过不断优化和扩展功能模块，PLC系统将在未来的工业自动化领域中发挥更加重要的作用。

（9）高性能与低成本

随着市场竞争的日益激烈，PLC系统需要在高性能和低成本方面具备显著优势，以提升其市场竞争力。为了实现这一目标，PLC系统需要采用最新的处理器和芯片组，同时还需要对软件算法和系统架构进行优化，以实现更高效、更低成本的计算。

在硬件方面，PLC需要采用最新的处理器和芯片组，以确保其高性能的计算能力。随着摩尔定律的逐渐失效，传统芯片的时钟频率提升速度已经明显减缓，但处理器架构的不断改进和多核技术的发展使得芯片性能得到了大幅提升。因此，PLC系统需要采用最新的多核处理器技术，以满足其高性能的计算需求。

在软件方面，PLC需要优化软件算法和系统架构，以实现更高效、更低成本的计算。通过优化软件算法，可以减少计算量和内存占用，提高系统的运行效率。同时，优化系统架构也可以降低系统成本，提高系统的可靠性。

总之，为了在激烈的市场竞争中获得优势，PLC系统需要在高性能和低成本方面进行不断优化和创新。这需要PLC厂商在技术研发和产品创新方面不断努力，以满足客户的需求并赢得市场份额。

PLC在工业自动化领域占据着核心地位，其技术发展的趋势不仅引领着整个工业自动化领域的发展，也反映了当代科技进步的方向。

无论从微观层面还是从宏观层面考虑，我国必须做好国产PLC的产业化工作。在国产PLC产业化方面，我们已初步探索出了一条可行之路。但是，中国PLC市场90%左右仍被国外品牌占领，民族PLC品牌还很弱小。国内厂商在小型PLC领域取得了一定成绩，但在高端应用突破不多。因此，国产PLC产业化的任务还很艰巨，我们必须加快各项工作的推进。只有成功实现国产PLC的产业化，才能真正实现产业升级，中国才能由制造大国变为制造强国。

（10）供应链安全性提升

从2018年开始加剧的国际贸易摩擦间接影响了我国自动化产业的发展，此后对中国自动化产业提出了一个新的课题：供应链安全性提升。

经过几年的努力，中国的自动化产品已逐步实现自主可控。在大型PLC产品方面已有多家系统实现了自主可控，这些系统在一些关键设备中已批量应用，在中、小型PLC产品方面由于其单价低、被控设备重要性差、研发成本高，导致进展相对比较缓慢。但随着近几年其在芯片制造、锂电池制造等高端装备领域的需求增加，中、小型PLC产品的自主可控变得迫切，国内各厂家也在中、小型PLC产品上加大研发，部分厂商的市场占有率也大幅度提升。但这还只是市场的冰山一角，未来还有更多的应用领域需要自主可控的产品，只有通过持续的投入才能不断提高供应链的安全性。

1.1.3 PLC国内产业发展现状

（1）市场规模

PLC在自动化装备和生产线中有普遍应用场景，中国的PLC市场规模正在不断扩大，据统计，2019年全球PLC市场规模达到364亿美元，而中国作为全球最大的PLC市场，其市场规模也在逐年增加。受益于制造业产业升级和高端装备的发展，2018—2022年，中国PLC市场规模由121.31亿元提升至150.91亿元，2018～2022年CAGR（复合年均增长率）为5.61%。其中，小型PLC和中大型PLC基本各占一半市场份额。2019年由于受到我国经济增速放缓和中美贸易摩擦影响，PLC市场规模同比下滑，2020～2021年，由于口罩机等

---

❶ 本小节数据皆来自观研报告网。

防疫设备需求大幅增长和中国制造在疫情下体现的供应链优势，2020年和2021年PLC市场明显回暖。2022年PLC市场体现较强韧性，我国PLC市场规模为150.91亿元，PLC市场规模呈稳健增长态势，2022年在内外部环境承压情况下体现韧性。2023年我国PLC市场规模为164亿元，2024年为137亿元，同比萎缩16.5%。如图2-1-1所示。

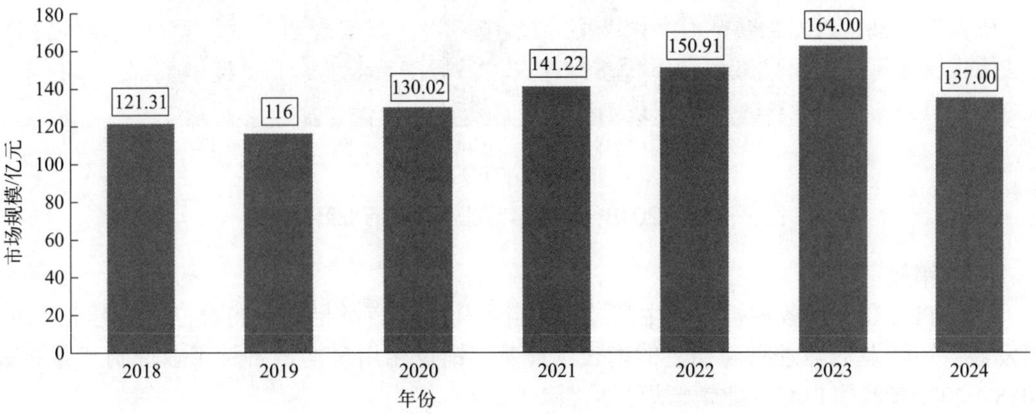

图 2-1-1　2018～2024 年我国 PLC 行业市场规模

随着设备更新政策的逐步落地，下游市场对PLC产品的需求会增加，MIR睿工业预测2025年中国本土PLC市场规模同比2024年增加4%左右。中、大型PLC与小型PLC占比如图2-1-2所示，我国本土PLC主要品牌市场占比情况如图2-1-3所示。

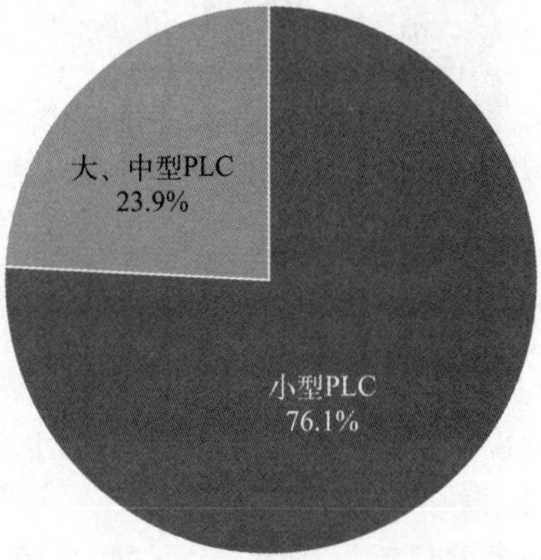

图 2-1-2　2023 年中国本土 PLC 市场规模

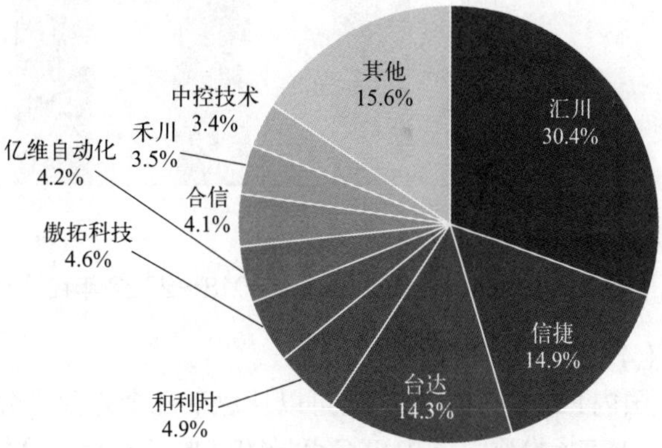

图 2-1-3　2023 年中国本土 PLC 主要品牌市场占比

（2）产量

近几年，国内PLC行业产量快速增长，产量从2019年的4337.5万台增长到了2022年的7161.6万台。PLC控制器行业产量与需求量的增长差异主要是出口带来的，随着行业生产规模扩大，通用基础产品生产自动化水平提升，国产PLC性价比优势更为显著，在全球中低端市场竞争力显著增强，出口量高速增长。2018～2022年我国PLC 行业产量规模如图2-1-4所示。

需要注意的是，我国的PLC进口量也有很大的增长，主要是由于国内高端产品供应不足，下游传统行业以及新型行业的持续发展，对高端的PLC产品需求增长，行业的进口量持续增长。

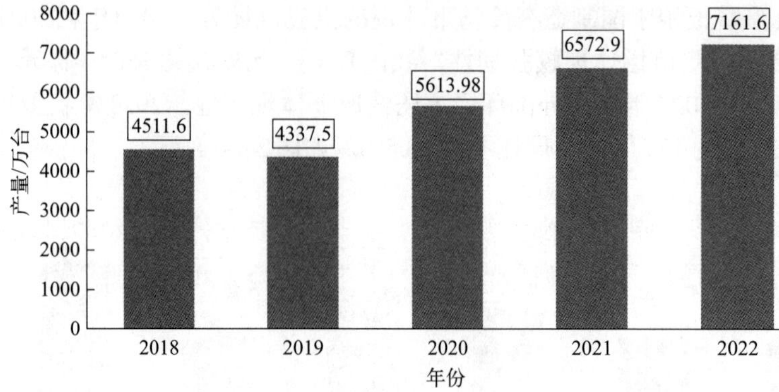

图 2-1-4　2018～2022 年我国 PLC 行业产量规模

（3）销量

由于PLC在控制各种机械或生产过程的自动化中占有举足轻重的地位，随着工业生产的发展，该行业的需求有着稳定的增长，产量、销量和用量均居各种工业控制装置榜首。2018～2022年我国PLC行业销售规模见图2-1-5。

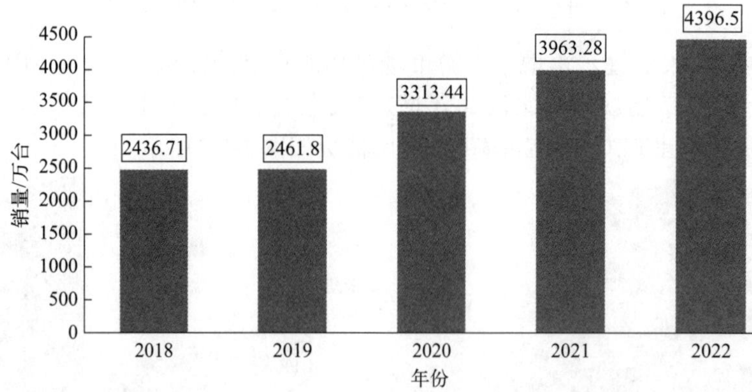

图 2-1-5　2018～2022 年我国 PLC 行业销售规模

（4）行业竞争格局

国内PLC行业竞争格局可以从以下几个方面来分析：

① 市场份额。国内PLC市场的主要参与者包括欧美系、日系、国产等。这些公司在国内市场提供各种类型的PLC产品，以满足不同行业和领域的需求。根据不同数据来源，欧美系在国内PLC市场的份额占据领先地位，其次是日系。其中，欧美系PLC产品具有较高的可靠性和稳定性，技术水平也较高，因此在国内市场占据一定优势；日系PLC产品则以性价比高而著称；国产PLC产品则以价格低廉而受到一些用户的青睐。国内PLC市场的竞争格局正在发生变化，各公司需要不断创新和改进，以满足用户的需求和提高自身的竞争力。

② 技术实力。虽然国内PLC厂商在技术实力方面相较于国际巨头存在一定的差距，但是近年来国内厂商不断加大技术研发力度，积极提升自身技术水平，一些领军企业已经具备了自主研发和生产中高端PLC的能力，并且其产品在性能和可靠性方面也得到了广大用户的认可。这些国内PLC厂商通过不断的技术创新和研发，逐渐缩小了与国际巨头的差距，进一步推动了国内PLC行业的发展。

③ 销售渠道。国内PLC厂商的销售渠道主要分为两种：直销和渠道销售。对于一些实

力雄厚的厂商来说，他们通常采用直销模式，直接与重要的客户建立合作关系。这种模式有助于更好地了解客户需求，提供定制化的产品方案，以及更及时的技术支持。

而其他一些厂商则更倾向于采用渠道销售的模式。在这种模式下，厂商会与各地的渠道伙伴建立合作关系，由他们负责销售和提供服务。渠道销售有助于厂商扩大市场覆盖范围，提高产品知名度，并借助渠道伙伴的经验和资源来提高销售效率。

无论是直销还是渠道销售，都需要厂商具备丰富的技术知识和经验，以及良好的客户服务能力。同时，厂商还需要根据自身的实力和市场需求来选择合适的销售模式，以实现最佳的市场效果。

④ 行业应用。国内PLC厂商在各个行业的应用案例已经相当丰富，尤其是在传统制造业、电力、石油化工等领域。这些行业对PLC的需求较大，且对产品的性能要求较高。在这个领域，一些国内厂商已经积累了一定的经验和口碑，例如在工业控制、自动化生产线等方面都拥有成熟的解决方案。同时，在某些细分领域，如高端装备制造、新能源等，国内厂商已经具备了一定的竞争优势。随着国内工业领域的不断发展，PLC市场的需求将持续增长，为国内PLC厂商提供更广阔的发展空间。

国内PLC厂商在工业自动化领域有着广泛的应用。例如，在传统制造业中，PLC被用于自动化生产线、机械手、物流运输等方面，提高了生产效率和质量。在电力领域，PLC被用于电网监控、调度、保护等方面，保障了电力系统的稳定性和安全性。在石油化工领域，PLC被用于过程控制、安全监控等方面，提高了生产效率和安全性。

此外，在高端装备制造和新能源等领域，国内PLC厂商也取得了一定的进展。例如，在高端装备制造领域，PLC被用于数控机床、工业机器人等方面，提高了设备的精度和效率。在新能源领域，PLC被用于太阳能、风能等新能源设备的控制和优化，推动了新能源产业的发展。

⑤ 政策支持。近年来，为了推动制造业的转型升级，国家不断加大对智能制造领域的支持力度，出台了一系列政策来鼓励国内PLC厂商的发展。这些政策为国内PLC厂商提供了良好的发展机遇，一些政策还鼓励国内厂商进行自主创新和技术升级，从而推动了中国智能制造产业的快速发展。

在这个过程中，国内PLC厂商也积极响应国家政策，不断进行技术研发和产品创新，提升自身竞争力。同时，一些厂商还加强了与国际知名企业的合作，通过引进先进技术来提高自身的技术水平和产品品质。这些努力都为中国智能制造产业的崛起和发展奠定了坚实的基础。

总体来说，国内PLC市场竞争激烈，各家厂商都在不断提升自身实力和竞争力，以在市场中获得更大的份额。同时，国家政策的支持也为国内PLC厂商提供了良好的发展环境。

⑥ 相关数据。PLC产品分三个梯队：

第一梯队：以欧美系厂商为主，产品以中、大型PLC为主，中、小型更稳定可靠，大型PLC全球市占率超过70%。

第二梯队：主要是日系厂商，主打产品是中、小型PLC，主要用于机床和OEM（原始设备制造商）生产的设备。

第三梯队：主要是国产厂商，产品以小型PLC为主，通过瞄准细分行业客户需求占有一定市场份额。

按不同品牌地区划分来看，国内PLC市场竞争格局中，欧系品牌保持垄断地位，日系份额有所下降，内资份额提升明显，台资、美系份额相对稳定。国内欧系PLC市场份额从2017年的约46%提升至2022年前三季度的约49%，提升了3%；日系份额下滑明显，从2017年的约30%下降至2022年前三季度的约24%，下滑了6%；内资份额从2017年的约3%提升至2022年前三季度的约8%，提升了5%；台资份额从2017年的约3%小幅提升至2022年前三季度的约4%，美系份额从2017年的约5%微降至2022年前三季度的约4%。

从企业来看，2024年国内PLC市场竞争格局中，国内市场PLC行业前三品牌分别为西门子、汇川、欧姆龙。

2023～2024年大中小型PLC主要厂商业绩及市场份额如表2-1-1～表2-1-3所示。

表2-1-1　2023～2024年中国主要大型PLC供应商业绩及市场份额变化

供应商	市场规模/百万元			整体市场占比	
	2023	2024	同比	2023	2024
罗克韦尔自动化	710	450	−36.6%	33.8%	25.7%
中控技术	190	280	47.4%	9.0%	16.0%
施耐德电气	310	220	−29.0%	14.8%	12.6%
和利时	185	210	13.5%	8.8%	12.0%
西门子	200	150	−25.0%	9.5%	8.6%

表2-1-2　2023～2024年中国各主要中型PLC供应商业绩及市场份额变化

供应商	市场规模/百万元			整体市场占比	
	2023	2024	同比	2023	2024
西门子	3300	1750	−47.0%	51.6%	41.2%
欧姆龙	1200	740	−38.3%	18.8%	17.4%
汇川	400	340	−15.0%	6.3%	8.0%
三菱	320	280	−12.5%	5.0%	6.6%
罗克韦尔自动化	270	200	−25.9%	4.2%	4.7%

表2-1-3　2023～2024年中国各主要小型PLC供应商业绩及市场份额变化

供应商	市场规模/百万元			整体市场占比	
	2023	2024	同比	2023	2024
西门子	3490	3500	0.3%	44.2%	45.5%
汇川	1100	850	−22.7%	13.9%	11.0%
无锡信捷	520	640	23.1%	6.6%	8.3%
台达	600	640	6.7%	7.6%	8.3%
三菱	530	490	−7.5%	6.7%	6.4%

1.1.4　国内发展的对策及建议

国产PLC起步较晚，不可否认的是，我们与国外老牌PLC企业还有着较大的差距。

（1）技术研发困难

目前国内的PLC产品大致可以分为以下几类：

第一类：采用开源技术的组合类产品，这类产品特点是通过集成开源技术或通过开源技术修改实现产品功能，产品在功能、性能上基本满足当前应用需求，但在新需求、新行业、新应用技术中表现出明显劣势，主要的原因是技术的专业化程度不足。

第二类：采用标准的商业化软件和专用硬件组合类产品，这类产品特点是硬件往往采用高性能X86处理器平台，软件则采用类似Codesys等商业软件授权，这类产品中仅极少部分自行开发，也很难推动技术进步。这类产品一般是高价格、高性能产品，产品隐含高价的软件授权费，受到限制，无法自主可控。

第三类：采用全自开发的软件和硬件技术的产品，这类产品特点是结合行业应用需求通过自研或大量修改开源技术形成专用产品，产品开发的投入极大，仅存在于有实力的大型厂商。这类产品会在不同行业推出不同产品来满足应用需求，能满足行业的高端应用并实现自主可控。

PLC技术研发困难是当前PLC国产企业所面临的重要难题之一。由于PLC技术门槛较高，研发难度大，因此需要投入大量的人力和物力资源进行研发。然而，国内PLC企业的技术积累相对较少，研发能力相对较弱，这就导致了国内PLC企业在技术上与国际大品牌存在较大的差距。

为了解决这个问题，PLC国产企业需要加强技术研发能力，提高技术人员的水平，积累更多的技术经验，以便能够掌握核心技术和推出高质量的产品。这不仅需要企业在技术研发方面加大投入，还需要政府、行业协会等各方面的支持和帮助。

同时，PLC国产企业还需要注重人才培养和引进。通过加强人才培养和引进，可以提高企业的技术水平和管理能力，推动企业的创新和发展。此外，还需要积极参与国际技术交流与合作，以便更好地掌握国际先进技术和发展趋势。

只有通过各方面的努力和投入，才能够解决PLC技术研发困难的问题，提高国内PLC企业的技术水平和竞争力，实现可持续发展。

（2）自主研发能力需提升

国内PLC企业在技术、品质和服务等方面不断提升，逐步替代进口产品，未来，国内高端PLC市场有望实现更大的国产替代空间。

国内个别PLC企业在硬件设计和软件编程上已经摆脱对国外技术的依赖，从硬件、操作系统、通信协议、嵌入式软件、编程软件、信息安全等方面完全实现了自主研发和技术创新，并提高了产品的可靠性和性能。但是目前国内大部分PLC企业仍然依赖国外技术或产品，这可能导致使用该厂商的PLC产品存在安全隐患，容易被国外“卡脖子”。

为了解决这些问题，国内PLC企业需要加强基础技术研发，提高基础技术研究人员的水平，培养行业应用专家，建立行业应用标准。这不仅需要企业在基础技术研发方面加大投入，政府及行业协会等各方面的支持和帮助，同时还需要终端客户对新技术、新产品的应用与反馈。

（3）品牌认知度低

国内PLC企业面临的一个重要问题是品牌认知度相对较低，很多用户对于国产PLC品牌的认可度不高。这种现象主要是由于国产PLC品牌在市场上的推广力度不够，缺乏足够的品牌知名度。此外，一些国产PLC品牌在产品质量和服务方面也存在着一些问题，这些问题影响了用户对国产PLC品牌的信任度和认可度。

为了提高国产PLC品牌的认知度和认可度，国内PLC企业需要加大市场推广力度，提高品牌知名度。同时，还需要注重产品质量和服务质量，提升用户对品牌的信任度和满意度。此外，政府、行业协会等也可以通过政策扶持、标准制定等方式来促进国产PLC品牌的发展和壮大。

在市场推广方面，国内PLC企业可以通过多种途径来提高品牌知名度。例如，参加行业展会、举办产品发布会、进行广告宣传等。同时，还可以通过互联网平台，如社交媒体、搜索引擎等来进行品牌推广。在产品质量和服务方面，企业需要注重提高产品的性能和质量，以及提供优质的售后服务。通过不断的技术创新和产品升级，提升用户对品牌的信任度和满意度。

总之，提高国产PLC品牌的认知度和认可度需要政府、行业协会和企业的共同努力。通过加大市场推广力度、注重产品质量和服务质量、政策扶持等多种方式来推动国产PLC品牌的发展和壮大，实现民族产业的崛起。

（4）产品质量不稳定

一些国内PLC企业深陷严重的质量问题困扰，探究其根源，主要是生产过程中的质量控制不严格所致。产品的质量一致性差，导致在生产过程中常常出现各种质量问题，甚至有些产品存在严重的缺陷。此外，企业在产品研发和测试阶段的投入不足也是影响产品质量的一个重要因素。这些质量问题不仅严重损害了企业的声誉，还降低了用户的信任度和满意度，进而影响到企业的市场竞争力。

为了解决这些问题，企业需要采取一系列措施。首先，需要加强生产过程中的质量控制，通过严格的质量管理体系和有效的质量控制方法来提高产品的质量。其次，企业需要增加在研发和测试阶段的投入，以便更好地研发出高质量的产品。只有这样，才能提高产品质量，赢得用户的信任和满意度，从而增强企业的市场竞争力。同时，企业还需要加强与用户的沟通与联系，及时了解用户的需求和反馈，以便更好地满足用户的需求和提高产品的质量。

（5）市场竞争激烈

PLC市场一直以来都竞争激烈，对于国内PLC企业来说，要想在这个市场中占据一席之地，确实需要克服诸多难题。目前，国际知名品牌如西门子、三菱电机等已经在市场上占据了主导地位，国内PLC企业在技术、品牌等方面与国际大品牌存在一定的差距，这种差距导致国内PLC企业在市场上的竞争力相对较弱，要想打破这种局面，国内PLC企业需要付出更多的努力和心血。

此外，随着科技的飞速发展，新的竞争者纷纷涌入市场，使得市场竞争愈发激烈。在如此激烈的竞争中，如何脱颖而出，是PLC国产企业必须认真思考的问题。为了在市场上获得成功，PLC国产企业需要从多个方面进行努力。首先，需要不断提高自身的技术水平，以提升产品的质量和性能。其次，需要加强品牌建设，树立良好的企业形象和信誉。此外，还需要积极拓展销售渠道，扩大产品的覆盖面和影响力。只有通过这些努力，国产PLC品牌才有可能在这激烈的市场竞争中占据一席之地。

（6）售后服务不足

国内PLC企业在售后服务方面存在诸多问题，尤以投入不足为甚。通常，这些企业提供的服务响应速度缓慢，无法满足用户的需求，服务水平有待提高。这不仅大大影响了用户的满意度，而且也对企业的声誉和形象造成了负面影响。

更令人遗憾的是，一些企业在技术支持和培训方面的投入也显得不足。这种情况不仅让用户在遇到技术问题时无法得到及时、有效的解决方案，而且也降低了用户对企业的信任度和满意度。

事实上，提供优质的售后服务和技术支持是提升企业形象和信誉的关键因素。只有通过不断提高服务质量和水平，才能赢得用户的信任和满意，进而提升企业的市场竞争力。因此，PLC企业应该重视售后服务和技术支持的投入，提高服务响应速度和质量，为用户提供更好的使用体验。

1.1.5 重点企业分析

（1）和利时集团

① 基本信息。和利时创建于1993年，是全球智能化系统解决方案主力供应商。公司总部位于北京，坐落于国家级开发区——北京经济技术开发区，在杭州、西安等城市及新加坡设有研发、生产及服务办公基地，在国内数十个中心城市及印尼、印度、哈萨克斯坦等地设有分支机构或办事处。和利时业务由工业智能化、交通智能化、食药智能化三大板块构成，覆盖国计民生主要行业。自创立以来，和利时始终坚持自主创新研发，为用户提供定制化的整体解决方案、稳定可靠的产品和全生命周期的服务，帮助用户提升市场竞争力。

核心产品包括：和利时全新可自由定义智能系统XMagital、全系列PLC产品、智能装备、OCS工业光总线控制系统、分布式控制系统MACS IC、MACS-K系列DCS产品、安全仪表系统HiaGuard系列SIS产品、工业软件HOLLiAS系列（MES/APC/AMS/OTS/SCADA等）、核电站数字化仪控系统MACS-N、车载系统（ATP）、地面列控中心（TCC）、无线闭塞中心（RBC）、应答器传输系统（BTM、LEU、Balise）、MD61系列中药颗粒调剂系统、MD64系列中药饮片调剂系统、MD66系列智能煎药系统等。

XMagital是和利时推出的可自由定义的智能系统，该系统基于统一平台，包含了生产控制操作、生产计划调度、设备资产管理、安环质量管理、经营决策管理五大应用集群，为工业用户提供客户定制化的智能管控一体化解决方案，支持用户打破传统单体自动化和信息系统的壁垒限制，按需灵活配置部署，摆脱“绑定式”合作困局，实现业务的快速拓展升级，同时以AI智能体重构工业生产全场景，助力企业高效运营。

工业智能化领域：全厂自动化整体解决方案专家。提供的工业智能化产品家族有强大的方案和系统集成能力、定制化的设计及施工调试服务，应用于流程制造和离散制造领域的关键装备及重要工程，在多个细分行业市场占据优势地位。每年成功实施项目数量达2000多个。在过程自动化领域，基于HOLLiAS®工业控制平台，和利时提供以DCS、DEH、SIS、OCS、仪表等自主产品为基础的一系列工业智能系统产品，以及以智能工厂平台MES、AMS、APC、OTS、Batch 等工业软件为核心的智能工厂一体化解决方案，广泛应用于石化、化工、火电、核电、造纸等多个细分行业。在离散自动化领域，和利时提供从装备、产线、车间至全厂的自动化、信息化、智能化整体解决方案。核心产品包括：PLC、HMI、变频器、伺服驱动、SCADA软件等，产品广泛应用于水利、水务、水电、隧道等行业，以及半导体、新能源、物流等高端装备制造领域。

交通智能化领域：交通智能化业务涵盖干线铁路、市域（郊）铁路、城市轨道交通、公路等领域。作为国内领先的交通控制系统解决方案和服务提供商，曾荣获多项国家级、省部级及国家级行业协会的奖励或荣誉，主持或参与数十项重大科研项目，制定多项轨道交通领域国家标准。开发设计的相关系统及产品均通过了欧洲权威机构的最高安全等级认证（SIL4 级）。列控车载系统在复兴号动车组上装配、列控地面系统在京张高铁上运用，同时推出“和行”轨道交通大模型，为轨道交通提供更智能、更高效、更精准的运维故障诊断、辅助决策等解决方案，推进AI新技术与轨道交通行业的融合创新，助力铁路数智化升级和高质量发展。

食药智能化领域：数字化中药装备解决方案专家。在中药配方颗粒调剂智能化、中药饮片调剂煎煮智能化等细分领域，和利时可提供整体解决方案和专业化产品，极大地提升了医院中药房、中药饮片代煎中心和食药生产企业的智能化水平及运营效率。

② 主要产品及应用情况。和利时PLC产品历经20余年的发展，已形成涵盖小型、中大型、运动型、功能安全型、自主可信型等全栈式产品线，同时基于一体化编程组态平台大幅提高工程效率。

和利时掌握了PLC设计开发的关键技术，并实现所有组件与技术的安全可控，包括关键芯片及元器件、嵌入式实时操作系统、实时控制引擎、实时工业网络技术、编程组态软件等。

和利时基于可信计算3.0技术构建内生免疫的主动防御体系，建立控制器双体系可信度量架构，实现控制器全生命周期的可信度量，为关键信息基础设施的工控网络安全保驾护航。

和利时PLC相关产品累计销售50余万套，广泛应用到各领域。

在公用工程市场，LK系列PLC凭借优秀的性能，突出的三防和宽温设计，在以流程工业为主，油气化工、冶金、水利、水电、轨道交通、市政水务、能源等行业稳定运行，获得了客户的一致好评。

在装备市场，和利时的LX系列PLC广泛应用于半导体、锂电、物流、汽车产线等高端行业；MC系列、LE系列PLC广泛应用在装备市场，包括各种配套装备，比如盲文印刷机、包装机、折弯机、口罩机等，还有油气撬装设备、空压机、换热站、盾构机、建筑装备等。

以下为和利时做出的部分行业案例：

• 亦庄水厂项目：北京自来水公司的亦庄水厂，是给北京经济技术开发区供水的水厂，规模达50万吨级，是国产PLC应用的最大规模的水处理厂。

• 北京地铁14号线项目：北京地铁14号线，运行近10年，全线37个车站，共使用183台和利时LK系列冗余PLC。

• 平潭地下综合管廊项目：福建平潭管廊，在30km内使用158套和利时LK系列中大型PLC。

• 引黄入冀补淀工程：共使用36套和利时LK系列大型PLC产品。

（2）中控技术

① 基本信息。浙江中控技术股份有限公司（简称“中控技术”或“中控”）成立于1999年，始终秉承“让工作与生活更轻松”的使命，致力于面向以流程工业为主的工业企业提供以自动化控制系统为核心，涵盖工业软件、自动化仪表及运维服务的智能制造产品及解决方案，赋能用户提升自动化、数字化、智能化水平，实现工业生产自动化、数字化和智能化管理。

中控技术拥有较为完善的营销网络和服务体系，通过建立覆盖全国的西北、东北、华中、华东、华南、西南六个大区总店及一百多家地方区域5S店，以总部赋能、一线作战的运营管理模式，用更加灵活和高效的资源调配和协作机制为客户提供更为及时和更加贴近需求的可持续服务，并在新加坡、迪拜、印度等海外地区设立分公司、办事处等常驻机构，服务全球用户。目前，核心产品已应用至五十多个国家。

中控技术主要产品包括集散控制系统（DCS）、安全仪表系统（SIS）、可编程逻辑控制器（PLC）、回路评估与整定（PID）、高级报警管理（AAS）、先进过程控制（APC）、实时优化软件（RTO）、实时数据库（RTDB）、仿真培训系统（OTS）、安全栅、压力变送器、智能控制阀等，主要应用于化工、石化、电力、制药、冶金、建材、造纸等流程工业领域。

经过几十年的发展，中控技术的产品、解决方案和服务在两万多家工业用户现场均有实践应用，已成为国内流程工业自动化行业技术领先的自主创新型企业，并持续发力海外市场。

中控技术目前已拥有了雄厚的研发及产业化实施能力，逐渐形成了较为完善的智能制造产品及解决方案架构体系，具备了帮助以流程工业为主的工业企业实现智能制造转型升级的能力。到2020年底，中控技术已形成了以实时数据库（RTDB）为基础、先进过程控制（APC）、制造执行系统（MES）和仿真培训软件（OTS）为主体的四大类软件产品体系，完成包括设备管理、能源管理、生产管控、供应链管理、质量管理、安全管理等各领域共计196个APP应用开发。同时，正在实施国内外一系列具有业内影响力、有标志性意义的项目。

中控技术于2019年推出PLANTMATE®高端服务运营品牌，通过工业互联网S2B服务平台+线下5S一站式服务平台模式，以Sales、Service、Specialists、Spare parts、Solutions为核心的5S理念实现传统工业服务模式的转型升级，为工业企业客户提供便捷、高效的专业服务。未来，公司将继续致力于信息化与工业化的融合，并从自动化、信息化向智能化积极探索，帮助工业企业用户实现从工业3.0到工业4.0的转变，赋能用户实现“安全生产、节能降耗、提高质量、降本增效、绿色环保”的目标。

② 主要产品及应用情况。GCS系列控制系统是中控技术自主研发的PLC产品，包括可满足用户定制化配套需求的Fastrol产品、中小型PLC G3、大型PLC G5Pro和支持云化部署的虚拟PLC。

G5Pro中的控制器、电源、网络、通信模块、I/O模块均支持冗余配置，极大地提高了系统整体的可靠性、可用性和容错能力。控制器单站可满足上万个I/O硬点的接入，支持星型、线型、单环网、双环网等I/O扩展方式。系统采用自主研发的控制内核，满足内建信息安全的要求。所有模块可支持器件100%国产化，并取得了第三方权威机构的认证。G5Pro中的Safety系列支持安全非安全混用场景，可达SIL3的安全等级。G5Pro可应用于大规模、高可靠性、快速控制的应用场景。G3具有集成度高、接口丰富、安装灵活、环境适应性强的特点，可满足常规的单机配套或分布式部署的应用场景。同时，G3也可作为G5Pro的通用扩展I/O，提供了高性价比的控制系统解决方案。

中控的PLC所有模块标配防腐涂层，支持带电热插拔，所有系列的CPU均支持程序在线下载，支持站间数据共享和交互，支持掉电程序和数据自保持，具备完善的系统诊断信息，具备与DCS系统实现统一监控等功能，在可靠性、网络化、易维护方面表现出色，也先后取得了CE认证、G3防腐认证、CCS船级社认证、TUV认证等。

截至目前，PLC已经成功应用于油气、市政、核电、重大装备配套、石化、化工、制药等众多领域，如在中俄东线项目中，中控提供了站场全套的控制系统和SCADA软件，实现了一键启停站、压缩机负荷自动分配等功能；在宁波地铁5号线项目中，中控提供的PLC实现了在全自动驾驶轨道交通线上BAS系统（环境与设备监控系统）国产化的全线应用；在葛洲坝、三峡枢纽，中控的PLC实现了对深井泵的可靠控制，助力大国重器的国产化工作；

在核电、氢能等新能源领域，中控配套多家主机厂，实现对辅控和主装置的可靠控制。

1.2 》 集散控制系统（DCS）

1.2.1 DCS产业发展的背景及战略意义

（1）什么是DCS

DCS（distributed control system，分布式控制系统）又称集散控制系统，是一个由过程控制级和过程监控级组成的以通信网络为纽带的多级计算机系统。系统深度融合了计算机、通信、显示和控制四大核心技术，充分体现了现代科技的先进性。

DCS主要由控制器、信号输入/输出单元、人机界面和系统网络等部分组成。控制器是DCS的核心组件之一，负责执行控制算法，根据设定的控制策略和逻辑对工业过程或设备进行自动化控制。信号输入/输出单元是DCS的重要组成部分，负责从现场设备中获取数字或模拟信号，并对信号进行处理、分析和存储。人机界面实现操作员与系统的交互，主要用于显示监控画面和报警信息、输入控制命令等。系统网络是DCS的基础设施，负责将人机界面、信号输入/输出单元和控制单元等连接起来，实现数据的传输和通信。

DCS具备分散控制、集中管理的特点。分散控制是指通过将控制任务分散到不同的控制器上，使得整个系统更加稳定和可靠。同时，各个控制器之间的信息交互和协调工作，可以实现更加精细的控制效果。集中管理是指将各个控制器的信息集中到一个中央操作界面上，使得操作人员可以更加方便地监控整个系统的运行状态，并且可以快速地进行操作和控制。

DCS系统在工业自动化领域的应用已经越来越广泛。其以高度的灵活性和可扩展性，成为了工业控制领域中的佼佼者。在化工、制药、食品等生产过程中，DCS系统通过对生产流程的精确控制和实时监测，提高了生产效率和产品质量。在电力系统中，DCS系统则通过对发电、输电、配电等各个环节的自动化控制，确保了电力系统的稳定运行。同时，DCS系统还广泛应用于钢铁、造纸、石油等行业中。在这些行业中，DCS系统通过实现对各种工艺参数的精确控制和监测，帮助企业提高了生产效率和管理水平。

（2）DCS的发展历程

DCS的发展历程可追溯至二十世纪六七十年代。当时，工业生产过程的复杂性日益增长，对控制系统的需求也相应提高。因此，人们开始探寻新的控制系统架构以适应这些需求。

在DCS的初步发展阶段，集中控制系统（CCS）是主要类型。这种系统通过集中的计算机对多个设备和系统进行控制，从而对工业过程进行监测和控制。然而，由于CCS存在单点故障和性能瓶颈等问题，无法充分满足工业生产的需求，因此人们开始探索分布式控制系统，DCS应运而生。

DCS的发展与微电子技术、计算机技术的飞速发展以及工业自动化要求的逐步提高紧密相连。从最初的单纯控制功能，逐渐发展为集成了过程监测、故障诊断、数据采集和分析等多种功能的综合控制平台。随着经济的发展和工业化进程的加快，大型化、连续化、自动化和智能化已成为工业生产的发展趋势，为DCS的普及和应用提供了广阔的市场空间。

近几年，工业4.0兴起，推动了DCS技术的整合和升级，也推动了传统工程向智能工厂的转型。

工业4.0是指第四次工业革命，也被称为智能制造或数字化工厂。其代表了制造业领域的一种新趋势和转型，通过将物联网、大数据分析、云计算、人工智能等先进技术与传统制造业相结合，实现生产过程的自动化、智能化和高度灵活性。工业4.0的核心目标是建立智能工厂，其中设备、系统和产品能够实现互联互通，在实时性、柔性和个性化生产方面具有强大的能力。其倡导在整个价值链中使用数字化技术和信息化系统，从设计、制造到售后服务的全过程进行优化和集成。

工业4.0的兴起推动了DCS系统与物联网、云计算、大数据分析等先进技术相结合，实现设备和系统之间的互联互通，以及数据的实时采集、处理和共享。物联网技术使得设备和产品能够连接并共享数据；大数据分析能够处理海量的实时数据以提供洞察和决策支持，使DCS系统可更精确、更智能地优化生产决策；云计算技术提供了存储和计算资源来实现数据的处理和协作；而人工智能技术则赋予系统学习、适应和自主决策的能力。

同时，为帮助传统工程向智能工厂的成功转型，DCS系统需要具备更高级别的智能控制和自适应能力，能够根据需求快速调整生产过程，实现个性化定制和灵活生产。因此，DCS产业需要开发和提供更智能化的产品和解决方案，以满足智能工厂的需求。

随着工业4.0的发展，企业对DCS系统的需求逐渐从传统的产品销售转变为基于服务的业务模式。DCS产业需要提供更多增值服务，如远程监控、数据分析、预测维护等，以提高客户价值和持续合作关系。

（3）DCS产业发展的意义

在全球经济一体化的背景下，各国都在争相发展先进的工业技术，以提升自身的产业竞争力和国际地位。DCS作为工业自动化的核心组成部分，其技术的发展直接关系到国家在全球产业竞争中的地位。如果一个国家在DCS技术方面落后，那么其工业生产效率和产品质量也将难以达到国际先进水平，进而影响其在全球产业竞争中的地位。

DCS系统已被广泛应用于能源、化工、电力等领域，承担着至关重要的生产控制和安全保障任务。在化工行业中，DCS控制系统能够进一步提升对化学反应过程的精准控制，提高生产安全水平，降低安全隐患，并提高生产效率。在制造业中，DCS控制系统能够强化对生产流程的全流程监控与自动化控制，与其他先进技术一道推动制造业向数智化升级。在环保行业中，DCS控制系统能够更全面地收集环境数据，并通过实时的检测和控制来保障稳定、安全运行。DCS产业的发展能促进应用领域更好、更快地发展。

随着工业4.0的推进，传统的工业控制方式已经无法满足现代工业生产的需求，智能制造、黑灯工厂已成为趋势。DCS系统作为新一代的工业控制方式，具有高度智能化、网络化、自动化的特点，随着工业物联网、大数据、人工智能、云计算等技术在DCS中的应用，DCS将成为智能制造实现的重要助力之一。

在DCS领域中，我们需要具备高技能、高素质的人才来支撑产业的发展，以不断地满足现代工业生产的需求。DCS又是一个涉及多个学科领域的综合性控制系统，它不仅涵盖了自动化控制、过程控制、计算机科学、通信技术等多个学科的基础知识，还需要深入了解特定行业和特定系统的专业知识。随着DCS技术的不断发展和创新，DCS技术的广泛应用和产业规模的扩大，越来越多的高校、培训机构和企业投入到相关领域的人才培养中。这些机构提供了各种层次和类型的培训课程和教育项目，帮助从业者提升自己的技能和知识水平，同时也为更多年轻人提供了就业机会和发展空间。DCS产业的发展和高科技人才的需求是相辅相成的。随着DCS产业的快速发展，对于高科技人才的需求将不断增加，而人才培养的投入和努力也将进一步推动DCS产业的发展。

一直以来，工控产品在工业生产中扮演着至关重要的角色，被视为工业生产的“神经中枢”，因为它们控制着工厂设备的工作流程和数据传输。如果工控产品出现问题，将会对工业生产造成严重的干扰和损失。实际上，一旦出现故障，可能会使整个生产线停滞，导致巨大的经济损失。更为严重的是，如果工控产品遭受恶意攻击或被不当利用，可能会直接威胁到国家的工业安全。所以DCS产业的发展不仅关乎国家的经济发展，也关系到国家的安全。

1.2.2 DCS产业国内外技术发展趋势

国内DCS技术经过多年的发展，已经具备了较为成熟的技术实力。在自主创新能力提升、硬件技术进步、软件系统优化、开放性与互联互通、数据分析与优化、安全保障与网络防护等方面都有重要进展。通过自主研发和先进技术引入，国内DCS企业提高了产品质量和竞争力。不断完善的产业链和市场需求的不断增长也促进了技术发展。尽管仍面临一些挑战，国内DCS还是有望继续推动工业自动化，并在全球市场上扮演重要角色。

目前，国内主要DCS厂商如中控技术、和利时、新华控制等在系统稳定性、可靠性、安全性方面均取得了显著的成果。同时，国内厂商在系统集成能力、售后服务等方面也具有较大的优势。

相对于国内，国外DCS技术的发展更为成熟。一些国际知名厂商如霍尼韦尔、艾默生、西门子等在DCS技术方面拥有丰富的经验和先进的技术实力，其产品在行业内占据了主导地位。这些厂商的产品线完整，系统架构开放，具有较高的性能和稳定性。

受工业4.0发展的影响，DCS技术发展方向和趋势可从以下几点展开联想。

（1）远程I/O

远程I/O是工业自动化系统中常见的通信方式。它允许将输入/输出设备（如传感器、执行器等）与控制系统之间通过通信网络进行远程传输。通常，远程I/O系统由以下组件组成:

• 远程I/O模块：安装在现场设备附近的设备，负责与传感器、执行器等现场设备进行连接，并将信号转换为数字信号或模拟信号发送给中央控制器。它还接收来自中央控制器的指令，并将其转发给相应的设备。

• 通信网络：连接远程I/O模块和中央控制器的关键部分。它可以是以太网、现场总线（如PROFIBUS、MODBUS等）或其他专有网络。通信网络负责可靠地传输数据和指令，确保及时的通信和响应性能。

• 中央控制器：位于集中控制室或其他集中位置的设备，负责管理和监控远程I/O系统中的所有设备。它接收远程I/O模块传送的数据，并进行处理、控制和决策。中央控制器可以是PLC、DCS或其他控制设备。

传统的集中控制系统中，输入/输出设备直接连接到本地控制器，而随着工厂和设备数量的增加，以及远程监测和控制的需求增长，远程I/O技术不仅改善了传统现场I/O布线复杂、设备维护困难、布线和维护成本高等问题，为危险复杂的工业环境提供了更高效和可靠的数据采集和控制方案，更为重要的是，远程I/O技术还为DCS带来了前所未有的灵活性。随着网络技术的不断发展，远程I/O设备可以轻松地接入网络，实现数据的实时传输和共享，使工程师可以在任何时间、任何地点对系统进行监控和调整，极大地提高了系统的灵活性和响应速度。同时，远程I/O设备可以方便地增加或移除，因此，当需要增加控制点或升级系统时，只需要对远程I/O设备进行相应的调整即可，无需对整个系统进行大规模的改动。这种便利性在许多大型工程项目中具有极其重要的价值。

总的来说，远程I/O在DCS中的应用意义重大，将会在未来的工业控制领域中发挥越来越重要的作用。

（2）APL技术

APL（advanced physical layer）是一种用于工业自动化领域的高级物理层技术。其基于IEEE 802.3cg标准，是专为过程工业设计的双线（单对）以太网物理层技术。IEEE 802.3cg是IEEE标准化组织发布的一项网络标准，也称为10BASE-T1L。该标准采用了全双工通信模式，并支持速率为10Mb/s的数据传输；基于单对双绞线电缆，支持最长1000m的通信距离；定义了在工业自动化和物联网（IoT）应用中使用的低功耗以太网技术；提供了一种适用于长距离、低功耗和高可靠性需求的以太网解决方案。还包括一些额外的功能，如远程电力传输和快速启动，以满足特定应用场景的要求。APL技术为工业自动化和物联网领域的设备提供了一个统一的网络基础架构，并促进了设备的互联和数据的交换。

APL的技术特点使得其特别适用于工厂自动化、智能城市、智能交通和其他类似环境中的设备互联。APL技术为工业自动化领域带来了更可靠、更灵活的物理层通信解决方案。其使得工控系统能够在恶劣的环境条件下稳定运行，并满足对数据传输速度、即时性和准确性的严格要求，将广泛应用于DCS和其他工控系统中。

通过使用APL技术，工业设备可以通过单根电缆实现数据传输和供电，大大简化了布线和维护的成本。此外，APL技术还支持多种通信协议，如FOUNDATION FIELDBUS和PROFINET等，使得不同厂家的设备可以通过统一的物理层传输进行互联互通。这种灵活性和互操作性为工业自动化系统带来了更大的选择空间，并促进了系统的集成和扩展。

（3）人工智能

人工智能（artificial intelligence，简称AI）是一门研究如何使计算机具备类似人类智能的技术。其涵盖了多个子领域，包括机器学习、自然语言处理、计算机视觉、专家系统等。人工智能的目标是使计算机具备感知、理解、学习、推理和决策等智能能力，可以从大量数据中提取有用信息，并基于这些信息做出准确和智能的判断。通过将人工智能应用于DCS，可以实现多种系统优化，包括自主决策与控制、风险与故障的预测以及生产优化与质量控制等。

• 人工智能技术可以应用于DCS系统中的监测和优化任务。通过采集和分析大量的实时数据，人工智能可以识别潜在的故障风险、异常情况和性能瓶颈，并提供预警和建议。这有助于帮助运维人员快速定位和解决问题，保持生产运行的稳定性和安全性。

• 人工智能使得DCS系统能够具备自主决策和控制能力。通过使用机器学习和智能算法，DCS系统可以根据实时数据和先前的经验进行自主决策，调整参数和控制策略，以优化生产过程、提高能源效率和降低成本。

• 人工智能技术可以用于DCS系统的生产优化与质量控制。DCS系统中产生的大量数据可以被用于数据驱动的优化。人工智能技术可以分析这些数据，揭示潜在的优化机会和改进方案。通过深度学习、数据挖掘和模型预测等方法，人工智能可以优化生产过程、提高产品质量和节约资源。

• 人工智能技术促进了DCS系统与人类操作员之间更加密切地交互。通过自然语言处理、语音识别和计算机视觉等技术，DCS系统可以实现更智能和自然的人机界面。这有助于提高操作员的工作效率和安全性，减少人为错误。

（4）5G+工业互联网

5G作为新一代信息通信技术，在制造业数字化转型中发挥着重要作用，5G与工业互联网的融合将加速中国新型工业化进程，为经济发展注入新动能。

工信部自2019年印发《“5G+工业互联网”512工程推进方案》以来，联合产业各方紧密合作、积极探索，共同推进“5G+工业互联网”创新发展，已在十大重点行业培育形成20个典型应用场景，取得了阶段性成效。2022年8月，工信部发布《5G全连接工厂建设指南》，明确了5G工厂建设的总体要求、建设内容和建设路径，标志着“5G+工业互联网”由起步探索阶段迈向精耕细作阶段。

5G工厂将充分利用以5G网络为代表的新一代信息通信技术，打造新型工业互联网基础设施，新建或改造产线级、车间级、工厂级等生产现场，形成生产单元广泛连接、信息（IT）运营（OT）深度融合、数据要素充分利用、创新应用高效赋能的先进工厂。

作为一项系统工程，5G工厂并不是把5G技术与工业互联网进行简单叠加，而是将5G作为一种关键技术和使能技术，与大数据、人工智能、云计算、边缘计算、VR/AR、数字孪生等各类新一代信息通信技术有机集成，打造新模式、新业态、新场景，推动工厂内“人、机、料、法、环、测”等根据生产实际需要广泛联网，充分利用5G技术打通IT和OT，帮助企业解决数字化转型过程中的难点、痛点和堵点，实现提质、降本、增效、绿色、安全发展。5G工厂是以工厂为重点，但不局限于制造业的传统工厂，只要具备生产现场条件的行业和领域，包括矿山、港口、电力等，均可积极探索建设5G工厂。5G工厂可以推动制造业加速向数字化、网络化、智能化方向发展，充分发挥数字化转型对经济社会发展的放大、叠加、倍增作用。

5G工厂是垂直领域厂商、运营商、设备商、芯片厂商等行业生态伙伴深入合作的良好契机，也是5G从辅助环节向生产核心环节渗透的落地形式。

全国5G工厂建设火热进行中，工业互联网产业联盟数据显示，截至2023年9月全国已有1800余个5G工厂项目，涉及29个省（自治区、直辖市），覆盖装备制造、电子设备制造、石化化工、采矿、钢铁、电力、纺织、建材、港口等10个“5G+工业互联网”重点行业，以及有色金属、材料等其他行业，项目类型已包含产线、车间、工厂等各个层级。

随着5G通信技术的广泛应用，DCS产业也开始探索利用5G技术实现更快速、可靠的数据传输和实时通信。5G技术具有低延迟和大带宽特性，可以支持更高级别的自动化控制和设备连接，从而提升DCS系统的效率和性能。这种技术的应用可以带来更高效的生产和更低的成本，为工业自动化领域带来革命性的变革。

（5）物联网

物联网技术简称为IoT，是指通过网络将物理实体连接起来，构建一个智能的互联系统。这个系统通过物联网技术将不同的物理对象和传感器设备连接在一起，使得它们能够共同协作，从而实现更加智能化的功能。物联网技术可以通过数据分析和预测来改善生产效率，节省能源并优化资源利用。

随着科技的快速发展，物联网技术已经深深地渗透到了各个领域，其中包括DCS系统。DCS是一种广泛应用于工业自动化领域的控制系统，而物联网技术的引入，为DCS带来了许多新的可能性。

① 数据采集与监控。通过物联网技术，可以远程监控DCS系统的运行状态，实时获取设备数据，从而更好地监控生产过程，提高生产效率。

② 设备互联互通。通过物联网技术，不同厂商的设备可以相互通信，实现信息共享，

打破了信息孤岛现象，为工业自动化领域带来更大的灵活性。

③ 预测性维护。通过对设备运行数据的实时监控和分析，可以提前发现设备可能存在的问题，并及时进行维修，避免生产中断，提高设备的整体使用寿命。

物联网技术在DCS中的应用，为工业自动化领域带来了巨大的变革。通过数据采集与监控、设备互联互通以及预测性维护等方面的应用，实现了对生产过程的全面优化，提高了生产效率和安全性。未来，随着物联网技术的不断发展，其在DCS中的应用将会更加广泛和深入。

当然，随着物联网技术越来越成熟，安全风险问题也日益增加。物联网设备的普及带来了数据的集中存储和传送，同时也增加了数据泄露和黑客攻击的风险。因此，未来物联网技术的发展需要解决安全防护问题，加强保护措施，以确保数据隐私性和安全性。

（6）大数据

随着大数据技术的不断发展，其在DCS中的应用正在逐渐展开。

大数据技术可以用于DCS的数据采集、处理和分析。在DCS中，传感器和设备会持续产生大量的数据，包括设备运行状态、环境参数、生产过程数据等。大数据技术可以实时地采集、存储和分析DCS数据，并提取有价值的信息，从而优化控制策略、预测设备故障、提高生产效率等。

（7）虚拟化和云计算

云计算技术与虚拟化应用作为当今信息技术的重要组成部分，涵盖了计算机网络体系结构、操作系统、计算机体系结构等多个领域，是信息化发展的重要支撑。

绿色计算已经成为云计算技术的一个重要方向，其主要目标是减少数据中心的能耗。同时，以人工智能技术为代表的数据分析与挖掘技术也将深度融合到云计算中，为云计算进一步推广提供支持。云计算通过网络提供计算资源，使得DCS能够按需访问、弹性扩展，并支持存储和处理大数据。此外，边缘计算的兴起将计算推向接近数据源的边缘设备，以提高即时响应能力。

虚拟化技术是将物理资源（如服务器、存储设备和网络）抽象为虚拟实例，使其能够被多个应用程序或操作系统共享和管理的技术。而随着网络技术的不断发展，企业的网络拓扑也越来越复杂。为了解决这一问题，虚拟化技术扮演了重要角色。未来，虚拟化应用将更加注重用户安全和数据流量控制这类较为复杂的问题，从而提升应用性能和稳定性。

虚拟化与云计算的融合为DCS带来了更高的灵活性、可扩展性和智能化程度，从而优化资源利用、提升性能、增强安全性，并支持先进的数据分析和决策功能。

（8）数据安全和网络安全

随着工业自动化程度的不断提高，DCS系统的安全可靠性成为了关注重点。

第一，在数据安全方面，由于大数据的广泛应用和数据价值的凸显，DCS注重保护数据的安全性。通过采用加密、访问控制、身份验证和数据备份等技术，确保数据在DCS系统中的保密性、完整性和可用性。同时，合规性要求和隐私保护法规的增加也推动了数据安全的发展。

第二，在网络安全方面，DCS系统的互联性和远程访问特性使其面临着网络攻击的风险。为了应对这一挑战，DCS系统采用防火墙、入侵检测和预防系统、网络隔离和虚拟专用网络（VPN）等技术来保障网络的安全。此外，引入安全审计和监控机制用于及时发现和应对潜在的网络威胁。

第三，为应对不断演化的威胁，DCS系统利用威胁情报和智能分析技术，通过实时监测、分析和响应网络活动，识别并针对性地应对潜在威胁。

最后，DCS系统也会发展到融合人工智能和机器学习算法，以提高威胁检测的准确性和效率。

这些趋势反映了国际DCS产业不断追求创新、智能化和可持续发展的努力，推动产业在全球范围内取得更大的进步和影响力。

1.2.3 DCS国内产业发展的现状

本小节数据来源于MIR睿工业。

(1) DCS市场规模

我国DCS市场中国内品牌以中控技术、和利时为主，外资品牌主要有艾默生、霍尼韦尔、横河电机、西门子和ABB等。根据MIR睿工业统计，2024年国内市场DCS主要供应商市场份额如图2-1-6所示，中控技术在国内的DCS市场占有率达到了40.4%。

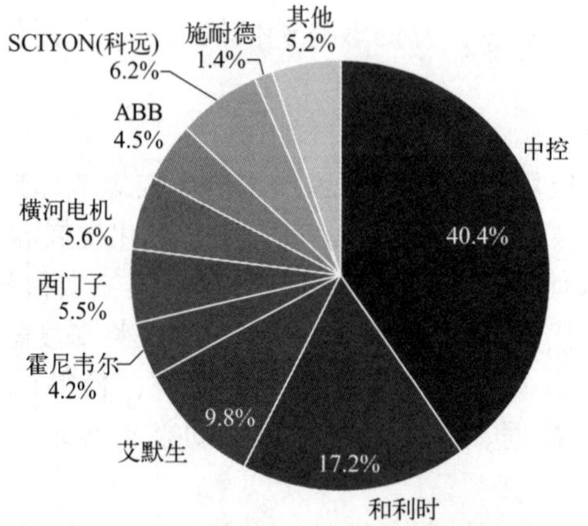

图2-1-6　2024年中国DCS主要供应商市场份额

分析市场数据，2022年至2027年DCS市场仍会保持稳定增长，平均年增长率5%～6%，2027年国内市场规模预计将达到153.3亿元。如图2-1-7所示。

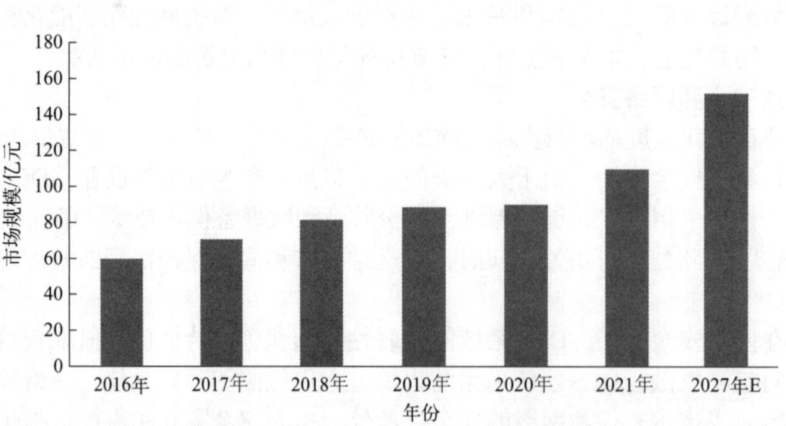

图2-1-7　2016～2021年我国DCS系统行业市场规模及2027年市场规模预测情况

[数据来源：中国集散控制系统（DCS）行业现状深度调研与投资趋势研究报告（2023—2030年）]

DCS 市场增长原因分析如下:

① 短期增长因素

a. 工业自动化需求增加

生产效率提升：企业为提高生产效率和竞争力，加速推进自动化升级。

劳动力成本上升：劳动力成本增加推动企业采用自动化解决方案。

b. 老旧系统升级

技术更新换代：许多工厂仍在使用老旧的DCS系统，急需升级到更先进的系统。

兼容性需求：新系统需要与现有设备和新技术兼容，推动市场需求。

c. 能源行业投资

能源转型：传统能源行业（如石油、天然气）在数字化转型中加大对DCS的投资。

可再生能源：风能、太阳能等可再生能源领域对DCS的需求增长。

d. 政策支持

政府补贴：各国政府推动工业4.0和智能制造，提供补贴和激励政策。

环保法规：严格的环保法规促使企业采用更高效、更环保的DCS系统。

② 中长期增长因素

a. 技术进步与创新

AI与机器学习：AI技术在DCS中的应用将优化控制策略和预测性维护。

5G与边缘计算：5G和边缘计算技术的普及将提升DCS的实时性和可靠性。

b. 定制化与模块化需求

定制化解决方案：企业对定制化DCS解决方案的需求增加，以满足特定生产需求。

模块化设计：模块化设计降低系统复杂性，提高灵活性和可扩展性。

c. 绿色与可持续发展

能效管理：企业对能效管理的需求增加，推动DCS在能源优化中的应用。

碳中和目标：全球碳中和目标促使企业采用更环保的DCS解决方案。

虽然2024年DCS整体市场规模为117.57亿元，同比2023年下滑3.6%，但总体来看，未来几年，DCS的市场规模还是增长趋势。

（2）DCS 在各行业的应用情况

按照细分市场，化工、石化和电力仍然是2024年排名靠前的DCS应用行业，2024年化工行业受传统化工品压力较大，导致DCS在该行业的规模同比有所下滑；2024年建材行业发展受房地产市场影响，处于低谷状态，DCS在该行业的规模下滑严重。如表2-1-4所示。

表 2-1-4　中国 2022～2024 年 DCS 市场规模细分

行业	2022 年销售额 / 百万元	2023 年销售额 / 百万元	2024 年销售额 / 百万元	增长率
化工	4104.6	4269.2	4077.1	−4.5%
石化	2287.8	2459.4	2405.3	−2.2%
电力	2466.0	2327.9	2442.0	4.9%
市政	565.2	601.4	636.9	5.9%
造纸	330.9	305.1	277.9	−8.9%
冶金	376.9	423.3	396.6	−6.3%
建材	209.6	229.7	198.5	−13.6%
其他	1486.3	1575.3	1322.7	−16.0%
Total	11827.3	12191.2	11757.0	−3.6%

图2-1-8展示了DCS在各细分行业中应用的占比情况。

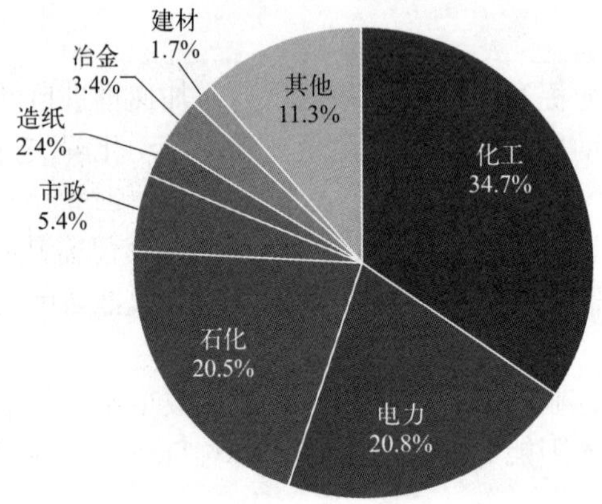

图2-1-8　DCS在各细分行业中应用的占比情况

① 化工。2024年化工行业的发展情况总体呈现出分化趋势，高成长板块如新能源、新材料等表现出强劲增长，而传统基础化工品则面临竞争和成本压力。

化工行业DCS供应商以中控、和利时、艾默生、横河电机、霍尼韦尔为主。2024年化工行业DCS市场各品牌占比见图2-1-9。

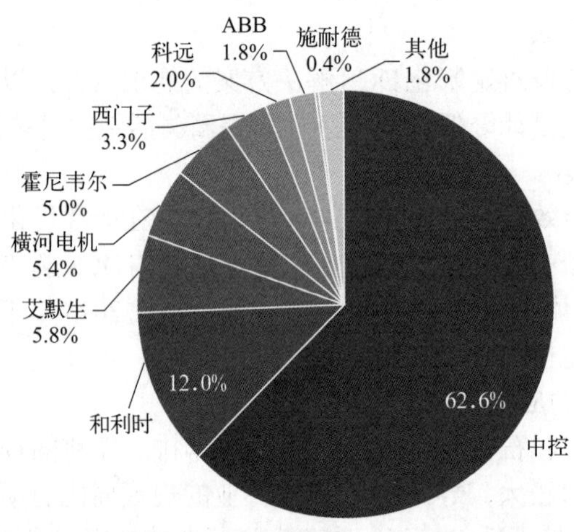

图2-1-9　2024年化工行业DCS市场各品牌占比

② 电力。2024年，电力行业DCS市场规模约为24.4亿元，是年度DCS第二大市场（占比20.8%）。

电力行业DCS供应商以和利时、科远、艾默生、中控、西门子、ABB为主。2024年电力行业DCS市场各品牌占比见图2-1-10。

③ 石化。2024年，石化行业DCS市场规模约为24.1亿元，是年度DCS第三大市场（占比20.5%），同比下滑2.2%。

石化行业DCS供应商以中控、艾默生、和利时、横河电机为主。2022年石化行业DCS市场各品牌占比见图2-1-11。

④ 市政。2024年，市政行业DCS市场规模约为6.4亿元，是年度DCS第四大市场（占比5.4%）。

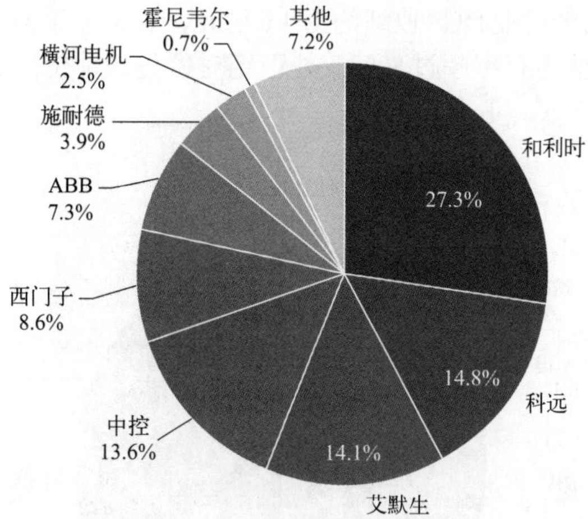

图 2-1-10　2024 年电力行业 DCS 市场各品牌占比

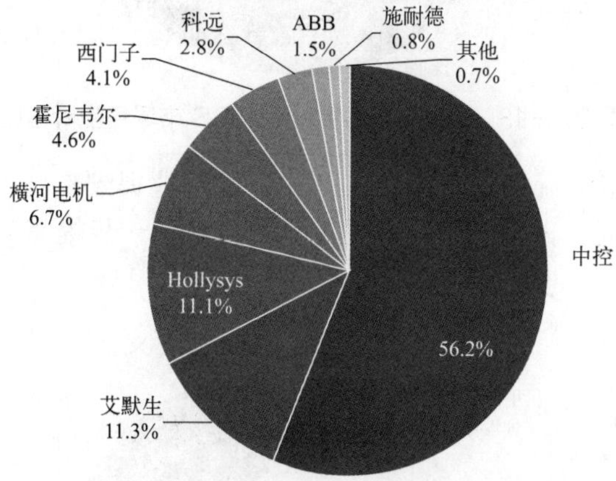

图 2-1-11　2024 年石化行业 DCS 市场各品牌占比

市政行业DCS供应商以和利时、科远、中控、横河、艾默生为主。和利时在市政供热等领域具备应用优势，行业占有率第一；科远位居第二。2024年市政行业DCS市场各品牌占比见图2-1-12。

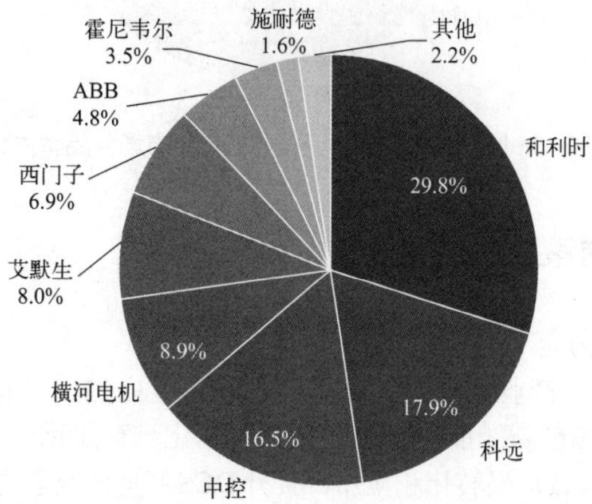

图 2-1-12　2024 年市政行业 DCS 市场各品牌占比

⑤ 冶金。2024年冶金行业DCS业绩约为4.0亿元，较去年下滑6.3%。外资厂商业绩普遍下滑，中控在冶金行业占有率超过50%，处于绝对领先的地位。2024年冶金行业DCS市场各品牌占比见图2-1-13。

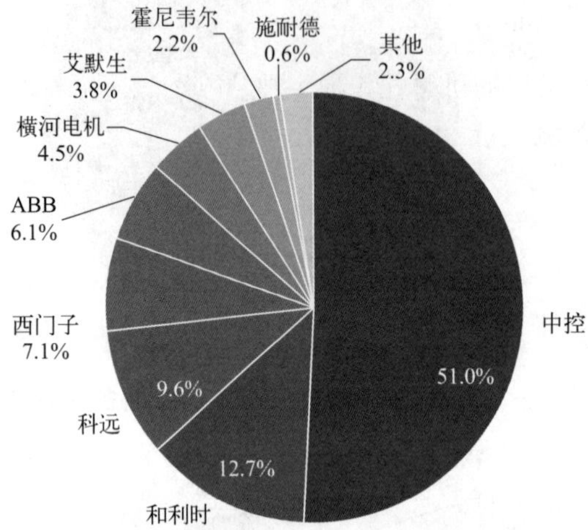

图 2-1-13　2024 年冶金行业 DCS 市场各品牌占比

⑥ 造纸。DCS是造纸行业的主控系统，在造纸行业得到广泛的应用。2024年造纸行业DCS业绩约为2.8亿元，占比2.4%，中控的市场份额进一步提高，位居第一位。

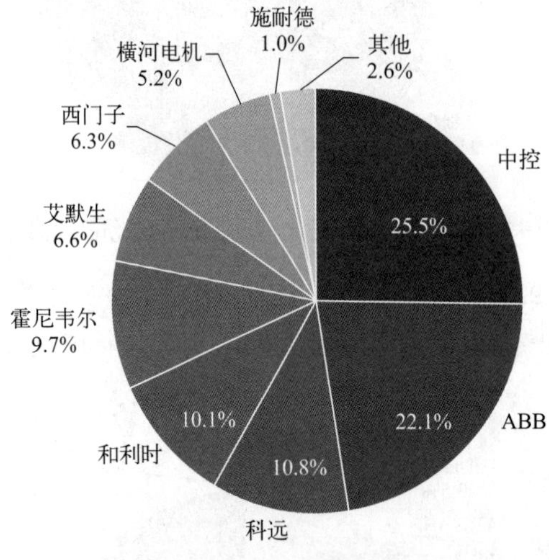

图 2-1-14　2024 年造纸行业 DCS 市场各品牌占比

1.2.4　国内发展的对策及建议

（1）加大科技创新力度

科技创新是推动DCS产业发展的关键。政府和企业应加大对科技创新的投入和支持，鼓励企业加强技术研发和创新，推动DCS产业向高端化、智能化、绿色化方向发展。同时，加强产学研合作，促进科技成果转化和应用，提升DCS产业的竞争力和可持续发展能力。

加强高端智能化系统的研究和应用，助力智能化关键装备的研制，推动在重点行业的规模化应用，需要加大投入力度，注重科技创新，积极引进国际先进技术，推动智能装备的国产化进程。选择具有代表性的行业进行规模化应用，如制造业、医疗健康、智慧城市等，以不断优化智能化系统的性能和功能，推动智能化系统在更多行业的广泛应用。

注重研发具有自主知识产权的核心技术，突破核心部件技术难题，提高核心部件的精确度、灵敏度、稳定性和可靠性。同时，注重智能化系统的顶层设计，以实现整体性能和功能的优化，提升智能化系统的可靠性和稳定性。

（2）推进产业转型升级

随着市场竞争的加剧和技术的不断进步，DCS产业面临着转型升级的压力和挑战。企业应加强技术改造和设备更新，提高生产效率和产品质量，推动产业向高端化、智能化、绿色化方向转型升级。同时，加强产业链上下游企业的合作和协同发展，构建良好的产业生态系统。

加快智能工厂关键技术和体系方法的应用示范，推广生产线重构与动态智能调度、生产装备智能物联与云化数据采集、多维人机物协同与互操作等技术，提升工厂运营管理智能化水平。这些技术的推广将有助于提高生产效率、降低成本、优化资源配置，并实现更加精细化的管理。同时，这些技术还将带来更多的商业机会和合作伙伴，进一步推动智能工厂的发展。

（3）可持续发展与绿色技术

可持续发展和绿色技术在DCS产业中也越来越重要。企业应更加注重节能减排、资源优化和环境保护，通过DCS系统的智能化控制和优化，实现更环保、可持续的生产过程。DCS系统应致力于提高能源利用效率，减少能源消耗。虚拟化技术在DCS中的应用，可以提高资源的利用率，减少硬件设备的数量和能源消耗。通过将物理资源抽象为虚拟实例，多个应用程序或操作系统可以共享和管理资源，从而提高整体效率和可持续性。监测和管理数据中心的效能是实现绿色技术和可持续发展的关键。采用智能监测系统、能耗分析和优化工具，对数据中心的能源使用、温度、湿度等参数进行实时监控和调整，以最大限度地降低能源浪费和环境影响。

（4）强化政策支持

政策支持是推动DCS产业发展的重要保障。政府应加大对DCS产业的政策支持力度，包括财政资金投入、税收优惠、金融扶持等方面，促进DCS产业的快速发展和转型升级。同时，加强政策引导，鼓励企业加强自主创新和产业升级。

为了更好地满足国家战略需求，将DCS系统纳入“一带一路”、新基建等有关计划项目，并对其进行统筹规划。通过合理规划DCS系统的发展，可以更好地服务于国家战略目标，推动相关产业的发展，提高国家的综合竞争力。

（5）加强人才培养和引进

人才是推动DCS产业发展的核心力量。企业应加强人才培养和引进，建立完善的人才激励机制，吸引更多高素质人才加入到DCS产业中来。同时，加强与高校和科研机构的合作，共同培养和输送优秀人才。

（6）提升产业品牌影响力

品牌影响力是推动DCS产业发展的重要因素。企业应加强品牌建设和管理，提升品牌知名度和美誉度，树立良好的品牌形象。同时，加强与用户的互动和沟通，提高用户对品牌的信任和忠诚度。

DCS产业正在朝提供全面解决方案和服务的方向发展，需要培育系统解决方案供应商，除了硬件产品，企业也能提供系统集成、定制开发、培训和售后支持等服务，以满足不同行业客户的个性化定制需求。

（7）加强国际合作与交流

国际合作与交流是推动DCS产业发展的重要途径。企业应加强与国际先进企业的合作和交流，学习借鉴国际先进经验和技术，引进国际先进人才和技术成果，推动DCS产业走向世界舞台。

同时，积极参与国际标准制定和规则制定，增强国际话语权和影响力。当然，在此之前，应统筹规划国家DCS系统标准体系，制定统一的规范和标准，规范DCS系统的开发、生产和应用，提高不同厂商DCS系统的兼容性，方便用户的使用和维护。

（8）优化产业布局

优化产业布局是推动DCS产业发展的重要手段。政府和企业应加强统筹规划，根据区域特点和资源优势，制定合理的产业布局规划。同时，加强区域间的合作和协同发展，实现资源共享和优势互补。

加强高端智能化系统研制应用，提升产业基础支撑能力，推动新一代信息技术与制造技术深度融合，推进“互联网+”协同制造集成应用。加快新型智能终端开发示范平台、第三方检测评定中心建设，形成覆盖“云+端”的体验检测认证公共服务能力。加快工业云服务平台建设及示范应用，开展产业集聚区智能化试点示范，构建智能化工业园区和新型智能终端产业集聚区。

1.2.5 重点企业分析

（1）中控技术

中控技术于1993年推出第一套DCS产品，后陆续推出Webfield® JX-300XP和ECS-700、远程I/O系统SmartEIO、ECS-700neo、基于APL的先进工业网络解决方案、新一代控制系统OMC等产品。

Webfield® JX-300XP控制系统是WebField系列控制系统之一。它吸收结合了通信技术、微电子技术，充分应用了最新信号处理技术、高速网络通信技术、可靠的软件平台和软件设计技术以及现场总线技术，采用了高性能的微处理器和成熟的先进控制算法，全面提高了控制系统的功能和性能，同时，它实现了多种总线兼容和异构系统综合集成，各种国内外DCS、PLC 及现场智能设备都可以接入到JX-300XP 控制系统中，使其成为一个全数字化、结构灵活、功能完善的开放式集散控制系统，能适应更广泛更复杂的应用要求。

Webfield® ECS-700系统也是WebField系列控制系统之一。ECS-700系统具有管理大型联合装置的一体化能力。系统在设计时已经充分考虑到大型工厂信息共享与协同工作的需求，其一体化的系统结构和系列应用软件可帮助用户及时获得决策信息，协同不同部门的人员工作，减少维护费用，提升生产效率。ECS-700系统具有与上位信息系统易于进行数据交换的开放接口，能够充分满足企业信息系统的各种信息需求。同时，ECS-700系统具备灵活的系统结构，支持持续的在线系统扩容，从而保护用户的投资。

SmartEIO是中控技术根据现场应用需求，最新推出的通用I/O产品。其可通过软件定义通道硬件属性，简化了I/O配置，优化了接线设计，极大程度提高了项目设计的灵活性和实施的便捷性。SmartEIO既支持控制室部署，又支持远程部署。用于远程部署的SmartEIO防爆远程I/O机箱已通过CCC防爆认证，可安装于防爆2区现场，连接各区域的本安或隔爆信号。

基于APL的先进工业网络解决方案是中控技术为用户提供从仪表、网络、控制系统到应用的完整解决方案。其统一物理层APL规范，灵活应用多种基于TCP/IP的应用层以太网协议，支持多种类型的仪表接入，如APL仪表、通用仪表、无线仪表等，从而实现全类型信号的一体化集成。支持分布式灵活部署，“通信+供电”二合一，节省电缆，降低施工成本。支持全网智能诊断，网络可视化管理等。该解决方案可应用于油气、石化、化工、制药等行业。

OMC（intelligent operation management & control，全流程智能运行管理与控制）系统是中控技术于2022年7月发布的新一代控制系统。其实现了工业过程控制、操作效能优化、生产运行管理等重要能力的融合与重构，满足流程工业全生命周期生产运行安全、高效、绿色的需求。OMC系统通过控制技术、计算机技术结合工艺建模技术、设备健康管理技术和生产运行技术，以百万级分布式实时数据库承载海量生产运行数据，由高可靠性控制系统支撑将自主过程控制、可靠安全运行、高效工程管理、数据挖掘和价值优化等功能有效融合，实现流程工业工艺装置“安、稳、长、满、优”的生产运行，通过信息化技术IT、自动化技术AT、运营技术OT与工艺技术PT和设备技术ET的融合达到企业生产高效、安全、智能管控的目的。相较于传统的DCS，中控OMC系统呈现出三大显著的特点。

• E网到底，融合通用I/O、数字I/O、有线APL、无线传感、工业5G等数据传输方案，为行业提供更加灵活、简单、快速的项目工程执行和调试方法，实现自动化硬件和软件工程的分布式部署和解耦，使得流程工业企业在升级转型时成本更低、数据传输更快、实施周期更短、信息获取更全面。

• 工厂操作系统平台+工业APP，基于设备对象化的工厂模型和统一数据软总线，以数字化方式连接企业生产设备、工艺、数据等全要素，构建统一工业数字基座，进而向上支撑工业数据融合与集成、工业数据综合治理与加工、工业数据价值挖掘与应用、生产流程优化与业务协同等应用业务。

• 自主运行，将自主研发的回路自整定、预测控制、操作导航和报警治理等关键技术予以全面应用，围绕海量运行数据进行AI智能分析，实现操作去技能化、工业装置一键开停车、自动升降负荷、报警精准治理、工艺指标卡边优化、异常工况智能决策等“少人化”直至“无人化”操作。

中控已经成为中石化、中海油等国际500强企业的主力供应商，且在中石化DCS市场份额排名第一。自2007年中控DCS进入中石化武汉石化500万吨炼油主装置以来，不断打破国外系统垄断。近年来的中天合创煤制烯烃项目、神华宁煤乙烯项目证明了中控的产品可靠性、工程服务能力和项目管理能力。

中控在化工行业市场份额已连续多年保持市场占有率第一，领先于各进口品牌，中控的控制系统目前已广泛应用于煤化工、盐化工、精细化工等装置。中控可以在化工项目中担当主自动化承包商（MAC）的角色，项目的自动化部分整体可以由中控负责，中控有自己的设计院，可以更早地参与前期设计，为终端用户降低项目设计开支。中控集团有丰富的化工项目实施经验和SPlant 产品解决方案，可以为用户提供智能工厂整体解决方案；同时中控拥有一支有资质、有丰富经验的团队来实施项目并运营，在减少用户投资风险的同时也可以帮其降低运营成本。

中控在电力与热电行业已有3000多套应用业绩，先后为华能、大唐、华电、国电等多家大型企业提供了可靠产品和优质服务。中控具有完整的电力行业解决方案，提供了DAS、MCS、SCS、FSSS、BPS、DEH、MEH、ETS、ECS等全系列的关键控制及联锁保护技术，形成了从锅炉控制到汽轮发电机组控制的全厂一体化解决方案和完善的控制系统产品体系；同时可提供丰富的生产管理平台，如厂级监控管理系统SIS、操作员仿真系统OTS，及专业增值平台，如设备管理系统IDM、锅炉优化系统 APC、PID性能评估软件、手机监控软件SimField、远程故障诊断维护系统RDMS、智能报警管理系统、设备仪表及现场总线系统等。

神华宁煤百万吨级烯烃智能工厂生产工艺复杂、反应条件苛刻、产品种类多、投资规模大，是石油化工行业的典型高端装置工厂。该项目已完成百万吨级烯烃联合装置自动控制系统、先进控制优化系统、生产执行系统能源管理系统、设备运行管理系统、安全风险分级管控与安全应急指挥系统、目标传导式绩效管理系统、业务综合决策分析系统等的国产化示范应用，实现数据的互联互通，并将信息安全技术智能工厂集成技术进行应用，涵盖了从生产底层的智能传感与控制装备到上层的软件及网络设备的产品和系统级应用，最终将建成一个高效节能安全绿色的智能工厂，探索出一种自主可控、特色鲜明的石油化工行业智能制造新模式，为更多用户推广应用提供示范。

九江石化 800万吨炼油，全面提供炼油解决方案的典型项目。九江石化常减压装置基于分子炼油的实时优化（RTO）系统采用中控软件公司最新的原油分子数据库、原油物性计算和原油分子切割软件，将常减压装置的机理建模和实时优化真正提升到分子水平。在此基础上，还包含核磁共振分析仪在线改造、先进控制系统（APC）性能提升、实时优化模型开发和实时优化平台搭建等内容。随着常减压装置RTO系统的投用，九江石化所加工的每种原油表征水平将达到1万个分子以上，常减压装置的模拟和切割预测精度将明显提升，并通过实时优化切割方案，提高分馏精度，显著降低综合能耗，从而提高装置的整体经济效益。

新疆天业化工园区智能制造试点示范项目，积极利用互联网技术、物联网技术、云技术、智能仪器仪表构建支持泛在感知与传输的信息网络，实现对设备、物料、能源等关键生产要素的泛在感知与数据自动采集及远程传输。针对重复性劳动较高的工序环节，积极采用机器人代替传统人工，大幅降低人力资源成本；利用建模、工作流等技术，建立控制模型、工厂模型、调度优化模型、物料平衡等关键模型算法，并在此基础上对主要生产装置配置了DCS自动化控制系统、APC先进过程控制系统，极大地提高了装置操作的自动化水平与操作平稳率；通过MES、生产调度中心、安全管理等系统对生产计划、调度、操作等生产全流程环节中的物料、产品、设备、能源、质量、安全进行预测评估、监视跟踪、优化分析，实现生产管理过程的智能化、精细化管理。

生产过程实现数字化、智能化之后，新疆天业将 MES系统与ERP、智能决策系统进行深度集成融合，通过生产管理业务数据、事件自动触发企业核心资源的统一合理配置，形成业务协同联动，并在企业运营决策层面，对生产、运营数据进行深度挖掘分析，为企业领导提供决策支撑。

（2）和利时集团

和利时于1993年推出了首套DCS产品，在过程自动化领域，和利时主要从事智能制造控制系统、工业软件、自动化仪表及工业信息安全相关产品的研发设计、生产制造、工程实施、系统服务及面向流程工业企业提供智能工厂整体解决方案。公司产品品牌HOLLiAS工业控制平台下拥有一系列可靠、先进、易用的智能制造核心信息设备产品，可以提供各行业一体化解决方案所需的完整产品线，主要包括分布式控制系统（DCS）、汽轮机数字电液调节系统（DEH）、安全仪表系统（SIS）、透平压缩机综合控制系统（ITCC）、自动化仪表、工厂监控系统（SCADA）、批量控制系统（Batch）、先进过程控制系统（APC）、制造执行系统（MES）、设备管理系统（AMS）、实时信息系统（RMIS）和仿真培训系统（OTS）等。这些产品均达到国际先进水平，通过了CE、UL、阿基里斯二级、G3防腐、船级社等国际认证，并广泛应用在国家重大工程及关键装备上，包括在1000MW超超临界火电机组、大型石化联合装置、大型煤化工联合装置等，取得了多个“国内首台套”应用，在业界树立了良好的声誉和口碑，为提高我国制造业智能制造自主安全可控的能力和水平，促进两化深度融合发挥了积极作用。

HOLLiAS MACS IC完全自主可控DCS系统是和利时近年推出的100%国产化的DCS系统，该系统融合和利时自主研发的控制器微内核架构、嵌入式操作系统、工业控制系统软件以及工业信息安全技术，实现了所有硬件、软件全部国产化。其系统数据库容量达到120万点，专门针对石化、化工、油气等行业超大型炼化项目（千万吨级炼油及百万吨级乙烯项目）的应用需求设计，具有软件跨平台、自主可控、安全可信三大特点。

跨平台——便捷国产系统灵活部署：HOLLiAS MACS IC完全自主可控DCS系统软件采用源码级跨平台技术，一套源代码CMake适配多种操作系统编译构建，实现跨平台/跨语言的数据交换，所有系统组件、数据库、中间件均做到多平台支持。

- 系统软件可灵活部署在Windows、银河麒麟（ARM & X86架构）及Ubuntu操作系统；
- 系统软件全部实现源码级跨平台；
- 针对和利时老版本软件一键升级至最新系统，无需重新组态。

自主可控——保障国家能源产业安全：配合国家产业安全的战略需要，HOLLiAS MACS IC完全自主可控DCS系统参照自主可控的五个级别，结合国产化厂家的现实情况，在元器件、操作系统和应用软件三个层面均实现了100%国产化率。

- 控制器CPU采用龙芯双核处理器，所有元器件国产化率100%；
- 自主研发微内核架构，嵌入式操作系统；
- 嵌入式固件国产化率100%；
- 所有的上位机软件及组件，包括数据库、组态软件、画面软件国产化率100%；
- 生态厂商100% 国产化。

安全可信——保障工厂生产安全稳定：HOLLiAS MACS IC完全自主可控DCS系统将可信计算技术融入工业控制系统，提供内生安全的防护机制，构建了双体系架构的可信链传递模型，确保可信启动，建立动态度量模型，确保运行环境安全可信。

- 参考《GB/T 22239—2019 信息安全技术 网络安全等级保护基本要求》；
- 参考《GB/T 25070—2019 信息安全技术 网络安全等级保护安全设计技术要求》；
- 满足国家信息安全等保2.0 三级标准要求设计。

除此之外，HOLLiAS MACS IC完全自主可控DCS系统还具备厂级数据中心、工业软件的一体化平台、应用开发支持、可靠性通信、可扩展性设计、全系列硬件兼容等功能，完全满足超大型炼化项目高可靠性、高安全性要求，并可大幅提高生产效率，帮助用户实现自主可控、安全可信、高效可用的生产目标。

OCS工业光总线控制系统是和利时基于HOLLiAS MACS平台自主研发，推出的行业先进的工业控制系统，将先进的Onet工业光总线技术与软件定义I/O技术结合，构建新一代工业过程控制系统。OCS系统将支持防爆的工业智能数据传输单元前置于工业现场环境中，信号类型可通过软件远程定义/修改。信号传输采用高可靠性、高实时性的Onet工业光总线，该无源光总线采用物理分光技术，无协议转换、无延迟，安全可靠。OCS系统取消了传统控制系统中现场接线箱、端子柜、安全栅柜等中间环节。此外，Onet工业光总线技术，大量节约传统铜芯电缆用量。其分布式系统结构设计将传统控制系统定制化工程转换成为标准化工程，工程设计及实施过程工程周期大幅缩短。系统无需集线柜或交叉布线，电缆更少、工作量更少、潜在的故障点更少，显著降低项目建设成本（CAPEX）及运营成本（OPEX）。系统安装、应用十分灵活，可在工厂的任意位置添加I/O，不影响到机柜间布置。其灵活性为未来项目技术调整及改造提供了一个极简便、易操作的平台，为用户大大降低了未来系统升级扩容成本，有效减少系统维护的工作量及支出。

依托强有力的产品技术能力，和利时经过三十余年的发展，已经成为全球智能化系统解决方案的主力供应商。在国际强手如林的工业自动化市场，公司主营产品占国内市场份额约18%，在国内同行业中处于领先地位。其业务涵盖了核电、火电、热电、新能源、炼化、化工、油气管道、冶金、建材、制药、食品、造纸等众多领域，每年承担工程项目5000多项。和利时目前也是中国石油化工集团有限公司（简称“中国石化”或“中石化”）、中国石油天然气集团有限公司（简称“中国石油”或“中石油”）、中国海洋石油集团有限公司（简称“中国海油”或“中海油”）、国家能源投资集团有限责任公司、五大电力公司等国内知名企业的主力供应商，并与巴斯夫、壳牌石油、阿尔斯通、巴西铝业等国际顶级公司拥有长期良好合作关系。

典型项目应用如下。

中国石化天津南港120万吨/年乙烯及下游高端新材料产业集群项目，实现了国产SIS系统首次在百万吨乙烯装置应用，实现了国家重大能源领域核心装置的安全控制系统国产化，具有重大现实意义与长远意义；乙烯裂解炉、国四套等部分装置采用和利时OCS工业光总线控制系统，实现仪控系统总成本减少30%以上、项目周期缩短50%以上、人力资源大量节省；和利时提供MACV一体化解决方案，保障控制系统安全、稳定、连续、高效率运行，大大提高石化企业的运行效益。

中安联合170万吨煤制甲醇及转换烯烃MAV项目，由中国石油化工股份有限公司和安徽省皖北煤电集团有限责任公司共同组建，项目规模大，控制系统包括DCS、SIS、GDS、CCS、AMS、AAS等，和利时以MAV的模式参与项目的建设。

中国石化库车2万吨/年绿氢智能工厂项目是国内首次大规模光伏发电制氢项目，也是目前全球投运的最大绿氢项目。光伏装机容量300MW，52台1000Nm^{3}碱性电解槽制氢2万吨/年，储氢规模约21万Nm^3，输氢2.8万Nm^3/h。和利时为项目提供智能化解决方案，包括DCS、SIS、CCS、GDS、APC、MES、OTS及网络安全系统。实现全过程自感知、自诊断、自学习、自寻优、自适应极端天气变化及用氢变化，全流程、全天候、全时域的智能自主运行，全自动无人操作、手/自动无扰切换。针对光伏发电的随机性、波动性、间歇性等突出特点，实现光伏发电柔性制氢零上网与自消纳结合数字孪生技术，开发氢气成本模型，优化购电策略，实现在制氢成本最优的光伏发电场景下，“源-网-荷-储-用”一体化智能调控稳定供氢。

1.3 安全仪表系统（SIS）

1.3.1 SIS产业发展的背景及战略意义

SIS安全系统（safety instrumented system）是一种专为保护工业过程安全而设计的关键

控制系统。它的主要目标是通过监测和响应工艺中的危险条件，以防止事故发生、减轻其影响或将系统带回到安全状态。

SIS安全系统通常用于处理那些可能导致严重伤害、环境破坏或财产损失的风险。它与传统的过程控制系统相互补充，通过在检测到危险事件时采取恰当的措施来确保工厂或设备的安全运行。

SIS安全系统包括传感器、逻辑求解器和执行器等组件。传感器用于监测过程中的参数，并将数据传输给逻辑求解器。逻辑求解器根据预先定义的安全逻辑和规则对接收到的数据进行逻辑运算和判断。如果检测到危险事件或不符合安全要求的情况，逻辑求解器将触发执行器，采取相应的控制措施来保护系统。

SIS安全系统的可靠性和故障安全性非常重要，因此它通常采用多重冗余配置和自动诊断功能，以确保在出现故障时能够维持系统的可用性和安全性。

20世纪70年代和80年代，工业领域开始关注工艺安全，并引入了最早的安全系统。这些系统通常采用简单的硬连线逻辑和离散元件进行控制，其目标是确保在危险情况下能够关闭设备或执行紧急停机。

20世纪90年代，各个行业开始制定安全标准和指南，以促进安全系统的一致性和合规性。例如，国际电工委员会（IEC）发布了安全仪表和控制系统的相关标准，如IEC 61508和IEC 61511，提供了针对不同行业的安全系统设计、实施和操作的指导原则。

随着计算机技术和可编程逻辑控制器的发展，SIS安全系统逐渐转向基于软件和可编程逻辑的解决方案。这种可编程安全系统具有更高的灵活性和功能性，能够满足不同工业过程的复杂安全需求。同时，随着自动化和信息技术的进一步发展，SIS安全系统开始与其他控制系统和企业级系统进行紧密集成。通过与控制系统（DCS）或监控系统实现数据交互，SIS系统能够获取更准确的过程信息，实现智能化的安全控制。这种优化和融合使得SIS安全系统能够更加精确地响应危险情况，并与整个工业生态系统无缝协同工作，从而提供更全面、高效和智能的工业安全保障。

当前，我国正处于工业化大发展阶段，一方面，以化工、石化、天然气开采运输、电力等为代表的过程工业领域，装置规模越来越大，生产设备复杂度逐渐提高，工艺越加复杂，系统集成度也越来越高，导致危险和危害的风险程度增大，这对整体控制系统的安全性提出了更高的要求，不允许存在安全薄弱环节；另一方面，近年来，工业生产中安全事故频发，给人身和财产带来严重损害，造成较为恶劣的社会影响，这使得监管部门加强了对生产安全的认识和法律法规的完善，提出了“两重点一重大”和发布了《关于加强化工安全仪表系统管理的指导意见》（安监总管三〔2014〕116号），同时，企业高层也更加关注生产的安全性。为了防止事故的发生，减少由此带来的损失，保证企业安全、稳定运转，一套能够检测装置的异常动作，并对可能发生的潜在危害作出相应动作的系统是必不可少的。

近年来，SIS安全系统的故障诊断和可靠性提升成为关注的焦点。其引入了先进的自动诊断功能、设备健康监测以及故障容错技术，以提高系统的可用性、降低误报率，并保障系统在故障情况下的安全响应能力。

2014年，国家安全监管总局以安监总管三〔2014〕116号印发《关于加强化工安全仪表系统管理的指导意见》，此指导意见中表示要充分认识加强化工安全仪表系统管理工作的重要性，加强化工安全仪表系统管理的基础工作，进一步加强安全仪表系统全生命周期的管理，高度重视其他相关仪表保护措施管理，从源头加快规范新建项目安全仪表系统管理工作，积极推进在役安全仪表系统评估工作。此文件对国家安全系统产业发展影响较大，安全仪表系统已被广泛应用于不同的工艺或设备保护场合。同时，随着技术的不断发展，SIS系统的智能化、自动化水平也将不断提升，使得SIS系统需更加可靠、高效、灵活，从而更好地满足市场需求。

1.3.2 SIS国内外产业的技术发展趋势

（1）冗余机制的变化

容错机制是指一个或多个元件或部件发生故障时系统仍能继续正常运行的能力，容错手段主要是冗余、自诊断和在线维护修理。容错系统一定是冗余系统，容错系统的冗余形式有双重、三重、四重等，通过冗余机制的变化影响系统的安全性和可用性，且冗余模块可灵活配置，满足不同安全等级。冗余模块安装形式灵活，可配置为相邻冗余、任意槽位冗余、跨机架冗余等不同形式。

（2）硬件异构冗余

硬件异构冗余是指跨平台硬件版本可并行工作，为用户提供便捷维护。

（3）与基本控制系统的一体化集成

过程安全系统发展初期，考虑到控制系统的可靠性低，传统DCS和SIS分开设计，各自为专用的人机界面、专用的网络，串行通信至DCS工作量繁琐，缺乏信息交互、信息集成和集中监控。发生跳车后，需人工逐项比较分析原因，工作量大，用户要求更为便捷、集中和方便的操作监控。同时，随着技术的发展，控制系统可靠性也大幅度提升，过程安全与基本控制系统的一体化技术也逐渐普及。一体化结构应用持续增长，市场一体化需求增长。

（4）SIS系统向智能化和平台化发展

随着数字化、智能化在流程行业的不断推进，SIS系统也在向智能化和平台化发展。SIS系统可搭载SIL等级验证的在线部署，更便利、及时地进行HAZOP分析、LOPA定级和SIL验算的工作。

（5）功能安全型通用I/O电子布线技术

随着BPCS电子布线技术在工业领域得到广大用户的认可，未来功能安全型通用I/O电子布线技术也会被用户广泛使用。电子布线是一种I/O形式，通过可自定义信号类型的通道将端子柜的功能集成到系统内部。功能安全型通用I/O需满足SIL等级要求，用于处理AI/AO/DI/DO等不同类型信号的单通道或多通道电子组件，信号类型可通过软件远程定义/修改，信号传输采用高可靠性、高实时性的光纤总线。功能安全型通用I/O可以布置在机柜室的电子布线机柜里，也可以布置在电子布线接线箱，安装在爆炸危险区域。总之，电子布线技术将常规接线端子数字化、特性化以取代传统I/O卡件，电子布线技术具有消除中间机柜、减少机柜间占地面积、减少信号电缆和线缆桥架及相关施工成本等优势。

（6）基于Web的SIS

基于Web的SIS系统可以实现远程访问和管理，使得用户可以随时随地掌握工厂的安全状况。同时，基于Web的SIS系统还可以实现与自动化系统的无缝集成，提高生产效率和管理效率。

总的来说，SIS产业的技术发展趋势将朝着智能化、自动化、数字化、网络化等方向发展，以满足市场需求和提高工厂的安全水平。

1.3.3 SIS国内产业发展的现状

（1）整体市场规模

2024年，中国过程安全（SIS）市场规模25.5亿元，同比萎缩12.4%。萎缩幅度远高于中国自动化市场平均水平，主要是因为下游石化、化工等主要应用领域新建项目数量大幅减少，存量市场需求相对平稳，同时海外市场需求拉动力趋弱。

2024年，中国过程安全系统仍然以紧急停车系统（ESD）、透平及压缩机控制系统（ITCC/TMC/CCS）、火气监测及保护系统（F&GS）/气体探测系统（GDS）为主，占整体市场接近90%的份额。ESD市场规模最大，依次是ITCC/TMC/CCS、F&GS/GDS（以GDS为主）。

2024年，中国过程安全系统主要应用行业依然为化工、石化、油气行业，三个行业的市场份额占比86.1%，相比2023年小幅缩减。

从安全等级来看，过程安全市场未来仍以SIL3等级产品为主；从市场需求来看，存量市场的需求占比仍将持续稳步提升，未来新增市场份额将进一步下滑。

工控网预计，未来3年中国过程安全系统市场将保持4%左右的稳定增长态势。从下游行业来看，化工、油气等行业需求保持稳定增长态势。化工行业需求仍将是过程安全市场增长的主要拉动力；从用户需求来看，下游用户对过程安全和生产安全的重视程度越来越高将为过程安全系统市场带来持续的业务机会。GB/T 50770—2013《石油化工安全仪表系统设计规范》修订版即将落地实施也将拉动市场需求稳定增长。

（2）行业市场情况

近几年过程安全系统整体市场基本稳定，从局部来看，化工和石化行业过程安全系统应用加快，成为最大应用行业；冶金和油气行业呈稳增态势，电力和造纸行业进入缓慢调整期，市场发展受限。

石化、化工、油气作为国民经济的支柱产业，近90%的过程安全系统应用于以上行业，在安全系统领域继续领跑。炼油和乙烯等石化生产过程中对过程安全系统需求量仍将持续平稳增长。石油存储业务和天然气的快速发展将持续拉动过程安全系统的市场需求增长。冶金行业持续优化传统产业，先进有色金属产业集群以及高端有色金属材料产业链延伸等建设需求的稳步推进，将成为过程安全系统需求的增长点。电力和造纸行业进入调整期，过程安全系统投资放缓。

化工、石化行业作为过程安全系统增幅的主要贡献者，在经历2019年底政府针对安全隐患的强制整改之后，预计未来几年内，存量改造市场需求在改造热潮之后将归于饱和，过程安全系统应用将侧重于依赖新建项目市场需求；油气行业的过程安全系统应用仍将表现活跃；冶金行业在调整优化下将拉动过程安全，系统应用市场呈现稳定上行态势。综合来看，在支持行业安全意识普遍加强下，过程安全系统市场将受存量市场需求拉动保持微幅增长的态势。

2024年，中国过程安全（SIS）市场规模为25.5亿元，同比下滑12.4%，萎缩幅度远高于中国自动化市场平均水平，主要是因为石化、化工、冶金行业对SIS的需求大幅下滑；2024年，SIS存量服务市场占比19.2%，同比上升0.6个pct，新增市场占比有所下滑。

2024～2027年，预计中国SIS市场规模年均复合增长率4.0%，未来3年将保持稳定增长。政策利好，加上下游用户对过程安全和生产安全重视程度逐步提升，将给SIS市场带来持续业务机会。表2-1-5为2022～2027年中国SIS市场规模及增速情况，其中2025～2027

年为预测。

表 2-1-5 2022～2027 年中国 SIS 市场规模及增速情况

年份	2022	2023	2024	2025E	2026E	2027E
市场规模 / 百万元	2450	2910	2550	2640	2750	2870
增长率	—	18.80%	−12.40%	3.50%	4.20%	4.40%

数据来源：工控网。

（3）应用类型市场情况（以下数据来自工控网）

从中国SIS系统细分产品类型来看，2024年，应用规模最大的产品依次是紧急停车系统（ESD）、透平及压缩机控制系统（ITCC/TMC/CCS）、火气监测及保护系统（F&GS）/气体探测系统（GDS），占整体市场89.2%的份额。ESD、ITCC/TMC/CCS的份额略有下降。

ESD大部分应用于石化、化工等行业，是中控、和利时等国内厂商占比较高的产品领域；ITCC/TMC/CCS产品的技术壁垒相对较高，以施耐德的Triconex为代表的外资厂商仍占据较高的市场份额；F&GS/GDS中以气体探测系统居多，《石油化工可燃气体和有毒气体检测报警设计标准》（GB/T 50493—2019）落实以后，石化、化工行业的GDS系统开始独立设置，中控、和利时等国内厂商均有涉及。2023～2024年应用市场占比情况如表2-1-6所示。

表 2-1-6 2023～2024 年应用市场占比情况

应用类型	2023 年市场规模 / 百万元	2024 年市场规模 / 百万元	同比增速
ESD	1200	1045	−12.9%
ITCC/TMC/CCS	1120	980	−12.5%
F&GS/GDS	275	250	−9.1%
BMS/BCS/FSS	85	75	−11.8%
其他	230	200	−13.0%
合计	2910	2550	−12.4%

数据来源：工控网

（4）市场竞争格局

2024年，中国过程安全市场供应商仍处于高度集中态势，排名前8的供应商市场份额占84.6%，同比减少0.5个百分点；排名前2的供应商中控技术、康吉森市场份额占比达到60.2%，同比提升1.3个百分点，市场集中度小幅下滑。

国内供应商市场份额相对平稳。2024年，中控技术市场份额小幅下滑至31.2%，和利时的市场份额相对平稳，而以系统集成为主的康吉的市场份额小幅增长，从2023年的27.8%增至2024年的29.0%，施耐德、霍尼韦尔市场份额小幅提升，西门子、罗克韦尔自动化市场份额则连续4年持续下滑。

1.3.4 发展的对策及建议

SIS行业存在的问题主要集中在以下几个方面：

① 在设计、安装、操作和维护管理等生命周期各阶段，还存在危险与风险分析不足；

② 安全需求规格（SRS）缺失；

③ 缺乏明确的检验测试周期、预防性维护策略针对性不强；

④ 管理制度及体系不完善。

针对SIS发展中存在的问题，提出以下对策和建议：

① 推进安全评估业务。HAZOP（危险与可操作研究）、LOPA（保护层分析）、SIL（安全完整性等级）评估及验证日益成为主要的评估工具。如果通过HAZOP评估，则可以识别SIF（安全仪表功能）并进行SIL（安全完整性等级）定级，从而更科学地定义SIS系统，甚至在工程设计环节完成SRS（过程安全需求规范）。

油气管线、海上平台、化工、煤化工目前是进行HAZOP分析比较成熟的行业，随着更多有经验的人员出现，更多行业将引入类似的环节。由于评估很大一部分来自现有工厂装置，通过评估则可以定义出下一次升级改造的SIS的需求。

② 提供更完善的在线测试功能以应对拉长的检修周期。过程工业的大型工厂大修时间间隔越来越长，有的甚至每五到七年进行一次，但是包括SIS在内很多工厂设备仍然需要每三年才能进行一次测试。因此在线测试功能非常重要，更多更完善的在线测试能力似乎是最终用户所期望的关键功能之一。

③ 加强产业链合作，提高技术水平。SIS产业需要加强产业链合作，包括与上下游企业、科研机构等建立紧密的合作关系，跟进技术的发展趋势，持续进行技术升级和创新，共同推动SIS产业的发展。

④ 智能制造推动安全工厂。随着工业4.0技术、工业互联网等新智能制造技术在流程工业数字化转型的应用，SIS系统在整个智能制造的新的生态中需要重新定位。从目前全球及主要的智能制造路线来看，功能安全和信息安全系统仍是智能制造中不可或缺的基石，而且大多智能制造路线也将工厂安全定义为重要的目标之一。功能安全标准用于保证控制系统在危险发生时正确地执行其安全功能，从而避免因设备故障或系统功能失效而导致生产事故，包括面向智能制造的功能安全要求、功能安全系统设计和实施、功能安全测试和评估、功能安全管理等标准。

总之，SIS产业发展需要从技术、全生命周期管理、产业链合作等方面入手，不断提高产业的核心竞争力，以实现可持续发展。

1.3.5 重点企业分析

(1) 中控技术

Webfield® TCS-900系统是中控面对工业自动化安全领域自主设计开发的高可用性、最先进的大型安全仪表系统（SIS）。该系统获得TÜV Rheinland SIL3认证，符合IEC 61508标准，因此可以使应用简单快速地符合IEC 61511标准。

TCS-900系统可应用于有安全完整性等级（SIL3及以下）要求的关键过程安全控制场合，包括紧急停车系统（ESD）、火灾及气体检测系统（FGS）、燃烧管理系统（BMS）、大型透平压缩机控制（CCS）等。截至2023年，TCS-900在石油天然气、大型石化化工、煤化工、能源冶金、压缩机组等行业取得了8000多套应用业绩，累计稳定运行时间超1亿小时。

Webfield® TCS-500系统是针对空间受限、分布式应用等特殊SIL3应用场合开发的高紧凑性、高灵活性安全仪表系统。该系统获得了TÜV SÜD SIL3认证，满足SIL3及以下要求的ESD系统、F&G系统、BMS系统应用，尤其适合于中小化工、精细化工、海上平台等对体积空间、配置灵活性有要求的安全应用场合。自2021年上市以来，已经有700多套应用业绩。

（2）和利时

HiaGuard系统是和利时集团自主开发的面向工业自动化安全领域的安全仪表系统，是中国第一套拥有独立自主知识产权的安全仪表系统，于2012年通过德国TÜV Rheinland认证。HiaGuard系统满足IEC 61508定义的SC3系统能力等级和SIL3硬件安全完整性等级，适用于安全仪表系统（SIS）、紧急停车系统（ESD）、燃烧炉管理系统（BMS）、火气监测系统（FGS）等场合。HiaGuard系统是一种基于三重化冗余容错（TMR）安全控制技术的系统，系统结构从输入模块经控制器到输出模块均完全三重化。系统可用于各种复杂和危险的生产过程，进行实时控制，接收现场信号，执行逻辑运算，输出控制信号，驱动现场执行单元，等。可应用于石化、化工、石油天然气、电力、冶金、纸浆和造纸等行业。

HiaGuard系统从2013年进入市场，已有5000余套使用业绩，覆盖了化工、石化、油气管线、电力等行业的SIS、FGS、GDS的应用，在化工、石化大型项目主装置得到应用。目前，和利时公司加强一体化解决方案的推广，以DCS + SIS + CCS为核心，向下集成公司的安全栅和仪表，向上集成公司的BATCH、APC、SCADA、MES、AMS和OTS工业软件，并与工业云平台连接，形成给用户提供全厂一体化解决方案。

1.4 》 监视控制与数字采集系统（SCADA）

1.4.1 SCADA产业发展的背景及战略意义

SCADA（supervisory control and data acquisition，监视控制和数据采集系统）是面向数据采集过程的监视和控制应用软件，通过灵活的组态方式，为用户提供快速构建工业自动化系统监控功能、通用层次的软件工具。SCADA是一类以计算机为基础的生产过程控制与调度自动化系统，主要包含两个层次的基本功能：数据采集和监控，综合利用计算机技术、控制技术、通信与网络技术，完成对测控点分散的各种过程或设备实时数据采集，实现本地或远程自动化控制，以及运行过程的全面实时监控、管理、安全控制和故障诊断，并为上级MES系统提供必要的数据接口和支持。

SCADA是工业数据资源的主要生产者，可实现工业装备和生产过程数据的采集、清洗、分析、存储和可视化等功能，能够解决多源、分散系统的数据汇集，同时对外提供丰富的高性能接口，满足上层系统对生产数据的实时访问，可提供丰富的生产监控和生产管理功能模块，为企业提供管控一体化平台。SCADA可实现全流程数字化管控，支持生产数据完整记录，提供流程数据追溯；支持多种标准工业协议，向下可与DCS系统、PLC、RTU设备进行通信；支持多种数据访问方式，向上可与各类MES、ERP、SAP等系统进行集成，实现数据交互及业务应用。SCADA可对现场设备进行远程控制和监控，并为安全生产、调度、管理、优化和故障诊断提供依据。SCADA系统支持各种规模的网络，可远程控制和监控从本地网络到拥有数万台设备和高吞吐量数据的大型网络。

在工业自动化的发展中，SCADA技术的出现和应用带来了重大的变革和进步。过去，工业过程的监控和控制往往依赖于人工操作，效率低下且容易出错。而SCADA系统的引入，使得工业过程可以实现远程监测、远程控制和数据采集，大大提高了生产的效率和质量，并减少了人为错误的风险。

SCADA产业发展的驱动力包括以下几个方面：

① 工业自动化需求的增长：随着工业生产规模的扩大和复杂度的提高，对于自动化和集中控制的需求日益增长。SCADA系统作为实现工业自动化的关键技术，成为满足市场需求的重要解决方案。

② 信息技术的快速发展：随着计算机和通信技术的迅猛发展，硬件设备的性能不断提高，通信网络的覆盖范围和可靠性得到改善，为SCADA系统的应用提供了良好的技术基础。

③ 数据分析和智能化的要求：随着大数据和人工智能等新技术的兴起，企业对于工业数据的采集、分析和利用的需求越来越迫切。SCADA系统可以提供丰富的实时数据，并与其他分析工具结合，为企业的决策和优化提供重要支持。

SCADA在化工、石化、冶金、建材、电网、油气长输管线、食品、医药等流程工业和汽车、机械、电子、航空、航天、交通、矿山、市政、物流等离散制造业得到广泛应用，能够构建安全高效的信息通信支撑平台，提高智能化水平，确保安全、可靠、经济运行。例如，在制药行业，SCADA系统主要对生产设备、公用工程、能源仪表、环境数据、在线检测仪器等生产过程数据进行采集，实现集中监控，同时把数据存储到数据库，以便进行历史数据分析与追溯，消除目前存在的信息孤岛现象，使企业决策层、管理人员及操作人员能够及时方便地获取相关信息，为加强生产、工艺质量和设备管理提供技术支持。通过SCADA系统，一方面帮助客户提高生产合规性、数据完整性，另一方面加快内部信息沟通，提升企业生产效率和管理效率，减少缺陷、浪费和偏差，增强企业综合竞争力。

SCADA处于物理世界和信息空间的连接位置，是智能制造的基础，也是保证工业和城市基础设施的物理安全、数据安全、网络安全的基础，战略意义不言而喻。其重要性主要体现在以下几个方面：

① 提升生产效率和质量：SCADA系统可以实现对工业过程的实时监控和控制，及时发现问题并进行调整，提高生产效率和产品质量。

② 降低生产成本和能源消耗：通过SCADA系统实现对设备和能源的有效管理，最大限度地减少浪费和能源损耗，降低生产成本。

③ 优化运维管理：SCADA系统可以对设备进行状态监测和维护管理，帮助企业实现预防性维护，提高设备的可靠性和寿命。

④ 支持决策和优化：SCADA系统提供实时的数据和报表，为企业的决策和优化提供重要依据，帮助企业快速反映市场需求和变化。

⑤ 推动工业数字化转型：SCADA系统与云计算、大数据、人工智能等技术的结合，可以促进企业的工业数字化转型，实现更高水平的智能化和自动化。

当前，大型调度级的SCADA系统长期被国外产品垄断，国外厂家大多都是有多年行业应用背景，积累了丰富的应用经验，产品体验较好，但是国外产品价格高，信息安全存在隐患，本地服务和技术支持的及时性存在问题。国外近期已发生多起DDoS攻击或勒索病毒导致SCADA系统瘫痪的案例，例如：2021年5月，美国最大成品油运输管道运营商Colonial Pipeline公司在一份声明中称，他们的SCADA系统因遭受黑客攻击，导致关闭长达5500英里（约8800km）的管道，该公司运营的成品油运输管道持续中断多日，造成巨大的直接和间接经济损失。

随着人工智能、云计算、物联网、5G、工业互联网等新技术的不断发展，以及市场需求的持续增长，国内企业将迎来更为积极的市场机遇。在政策方面，政府对于智能制造、节能环保的有力支持，也将为SCADA系统带来更多机会。对于国内企业而言，必须着重发挥本土化、成本等优势，抓住难得的市场契机，进一步扩大在我国SCADA系统市场中的份额，并向高端化产品、大型化项目发起冲击，掌握更大行业竞争话语权，支撑我国新型工业化建设。

1.4.2 SCADA国内外产业技术发展趋势

随着人工智能、云计算、大数据、物联网、嵌入式技术、现场总线、数据库等技术的发展，SCADA系统的边界也在不断外延，与其他系统的集成和融合不断加深，逐渐发展成为拥有信息管理功能的综合平台系统。SCADA系统集成范围包括功能集成、产品集成及数据集成，集成范围广泛，系统间互操作能力较强。SCADA软件的功能日益强大，数据的采集、加工、分析能力都有明显提升，与此同时用户对SCADA软件的要求也在不断提高。

在产品版本形态方面，当前的SCADA系统主要呈现以下几种版本形态:

(1)行业专用版

根据厂商关注的行业市场的特点，研发有针对性的行业专用版SCADA软件，满足不同行业的需求。

(2)客户定制版

根据重点客户设计最适合其使用的SCADA软件及配套硬件，提高产品的操作简易性，提高产品与使用环境的契合度，最大限度满足客户的个性化需要。

(3)配套解决方案

根据不同的客户需求，设计具备整体数据采集、监控和管理功能的软件、硬件及相应服务的一体化解决方案，满足客户的全面性的需求。

从整体上看，当前的SCADA系统呈现如下的技术趋势特点:

(1)产品平台化

基于SCADA系统可以进行数据的实时采集功能，产品的接收商和供应商都更加倾向把SCADA系统当作基础的平台产品，并且在这一基础上加入集成管理控制、定位报警等多元化的功能，使得SCADA系统的功能开发到最大化。

(2)跨系统化

为了适应目前操作系统的多样性，未来的SCADA系统，必须要拥有可以跨多种操作系统进行应用的功能，从而提高SCADA系统应用的灵活性。

(3)开放化

未来的软件，应该有一个共同的特点，那就是具有开放性，当客户进行应用的时候，如果软件所拥有的功能不能够满足客户的要求，那么客户可以依据自己的需求进行二次的开发。此外，开源软件和互联网思维的影响力逐渐扩大，SCADA系统也开始朝着更加开放的方向发展。例如，OPC UA（open platform communications unified architecture）标准已经得到广泛应用，在实现SCADA系统的互联互通方面贡献巨大。

(4)智能化和自动化

SCADA系统开始向智能化和自动化方向转型，例如通过机器学习、深度学习等人工智能技术，实现自适应控制和预防性维护。人工智能已经成为SCADA产业的研究和应用重点，将会催生更加智能化的工业自动化应用。

（5）应用领域多元化

目前SCADA系统的应用很广，常常应用于电力、冶金、石油、化工、电子制造、食药等领域的数据采集与监视控制。随着我国的经济和科技的快速发展，SCADA系统则将会在农业、工业、交通、实验室等众多领域得到广泛应用。

从不同的技术环节看，当前的SCADA系统呈现如下的趋势特点：

（1）数据采集环节

基于物联网技术的发展，SCADA软件平台更加智能化，能够解决设备的控制系统种类繁多，所使用的数据通信协议和控制协议差异性很大的问题。随着开放的物联网平台以及5G通信的逐渐应用，可以更加准确、高效地采集多种数据源的数据。

（2）数据存储环节

随着用户存储的数据量越来越大，越来越重要，对于厂商来说，更加稳定、高效地存储数据，能够快速满足大量、多客户端的数据访问需求，能够保证数据的安全性、可靠性和可恢复性。

（3）数据分析环节

能够基于历史数据、各类事件完成企业数据的实时分析处理，高速、高效完成原始生产数据到企业信息、知识的分析和转换。

（4）数据展示环节

更直观的展示形式（包含3D模型、大屏、移动端的展示），更加精准、美观的数据曲线、图表，通过Web网络实现多角度的数据展示。

（5）数据操控环节

移动式手持终端的采用可以极大地方便操作人员和工艺人员在现场更高效及时地改变生产过程和优化当前情况下的生产方式，将来的企业如何能高效地满足个性化的用户需求，这种操控设备的变革必将是整体解决方案中不可或缺的一部分。

在核心技术方面，当前的SCADA系统呈现如下的趋势特点：

（1）云边协同

支持跨地域的云边协同架构，包括终端设备、边缘平台和云平台三层，三层之间通过云边数据通道进行通信。SCADA系统灵活多变的部署方式，搭配智能控制器，将能够适应多种云边架构部署需求。

（2）模型化驱动

整体采用基于模型驱动的设计思路，采用模型驱动的设计方式，通过构建设备信息模型，对设备的标识、基本属性、内外部关联关系、报警/事件、方法逻辑等进行多维度的数字化映射和描述，并对模型数据进行高效的组织和管理，以模型接口的方式对外提供服务。

（3）自主可控

支持自主芯片、国产操作系统、国产数据库的协同。国产CPU和操作系统是信息产业的根基，在相关政策的引导下，经过前期的探索和积累，国产CPU产业形成了整体推进的局面，涌现了一批优秀的产品。通过适配攻关，将能够支持国产的自主芯片、操作系统、数据库的协同，实现软件100%自主可控。

（4）安全可信

SCADA系统涉及的信息安全问题非常重要，例如，对数据加密和访问控制的需求越来越高，也让SCADA系统在安全性方面得到了更多关注和研究。针对SCADA系统面临的信息安全、功能安全、业务安全威胁，通过研发多层面的安全防护措施，加快构建基于内生安全的防护体系。此外，区块链技术的应用，可以解决SCADA系统安全性和数据可信度的问题，加强系统的防护和保护。

此外，SCADA系统和DCS、PLC系统及生产运营管理（MES等）业务功能深度融合要求日益激增，为实现一体化管理，建立统一的控制系统监控平台环境、一套完整的组态、统一的数据库、系统监控平台。SCADA系统工程师站能够对所有上位机、下位机（包括DCS、PLC等）进行项目组态开发、在线编辑、上载下载等，可以对整个厂区以太网进行有效管理和监控；操作站能够对各车间进行工艺实时画面监控、趋势查询、报警事件汇总、报表查询打印等，且操作站可在需要时向各车间快速复制布设；实时库和历史库服务器能够对所需数据收集整理，同时对外提供丰富的高性能接口，满足上层系统对生产数据的实时访问，平台可提供丰富的生产运营管理业务模块，为企业提供从控制层到信息化层全覆盖的管控一体化整体解决方案。

1.4.3 SCADA国内产业发展的现状

SCADA是工业自动化中的关键应用之一，它在国内的产业发展取得了显著的进展，主要体现在以下几个方面：

① 应用范围广泛：SCADA系统广泛应用于石油、化工、冶金、能源、交通、制造、水利、食药等行业，涵盖了各种工业过程的监视和控制。例如，在电力行业，SCADA系统被广泛应用于电网运行监控、调度控制和设备管理。

② 技术成熟度高：国内SCADA产业经过多年的发展，技术水平和成熟度逐渐提升。国内企业已经掌握了核心的SCADA技术，并具备了自主研发和创新的能力。

③ 产品丰富多样：国内SCADA产业的产品线越来越丰富，包括硬件设备、软件系统和解决方案等。企业提供的产品和服务覆盖了从小型场景到大型复杂工业过程的全方位需求。

④ 制造能力强：国内SCADA产业的制造能力不断提升，许多企业拥有先进的制造设备和生产线，能够满足大规模项目的需求。在设备制造方面，国内企业在PLC（可编程逻辑控制器）、人机界面等方面有着较高的技术水平。

⑤ 行业标准化推动：国内相关行业对于SCADA系统的标准和规范逐渐完善，推动了SCADA系统的市场发展和技术进步。例如，国内电力行业已经建立了统一的SCADA系统规范，促进了系统的互联互通和信息共享。

⑥ 国际合作与竞争：国内SCADA产业在国际市场上积极参与竞争，并与国际先进企业开展技术合作与交流。国内企业积极借鉴国际先进经验，提升自身技术实力和创新能力。

⑦ 安全性和可靠性：随着网络安全威胁的增加，国内SCADA产业对于系统的安全性和可靠性要求也越来越高。企业在产品设计和研发过程中加强了网络安全防护措施，提升了系统的稳定性和安全性。

⑧ 数字化转型：随着工业互联网的兴起，国内SCADA产业也积极参与数字化转型。企业通过引入云计算、大数据分析、人工智能等技术，实现了SCADA系统的数字化管理和智能化应用。

总体而言，国内SCADA产业发展迅速，取得了显著的成绩。随着工业自动化需求的增长和技术的不断进步，SCADA系统在推动生产效率提升、质量提高和能源节约方面将持续发挥重要作用。未来，国内SCADA产业有望进一步扩大市场规模，提升技术水平，拓展国际合作，并在数字化转型的浪潮中实现更大的突破。

从整个SCADA产业看，国外的SCADA系统的应用起步早，已有丰富的经验和成熟的产品，可涵盖分布式测控、多系统集成，综合监控、应用调度以及信息集成等绝大部分功能，国外厂商的 SCADA 软件产品目前在中国市场仍占有较大的份额，它们不但在对本公司硬件产品的集成配套方面具有优势，而且依靠自动化产品完整的分销渠道进行SCADA产品销售，并与自有品牌的其他自动化产品如 HMI、PLC、RTU 搭配出售。针对重点大项目会与重点的系统集成商合作，共同开拓项目。

随着国产基础硬件产品的性能和可靠性提高，以及国内工业软件开发水平的提高，国内SCADA在系统性能和功能方面已经达到了国外主流产品技术水平，并在部分行业实现了规模化应用示范。

中国自动化市场对价格的敏感程度较高，SCADA软件产品要在中国市场上真正取得成功，能广泛地被用户接受，价格是一个非常重要的因素。总的来说，大部分进口SCADA软件产品的价格对中国大多数的中小企业用户来说是偏高的，这就为低价格的国产化SCADA软件进入这样一个大市场开辟了道路。

在服务方面，国产SCADA软件厂商相对于外资厂商拥有一定的先天优势，能够提供更加本地化的技术支持和价格更为低廉的服务，通过自己的销售渠道和服务体系，在数量众多的项目，尤其是中小型项目里扩大产品的市场占有率及影响力。通常进口SCADA软件在服务商的优势是商品化程度高，用户资料比较完整，如何指导用户正确地去操作使用及良好的售后服务是需要关注的方面。SCADA软件市场上，只有能够为用户提供好的支持与服务的产品及供应商，才能坐稳市场。

从油气、冶金、制药行业看，SCADA的技术发展趋势如下:

（1）油气行业

未来油气行业数字化转型的重点是业务流程的数字化。通过应用自动控制系统记录和留存数据，对数据进行智能分析，寻找优化点，发现流程中的问题并不断改善，使整个流程更为准确、及时和高效。

随着天然气需求重现增长态势，天然气基础设施建设持续发力；智能化建设将是油气管道发展的重要趋势。聚焦全方位感知、一体化管控，管道智能化调控运行深度推进。

随着各省级政府出台的《城市燃气管道等老化更新改造实施方案》，城市燃气管道结合更新改造工作，完善燃气监管系统，将城市燃气管道老化更新改造信息及时纳入，实现城市燃气管道和设施动态监管、互联互通、数据共享，加速智慧燃气发展进程。目前我国的智慧燃气已经基本形成了由管网SCADA、燃气管网GIS、生产设备管理、呼叫中心、移动安检、移动维修、人力资源、工程项目管理、营收系统、客户服务等信息化子系统组成的信息技术应用体系。受智慧城市、节能减排等政策导向和燃气客户降本增效的影响，发展前景和潜力依然巨大。

（2）冶金行业

随着信息化与数字化发展，冶金工业进入数字化转型阶段，新一代IT技术、物联网技术及大数据技术的应用将对传统生产方式进行升级改造，将为集中数采业务带来大量的机遇，冶金行业的数智业务前景广阔。

未来冶金行业的发展趋势将更加注重绿色、环保的制造模式，需要加强资源节约和环境保护，因此设备工艺升级将带来一次产业提升，会带来新的项目落地。

冶金行业也将进一步发展数字化制造，引入大数据、云计算等技术，模拟生产现场，达到专业化、精细化管理，提升生产效率和准确率。

智能化管理也是金属加工工艺的趋势，通过网络和传感器、优化计算，能够对加工制造过程进行全面的监管，并对制造数据进行实时监控和分析，这种智能化的管理方式，不仅可以提高生产的效率和质量，还可以通过对数据的分析进行优化和改进，满足市场需求和变化，从而产生大量的智慧工厂项目带动数据采集业务的发展。

（3）制药行业

制药行业具有产品工艺复杂、生产过程数据管控点多、底层自动化水平差别较大等特点。目前，医药行业中，国家法规对制药企业追踪追溯及GMP（药品生产质量管理规范）合规性的要求在不断提升，为确保最终产品的质量符合法规，部分制药企业旨在通过智能工厂或数字工厂建设，提升企业生产合规符合度，提高企业生产自动化和信息化水平，进而推进企业生产管理水平进一步提升。SCADA 系统是制药工厂信息化建设的基础性工作，承上启下，可为MES 等其他信息化系统提供数据支撑。

SCADA系统部分在制药行业的应用现状，面临以下几个问题:

① 缺乏有效的工业环网支持，没有对设备进行网络集成，不能监控设备运行状态，难以实现设备的优化管理;

② 制药产品工艺要求极高，生产过程参数数值的变化会对产品质量产生较大的影响，造成产品合格率低、废品率高等严重现象;

③ 产品生产过程数据主要通过纸质批次记录作为载体进行管理，依赖于人工收集，工作效率低下;

④ 产品质量管理大多采取事后检验的方式，缺乏对产品生产过程中各个环节数据的实时管控，出现问题不能及时进行调整，影响最终产品质量。

SCADA软件市场存在激烈的竞争，SCADA软件的厂家不得不重新细化市场，精准定位其利益最大化的重点市场。同时一些项目型市场的客户对于SCADA软件有着较为成熟的使用经验，一部分有实力的行业及客户会自主研发更加适合于自身使用的更有针对性的软件，对现有的SCADA软件供应商市场产生冲击。

智能制造进程的不断加快也在为SCADA的应用与创新带来更多的机会，越来越多的综合型解决方案不断出现，SCADA软件与工业互联网平台的集成，将实现更多的应用场景。

1.4.4 发展的对策及建议

随着新型工业化和国产化替代浪潮的推进，国内SCADA市场前景广阔，可重点从以下几个方面提升国内SCADA行业的发展。

（1）推动标准化和规范化

进一步完善SCADA系统的标准和规范，制定统一的技术规范和安全标准，推动行业内部合作和信息共享。通过建立统一的技术框架，提高系统的互操作性和兼容性，降低系统集成和运维成本。

（2）功能优化

SCADA系统应加大与第三方软件在工业实时控制系统、模拟仿真、生产管理软件等方面的集成合作，提高报警方式、数据库组态方式、可视化展示等功能的可操作性和效率，满足下游应用服务多样化需求。

（3）加强数据分析与智能化应用

利用大数据技术和人工智能算法，对SCADA系统中收集到的海量数据进行深入分析和挖掘，实现智能化的监视和控制。例如，通过预测性维护和故障诊断，提前发现设备异常，提高生产效率和设备利用率。

（4）云计算与边缘计算技术应用

将SCADA系统与云计算和边缘计算相结合，实现系统的弹性扩展和资源共享。通过利用云平台的计算和存储能力，提高数据处理和分析的效率，并支持多地点、跨区域的监视和控制。

（5）加强人机交互和用户体验

设计友好、直观的人机界面，提供简洁明了的操作方式，减少操作人员的培训成本，优化用户体验。同时，结合虚拟现实（VR）和增强现实（AR）等技术，提供更直观、沉浸式的操作界面，提升操作效率和安全性。

（6）丰富软件的应用经验

目前中大型工程仍以采用进口SCADA软件为主。未来，应提高国产SCADA系统在大中型工程的应用率，改进软件的不足与漏洞。

（7）产品国产化

加快国产化协同能力，支持国产化芯片、操作系统、数据库、监控平台的集成化发展。

（8）提升网络安全能力

随着网络攻击和威胁的增加，SCADA系统的网络安全防护至关重要。企业应加强网络安全技术的研发和应用，包括身份认证、访问控制、数据加密等手段，确保系统的安全稳定运行。

（9）加强人才培养和技术创新

加大对SCADA领域的人才培养和技术研发的投入，培养更多的SCADA专业人才，推动行业的创新和发展。鼓励企业与高校、科研机构进行合作，促进技术转移和成果转化。

（10）加强生态能力建设

以试点工程项目为依托，构建完整的产业供应集成机制，为多厂商集成提供平台，打造满足实际项目需求的完备供应链体系。

总之，通过推动标准化、网络安全、智能化应用、云计算/边缘计算、用户体验以及人才培养和创新等方面的努力，可以进一步推动SCADA系统的发展，提升其在工业自动化中的应用效果和竞争力。

（11）加强智能化应用

以DeepSeek为代表的强推理AI技术为工业智能化提供了全新范式，通过其强大的数据处理和机器学习能力，能够对SCADA系统中的海量实时数据进行深度分析，识别潜在的模式和异常，从而实现预测性维护和故障诊断。同时，支持智能优化控制，能够根据实时工况动态调整系统参数，提升运行效率并降低能耗。此外，AI技术的自然语言处理功能使得操作人员可以通过语音指令与系统交互，进一步简化复杂操作流程。这些智能化应用不仅提高了SCADA系统的自动化水平，还增强了其决策支持能力，为工业生产和能源管理等领域提供了更高效、更可靠的解决方案。

1.4.5 重点企业分析

（1）和利时集团

和利时SCADA系统是和利时结合传统控制技术以及互联网、信息安全、大数据存储等新技术，推出面向高端自动化市场的HiaPlantSCADA、通用SCADA等核心产品。

• HiaPlantSCADA系统：和利时HiaPlantSCADA系统是和利时推出的新一代面向高端自动化市场的通用SCADA产品。该系统能够实现多个分散现场的集中管控，最大限度地减少现场值守人员和维护巡检人员数量，提高单位人工效率，满足了用户降低运营成本、提高竞争力的需求。

HiaPlantSCADA软件支持单机与分布式部署，易于扩容；利用HTML5支持各种浏览器，支持移动端APP；支持断点续传，在通信故障时可保证数据完整性；支持系统自诊断、网络自适应，支持通信自动重连、故障软件重启；支持视频集成、GIS地图、数据驾驶舱；支持不同工程间数据汇集功能，数据汇集功能很好地解决了跨地域拷贝、二次组态问题，大大提高了工程实施和维护效率。

HiaPlantSCADA系统针对油气、化工、环保、冶金、新能源、热电等行业定制了一系列适用于行业应用的软件功能模板，满足了不同行业的应用需求。该系统提供从下到上一整套完整的生产信息采集与集成服务，从而为企业实现工厂数字化、智能化提供支撑平台。

• 通用SCADA产品：和利时通用SCADA是依托和利时智能制造软件平台开发的新一代产品，是基于“智能工厂操作系统+工业APP应用”新模式下面向智能工厂的Web版管控一体化SCADA系统。该系统可以实时掌握系统内所有的工艺设备、仪器仪表和人员操作的情况，掌握第一手的数据，方便管理人员做出正确的判断和指令；此外，对于操作人员来说，也可以大大降低其操作强度，让其从繁重的抄录数据的工作中解脱出来，把有限的精力放在重要的过程操作和监控上。SCADA系统能够对设备进行集中监控，对数据进行全面集成，并与上层生产管理系统实现互联互通，一方面帮助客户提高生产合规性、数据完整性，另一方面加快内部信息沟通，提升企业生产效率和管理效率，减少缺陷、浪费和偏差，增强企业综合竞争力。

该产品满足产线级/车间级/工厂级/集团级等全场景的“采、存、管、控、用”一体化数据采集、监控与分析应用的需求。系统支持100多个工业驱动以及信息化系统数据集成，并支持驱动和信息化系统的二次扩展；提供内生安全防护体系，具备访问身份安全、数据安全和通信加密等关键技术；支持一键安装，简化安装升级，提供丰富的调试工具，简化调试难度，支持容器化部署；支持低代码、拖拉拽图形化组态，提供图符库/模型库模块化组态，提高复用度，支持单端组态，多端使用；支持国产化服务器（华为/浪潮等）、国产化操作系统（银河麒麟等）、国产化数据库（达梦等）；支持百万点数据量，图形支持千万点；提供丰富的专业图表控件（如柱状图、折线图、设备状态图、饼环图、日历图等），支持食药、3C电子制造、油气等行业图符，支持自定义图符和控件；提供报警、趋势、视频集成、电子地图、数据分析、电子签名、审计日志等专业功能，满足各行业应用需求。

通用SCADA产品定位是面向生产可视化管控提供通用的网络化、模块化的SCADA系统，可根据应用需求，满足单机版本SCADA、单组服务器版本SCADA、分布式SCADA等不同场景和规模的部署要求。具有良好的开放性和扩展性。食品制药、3C电子制造、油气等各业务可以在通用SCADA产品的基础上，结合智能制造软件平台提供的工具和能力，快速开发出满足行业特殊需求的行业版SCADA产品，并交付现场应用。

目前SCADA系统已广泛应用于火电、热电、新能源、炼化、石油、化工、轻工、油气管道、城市燃气、冶金、环保、建材、造纸、食品、制药、轨道交通、电子制造、家电、水务等领域。其中：

① 油气田应用：SCADA平台构建的“智慧油田”可将井场、管道、站库等现场工控系统（如RTU、PLC、DCS系统）所提供的海量数据，通过光纤、4G/5G、北斗等传输手段，汇集至管理中心数据仓库。依托大量业务模型知识集成，并通过边缘AI、智能识别等技术，完成生产实时诊断与远程管理。

② 油气管网应用：通过管网调控中心或场站部署的SCADA平台，可全方位掌控油气长输管道全网数据采集监控、输油/输气管理、生产调度、安全保护等工作。依托平台的智能化控制、数字化共享、大数据集成等功能，全力保障油气管网安全、平稳、高效运行。

③ 油气储区/罐区应用：部署SCADA平台，可使储区/罐区监控、油品收发控制等子系统互联互通，通过集成视频监控、巡更管理、油气泄漏及消防警报监控等子系统，可实现对油库生产现场数据实时采集监控、生产安全全面监测、调度管理一体化，充分保障储区/罐区安全、平稳运行。

④ 城市燃气应用：SCADA平台可广泛应用于城市燃气门站、调压站、配气站等场站监控系统及调度中心，通过平台集成的数字化共享、GIS地图、视频集成、三维流程等功能，可实现城市燃气管道与设施动态监管、数据共享，为管网平衡、安全运行提供必要的辅助决策功能。

⑤ 冶金环保应用：SCADA平台可作为数据集中监视接口，将全厂的环保数据汇集到集中平台，并按照要求进行汇总分析、统计并上传至上一级监视平台，助力钢铁行业绿色、高效发展。

⑥ 制药数字工厂应用：通过SCADA系统实时掌握系统内所有的工艺设备、公用工程、仪器仪表和人员操作的情况，掌握真实的第一手数据，方便管理人员做出正确的判断和指令；此外，也可以对接BI软件，对历史数据进行大数据分析，依托数据进行生产分析与决策，不断进行管理改进和工艺优化，提质降本增效。

⑦ 轨道交通应用：MACS-SCADA综合监控系统可集成和连接供电监控（PSCADA）、环境与设备监控（BAS）、站台屏蔽门（PSD）、有线广播（PA）、乘客信息系统（PIS）、闭路电视（CCTV）、信号系统（SIG）、火灾自动报警（FAS）、时钟（CLK）、自动售检票（AFC）、门禁系统（ACS）、轨道交通指挥中心（TCC）、不间断电源（UPS）、集中告警等多种设备和子系统；可实现对车辆、信号、供电、环控等二十多个全专业设备的智能化集成监控，实现电力设备监控调度、环境设备监控调度、行车调度、车辆监控调度、乘客监控调度、网络管理调度、综合维修管理、培训仿真等主要功能，提高运营调度效率与灾害及故障模式下的自动化处理能力。

未来，和利时将以自主开发的智能工厂软件平台为核心，为国内离散制造和流程生产企业量身打造智能工厂集成解决方案。在装置级和车间级，以智能控制器为核心，实现装置和车间级的单元控制、协调控制及智能控制，并承担车间级的信息安全防护；在工厂级和企业级，基于智能工厂软件平台构建数字化、智能化工厂生产管控一体化系统。

在战略层面，和利时SCADA未来的发展将以构建智能工厂为导向，实现智能制造为目标，将自动化、数字化、信息化、智能化最终融为一体。和利时SCADA系统除了具备生产监视和控制基础功能外，还将支持数据智能分析、智能报表、三维可视化等高阶功能，并与工业控制系统、MES、WMS、WCS、APS、数字孪生、生产仿真等管控软件深度融合，实现一体化管理，建立统一的控制系统监控平台环境、一套完整的组态、统一的数据库、系统监控平台。向下可与DCS系统、PLC、RTU设备进行通信，实现多源、分散系统的数据汇集，实现全流程数字化管控，支持生产数据完整记录，提供流程数据追溯便捷功能。向上可与各类ERP、SAP等系统进行集成，对外可提供丰富的、高性能的接口，实现数据交互及业务应用。平台可提供丰富的生产运营管理业务模块，为企业提供从控制层到信息化层全覆盖的管控一体化整体解决方案。

（2）中控技术

InPlant FusionWorks综合监控软件是中控技术推出的一款大规模分布式综合监控软件。作为一款战略性的工业软件应用平台，集高效、安全、通用和易用性于一身。在常规的分布式生产信息采集、监视功能基础上，结合对行业用户需求深度分析，创造性地引入了对象模型概念，使传统的以工程为单位的组态开发面向系统化、模块化发展。它易于应用，稳定可靠，能够提高操作效率并控制应用成本。

InPlant FusionWorks综合监控软件集成多种驱动接口，支持各种品牌的DCS、PLC、RTU等产品，广泛应用于油气田、长输管线、城市热网、医药、船舶海工、电网输配电、长距离水传输、污水处理、环保监控、市政交通、公用工程等SCADA领域。

本章负责人　黄文君　浙江中控技术股份有限公司
　　　　　　朱毅明　和利时科技集团有限公司

参加编写人员　颜银芳　李志勉　江竹轩　朱　杰　吴　斌　赖一宁　陆卫军
　　　　　　　刘奋民　严寒青　刘建中　董　亮　武开谋　胡鹏飞

第2章　自动化仪表

2.1 》 产业发展的背景及战略意义

2.1.1　自动化仪表产业发展的概况

（1）自动化仪表产业的发展历程

① 自动化仪表科技项目发展历程。在我国第一个五年计划建设期间，仪表工业发展非常迅速，由于几乎是从无到有，新品种不断涌现。这个时期我国发展自动化仪表新产品的路线主要是样机仿制为主。

1956 年12 月，国家批准了《1956—1967 年科学技术发展远景规划纲要（修正草案）》（简称《十二年科技规划》），该文件规划了13 个方面57 项重大科技任务，又从中进一步提出了12个对科技发展更具关键意义的重点任务，其中第 4 项就是为生产过程开发自动化仪表和精密仪器，自动化被列为了重点发展学科与技术领域。

1963年，国家提出了仪表工业的三线建设新规划，从上海、天津等仪表工业基础较好的沿海地区调集力量大力支援内地建设，在成都、重庆、贵州、湖北、安徽、陕西、宁夏、甘肃等地建设了一批仪表企业，形成了仪表产业全国的新布局，为中国仪器仪表的发展奠定了一个坚实的基础。

在第五个五年计划期间，根据中国仪器仪表行业技术发展的需要，国务院于1979年10月决定成立国家仪器仪表总局。该局直属于国务院，并由一机部代管。其主要任务是负责协调各部门仪器仪表和自动装置的发展规划，管理全国工业自动化仪表和装置、测试仪器、科研及生产等各方面工作。国家仪器仪表总局的成立对于快速推进中国仪器仪表技术的突飞猛进发展，起到了积极引领、推动的作用。

“六五”到“八五”期间，国家组织联合攻关，基本上解决了单元组合仪表、分散性控制系统、现场总线仪表及现场总线控制系统的联合技术开发与产业化问题。

“九五”以来，国家科技计划又支持仪器仪表关键部件的研发。例如在中国仪器仪表技术发展中起到关键作用的现场总线技术，就是国家在这个阶段将现场总线仪表和现场总线控制系统规划为国家重大科技攻关项目所有效推进的。在现场总线技术的推进下，中国仪表与控制技术进入到分散型控制、网络化控制以及控制、管理一体化的一个全新的技术阶段。

“十五”以来，科技部、国家基金委、中国科学院等部门又陆续启动了多项科学仪器仪表的专项或重大项目。

“十三五”期间，国家重点支持关键核心部件、高端通用仪器仪表、专业重大仪器仪表的研发工作。

2000年前后，国家对于自动化仪表的进一步开发非常关注，连续多年对自动化仪表科技开发提出多个规划，比较直接相关的就有《仪器仪表行业“十二五”发展规划》《加快推进传感器及智能化仪器仪表产业发展行动计划》《仪器仪表行业“十三五”发展规划建议》和《智能制造发展规划（2016—2020年）》等。

② 自动化仪表在技术方面的发展情况。回顾中国工业自动化仪表的发展，从其发展过程中所采用技术特征的变化来区分的话，大致可以划分为四个阶段：

第一阶段大致划分在20世纪40～50年代，这个阶段中国的自动化仪表主要还是以一些原有技术对被测信号进行采集、转换、显示、记录，而且将所有功能融合为一体的基地式仪表形式呈现给使用者。这个时期自动化仪表鲜少有控制功能，种类非常少。

第二阶段大致在20世纪60～70年代，这个时期自动化仪表主要技术特征是按功能进行组合的单元组合仪表，又分气动式单元组合仪表和电动式单元组合仪表，此外也发展了部分巡回检测装置等。

第三阶段大致发生在20世纪80～90年代，这个时期自动化仪表的显著特征是引入了计算机系统，这一时期典型的新型自动化仪表主要有分散型控制系统（DCS）和可编程控制器（PLC）等。

第四阶段是21世纪以来至今的全新时期，这一阶段自动化仪表的显著技术特色体现在新一代的分散型控制系统、基于现场总线的控制系统（FCS）、全面引入网络化控制和管理、逐步引进智能化处理等至少4个方面，自动化仪表从此开始走上新一轮的技术革命道路。

从自动化仪表技术模式的发展来说，工业自动化仪表几十年的发展，一般是从以机械式模式为主逐步发展到以电子模拟式技术模式为主，再逐步发展到以数字式技术模式为主。中国目前已经逐步发展到以智能技术模式为主。

从所发展仪表类型说，中国工业自动化仪表的发展历程是从简单检测、指示、显示仪表逐步发展到了包含控制、决策功能的仪表，从单一仪表逐步发展到利用总线、利用网络技术等高新技术的综合式仪表。

（2）新中国成立以来中国自动化仪表体系的构建与发展

1949年新中国成立后，我国在仪表产业发展最早的上海和天津等地，将一些早期民间自发的、微型的民族资本经营的半工半商的几十家仪表企业逐步进行改造、充实技术力量，打造了中国最早的一批仪器仪表企业。但早期多以生产简单的电表、水表等为主。

1953年，在开始实施第一个五年计划（1953年—1957年）过程中，国家对制造业规划了39个大类、191个中类、525个小类，仪器仪表是首批发展的重点行业之一。我国第一个五年计划得到苏联援建，成立了哈尔滨电表仪器厂，主要生产各类电表。

在推行第一个五年计划过程中，国家成立了第一机械工业部和各省厅局，对于仪表产业开始进行布局。通过成立国营仪表厂或专业公司、成立仪表研究机构、对私营仪表企业进行公私合营改造等途径，大大促进了仪表产业的发展。又将上海仪表行业一批产品和技术扩散到河北、河南、云南、广东四省建立四个仪表基地。1954年，国家在民主德国支援下建设西安仪表厂。

1956年上海成立了第一机械工业部上海仪器仪表科学研究所，这是我国仪器仪表行业第一个国家级研究所。

后来又先后分别在开封进行流量仪表的生产，在南京进行分析仪器的生产，在宁夏吴忠进行阀门的生产，在广东肇庆进行气动仪表的生产，在鞍山进行热工仪表的生产，在无锡进行阀门等的生产。

二十世纪五六十年代，我国先后成立了一机部上海仪器仪表科学研究所、一机部沈阳仪器仪表工艺研究所、一机部上海电工仪器仪表研究室、哈尔滨电工仪表研究所、长春试验机研究所、辽宁仪表研究所、东北大学自动化仪表研究所、天津市工业自动化仪表研究所、西安工业自动化仪表研究所、湖南株洲仪表材料研究所、重庆工业自动化仪表研究所等。这些仪表研究机构对推动中国仪表技术的发展发挥了至关重要的作用。

中国自20世纪50年代以来到2001年，在仪表领域方面的发展格局中逐步形成了六大基地、三大集团。

六大基地：上海、重庆、西安、天津、北京、大连实力比较雄厚的六大生产基地。

三大集团：改革开放进程中，通过若干年的改制和联合改组，先后成立了上海自动化仪表股份有限公司、以四川仪表总厂为主体的中国四联仪器仪表集团公司和西联自动化仪表集团公司。这三大集团的组成单位都在20个以上，产值都在3亿元以上，其中四联集团工业总产值12.9亿元，都具有自己自主研发的基地，具有较强的系统开发能力和成套服务能力。

新兴企业：改革开放以来，我国民营自动化仪表工业也得以快速发展。涌现了众多具备相当技术实力民营自动化仪表企业，如浙江中控集团、北京和利时集团等企业。

2.1.2　自动化仪表产业发展的战略意义

自动化仪表在工业自动化领域中的作用相当于人体的眼睛、耳朵、鼻子、舌头，如果自动化系统离开了仪表，就像人体离开视觉、听觉、嗅觉、味觉，失去了感知相关工业过程信息的能力，将无法对整个被控制系统内各个参数进行有效的控制、调节，直接后果是生产过程根本无法进行下去。还有人说，仪表是工业生产的倍增器，可见仪表的重要性。

现代工业技术不能再像传统工业生产那样，完全依赖于人的操作，而必须将生产过程交给以工业自动化仪表为基础的自动化系统去控制、调节，以自动化方式生产出产品。现代技术时代，不仅工业要依赖于自动化，农业生产目前也大多实现了农业操作的自动化，此外采矿、电力、交通运输、物流仓储、水利、通信等，几乎没有哪个行业不依赖自动化。更为重要的是，一个国家的科技要长足发展，在很大意义上受到仪表发展水准的制约，谁的仪表技术水平越高，谁就将执全球科技发展的“牛耳”在手。

2.2 》 国际产业发展的现状与趋势

2.2.1　国际自动化仪表产业发展现状

（1）现代化技术的大量采用促进了行业中某些企业的极度高水平的发展

目前不少国际先进自动化仪表企业如艾默生、Agilent、E+H 、ABB等，都在将智能传感器、数据融合技术、大数据分析、AI技术、物联网（IoT）、虚拟化软仪表技术等应用于自动化仪表方面做了不少探索。使得新一代自动化仪表不仅具备传统检测功能，还具备实时数据分析和远程状态监控等多种功能。也就是说，目前国际先进自动化仪表企业生产的自动化仪表，不仅在取代人的体力方面实施自动化，更进一步在取代人的智力方面逐步实现部分智能自动化，与若干年前的自动化仪表相比正在发生着奇妙的变化。

但这里有一个非常值得中国自动化仪表技术界注意的动向，即首先由开发自动驾驶汽车的知名车企，如福特、Uber、大众等，在2014年、2015年前后逐步发觉走以AI技术开发自动驾驶技术之路并非原来想象中的那样容易，逐步发觉AI技术固有的一些缺陷，这些车企开始调整自己技术发展的道路，从过多依赖AI技术，向更切实际的EI（engineering intelligence or enterprise intelligence，即工程智能或企业智能）技术以及多种技术综合的道路转变。前车之鉴，这也使得国外自动化仪表企业中的多数企业将其在十余年前更多从科学角度进行AI研究逐步转向科技角度、生产制造角度的应用，大量AI技术研发人员逐步转向EI技术研发方向。

EI的典型16项技术在自动化仪表和自动化装置领域开始逐步应用，包括神经形态硬件、人体机能增强、脑机接口、通用人工智能、增强数据挖掘、边缘计算、量子计算、5G技术、无服务器Paas、数字孪生、智能工作空间、智能机器人、智能微尘、会话式用户界面、立体显示、4D打印。EI的典型16项技术虽然仍然在成长过程中，但很多企业的实践告诉我们，其在技术层面的生命力很可能远高于AI。

（2）可持续发展的需求成为自动化仪表产业技术发展中重点关注的一面

近些年来由于国际上多数负责任国家的呼吁、倡议，环保意识普遍不断增强，许多自动化仪表企业对于更节能、更加减少排放、满足绿色生产需求、安全性更高的技术给予了更多的关注，并更加主动地增加该方面投入，也取得许多显著成效。

（3）现代化技术的大量采用促进了市场规模的增长

随着高新技术在生产企业中的广泛应用，尤其工业4.0和智能制造理念的推出，使得生产企业对于自动化仪表的需求不断增加，国际上普遍预计未来很长一段时间内自动化仪表市场前景仍然非常乐观。

（4）竞争格局与区域发展差异化

高新技术在自动化仪表上的应用促进了生产企业制造水平的显著提高以及效益的提升，但高新技术的更深入应用也更加剧了高新技术企业之间的激烈竞争。竞争主要集中在技术创新、自动化仪表产品功能与性能，以及对于客户的周到服务等方面，竞争的核心还是在于高新技术，尤其在企业自主知识产权的技术创新的水平上面。

在技术竞争层面，区域发展的差异化也体现得淋漓尽致。通常情况是，北美、欧洲的许多自动化仪表企业远强于亚太地区的自动化仪表企业，基于竞争的残酷性质，技术先进企业加强了对于技术落后企业的技术封锁，尤其自东芝机床事件之后，西方对于东方的技术封锁非常明显。

2.2.2 国际自动化仪表行业发展新趋势

（1）微型化

自动化仪表微型化技术除了在器件上采用超大规模集成（VLSI）新器件、微机电系统（MEMS）、圆片规模集成（WSI）、多芯片模块（MCM）、微光源、微分光学系统和微传感器等外，更重要的是大量采用微检测技术、微控制技术、微加工技术等，不仅使自动化仪表产品体积缩小，还使其精度提高。

（2）智能化

自动化仪表产品智能化主要体现在CPU、DSP、GPU、NPU以及各种AI芯片的应用上。在测量速度、精确度、分辨率、灵敏度、自动化程度和性价比等方面，智能仪表都具有传统仪表所不能比拟的优点。

（3）数字化

近年来国外某些自动化仪表中采用了一些数据融合技术，这些数据融合技术要么是将集成的各种检测传感器检测的数据综合起来以挖掘更深入的一些信息，要么是以少量必要检测传感器给来的数据通过与另外数据的关联关系，将并未检测的数据推算出来。

（4）网络化与总线化

传统的集中测控已经越来越难以应对规模更大、大量远程、功能更加复杂，甚至在检测过程中还须与自动化、数字化、智能化高度配合的场景，原来单台仪表就能完成所有功能的时代已经结束，需要多套仪表联网以共同完成更高级的任务，这就促成了仪表网络化的高需求。这些新的技术要求现场仪表之间、现场仪表与中央控制系统之间，具有多站双向性、全数字化甚至智能化等特征，这些要求加剧了仪表网络化的进程。此外，仪表虚拟化、图像信息、三维信息等更高要求，也加速了仪表网络化的进程。早期、近期仪表网络化主要还体现在GPIB总线、VXI总线以及现场总线技术上，现场总线的FCS或将取代DCS成为控制系统的主流。目前比较活跃的现场总线技术有如HART、FF、Profibus、Lonworks、WorldFIP、CAN等。随着互联网技术在各方面的普及，Internet和Intranet技术也逐步被引入控制领域。通过Internet和Intranet网，仪表用户可在异地之间互相交换、利用信息，厂商更能直接与异地用户交流，还能实现如仪器在线实时故障诊断，在线指导用户维修、更新仪表参数、软件升级等等。

（5）无线化

在网络化发展趋势中，还有一点须特别注意，即目前多数网络化技术绝大多数是采用的无线技术。更专业一些的无线技术有无线传感器网络（WSN）和长距离无线通信技术（如LoRa、NB-IoT）等，无线技术使得布线成本大幅度降低。

（6）虚拟化

在硬件构成基本确定的前提下，自动化仪表越来越多的功能（例如智能化功能、数字融合功能等）都依赖软件实现。因此软件仪表、虚拟化仪表成为现代仪表的一种全新发展模式。软件作为虚拟仪表的核心，利用微计算机和极少的必需硬件，借助屏幕上虚拟出来的与传统仪表相似的显示面板，使用者通过鼠标和键盘操纵面板上的虚拟按钮、开关、旋钮来实现与传统仪表类似的各种功能操作，可通过虚拟显示屏、数码显示器和指示灯显示仪表检测的数据、状态等结果。

（7）多功能化

随着微处理器技术、现代仪表技术、智能技术、虚拟仪表技术、网络技术在仪表中的广泛应用，自动化仪表的功能越来越多，远超传统仪器仪表的功能。多功能化是自动化仪表的一个特点，也是未来自动化仪表不断发展的一个大趋势。

（8）开放性、标准化与模块化

由于当代自动化仪表多功能化、虚拟化、网络化发展的特点，任何自动化仪表不可能像传统仪表那样具有极大的独立性，而必须与更多不同体系的仪表产生千丝万缕的联系，因此，不同硬件体系、不同软件体系之间的接口将会是今后自动化仪表界研究的新方向。因此采用开放性、标准化、模块化设计，方便不同品牌与类型的自动化仪表进行互联互通，提升整个系统的兼容性和可扩展性显得尤为重要。

（9）高精度、高可靠性、安全性

今后时代对于自动化仪表的精度、可靠性与技术安全性和信息安全性的要求，将会越来越高。

2.2.3 国际自动化仪表行业发展特点

进入21世纪以来，国外仪表行业发展呈现以下特点。

（1）全面采用新技术

目前国外在开发自动化仪表过程中，新技术被大量采用并且层出不穷，智能化的技术（如AI等）得以突飞猛进地发展。数字化、网络化等技术在自动化仪表中也得以充分发展。除硬件构成普遍采用专用集成电路（ASIC）外，设计过程中普遍采用电子设计自动化技术（EDA），而在生产自动化仪表过程中，则普遍采用计算机辅助制造技术（CAM）和表面贴装技术（SMT），在测试自动化仪表过程中，则已经普遍采用计算机辅助测试技术（CAT），在自动化仪表内部大量应用着数字信号处理技术（DSP）。许多最先进的技术正在自动化仪表领域中被广泛采用。

（2）自动化仪表构成正在发生革命性的变化

在当前自动化仪表的开发中更注重更全面地应用新技术，在系统硬件上不仅着眼于应用新型模块，更注重新的体系结构的开发，尤其在软件开发中，更注重以软件功能取代更多原来以硬件为主来实现的功能。随着一些自动化仪表运用了GPU、NPU或AI芯片，除了数字化功能的开发，更在软件上投入了巨大的人力、财力，研发智能化功能。新一代自动化仪表的构成基本上成为：自动化仪表＝AD/DA ＋ CPU（GPU、NPU等）＋ 软件。

（3）产品开发准则发生巨大变化

产品开发的准则逐步从技术驱动转化为市场驱动，或者说从供方市场逐步转化为需方市场，即从通用为主逐步转化为专用与通用相结合，或者说是从原来一味追求产品的高精尖转为提供给定制用户产品的恰到好处。产品开发准则的另一个巨大变化是收缩方向，把原来为供方市场提供多型号、多规格产品的精力，集中在为客户提供优质产品，最大限度满足用户需求的技术优势和优质服务上。

（4）注重专业化生产而不再是大而全

生产过程中一改过去大量陈旧仪器仪表堆砌局面，如生产线上更多采用以GP-IB最前沿仪器组建自动测试系统和以许多视觉类自动化仪表替代操作人员视觉进行操作，等等。

（5）在注重长线产品生产的同时，部分企业逐步向高技术轻资产模式转化

国际上不少一流自动化仪表企业除了仍然坚持其高技术、高效益自动化仪表产品的长线生产外，也在为进一步向更高层面的飞跃做好准备，即高投入研发目前最前沿的一些高智能、高数字化的高技术产品，开始向轻资产生产模式、高效益收益、高技术门槛转化，由通用向更加专用的方向进化，由纯产品销售向产品销售兼顾专业化技术服务方向进化。

（6）检测理论研究在向更高深更广阔的方向发展，为新的技术腾飞做足充分准备

目前国外检测技术已经产生了许多飞跃性的变化。

从检测理论方面说，其研究着眼点已经从原来比较单一地关注生产过程参数检测系统与检测对象模型的情况，快速发展到对于检测系统中的信息理论、随机信号与噪声研究、相关理论与谱分析的应用研究等方面的高度关注。

再从检测技术应用层面说，生产过程参数检测已经从原来的单一变量向多变量方向发展，从确定性变量向随机性变量方向发展。工业生产过程参数检测目的已经不再仅仅局限于只是获取少量的被测参数的定量信息，而是革命性地进展到获取生产过程状态信息或状态诊断信息等更广泛的、更大量的、更具信息关联性质的方面。检测基本方法也从早期的被测量与测量的比对的原始模式发展到以物理或化学乃至生物过程获取信息的这样一种更加有生命力的现代模式上。

简单总结一下可以看出，国际上对于检测技术至少发生两方面显著变化：其一，已经从更多关注检测被测参数定量信息的传统模式中，开始关注更多采用随机信号处理方法、模式识别与图像处理等现代信号处理方法，以获取更多信息的检测模式；其二，从原来唯一关注生产过程定量信息的状况大踏步向关注生产过程状态信息与状态诊断信息方向迈进。

2.3 》国内产业发展的现状

2.3.1 国内自动化仪表产业发展现状

我国工业自动化仪表行业从整体情况看，在工业自动化仪表生产整体能力方面有所提高，如2017年我国自动化仪器仪表行业市场规模达到了2370.16亿元，到2018年增长到2457.86亿元，增长率为3.70%。2019年工业自动化控制装置行业市场规模总额为2511.93亿元，同比增长2.2%，这个业绩远超其他仪器仪表细分行业，充分说明国家对于自动化仪表发展的引领是花了大力气的。从工业自动化仪表产业规模方面看，中国已经成为国际上几个行业规模最大的国家之一。

2022年，国家发展改革委正式下达了加快振兴装备制造业的若干规划，在各个行业中选出 16 项重点发展领域立专项支持发展，其中第 11 项就是重大工程自动化控制系统和精密测试仪器项目。2022 年制定国家中长期科学与技术进展规划纲要时，又列出了多项仪器仪表与测量控制系统发展项目，对推动重要自动化仪表发展起了极大促进作用。

虽然自动化仪表行业在整体业绩方面取得很显著成效，但中国自动化仪表整体技术水平和产品质量尤其可靠性与国外先进水平比仍然存在一定差距。而且更值得我们高度注意、高度警惕的是：从技术角度衡量，自动化仪表产品中很多关键技术、核心技术以及关键部件、核心部件不是中国自己的。

我国自动化仪表行业与国外在技术上的差距体现在以下几个方面：

① 有关自动化仪表的许多核心技术、关键技术需从国外引进。中国自己开发、生产的自动化仪表主要在中低端，自中端以上60%的自动化仪表都不能够自己制造，必须引进，高端自动化仪表绝大多数更是只能够引进，国产高端自动化仪表市场占有率非常低。

② 目前我国国内自动化仪表产品品种虽然多，但精准度、快速性、数字化、网络化，尤其智能化等方面程度较低，而国外同类产品智能化程度普遍较高，可以有效地对原始信息进行数字处理、数据融合、排除外部干扰的影响等。

③ 我国许多看来很高端的自动化仪表自动化处理程度偏低。以目前国内新出现的一些高性能光电直读光谱仪为例，我国产品在诸多方面仍需人工操作，而国外这类仪表基本上是实时自动监测、实时自动记录的。

④ 随着科技向智能制造这类更高要求应用领域的不断扩展，迫使传感器技术必须按更高阶层的要求发展和创新。国外传感器技术已经在向多功能化、微型化、无线化、智能化、多模式化方向进发，而我国在传感器开发方面的成果仍严重不足。

⑤ 产品可靠性需要进一步提高。

⑥ 目前我国仪器仪表企业整体规模普遍较小，中小企业偏多。这些企业在人才、财力

等方面缺乏竞争力，综合实力较差，难以参与国际竞争。

⑦ 自主原创型技术开发严重缺乏。我国能够自主进行落地的自主原创型硬件、软件底层技术开发的技术人才奇缺，缺乏自主知识产权的专用解决方案。目前我国绝大多数企业（90%以上）是通过引进国外技术和硬件功能模块来完成产品技术的更新，缺乏科技创新。

2.3.2 国内自动化仪表行业发展新趋势

近些年来，随着信息技术的飞速发展，工业自动化仪表产业在国家大力扶持和指引下，已经发生了巨大的变化，加之加入WTO后，在国际大市场中学到、用到不少高新技术，自动化仪表产业发展进程中以下一些发展趋势非常明显。

（1）智能化

智能化目前已基本上成为现代工业自动化仪表的核心技术。例如，在智能化的执行器应用过程中，如果其软件在执行过程中发现执行器执行某个动作的效能已经明显很低，而导致执行器过于频繁的反复操作来补救其不足时，则可向上位机发出维修预报，通知相关工作人员进行有效干预。又如，某化工过程中某单元操作中的某流体的流量、温度、pH值在传统单元操作中是以三台自动化仪表来分别测量的，而该流体的流量值与其温度值、pH值有密切的相关关系，则完全可以采用智能计算处理的方法，以一台智能化的流量仪表解决上述的测量及计算问题。

（2）精准化和稳定化

国际上自动化仪表追求精准化（即高精确度）已经有一个较长时期了。中国工业自动化仪表国家标准中的规定精度在不断提高，最高已经达到0.25级，即0.0025%的检测精度（甚至0.1级，即0.001%的检测精度）。但中国工业自动化仪表能够达到这个标准的产品还相对较少。其实由于当今自动化仪表批量生产的原因，目前国内生产厂商在技术上采取适当方法提高批量中所有仪表的“普遍性”精度而放弃了单只仪表的“个性化”精度，如果让每只仪表的精度都达到更高的指标，在工厂效益上是划不来的。但是国外近些年高精度自动化仪表精度越来越高，估计他们可能并非采取传感器高精度方法，而是走高稳定度传感器道路，即采用智能化的数据处理、补偿方法和智能自动化“标定”相结合的方法来大幅度提高仪表的精确度。据观察，中国自动化仪表走这种“技术致富”道路的并不多，这也是中国自动化仪表产业与国外先进企业的最大差别。

（3）快速性

由于当今智能制造技术对于生产工艺的升级改造已经从传统简单工艺向复杂工艺、从单工艺参数处理向多工艺参数关联和协调处理进军，因此大幅提高自动化仪表快速性已经成为发展的主流，国外先进企业已经将自动化处理技术从传统毫秒级别的要求向当前微秒级别甚至纳秒级别的要求进发。

（4）数字化

数字技术相对于模拟技术有更容易远传、耗能更低、更容易进行信号信息转换、可靠性和保密性等更好、更便于存储等优越性，因此数字化的意思是采用数字技术尽可能早、尽可能多、尽可能全面地取代模拟技术。这里“化”的大量工作，应当是从底层大量开发数字化采集信号装置，从底层大量开发数字化执行装置，从底层大量开发数字化传输、存储等装置。数字化的“化”不是一个“点”，而是“面”的问题。

数字化还有一个更为重要的作用，就是我们常说的“数字融合（数据融合）”。也就是说通过有限已有数据信息，通过关联关系，推断出更多、更深层次信息以提供给过程应用。这里仅举一例说明，某研究所在基于多CPU的硬件体系架构下，在净水处理、污水处理系统中只配置液位计，相应各处压力、流量都是多CPU架构中分工的CPU依据数据融合方式、按照各处液位数据计算出来的。压力计，尤其流量计，动辄几千元，而这里每处检测点仅配置一只三五元的CPU和二三百元的液位计即可。何况数据融合远远不只压力、流量那样简单，优势远大得多。因此该研究所将某企业原来4万元成本的传统控制系统做到成本仅3000多元，功能却还远远强于原传统控制系统，这也充分说明数字化的深远意义。

（5）特种和专用化

在当前高新技术发展的过程中，自动化仪表面临越来越多的新的技术需求。例如，工厂生产线中原来采用人工从传送带上拣拾原料再送进机器处理的工作由机器人取代，但由于传送带输送来的原料（例如是圆柱体棒料）横七竖八凌乱地堆放在传送带上，所以必须开发一种能够准确识别若干棒料中某一目标棒料的三维立体坐标数据的特种自动化仪表（专用自动化仪表），新的需求要求自动化仪表技术同仁必须迎难而上。

（6）可靠性

近几十年中由于高新技术的引入，自动化控制系统处理过程随着工艺要求的提高处理速度越来越快，安全可靠性成为自动化仪表的基本要求。

（7）网络化和现场总线技术

自21世纪以来，工业自动化仪表技术已趋于数字化和网络化。自动化仪表网络化的底层技术具体体现在大量运用数字化的现场总线将众多分布式自动化仪表以及自动化控制系统组合成更大范围自动化控制系统，以提高分布式自动化系统的关联、协调运行能力，解决信息量更多，关联、协调关系更多的复杂大系统应用。然后再与目前社会层面普遍应用的企业互联网连接甚至与公众互联网连接，实现开放式网络体系架构，以覆盖到企业生产、管理、营销的方方面面，极大地提升企业运行效益。

（8）服务化

随着自动化仪表技术的高速发展，自动化仪表已经不仅仅应用于工矿企业，也有更多机会应用于为社会服务，而自动化仪表当前社会服务工作往往没有一个社会实体去进行，许多自动化仪表企业则主动承担了这种社会服务任务。

自动化仪表企业社会化服务的又一个职能是承担一些工业企业因为转产或技术升级等原因撤下来的大量尚可使用的自动化仪表的二手交易与维护、维修服务。

目前许多自动化仪表企业已经从纯粹生产、销售自动化仪表的身份转向为社会做更多社会化服务的模式上来。

（9）自主知识产权自动化仪表软件商品化

目前在自动化仪表领域还出现了一类企业，他们充分利用自身对于自动化仪表在工业自动化控制系统内的娴熟技术，专门开发自主知识产权的、有特色的自动化仪表软件产品进行销售，以解决许多需要自动化仪表控制系统又不具备软件开发能力的企业之需。

2.4 》 存在的主要问题

（1）国产自动化仪表中低端产品较多，高端产品缺乏国际竞争力

当前我国自动化仪表产品，主要集中在中低端产品市场，高端市场几乎90%被国外品牌占据。在相当多的高端产品的市场内，国产产品甚至是空白。这种局面，使得国产自动化仪表在国内市场上的销售量只达40%左右，还有多半是从国外进口。这就迫切需要未来我国自动化仪表向高技术水平进军，扩大产品市场占有率。在技术水平上而言，中国自动化仪表与发达国家相比有较大差距，还有很长一段路要赶。不仅如此，在中低端产品市场上也还必须下力气提升技术水平。

中国自动化仪表企业多数规模小，应对能力差的问题不单是企业自己的事情，也影响整个国民经济建设的大布局。2022年国内仪器仪表总产值仅占国内生产总值（GDP）的0.82%，国内工业总产值的 1.79%。而美国20世纪90年代仪器仪表工业产值占工业总产值的4%，不单是量，更关键的是它的“质”：带动国民经济（GNP）的影响面达到66%。

在这种背景下，我国把仪器仪表行业列为国家发展规划重要任务有着重要的战略意义。

（2）对国家重大项目缺乏有力的支撑

我国国民经济建设呈现日新月异的发展趋势，自动化仪表技术发展水平难以满足国家高速发展的需求，尤其在中高端自动化技术方面。高端自动化仪表装备依赖引进具有较大风险，一旦供应不上，影响的不仅在仪表或在自动化方面，有可能整个项目、整套装备都无法全面实现其预期要求。工业自动化仪表水平可能影响整个国家工业的现代化。

（3）国产自动化仪表采用高新技术的量和水平都不够，在数字化、智能化等高新技术方面所下功夫更是严重不足

我国绝大多数自动化仪表技术，无论在数字化、智能化、软件化以及其他高新技术方面，表现出的技术层次都较低。其实自动化仪表的智能化以及数据融合一不体现在仪表材料上、二不体现在仪表制造水平上、三不体现在开发经费上……而是由于开发技术人员不能够采用软件举措，把人脑的“智能”用软件指令形式赋予自动化仪表的软件中。

（4）国产自动化仪表的快速性需要被重视

还有一个情况国内技术业界都没有给予足够关注，就是我国自动化仪表处理速度相比国外先进水平还较慢。当前之所以要强调高速度，原因在于当代仪表比传统仪表要处理的问题多得太多，尤其智能化的要求，或者数据融合要求，如果速度跟不上，就无法在设备快速、高速运转的前提下处理完比传统技术要求多得多的一大堆事务，就会严重影响设备的高性能。

（5）我国自动化仪表可靠性有待提高

我国产品质量和可靠性（尤其是可靠性）一直是自动化仪表技术发展中的一大问题，亟待解决。

2.5 发展的对策与建议

2.5.1 提升原创型开发能力

为了切实为我国自动化仪表产业培养出一大批具备技术开发过硬本领的技术人才，必须在高校教学中、在为企业技术人员的技术培训中切实培养以下两方面技能。

（1）底层硬件开发技能

选择完全没有他人知识产权、容易购买的通用元件，如CPU、RAM、ROM、I/O接口等元件，采用完整的逻辑设计、负载校核、时序设计、结构设计、印制板CAD等步骤，实现底层硬件的完整设计，形成完全自主知识产权的硬件，而且还要适应智能技术、数据融合、可靠性技术等的高要求。

（2）底层软件开发技能

首先进行三项分析即数据流分析、信号流分析、时序分析。然后在此基础上进行软件结构设计、软件模块设计、程序流程框图设计。接下来进行过程与时序图设计，这是许多开发者都没有能力完成的、但是又是保障功能完整实现的非常重要的一个环节。最后再采用汇编语言编制程序和在线实时仿真仪对所编制程序进行逐段仿真验证，而且并非将汇编语言源程序编制好再逐段用在线实时仿真仪仿真，而是要求编制一段程序仿真验证一段程序，也就是说，程序是边编制边验证出来的，而非一股脑儿从头到尾编制出来的。即在软件开发过程中有着更高的要求，就是要在这里将智能技术、数据融合、可靠性技术等完全融合进去。

总而言之，底层硬、软件开发技能包括：底层硬件完全自主知识产权原创型开发 + 以精细时序设计为核心的软件设计 + 智能技术、数据融合、可靠性技术“三融入”+ 汇编语言编程 + 在线仿真开发器验证。

2.5.2 加强产品的产业化转化

为了在国内实现所开发技术的充分的产业化，在高校教学中、在为企业技术人员的技术培训中还必须切实培养以下三方面技能。

（1）产品按照标准、规范定型转化

产品转化首先要满足国家、行业、企业或国际对于该产品所规定的相关标准，如电气安全性标准、环境适应性标准、电磁兼容性标准、可靠性标准、可制造性标准、可测试性标准、可维修性标准等。产品按照标准、规范等或特殊要求（如带电热插拔、军工的三防要求等）进行转化。此外，还必须遵照执行标准、规范时的一些标准，如抽样标准、定型规范等等。

（2）特殊设计

作为高校或科研院所培养人才，常常按照一般情况进行培养。但是作为产品或装备，则会发生许多在理论上不会过多去考虑的问题。如热设计、带电热插拔、工业设计、特殊安装设计、特殊防护设计、军工的三防要求等，一般都远超一般标准所能够想像的范围，都需要进行特殊的、专门的开发、设计过程，甚至反复试验反复修改。

（3）产品生命全周期符合性转化

在原理样机向产品转化过程中，要将其在生产、工艺、检验、质量控制、物流仓储、销售、售后服务甚至残品回收等所有环节中的技术要求或技术辅助性要求的附加开发、设计任务都要融合进去，哪怕这些技术或辅助性技术在标准里根本没有要求。例如，汽车里面随车附带的故障检测系统平时行驶过程中是无法运行的，到4S维修店后，维修人员拿一套有线或无线装置连接车内故障检测系统和电脑，运行电脑中故障诊断程序就知道汽车哪里发生故障或问题，这个汽车内一直安装在里面、平时又不运行的技术举措，就叫汽车的产品全生命周期中维修周期的技术符合性转化。

2.5.3 加强智能技术、数据融合技术和可靠性技术培训

2.5.3.1 加强智能技术培训

智能技术的培训包括工程智能技术和人工智能技术培训等方面。

工程智能技术包括智能检测、智能控制、智能信号处理、智能故障诊断与容错等。更包含目前国际最新提出的16项工程智能技术如神经形态硬件、人体机能增强、脑机接口、通用人工智能、增强数据挖掘、边缘计算、量子计算、5G技术、无服务器Paas、数字孪生、智能工作空间、智能机器人、智能微尘、会话式用户界面、立体显示、4D打印。人工智能技术大家一般都很熟悉，这里不多介绍。

2.5.3.2 加强数字化技术培训

该方面的培训包括数字化技术和数据融合技术两个方面。

（1）数字化技术

"数字化"的根本性的大量开发工作，就是从底层大量开发数字化采集信号装置，从底层大量开发数字化执行装置，从底层大量开发数字化传输和存储等装置。

（2）数据融合技术

数据融合技术即通过有限的已有数据信息，通过关联关系，推断出更多、更深层次信息以提供给过程应用。如在水处理系统中只配置液位计，相应各处压力、流量都以分工的CPU依据数据融合方式按照各处液位数据计算出来。这里以基于液位计数据得出流量的数据融合算法作个简单说明。分工进行该数据融合功能的CPU的相应数据融合程序分别在两时间点采集各时间点的液位数据和时间数据。由于任何容器无论形状多么复杂，其每个液位所对应的容积都是一个确定值，程序中预先准备一个精确液位-容积对照数表，只要得到一个液位数据，其对应容积都数据查表即得出。数据融合计算非常简单，以高液位对应容积减去低液位对应容积得出流出（或流进）容积，除以两时刻差值，即得该时段内平均流量。若要求瞬时流量，只要缩短两采样时间间距，并采用更高一级数据融合技术修正数据完全可以精准实现。这种数据融合技术所得结果完全可以做到精度远高于真正的仪表。

2.5.3.3 加强可靠性技术培训

该方面的培训包括以下三个方面。

（1）冗余技术

在多CPU体系结构下，靠冗余几个关键CPU会使系统可靠性提高相当高的倍数。因为按照相关理论，2模冗余并非提高可靠性2倍，3模冗余并非提高可靠性3倍，而是按照像下面两个关系式来下降故障率的，即$a_0+a_1\times10^{-1}+a_2\times10^{-2}$和$a_0+a_1\times10^{-1}+a_2\times10^{-2}+a_3\times10^{-3}$，即分别下降到几分之几到几十分之几、几十分之几到几百分之几。在多CPU体系结构中，靠硬件冗余、软件冗余、信息冗余、时间冗余、模式冗余、层次冗余等多种冗余技术的叠加使用，会使得可靠性提高千倍、万倍甚至更高。

（2）互监督技术

可以充分利用印制板与印制板之间的互监督技术、CPU与CPU之间的互监督技术和CPU内部各部分互监督（如速度不同的T0程序、T1程序和主程序互监督）更高效地提高系统可靠性。这里以T0程序、T1程序和主程序互监督为例子来说明互监督的作用。这里

举例说明按照执行周期的长短T0程序监督主程序，T1程序监督T0程序，而主程序监督T1程序。如T0程序监督发现主程序因为干扰跑飞超过时间没有执行（按照正常情况这是不可能的），T0会执行从合适的初始化恢复程序去重新启动主程序。又例如，T1程序监视到T0程序在正常时间段内未执行（按照正常情况这也是不可能的），则T1程序中将自动复位T0并重新启动它，让程序恢复正常秩序，如此等等。这种方法保证了开发的装置MTBF时间不是采用小时衡量，而完全可以采用日、月、年衡量。

（3）智能故障诊断与容错技术

效用更高的是智能故障诊断与容错技术，但由于该技术知识级别高许多，该项培训依情况选定。

这些层层叠叠的技术叠加，将使得可靠性高度增长，甚至达到10^{10}倍都是有希望做到的。

2.6 » 重点企业分析

2.6.1 重庆川仪

重庆川仪自动化股份有限公司（以下简称川仪）的前身四川仪表总厂，是由上海、江苏、辽宁等地仪器仪表及配套企业内迁重庆组建而成的西南仪器仪表工业基地。

（1）主要产品

公司主营业务是工业自动控制系统装置及工程成套，建有完整的工业测量与分析、执行与控制、控制系统与装备产品体系，见图2-2-1。

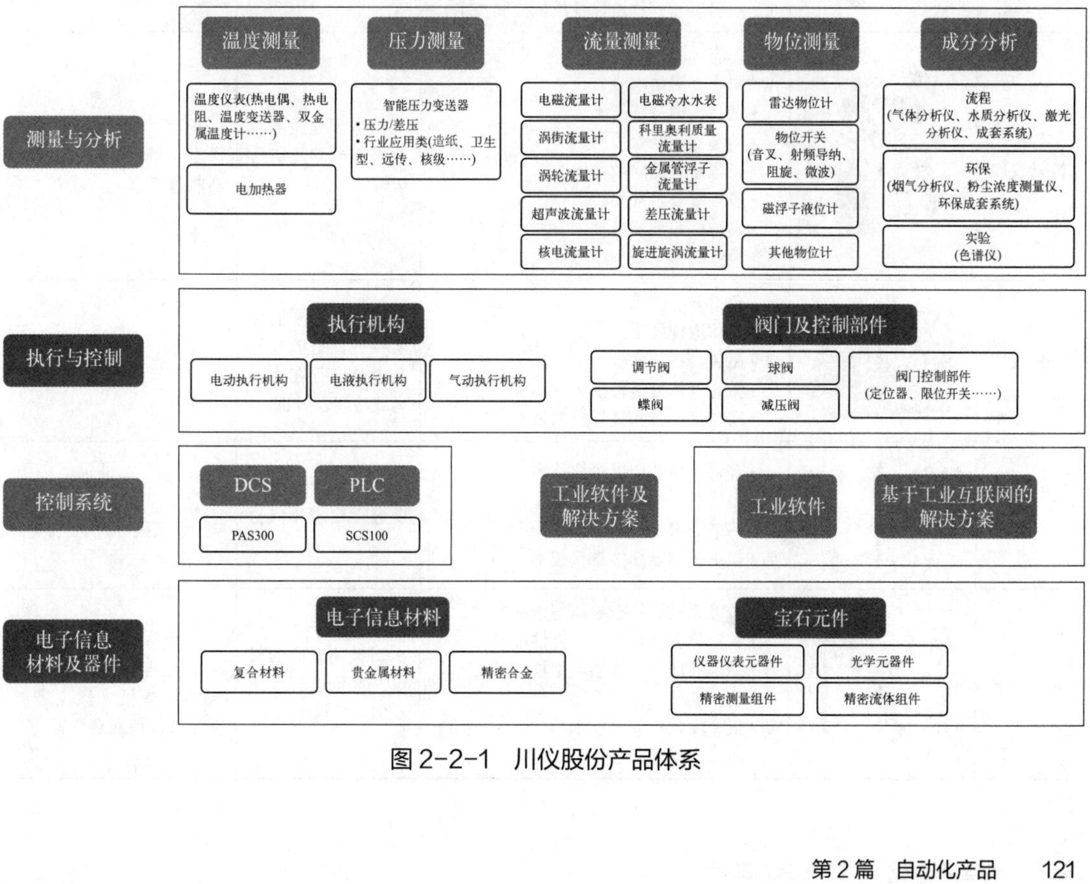

图2-2-1 川仪股份产品体系

川仪主力产品情况见表2-2-1。

表 2-2-1　川仪主力产品情况

产品	图示	核心技术	功能介绍	应用领域
智能调节阀		•高硬度硬质合金表面硬化工艺技术 •严苛工况阀内件结构设计技术 •VOC 在线监测的智能阀门定位器技术 •严密密封及低逸散结构设计技术 •阀内件参数化结构设计技术 •多物理场耦合仿真分析技术	接收控制系统的指令，实施对管道中介质流量的控制及信号反馈	化工、冶金、电力、医药、水务、核工业、新能源等
智能执行机构		•动态力平衡定位技术 •PHB 高速总线技术 •智能变频控制技术 •高参数阀门控制技术 •高压油路密封技术 •精密传动副设计制造技术 •火灾保护技术 •精密流量配对技术 •高频率运动传递技术 •高稳定性力矩传递技术 •高性能膜片运动控制技术 •复合耐磨材料应用技术	接收控制系统的指令，完成对各种直通或旋转类阀门及风门挡板的控制	化工、冶金、电力、医药、水务、核工业、新能源等
智能变送器		•高灵敏度传感器技术 •多参数复合补偿技术 •差压变送器静压技术 •传压介质微量充灌技术 •超薄膜片均热焊接技术 •超薄传压膜片设计及成型控制技术	对被测介质的压力、差压进行检测和信号传输	电力、冶金、化工、市政环保、轻工建材、医药、造纸、核工业、新能源等
智能流量仪表		•三态励磁技术 •瞬态励磁技术 •动态频谱分析技术 •动态零点补偿技术 •工频干扰消除技术 •多参数复合补偿技术 •高浓度浆液测量技术 •线性电源单双频励磁控制技术	对被测介质的流量进行检测及信号传输	化工、冶金、水务、医药、食品、核工业、新能源等
分析仪器		•色谱分析技术 •气体取样技术 •磁氧分析技术 •激光气体分析技术 •高精度不分光红外检测技术	对被测介质的化学特性、组成成分及含量进行在线或离线检测及分析	化工、环保、轻工建材、新能源等
温度仪表		•套管频率及强度校核技术 •多传感器整体成形封装技术 •热敏绝缘材料配方 •微细传感器焊接封装技术	对被测介质的温度进行检测及信号传输	化工、医药、纺织印染、轻工建材、核工业等
物位仪表		•智能化过程状态监测与诊断技术 •智能化多变量检测与补偿技术 •高温高压蒸汽补偿测量技术 •全自动标定检测工艺 •低密度物料识别技术 •防挂料技术	对被测介质的料位、液位进行检测及信号传输	电力、冶金、化工、市政环保、轻工建材、医药、造纸、核工业、新能源、粮油仓储等

续表

产品	图示	核心技术	功能介绍	应用领域
控制装置		•自研 TCP 通信技术 •冗余总线技术 •控制器冗余技术 •多通道并行采集技术 •热备服务器冗余方式 •4～20mA 模拟量输入输出 0.1% 精度技术	以控制器和现场设备为基础，运用自动化控制技术对生产过程进行自动调节和控制	电力、环保、石油化工、煤化工等
电气装置		•新型低压抽出式开关柜技术 •KYN28A-12（GZS1）铠装型移开式交流金属封闭开关设备 •静态无功补偿器（SVG）与有源滤波器（APF）技术 •一体化管理、集中控制、实时监测技术 •SC600 系列变频器技术	对高低压电气设备的配电系统进行管理及故障传递	电力、冶金、化工、轻工建材、市政环保、核工业等

(2)川仪的创新发展

川仪创新体系以研究院为主体，下设8大领域中心、15个专业研究所。中心承担共性技术、前沿技术研发，研究所承担专业产品技术研发。打造了智能压力变送器、智能电磁流量计、智能电动执行机构、智能阀门定位器等4个具备世界先进水平的产品，主力产品智能压力变送器、智能流量仪表、温度仪表、执行机构、控制阀等国内市场占有率均排名国产品牌第一。聚焦国家重大需求和关键环节自主可控，14项产品突破了我国核电、石化、冶金、新能源、新材料等重大工程、重点领域“卡脖子”难题，打破国外垄断，填补国内空白，30余项产品替代进口，实现首台（套）应用。永磁式电磁流量计和钠中气泡噪声探测器填补了国内在核电领域超高温高导电介质测量的空白，通过重庆市首台（套）重大技术装备产品认定，正在国家能源局进行能源领域首台（套）重大技术装备评价认定。1E级磁浮子液位计、1E级差压/压力变送器、1E级安全壳淹没液位变送器、热式质量流量计、主给水调节阀、汽机旁路阀、最小流量阀等产品通过国家能源局验收，整体技术水平达到国际先进，部分指标国际领先。调节型核级电动执行机构、铅铋流量计、远传核级变送器、高精度主给水超声波流量计、核电站内废气氢氧分析仪装置等核电产品研制成功，有力保障我国核电厂运行的安全性和可靠性。超低温调节阀研制成功并实现产业化，满足20K液氢（−253℃）、4K液氦（−269℃）工况需求。大口径、高磅级、高压差LNG低温调节阀通过国家能源局、中国机械工业联合会鉴定和实际工程应用。智能执行机构实现板卡级智能模块化应用及国产化芯片替代，产品控制精度、力矩范围等主要性能指标达到世界领先。小型管道用防爆执行机构通过全性能试验，取得防爆产品合格证和3C认证。船用小型化电动执行机构通过第三方测试。推出高端智能诊断压力变送器、高参数电液执行机构、热式气体质量流量计、高精度HART温度变送器等20余种新产品。积极推进微型紫外光谱仪、超低粉尘浓度测量仪、在线傅里叶红外光谱仪等环保产品研发，服务环境保护和美丽中国建设。自主研发的HVP3系列智能阀门定位器和PDS智能压力变送器两大产品荣获“2023中国自动化领域用户信赖产品”，川仪分析仪器公司研发的多组分气体分析器入选2024年度重庆市重大产业技术创新产品。

2.6.2　上海自仪

作为中国仪表行业先驱的上海自仪，目前是仪器仪表和工业自动化领域中同时拥有控制系统、检测测量仪表和执行类（包括阀门和执行机构）等产品，系统成套综合制造能力强大的大型仪控工业企业。上海自仪具有配套齐全的产品集群和门类，可为工业过程及其他领域的用户提供完备的检测测量仪表、执行器、控制系统的产品和集成式服务，满足各层次用户从现场仪表到解决方案的不同需求。公司长期服务于火电、核电、化工、环保、轨道交通、冶金、水泥、食品等业务领域。

（1）产品门类

上海自仪产品应用业务覆盖广，产品种类多，具有自动化仪表制造行业的“多品种，少批量”特点。

产品（图2-2-2）包括：现场设备层单项产品，有测量类产品，如温度、压力/差压、物位、流量等仪表或传感器；有执行类产品，如调节阀、球阀、蝶阀及其电动和气动执行机构、阀门定位器等。I/O设备层和过程控制层产品，有控制类产品如DCS、PLC以及专用于核电数据采集或专用于汽轮机控制等各种专用控制类系统装置等。过程监控层产品，如人-机界面监控产品、操作控制盘台柜、报警装置等各种产品。

上海自仪并能针对客户需求的各类检测控制定制要求提供复杂的系统集成、总包服务及解决方案，产品在核电等高端应用领域具有优势。

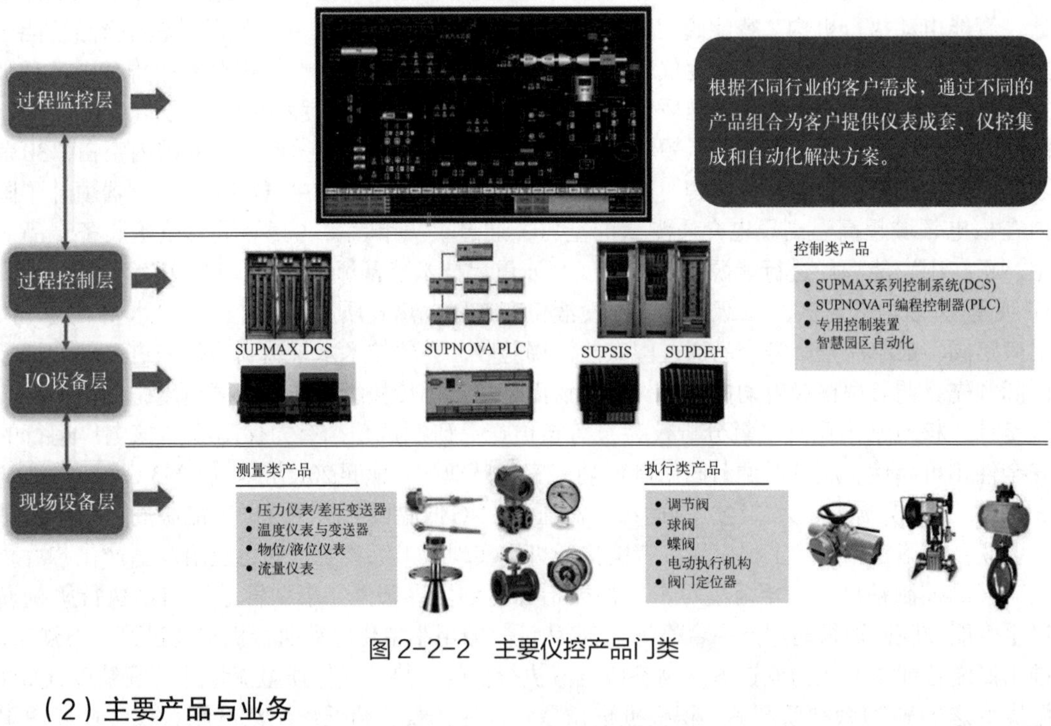

图2-2-2 主要仪控产品门类

（2）主要产品与业务

主要产品有通过V&V认证的智能温度变送器，核级压力/差压变送器，通过国家攻关研制的56英寸（1.4224m）系列管道球阀、主给水调节阀、大气释放阀等高端阀门，百万千瓦级汽轮机控制系统等一系列产品至今仍处于行业领先地位。

（3）科技研发

上海自仪的技术人员占比30%。现有国家级企业技术中心、院士专家工作站、上海市重点实验室、上海市工程技术研究中心和国家CNAS认证的测试实验室等研发和实验机构，致力于自动化领域超前技术和通用关键技术及产品的自主研发。上海自仪先后承担并完成科技部、工信部和能源局等的科技项目118项、上海市科技攻关和高新技术产业化项目38项，曾荣获国家级科学进步奖特等奖、二等奖，上海市科学进步奖特等奖、一等奖、二等奖等诸多奖项，参与国际、国家和行业标准的制定175项。

（4）制造生产

上海自仪总部位于上海市，生产场所由上海嘉定昌吉路园区、崇明秀山路园区、浦东秦桥路园区和青浦朱家角园区组成。

上海自仪的生产线广泛应用了自研的MES系统管理和调度，机器人生产、全自动喷涂线以及由智能小车构成的生产线间物流系统等已经推广应用。

面对不断扩大的市场规模，通过坚持实施的能级提升工程，上海自仪的生产能力持续提高，始终保持对用户的响应程度，满足用户的需求。

上海自仪正聚焦火电与环保、核电、化工等领域，加快拓展和培育关键高端阀门、MEMS传感器、智能制造关键智能传感器、工业软件等新产品、新产业，努力成为“符合国家战略、突破关键核心技术、市场认可度高”的科技创新型企业。

本章负责人　汪道辉　四川省自动化仪表研究所

参加编写人员　吴　朋　武丽英　涂海燕　龚　薇　李立军　廖均梅　张　婷　杨　刚

第3章 核心工业软件

3.1 背景及意义

大力发展工业软件，推动核心工业软件自主可控，是中国建设“制造强国”的必由之路和提升产业国际竞争力的重要举措。工业软件是现代工业的“大脑”和“神经”，是大国激烈竞争的战略要地。工业软件的发展直接关系到产业链、供应链的自主可控，直接关系到工业企业的生死存亡。

2021年5月28日，习近平总书记在两院院士大会上首次提出工业软件要大力攻坚。

2021年10月19日，习近平总书记在十九届中央政治局第三十四次集体学习时指出：要重点突破关键软件，推动软件产业做大做强，提升关键软件技术创新和供给能力。

2021年6月1日，工业和信息化部、科技部、财政部等六部委联合发布《六部门关于加快培育发展制造业优质企业的指导意见》，提出大力推动自主可控工业软件推广应用。

2021年7月30日，中共中央政治局召开会议，要求强化科技创新和产业链供应链韧性，加快解决“卡脖子”问题。

《“十四五”智能制造发展规划》强调，联合开发面向产品全生命周期和制造全过程的核心软件，研发嵌入式工业软件及集成开发环境，研制面向细分行业的集成化工业软件平台，推动工业知识软件化和架构开源化，加快推进工业软件云化部署。

工业软件是工业制造的大脑，是智能制造的关键核心技术之一。大力发展工业软件，推动核心工业软件自主可控，是实现我国由制造大国迈向制造强国的必由之路和提升产业国际竞争力的重要抓手。

我国经过40多年的高速发展，已成为世界第一制造大国，其中，石化、化工、钢铁、建材等流程制造业规模居世界第一，机械装备、航空航天、电子信息、汽车家电等装备制造业也在全球占据重要地位。但是，我国装备制造业的工业软件国内市场占有率只有5%，极大部分被国外垄断，流程制造业的核心工业软件国内市场占有率不足5%，这是十分严重的客观存在。工业软件能够定义工业产品、控制工业过程、优化制造流程、变革生产方式、增强管理效能、提高运维质量、确保安全可控，从而提升全要素生产率，所以，必须大力发展工业软件特别是核心工业软件，这对我国从制造大国迈向制造强国具有重大战略意义。

我国电力、冶金、石化、国防等重大工程和关键基础设施，80%的核心工业装备和主体工业装置，都采用国外引进的工业控制系统和工业软件。在这些系统中病毒预埋、未知隐匿入侵等状况时有发生，这是十分危险的。与此同时，由于国内自主可控元器件及内嵌式核心软件落后于欧美发达国家，国内研制生产的工业控制系统大量使用国外“有毒带菌”的元器件及内嵌核心软件，因此国产工业控制系统轻易“被后门”“被渗透”“被攻击”的现象不可避免，安全形势十分严峻。面对如此状况，我国必须加快研发自主可控、安全可信的核心工业软件，实现国外引进工控系统的深度改造、国产现役工控系统的迭代更新，这对确保国家经济安全、军事安全、社会安全具有重大战略意义。

现代工业生产依赖于能量质量传递、物理化学反应、多相多场耦合、高温高压运行，向着高度复杂化、连续化、大型化、高速化、集约化、智能化发展，并呈现出多变量、强耦合、非线性、大滞后、分布式、非均一、欠知识、欠驱动等复杂特性。面对如此复杂的工业装备和工艺流程，我国必须深度融合新一代人工智能技术、新一代工业制造技术、新一代信息通信技术、新一代工业控制技术，加快核心工业软件的基础科学研究，加强核心工业软件的测试验证环境建设，加紧工业软件国家标准、国际标准的统一制定，加速实现未来国产核心工业软件的前沿引领，这对彻底解决核心工业软件受制于人、确保我国工业生产实现优质高效、绿色环保、节能降耗、安全可靠的愿景都具有重大战略意义。

3.2 工业软件发展现状

工业软件可分为五大类（如图2-3-1所示）：设计开发类工业软件，技术壁垒最高；生产控制类工业软件，市场规模最大；经营管理类工业软件，国产化进程最快；运维服务类工业软件，应用前景最广；信息安全类工业软件，技术差距最大。

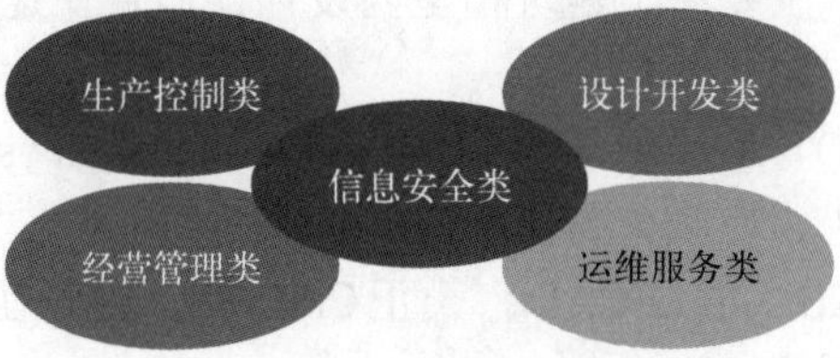

图2-3-1 五大类工业软件

3.2.1 设计开发类工业软件

在汽车、飞机、工程机械、生物医药、信息电子等领域的重点制造行业，由于加工机理复杂、加工过程繁复、精度要求严苛，工业设计软件呈现出高度专业化的特点。这类软件具有集中程度高、开发难度大、开发周期长、资金需求大等特点，行业集中度极高，目前国内市场被欧美巨头垄断，国产化率不足5%。特别是在核心工业设计软件方面，由于缺乏对底层算法和物理机理的深入掌握，基础工业研发数据积累不足，呈现技术空心化趋势，国内使用的工业软件大多数来自ANSYS、西门子、达索、PTC、Autodesk等国外知名企业。应用较多的软件有：计算机辅助设计软件CAD、产品生命周期管理软件PLM、计算机辅助制造软件CAM、产品数据管理软件PDM、计算机辅助工程软件CAE、物料需求计划软件MRP、计算机辅助工艺规划软件CAPP、统计过程控制软件SPC、电子设计自动化软件EDA、数控机床软件CNC。

3.2.1.1 CAD

CAD（计算机辅助设计，computer-aided design）是一种利用计算机软件来支持设计过程的技术，它广泛应用于多个领域如机械工程、建筑、电子电路设计、产品设计等。CAD

软件可以帮助设计师创建二维或三维模型，进行模拟、分析和优化设计，极大地提高了设计效率和准确性。

（1）CAD主要功能

二维绘图：创建平面图形，如建筑平面图、机械零件图等。

三维建模：生成三维模型，能够更直观地展示设计意图。

工程分析：通过有限元分析（FEA）、计算流体动力学（CFD）等工具，对设计进行性能评估。

自动化设计：利用参数化设计和模型库，迅速生成多个设计变体。

协同设计：多名设计师可以并行工作，实时共享和编辑设计文件。

输出与文档：生成工程图纸、材料清单、制造指令等文档，便于生产和施工。

（2）CAD常见软件

AutoCAD：由Autodesk公司开发，是最知名的CAD软件之一，广泛应用于建筑和工程设计。

SolidWorks：主要用于机械设计，提供强大的三维建模功能和工程分析工具。

CATIA：由达索系统（Dassault Systèmes）开发，适用于复杂的产品设计，如航空航天和汽车工业。

Revit：也是由Autodesk开发的，专注于建筑信息建模（BIM），用于建筑设计和施工管理。

SketchUp：易于使用，主要用于建筑和室内设计，适合快速建模和视觉化。

（3）CAD主要品牌

国外品牌：如AutoCAD（Autodesk）、SolidWorks（Dassault ystèmes）、CATIA、PTC Creo等，这些软件在中国市场上占有较大份额。

国内品牌：如中望CAD、浩辰CAD、天正CAD等，逐渐在市场上占据一席之地，尤其是在一些特定行业和领域中。

（4）CAD市场占比

国外软件：据一些市场研究机构的报告，国外CAD软件在中国市场的占比仍然较高，尤其是在高端市场。

国内软件：随着技术的进步和本地化服务的加强，国内CAD软件的市场份额逐渐增长，尤其在中小企业和地方项目中受到青睐。

3.2.1.2 CAE

计算机辅助工程（CAE）是现代工程设计与分析的重要工具。它通过仿真和分析帮助工程师在设计阶段评估和优化产品性能。以下是CAE的详细信息。

（1）CAE主要功能

CAE通常包括以下几个核心功能。

几何建模：使用CAD软件或其他工具创建几何模型，包括产品的形状、尺寸和材料属性。

网格生成：将几何模型分割成许多小单元，形成有限元网格（对于FEA）或流体单元（对于CFD）。

物理定义：定义材料属性、边界条件、载荷和其他关键参数。

模型求解：使用数值方法求解模型，计算相关的物理量（如应力、温度、流速等）。

后续处理：可视化仿真结果，生成报告，进行数据分析和结果验证。

设计优化：根据分析结果进行设计优化，提升产品性能。

（2）CAE市场规模

市场规模：我国的CAE市场在过去几年中经历了快速增长，预计将在未来继续扩大。市场规模可能在数十亿元。

增长率：CAE市场的年均增长率通常在10%～20%，受到制造业、汽车、航空航天、电子和建筑等多个行业需求增长的推动。

（3）CAE行业占比

汽车工业：汽车行业是CAE应用最广泛的领域之一，尤其是在结构分析、流体动力学分析和热管理方面。

航空航天：由于对安全性和性能的高要求，航空航天行业对CAE的需求也非常强劲。

消费电子：随着智能手机和其他电子产品的复杂性增加，CAE在电子行业的应用也日益增长。

建筑工程：在建筑设计及基础设施项目中，CAE用于结构分析和优化设计。

（4）CAE厂商分布

国际公司：许多国际CAE软件公司在中国市场占有重要份额，如ANSYS、Siemens Digital Industries Software、MSC Software等。

国内企业：随着国内技术的发展，一些本土CAE软件公司如华为、北京三维、上海华东等也逐渐崭露头角，占据了一定的市场份额。

CAE作为现代工程设计的重要工具，其应用将不断深化，领域也不断扩大，未来的发展将更加注重智能化、集成化、可持续性，并与CAD集成形成CAD/CAE的一体化，同时将面临技术更新、人才培养和数据管理等多方面问题。

3.2.1.3　CAD、CAE的发展设想

在设计开发类工业软件中，计算机辅助设计（CAD）软件和计算机辅助工程（CAE）软件是产品和装备设计制造的源头工具，是最基础的核心工业软件。全国重点实验室在CAD/CAE一体化关键技术上取得了一批在国内外具有重要影响力的创新成果，围绕数字化设计与仿真集成、离散网格剖分、参数化特征建模、复杂产品优化设计方向建立了体系化理论与方法，支撑了国产CAD、CAE软件的研制，研制了多个CAD、CAD-CAE集成平台系统，为工程机械、航空航天和国防军工等领域的国家系列重大装备的自主设计提供了有力支撑，作出了重要贡献。

① 围绕CAD参数化特征建模理论与方法：提出了基于特征的CAD造型、检索与重用方法，解决了特征模型有效性维护、异构特征模型互操作等关键难题，显著提升了建模的智能性；提出了融合直接建模与特征建模之间的操作映射难题，大幅度提升了复杂特征模型编辑的效率、鲁棒性和灵活性；提出了鲁棒的加工特征识别方法以及设计特征到分析特征的映射方法，实现了基于分析特征的CAD/CAE无缝集成、基于加工特征的CAD/CAM无缝集成。研究者入选Elsevier“中国高被引学者”。

② 围绕CAD设计与CAE分析的集成关键技术：提出CAD/FEM一体化模型、一致性关联编辑等方法，支持CAD模型与四面体/六面体网格模型的一致性关联编辑和关联互动，实现了CAD建模与四面体/六面体网格建模的无缝集成；提出了理想化误差（含特征抑制误差及降维误差）的定量描述、可计算解析表示以及快速计算的方法，支持仿真模型的耦合降维和特征抑制误差后验估计。成果应用于中国电子科技集团公司第十四研究所的远程

预警相控阵雷达设计制造和盾构机装备设计，制造与服役全生命周期功能与性能仿真，有效提高了大型相控阵雷达的精度与性能，解决了复杂工况下盾构装备掘进作业性能可信预测难题。

③ 围绕CAD/CAE离散网格剖分理论与方法：创立了三维网格曲面的微分域几何计算理论，在国际上首次提出了操控物体表面和体内局部微分属性来修改整体几何形状的创新思想，解决了从离散几何局部表示高效重构全局光滑曲面的国际性难题；提出了局部/全局及分片参数化关键技术，实现了网格曲面的高效率保形参数映射构造，解决了不同曲面间低扭曲相互对应的经典难题。相关研究成果成功应用于华为手机产品研发、西门子燃气燃机产品的研发中，并于2018年在网格剖分最重要国际会议IMR上做特邀报告。

3.2.2 生产控制类工业软件

我国炼化、钢铁、电力等流程工业生产控制类工业软件国产化应用相对比较成熟，由于生产企业业务耦合性强，生产运行管理经验丰富，运行数据和管理信息积淀深厚，加之国家发展改革委在“九五”“十五”计划期间出资组织实施了国家重大科技攻关项目和国家工业过程自动化、工业自动化两个高技术产业化重大专项，使得生产控制类工业软件具有自主开发的优势，但主要集中在中低端市场，国内厂商规模相对较小，缺少大规模整体解决方案，技术深度和应用广度尚有较大差距，特别是PSS、RTDB、RTO等核心工业软件国内市场份额小于5%。目前常用的生产控制类工业软件有：集散控制系统软件DCS、产品数据管理软件PDM、能效管理系统软件EMS、流程模拟软件PSS、可编程控制系统软件PLC、制造运行管理软件MOM、安全仪表系统软件SIS、实时数据库系统软件RTDB、先进控制软件APC、操作员培训仿真系统软件OTS、调度优化系统软件ORION、支持决策系统软件SDS、实时优化系统软件RTO、数据采集和监控系统软件SCADA。

3.2.2.1 先进控制软件APC

先进控制软件是用于优化和提高工业过程控制的技术和工具。APC通过使用复杂的控制算法、模型预测控制（MPC）、自适应控制和其他现代控制理论来实现更高效的过程控制。APC能够在变化的生产条件下自动调整操作，保持产品质量，并最大限度地提高产量和效率。

（1）APC主要功能

实时监控：实时收集和分析生产过程中的数据，监控关键变量（如温度、压力、流量等）的变化。

预测控制：使用数学模型预测系统的未来行为，并根据预测结果优化控制策略。

反馈控制：根据实时数据调整控制参数，以保持过程在设定的最佳范围内。

多变量控制：同时处理多个控制变量和约束条件，确保系统在复杂操作条件下的稳定性和效率。

优化调度：根据生产需求和设备状态，优化生产调度，减少停机时间和资源浪费。

数据分析：提供详细的数据分析和报告功能，帮助运营团队作出更明智的决策。

（2）APC主要厂商

先进控制是鲁棒控制、预测控制、最优控制、解耦控制、优化控制等的总称。国外知名的先进过程控制软件供应商主要有艾斯本（AspenTech）、霍尼韦尔、艾默生、施耐德等，这些公司产品占据了全球APC市场的主导地位。国内市场上，随着国产APC软件持续加大研发投入，产品水平不断提高，市场占有率已经达到50%左右。国内APC供应商主要包括中控技术、和利时、石化盈科等。和利时研发的先进控制软件包HiaAPC包括先进控制运行平台、多变量模型预测控制、基于该平台的PID自整定、软测量软件和控制回路性能评估软件，其功能和性能与艾斯本和霍尼韦尔的产品相当。中控技术研发的先进控制软件InPlant APC，集成了先进控制平台、多变量鲁棒预测控制软件及智能软测量软件等关键组件，连续五年国内市场占有率第一，2023年国内市场占有率达28.2%。杭州优稳在智能运行优化、智能运行控制等方面的先进控制软件也有突出表现。

国外APC软件在复杂系统控制、多变量优化、实时数据处理等方面具有更高的技术水平，国产APC软件与国外顶尖产品相比，在技术成熟度、算法优化、模型精度等方面仍存在一定差距。

（3）APC未来优势

先进过程控制是一项强大的技术，能够显著提高工业生产的效率和质量。虽然其实施可能面临一些挑战，如高成本、复杂性和数据质量问题，但随着技术的发展和行业对智能化、自动化需求的增长，APC的应用前景广阔。

企业在未来应关注以下几个方面以充分利用APC的优势。

投资人员培训：确保操作人员具备必要的技能，以有效使用APC系统。

关注数据质量：建立有效的数据管理实践，确保高质量的数据输入。

推动文化变革：促进组织内部对新技术的接受度，支持创新和流程改进。

探索高新技术：关注AI、机器学习、云计算等新兴技术，考虑如何将其与APC系统结合，以实现更高效的操作。

3.2.2.2　流程模拟软件

流程模拟软件（process simulation software，PSS）是一种用于模拟、分析和优化工业流程的工具。这类软件常用于流程工业、物流、能源等行业，帮助企业理解和改善其操作流程，以提升效率、降低成本和减少风险。

（1）PSS主要功能

可视化：流程模拟软件提供可视化界面，使得用户能够直观地理解复杂的流程和系统。

优化决策：通过模拟不同的情景，企业能够评估不同决策的影响，从而做出更明智的选择。

提高效率：通过识别瓶颈和低效环节，企业能够优化流程，提高生产效率。

降低风险：在实施新流程或技术之前，通过模拟评估潜在风险，帮助企业避开可能的问题。

成本节约：通过优化资源配置和减少浪费，企业能够实现显著的成本节约。

（2）PSS主要市场

西门子市场占有率约20%～25%，主要应用于汽车、航空航天、重工业等。

达索系统市场占有率约15%～20%，主要应用于产品设计、工程仿真、PLM解决方案。

PTC市场占有率约10%～15%，主要应用于产品生命周期管理、CAD工具。

Altair市场占有率约5%～10%，主要应用于工程仿真、优化等。

AnyLogic市场占有率约5%，主要应用于流程模拟、供应链管理。

其他厂商市场占有率约20%～30%，包括多种小型和新兴厂商的解决方案。

国内中控技术、青岛软控、杭州百子尖等科技公司在炼油、化工领域开发了一批流程模拟软件，特别是青岛软控在核心流程模拟软件方面耕耘30多年，目前正朝着高度复杂、超大规模的流程模拟软件发起总攻。

（3）PSS行业扩展

流程模拟软件在多个行业中得到了广泛应用，帮助企业优化运营、提高效率、降低成本和增强决策能力。以下是一些主要行业及其具体应用示例。

① 制造业。

生产流程优化：通过模拟生产线、设备和资源配置，识别瓶颈，优化生产调度，提高产量。

库存管理：模拟库存水平与需求波动之间的关系，优化库存策略，减少持有成本和缺货风险。

质量控制：分析生产过程中质量控制措施的有效性，减少缺陷率。

② 物流与供应链。

运输优化：模拟物流网络，优化运输路线和配送策略，降低运输成本和时间。

供应链管理：评估不同供应商和库存策略的影响，优化供应链的整体效率和响应能力。

需求预测：利用历史数据和市场趋势模拟需求，帮助制定更准确的生产和采购计划。

③ 能源与公用事业。

电力系统模拟：模拟电力生产、传输和消费，评估不同能源组合的经济性和环境影响。

水资源管理：模拟水处理和分配流程，优化水资源的使用和管理。

可再生能源：评估风能、太阳能等可再生能源项目的经济性和可行性。

④ 信息技术与软件开发。

软件开发流程：模拟软件开发生命周期，优化需求分析、开发、测试和部署流程。

IT资源管理：模拟IT资源的分配和使用，优化服务器、存储和网络的配置。

网络流量分析：模拟网络流量，评估网络性能和安全性，优化网络架构。

⑤ 建筑与工程。

施工流程优化：模拟建筑项目的施工流程，优化资源分配和工期管理，减少延误。

设施管理：分析建筑物的运营和维护流程，优化设施管理策略，提高能效。

项目调度：通过模拟项目各阶段，优化资源使用和时间安排，提高项目成功率。

3.2.3 经营管理类工业软件

此类工业软件从功能性能上比较，与国外无太多差别，是我国国产化进程最快的一类工业软件。但国外厂商已占有先发优势。他们的目标客户体量庞大，业务规模大、复杂程度高，占据了大部分高端市场。国内厂商目标客户体量相对较小，开发的管理软件比较轻量化。国内大规模复杂度高的经营管理软件占比小于30%，说明在不可替代的高端市场有很大的发展空间。目前国内常用的经营管理类工业软件包括：制造执行系统软件MES、供应链管理系统软件SCM、企业资源管理系统软件ERP、资产性能管理系统软件APM、财务管理系统软件FM、质量管理系统软件QMS、人力资源管理系统软件HRM和HCM、成本管理系统软件CMS、资产管理系统软件EAM、库存管理系统软件IMS、营销管理系统软件CRM、能源管理系统软件EMS。

3.2.3.1 制造执行系统软件MES

制造执行系统是一种用于管理和监控制造过程的综合软件系统。MES在生产过程中起到桥梁的作用，连接企业的计划系统（如ERP）和现场的控制系统（如PLC、SCADA等），以提高生产效率、透明度和灵活性。

制造执行系统在现代制造业中发挥着至关重要的作用。它不仅提高了生产效率、质量控制和透明度，还帮助企业实现了更高水平的管理和决策支持。随着技术的不断进步，MES的功能将更加丰富，集成的新技术将推动制造业向智能化、数字化转型。企业在实施MES时需要充分考虑自身的需求和行业特性，克服实施过程中的挑战，以最大化地发挥MES的潜力。

（1）MES主要功能

① 生产调度。

排程和资源分配：根据订单和生产能力优化生产计划，合理安排工序和设备使用。

动态调度：实时响应生产变化（如设备故障、材料短缺），快速调整生产计划。

② 实时监控。

生产状态监控：实时显示生产进度、机器运行状态和人力资源的使用情况。

报警系统：针对设备故障、生产异常等情况进行自动报警，帮助快速处理问题。

③ 质量管理。

质量控制计划：制定和实施质量控制标准和检验流程。

缺陷追溯：记录每个产品的质量检测数据，分析缺陷原因并进行改进。

④ 数据采集。

自动化数据采集：通过与设备的连接，自动收集生产数据，减少人工干预。

历史数据存储：存储历史生产数据，用于后期分析和报告生成。

⑤ 追溯管理。

物料追溯：记录原材料的来源和使用情况，确保产品的可追溯性。

过程追溯：记录每个产品的生产过程，包括工艺参数和操作记录。

⑥ 绩效分析。

关键绩效指标（KPI）：设定和跟踪生产效率、设备利用率、生产成本等KPI。

报表生成：生成各种分析报告，支持管理层决策。

⑦ 工艺管理。

工艺文档管理：管理生产工艺的文档和版本控制，确保生产过程的标准化。

工艺优化：根据实时反馈和数据分析，持续优化生产工艺。

（2）MES市场份额

IDC数据显示，2023年中国MES解决方案总市场份额（含软件和服务，不含硬件）达到142.8亿元，年增长率为13.9%。其中，MES软件总市场份额达到54.1亿元，年增长率为17.2%，增速虽稍有回落，但仍在合理区间。

从软件市场（不含服务和硬件）竞争格局来看，西门子、黑湖科技、新核云排名前三。其中，西门子虽然仍保持领先，但市场份额占比从9.4%下降到7.5%；而黑湖科技、新核云作为MES市场“新势力”，凭借SaaS天然的高产品低服务，以及自身业务快速增长分别位居二、三位；汉得信息、赛意信息、鼎捷数智和浪潮通软作为老牌工业软件和泛ERP服务商，持续加大对生产制造领域数字化业务的投入，位居第四至第七位。

2023年，中国公有云SaaS MES软件市场规模达8.73亿元，占MES软件整体市场的16.1%，年增长率为13.7%，低于整体市场增速。相比2022年43.6%的增速，放缓趋势明显。尽管以黑湖科技为代表的主要厂商仍保持着较高的增长势头，但该市场已呈现明显的头部厂商虹吸效应，其他厂商SaaS模式增长有限，有部分厂商逐渐退出该市场，第一阶段的市场格局已初步形成。

（3）MES未来趋势

① 工业4.0的整合。

智能制造：MES将与物联网（IoT）、大数据分析和人工智能（AI）等技术融合，提升生产智能化水平。

自适应生产：通过实时数据分析和预测模型，实现生产过程的自适应调整。

② 云计算与边缘计算。

云MES：越来越多的企业选择基于云的MES解决方案，以简化部署、降低维护成本，并实现远程访问。

边缘计算：在设备端进行数据处理，减少延迟，提高实时决策能力。

③ 强化数据分析。

预测性分析：利用数据挖掘技术，预测设备故障和生产瓶颈，优化维护计划和生产调度。

实时业务智能：集成先进的分析工具，提供实时的生产报告和决策支持。

④ 用户体验优化。

可视化界面：提升用户界面的友好性，使操作员和管理层能够更直观地获取信息。

移动应用：开发移动端应用，方便员工随时随地访问生产数据和管理系统。

制造执行系统在现代制造业中发挥着至关重要的作用。它不仅提高了生产效率、质量控制和透明度，还帮助企业实现了更高水平的管理和决策支持。随着技术的不断进步，MES的功能将更加丰富，集成的新技术将推动制造业向智能化、数字化转型。企业在实施MES时需要充分考虑自身的需求和行业特性，克服实施过程中的挑战，以最大化地发挥MES的潜力。

3.2.3.2 企业资源规划系统软件ERP

企业资源规划系统是一种集成软件平台，旨在帮助企业有效地管理和整合其核心业务流程。通过集中化的数据管理，ERP可以确保信息在不同部门之间的流通与共享，从而提高决策效率和业务运行效率。

ERP在现代企业管理中扮演着至关重要的角色。通过集成和优化企业的各项资源与流程，ERP帮助企业提升了运营效率、降低了成本，并增强了市场竞争力。尽管在实施和运用过程中面临一些挑战，但随着技术的不断发展，ERP的未来发展前景广阔。企业应根据自身的需求和实际情况，选择合适的ERP。

（1）ERP主要功能

① 财务管理。功能：预算控制、财务报表（如资产负债表、损益表）、账务处理（应收账款、应付账款）、固定资产管理、成本管理等，有利于实时监控财务状况，简化财务流程，提高财务透明度。

② 供应链管理。功能：采购管理、库存管理、物流管理、供应商管理、需求预测等，有利于降低库存成本，优化采购流程，提高供应链灵活性和响应速度。

③ 生产管理。功能：生产计划、生产调度、工艺管理、质量控制、车间管理等，有利

于提高生产效率，减少生产成本，确保产品质量。

④ 人力资源管理。功能：员工管理（招聘、培训、绩效考核）、薪资管理、员工自助服务、考勤管理等，有利于优化人力资源配置，提高员工满意度和留存率。

⑤ 销售与客户关系管理。功能：销售订单管理、客户信息管理、销售预测、市场营销活动管理、售后服务管理等，有利于提升客户满意度，增强销售团队的效率。

⑥ 项目管理。功能：项目规划、任务分配、进度追踪、成本控制、资源管理等，有利于确保项目按时按预算完成，提高项目管理的透明度。

⑦ 数据分析与报告。功能：实时数据分析、报表生成、KPI监控、业务智能分析等，有利于支持决策，帮助企业洞察市场趋势。

（2）ERP市场份额

随着企业在全球范围内扩张，需要能够支持其国际运营的工具。ERP可以处理多币种交易、多种语言，并符合国际会计标准。企业越来越多地采用创新和先进技术，扩大现有ERP的价值，最大限度地减少第三方依赖，使用更高度安全的资源和先进的财务系统以及其他显著因素推动对ERP的需求，全球ERP行业市场规模逐步提升，2023年全球ERP市场规模约为482.9亿美元。

我国ERP行业经历了起步、发展、成熟阶段，目前正处于新的转折和增长阶段。随着云计算、大数据等技术的发展，ERP行业正逐步向云ERP转型，这为行业带来了新的增长机遇。“十四五”规划中强调了数字产业化的重要性，提出了培育壮大人工智能、大数据等新兴数字产业的目标，这为ERP行业的发展提供了政策支持。随着信息技术的进一步发展，ERP上云已成为行业共识，预计未来ERP产品将以云ERP为主。2023年中国ERP市场规模约为481.9亿元。

2023年我国ERP市场，中小企业领域出现了明显的国产化趋势。前五名的ERP供应商中，有四家是本土企业，其中用友网络凭借其强大的市场影响力，占据了30%的市场份额，稳坐头把交椅。然而，对于大型企业而言，ERP市场仍然被外资企业所主导，特别是ASP和Oracle，它们的市场份额加起来高达53%。尽管在技术水平与产品能力方面，国内高端ERP与国际上的大型企业相比还存在一定的差距，但国产ERP厂商在价格、实施成本以及与我国实际经营环境的融合上表现出了明显的优势。从长远的角度看，随着国内厂商在技术和经验上的不断积累，以及国家对于自主可控技术的推动，国产ERP厂商有望在未来实现更快的发展。

用友持续领跑我国企业云服务市场，在aPaaS市场、SaaS市场、企业应用SaaS市场、超大型及大型企业应用SaaS市场、ERP云市场、财务云市场、人力云市场占有率均为第一。2023年用友云服务于软件业务收入为96.93亿元。

（3）ERP发展趋势

① 云ERP的普及：随着云计算技术的发展，越来越多的企业选择云ERP解决方案，这种模式降低了IT基础设施的成本，提升了系统的灵活性和可扩展性。

② 人工智能与机器学习的集成：AI和机器学习技术的应用将使ERP能够提供更智能的数据分析、预测和决策支持，提升企业的运营效率。

③ 移动化和实时数据访问：移动设备的普及使得企业希望在任何时间、任何地点都能访问ERP，实时获取业务数据和分析结果。

④ 用户体验的提升：更加注重用户体验的设计，使得ERP的操作界面更加友好，操作更加简单，从而提高员工的使用积极性。

⑤ 行业特定解决方案的兴起：未来的ERP将更加注重行业特定的解决方案，提供更符合某一行业特定需求的功能和服务。

⑥ 物联网（IoT）的集成：物联网技术的应用将使得ERP能够实时监控设备和生产过程，提供更精准的数据分析和决策支持。

ERP在现代企业管理中扮演着至关重要的角色。通过集成和优化企业的各项资源与流程，ERP帮助企业提升了运营效率、降低了成本，并增强了市场竞争力。尽管在实施和运用过程中面临一些挑战，但随着技术的不断发展，ERP的未来发展前景广阔。企业应根据自身的需求和实际情况，选择合适的ERP。

3.2.4 运维服务类工业软件

运维服务类工业软件应用前景最广，具有巨大的发展空间，我国运维服务类软件起步比较晚，最早源于航空、军事、轨道交通、工程机械等领域。国内此类软件更多关注于数据采集及监控，缺乏对数据的应用分析和对支持决策的辅助，而且底层的核心技术依赖国外。国内MRO、PHM等产品，从技术、功能、性能到市场占比都有较大差距。目前，国内常用的运维服务类工业软件包括：故障预测与健康管理软件PHM、维护维修运行管理系统软件MRO、办公协同管理系统软件OA、设备监控与预警管理系统软件EMMS、运维流程管理系统软件OAMPMS、资源管理与调度系统软件RMASS、安全与风险管理系统软件SARMS、知识库与智能分析系统软件KBAIS、移动化运维支持系统软件MOAMSS、集成化运维平台软件IOAMPS。

3.2.4.1 故障预测与健康管理软件

预知与健康管理（prognostics and health management，PHM）是一种用于设备和系统的健康监测与预测维护的管理方法。PHM的目标是通过实时监测和数据分析，预测设备故障，从而提高设备的可靠性和可用性，降低维护成本。以下是关于PHM软件的框架、市场现状，以及国内市场占比的详细信息。

（1）PHM软件的主要功能

PHM的框架通常可以分为以下几个主要功能。

数据采集：通过传感器、监测设备等技术收集实时运行数据和历史数据。

数据处理：对采集的数据进行处理和分析，包括数据清洗、特征提取等。

健康评估：基于数据分析结果，评估设备的健康状态，判断是否存在潜在故障。

寿命预测：利用机器学习和统计方法预测设备的剩余寿命（RUL）或故障发生的概率。

决策支持：根据健康状态评估和预测结果，提供维护决策支持，优化维护计划。

反馈优化：根据实施结果和反馈，优化PHM模型和策略，提升系统的有效性。

（2）PHM软件市场现状

市场规模：根据市场研究机构的报告，国内PHM软件市场正在快速增长，预计未来几年将保持两位数的增长率。尤其在制造业、航空航天、能源和交通运输等领域，PHM的应用逐步增多。

行业分布：制造业和能源行业是PHM技术应用的主要领域，尤其是在设备维护和故障预测方面。随着智能制造和工业4.0的推进，越来越多的企业开始重视PHM的实施。

政策支持：国家政策和行业标准的出台（如《中国制造2025》等）为PHM软件的推广

提供了良好的环境和支持。政府鼓励企业通过数字化转型提升生产效率和设备管理水平。

竞争格局：国内市场上涌现出多家初创公司和传统企业相结合的解决方案提供商，竞争日益激烈。许多企业开始投资于PHM相关的技术研发和系统集成，提升自身的市场竞争力。

（3）PHM软件市场占比

制造行业：占据PHM市场的最大份额，主要集中在汽车制造、电子制造和重工业等领域。

能源行业：随着可再生能源和智能电网的兴起，PHM在风电、光伏和传统能源领域的应用逐渐增多。

交通运输：航空、铁路等领域也开始采用PHM技术进行设备监测和故障预测，提升安全性和运营效率。

医疗设备：在医疗行业，PHM用于医院设备的监测和维护，确保医疗设备的可靠性和安全性。

智能建筑：在建筑管理中，PHM用于HVAC（供暖、通风和空调）系统的状态监测和维护。

PHM作为一种新兴的管理理念，通过有效的健康监测和预测性维护，帮助企业提高设备的可靠性与可用性，降低维护成本。尽管面临着技术复杂性、人才短缺和数据管理等挑战，未来PHM在各行各业的应用潜力巨大，特别是在中国市场，随着智能制造和数字化转型的推进，PHM的市场份额和影响力将会继续扩大。各企业应积极应对挑战，抓住机遇，以提升自身的竞争力和市场地位。

3.2.4.2　维护维修运行管理系统软件MRO

维护维修运行管理系统是一个涵盖设备维护、维修和整体运行管理的系统。以下是关于MRO框架、功能以及国内市场占比的详细信息。

（1）MRO系统框架

数据层：收集和存储所有相关数据，包括设备信息、维护记录、零部件库存等。

应用层：提供用户界面和交互功能，包括计划维护、报修申请、库存管理等。

集成层：与其他企业资源计划系统、供应链管理系统等进行集成。

（2）MRO主要功能

① 维护计划与调度。

维护计划制定：根据设备制造商的推荐、历史维护记录和使用情况制定定期维护计划。

维护日历：提供一个可视化的维护日历，便于安排和查看即将进行的维护任务。

调度管理：优化维护任务的安排，确保技术人员和资源的合理配置。

② 故障诊断与管理。

故障报告：用户可以通过系统提交故障报告，记录故障现象和发生时间。

故障分类与优先级：对故障进行分类（如电气故障、机械故障等），并根据影响程度设定优先级。

故障分析工具：提供故障分析工具，帮助技术人员快速定位问题原因，并提供解决方案。

③ 采购与库存管理。

库存管理：实时监控零部件和耗材的库存水平，确保关键部件的充足供应。

采购管理：管理供应商信息，制定采购计划，生成采购订单，并跟踪订单状态。

物料需求计划（MRP）：根据维护计划和库存水平自动生成物料需求，优化采购流程。

④ 工作订单管理。

工作订单创建：根据维护计划或故障报告生成工作订单，明确任务、责任人和完成时间。

工作进度跟踪：实时跟踪工作订单的执行进度，记录完成情况和用时。

工时记录：记录技术人员在每个工作订单上花费的时间，以便进行绩效评估和成本控制。

⑤ 报告与分析。

数据分析：对维护数据进行深入分析，识别维护趋势、故障模式和设备性能瓶颈。

报告生成：自动生成各类报告，如设备性能报告、维护成本分析、故障统计等，支持决策制定。

可视化仪表盘：提供可视化的仪表盘，展示关键绩效指标（KPI）和重要数据，便于管理层监控整体运营。

⑥ 培训与知识管理。

培训管理：记录技术人员的培训情况和资格认证，安排定期培训以提升技能。

知识库：建立维护知识库，存储故障解决方案、最佳实践和操作手册，供员工查阅。

⑦ 合规与安全管理。

合规管理：确保设备维护符合相关行业标准和法规要求，记录合规性检查和审核结果。

安全管理：监测和管理设备的安全性，记录安全事件和事故，并采取改进措施。

⑧ 用户与权限管理。

用户管理：管理系统用户，包括创建、修改和删除用户账户。

权限控制：根据角色和职责设置不同的访问权限，确保数据安全和隐私保护。

（3）MRO市场占比

截至2023年，我国的MRO市场正在快速发展，市场规模和占比逐年增长。根据不同研究机构的统计，MRO市场占中国制造业整体市场的10%到20%不等。随着工业自动化和智能制造的推进，预计未来几年MRO市场的占比会进一步提升。

总体来看，MRO系统在提升企业设备管理效率和降低运营成本方面具有重要作用，但也面临着实施与维护的挑战。随着技术的进步和市场需求的变化，MRO系统将不断演化，以适应新的需求和环境。

3.2.4.3 PHM的发展设想

本节着重介绍人机混合增强智能全国重点实验室对PHM的发展设想。它自2006年创建以来，密切跟踪国际PHM研究动态，以航空高端装备维修保障需求为牵引，开展了PHM相关关键技术研究，在装备维修科学研究与技术创新方面，不仅具有扎实的理论基础和前沿知识，还积累了丰富的实践经验。研究内容主要包括：面向平台级，开展了PHM系统架构研究、机载PHM系统体系结构研究、机载系统可测试性设计与验证研究；面向系统及部件级开展了PHM故障预测算法设计、PHM系统验证评估方法及验证平台、维修保障策略及方法等研究。

随着信息技术、人工智能技术的进一步发展，PHM技术体系实现了全方位的升级，国内也有部分厂家在不同业务领域取得成绩。2017—2021年，国内以风电、石化、钢铁等领域为PHM市场发展提供动力，至2022年中国PHM市场规模达到82.5亿元。但因PHM系统设计涉及的专业领域广、技术难度大、前期投入多、现有研制力量不集中、研究能力参差不齐，国内缺少一套设计思想先进、适应性强、功能系统化的自主可控工业软件平台来支撑PHM系统的大规模、实用化的发展。

该实验室提出研发“复杂装备PHM系统设计开发与验证一体化软件平台”，服务于多领域的高端装备健康管理系统。该软件平台的开发与实现，将满足PHM系统设计、开发、验证、生产和售后服务过程中，对系统架构设计、数据规范化、业务算法开发、系统功能验证、全寿命数据管理、工作过程管理及知识开发应用等关键环节的技术支持平台的需求。

① 通用化PHM设计平台结构。该平台通过建立的“三维多相”设计体系，为PHM系统设计过程提供辅助设计平台及核心算法模型支撑，提供通用的系统结构模型库、核心算法库、关键部件特性库、通用接口等必要元素；利用设计交互接口，提升PHM系统的设计效率；通过规范化外部接口，实现与现有行业软件的交互，使平台具备较强的向下兼容性和向上适应性，确保基于平台设计的PHM系统产品具备相关特点。

② 通用化PHM系统能力仿真验证平台。基于模拟仿真技术、故障重构技术和人工智能技术，建立系统级、部件级数字化模型，构建数字化仿真环境，构建仿真控制引擎等要素，实现通用化PHM能力模拟、验证平台，实现PHM系统级、部件级的能力验证平台的辅助设计能力。

③ 智能PHM关联数据、知识管理平台。因为PHM系统的设计与运用与装备全生命周期数据，与设计、生成和维护阶段的技术资料数据，与装备维护管理数据都是息息相关的。通过基于自主可控的数据管理技术及智能知识加工技术等新型信息技术的应用，建立规范的数据架构，为以上数据的二次加工、增值应用，为PHM系统的设计及应用，为提高装备市场竞争力提供坚实的数据与知识的管理平台支持。

④ 通用化的PHM业务算法模型库。构建通用化电气、机械、电子等领域的PHM系统的数据采集、数据处理、状态监测、健康评估、故障预测等关键环节的业务模型，为PHM系统设计开发提供算法模型基础。

⑤ 自主可控的PHM系统软件架构。基于国产化操作系统、国产化数据库等自主可控技术的软件架构，确保平台及平台产品具备较高的自主可控水平。

⑥ PHM系统项目管理平台。研究建立PHM系统专有的过程管理模型，确保设计过程符合工业化软件过程控制需求，确保软件产品质量稳定性。

3.3 流程工业行业核心工业软件的新技术、新产品

本节介绍三大国家工程研究中心和工程创新中心研发的核心工业软件，以及中心关于核心工业软件未来的主攻方向。

3.3.1 炼油石化行业核心工业软件及工程应用

国家流程制造智能调控技术创新中心（简称“创新中心”）于2022年12月经科技部批准在上海设立，是全国流程制造领域首个国家技术创新中心。以上海市人民政府和教育部为组织单位，上海流程智造科技创新研究院为牵头建设单位，联合北京科技大学、武汉理工大学等行业领军高校，与中国石化、中国石油、宝武集团、鞍钢集团、中国建材集团、安徽海螺集团等行业龙头企业合作共建，旨在建成世界一流、引领行业发展的流程制造产业智能调控技术创新策源地。

创新中心紧密围绕流程制造业数字化转型和高质量发展的重大需求，以推动流程制造智能调控技术及其工业软件关键突破为核心，开展面向石化、化工、钢铁、建材等流程行业支撑关键技术攻关，破解行业高质量发展瓶颈，形成工艺孪生、智能控制、优化决策和安环管控四类通用 + 专用工业软件产品，促进科技成果在石化、化工、钢铁、建材等相关领域的示范应用与产业化推广。

3.3.1.1 核心工业软件及工程应用

创新中心自主研发的流程制造智能调控套件SPM软件，聚焦流程制造的仿真模拟、实时优化、调度决策及生产计划决策四大核心环节，旨在引领流程工业领域的智能化变革。

（1）仿真模拟ToP软件

流程工业贯穿着物质从原料到产品能质转化的整个复杂过程，用于过程仿真的流程模拟软件是流程行业进行工艺设计的核心软件，创新中心自主研发的ToP（twin of process，过程孪生）工艺孪生仿真模拟软件，采用数学方法描述、应用计算机辅助模拟，实现石化和化工生产过程高效、准确的模拟仿真和优化。该软件具有常见物质的物性数据库、原油属性数据库、单元操作模型库、特定工艺过程模型、高效流程收敛算法、自定义与智能模型等模块，可应用于技术研发、工艺设计、流程仿真、生产优化等全生命周期的多个业务环节，为企业提供数字孪生的模型底座。ToP功能架构图如图2-3-2所示。

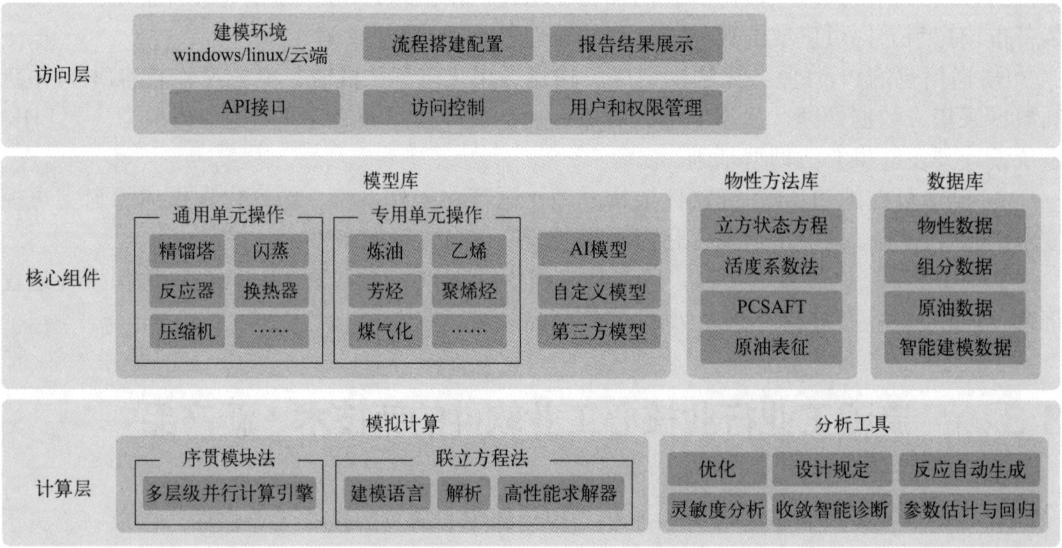

图2-3-2 ToP功能架构图

ToP软件核心优势如下。

原油物性表征与数据库：原油物性表征功能以详细评价分析数据为基础，形成宏观与微观性质的双向快速计算体系，构建包括时间、地域等不同特征的多粒度原油物性数据库。

模型自定义接入平台：可根据平台开放的API接入外部模型，并扩展至平台模型库中，可以获取流程中某模块的状态，根据需求自定义二次计算。

多层级并行计算：根据流程图中各个单元操作间数据流的依赖关系，构建流程模拟计算任务图，结合图任务计算调度系统，实现单元操作层面并行任务的同步计算，提升计算资源利用效率，加速模拟计算速率。

生成性流程计算收敛故障排除方法：基于任意特征集合的变分自编码器（VAEAC），进行流程模拟计算收敛故障智能化排除，有效提升模型使用与维护效率。

智能流程模拟：导入过程数据，一键生成物性与单元智能模型，并通过自定义模型接口，实现AI模型与流程模拟环境的无缝衔接；自动实现结构化数据特征预处理、转换和选择，超参数调整，AI模型评估和模型打包等建模过程，无需人工干预。

反应网络自动生成与模拟：反应模块整合分子表征、网络生成及求解，实现从原油到裂解的全自动化，支撑精准的乙烯裂解炉分析与优化，为石油化工行业带来高效和准确的生产决策参考。

序贯-方程法框架：针对复杂流程的求解问题，融合调度序贯模块与联立方程两类计算引擎，提高全流程模拟计算效率与成功率。

ToP单元模型库如图2-3-3所示。

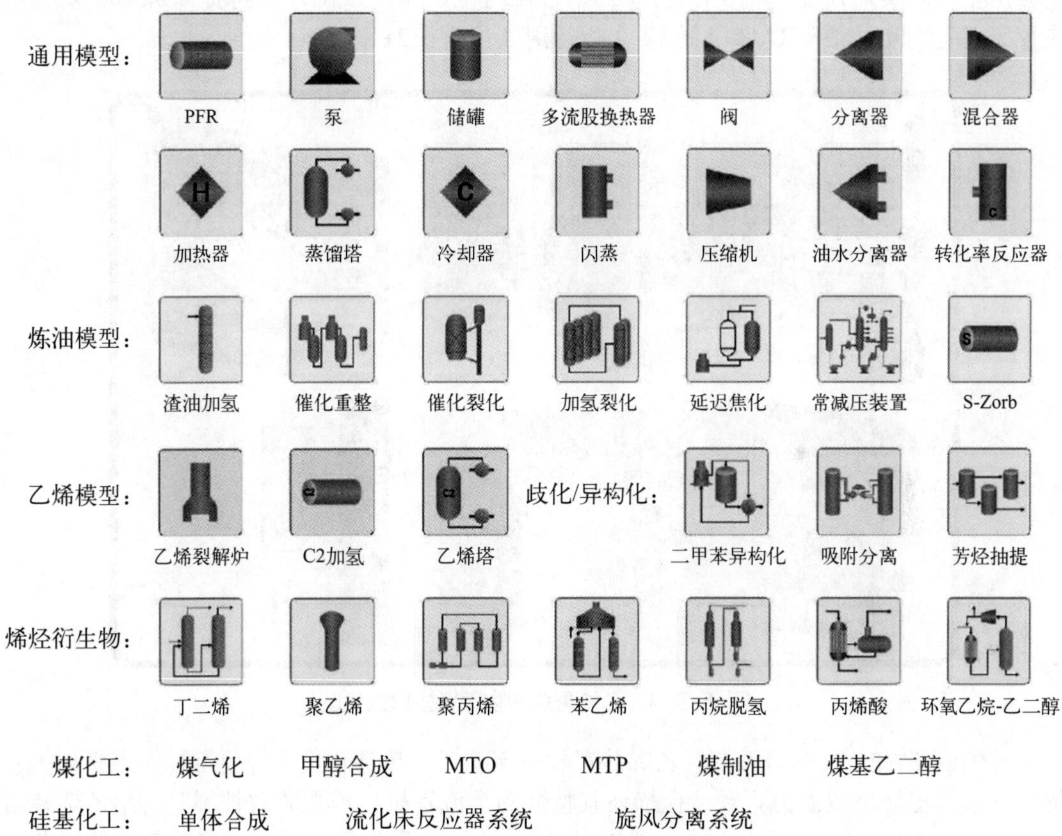

图2-3-3　ToP单元模型库

ToP应用场景包括生产工艺流程设计、关键设备能效与碳足迹监控、生产装置实时优化以及生产过程数字孪生。在生产工艺流程设计中，ToP支持千万吨炼油、百万吨乙烯等大型石化、化工工艺包设计过程的流程优化，以及物料与能量平衡计算。在关键设备能效与碳足迹监控方面，ToP能够对复杂化工、石化生产流程中关键耗能设备的能效及碳排放进行监控建模，有效跟踪设备能效和生产过程碳足迹，实现燃料、蒸汽等能源介质的合理、梯级利用，综合节能潜力超过1%。对于生产装置实时优化，ToP为百万吨级乙烯和千万吨级炼油等复杂石化和化工生产流程提供可靠、精确的建模与模拟环境，支持实时优化系统进行全流程工况优化，如物料温度、压力、配比、回流比、进料热状态、换热等变量的最优值，经济效益可达千万元以上。此外，在生产过程数字孪生方面，ToP能够将化工等流程行业的实际运行过程映射到虚拟信息空间，通过各类化工单元操作的物理模型和工厂生产中的数据，反映工厂设备及工艺流程的各种属性，实现对实际工业对象运行中的物耗、能耗、碳排放、设备状态等关键性能指标的全生命周期实时监测，提升生产部门人员对实际过程的认识深度，为优化生产过程提供多种仿真环境。

下面介绍Top软件应用案例。

乙烯装置裂解炉工艺设计：与国内大型石油化工装备集成服务商，上海卓然工程技术股份有限公司合作，基于ToP软件设计了单套产能高达23万吨/年的乙烯裂解炉，为支撑乙烯工艺包开发，项目采用本软件开发的乙烯裂解炉设计计算功能，支撑大型乙烯裂解炉炉管内部几何结构的优化设计（图2-3-4），为实现超大型乙烯裂解炉国产化提供理论与工程应用指导，实现产能提高3万吨/年，单位燃料气产生的双烯产量可提高3.5%，炉管吸热效率提高7.4%，最高TMT降低5℃，运行周期可延长21%。

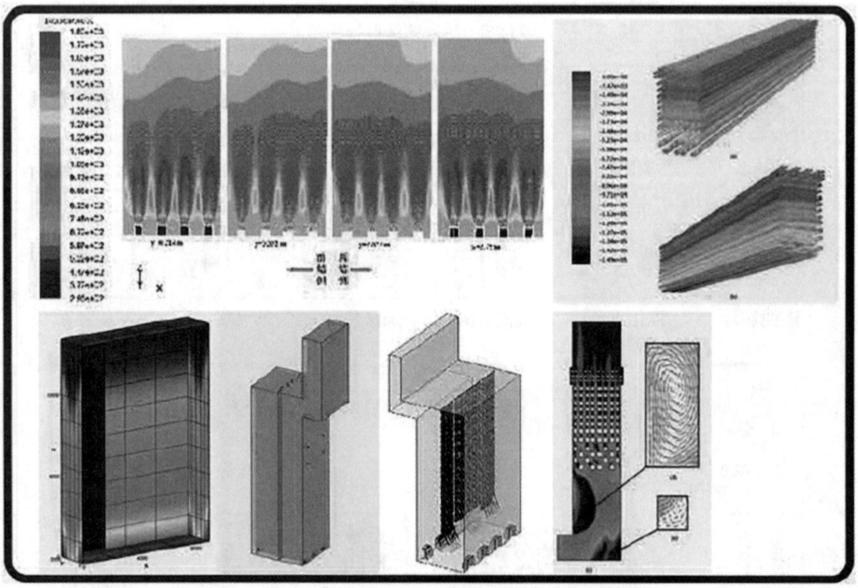

图2-3-4　乙烯裂解炉物理场模拟效果图

乙烯装置APC与RTO系统：乙烯装置具有流程长，热耦合度高等复杂性，规模化的乙烯生产过程提质增效潜力可观，但描述其特性的全流程机理模型收敛性不高，给乙烯装置实施APC与RTO带来了巨大挑战，为支撑RTO优化计算功能，项目采用该软件的工艺孪生建模功能，对乙烯分离装置进行高精度实时仿真模拟计算（图2-3-5），为RTO提供模型底座支持，为企业生产运行综合节能1%以上，双烯收率增加0.5%以上，为企业创造经济效益不少于3000万元/年。

上海石化能效与碳足迹监控：石化行业作为高能耗、高碳排企业，面临严峻的节能降碳任务，需要精细化处理发展与减排的关系。亟需准确识别碳减排关键装置，并对碳排放关键影响因素加以分析，支撑公司的高质量低碳发展，项目基于过程机理模型与生产过程实时数据，利用PINN等数据（知识融合驱动的方法构建全流程、关键装置）和设备的生产过程（能源系统碳排放模型），实现全流程碳足迹的动态监控，实现生产过程和能源系统碳足迹监控、生命周期产品碳标签在线生成、碳排放报告在线生成、关键设备能效监控等功能，为公司降碳管理决策提供可视化信息（图2-3-6）。

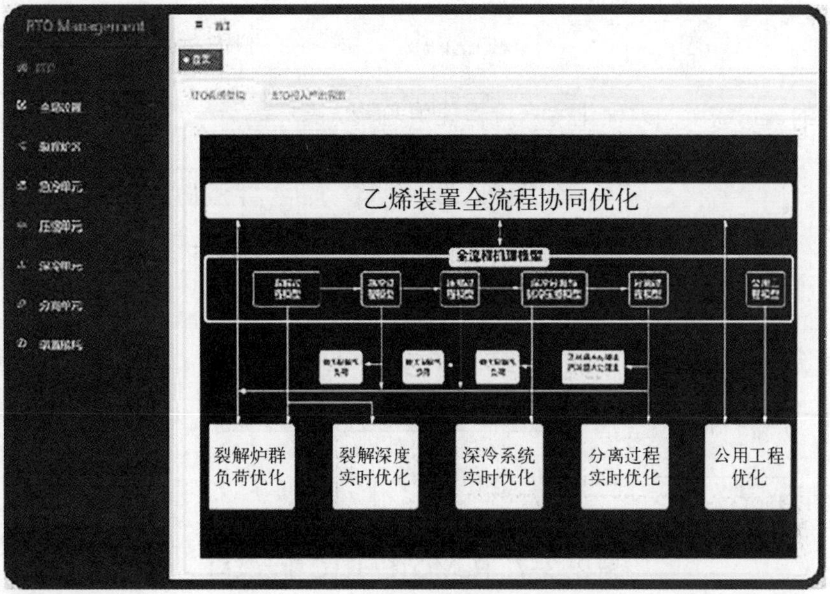

图2-3-5　乙烯装置各类优化分布图

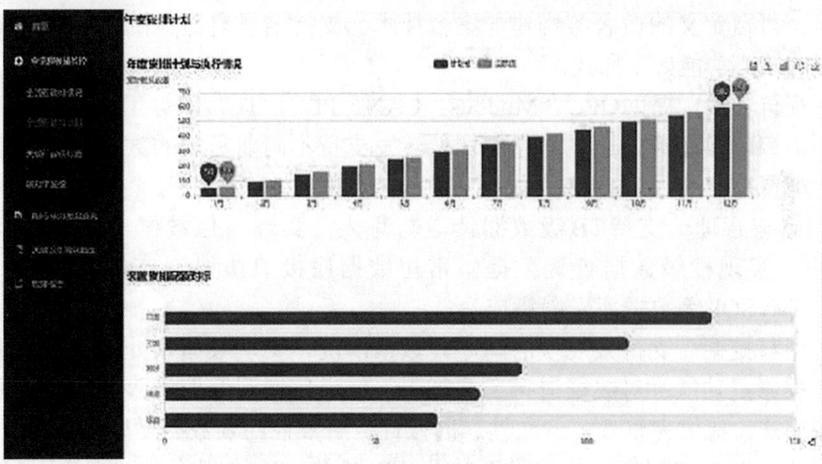

图2-3-6　碳足迹可视化信息图

（2）实时优化ReMOTE-RTO软件

在生产控制类工业软件中，实时优化处在计划调度和先进控制的关键环节。在生产负荷、原料属性、设备性能和市场价格等发生变化时，自动优化关键操作变量的设定值，保证工业装置经济效益、能耗、环境影响、碳排放等运行指标最优。创新中心基于实时监控与优化引擎ReMOTE，打造支持二次开发、流程标准化、部署方式灵活的实时优化平台软件ReMOTE-RTO，为工业装置生产运行提供资源能耗效率提升的优化器，应用场景涉及石化、化工、钢铁、建材、有色等典型流程行业，赋能我国流程制造业高质量发展。ReMOTE-RTO平台架构如图2-3-7所示。

ReMOTE-RTO软件提供近20种数据处理方法、50余种优化求解器、近10种数据通信

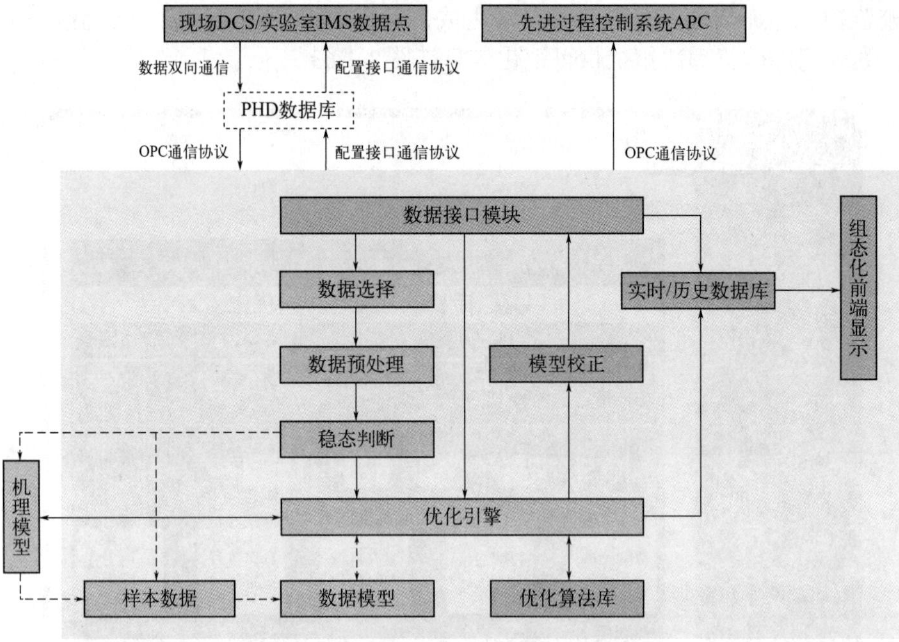

图 2-3-7　ReMOTE-RTO 平台架构

接口协议、TB级数据读取与写入、万亿数据点存储与管理、通过多源异构数据的接入和统一表征技术、可自定义的微服务构建与集合技术、支持增量自适应的业务聚合框架构建技术，可实现的核心功能如下所述。

数据交互与转换：提供OPC、Modbus、CAN、PLC、TCP/IP等工业通信接口，支持多种数据类型接口转换服务，通过消息中间件转发支持不同业务间的数据流，增强数据交互的可控性，配置简便。

数据存储与管理：支持TB级数据读取与写入，实现万亿数据点存储与管理，多维度高效索引，实现秒级数据查询，提供常用数据库接口协议，支持与Honeywell PHD、InfoPlus 21、MySQL等数据库无缝集成。

数据处理与挖掘：支持大规模时间序列数据清洗，实现数据预处理功能，提供数据检索服务与数据修复功能，对数据进行二次加工，提供数据深度挖掘服务，识别数据潜在关联以及隐藏模式，提供完整性、一致性、时效性、有效性四项数据增效服务。

稳态工况判断与数据校正：提供T-检测、R-检测、F-检测等多种稳定工况判别方法，基于多变点模型和粒子滤波技术，提供鲁棒在线稳态检测，提供逐级检测的显著误差检测方法，提供消除测量数据中的随机误差，实现数据协调。

优化模型与算法：高效、便捷搭建各类不同类型约束的优化模型，提供50余种包括用于线性规划、混合整数线性规划、二次规划、非线性规划的求解器，以及模式搜索、粒子群、遗传、进化、蚁群、模拟退化等在内的智能优化算法。

过程模型调用与搭建：提供开箱可用的过程模型调用服务，适配Aspen Plus、Hysys、ToP、COLISIM等仿真软件开发的机理模型和Python、C#、Matlab等编写的DLL文件，提供基于神经网络与深度学习的数据模型搭建服务。

可视化拖拽式业务聚合界面：支持业务系统零代码、低代码构建，支持多项目、多团队协同开发，支持不同应用系统间的模型、数据迁移与部署，基于组件扩展装配与塔量模型包管理支持动态扩展。

组态化数据可视化界面：支持装置过程数据与优化结果全链路实时可视化，支持拖拽、缩放、旋转、自定义属性等基础操作，操作过程流畅、高性能——使用canvas和多个场景离屏，自带部分动画效果，能满足基本的需求，如图2-3-8所示。

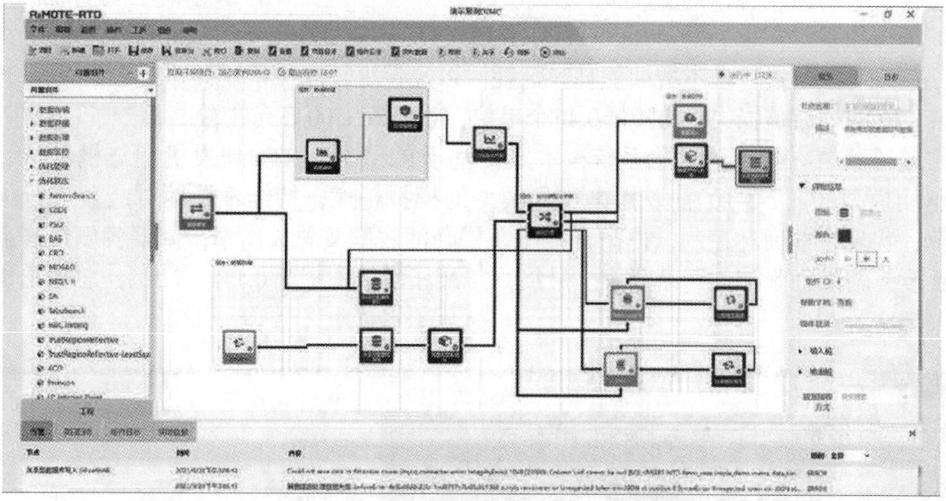

图2-3-8　ReMOTE-RTO业务界面

下面介绍ReMOTE-RTO应用案例。

S-Zorb（催化汽油吸附脱硫）装置在线分析系统：S-Zorb装置，采用吸附脱硫专利技术，深度脱除汽油中的含硫化合物，是汽油质量升级的关键装置。由于吸附脱硫反应在氢气环境中进行，原料汽油中的部分烯烃组分会与氢气发生加氢饱和反应，导致精制汽油的辛烷值降低，并增加氢气消耗。装置受到原料性质变化的影响，原料硫含量在400mg/m^{3}左右波动，精制汽油辛烷值为91.6左右，硫含量在3～8mg/m^3，辛烷值损失为1.4～1.8，存在优化空间。本案例根据S-Zorb装置的实际原料性质与生产数据（图2-3-9），在实时优化平台上集成具有

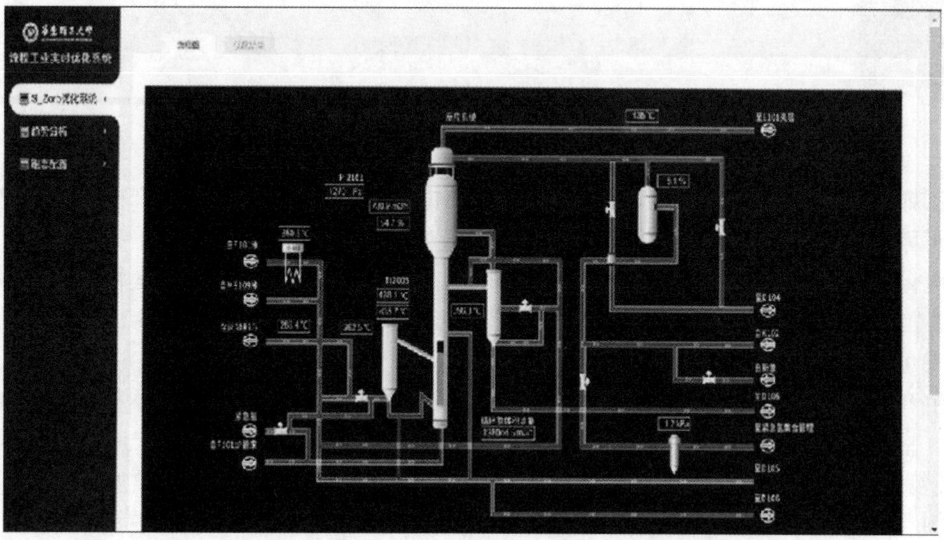

图2-3-9　催化汽油吸附脱硫装置工艺流程图

71个输入变量、45个输出变量的反应-再生软测量模型。该模型可以准确地预测计算精制汽油产品的硫含量、烯烃含量，以及辛烷值损失。基于国产化ReMOTE-RTO的在线优化平台，完成了OPC数据通信模块、数据预处理模块、数据稳态判别模块、智能优化算法模块、过程模型调用模块、前端数据可视化显示模块的开发。同时，平台与DCS和APC系统等工具软件的对应模块功能兼容，调用、输入、输出等工作正常。实现7×24小时在线实时优化，满足现场运行的基本需求。基于ReMOTE-RTO软件搭建的S-Zorb实时优化系统已经上线平稳运行，在原料性质接近且不增加能耗、剂耗，以及保证精制汽油脱硫不超过8mg/m³效果的前提下，RON辛烷值损失平均降低0.46个单位，年增效3500万元左右。

常减压装置在线实时优化系统：本案例基于ReMOTE-RTO研发机理与机器学习融合的双驱动模型（图2-3-10），以提高过程模型的模拟精度，持续不断地对装置进行优化模拟计算，实现在线闭环控制，提高常减压装置轻油收率及总拔出率，降低各侧线产品之间的重叠度，增加高附加值产品收率。最终，常减压轻拔率提高0.1%～2.5%，总拔出率提高0.5%～5%。

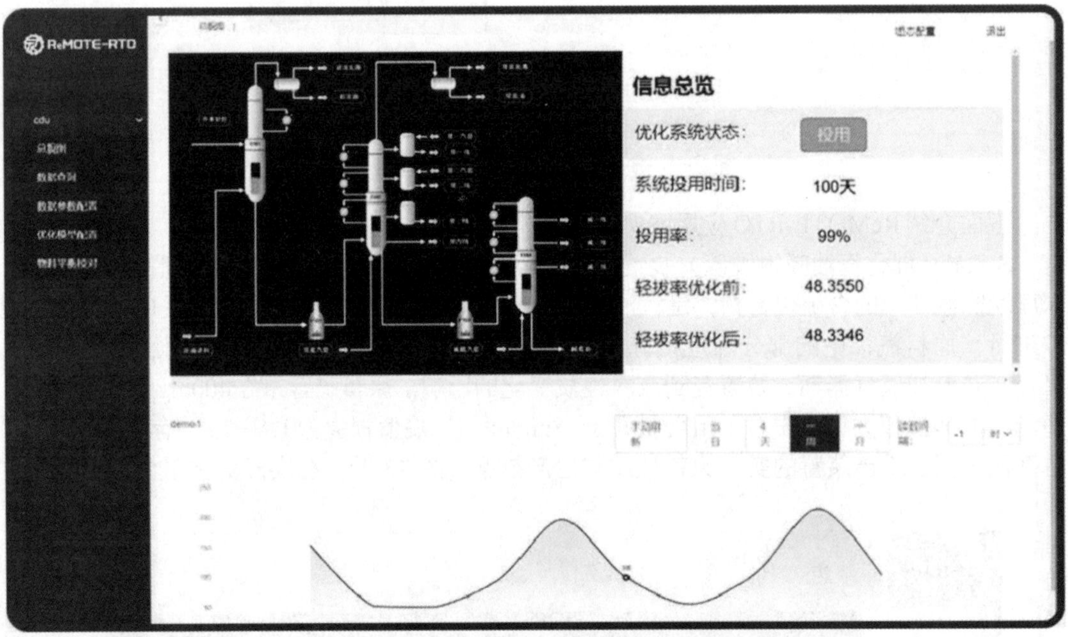

图2-3-10　常减压装置在线实时优化信息总览图

乙烯全流程在线实时优化：本案例基于ReMOTE-RTO搭建自主知识产权的乙烯全流程实时闭环优化系统（图2-3-11），针对18台裂解炉炉膛的COT校正、裂解炉模型调用、裂解深度优化产物收率等，实现乙烯-丙烯塔的塔釜浓度优化、裂解炉进料负荷协调优化，最终乙烯装置的双烯产品收率之和平均提高0.37个百分点，乙烯综合能耗降低5.18千克标油/吨。

（3）调度决策POSS软件

生产调度是介于计划优化和装置优化之中发挥承上启下关键作用的环节，是落实生产目标、指导高效运营的保证。创新中心自主开发的POSS软件（工厂生产调度决策系统软件），包含原料调度、生产装置调度、产品调度三个模块，具有拖拽式模型构建、自定义事件树、仓储管控优化、计划调度滚动优化、报表自定义一键生成等功能，POSS能够与计划系统、LIMS、实时数据库、MES等无缝集成。在原料种类变化频繁的非计划事件突

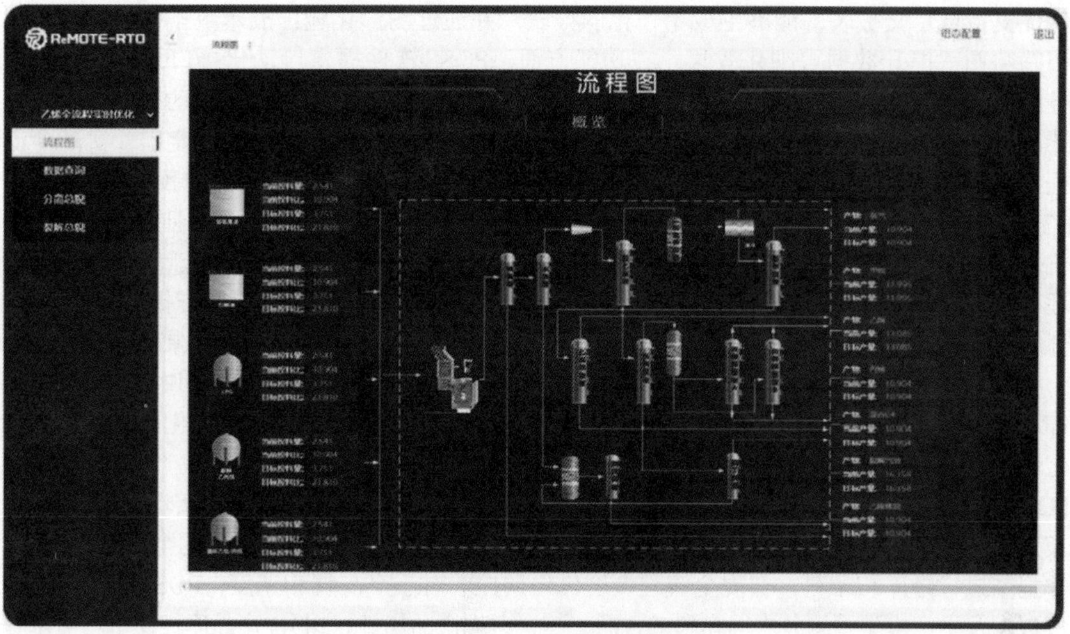

图 2-3-11　乙烯工艺流程图

发情况下能够预测和提前解决生产中的突出矛盾和制约因素，快速制定生产方案，实现企业调度任务的敏捷决策。POSS 功能架构如图 2-3-12 所示。

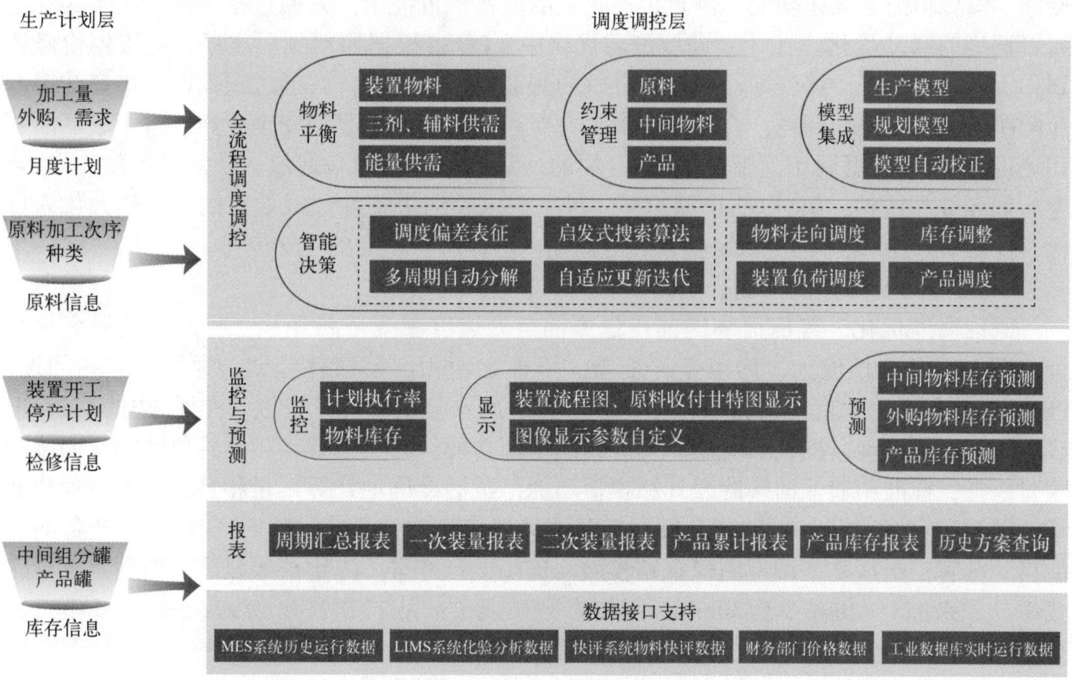

图 2-3-12　POSS 功能架构

POSS 软件的优势在于支持轻量化部署，兼容单机和服务器版本，满足不同规模企业的需求。用户可以通过拖拽式建模，利用丰富的基本图库，轻松构建模型。此外，POSS

软件支持自定义报表，能够生成个性化的报表，并通过图形化输出展示数据，包括甘特图和趋势图，提升数据可视化效果。在功能方面，POSS软件提供自动化接口，便捷接入业务流信息，支持原料混配成分校核和原油罐收付调度优化。它支持事件驱动的模型参数设计，能够自动计算库存及装置方案，并允许用户增删装置物料、调整流股走向，实现全流程物料平衡测算。POSS软件还具备计划/非计划停工分析功能，能够提前预测备料安排，并提供调度方案一键验证功能，确保方案准确无误，提供详尽的报错提示信息。通过智能优化技术，POSS软件能够替代传统的经验试凑排产，大幅提高调度排产效率。它融合过程机理，实现基于计划任务的智能分解与滚动优化调度排产。基于调合效应特征提取，POSS软件有效降低指标过剩现象，提高调合的一次成功率，显著提升生产效率和资源利用率。

POSS软件的主要功能模块包括原料接卸调度、生产装置调度和产品调和调度。在原料接卸调度方面，POSS通过融合各类装置操作约束和操作逻辑，从原料输转优化、原料配方优化和中间物料平衡三个方面构建与生产装置联动的原料资源调度模型。在生产装置调度中，POSS开发了涵盖生产装置的全流程调度模型，优化中间资源和能源分配，实现安全、稳定、长周期、满负荷、优化运行，减少装置和中间库存波动，提高预测停工后的全厂加工安排，并提前进行降库和备料，实现全流程调度优化调控。对于产品调和调度，POSS根据原料评价数据及生产模型预测各中间物料的性质，综合考虑产品属性、组分/产品库存、市场需求等约束条件，以效益最大化及装置平稳最大化为目标，优化产品调和安排。

POSS软件的主要应用场景包括原油收付调度、计划调度滚动优化以及成品油调和调度。在原油收付调度方面，POSS能够在满足安全、环保、资源、生产、库存、质量和市场需求等约束条件下，通过数据和模型驱动，自动生成可执行的生产调度方案，实现原油接卸、输转和配方优化功能，满足生产企业的原料配置需求，并通过相关接口技术实现与装置调度的联动优化。在计划调度滚动优化中，POSS根据原料到厂次序、装置停检修计划和实际运行情况，将长期计划自动分解为短周期调度任务，并通过短期调度排产结果提前解决阶段性不平衡问题，合理安排加工方案和库存，确保平稳安全生产。对于成品油调和调度，POSS根据调和池馏分油/组分油的产量和属性（如辛烷值、十六烷指数），综合考虑调和成品属性、组分/油产品库存、市场需求等约束条件，以效益或产量最大化为目标，优化馏分油/组分油配方，实现调度周期内不同牌号产品的生产安排。

下面介绍POSS应用案例。

原油调度优化：客户面临的痛点是原油资源调度主要依赖经验，且原油性质变化频繁，调度问题规模庞大，约束条件复杂，不确定性和突发事件频繁。为解决这些问题，POSS软件允许用户自由设置事件，计算不同时间颗粒度的炼厂进度，并通过甘特图和报表等多种形式呈现，提供长周期和短周期的协同功能。它支持管输和码头原油的智能接卸收付，提供标准和非标油罐的设计和模拟功能，灵活准确地计算罐量和性质，同时预测油罐的满罐和空罐时间。通过结合过程机理的计划优化软件系统，POSS实现计划任务的智能自动分解，全厂生产调度的模拟和预测，优化排产方案。应用成效显著，调度方案制定效率从原来的1～3h减少到30min，平均方案切换次数从12次减少到9次。原油多模式调度优化系统如图2-3-13所示。

二次装置调度优化：客户的痛点在于调度变量的维数庞大，存在大量离散决策变量，约束条件动态变化，模型求解效率低；不确定事件的应急决策效率低，严重影响实用性，且调度业务时间颗粒度短而不均。POSS通过基于人工智能的多源异构数据信息挖掘，构建多自由度、多约束的调度优化模型及其求解方法，并基于过程机理和数据协同实现调度

图 2-3-13　原油多模式调度优化系统

模型的自动校正，提供多周期计划调度方案的协同优化（图2-3-14）。应用成效包括建立了符合企业特点的混合整数非线性规划的原油调度模型，并进行智能优化，实现了原油调度的快速决策，排产效率提高了50%。在装置原料属性发生变化时，基于机理模型自动校正模型参数，使模型关键产品收率偏差小于1%。此外，实现了炼化一体化，提高了企业轻质油和芳烃的收率。

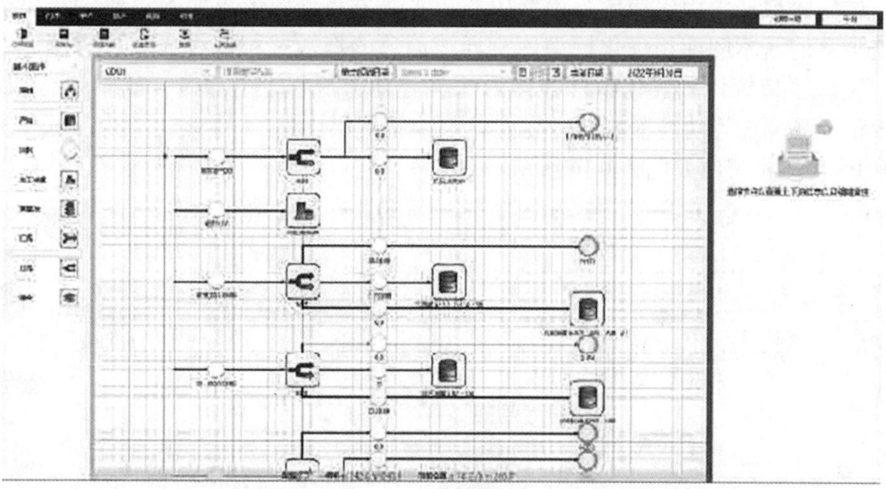

图 2-3-14　二次装置调度模型流程图

成品油调和调度优化技术：客户面临的痛点在于成品油调和调度人员水平参差不齐，调度方案的制定主要依赖人工经验，缺乏智能化的成品油调和配方优化与调度手段。面对突发事件和市场需求变化时响应缓慢，部分产品质量过剩严重，导致调和效益不佳。为解决这些问题，POSS结合工艺特点开发了成品油调和排产优化方案，综合考虑油品特性、调合比例和工艺约束，确保方案的准确性（图2-3-15）。通过引入优化算法和机器学习技术，实现了智能配方优化和智能决策支持。方案涵盖短周期调度，提高生产效率，降低成本，提升产品质量，具有灵活性和可扩展性，可根据不同需求进行定制和优化。应用成效显著，在汽油和柴油调和装置上成功实施，为调和生产调度人员提供了配方优化、计划检验、生产检验和智能排产等功能，降低了劳动强度，提高了调和排产效率。汽油调和的一次成功率达到95%以上，成品油关键属性预测精度的相对偏差小于5%，RON质量过剩不超过0.2个单位。

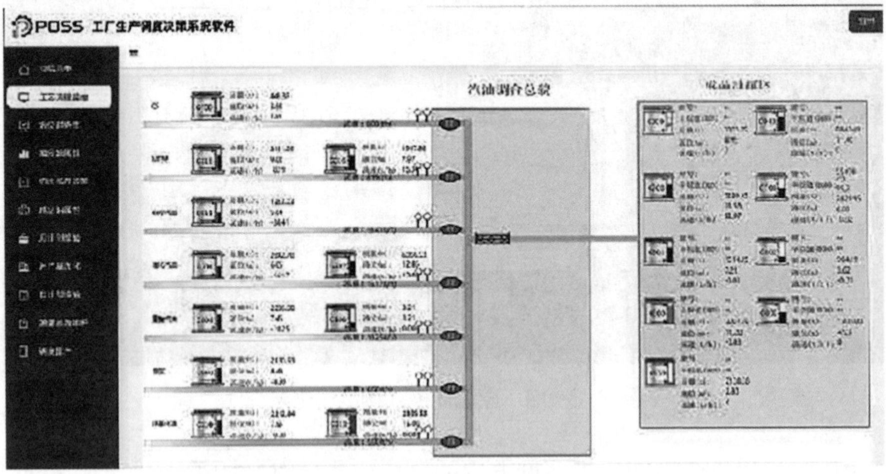

图2-3-15 汽油调和配方优化总貌图

（4）生产计划决策EMRPS软件

生产计划优化从全局上决定了工业生产过程能源、生产和产品的总体方案，是工业生产活动中的第一步，处于全局运行优化的最顶层。传统的商业计划优化软件采用数据表格建模，过程繁琐，使用门槛高。创新中心自主开发基于图形界面的企业生产决策系统软件，涵盖丰富的基本图库和优化模型库，通过简单的拖拽式和连线式方式构建计划优化业务流程，突破了传统计划优化软件在图形化构建业务流程上的瓶颈，软件包含原料筛选、资源配置和产品调控等功能模块，为企业计划决策提供支撑。

EMRPS功能框架图如图2-3-16所示。

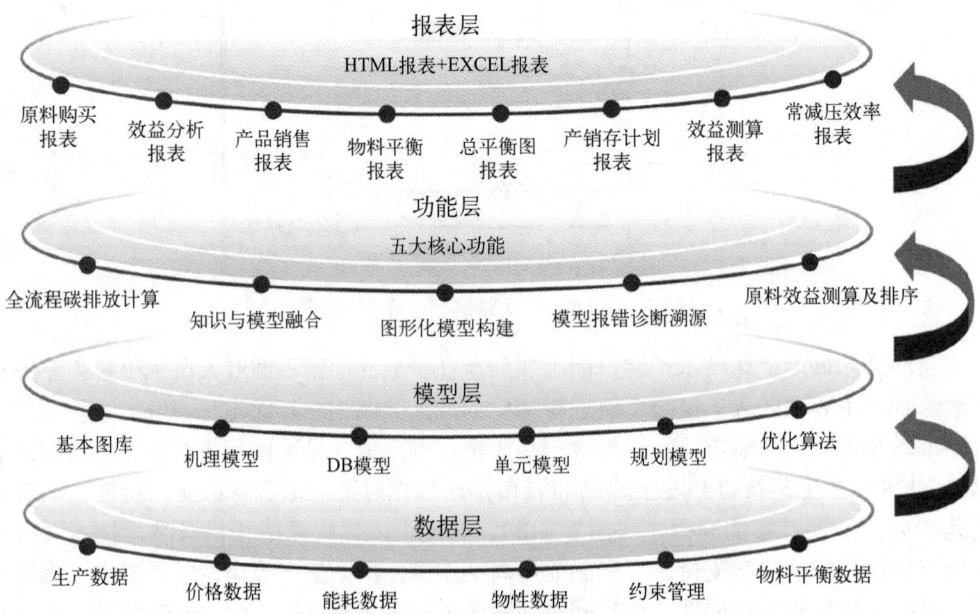

图2-3-16 EMRPS功能架构图

EMRPS软件三大独特优势显著提升了建模和决策的效率与精度：首先，图形化操作界面通过可视化建模和动态交互技术，结合约束管理动态同步技术，大幅提高了建模效率，使用户能够更直观地构建和调整模型；其次，软件通过计划融合机理，集成了炼油、化工、水泥等核心反应单元的机理模型，并利用灵敏度分析和滑模分段线性化技术，显著提高了方案的精度和可靠性；最后，EMRPS软件集成了决策知识库，通过语义识别和智能推理技术，结合专家知识的计划决策技术，确保方案的可行性，为用户提供了强有力的决策支持。

EMRPS软件首先提供图形化模型构建功能，实现了前端画布与模型的同步修改，用户可以直接在画布中调整所需的装置参数，简化了模型构建过程。其次，软件具备全流程碳排放计算功能，能够对全流程物质流和能量流的碳排放进行计算，并基于机理自动更新碳排放系统，帮助企业更好地管理和减少碳足迹。此外，EMRPS软件支持原料效益测算及排序，能够快速计算多种加工原料的保本价，并优化配置与组合排序，以提高原料使用效率。知识与模型融合功能则整合了海量专家经验知识库，允许用户快速查询和检索方案目标措施，提供强大的决策支持。最后，软件的模型报错诊断溯源功能通过一键快速诊断，能够准确溯源违反约束项，帮助用户及时发现并解决问题，确保模型的准确性和可靠性。

下面介绍EMRPS应用场景。

全流程资源能源配置：以决策模型为基础，融合过程机理特征，根据原料、装置及市场情况，进行原料、石脑油、蜡油等资源，以及燃料、蒸汽等能源的配置优化，决策原料采购、产品结构和资源/能源配置方案（图2-3-17）。

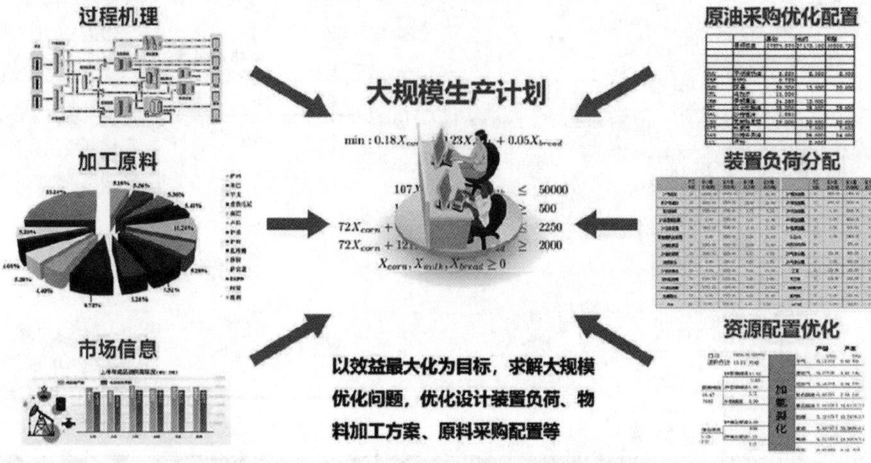

图 2-3-17　全流程资源优化配置图

面向“多牌号、小批量、多工序”的产品排序优化决策：以多牌号产品生产过程价值最大化为目标，结合物耗、能耗、产品价值等因素，开发产品牌号最优切换策略，实现“多牌号、小批量、多工序”的产品排序优化决策。

产品排序优化切换图如图2-3-18所示。

下面介绍EMRPS应用案例。

资源紧缺条件下的物料走向优化：在新建制氢装置处于产能爬坡阶段时，氢气资源出现阶段性紧缺的情况。为解决这一问题，通过优化加氢装置的生产负荷，提高了资源利用效率。在满足市场需求的同时，优化了排产方案（图2-3-19），成功节省氢气资源1000吨/月，并增产柴油1500吨/月。

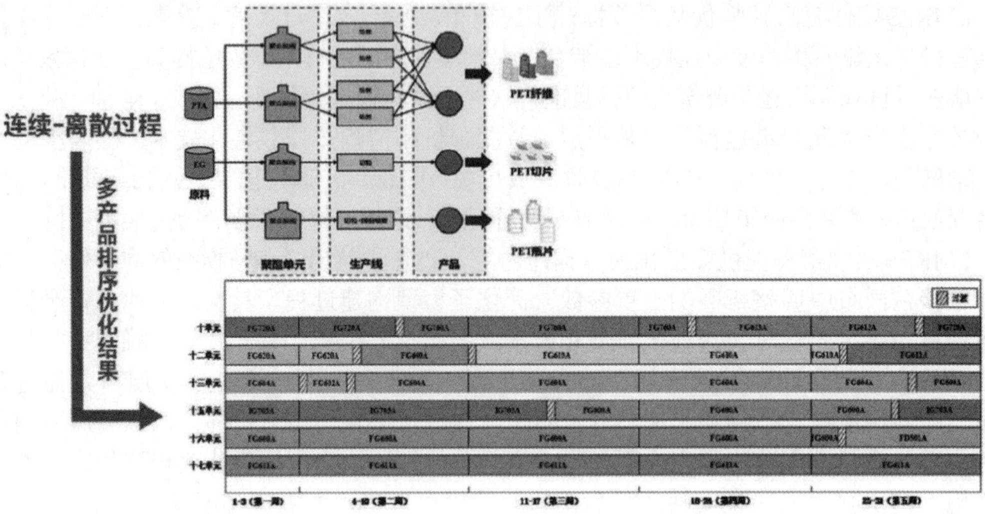

图 2-3-18 产品排序优化切换图

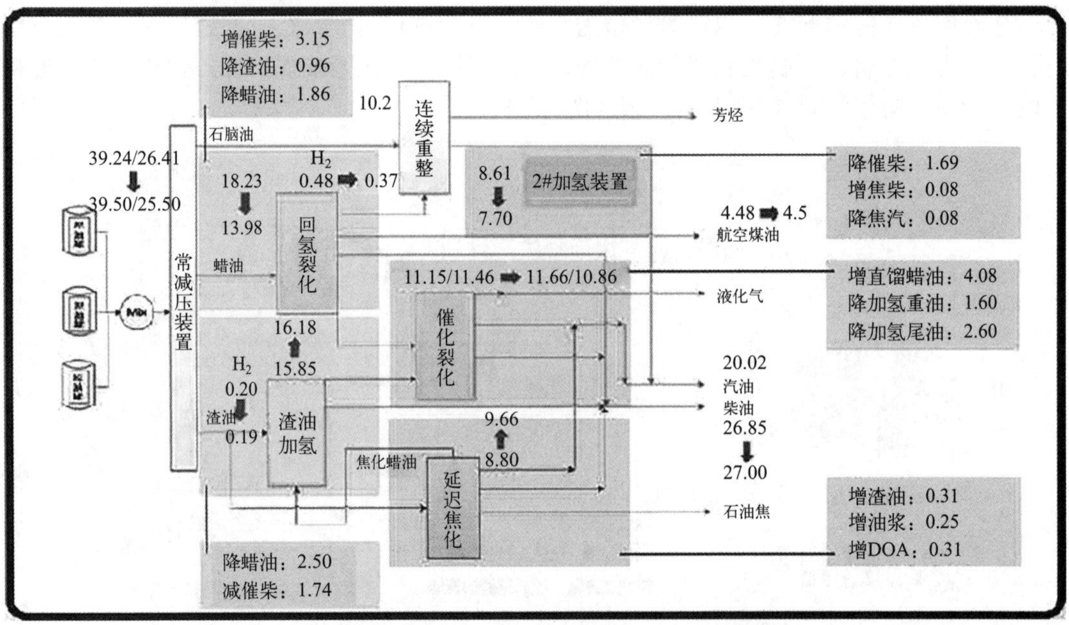

图 2-3-19 资源紧缺时制氢装置优化排产图

炼化一体化资源配置优化：对于炼化一体化企业，面对多种可选原油品种，如何采购合适的原油并合理配置炼油和化工原料是一个挑战。通过基于过程机理的测算，分析不同石脑油资源作为乙烯料和芳烃料的产品分布情况，最终优选出优质的乙烯料和芳烃料。优化后的资源配置（图2-3-20）显著提升了重整和乙烯装置的高附加值产品收率，增产芳烃产品6000吨/月和烯烃产品1600吨/月。

市场波动条件下的产品结构调控优化：在成品油市场大幅波动、航煤需求断崖式下降的背景下，企业需要在不影响总加工量的情况下合理配置航煤组分。通过扩大化工产品的生产，将航煤转换为汽柴油、液化气等产品（图2-3-21），从而成功压减航煤产量5.5万吨/月。这一策略有效应对了市场波动带来的挑战。

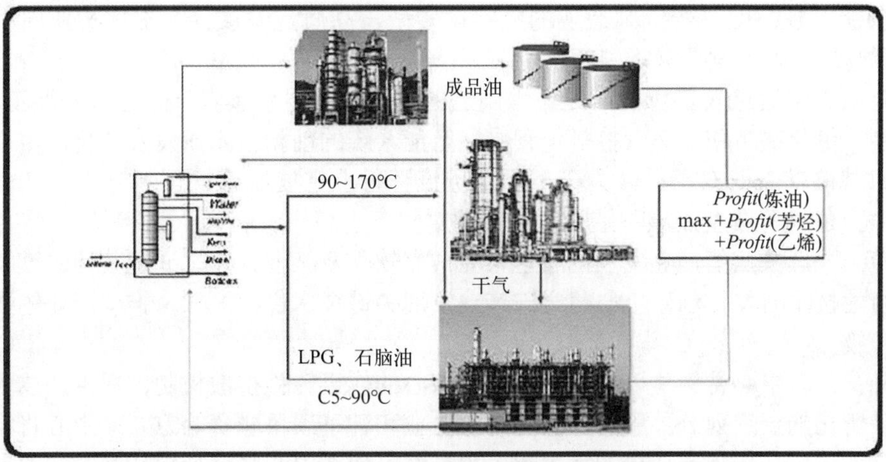

图 2-3-20　炼化一体化资源优化配置图

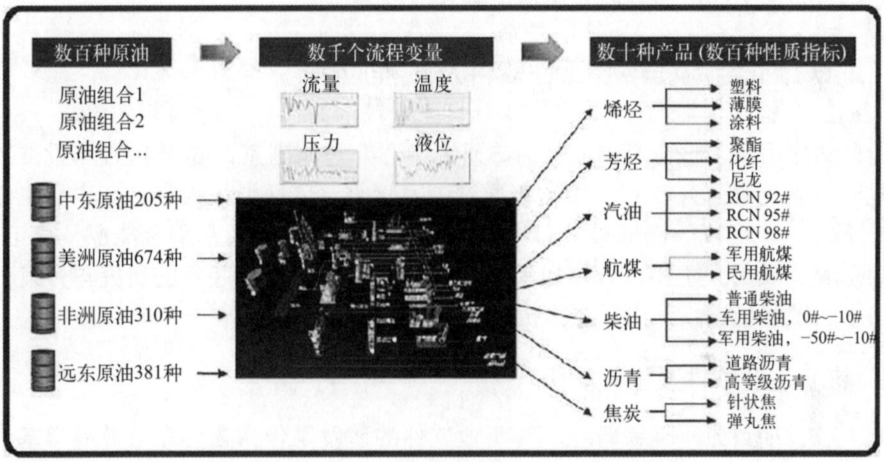

图 2-3-21　市场波动时产品结构优化调控图

3.3.1.2　发展设想

创新中心将紧密围绕国家“双碳”战略和制造业数字化转型的重大需求，深入贯彻党的二十大精神和习近平总书记的重要指示，致力于推动流程制造智能调控技术及其工业软件的关键突破和自主可控，打造流程制造的“大脑”和“神经中枢”。通过推动智能调控技术和软件的自主可控与国产替代，中心将促进流程智造科技成果的转移转化与产业化，实现产业基础高级化、产业链现代化和价值链最大化。中心的工作将助力构建以企业为创新主体、产学研深度融合的技术创新体系，抢占制造领域技术变革的战略制高点，并推进国家“双碳”战略目标的实现，保障产业链供应链的安全稳定。

在战略功能定位方面，创新中心将围绕制造强国、数字中国、碳达峰碳中和等国家战略目标，推动流程制造过程智能制造关键技术的研发。中心将协同各类创新主体进行联合研发、创新和技术孵化，通过“政、产、学、研、金、服、用”的协同创新，推动科技成果的转移转化与产业化。中心计划建设产业基地与产业集群，为区域和产业发展提供源头技术供给，并为科技型中小企业提供创新服务。通过这些举措，中心将推动流程工业智能制造的创新跨越，促进传统制造业的数字化转型与高质量发展，为支撑产业向中高端迈进、实现高质量发展发挥战略引领作用。

创新中心将通过人工智能赋能流程制造的创新技术“引领者”角色，开展工艺孪生、智能控制、优化决策和安环管控等流程制造智能系统的创新技术研发及转化。中心将强化知识产权战略储备与布局，致力于引领全球流程行业智能制造的创新方向。针对石化化工、钢铁、建材等典型流程制造业，中心将对接行业需求，打造人工智能+X特色行业软件应用范式，形成赋能产业发展的特色行业成套软件及工业APP。通过共性关键技术和跨行业融合性技术研发，创新中心将突破产业发展关键技术供给瓶颈，推动产业的数字化智能转型升级。

此外，创新中心将构建以市场化机制为核心的成果转移扩散机制，提供从技术委托研发到企业孵化的一系列公共服务。通过孵化企业和种子项目融资等方式，中心将构建开放的创新共同体，加快创新成果的大规模应用进程。创新中心将坚持全球视野，通过政策引导，柔性汇聚高水平领军人才与创新团队，打造流程制造智能调控领域新的创新增长极，为我国流程制造数字经济的优势构建提供强有力的支持。

3.3.2 炼铁行业全流程核心工业软件及工程应用

工业自动化国家工程研究中心（简称研究中心）是原国家计委于1991年批准拨款建设的第一批国家级工程研究中心，1996年通过国家验收，依托浙江大学，在中心主任孙优贤院士领导下，以“培育一流成果，转化一流技术”为目标，紧密结合能源、化工、冶金、石化、信息等领域重大工程，开展自动化控制系统关键技术及装备的研究与开发，为中国自动化技术的发展和进步作出了杰出贡献。

3.3.2.1 核心工业软件及工程应用

研究中心长期致力于钢铁行业核心工业软件的研发工作，在国家自然科学基金重大项目、国家重点项目、国家863项目、国家发展改革委重大专项、工业和信息化部工业互联网创新发展工程重大项目等支持下，成功开发出大型高炉TRT装置智能运行控制、大型高炉多目标优化与智能控制、高炉炼铁流程数字孪生系统等核心工业软件，并在宝钢、鞍钢、柳钢、攀钢等企业推广应用1000余套，取得重大的经济效益和社会效益。

（1）大型高炉TRT装置智能运行控制技术和软件Nerc-TRT

针对大型高炉煤气余压发电装置（TRT装置）存在的顶压稳定性、切换安全性、运行高效性等重大技术难题，运用以高炉冶炼与能量转换过程机理建模为主，融合运行数据和专家知识的方法，在国内外首先研发了5000m^3以上特大型高炉TRT装置多变量动态数学模型；提出了带前馈的高炉顶压约束预测控制方法，开发出相应的算法和工业软件，突破了传统的反馈控制思想，将当时世界领先水平（日本川崎和德国曼透平）的顶压控制精度由3kPa提高到1.5kPa，打破了大、中型高炉TRT技术壁垒；突破了传统的根据运行参数凭经验进行切换的控制方法，建立了TRT管网平衡方程，首次提出了基于管网阻力系数等效的智能协调控制方法、技术及算法，将TRT装置紧急切换峰值时间由8s缩短为1.5s以内；自主研发出大型高炉TRT装置智能运行控制软件，该软件成为高炉TRT装置的运行“大脑”，实现了高炉TRT装置的智慧化，至今已在国内外钢铁企业运行二十余年，市场占有率位列第一。该软件助力国产品牌TRT装置首次实现出口国际市场，成功应用于巴西GA、印度

TATA、印度JSW和韩国现代等钢铁企业，提升了国产品牌TRT装置的国际竞争力。配置该控制软件的TRT装置每年为用户节能96.13亿千瓦时以上，节省电费48.08亿元以上，减少煤耗31万吨以上，减少CO_2排放79.53万吨以上，取得了显著经济社会效益。

大型高炉TRT装置智能运行控制流程图如图2-3-22所示。

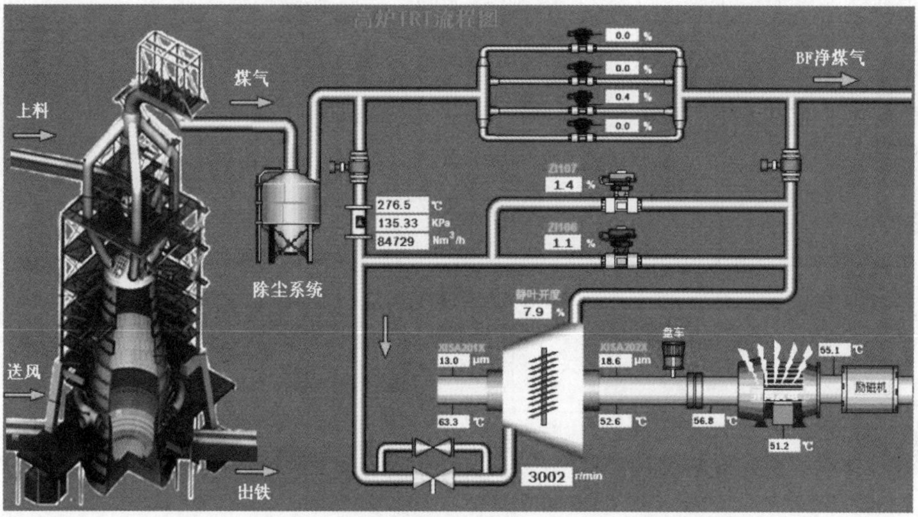

图2-3-22　大型高炉TRT装置智能运行控制流程图

（2）大型高炉多目标优化与智能控制技术和软件Nerc-LBF

针对大型高炉物理化学反应复杂、多相多场耦合、原燃料条件多变、分布参数强非线性等特点给运行优化控制带来的极大挑战，提出了一种基于深度学习和群智能算法的多目标操作优化算法，在经营目标和外部条件约束下，给出大型高炉运行最优工艺指标和相应的操作参数；提出了一种基于特征-时间注意力的上下文感知增强型的门控循环神经网络模型，通过数据及时学习，为不同特征自动分配注意力权重，突破了铁水质量指标在线检测与高精度智能感知的难题，将世界领先水平（俄罗斯MMK钢铁集团）的铁水Si含量感知误差由0.09%降低到0.0664%；提出了大型高炉多级闭环全自动优化控制方法，发明了递推子空间辨识在线建模的铁水质量预测控制技术，开发了预测控制软件，将世界领先水平（日本东京大学）的铁水Si含量控制误差由0.1012%降低到0.0798%；研制了大型高炉多目标优化与智能控制软件，将钢铁行业沿用几十年的高炉半自动操作模式升级为全自动控制；首次构建了高炉炼铁运行优化控制验证系统，具有参数设置、模型预测、开环测试、闭环模拟、人机融合、闭环调试等功能。该成果实现了规模化推广，应用于鞍钢、宝钢、柳钢、镔钢、马钢、广钢、酒钢、包钢等钢铁企业，新增销售收入212.04亿元，新增利税46.47亿元，降低成本24.73亿元，减少CO_2排放330.63万吨，取得了显著的经济效益、社会效益和生态效益。

大型高炉多目标优化与智能控制方框图如图2-3-23所示。

（3）高炉炼铁流程数字孪生系统关键技术和软件Nerc-BST

针对高炉炼铁流程复杂特点导致的运行状态观测不清、运行趋势预判不明、运行优化决策不准等技术难题，提出了几何属性复刻、传质传热与反应耦合、多尺度建模与多维模型关联的全流程孪生体构建方法，突破了高炉物理场与实测数据融合的炉内多相多场三维重建、炉顶料面堆积形状孪生建模等关键技术，将世界领先水平（奥钢联集团）的铁水温

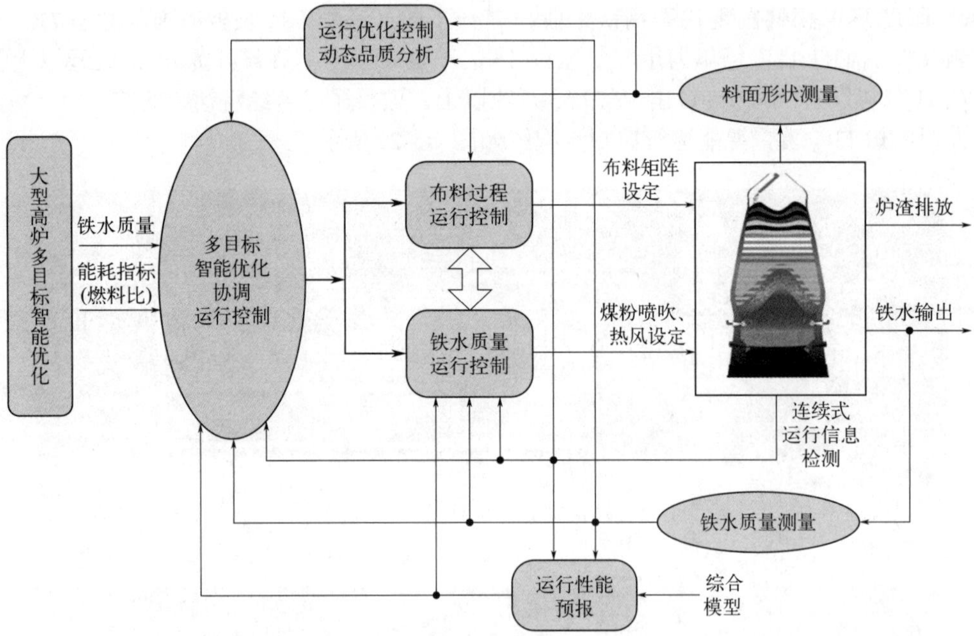

图 2-3-23　大型高炉多目标优化与智能控制方框图

度模型计算精度由90.13%提升到94.12%，解决了大型炼铁系统关键参数多维度深度解析的国际性技术难题；提出了并行双层节点降维的方程组构建和解耦分布式并行计算理论与方法，突破了混相流动方程构建和分频式动态模拟解算技术，在同等环境、同等误差阈值范围内，该技术循环计算6次即可完成循环流量计算，明显快于Aspen Plus软件的98次循环，显著提升了计算效率、优化了模型处理能力；研制出国际上首个高炉炼铁全流程数字孪生系统开发平台，研发了高炉炼铁流程单元级、工序级及全流程数字孪生模型1000余个，突破了大规模强耦合高维度复杂冶炼流程数字孪生系统低代码敏捷开发的重大技术难题；研发出国际上首个高炉炼铁全过程流程模拟软件系统、首套大型高炉炼铁全流程高保真数字孪生系统，打破了我国高端制造流程模拟与数字孪生软件长期受制于人的垄断局面，显著提高了高炉炼铁流程数字化观测和智能化决策的技术水平。成果技术已在宝钢、鞍钢、柳钢、攀钢等企业推广应用300余套，新增销售/产值799.60亿元以上，新增效益（新增利税、降低成本）106.58亿元以上，减少CO_2排放361.53万吨以上，取得重大的经济社会效益。

高炉炼铁流程数字孪生系统功能示意图如图2-3-24所示。

（4）大型旋转设备安康管控技术和软件Nerc-DSC

针对钢铁工业旋转设备多变工况、未知模式、噪声干扰等高度复杂性给故障监测带来的挑战性难题，提出了故障敏感变量选择的变异系数计算与判别方法，率先建立了多工况旋转设备监测的移动滑窗隐马尔可夫模型，研发了已知模式下稳定工况和过渡过程识别的维特比算法及软件，将世界领先水平（日本京都大学、住友金属集团）的故障监测误报率降低35.6%；提出了先验分布与联合分布相融合的多域知识迁移学习方法，发明了加权联合分布适配神经网络的设备故障诊断技术，为标签难以获取、动态时变的设备故障诊断开辟了新的路径，故障诊断精度达90%以上；研制了设备安康智能管控软件，对大型机泵等旋转设备关键部件进行振动监测，通过对关键部件一点多轴振动量和温度在线采集、处

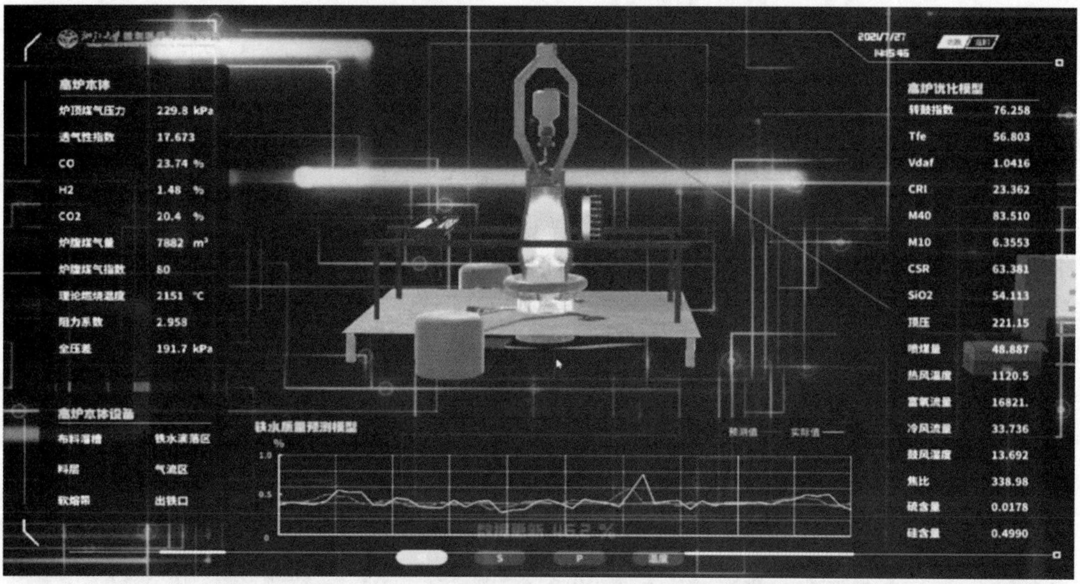

图 2-3-24　高炉炼铁流程数字孪生系统功能示意图

理和分析，结合高级数学模型实现机泵设备的健康状态诊断与分析，利用大数据和云服务平台，为机泵设备的健康管控提供数字化、智能化服务，以便有计划地合理安排机泵设备的检修维护工作，从而有效延长机泵运行寿命，降低巡检次数、维修费用。该软件至今已在柳钢、山钢、永钢等钢铁企业进行应用，接入设备5000余台，为用户降低运维成本15%～35%，消除生产宕机60%～80%，降低故障停机20%～40%。有效提升旋转机械设备的运行能效和安全水平，为设备全生命周期的安全管控和高效运行保驾护航。

大型旋转设备安康管控系统技术架构图如图2-3-25所示。

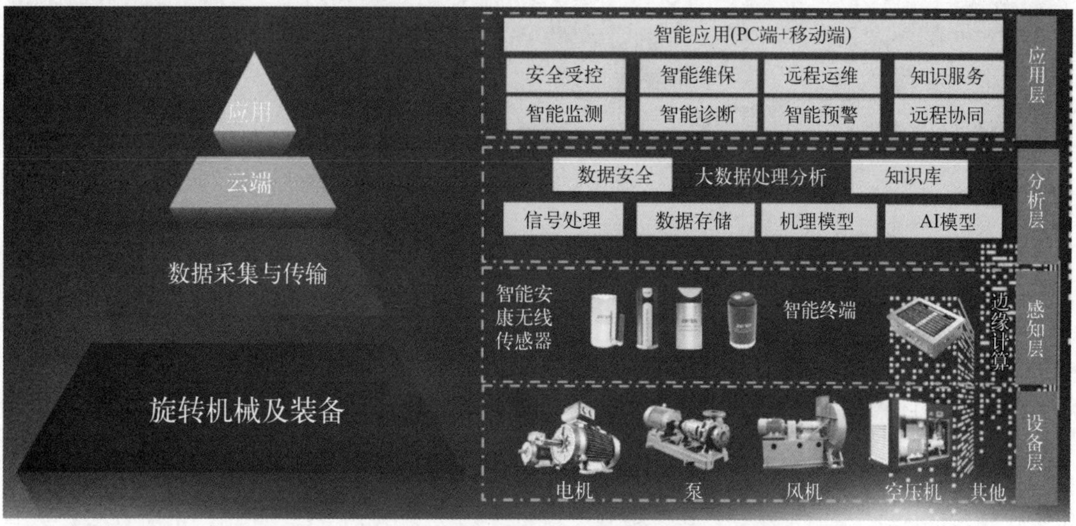

图 2-3-25　大型旋转设备安康管控系统技术架构图

(5) 大型空压站智能管控技术和软件Nerc-ACC

针对钢铁工业大型空压站存在设备效率低、管网损失大、供气压力不合理等问题，研究突破了空压机智能群控、管网泄漏智能检测、高效分级输送、压力带自适应、余量最优化、高精度稳压、放散极小化等控制技术，提升空压站能源利用效率30%以上；研制了自主知识产权的一级能效空压站智能管控软件。该软件根据流体力学原理，分析压缩空气系统能量输配和转换效率，并采用先进节能控制方法结合智慧阀门、工业变频、终端设备高效化等技术，对压缩空气系统中的空压机、后处理设备、管网阀门、终端设备等单元进行协同优化控制，实现压缩空气系统整体节能增效，常见的无油空压站年节电量超280万度，年节约成本超200万元。该软件成为大型空压站的运行“大脑”，实现了大型空压站的安全高效智能运行，显著提升了压缩空气制备系统综合能效，通过装载该软件，山钢建成了国内获得一级能效认证的单站气量最大的空压站。该软件至今已广泛应用于首钢、酒钢、山钢、南钢等企业150余套，累计节电量20.2亿度以上，节约生产成本15亿元以上，取得显著的经济效益。

大型空压站智能管控功能示意图如图2-3-26所示。

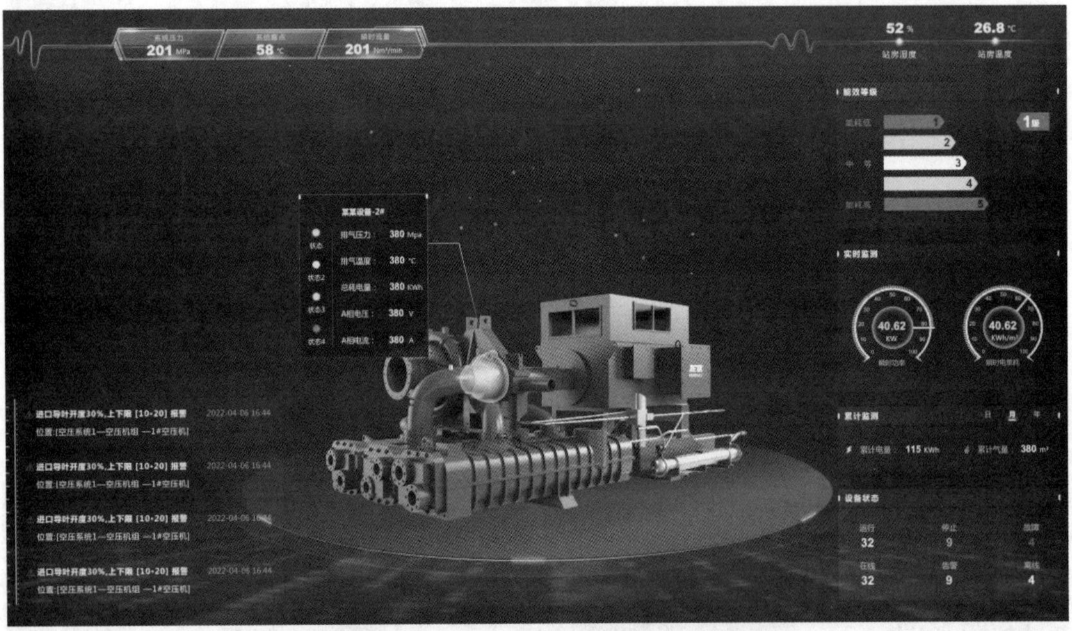

图2-3-26 大型空压站智能管控功能示意图

（6）风机系统节能增效控制技术和软件Nerc-FES

针对钢铁工业风机运行工况动态变化给安全高效控制带来的技术难题，提出了自适应防喘振安全控制技术，通过对风机的运行过程进行无量纲化喘振动态建模，设计先进控制算法对风机进行精确控制，保证风机运行在安全区域，减少风机放散能量损耗15%以上；提出了风机变频阀门一体化控制技术，根据工艺需求对风机采用变频控制，并与入口风阀进行联合调节，设计了具有旁通功能的双模式运行，确保设备的安全运行；发明了风机运行能效优化技术，建立风机系统能效计算与分析模型，并通过系统外管路阻力、风机入口风门开度优化控制，使风机运行点向高效区偏移，提升了风机运行效率10%以上，实现风机的高效节能运行；自主研发出风机系统节能增效控制软件，具有风机无量纲化喘振动态建模、变频阀门一体化控制、风机系统多变量协同自适应优化控制等功能。该软件已在国内钢铁企业运行十余年，取得显著的节能效果。以配置该控制软件的竖炉冷却风机（功率630kW）为例，每年为用户节能120万度，节约电费达96万元，减少煤耗360吨。该系统已在河钢集团、承德盛丰钢铁、唐山兴隆等企业成功应用200余套，累计节电量14.4亿度以上，节约生产成本10.8亿元以上，减少CO_2排放108.72万吨以上，取得显著的经济社会效益。

风机系统节能增效控制功能示意图如图2-3-27所示。

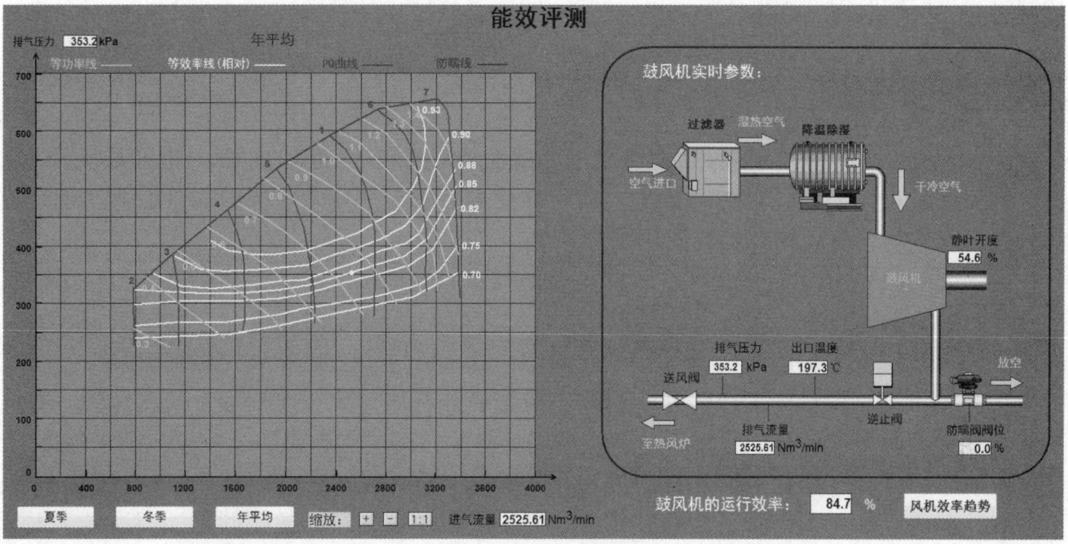

图 2-3-27 风机系统节能增效控制功能示意图

3.3.2.2 核心工业软件发展设想

大型炼铁系统是钢铁工业深度节能减排和提质增效的前沿阵地，是实现钢铁行业高质量发展的核心支柱。大型炼铁系统具有物化反应极端复杂、长流程多工序耦合、原料成分动态多变、关键参数信息不完备等复杂特性，这导致多工序间缺少实时动态的高效协同机制，无法实现大型炼铁系统的整体优化运行，严重制约了我国钢铁工业高效、绿色、高质量发展。因此，亟需从全流程层面深入研究突破大型炼铁系统协同优化关键技术，研发具有自主知识产权的大型炼铁系统协同优化核心工业软件。

大型炼铁系统全流程协同优化技术与核心工业软件，是实现我国钢铁工业智能化的关键所在。大型炼铁系统核心工业软件依托内嵌的先进建模与优化控制算法，深度融合炼铁过程中的多源异构数据，贯通料场、烧结、球团、高炉等炼铁全流程全场景，为炼铁系统提供完备、及时、准确的决策支持，从而解决物料关键信息实时检测与跟踪、运行工况实时监测与诊断、多工序协同调度与配料优化、多工序操作参数协同优化这四大挑战性难题，实现大型炼铁系统协同优化运行与绿色高效生产，助力大型炼铁系统智能化转型升级，提升我国钢铁工业自主创新能力及核心竞争力。

炼铁流程核心工业软件的研究重点，主要包括物料关键信息实时检测与跟踪、运行工况实时监测与诊断、多工序协同调度与配料优化、多工序操作参数协同优化、协同优化验证平台构建等五个方面，下面分别介绍。

① 大型炼铁系统物料关键信息实时检测与跟踪技术和软件。解决多源、多类、非均匀物料的关键信息获取与跟踪的重大难题，具体包括：

a. 原料场铁矿石品位在线检测：构建多源异类信息协同的卷积神经网络与循环神经网

络模型，分别提取光谱图像和过程变量的特征；采用早期-中期-后期分层特征融合策略，对所提取的特征进行融合；研究开发端到端回归网络与检测软件，实现在线预测铁矿石品位。

b. 烧结矿亚铁含量的在线检测：利用动态机理模型扩展烧结过程变量时间序列的特征维度；研究融合机理和多源异质特征的深度学习模型，设计开发编码-解码一体化软件实现FeO含量的实时精准预测。

c. 高炉铁水多元成分在线检测：构建图谱融合的长短期记忆网络与图卷积网络模型，分别捕捉动态特征及空间耦合特征；利用直通估计器在线优化参数，实现高炉铁水硅、硫、磷等含量高精度检测。

d. 大型炼铁流程物料实时跟踪：获取指定批次物料的位置、速度、加速度等序列数据，研究多尺度动态信息时空融合与协同配准技术，研发物料未来多时间步位置与运动趋势精准计算软件，实现物料的实时跟踪与检测。

② 大型炼铁系统运行工况实时监测与诊断技术和软件。解决多工序动态工况精确诊断的技术难题，具体包括：

a. 多尺度时空解析的烧结机运行工况动态监测：针对多变量非线性强耦合特性，通过数据融合技术挖掘变量间潜在信息，采用小波变换分解重构数据以提取多尺度特性，研发烧结机运行工况多尺度时空解析软件，实现烧结机运行工况动态监测。

b. 面向多工序的高炉异常工况早期检测与诊断：设计图神经网络架构，捕捉多工序关联特性，融入迁移学习与特征增强技术进行特征优化，解决特征模糊问题，实现异常工况早期精准检测与诊断。

c. 多工序耦合的炼铁系统协同集成监测与诊断：构建贝叶斯网络模型以量化工序因果关系，应用动态时间规划匹配时间序列，结合隐马尔可夫模型自适应调整参数，开发面向炼铁多工序协同优化的运行工况监测与诊断软件。

③ 大型炼铁系统多工序协同调度与配料优化技术和软件。解决多工序协同优化调度与物料精准调配的技术难题，具体包括：

a. 协同调度与配料优化的关键要素准备：研究可调度边界评估计算、决策变量空间降维、关键参数与要素预测方法和技术，以支撑多工序调度及多级配料优化问题。

b. 炼铁工艺路径与工序界面的调度优化：研究考虑物料余量、可用时间、投料速度等时变特性约束集和质量、能耗、经济、成本等多生产指标博弈关系目标函数辨识方法，开发工艺路径与工序界面调度优化软件。

c. 多级配料系统的协同建模与优化求解：基于工艺路径及工序界面匹配问题给定的边界条件，研究构建多级配料优化问题模型及其动态滚动求解方法，开发多级配料优化与配料方案评估软件。

d. 协同调度与配料优化自适应建模求解：针对目标函数及可行域无法解析表达、多层级耦合调度与配料优化问题，研究智能求解方法，设计多阶段快速求解策略，及其面向配料优化问题的知识更新泛化方法。

④ 大型炼铁系统多工序操作参数协同优化技术和软件。解决多工序多参数协同优化控制的技术难题，具体包括：

a. 多工序多系统操作参数协同优化决策：构建协调决策层，用于各工序相关指标参数与生产目标之间的协调决策，构建操作优化层，根据上层协调决策层的目标值，协调优化各工序内各系统的操作参数。

b. 面向操作优化与指标预测的智能建模：研究不确定动态条件下数据与知识驱动的关

键指标鲁棒建模方法，研发大型炼铁系统操作优化与指标预测软件，提升系统在不完全数据环境下的决策精度和稳定性。

c. 烧结工序多系统多参数协同操作优化：针对烧结工序多系统难以协同优化的问题，通过融合烧结过程中的实时数据、工艺知识和机理模型，研究开发需求驱动的烧结工序多系统协同操作优化技术和软件。

d. 高炉冶炼工序多系统多参数操作优化：针对高炉冶炼多系统协调操作优化问题，基于模式匹配与智能优化算法，研究开发欠调节高炉冶炼工序多系统智能优化技术和软件，对高炉各个子系统（如炉料、燃料、风口等）进行协调优化。

⑤ 基于工业互联网的大型炼铁系统协同优化验证平台。解决现场直接实验成本高、试错风险大的技术难题，具体包括：

a. 大型炼铁系统工业互联网设计与实现：设计敏捷开发范式、轻量级微服务架构、低代码开发平台，并结合容器化技术，确保大型炼铁系统数据的实时可靠交互，实现协同优化软件系统快速迭代与部署。

b. 大型炼铁系统协同优化验证平台构建：研究长流程多工序能质流耦合机理与数字化表征技术，融合多相多场仿真引擎，构建跨时空尺度的数字孪生试验验证平台，以解决炼铁系统协同优化验证周期长与成本高等问题。

c. 协同优化技术成果的实验与应用验证：基于所构建的大型炼铁系统数字孪生试验验证平台，实现关键信息在线检测与跟踪、面向多工序协同优化的运行工况监测与诊断、多工序智能协同调度与配料优化、多工序操作参数协同优化等研究成果的实验验证与应用验证。

3.3.3 粮食精深加工与生物发酵核心工业软件

江南大学长期致力于生物发酵领域发展前沿问题和重大关键技术研究和开发，在工业生物技术方向具有明显特色优势。以粮食发酵与食品生物制造国家工程研究中心（建于2011年）、轻工过程先进控制教育部重点实验室等为代表的研发平台（简称工程中心），从食品与生物产业发展需求出发，以提高行业竞争力为宗旨，开展产业核心技术攻关、关键工艺研究、重要装备研制和重大新产品开发，主要研究方向包括：粮食发酵与酶工程技术、合成生物学与工业生物智造、生化过程模型化与最优调控、轻工绿色制造与智能控制、食品原料创制与质量安全控制、生物过程工程与发酵装备等。近年来的特色工作是以粮食为主要原料，重点研究发酵过程模拟与智能控制、新酶挖掘与规模制备、酶分离纯化与分子改造等，以合成生物学技术为基础，侧重食品原料合成关键基因挖掘与优化、宏观环境与微环境调控、合成途径组装与宿主适配等，在微生物高通量筛选、代谢途径重构、发酵定向调控等方面，重点研究低碳导向的食品绿色制造新模式，积极推进控制及物联网、大数据及人工智能与生物技术的融合，创新食品及生物过程智能装备、高通量筛选及质量安全控制方法等。

工程中心建有粮食精深加工、生物发酵、分离提取、后处理及包装等中试平台，形成从原料处理到产品包装等生产流程的中试能力，满足各项科研和社会服务的需求，为产业领域关键共性技术研发提供完善的试验平台。研发平台围绕优良菌株选育，设计先进筛选模型，利用系统代谢工程、合成生物学、机器学习等前沿技术构建高效细胞工厂，助推柠檬酸、赖氨酸、精氨酸等行业龙头企业的上百种发酵产品量质提升，例如国信协联成为柠檬酸发酵制备技术国际领先的上市公司，山东润德生物氨糖生产规模全球第一。围绕酿造微生物群落功能调控等生产技术，创制智能化酿造装备，实现智能化制曲、陈化、酸化以及代谢调控发酵，赋能传统酿造行业机械化、自动化、智能化的转型升级，提高白酒、黄酒、食醋等传统酿造食品的高精准发酵调控和食品安全水平，并在茅台、今世缘、古越龙山等20多家龙头企业应用。

经过多年的发展，工程中心逐步成为国内发酵与食品生物制造领域国家重大工程技术的策源地、核心技术和重大装备的孵化器。

（1）产业发展背景

目前全球工业由生物技术驱动的趋势日趋明显，其重要特征是以生物可再生碳资源替代化石资源、以生物加工替代化学加工。工业生物技术通过对微生物的大规模培养，制造出各类化学品和化合物，这一过程也称为生物制造，而生物发酵则占据了生物制造的主导地位，被广泛用于食品、医药、日化、材料、农业及环境等领域，产业发展预测表明，到本世纪末生物制造可能占全球制造业产出的三分之一以上。近10年来全球工业生物技术领域在上游菌种设计和筛选等方面取得系列突破，但在下游生产工艺、设备与工程化设计、控制与工业软件等产业化环节，生产研发和量产技术则明显落后于石油化工等流程工业。

我国是生物发酵生产大国，大宗生物发酵产品产量稳居世界第一，主要生物基材料品种及产量处于世界前列，为食品、医药、化工等行业提供了优质原料，多种传统石油化工产品和精细化学品实现了生物质路线生产。生物制造本身是在源头上解决资源短缺与环境污染的新型工业模式，但国内生物发酵行业普遍存在生产工艺和设备落后、原料利用率和产品收率双低、能耗和污染双高等问题。生物发酵产业中下游大规模培养技术一直是薄弱环节，围绕生物制造的平台装备及集成系统的专业化程度低，实验室和中试等精密生物反应器很多依赖国外进口，生物制造领域的工业软件较为稀缺。将工业生物技术与自动化、人工智能、大数据等信息技术深度融合，推动生物制造装备系统创新升级，将长期积累的发酵经验，以及不断重复的过程设计、实验、优化、运行控制等工作固化为工业软件，成为扩大产业规模的关键路径。

（2）核心工业软件及工程应用

生物制造过程包括培养基生产、菌种培养、发酵生产以及分离提取等流程，涉及工艺条件的设计与优化、过程装备设计开发、控制系统研发、关键参数的检测、生产过程的监控、产品质量安全控制等。工程中心不断研发和应用推广生物制造过程实验、设计、模拟、优化、控制等智能系统与工业软件，包括发酵过程DCS/SCADA软件、全自动智能生物反应器、色谱分离/离子交换过程装备系统、近红外建模分析软件、多模态监控软件、发酵过程工艺智能设计软件，同时深入生产现场挖掘传统发酵食品工艺经验，以数字化智能化手段进行软件固化，在传承的基础上进行智能演进。

① 大型发酵生产装备与DCS系统。大型生物发酵成套装备是现代生物产业发展的重大核心装备，集生物学、化学工程、机械制造、传感与自动控制等技术于一体，要求在高密度、高黏度条件下实现高转化率、低能耗、低排放生产。

高效低耗的发酵搅拌系统是大型发酵罐的关键，针对不同特性发酵液提供多种搅拌技术，例如设计径向-轴向组合式搅拌降低对细胞生长的剪切力，提高高黏度发酵液的溶氧和传质效果。

利用不同发酵罐积累的大量工程数据建立数学模型，以模型为核心研发大型发酵装备及搅拌系统的设计仿真平台，解决发酵装备及搅拌系统的优化放大、设计制造、检测试验等工业难题。

发酵过程的培养基制备是整个生产流程的基础，基于过程分析技术（PAT）提出培养基制备新工艺，根据水粉总量确定淀粉酶的添加量，实现糖化质量、水粉比、淀粉酶三参数闭环受控生产。

对大型发酵系统的节能降耗进行整体设计，采用工业互联网对蒸汽与热能的循环、循环水的综合利用等进行动态优化集成，降低生产系统的能耗和用水量。

发酵全流程DCS包括发酵系统、培养基配料系统、无菌空气系统、种子扩大培养系统、实验及检测系统、酶制剂分离纯化系统、产品包装系统等，由工程师站、操作员站、I/O控制站组成，检测控制精度高、操作简便，组态结构便于系统维护扩展，运行稳定可靠，管控一体性价比高。

自主开发的FPC-2000软件主要功能包括工况图形组态、控制回路组态、报表组态、实时数据采集和传输、数据库实时下装、过程状态显示、工况图显示、实时控制曲线显示、历史趋势显示、控制参数修改、参数列表、报警管理等。

发酵生产设备和DCS软件界面如图2-3-28和图2-3-29所示。

图2-3-28　发酵生产设备

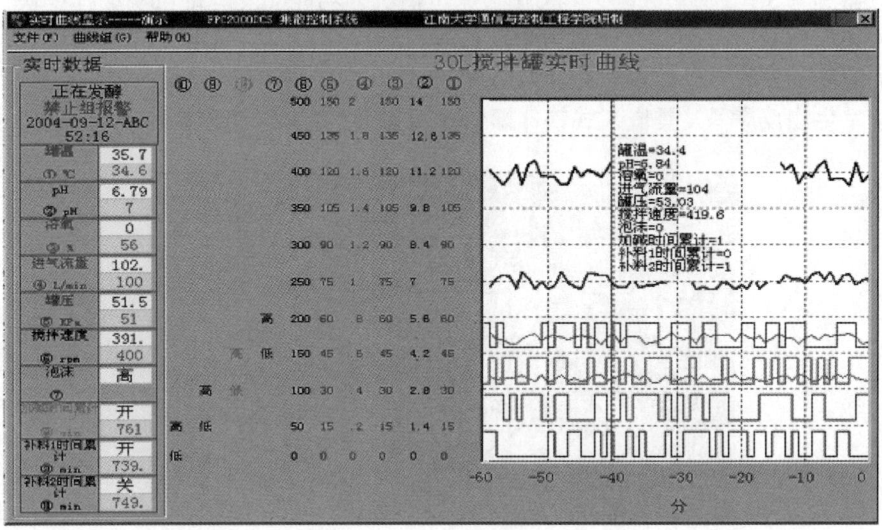

图2-3-29

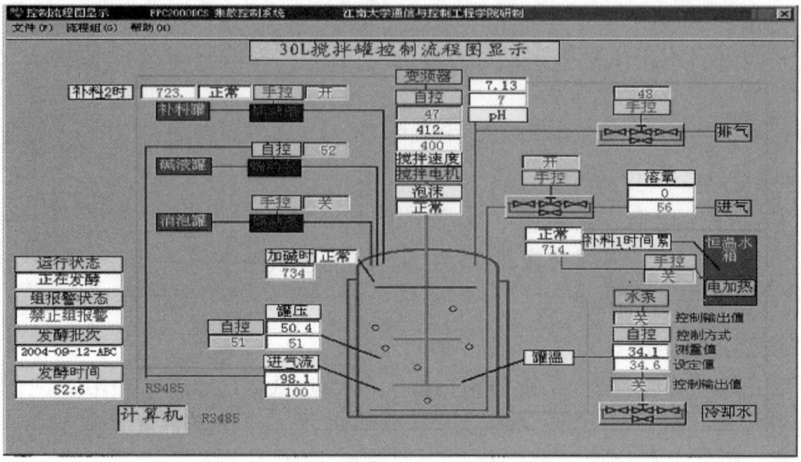

图 2-3-29 发酵生产 DCS 软件界面

② 实验室生物反应器及软件。实验室生物反应器比工业级更精密小巧，包括发酵罐、酶反应器，还有固定化酶或细胞反应器、动植物细胞反应器和光合生物反应器等，其设计、配置、功能以及配套设备更丰富，自主开发的生物反应器软件iAuto-Bios为实验室发酵研究提供有力支撑。

过程数据分析工具可及时准确完成信息收集、数据分析、实验管理和知识挖掘等任务，包括在线数据实时采集，离线数据手工输入，细胞形态数据输入，多源数据计算、整合及可视化，多批次数据差异分析，光谱和质谱数据采集和专家经验知识输入等。

以生物反应动力学、实验数据及经验知识为基础构建的核心模型平台，能完成新产品设计、工艺优化、生产模拟、运行预测等任务，融合物质流、能量流和信息流，提供符合间歇操作的批次-时间双维度实时数据库，可以进行大数据挖掘及机器学习。

针对细胞培养特点，平台具有多种营养物流加方式，诸如葡萄糖的常数、线性和指数流加模式，或创建基于预测模型的流加方式，提供溶解氧的联动操作方式及参数组态，残糖浓度模糊控制策略和菌体浓度试探控制策略等。

反应器具有SIP（原位灭菌）与CIP（原位清洗）功能、发酵罐自动取样模块，自动完成样品采集与保存，可配备高通量微型反应器的自动化配料、自动化分装模块，自动完成培养基的配制及分装，确保培养基配制结果一致性。

实验室生物反应器及其嵌入式软件操作界面如图2-3-30、图2-3-31所示。

图 2-3-30 实验室生物反应器

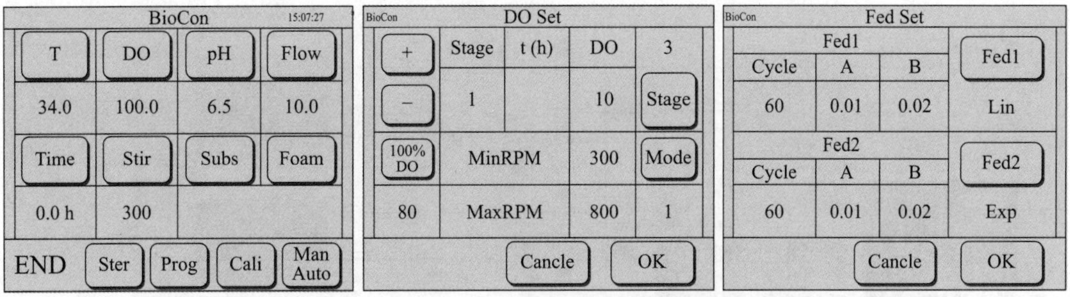

图 2-3-31　反应器嵌入式软件操作界面

③ 色谱/离交过程装备及软件。连续色谱、离交、膜分离是从混合物中分离提纯各组分的现代高新技术，逐步在食品、生物制药和精细化工行业被采用，相应的过程装备及软件成为实现工业应用的关键。

模拟移动床仿真软件采用平衡扩散模型及有限元正交配置法算法，可获得各组分在分离床中的浓度分布及变化，用于分析色谱柱结构、不同组分对分离效果的影响，以及切换周期、进料流量、提取液流量对分离性能的影响。

软件基于平衡理论提供分离工艺参数寻优、在完全分离区域内操作点的选择等工艺设计功能，提供分离过程从启动到稳态的动态响应曲线。

软件适用进料方式包括洗脱液和料液的2泵方式及四组分的2～6泵方式等，具备色谱柱任意切换生产的逻辑实现，能优化色谱柱的切换停留时间等；具备流量、压力自动控制，并且实现不同区域分布的柔性组合控制、分区域的温度控制等。

软件具有出料组分在线光谱仪器的接口与模块，可进行糖醇类同系物的分离及离子去除，发酵有机酸、氨基酸、维生素的分离纯化，以及盐、蛋白质、色素等杂质去除，药物产品的分离提纯，尤其对于手性体类混合物的分离。

色谱分离系统和膜分离系统的软件界面如图2-3-32和图2-3-33所示。

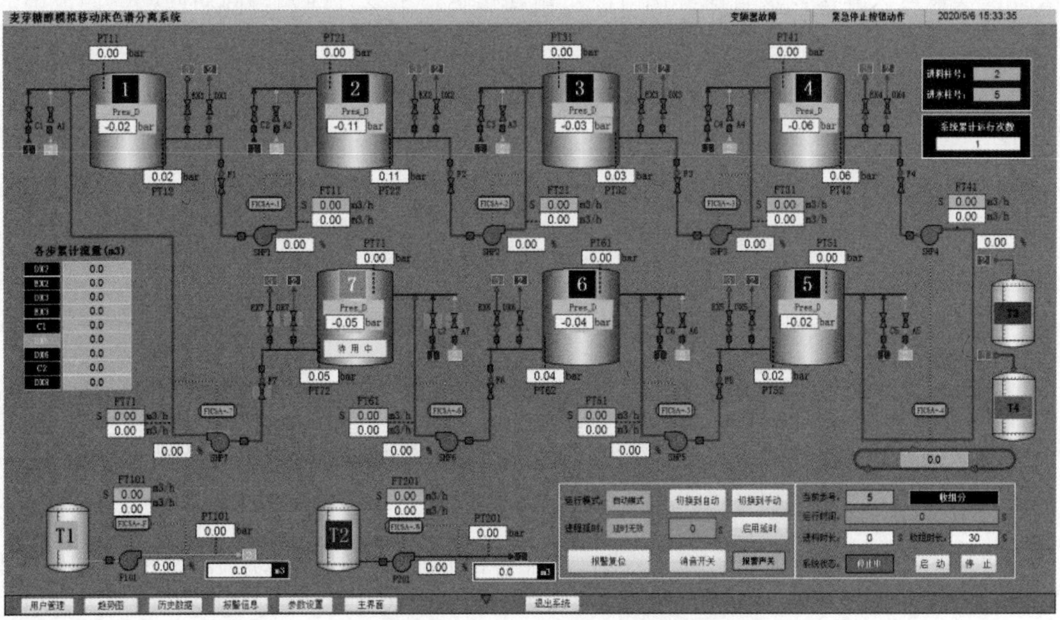

图 2-3-32　色谱分离系统软件界面

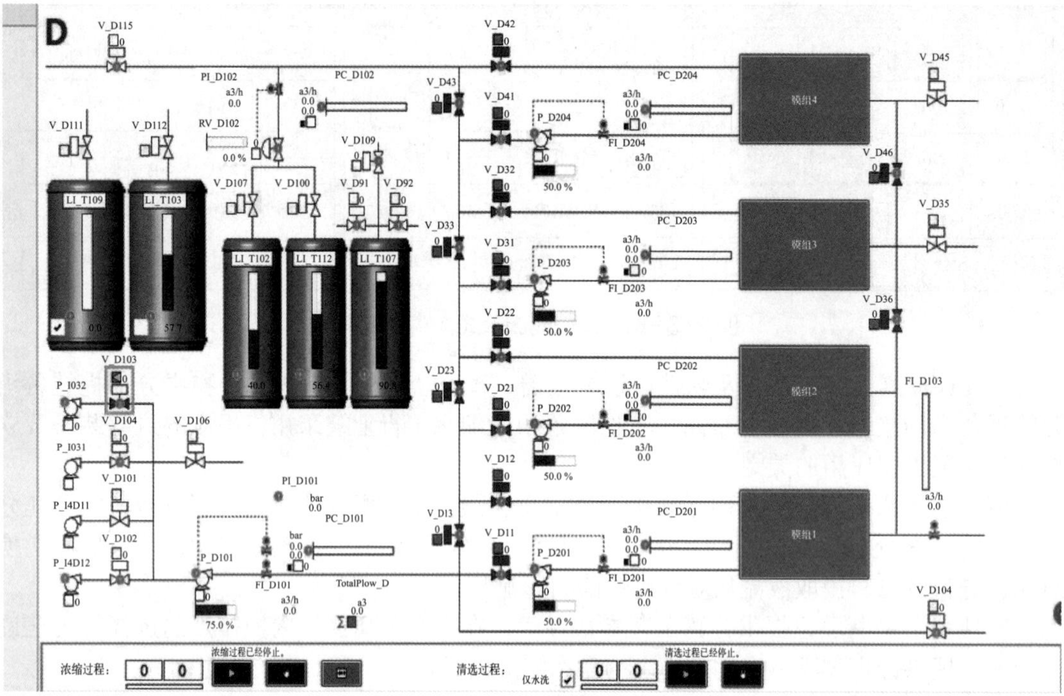

图 2-3-33　膜分离系统软件界面

④ 近红外光谱建模分析及监控软件。近红外光谱是实现生物生产关键质量参数在线检测的新兴技术，适用于生物制造过程各种有机物浓度、pH值等参数在线检测，建模分析软件帮助建立稳定可靠的校正模型，监控软件进一步调整生产过程以有效提高产品质量和产量。

光谱预处理和波长选择模块包括相关系数法、方差分析法、投影类算法、偏最小二乘法类、模拟退火算法以及智能算法等。定量建模包括主成分回归、高斯回归、偏最小二乘、支持向量回归及人工神经网络等。

定性建模包括K均值聚类、自组织神经网络、支持向量机等。模型传递算法采用光谱差值校正、直接校正等。分析软件将化学计量与机器学习进行组合建模，提高建模精度和效率。

光谱分析数据中包含的大量微观定量和定性信息，与过程变量数据共同表达生产过程运行状态的微观和宏观状态，通过多模态数据融合并构建实时数据库，为生产过程监控提供更丰富的手段。

监控软件以多参数间的相关模型为基础，提取参数的特征变量，实现数据的压缩，减少数据维数，在线监控时根据实时数据的特征参数所处区间，判断过程的运行状态。

将生产过程运行模态划分为理想、合格、不合格等生产模态，针对特征变量，结合过程运行知识以及统计监控思想，实现监控结果的可视化，适用于已有DCS系统的生产过程。

近红外光谱分析与监控示意图如图2-3-34所示。

（3）产业技术发展设想

从产业发展的视角看，生物、医药、食品等行业对制造过程控制装备与技术的需求日趋显著，市场空间巨大，相关工业软件的需求也具有长久商业前景，全球范围的生物制造产业技术发展趋势主要表现在以下方面。

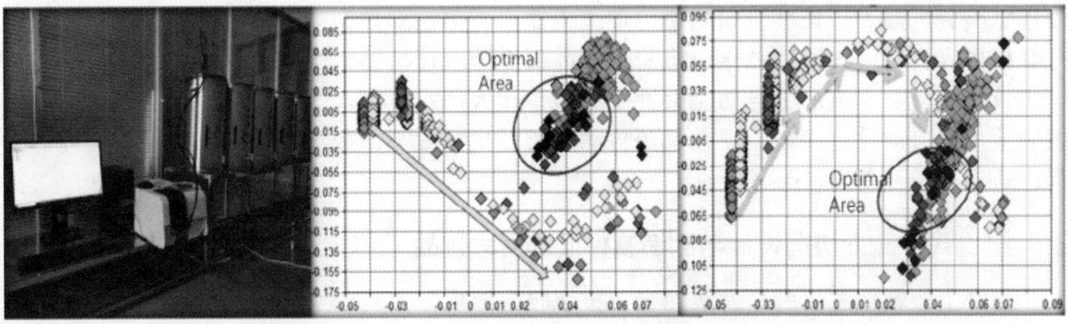

图 2-3-34 近红外光谱分析与监控示意图

合成生物学与自动化、机器学习模型的结合，可以更快地完成从设计、执行到分析的全过程，有望为生物制造领域带来全新的解决方案，发挥AI对生物设计自动化的作用，设计合成基因回路和代谢途径，实现菌种高通量筛选、智能构建及优化，缩短发酵菌种研发周期，加快菌种迭代升级。

目前合成生物技术主要应用是发酵工程中微生物代谢通路的构建，其生产环节主要包括发酵、纯化与精制，特别对分离纯化的要求越来越高，涉及规模化生产工艺、质量控制、产品稳定性及产率优化等，对平台化、组态化的中试线装备和软件提出新要求。

工业生物技术很多突破在上游，但产业发展关键是量产，发酵工艺环节尤为重要，特别是大规模生物制造中工艺放大问题。工艺优化等实验性工作的智能化，可充分利用实验过程的大量批次数据以及胞内微观代谢网络，建立数据驱动的工艺曲线与产品指标的设计模型。

生物制造加工单元模块化、功能组态化和产线柔性化日益重要，企业生产可以快速地在不同产品间进行转换。以光谱分析为核心的生物质材料及产品的品质表征，由此建立反映工艺内涵的过程模式，将直接实现生物品质控制。下游分离纯化等间歇工艺将不断被连续色谱等连续工艺替代，从而使生产线及生产设备更紧凑，提高效率降低成本，这促使生产过程自动监测和控制成为必备系统。

3.4 离散制造工业核心工业软件的新技术、新产品

本节着重介绍三大国家工程研究中心和集成攻关大平台研发的机器人制造、控制装备制造、智能工厂建设中的核心工业软件，以及相关的新技术和新产品。

3.4.1 离散工业协同设计与制造核心工业软件及工程应用

机器人视觉感知与控制技术国家工程研究中心（简称工程研究中心）前身为2015年创建的机器人视觉感知与控制技术国家工程实验室。经过多年的建设，工程研究中心拥有一支由王耀南院士领衔的创新团队，形成了机器人多模态感知、机器人高性能控制、机器人集群协同规划、机器人灵巧机构作业、机器人系统技术与应用五个稳定的技术方向；承担了多项国家重大重点项目，攻克了机器人高速高精视觉感知、高效规划决策与优化调度、高性能鲁棒控制、集群机器人协同自适应控制等多项关键核心技术，研制出高速多传感工

业视觉检测机器人、集群协同测量与加工机器人、柔性部件搬运机器人、柔性维检高精度托举机器人、空中飞行特种作业机器人、高端医药医疗机器人等机器人装备；率先研制出国内首条航空发动机加工自动化柔性生产线、超大型水轮机加工自动化生产线、大型舰船螺旋桨加工自动化生产线、高端制药自动化柔性生产线等，成果应用于航空航天、海洋工程、轨道交通、高端制药等行业。

3.4.1.1 离散工业协同设计与制造软件面临巨大挑战

国产工业软件总体表现为散而全，技术较为落后，尤其研发设计类软件的国内市场份额低，国产工业设计与制造软件严重缺失，离散工业设计与制造软件面临迭代更新与工业制造技术难以同步发展、生态体系开放性不足、信息共享与协同机制缺乏等挑战。通过构建集成化、开源化、标准化的机器人离散工业软件底层数据平台，逐步实现机器人离散工业设计软件部分走向开源，从而构筑比较完备的开放式的生态体系。通过研发机器人离散工业中间件软件平台，实现机器人离散工业设计与制造软件的互联互通、设计与制造协同，最终实现机器人离散工业软件自主可控，为我国机器人离散工业制造数字化和智能化转型升级提供可靠的保障。

① 在计算机辅助设计（CAD）/计算机辅助工程（CAE）一体化工业软件方面。CAD和CAE软件是最基础的工业软件。长期以来，在复杂装备的系统设计和详细设计阶段，具有不同的CAD与CAE工具，各自独立发展、相互孤立，只能通过文件导入导出等方式进行系统集成，效率低且易出错。随着工业产品复杂度的提升，工业设计对效率有了更高的要求，CAD/CAE集成技术将由传统基于文件和设计仿真单向转换的模式向基于统一模型和设计仿真双向映射的模式转变，集形状建模、性能仿真、智能设计于一体，而不同阶段的CAD工具也有不断融合、统一表达与集成的趋势。构建跨阶段一体化、形性耦合的CAD/CAE一体化工业软件，解决跨阶段CAD/CAE一体化模型、形性互联操作、形性耦合智能设计、数字孪生驱动的设计验证与优化、端云协同软件架构等关键难题，实现CAD、CAE软件之间的自动化闭环和智能设计，将大幅缩短产品设计周期、降低研发成本，提高产品质量，最终实现工业软件技术的“换道超车”。

② 在工艺自主规划与工艺孪生优化工业软件方面。随着工业装备复杂度及性能要求不断提高，其研制周期与成本亦不断增长。工艺规划与控制是影响高端装备研制周期与性能的主要原因之一。然而，在产品设计阶段，当前工艺规划软件仅能实现“计算机辅助”，工艺规划效率和质量仍然主要依赖人工经验。在实际制造时，传统基于经验和试验的工艺设计，以及面向几何精度的制造方法，未考虑内部应力、连接刚度、二次变形等对装备性能的影响，无法根据动态变化工况实时调整加工、装配等工艺以保证装备的性能。如何打破产品设计与工艺设计环节间的壁垒，借助人工智能技术实现工艺自主规划，如何建立高保真制造工艺数字孪生模型，探明面向性能的制造工艺实时调控机制，保证制造性能及质量一致性，是工艺自主规划与数字孪生云化工业软件研发应用面临的技术挑战。

③ 在机器人产线数字孪生建模及核心工业软件方面。离散工业制造机器人产线具有工序复杂，多品种、小批量、定制化等特点，对柔性化制造要求高，数字孪生技术作为新兴制造技术在离散制造业中的作用逐渐凸显。突破机器人产线数字孪生建模技术，开发核心工业软件包，有助于离散装备制造行业更好地实现数字化转型和智能化升级。然而，现有针对离散装备制造机器人产线的数字孪生软件较少，并且现有软件接口不统一，信息孤岛问题、多源异构数据等问题未完全解决。目前机器人产线通常由多个组件和子系统组成，

涉及的工艺、设备、物流等方面繁杂，数字孪生建模需要准确地捕捉这些组件之间的关系和相互作用，以实现全面的仿真和分析，而复杂系统建模对于软件包的算法和数据处理能力提出了新的挑战。

④ 在工业机器人中间件及软件低代码开发平台方面。机器人中间件作为一种促进不同异构组件之间通信、协调和集成的软件系统，在推动机器人技术的广泛应用中发挥着至关重要的作用。机器人系统通常由来自不同厂商的设备组成，每个设备往往使用不同的编程语言、操作系统和通信协议，给系统集成和设备间通信带来了巨大挑战。机器人中间件的作用是屏蔽这些差异，实现不同设备间的高效通信。同时，中间件能够添加新的设备和服务，以支持不断增长的机器人系统规模和功能需求。这不仅要求中间件有良好的模块化设计和高效的资源管理机制，还需要在不牺牲性能和稳定性的前提下，灵活地扩展系统。易用性和跨平台能力也是中间件需要重点考虑的方面。为了使机器人系统跨硬件和操作系统应用，中间件应具备良好的跨平台能力。最后，缺乏标准规范是机器人中间件领域面临的一个重要问题。目前市场上的中间件解决方案五花八门，缺乏统一的开放标准协议，这不仅增加了开发和集成的复杂性，也阻碍了不同系统和设备间的兼容性和互操作性。建立行业标准，推动开放、统一的通信协议和接口规范的制定和实施，对于促进机器人中间件的健康发展和广泛应用至关重要。

⑤ 在机器人智能制造一体化控制系统及核心工业软件方面。机器人离散工业制造中，涉及的工艺过程包括但不限于检测、加工、装配等多个环节。如何将这些环节通过一体化控制系统进行高效整合，确保信息的实时流通和数据的准确无误，是研发机器人智能制造产线一体化控制系统软件关键难点。为了实现高效、高品质制造，离散工业制造需要高度的自动化和智能化技术。这涉及机器学习、深度学习等先进技术的应用，使得机器人能够根据实时数据自我学习和优化，达到甚至超越人工的制造精度和效率。由于离散工业制造的复杂性，其制造过程涉及多个部门和多方资源的协同。如何通过软件系统实现不同部门和资源的有效协调，确保制造流程的顺畅进行，避免资源浪费和重复工作，是机器人高效高质量制造的关键问题之一。在制造过程中，对各个工艺环节进行实时监控，并从这些实时数据中提取有价值的信息进行实时分析和优化，以指导制造过程的持续改进，也是研究开发机器人智能制造产线一体化控制系统软件的关键驱动力。目前，机器人离散工业协同设计与制造软件尚未形成统一的标准和规范。如何制定这些标准和规范，以确保不同制造组件系统之间的互操作性和兼容性，也是研究机器人智能制造产线一体化控制系统软件的重大挑战。

3.4.1.2 核心工业软件及工程应用

（1）工业机器人分布式控制系统中间件软件系统

围绕智能制造机器人柔性化作业需求，突破现有工业机器人封闭体系，研发开放、智能的工业机器人软件系统。通过国家重点研发计划、自然科学基金等多项支持，工程研究中心构建了标准化机器人软件框架，开发工业机器人云平台及智能生态组件系统，推动机器人系统的柔性化与智能化升级。技术创新包括基于XSD的标准化数据模型、SOA架构的分布式控制系统、超低延迟数据分发、高效轻量级总线集成、分布式协同调试等关键技术，实现多设备、多异构资源的高效协同。研究成果在船舶、医药、电子制造等行业成功应用，创造了显著经济效益。落地企业包括新时达机器人集团、楚天科技、威胜信息、华航唯实等。其中，新时达应用于六轴、四轴机器人，优化冲压及分拣产线，推广至船舶焊接领域，大幅降低调试及运维成本。此外，与中船重工、中国航空发动机公司等企业合作，成功研发并部署工业机器人云端生态监控系统，助力我国机器人行业升级。近三年累计经济效益达3.5亿元。

① 基于SOA的工业机器人中间件云边端架构。提出了基于SOA的工业机器人中间件云边端架构（图2-3-35），制定了工业机器人中间件元数据、接口、开发和部署标准规范，提出设备交互管理和服务化封装方法。基于高效传输和轻量级总线技术，实现了异构硬件透明交互和全局资源共享计算，为系统柔性敏捷开发和人工智能技术应用提供了云边端平台支撑。基于DPDK的DDS（data distribution service，数据分发服务）数据实时传输方法，采用操作系统内核访问、零拷贝策略和网络堆栈技术，实现一种新的DDS传输层协议，结合QoS服务策略，保障了边端高带宽传输的实时性和可靠性。同时针对边端间超低延迟任务特殊场景，提出一种基于优先级策略的自适应无锁队列超低延迟数据分发方法，可在调度资源低占用下实现边节点内数据的强实时分发。考虑工业应用环境，提出一种简化的SOAP协议（RSOAP），压缩协议冗余数据，改造路由组件，实现与标准SOAP协议无缝集成，大幅改善总线交互数据的吞吐能力。基于元数据驱动实现了DDS主题类型和SOAP协议的转换，进一步提升服务总线消息传输的实时性。

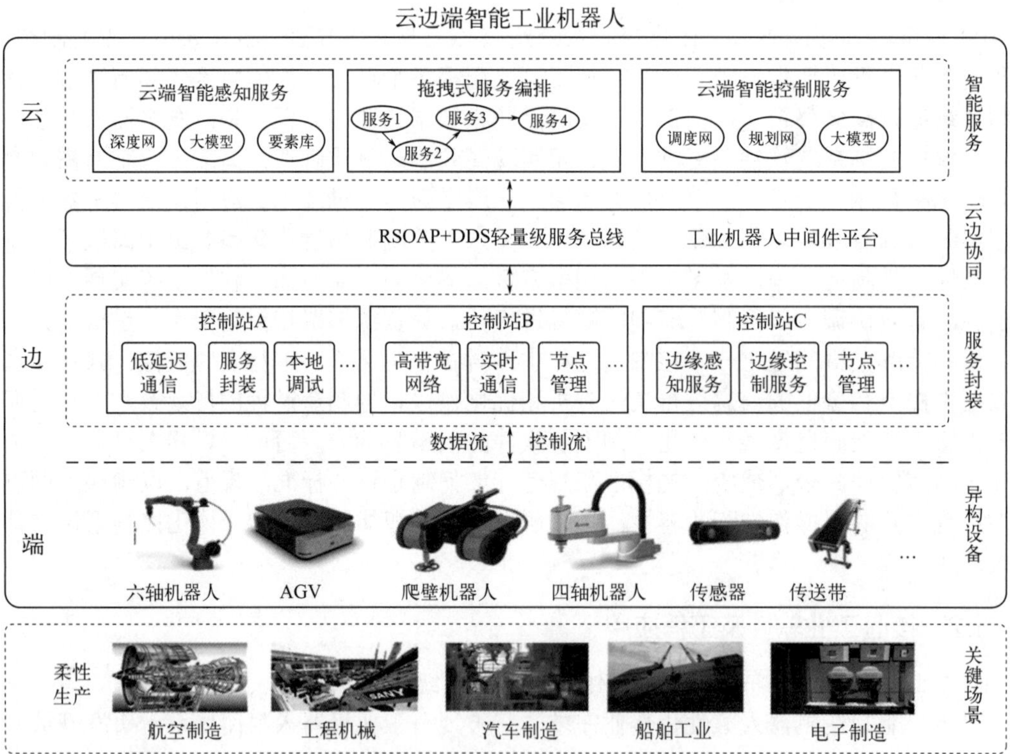

图2-3-35 基于SOA的工业机器人中间件云边端架构

② 跨软/硬平台的设备交互管理组件。针对现场设备多样化和系统实时性要求，解决中间件对分布异构硬件的适配、基于DDS的实时通信机制以及底层设备交互管理组件设计，实现基于网络的设备与模块间的实时数据交互管理。支持多种QoS策略静态配置和QoS自适应策略。对于节点控制站内部的参与者，利用线程间通信实现本地快速订阅发布实现数据实时传输。对于跨节点控制站的参与者，其主题消息的订阅发布通过DDS来实

现。考虑到现有的TCP/UDP较低的数据吞吐量，实现了基于DPDK的DDS传输层，大大提升了高并发大容量数据交换的实时性。图2-3-36为设备交互管理组件架构。

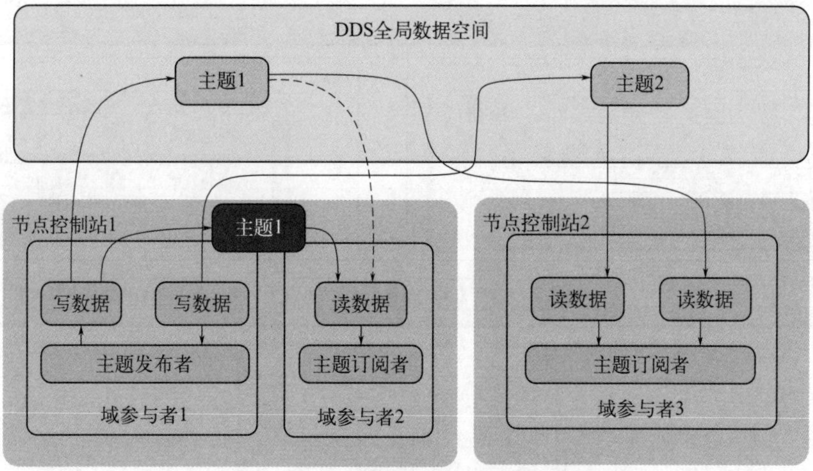

图2-3-36　设备交互管理组件架构

③ 机器人分布式控制系统平台软件。机器人分布式控制系统（RDCS）平台软件包含物理层、设备抽象层、服务层和应用层四层结构。在设备抽象层，分布式节点根据物理层的异构设备类型，采用元数据对设备进行统一抽象描述，将其相关控制功能封装成原子功能组件。原子功能组件可以形成各种设备服务，服务通过注册接口可以接入到RDCS服务总线。RDCS设备交互管理组件负责设备间及节点间的交互管理，与总线交互获取服务总线接入的服务信息、总线对于原子功能组件的编排信息，同时向服务总线反馈本地服务的运行情况，便于总线对服务进行管理。服务层的RDCS服务总线是分布式控制系统的核心，主要负责接入服务的管理、原子功能组件组合编排与调试等功能，提供统一的接口和规范实现各种服务的互联互通，在总线上各种异构设备提供的功能服务和不同编译环境下的算法服务以统一方式进行交互。应用层为开发过程提供可视化的管理插件、调试插件、性能分析插件、服务管理插件和软件开发调试工具。图2-3-37为机器人分布式控制系统平台。

（2）大型复杂部件工业检测与信息感知算法软件

围绕高端装备复杂部件工业检测与信息感知需求，突破传统检测测量系统精度低、适应性差的技术瓶颈，研发高精度、智能化的工业检测测量与信息感知算法软件。通过国家重点研发计划、自然科学基金等多项支持，工程研究中心构建了多模态感知与智能分析框架，开发了面向复杂部件的工业检测测量与信息感知平台，推动工业检测系统的智能化与柔性化升级。技术创新包括机器人测量系统视点规划组件、自由曲面叶片的多视角点云配准组件、多级分支搜索的飞机蒙皮边界提取算法、基于5G融合网络的制造过程全要素感知平台软件等。研究成果在航空发动机叶片、风电叶片、船舶螺旋桨制造等领域成功应用，显著提升了检测测量效率与精度。落地企业包括中国航发、中船重工、三一重工、铁建重工、楚天科技、威胜信息、中船重工等60多家重点制造企业。此外，团队与中国商飞、中航工业等企业合作，成功研发并部署了基于5G的制造过程全要素感知平台，助力我国高端制造行业智能化升级。近三年累计经济效益达5.2亿元。

① 机器人测量系统视点规划组件。航空发动机整体叶盘、压缩机叶轮等复杂曲面零部件存在复杂的视觉遮挡，导致测量表面覆盖率低、测量数据空洞缺失等问题，同时，在7

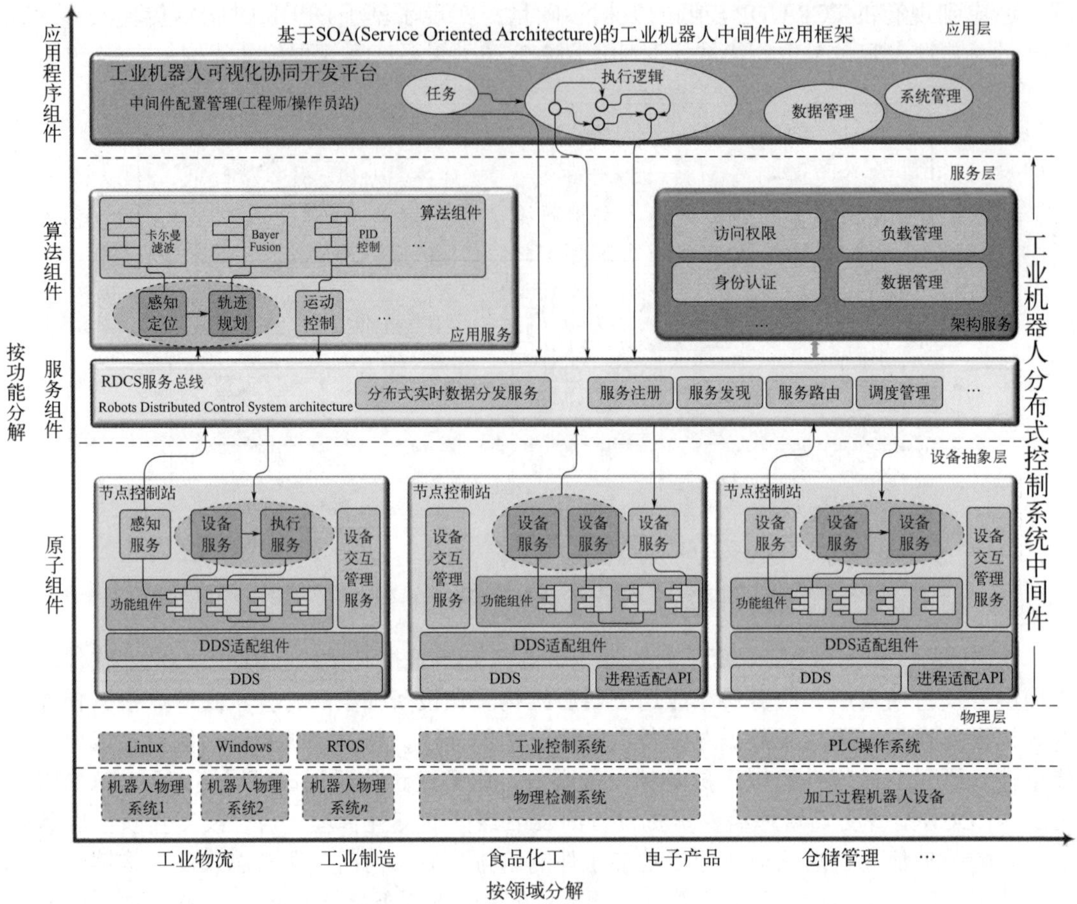

图 2-3-37　机器人分布式控制系统平台

自由度机器人三维测量系统中，保证规划的测量视点在运动学上可达且在工作空间中无碰撞至关重要。为解决此问题，建立了双目结构光三维扫描仪可见性模型，提出基于混合模型聚类的视点生成方法和基于可视锥的视点调整策略，并形成视点规划算法组件（图2-3-38），保证了测量视点可达并提高测量表面覆盖率，有效减少视觉遮挡的影响，显著降低复杂曲面零部件测量时未覆盖表面的比例。

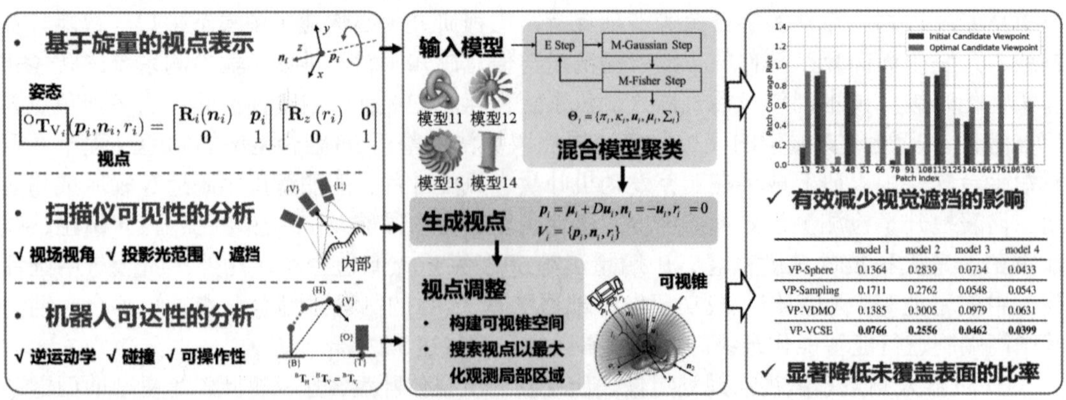

图 2-3-38　机器人测量系统视点规划算法组件

② 多级分支搜索的飞机蒙皮边界提取组件。在工业测量任务场景中，为了快速获取复杂工业构件关键参数，提取高精度三维型面信息，基于三维测量的点云边界提取技术是有效的关键步骤（图2-3-39）。复杂异型曲面工业构件测量任务在三维型面信息上有极高的测量要求，但其中的三维型面纹理整体相似度高、不同部位边界类型多样，传统检测方法是在已知标准参数参照图的情况下，由人为参与矫正检验以及关键参数提取，难以保证测量的一致性以及可靠性。为此，突破了基于三维测量视觉型面获取的主体工件边界提取算法，开发具有全局参考性的局部型面边界概率判据，统一不同类型边界的数学范式。在此基础上使用空间图结构优化，在线性约束下解决边界的连续性问题，融合多尺度型面信息对当前空间图结构进行剪枝，提高了提取边界的精度以及可靠性，解决了工业场景下蒙皮装配边界的测量难题。

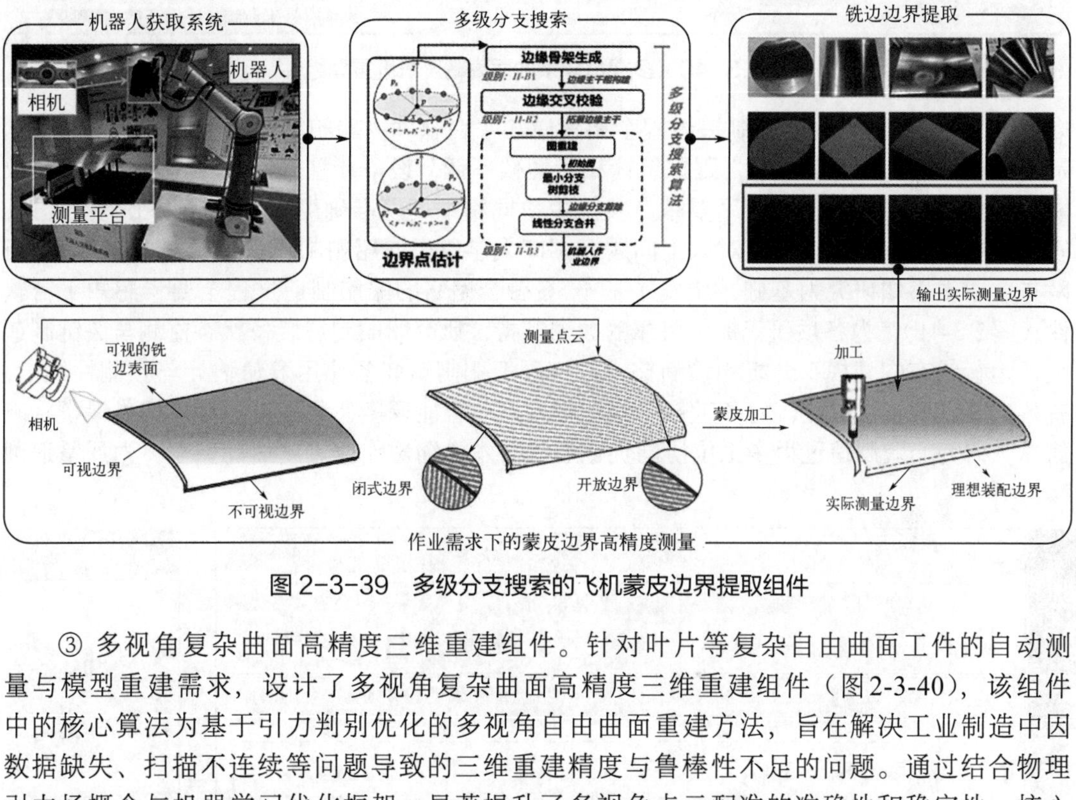

图2-3-39 多级分支搜索的飞机蒙皮边界提取组件

③ 多视角复杂曲面高精度三维重建组件。针对叶片等复杂自由曲面工件的自动测量与模型重建需求，设计了多视角复杂曲面高精度三维重建组件（图2-3-40），该组件中的核心算法为基于引力判别优化的多视角自由曲面重建方法，旨在解决工业制造中因数据缺失、扫描不连续等问题导致的三维重建精度与鲁棒性不足的问题。通过结合物理引力场概念与机器学习优化框架，显著提升了多视角点云配准的准确性和稳定性。核心算法分为训练与重建两个阶段。在训练阶段，设计了一种引力分布特征，通过将模型点云视为引力源，计算场景点云中各点在引力场中的受力和运动方向（分解为平移力和旋转力矩），生成鲁棒的特征表示。该特征能有效抵抗噪声和异常值的干扰，并作为序列更新映射（sequence of update maps，SUM）的训练指导，通过岭回归学习参数更新规则。在重建阶段，结合预训练的SUM，提出自适应映射方案（AMS）动态调整优化步长和收敛策略，避免陷入局部最优，同时引入迭代最近点（ICP）算法进行细配准，进一步提升重建精度。该组件在合成数据（含不同噪声、不完整性和异常值）和真实叶片模型上进行了验证，在噪声强度（标准差0.08）、形状缺失率（80%）和异常点数量（600个）等处于极端条件下仍保持90%以上的配准成功率，且平均重建误差（RMSE）最低（0.03～0.14mm）。

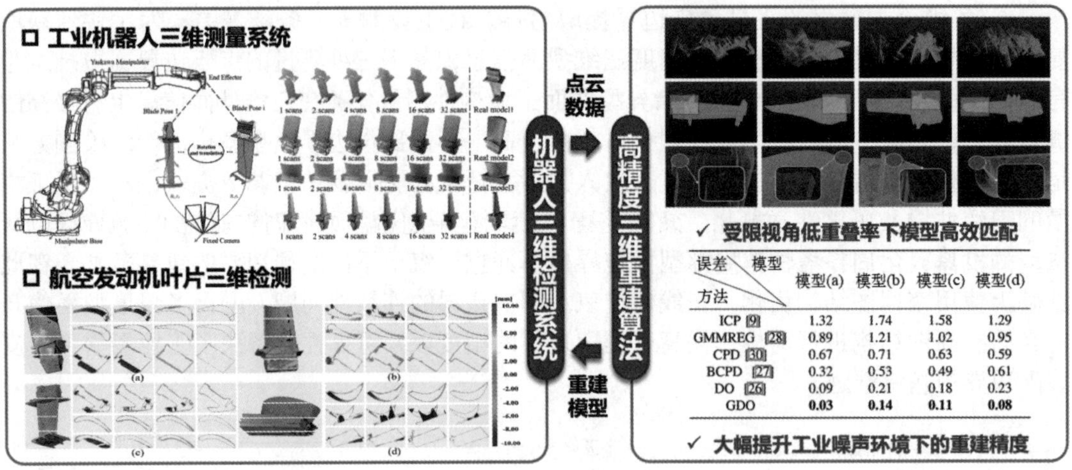

图 2-3-40 多视角复杂曲面高精度三维重建组件

④ 基于5G融合网络的制造过程全要素感知平台软件。船舶制造目前面临的现实难题是：人员、设备、物料繁杂，跟踪统计和管理效率低；设备计划外停机时有发生，设备效能未充分激发；制造过程工序复杂，多工位协同精细度差准确度低；采用人工上报统计，质量问题难以准确溯源。针对以上问题，湖南大学以面向船舶制造管控场景的5G融合组网与全要素感知研究为基础，研发了基于5G融合网络的船舶制造过程全要素感知平台软件（图2-3-41），为各项研究提供可靠的数据支持，研究船舶制造装备状态监测与关键制造装备运行状态的建模、分析和诊断技术，实现船舶制造装备使用寿命估计与预测性维护，有效提升设备管控效能；为多工位协同优化生产与智能调度、质量追溯场景提供设备状态信息；研究船舶制造过程多工位协同优化调度技术，缩短作业进度估计偏差；为质量追溯

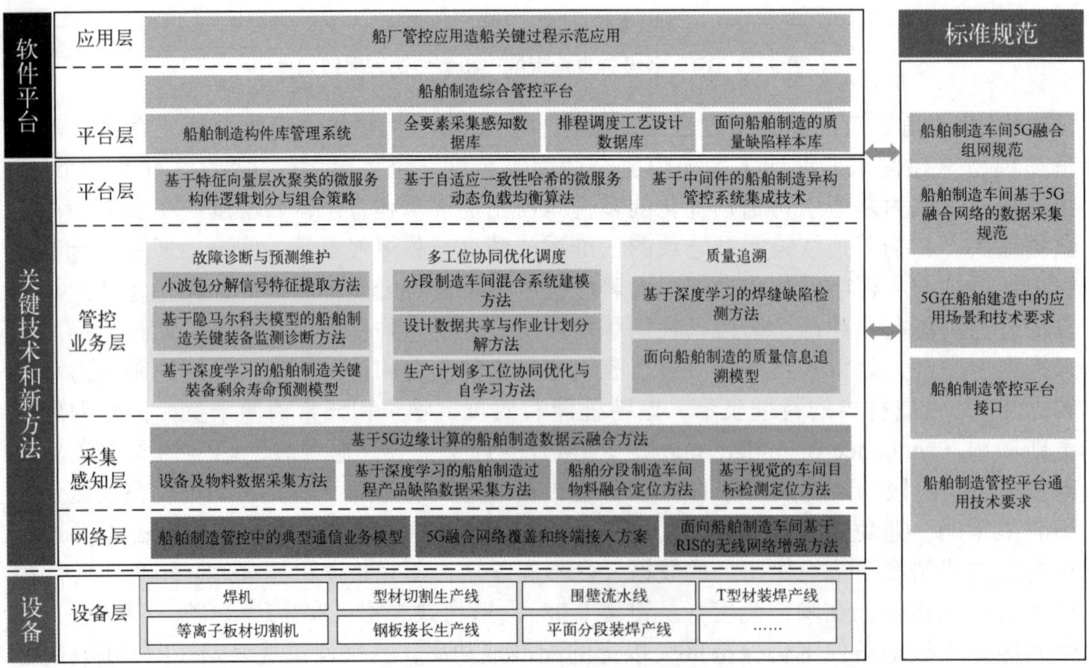

图 2-3-41 基于 5G 融合网络的船舶制造过程全要素感知平台软件架构

场景提供作业人员、作业工位等生产执行情况反馈信息；研究面向船舶制造的生产质量可追溯技术，实现重大工艺质量缺陷的降低；最终，研究船舶作业管控应用的服务构件库、组合逻辑、自适应配置和接口技术，集成开发船舶制造综合管控平台，建立适用于船舶制造企业的船舶制造数字化管控相关标准，并在典型船舶制造过程示范应用。

（3）复杂制造任务机器人协同作业与自主控制算法软件

围绕航空航天、海洋舰船、轨道交通等领域复杂制造任务协同作业需求，研发开放、智能的机器人协同作业与自主控制系统软件。通过国家重点研发计划、自然科学基金等国家重大重点项目支持，构建了标准化机器人协同作业软件框架，开发工业机器人云平台及智能生态组件系统，推动机器人系统的柔性化与智能化升级。针对智能制造控制软件：研制的机器人自主感知与精密磨抛控制系统将涡轮叶片表面粗糙度降低至0.8μm；研制的高端装备多机器人高效加工协同控制系统、优化调度系统，使舰船螺旋桨加工尺寸误差降低至0.14%、南水北调工程运行效率累计提高21.4%；研制的高端制药机器人柔性控制系统使制药污染率降低至1/10，达到世界领先水平。其智能制造控制软件包括多机器人协同视觉伺服阻抗控制组件、大型部件协同搬运自适应力/位混合控制组件、基于摄影测量多机器人协同轨迹规划与控制组件等，实现了复杂制造任务下的多机器人的高效协同作业。成果应用于中国商飞、中国中车、中国移动、中国船舶、中国铁建集团、三一重工、中联重科、楚天科技、威胜信息等企业，创造经济效益达十余亿元。

① 多机器人协同视觉伺服阻抗控制组件。多机器人协同控制组件，通过融合视觉伺服控制、阻抗控制以及多机器人协同控制模块，通过先进的机器人控制，使多个机器人能够有效地协同工作，与环境进行安全、精确的交互。研究多机器人协同控制组件，协调多个机器人的运动和动作，如采用集中式和分布式等控制技术，使多个机器人作为一个整体协同完成任务，多个机器人共同搬运大型或柔性物体，或者在装配线上协同完成不同的工序。研究视觉伺服控制组件，集成视觉伺服系统，利用摄像头等视觉传感器获取环境信息，并实时反馈到控制系统中，使机器人能够根据视觉信息调整自身的姿态和位置，实现精确的目标跟踪、定位和抓取。研究阻抗控制组件，用火阻抗控制策略控制机器人末端执行器与环境之间的动态关系，允许机器人在与环境交互时能够柔顺地响应外部力，使其表现出期望的“阻抗”特性，如刚度、阻尼等，应用于精密装配、打磨抛光、人机协作等，避免因过大的力而损坏工件或机器人自身，提高操作的安全性。多机器人协同视觉伺服阻抗控制组件（图2-3-42）可以实现更高效、更灵活的自动化生产，提高生产效率和产品质

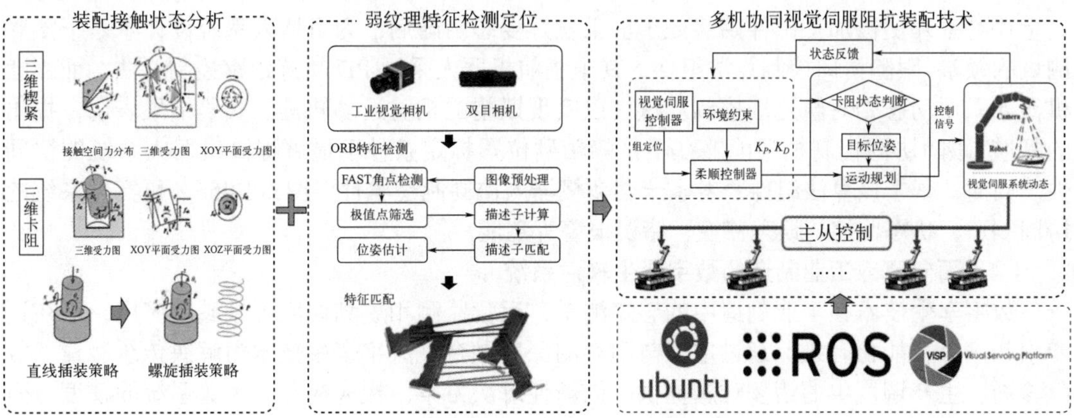

图2-3-42　多机器人协同视觉伺服阻抗控制组件

量，能够适应柔性制造的需求，处理不同种类、不同形状的工件，实现快速切换生产线，在离散制造领域都具有广泛的应用前景。

② 大型部件协同搬运自适应力/位混合控制组件。针对多复合移动机器人协同搬运部件过程中与环境相互作用困难的问题，本研究分析了多复合移动机器人的动力学模型，提出了一种基于规定性能的力/位置混合控制方法，提高了多移动机械臂在协同搬运物体过程中的稳定性。首先，利用牛顿-欧拉定理建立了多自由度机械臂与差速移动机器人复合欠驱动系统的动力学模型。然后，对欠驱动系统采用等效控制策略，考虑复合移动机器人之间的运动干扰和机械臂的高精度控制，提出了规定的性能控制方法。同时，采用自适应阻抗控制方法克服多复合移动机器人协同搬运过程中与部件产生的内外干扰，利用李亚普诺夫稳定性理论分析了该方法的稳定性。最后，通过多复合移动机器人协同搬运的对比仿真验证了所提方案的有效性和优越性，该研究在智能制造大型零部件柔性化协同搬运具有广阔的应用场景。

大型部件协同搬运自适应力/位混合控制组件如图2-3-43所示。

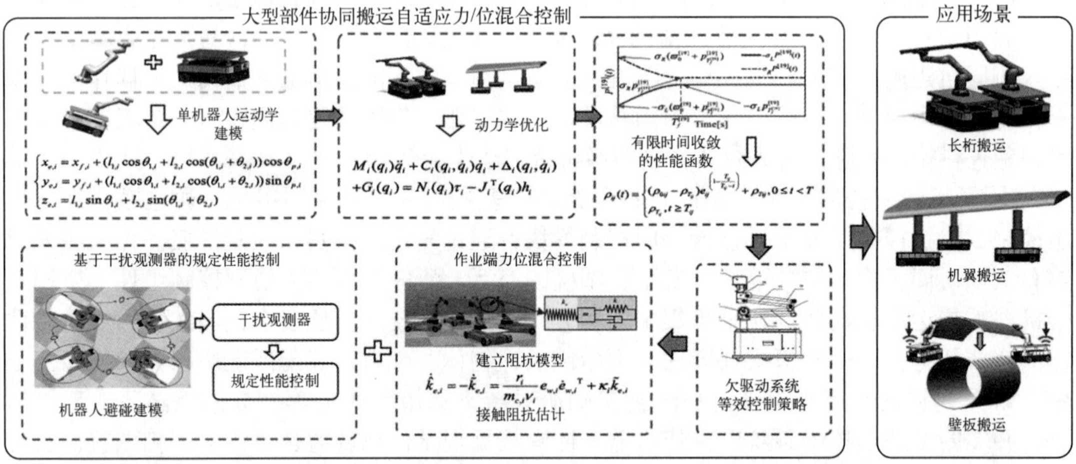

图 2-3-43　大型部件协同搬运自适应力/位混合控制组件

③ 基于摄影测量多机器人协同轨迹规划与控制组件。如图2-3-44所示，针对复合材料铺放过程机器人工作空间狭小、运动干涉以及加工轨迹跟踪精度低的问题，提出了基于摄影测量的领航-跟随协同控制框架。首先，通过分析轨迹规划面临的空间约束、运动约束和视野约束，提出基于领航-跟随概念的离线便捷轨迹规划算法，确保规划的加工轨迹满足上述约束并使被加工部件始终处于加工友好姿态。随后，为机器人系统设计了基于摄影测量的领航-跟随协同控制算法组件，其中领航机器人采用PD轨迹跟踪控制算法，而跟随机器人采用动态相对轨迹跟控制算法，以实现期望的相对运动轨迹。实验结果表明，提出的领航-跟随协同控制框架能够在不依赖精确位置标定条件下显著提高机器人系统的协同性。同时，基于该算法组件开发了一套多机器人协同制造软件（图2-3-45），可实现系统的协同制造、状态监控、误差监控、错误报警等功能。

（4）面向离散工业制造的数字孪生软件系统

数字孪生技术在工业制造中的感知测量、运营监测和规划调度等领域的应用，正在逐步引领产业智能化升级。通过虚拟与现实的深度融合，数字孪生技术为解决传统测量、故障诊断、生产调度中的诸多难题提供了创新性解决方案，极大提升了工业系统的精度、效率和稳定性。这些技术创新不仅推动了数字孪生理论的发展，还为工业应用带来了显著的

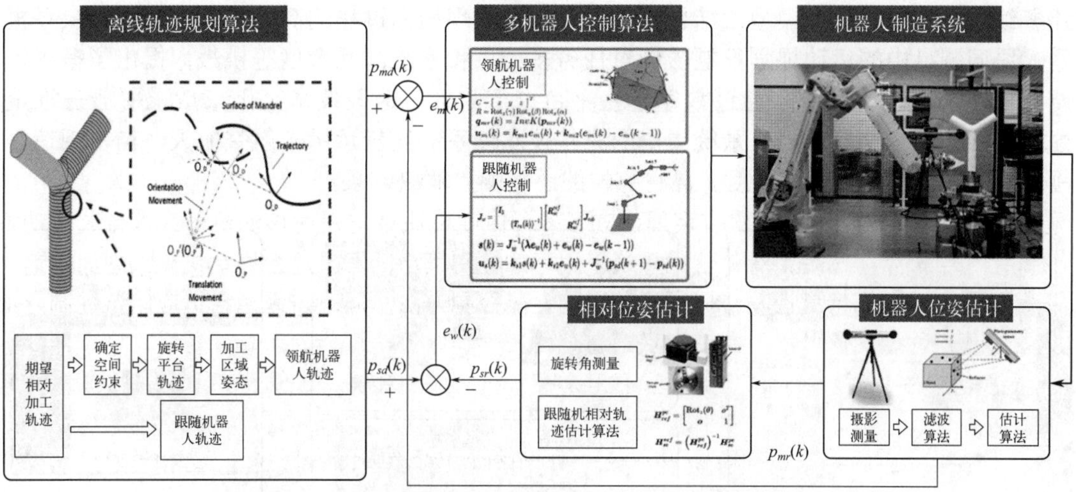

图 2-3-44 基于摄影测量的领航 - 跟随协同控制框架

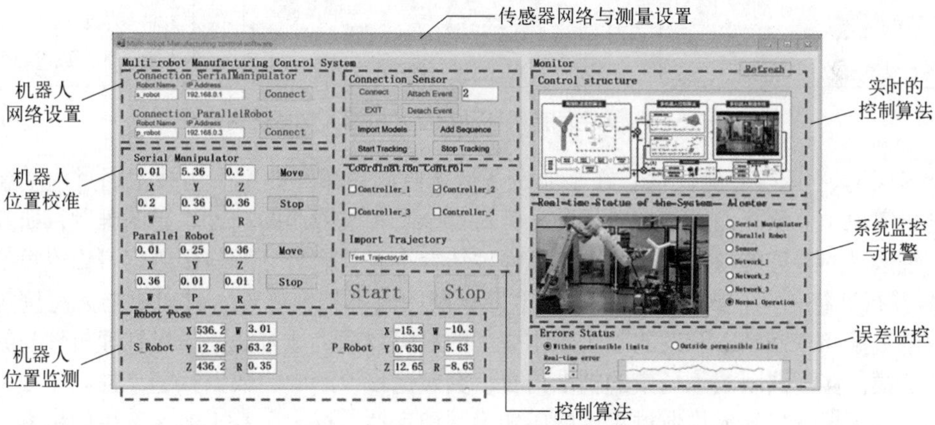

图 2-3-45 基于摄影测量的多机器人协同制造软件

经济价值和社会效益。

① 数字孪生感知测量软件。在复杂工业场景的三维感知测量领域，数字孪生技术为解决传统测量方法面临的挑战提供了创新性解决方案。针对三维机身数据分割误差大、空间参数提取困难的问题，通过建立机身数字孪生模型，提出了基于全局几何特征的关键参数测量方法，有效提升结构参数的计算精度。为克服三维扫描数据缺陷及工业加工需求匹配不足的瓶颈，开发了基于数字孪生的车削加工工件余量优化方法，通过虚实数据融合实现测量精度与加工效率的协同提升。为提高测量表面覆盖率，通过建立双目结构光三维扫描仪可见性模型，创新性地提出基于混合模型聚类的视点生成方法和基于可视锥的视点调整策略，显著提高了测量视点的可达性与表面覆盖率。针对强噪声污染和复杂遮挡场景，研发的基于负逆全局（NFI）评估方程的特征函数，实现了鲁棒的点云配准算法，为复杂工业环境下的精确测量奠定基础。面向航空发动机叶片等精密构件的检测需求，提出的全局场域最优化迭代图三维重建方法，构建了受限视角下的高精测量数字孪生系统，提升了大型复杂构件的高精、高效检测能力。研究团队成功研制了7自由度机器人三维测量数字孪生系统，通过建模-仿真-交互-学习的闭环架构，显著增强了系统的数字化、自主性和协同性能力。针对大空间测量场景，开发了移动扫描式机器人测量仿真软件（图2-3-46），构

建多线激光扫描仪孪生模型，结合光线投射技术实现扫描过程的高精度模拟。为解决多机器人协同测量中的运动规划难题，针对任务多约束和系统高冗余度等挑战，提出了多级协调扫描运动规划框架，并通过数字孪生平台进行验证。这些技术突破形成了覆盖三维重建、点云处理、路径规划、系统集成的完整技术体系，逐步运用到航空航天、精密制造等领域，为智能制造提供高精度、高可靠性的感知测量解决方案。

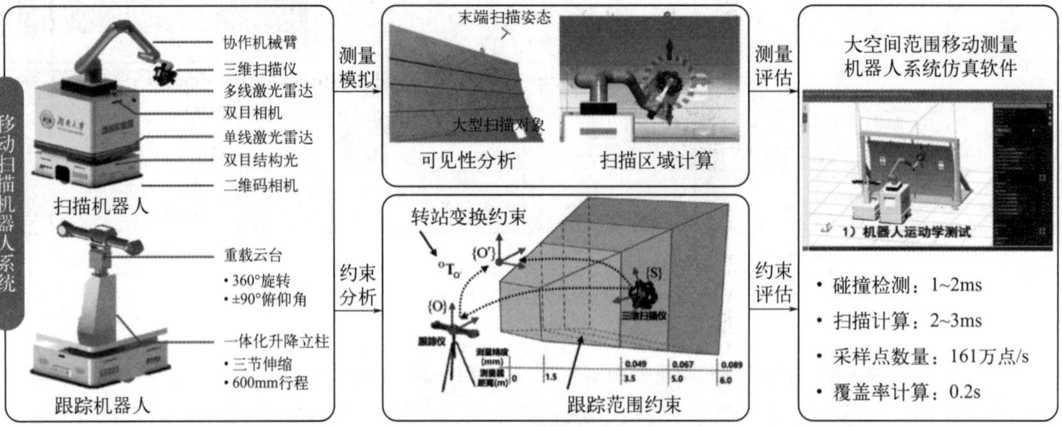

图 2-3-46　大空间范围移动扫描式机器人测量仿真软件

② 数字孪生运行监测软件。在工业设备运行监测领域，数字孪生技术通过虚实融合与智能分析实现了监测能力的跨越式提升。针对复杂装备故障诊断精度不足的难题，研究提出多级特征选择的并行卷积网络方法，创新性地结合小波包信号分解与多级信号重构算法，构建CNN并行训练网络框架，有效提升了故障诊断的效率和准确性。针对机器人打磨等场景真实故障数据稀缺问题，开发的基于数字孪生的故障数据生成方法，通过物理机理与数据驱动融合建模，实现典型故障场景的精准仿真，突破迁移诊断中的数据壁垒，提高了模型的泛化能力。为了提升机器人作业过程中的感知模型稳定性，提出了基于数字孪生的机器人异构信号对比表示方法（图2-3-47），解决了多传感器信号融合问题，从而增强了机器人连续作业状态下的感知模型的泛化性和稳定性。在车间生产过程中，为提高生产透明度和响应速

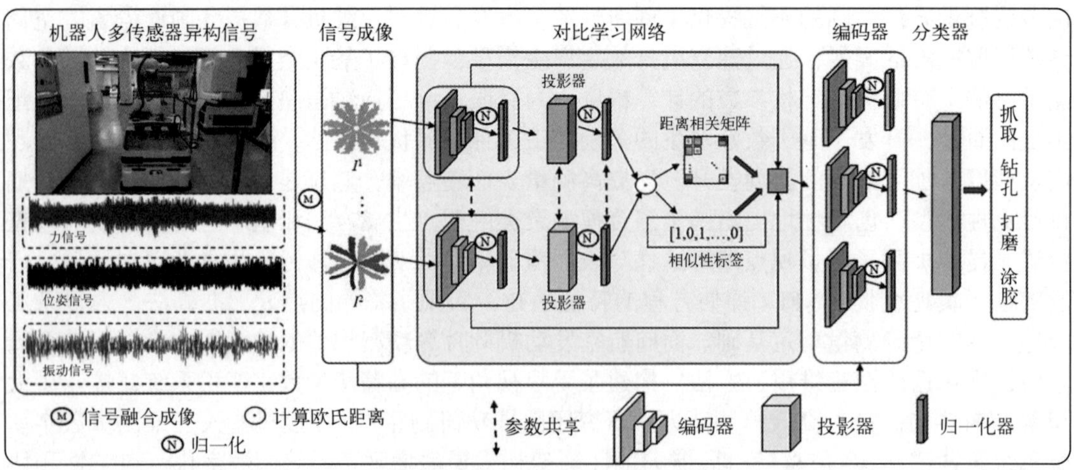

图 2-3-47　基于数字孪生的机器人异构信号对比表示方法

度，研究开发了车间作业状态可视化监测与预测系统，该系统能够同步映射车间生产过程及设备运行状态，监控设备的利用率，从而缩短现场需求的响应时间，提高生产效率。此外，研究还构建了智慧设备管理孪生平台，通过智能管理和监测生产要素与生产设备，解决了生产工位负载均衡优化调度问题，提高了生产过程的协调性与效率。这些技术创新为数字孪生技术在生产监控和故障诊断等方面的应用提供了坚实的基础，推动了智能制造领域的发展。

③ 数字孪生规划调度软件。在规划调度领域，数字孪生技术的应用逐步提升了制造过程中的效率和稳定性。提出了一种针对制造场景的业务切片算法，通过提取业务数据特点，并对通信资源切片进行合理分配，有效提升了基于数字孪生的多机器人网络化控制系统的稳定性。这一方法能够更好地协调机器人之间的通信和资源利用，确保了系统运行的稳定性。针对大型航空装备制造中的集群机器人协同作业问题，工程研究中心构建了多种机器人的数字孪生模型，并搭建了面向该领域的集群机器人协同制造数字孪生场景，支持机器人在协同测量、加工、搬运和装配等任务中的作业仿真及虚实映射，从而提升了制造过程的智能化与高效性。在机器人通信方面，建立了机器人通信孪生模型，提出了基于带宽的动态分配算法，通过观测机器人误差变化率来推断信道质量，从而提高了机器人运动轨迹的精度，这一算法为解决机器人在复杂通信环境下的信号问题提供了技术支持。为解决摄影系统中的多目标布局优化问题，结合数字孪生技术，采用三维重建的多目标相机位置优化方法，克服了视场中目标覆盖量化难题，提高了多目标布局的精确度和可操作性。最后，针对扫描区域的完整性和视点视界的适当重叠问题，提出了基于黎曼流形的三维扫描视点规划方法（图2-3-48）。该方法将视点规划问题转化为黎曼流形空间中的求解，并在数字孪生场景中进行仿真验证，确保了扫描过程的高效性和精确性。这些研究成果不仅推动了数字孪生在制造业中的应用，同时也为解决复杂制造场景中的资源调度和规划问题提供了新思路，推动了智能制造技术的发展。

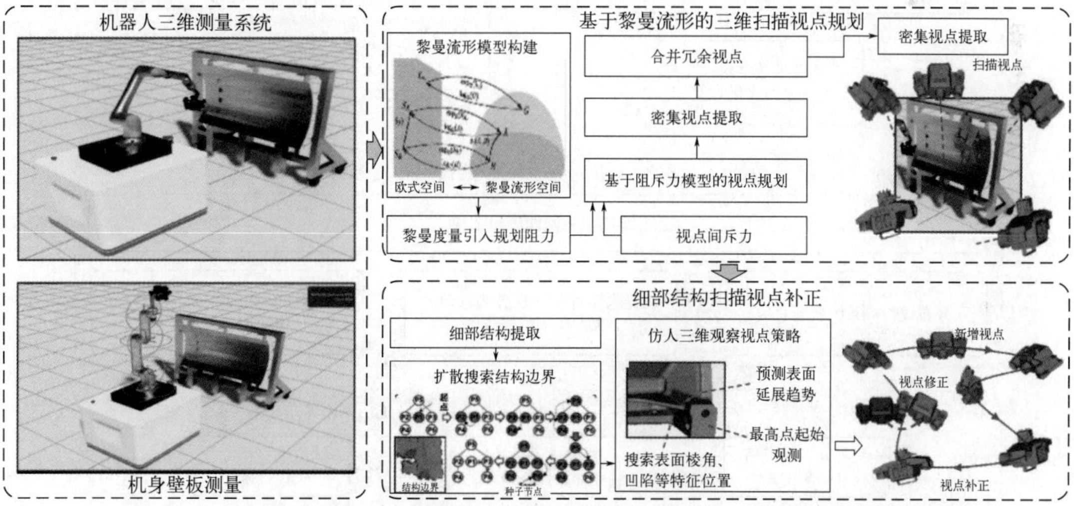

图 2-3-48 基于黎曼流形的三维扫描视点规划方法

3.4.1.3 离散工业协同设计与制造核心工业软件发展设想

项目面向离散工业高效高品质制造需求，重点研究机器人离散工业协同设计与制造软件基础理论与关键技术，研制设计-制造协同的软件平台，实现机器人离散制造的高效设计与高质量加工。项目将开展几何设计与性能分析耦合的CAD/CAE一体化工业软件包研究，整合CAD和CAE工具，提供一体化的设计环境，简化从概念设计到详细设计的流程，实现CAD数据与CAE分析的无缝对接，提高设计验证的准确性和效率；开发工业装备制造工艺自主规划与数字孪生云化工业软件包，构建工业装备制造工艺知识图谱，研制在线优化软件，缩短产品研制周期，降低研制成本，提升制造性能；开展机器人产线数字孪生建模及核心工业软件包研究，建立机器人产线数字孪生模型，实现产线的实时监控、调试和优化；研发工业机器人中间件及软件低代码开发平台，突破机器人开放控制系统架构和服务化封装组件技术，建立机器人制造的实时、轻量化服务总线，突破机器人自主作业的敏捷制造技术，为离散工业的设计与制造提供载体平台；突破面向离散制造产线的机器人多模态精准检测技术、高效协同加工控制技术、制造过程精细管控技术，建立焊接、磨抛、检测、装配等工艺算法组件，形成机器人智能制造产线一体化控制生态，实现不同制造工艺的优势互补、协同制造。项目的总体技术路线如图2-3-49所示。

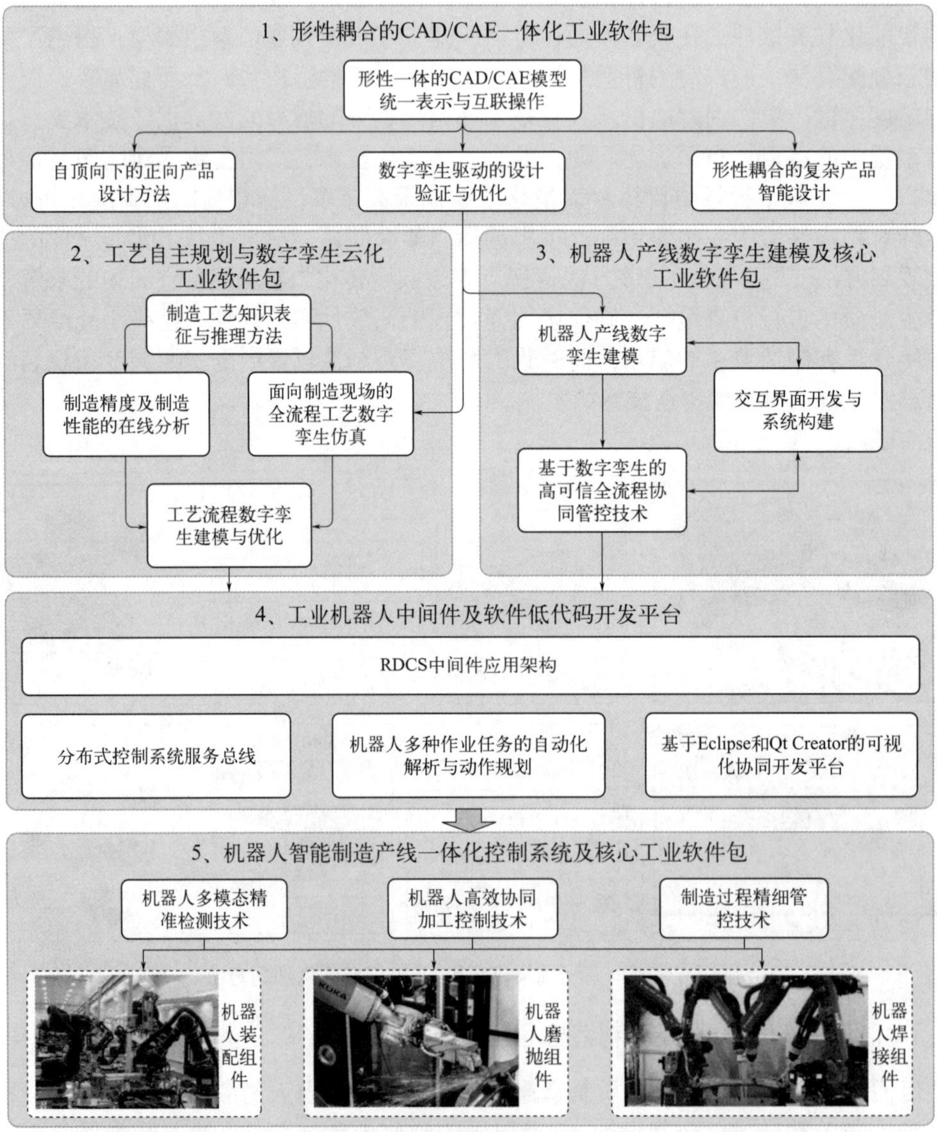

图2-3-49　项目总体技术路线

① 形性耦合的CAD/CAE一体化工业软件包。项目针对跨阶段CAD工具间集成及CAD/CAE集成的模型不统一、形性不互联等难题，以及面向CAD及CAE软件的智能化、虚实共融和云化的发展趋势，构建几何形状与物理性能耦合（即形性耦合）的跨阶段CAD/CAE一体化工业软件，解决跨阶段CAD/CAE一体化模型、形性互联操作、形性耦合智能设计、数字孪生驱动的设计验证与优化等关键难题，实现跨阶段CAD、CAE软件之间的自动化闭环，大幅缩短产品设计周期、降低研发成本，提高产品质量，如图2-3-50所示。主要研究内容如下所述。

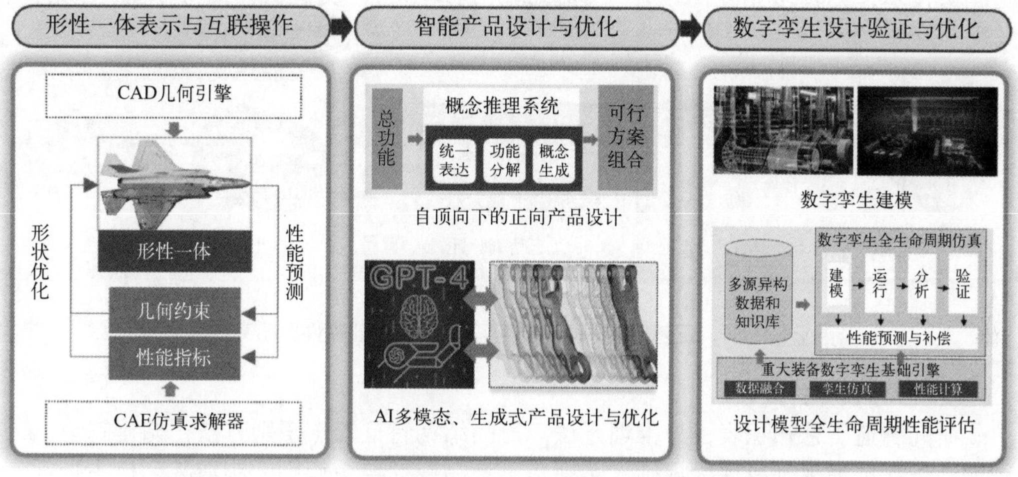

图2-3-50 形性耦合的CAD/CAE一体化工业软件包研究内容

a. 研究形性一体的CAD/CAE模型统一表示与互联操作。研究异构形性数据映射模型，构建几何域与仿真域的耦合关系；研究基于特征建模和直接建模的设计-仿真互联操作方法、设计语义与分析语义的双向编辑和联动方法；研究基于CPU-GPU混合计算和连续-离散混合表示的形性耦合仿真方法，实现高效率高精度的仿真计算。

b. 研究自顶向下的正向产品设计方法。探索高端装备系统设计/制造/服务弱耦合一体化语言，并建立其底层语义语法的解析方法与解析引擎；研究跨阶段高端装备的CAD统一表示及双向映射机制；研制高端装备系统设计软件工具及其与详细设计工具集成平台；研究形性耦合的复杂产品智能设计；研究多模态大数据驱动的形性设计需求预测与获取方法；研究基于深度学习的多学科设计知识关联与隐性设计知识挖掘方法；研究基于AI大模型的生成式几何设计方法；研究基于文本与草图的跨模态形性模型检索和变动设计方法。

c. 研究数字孪生驱动的设计验证与优化。研究几何、物理、行为与工况集成的数字孪生建模方法，实现多粒度数字孪生体的自动生成、弹性扩展与快速组装；研究物理模型、传感数据与工程语义复合驱动的数字孪生可信仿真与验证方法；研究全生命周期关键设计性能的演化规律、数字孪生驱动的设计模型全生命周期性能评估，以及在此基础上的全生命周期性能跨尺度优化设计方法。

② 工艺自主规划与数字孪生云化工业软件包。针对当前工业装备设计与工艺规划脱节，制造工艺依赖人工反复调整、性能提升难保证，导致高端装备研制周期长、成本高的问题，开展工业装备制造工艺自主规划与数字孪生云化工业软件包研制，构建工业装备制造工艺知识图谱，开发制造工艺自主规划与数字孪生在线优化软件（图2-3-51），在产品设

计阶段，通过制造工艺自主规划与全流程工艺仿真提升产品可制造性，在产品制造阶段，通过数字孪生制造工艺参数优化保证制造精度及性能，以缩短高端装备研制周期，降低研制成本，提升制造性能。

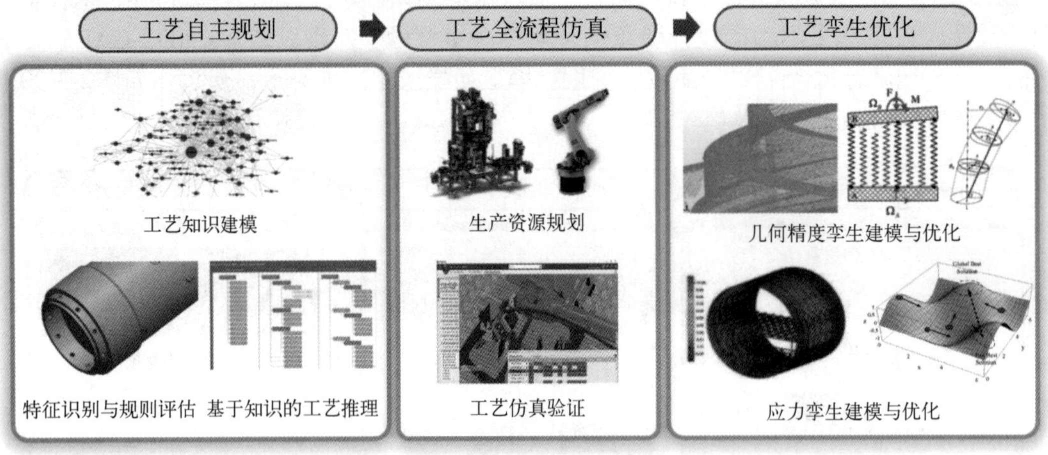

图 2-3-51　工艺自主规划与数字孪生云化工业软件包研究内容

主要研究如下内容：

a. 研究制造工艺知识表征与推理方法，产品结构特征自主识别方法，构建制造工艺知识图谱、自动推理规则及评价规则，实现基于产品设计自主识别的制造工艺自主推理、可制造性自主评价；

b. 研究基于工艺及产能的制造资源自主规划、工序工步自主、生产线优化重构设计与仿真方法，构建工艺设备库，实现面向制造现场的全流程工艺数字孪生仿真验证；

c. 研究制造精度及制造性能的在线分析、数字孪生建模与优化方法，通过机理与数据复合，建立高保真制造数字孪生模型，通过制造过程共建性能的在线预测、制造工艺参数实时调控，实现面向性能的制造；

d. 开发工业装备离散制造工艺自主规划与工艺孪生优化工业软件包，并在国防、航天、IC装备、能源装备等进行应用验证。

③ 机器人产线数字孪生建模及核心工业软件包。该软件包研究内容如图2-3-52所示。

a. 机器人产线数字孪生建模。该项目面向离散制造工业多场景、多任务、多工艺的机器人产线离散制造作业场景，通过多模态传感器感知物理世界，建立机器人产线多维度模型，构建生产环境模型、网络通信模型、任务调度模型、工艺优化模型、故障诊断模型、动力学模型等，确定孪生模型评价指标，完成量化评估。再将多物理域模型进行耦合，在仿真平台中进行实验，通过采用不同的优化算法与控制方法，实现网络资源优化、实时任务调度、动态路径规划，加工余量计算，加工轨迹优化，自主协同控制等功能，优化生产环节，实现异构集群智能协同。通过对物理世界进行数字孪生建模，实时部署、更新、同步虚拟模型，搭建数字孪生仿真及可视化交互平台。通过在虚拟世界中进行数字孪生仿真实验，实时预测、反馈、优化物理世界机器人产线，实现虚实交互。

b. 基于数字孪生的高可信全流程协同管控技术。项目面向离散制造工业的多工艺全流程，针对自动化产线作业设备数量多、移动范围广、作业状态多样、误差控制困难问题，研究自动化产线制造工序间的误差产生与传递机理，建立感知-认知-决策-控制一

图 2-3-52　机器人产线数字孪生建模及核心工业软件包研究内容

体化的多工序全链路协同作业模型，综合利用制造环境信息、工艺模型知识和网络传输特性构建工业设备间信息交互与自组织协同机制，对生产流程进行模拟和优化，制定更加科学和可行的制造方案，提升产线制造系统效率和作业稳定性。针对产品制造工序过程复杂、定量界定不足，缺乏可信实时制造数据，产品质量状态与设备运行要素间关系难以发掘，缺乏有效的产线制造质量评价和优化方法的问题，研究基于高保证数字孪生技术的制造质量评价方法，构建可演化、高确定性的质量分析体系与综合性、可量化的产线多工艺全流程调控优化策略，提高制造系统制造质量，实现产线的高可信全流程管控。

c. 交互界面开发与系统构建。针对传统工业软件模块难以复用、多模型框架不统一、算法模型与框架、软件平台和硬件设施兼容性差等问题，构建多模型融合的可重构、易适配、可快速迭代机器人产线检测与管控系统。首先，设计机理模型与数据模型混合驱动的工业软件系统架构，研究机理模型库、数据模型库和多源异构数据库间的存储与调用机制，构建覆盖智能成像、质量可视化分析和敏捷测试全流程的工业软件框架。其次，研究基于数字孪生系统的多源异构数据与软硬件融合适配关键技术，采用信息系统接口匹配技术和质量数据抽象与封装等方法，实现复杂外形产品时序质量数据、二维/三维数据采集设备与管控软件的数据适配。再次，构建一体化检测软硬件重构互动平台，搭建仿真实验平台，通过软硬件智能重构方法快速迁移至机器人视觉采集平台。最后，构建全局协同一体化机器人产线装备制造检测工业软件与管控装备，并在飞机制造等典型离散制造场景中应用验证。

④ 工业机器人中间件及软件低代码开发平台。该平台研究内容如图2-3-53所示。

a. 机器人开放控制系统架构设计和服务化封装组件。借鉴成熟工业集散控制系统特点，构造一种基于面向服务的工业机器人分布式控制系统中间件应用框架，设计工业机器人中间件/组件开发、部署和运行技术规范。研发工业机器人底层设备抽象及其功能的服务化封装技术，将设备与具体应用解耦合，实现在中间件上的即插即用。

b. 面向机器人制造的实时、轻量化服务总线。首先基于面向服务体系架构，研发实时稳健的轻量级中间件服务总线，简化服务消息格式和交互模式，实现分布式环境下服务之

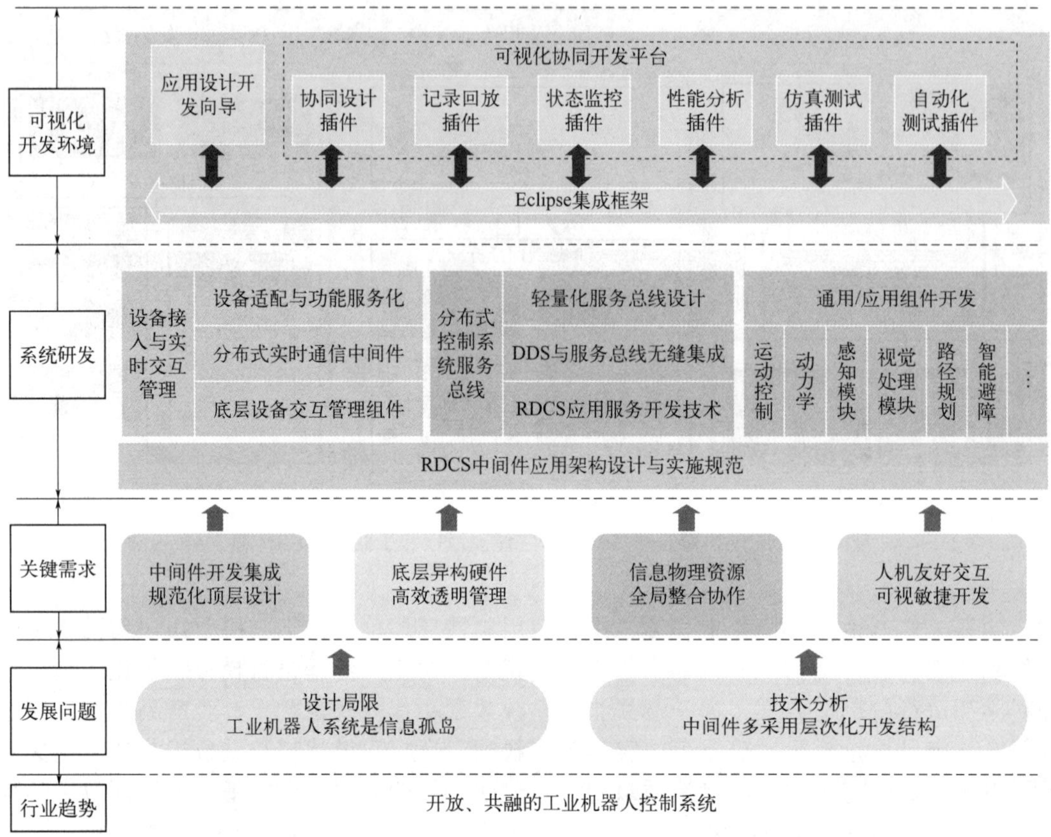

图 2-3-53　工业机器人中间件及软件低代码开发平台研究内容

间能够透明交互和灵活重用。采用去中心化管理提高软总线的可靠性。然后，研究 DDS 与服务总线无缝集成技术，制定 DDS 服务质量控制策略和主题自动发现与身份认证机制，实现间件总线的分布式实时数据分发服务。

c. 面向机器人自主作业的敏捷制造技术与实现软件。研究和实现基于服务编排的敏捷制造技术，以满足机器人自主作业的需求。研究机器人多种作业任务的自动化解析与动作规划，实现多机器人服务的自动编排。基于Eclipse和Qt Creator框架研究一类可视化协同开发平台，实现工程开发与管理、调试、性能分析、服务管理等功能插件的可视化集成和管理功能，为构建基于模块化的工业机器人组件平台提供支撑。最终开发一套基于服务架构的机器人集群敏捷制造软件，实现机器人作业任务自动化编程、下达、编译和执行，为云边端机器人集群作业软件的开放性、模块化和易复用提供典范。

d. 系统集成及典型制造场景应用验证。开发中间件监控插件与自动化测试插件，设计测试案例，测试服务化封装组件、实时轻量化服务总线、敏捷制造等基础软件的功能，并对项目中间件平台的兼容性、实时性等进行验证。研发一套智能机器人集群制造协同控制软件平台，该平台集成了精准感知、高效传算、动态规划和协同控制等功能，致力于突破传统工业控制软件在开放性、模块化和复用性方面的瓶颈，从而提升我国大型装备的机器人集群智能制造水平。

⑤ 机器人智能制造产线一体化控制系统及核心工业软件包。该软件包研究内容如图 2-3-54所示。

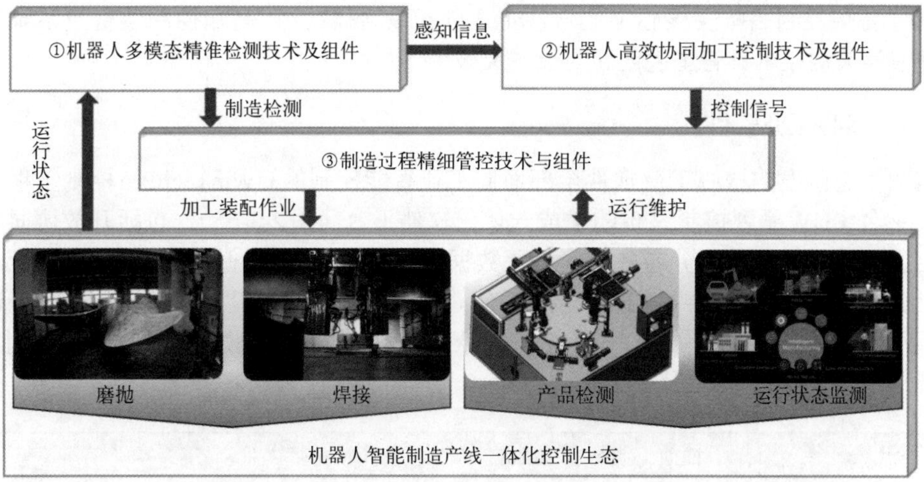

图 2-3-54　机器人智能制造产线一体化控制系统及核心工业软件包研究内容

a. 机器人多模态精准检测技术及组件。针对离散工业机器人制造全过程中对多模态、多尺度、多目标信息的自主感知精准检测需求，需研究动态制造场景下环境理解与多模态状态感知技术及软件，阐明多源异构传感器的大范围自主协同测量和信息鲁棒融合机制，提出面向离散工业机器人制造过程的多尺度几何目标检测新方法，建立多模态融合的复杂外形产品表面缺陷精准检测技术及软件生态，为保障离散工业机器人一体化制造软件生态中涉及的定位、加工与检测精度提供基础数据支撑。研究视觉大模型、多模态数据融合、迁移学习、知识蒸馏等前沿机器学习在工业场景的落地，实现应用性能提升和应用场景拓宽，建立工业检测软件云端统一架构，提高检测模型部署的灵活性和效能。

b. 机器人高效协同加工控制技术及组件。针对离散工业复杂部件高品质制造需求，研究机器人高效协同加工控制技术及组件。针对装配、焊接、磨抛等典型加工工艺，建立机器人运动学、动力学模型，以精准装配、稳定焊接、力控磨抛等具体工艺需求为牵引，探索机器人视觉伺服控制、机器人柔顺自适应控制、多机器人动态自适应规划、多机器人分布式协作控制等鲁棒性强、自适应性好、实时性突出的非线性控制技术，构建通用机器人基础模型算法组件、典型工艺的机器人加工控制算法组件，实现对制造过程不同工艺的灵活调用与高端加工控制算法的自定义开发。

c. 制造过程精细管控技术与组件。围绕离散工业领域的部件复杂、多品种、定制化柔性制造需求，拟研究并突破物料统一编码及管理技术、生产现场信息实时传输/存储/处理技术、车间作业计划排产与自适应调整技术、物流实时管控技术、船舶制造精度和品质管控技术及软件，研制集群机器人制造系统数字孪生仿真及可视化交互管控软件平台，搭建集群机器人制造系统样机和实验测试软件，并研究共性工艺技术验证以及高可信工艺质量评估软件。

3.4.2　高端控制装备核心工业软件及工程应用

杭州优稳主要依托NGICS集成攻关大平台，以及浙江大学控制装备及综合安全研究所、浙江大学控制技术国家重点实验室，与浙江大学、上海电气集团股份有限公司等高等院校、研究院、大型企业有着长期稳定的科研协作关系，建有“浙大优稳工业自动化仪表与控制装置联合技术中心”“浙大优稳控制装备与控制系统联合研究院”“杭州市浙大优稳流程工业高端控制装备及核心工业软件企业创新联合体”，在高端控制装备及系统的设计开发平台等关键技术具有重大创新与技术突破。

3.4.2.1 核心工业软件

杭州优稳研发的核心工业软件全部面向工业智能控制的UWinTechPro控制工程设计开发软件平台，UW系列控制系统的集成一体化软件平台（图2-3-55），包括开放协同编程监控平台、集成数据平台（分布式实时工程数据库）、多平台多时间尺度控制引擎（实时/强实时/强计算）、工控系统内生安全防护平台、多领域数字孪生设计开发平台等，既适配于UW系列的DCS、SIS、PLC、RTU控制系统产品开发，也支持主流第三方控制器与工业软件。主要核心工业软件如下所述。

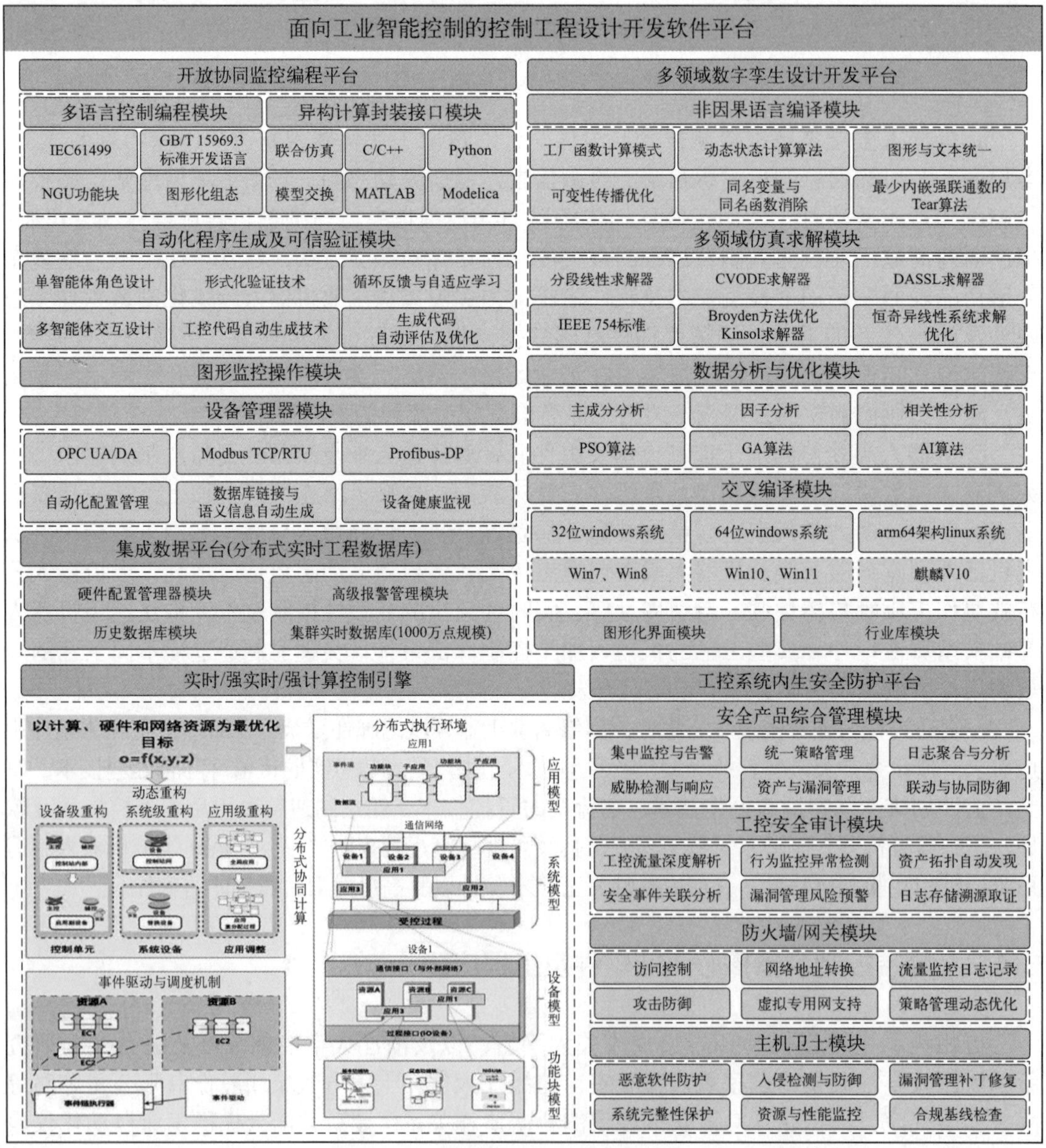

图2-3-55 UWinTechPro控制工程设计开发软件平台总体构成图

（1）工程管理器

工程管理器UWinWks实现控制工程的管理维护，具有新建、添加、修改、删除、搜索、备份和属性修改等功能，还可以进入各软件功能模块，对实时数据库、控制策略、人机界面及用户安全信息等进行修改。

① 工程协同组态与远程维护。工程协同组态功能适用于超大型工程的多人同步组态作业，使得多人同步组态同一工程时信息协调一致，极大缩减了前期工程组态的时间。工程竣工图导出功能，可在工程组态、调试、开车后，导出一份详尽描述工程信息的工程竣工图。工程远程更新是针对工程服务人员而研发的功能，避免了工程人员为细微的组态变动而频繁跑走于工程现场。

② 全网工程发布更新。是指可以通过局域网或广域网对工程进行更新，每次更新都是更新整个工程。当用户在异地对工程做了修改后，通过全网发布更新，就能把修改的内容直接更新到工业现场的操作站上，不需要用户跑到现场或通过第三方软件对工程进行更新。工程全网发布更新特别针对工程服务工程师而研发，避免了工程人员为细微的工程组态变动而频繁奔走于工程现场。同时工程在全网打包发布时，基于工程的唯一标识，生成工程信息的校验序列，保证对工程配置文件的高效压缩，又保证工程信息的完整性和可靠性，避免工程在复制或通过第三方通信工程传输时被破坏而引起不可预料的后果。

③ 工程站间模块信息同步。是指在同一局域网内的多台工程师站/操作站，且工程师站间的功能模块的配置信息（版本号）不一致时，用户可以通过工程站间信息同步组态对功能模块的配置信息进行更新，而不影响或中断其他功能模块编辑组态和运行，从而达到各个工程师站间的工程信息一致的效果。当用户在某台工程师站对功能模块做了修改后，通过工程站间模块信息同步，就能把修改的内容直接同步到局域网内的工程师站上，不需要用户多次复制对工程信息进行更新。工程站间模块信息同步只适用于控制工程应用软件平台的单个功能模块进行同步，尤其适合大型控制工程实施过程中，多工程师负责不同业务主体（比如控制算法、工程画面、第三方设备），基于工程站间模块信息同步，减少了各工程师不同业务主体之间的相互影响，实现不同业务主体同时推进和相互协调，大大缩短工程实施周期。

④ 功能模块编辑动作同步。是指同一局域网内的多台工程师站/操作站，且工程师站间的功能模块的配置信息（版本号）一致时，用户可以通过功能模块编辑动作自动同步功能，实现对局域网内多台工程师站的功能模块编辑动作（比如添加控制算法块）同步更新。而且可以通过配置站间功能模块黑白名单实现对局域网内各工程师站自动同步数据过滤控制，确保数据在安全可靠的前提下自动同步更新。功能模块编辑动作同步适用于在控制工程应用软件平台上编辑组态过程中的操作同步和调试运行过程中的同步跟踪。当多个工程师负责或者联调相同的业务主体（如控制算法）时，通过功能模块编辑动作自动同步，可以实现多工程师算法编辑的同步作用，即实现了控制算法的联合调试，大大缩短联合调试过程。

（2）硬件配置软件

硬件配置软件（图2-3-56）实现对控制模件在运行的实时监测和诊断，实时检测控制模件的节点状态。当前运行工程信息以及当前节点负荷，同时可实现控制模件控制状态的切换管理以及控制模件程序的升级优化，可以离线或在线设计配置I/O模件，根据需求选择不同类型的I/O模件以及模件冗余模式，配置组态通道信号类型，实现系统工程硬件模件的配置。

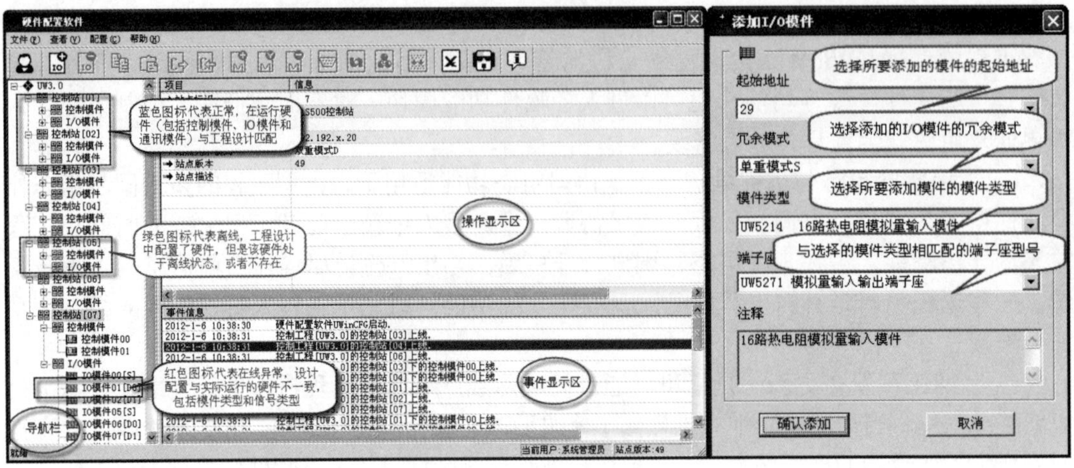

图 2-3-56　硬件配置软件结构图

① 系统硬件的设计配置：可以离线或在线设计配置I/O模件，根据需求选择不同类型的I/O模件及冗余模式，配置组态通道信号类型，实现工程硬件模件的配置。

② 控制模件运行状况的实时监测：实时检测控制模件的节点状态，当前运行工程信息及当前节点负荷；可以实现控制模件状态的切换管理及控制模件程序的升级优化。

③ I/O模件的组态配置：可以在线组态I/O模件的通道信号类型、当前值、通道报警限制及异常设定等，可以根据需要在线修改I/O模件的设计配置。

④ SNet系统网络的监测：监测SNet系统网络的操作站端和控制站控制模件端的组态配置和故障检测。

⑤ CNet控制网络的监测：可以监测系统控制网络CNet的网络状态和网络负荷，以及控制模件和I/O模件各个节点的实时状况。

⑥ 系统硬件在运行的自诊断：可实现对控制站冗余模式，控制模件当前运行工程信息，SNet系统网络和CNet控制网络的自诊断；能够完成对I/O模件类型、通道信号类型、工作状态以及异常状态的自诊断；用户根据硬件配置软件的提示信息完成对在运行硬件故障的排查和处理。

⑦ 硬件配置组态的事件记录：可记录对控制模件的组态和控制程序的升级等操作事件，同时也记录了对I/O模件的设计配置和在线组态等操作事件。

（3）实时数据库软件模块

实时数据库组态是通过实时数据库编辑器UWinRDB来实现的，用于定义各站点的变量信息，包括各站的组成设备及属性，各点的数据采集与转换、报警、历史记录和安全区等属性；支持在线组态；支持记录点的分组管理，便于记录点的分类、查找与维护；支持记录点多种生成方式，包括单点添加、批量添加、导入导出等；支持数据库导入导出，可以直接导入或导出Excel格式的通道表。

实时数据库软件模块结构如图2-3-57所示。

① 规模：实时数据库记录点的最大规模为100万点，实际应用中可达到200万点，而对应的历史数据库规模则也保持在最高200万点左右，同时实时数据库和历史数据库的更新运行不影响其他模块的运行。

② 效率：工程实时数据库按照最大量进行实时更新一次花费不到0.001s，而历史数据

库采样保存更是微乎其微，按照最大规模计算花费不到0.0001s，两者资源消耗远小于现在网络盛行的腾讯实时通信软件。

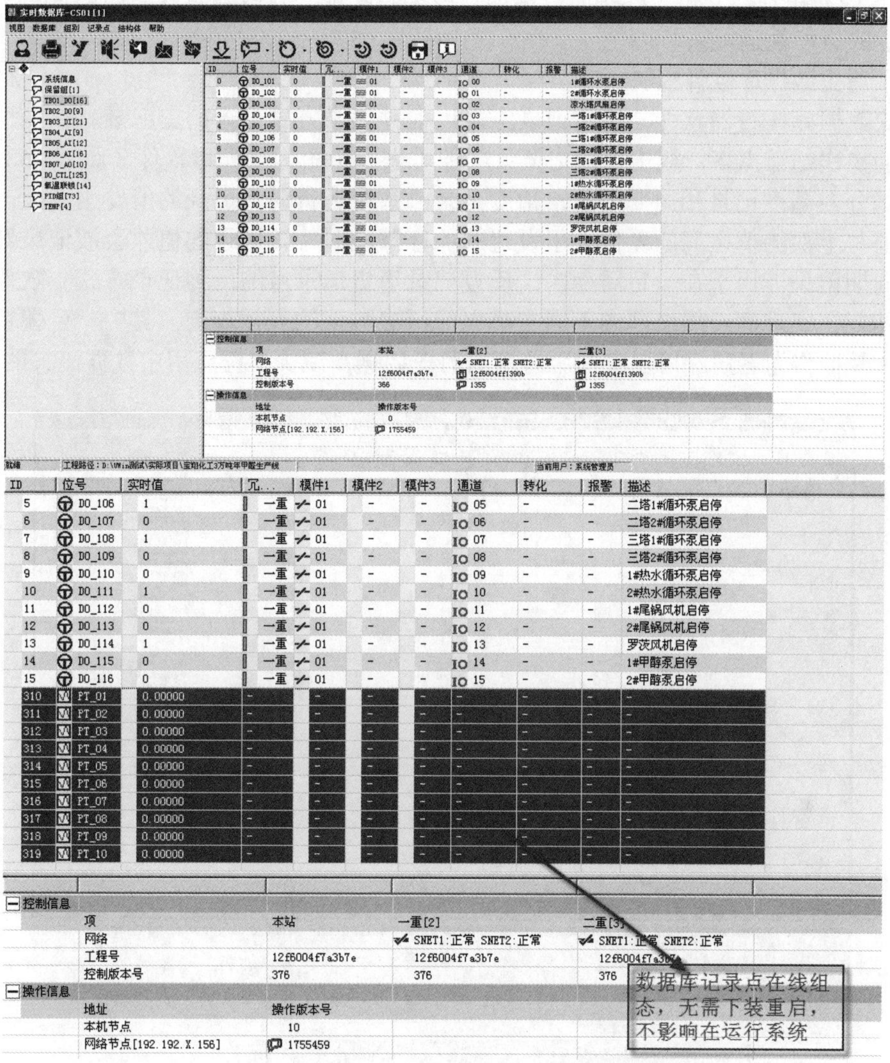

图2-3-57　实时数据库软件模块结构图

③ 接口：工程实时数据库提供多样化的接口，以动态链接库、COM组件等多达近十种的数据接口，以响应多样的需求。

④ 查询：数据的查询按照效率为先的要求进行，实时数据查询时间可以达到真正意义上的实时，而历史数据以一年一秒为间隔查询时间控制在10s之内，期间不影响工程实时数据库的正常运行。

⑤ 模块化：整个工程实时数据库系统按照功能进行统一规划，分解成子模块和部件，相互之间独立运行又共存，具体细分为实时数据库、历史数据库、查询接口等。

⑥ 策略和实现分离：采用相关的设计模式，实现策略和实现分离。

⑦ 接口和实现相分离：目的是便于接口的统一管理和接口的调用不影响服务的运行，换言之即历史数据查询接口出现异常不影响历史数据记录模块的正常运行。

⑧ 注重功能的层次化：实时数据采集、历史数据服务和内部任务调度管理、外围联系等进行功能上的层次化，便于管理和更新升级。

⑨ 在线易用性：支持工程实时数据库在线编辑功能，在线编辑数据库记录点不影响其他记录点的持续性运行。

（4）历史数据库软件模块

历史数据库配置器软件，指定记录点采用何种记录方式进行历史记录。在工程管理器导航栏的操作站节点下，双击“历史记录”即可进入历史记录配置软件（图2-3-58）。历史记录方式分为精度记录和周期记录，精度记录：系统运行时，记录的值发生变化，而且当前记录值与上次的值之间的差值大于设置的保存精度时，该记录的值才会被记录到历史记录中；周期记录：用于在一定周期内，反复记录历史记录点的一种记录方式。软件开放历史服务功能，实现同一局域网内不同主机之间历史数据的互相查询，其中一台配置为历史服务端，其他作为客户端可以查询服务端的历史数据，减少工程应用中数据流失的风险。

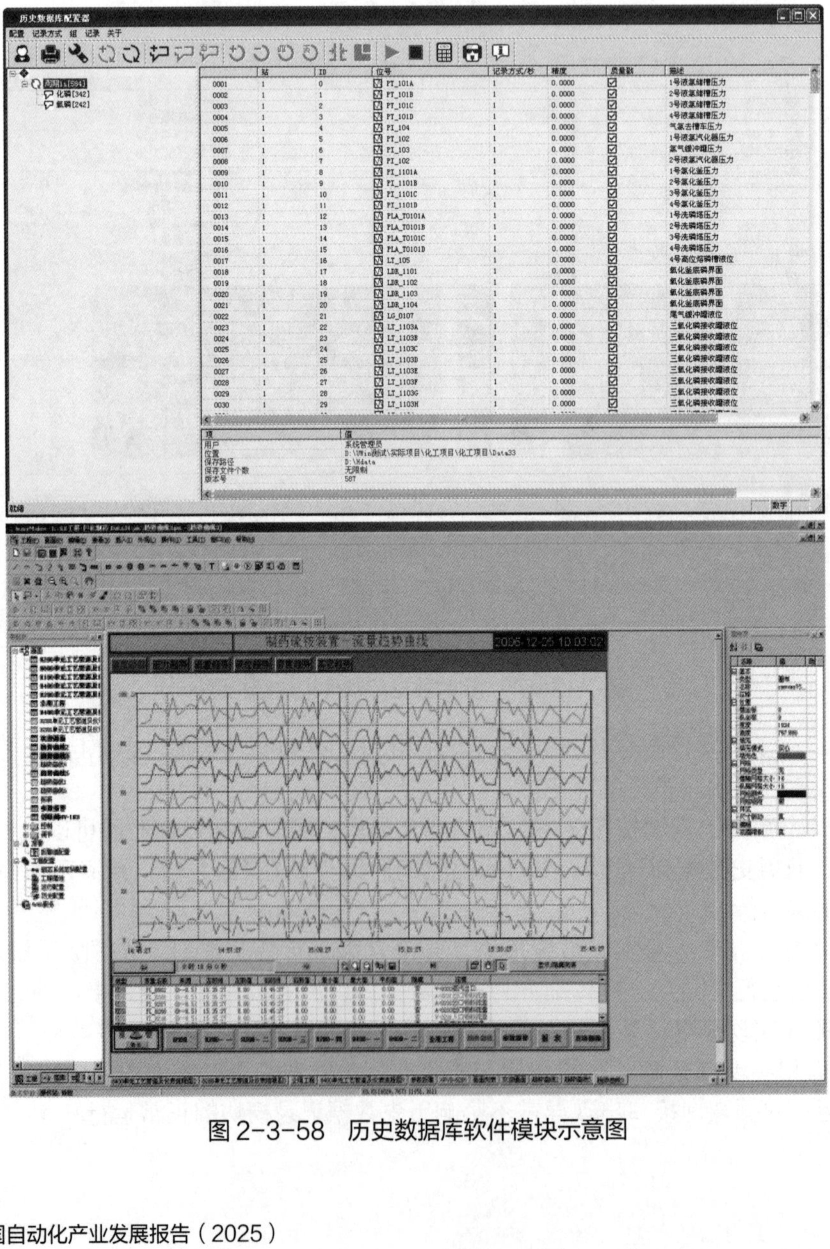

图2-3-58　历史数据库软件模块示意图

（5）算法编辑器

算法编辑器（图2-3-59）提供基于算法块封装与数据驱动、事件触发的分布式算法调度技术，并符合IEC61131-3标准的控制编程语言，集逻辑控制、运动控制与过程控制于一体，开发实现支持图形化编程（功能块图FBD、梯形图LD、顺控语言SFC）与文本编程（结构文本ST、指令表IL）及多语言混合编程的集成开发环境，支持控制算法的封装、派生、复用，实现控制算法的离线组态、在线组态、离线模拟与在线调试，提高编程效率。

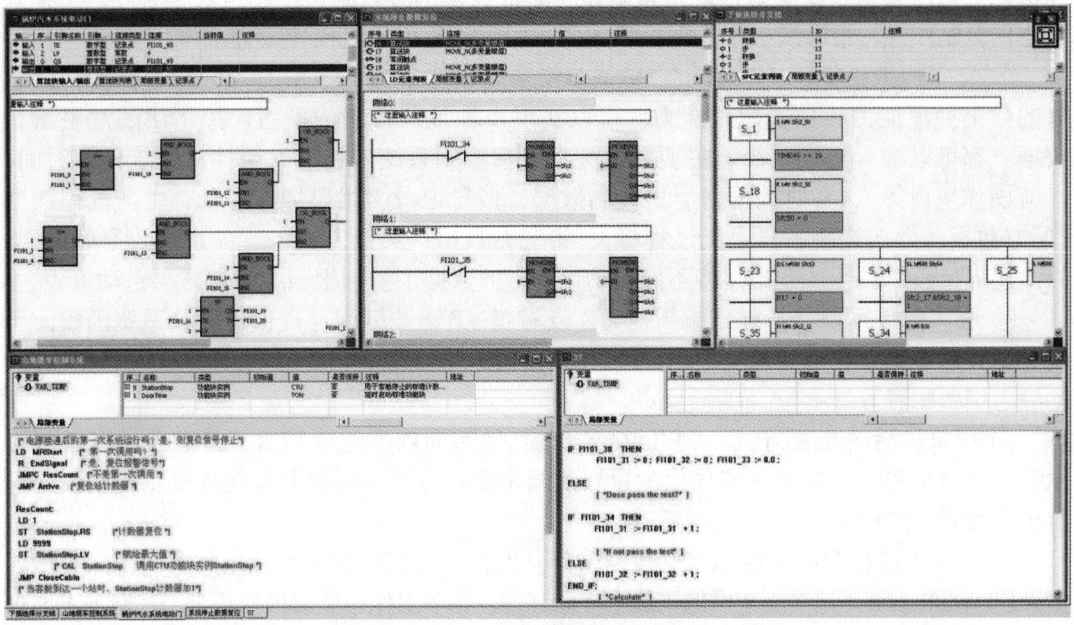

图2-3-59　算法编辑器功能示意图

① 在线编程功能。工业自动化现场的需求变化多端，在运行期间难免需要对组态数据与程序进行更改。尤其是近年来，流程工业的装置规模越来越大、工艺和控制越来越复杂，需要对控制策略和参数进行重新配置、调整和优化。但是，流程工业的一个重要特点是连续性，其生产装置一旦启动就必须一直保持在线运行状态。这就要求工业控制系统在进行系统组态配置和控制程序的修改时不能中断对被控装置的控制。在连续运行的工业现场中，任何控制阀门等输出设备的非预期的状态改变都可能导致生产过程的意外中断或者导致生产产品品质的不合格，在高温、高压、易燃、易爆的生产场合下还可能导致危险的生产事故。因此，控制系统要充分考虑到流程工业控制现场连续运行和可靠性、安全性的需求，支持控制系统组态的“无扰”在线编程。

② 行业算法库。提供可定制扩展的控制工程行业算法库，通过设计院、设备制造商、工程公司、行业用户，不断提炼专家知识与工程经验，不断丰富行业自动化专业知识库，以领域知识为主体，在资源可重用、系统可重构的架构平台支撑下，在统一建模规范的基础上，通过继承、派生、重用、重构机制，显著提高项目工程设计与编程开发效率。控制工程行业算法库兼具特定自动化应用行业的普适性与特殊性，将以控制工程行业算法包的形式定期发布，终端只需加载便可轻松拥有。行业算法库是对某一行业普遍算法统一规整的结果，相当于一个子程序的集合，封装了各种自控行业中常用的算法，用户在编程时可以直接在行业库中选择需要的算法，不用自己重新编写类似功能的算法，大大地减少了编

程的工作量。算法库也可以作为一个开放的平台提供给客户使用，开发自己的工艺软件包，并对其进行管理。通过继承、派生、重用、重构机制，利用行业算法库，使得项目工程设计与编程开发更加轻松高效。

（6）报表管理软件

UWinReport报表管理软件功能强大，工程人员可以任意设置报表格式，对报表进行组态。为工程人员提供了丰富的报表函数，实现各种运算、数据转换、统计分析、报表打印等功能。使用者通过此功能，既可以制作实时报表，也可以制作历史报表。另外，工程人员还可以制作各种报表模板，实现报表的多次使用，避免重复操作设置工作。

① 丰富的数据源。UWinReport依靠UW系列软件丰富的数据支持，加上自身强大丰富的数据处理能力、样式配置能力，可以实现多种复杂报表的配置。控制层的几乎所有数据，都可以接入报表系统。主要数据类型包括控制系统属性（站属性、系统日期时间、当前操作用户等）、实时数据、历史控制数据、报警记录、用户操作记录、生产过程数据（配方数据、批次数据、自定义过程等）、第三方数据（第三方设备、关系型数据库）。此外，还支持操作员手抄数据，将不能自动化产出的数据手抄到报表中，制作半自动报表。

② 强大的数据操作与样式编辑能力。支持类VB语法编程，提供近百种系统函数，实现数据灵活采集处理，提供类似excel的样式设置，可以对字体、边框、底纹、背景等进行动静态细致配置。

③ 简单灵活的配置方式。UWinReport与其他系列软件无缝结合，具有独立报表不可比拟的轻量优势。还实现了向导化配置、模板化配置方式，即使非专业人员也可以快速配置出功能强大的报表。

④ 专注于数据分析和展示。对数据采集、保存、过程和事件模型定义透明，除手抄数据外，UWinReport不用关心数据的采集、存储过程。这些工作由底层模块负责，并向报表屏蔽复杂性。这样可以在很大程度上降低报表的配置成本，具有独立报表不可比拟的轻量优势。

⑤ 常用报表向导化配置。UWinReport为生产报表（如日报表、日平均报表、月报表、月平均报表等）、事件报表（用户操作、报警、配方批次、自定义过程）提供了向导化配置方式。只需要根据向导设置相关信息，就可以自动生成报表配置脚本。

⑥ 个性化复用。用户可以在向导化配置的基础上，增加自己的个性配置，作为模板重复使用。模板导入时，可以将模板中的扩展属性进行实例化替换，使得模板配置既相对固定，又灵活可变。

⑦ 即时柔性查询。为了响应用户即时查询的需要，UWinReport开发了“万用查询”功能。只要在任意报表上点击右键，并进行简单选择后，就可以查询任意数据、任意历史时间段的统计信息。

⑧ 与过程、事件无缝对接。定义了多种过程、事件，如安全报警事件、用户操作事件、配方批次过程等，并定义了个性化的数据保存和响应策略。还支持用户自定义过程事件，定义其起始终止条件、数据检测内容、数据保存方式等。UWinReport与过程、事件无缝对接，在向导中进行过程、事件类型、名称选择后，即可以查询到相应过程事件的详细数据，是生产过程、事件追踪的利器。

⑨ 集中配置，开放调用展示。UWintech报表采用“集中配管，多处使用”的设计理念，方便报表统一管理和开放调用。报表管理器软件是报表配置、查看、管理、权限设置、定时任务配置与查看等功能的统一平台。同时，报表管理器会通过脚本提供报表操作接口供其他软件模块（主要是UWinMaker/UWinView等）调用。此外，报表管理器还是手

抄表查看、定时打印设置、权限设置等的统一平台。

⑩ 定时推送与条件推送。UWinReport不仅支持操作员浏览，还支持向操作人员主动推送功能。推送的形式包括文件存储、转存excel文件、打印等。推送时间分为定时推送、自定义条件判断推送两种形式。

（7）高级报警管理软件

高级报警管理软件（图2-3-60）的优势：使报警设置合理，报警信息清晰易懂；报警的设置和组态符合EEMUA191和ISA18.2的国际规范标准；报警发生率控制在操作员能有效处理的范围内，操作员能够快速确定报警位置和报警优先级；操作员能够在报警频发的情况下有效处理报警信息；报警系统得到有效的监视、管理和维护。

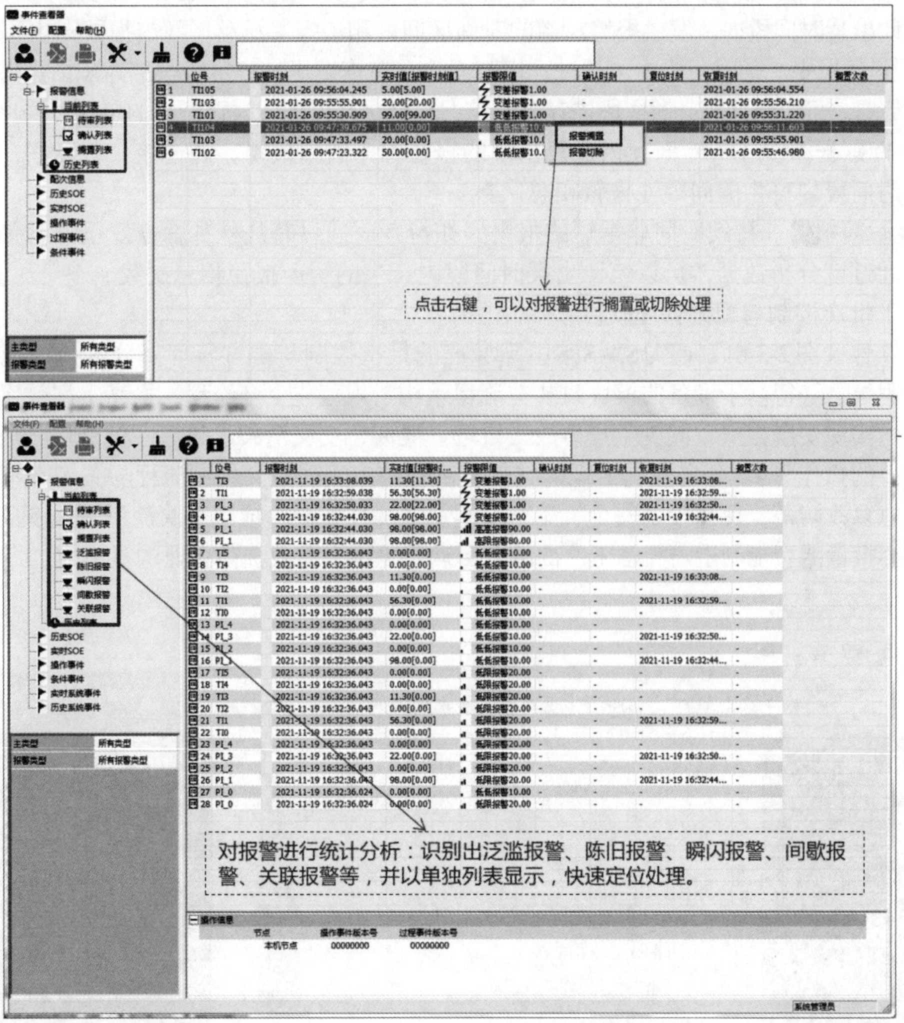

图2-3-60 高级报警管理软件功能示意图

① 报警产生频率。通过该分析数据，可以显示出在选定的时间段内，统计每个位号发生的报警次数最多的前10个位号。

② 报警持续时长。通过该分析数据，可以显示在选定的时间段内，统计报警从产生到恢复平均时长最长的前10个报警。

③ 报警优先级。通过该分析数据，可以显示出某个时间段内，统计每种报警级别发生报警的次数。

④ 报警类型。通过该分析数据，可以显示出某个时间段内，统计每种报警类型发生报警的次数。

⑤ 报警设备。通过该分析数据，可以在选定的时间段内，统计每个报警设备下发生报警的次数，选出TOP10设备。

⑥ 关联报警。“关联报警”统计是系统主动分析的一种行为。一个报警发生，在一段时间内，引发了其他报警的发生，且这种引发的概率达到某一个上限时，就认为这些报警彼此间存在关联关系。

⑦ 报警泛滥。在某时间区间内超过一定次数的报警归结为报警泛滥。通过该分析数据，可以统计出某时间段内，发生报警泛滥的时间区间，和该报警泛滥区间内报警产生次数。

⑧ 陈旧报警。某时间段内，超过一定时间且没有恢复正常的报警归结为陈旧报警。通过该分析数据，可以统计出某时间段内存在的陈旧报警，并以陈旧报警持续的总时长降序排列。

⑨ 间歇报警。在一定时间内反复出现的报警称为间歇报警。通过该分析数据，可以统计出某时间段内产生的间歇性报警和总次数。

⑩ 瞬闪报警。持续时间非常短的报警（如持续时间只有几秒钟就恢复正常）称为瞬闪报警。通过该分析数据，可以统计出某时间段内产生的瞬闪报警和总次数。

（8）批次控制与配方管理软件

该软件（图2-3-61）遵循SA-S88国际标准的批次控制与配方管理，分解生产流程及规范控制逻辑，进行基于设备的模块封装与流程重构。规范化生产流程，提高生产效率及设备利用率。实现安全生产，减少生产事故（冒罐、泄漏、交叉污染、超温、投错料、成分量不对、错误的操作等）。分离控制工程师与工艺工程师，实现批次生产流程与关键数据参数加密及恶意篡改防范。保障设备安全、工艺安全、及操作安全。成功解决流程工业多品种、多批次、小批量的智能制造与智慧工厂的综合自动化需求，有效提高企业的竞争力。

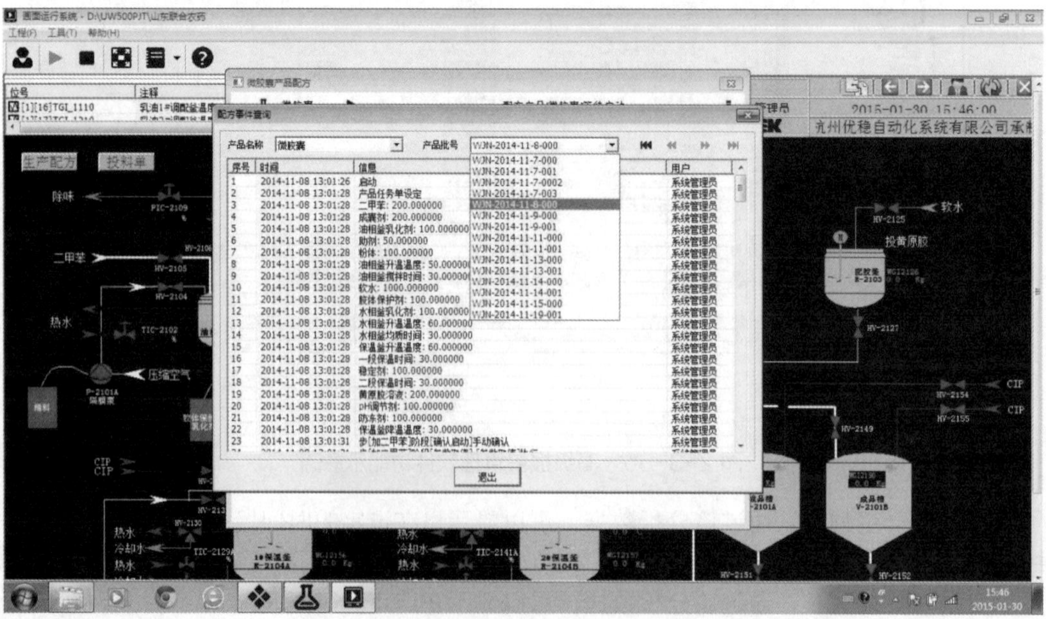

图 2-3-61　批次控制与配方管理软件示意图

UWinBatch以S88标准为准绳开发出配方管理软件，UWinBatch整体的配方配置与在线监控界面简洁明了，除了附带常规的配方事件记录等功能外，还内嵌了配方条件事件记录、事件分析、批次分析、配方远程更新、配方操作站间同步、配方信息自动同步等功能，使得配方功能模块的操作更加灵活便捷。

此外，还研发了画面开发软件模块、画面运行软件模块、SOE记录、设备管理软件模块和Web服务功能软件等系统软件。

3.4.2.2 工程应用

综合运用以上核心工业软件，研发了全集成新一代工业自动化装置及系统、高端控制装备及系统、高安全成套专用控制装置及系统、广域协同的高端大规模可编程自动化装置及系统、工控系统全生命周期内生安全主动防御大平台——装备及系统。

这些高端控制装备及系统在冶金、化工、石化、煤化、生化、危化、建筑、医药、机械、电子、装备、环保等领域推广应用20000余套，工业软件80000余套，新增产值4060亿元，产生经济效益580亿元。

新一代主控系统应用软件平台和新一代主控系统实时控制软件应用如下。

（1）新一代主控系统应用软件平台SunyTech

基于对现有平台软件的分析，通过综合应用最新的软件技术，包括组件编程技术、OPC标准、多媒体图形界面（GUI）技术、Script语言技术、透明网络技术、数据采集技术、数据库访问技术、编译技术、开放系统技术等，组织开发了具有自主知识产权的新一代主控系统应用软件平台SunyTech，结构如图2-3-62所示。

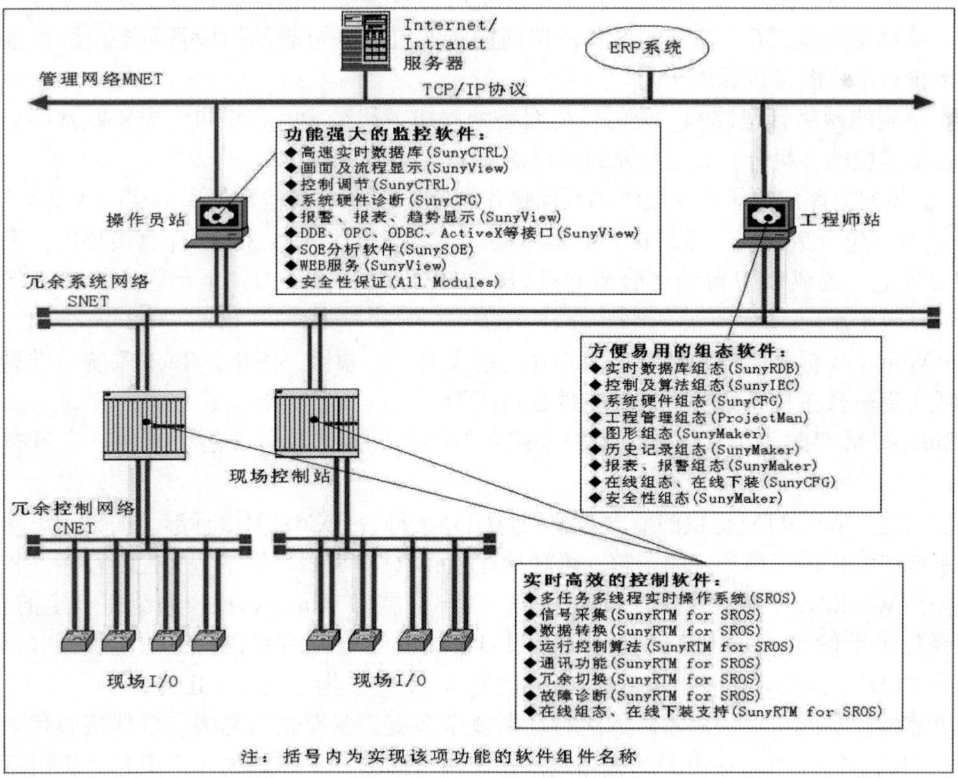

图2-3-62 新一代主控系统应用软件平台结构

该软件平台基于Windows（NT/2000/XP）开发，具有数据词典定义功能、动画连接功能、操作连接功能、强劲的后台语言编程功能、多点同时报警处理功能、事故追忆功能、安全性管理功能、Web功能、容错功能等。该工业控制应用软件平台SunyTech具有如下特点:

a. 系统完全基于构件结构，各模块独立性强，系统稳定，扩展系统和引用第三方软件更方便；

b. 完全实现OPC规范，系统既是OPC客户，也可作为OPC服务器，可以向任意支持OPC客户的软件提供数据；

c. 与实时控制软件SunyRTM紧密集成，提供符合IEC61131-3的5种编程语言，支持算法仿真，断点及单步、连续跟踪调试所开发的算法；

d. 开放的数据接口可与常用的MIS数据库系统如Sybase、InfoMix、dBase、Oracle等直接接口；

e. 全中文Explore风格界面，基于窗口管理的可视化组态风格，无需编程经验，即可构造可靠的生产过程和事务管理监控系统；

f. 独特的ActiveX控件使组态和运行系统的使用更为简单和可靠；

g. 独特的内置式历史实时趋势曲线图形查询系统，无需组态即可完成复杂的历史趋势曲线的查询分析工作；

h. 独特的设备库和图库管理功能，用户可快速装入已建设备（而无须定义数据词典）并可在原有动画连接的基础上修改画面；

i. 真32位多任务、多线程微内核管理运行模型，使运行系统更快、更稳和更强；

j. 通过COM（组件技术），驱动串口设备或插卡智能数据采集设备，采集速度可达毫秒级，单机可连接256个独立的设备，相同设备通过串联可驱动的设备更多，而且加入设备的多少对系统的运行速度无明显影响；

k. 透明的网络管理技术，无需任何网络编程知识和经验，在单机上无需联网即可完成分布在多区域的多机分布式监控系统的组态开发；

l. 提供数据库的记录和字段级的双向操作功能，实现与其他数据库的实时数据交换；

m. 全方位开放接口，系统提供数据库接口，可与常用的MIS数据库直接接口，完全实现OPC规范，提供OLE自动化服务器接口、DDE数据交换接口、驱动程序接口等将系统全方位开放于用户；

n. Windows 标准的在线帮助功能和分门别类的演示项目，使SunyTech 系统易学易用。

（2）新一代主控系统实时控制软件SunyRTM

SunyRTM实时控制软件作为主控系统平台的控制组态软件及运行软件，它具有如下特点。

通用性：SunyRTM提供的概念与编程方法完全符合IEC61131-3标准。如果用户对其他控制系统的编程语言有一定的了解，可轻松在SunyRTM编辑环境下编写控制程序。软件界面与多数Windows平台应用软件风格相似，用户只要对Windows操作系统有一定的基础，即可轻松上手使用。SunyRTM支持IEC61131-3标准的五种编程语言：功能块图（FBD）、梯形图（LD）、顺序功能图（SFC）、结构化文本（ST）、指令语言（IL）。

可靠性：实时工业控制系统的运行环境复杂多变，甚至相当恶劣。软件核心代码应具有一定的抗干扰能力。在由于恶劣环境，如高温、潮湿、电磁辐射等，引起计算机系统硬件性能发生改变的情况下，仍能保证系统程序的正确执行。SunyRTM实时控制软件高度重视运行过程的复杂性和不可预测性，充分考虑到系统可能出现的各种情况，自动检测和修正系统运行中的错误，从而保证控制系统在各种环境条件下的运行证券可靠。

强实时性：在工业控制系统中，实时性非常重要，如果不能及时响应系统的要求，立即执行控制指令，都将使系统的运行结果完全无效，甚至错误，导致灾难性的后果。SunyRTM实时控制软件采用QNX作为多任务实时操作系统。实时操作系统追求的是调度的实时性、响应时间的可确定性、系统的高度可靠性。同时SunyRTM的控制算法的基本单元就是任务，每个任务有独立的运算周期和优先级，用户可通过设置每个任务的运算周期来提高系统响应的时间。

先进性：SunyRTM实时控制软件综合了国内外各类控制系统软件的优点，并集成了项目组成员多年来在先进控制与优化研究方面的成果以及中自公司在过程控制领域的现场技术积累，内置丰富的信号处理、对象辨识、控制模块，提供多种调试及仿真手段，支持用户自定义功能块，并实现了与各种厂商所提供的软硬件系统的无缝隙结合，可以与国内外的大多数组态软件连接。SunyRTM采用了经过优化处理的代码，执行速度很快，完全满足工业实时控制的要求。

（3）应用范例

① 造纸行业。制浆造纸过程具有不确定、强耦合、大滞后、非线性、状态不完全可测等特性。针对上述特点建立了84个过程模型、14个整机（整个装置）的动态数学模型；开发了6个软测量软件并实现了工程化；结合制浆造纸过程特点，开发了13个先进控制算法，建立了5个在线优化系统，实现了全装置优化运行。项目取得的主要创新技术有：

a. 对蒸煮过程提出了基于模型的Kappa值软测量技术，采用离线回归法优化蒸煮升温曲线及利用反折线表修正设定温度曲线的实际起点；

b. 建立了洗选过程多变量动态数学模型并设计了基于非线性机理模型的多变量约束预测控制器，采用非线性规划技术实现洗选装置在线优化运行；

c. 建立了高浓和低浓打浆过程比能量-比负荷多变量动态数学模型，提出了高浓打浆的非自衡对象预测控制策略及低浓打浆多模型预测控制策略；

d. 建立了高、中、低定量纸机的多变量动态数学模型和造纸过程通用数学模型，开发了相应的优化控制策略，对烘缸表面温度分布进行优化，得出最佳温度分布曲线，实现对压力的实时优化控制；

e. 对蒸发过程建立了动态数学模型，提出了黑液多效蒸发过程的多目标优化方法，采用优化拟合法计算传热系数和人工智能方法解决多效蒸发器的结垢诊断问题；

f. 对燃烧过程建立了简化动态模型并开发了优化策略，将模糊控制策略应用于绿液浓度控制和吹灰自动控制。

成果成功应用于福建省青山纸业股份有限公司的蒸煮、洗选、打浆、造纸、蒸发、燃烧等装置的计算机控制系统中，达到如下指标：蒸煮过程，Kappa偏差降低47.88%；洗选过程，纸浆中碱液浓度降低3.16%；打浆过程，打浆度标准差降低50.70%，软测量平均精度2.48%；抄造过程，纸浆水分偏差降低61.00%；蒸发过程，蒸汽消耗量降低6.01%，黑液处理能力提高15.09%；燃烧过程，碱回收率提高到92.10%，运行周期提高28%。

项目取得了重大的经济效益，据统计，项目使企业年新增利税1900多万元，三年合计新增利税5700多万元。

② 生物制药行业。前述核心工业软件已应用于浙江升华（集团）公司“生物化工制药综合自动化系统”中。重点开发内容为：生物发酵过程的建模、控制与优化软件；生物

发酵过程软测量技术；化工合成反应过程专用控制系统；公用工程和辅助过程专用控制系统；生物化工制药企业的ERP软件平台；最后形成升华（集团）公司集检测、控制、优化、调度、管理及决策于一身的综合自动化系统。实施后，促进了发酵及合成这两大行业的优化升级，经过系统集成和系统验证后，为大规模推广应用提供了工程示范。通过操作优化，发酵与后提取生产水平大幅度提高，染菌率进一步下降，主辅原材料消耗亦有所降低。主要的应用创新成果包括：

a. 建立了从生物发酵、化工合成、公用工程到全厂ERP管理的生物化工制药综合自动化系统。

b. 运用现代控制理论、生物发酵理论、计算机技术，成功地解决了发酵过程中的测量、控制、过程优化及系统集成方面的关键技术问题。

c. 开发了氧利用速率、二氧化碳释放率、生物质浓度、生物生长过程比生长速率等一系列发酵过程软测量算法和软件。

d. 基于动力学模型用动态规划实用算法，开发并实现了培养基添加策略的优化。

e. 开发了针对生物发酵过程的通用最优鲁棒跟踪控制等一批算法及软件。

系统实施后取得的比较典型的效果有：阿维菌素从实施前的800效价上升到目前2500效价；盐霉素从实施前的30000效价上升到目前70000效价；硫酸粘杆菌素从实施前的140000效价上升到目前150000效价；迪克拉苏中间体收率从原来47%上升到56%，效果显著。使该公司在产品大幅跌价的近几年中，凭着实施该工程取得的产品生产水平提高而使成本大幅下降，保持了市场竞争力。生物发酵生产、化工合成生产及其他工序，三年新增利税达到20400万元。

3.4.2.3 核心工业软件发展设想

以国家任务需求为导向，以新一代工业互联网系统全生命周期智能孪生与综合安全的核心装备与核心软件为集成攻关任务，解决国外引进工业互联网系统的深度改造、国产现役工业互联网系统的迭代更新、功能安全与信息安全的协同增强等难题，以体制机制为保障，以提升系统集成能力为核心，加强从基础研究、关键技术、装备研制、软件开发、成果转化、产业化的全链条设计、一体化部署。研究构建新一代工业互联网系统智能孪生与综合安全的关键技术体系与核心装备体系，形成理论研究/技术突破/应用示范全链条式的新模式，实现规模化生产，彻底解决关键技术“卡脖子”问题。把握行业发展趋势，强化与行业领军企业的协同，解决行业关键共性技术难题，通过培育、汇聚一支规模化、结构合理、世界一流战略科研力量，实现高度整合、高效协同的工程化“技术链”，与融通创新、多元投入的集成化“产业链”，打造双轮驱动生态圈，支撑自主可控技术的快速提升和转化，引领行业与产业技术发展。

聚焦新一代工业互联网系统全生命周期智能孪生与综合安全问题，研究信息物理融合的泛在物联安全理论与技术，突破信息物理融合的智能孪生与综合安全基础理论，打造战略核心团队，构建自主可控的新一代工业互联网系统智能孪生与综合安全的核心装备与核心软件技术体系，形成系统性解决方案。

新一代工业互联网系统核心软件技术体系分为软件系统、核心组件与技术，具体布局如图2-3-63所示。其中，涉及关键技术、关键组件、模块、设备、系统等共10项，国内无替代方案的“卡脖子”技术、关键组件、模块、设备、系统3项，国内已有基础可在短期内攻关解决的“卡脖子”技术、关键组件、模块、设备、系统7项，国内已实现需应用推广的技术、关键组件、模块、设备、系统0项。

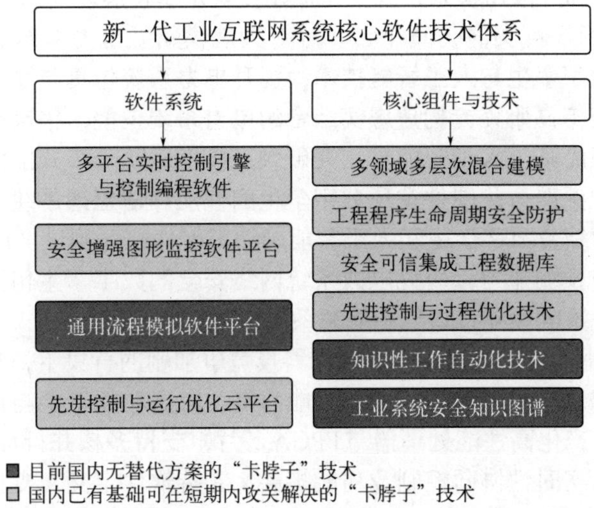

图2-3-63 新一代工业互联网系统核心软件技术体系框图

① 安全增强实时控制引擎与控制编程软件。基于国产嵌入式CPU，开发自主高性能嵌入式实时操作系统，支持逻辑控制、过程控制、运动控制。支持高可信安全控制与高性能实时控制协调并发，包含CPU单元的寄存器、存储器、指令集等的故障诊断。面向智能工厂执行复杂任务且具有网络协同、自学习能力的新型智能控制器的需求，研究支持智能工厂“认知-决策-控制”多功能一体化的智能控制模式和网络协同技术，实现控制器无边界网络化的动态仿真、全分布式控制以及多种同构或异构控制器的协作运行与无缝集成。

② 统一建模语言设计验证与智能开发平台。围绕工业智能孪生系统（工业智能操作系统）对开放、智能化组态编程平台的迫切需求，研究面向智能控制的工业组态编程软件开放解耦架构，多模态异构设备抽象统一表征，研究工业控制程序语义解析与自动化代码审计，研究面向工业智能操作系统支持IT与OT任务融合的系统级模块化建模语言设计与程序可信验证，研发面向智能控制的开放、可动态重构编程平台软件，支持多语言集成开发，支持基于大模型的控制程序自动生成、闭环测试及可信验证，支持高性能可裁剪运行时，在典型工业智能操作系统产品和行业场景进行应用验证。

③ 自主可控的多领域数字孪生设计开发平台。针对制造业数字化转型以及高端化、智能化、绿色化对自主可控多领域数字孪生设计开发平台的迫切需求，构建基于工艺友好非因果语言建模的多领域数字孪生设计开发平台，提供从可视化建模、仿真计算到结果分析与优化、在线控制的完整功能。平台支持严格的机理建模、数据建模以及机理数据混合建模的智能建模环境，突破大规模数字孪生系统的高性能求解器，支持多领域和跨平台联合仿真，实现基于工况镜像切片的工控系统全流程生命周期推演与回溯。孪生平台构建的模型支持半实物闭环控制、模型参数灵敏度分析及在线修正。平台在化工、火电、核电、冶金、光伏等复杂场景中进行示范验证。

④ 先进控制与智能运行优化软件平台。研发模块化、标准化、开放性先进控制与智能运行优化软件平台，基于工业生产过程数据的采集、处理、存储和应用，结合流程模拟软件平台的数字孪生建模技术，实现对强实时复杂业务场景的在线监控、实时优化、先进控

制与过程优化以及过程统计管理等。开发数据处理、对象模型库、实时优化、先进控制与优化算法库、模型计算等应用模块，并支持应用模块定制拓展。

⑤ 多领域多时间尺度实时仿真平台。针对大规模新型电力系统强实时、实时、强计算仿真需求，融合数字孪生与人工智能技术，提升电力系统仿真与测试的精度和智能化水平。开展多速率系统仿真研究，构建虚实结合的电力系统模型，精准模拟电力系统与电力电子设备的动态响应。基于人工智能算法突破大规模电网及分布式能源系统的先进控制与实时优化，研究基于源网荷储硬件在环数字孪生的性能评估框架系统，实现设备的精准测试与智能诊断，探索结合数字孪生和人工智能的功率硬件在环测试（PHIL）方法，提升功率设备的动态响应与预测能力，研究电力系统网络安全的数字孪生仿真，模拟复杂攻击场景，在火电、风电、核电等分布式复杂能源系统进行示范验证。

⑥ 自主智能控制器与智能前端。在全球科技竞争加剧的背景下，自主可控成为国家安全与产业发展的关键。自主智能控制器与智能前端，融合功能安全与信息安全的综合安全一体化设计，采用国产化高性能处理器与FPGA芯片，支持多核并行计算与实时任务处理，实现高精度同步、高实时性协同控制及功能扩展，支持软件定义，支持模块级冗余和动态重构。

⑦ 自主多时间尺度高性能实时网络。智能网联场景下对现场数据的多样性、高并发性、实时性、可靠性及智能化提出了更高要求，自主多时间尺度高性能实时网络，实现端到端确定性传输、微秒级低时延传输，确保互联开放场景下控制系统的实时安全与稳定可靠。同时，结合边缘计算与5G技术，实现网络资源的智能调度与优化，为工业互联网提供坚实的网络基础。

⑧ 自主全流程一体化智能计算与管控软件平台。基于自主智能控制系统，面向工厂制造全流程的一体化智能计算与控制运行环境及应用管控软件，是信息新环境下工业生产数字化、网络化、智能化的重要载体，广泛连接物理系统、人和信息系统的融合系统，实现工业全流程数学的全面深度感知、动态实时传输、高效精准分析、智能决策优化，提高工业全流程的高效性、适应性、智慧性、安全性，成为领军企业竞争的新赛道、全球产业布局的新方向、制造大国竞争的新焦点。

3.4.3 智能工厂智能制造核心工业软件及工程应用

浙江中智达科技有限公司（以下简称中智达）是国家高新技术企业、国家级专精特新“小巨人”企业，聚焦工业大数据、人工智能技术与新一代智能制造的深度融合，在智能控制、智能生产、智能保障、智能供应链、工业数字孪生等领域拥有完全自主可控的系列核心工业软件和平台，智能动态优化控制软件被认定为国内“首版次”软件，是国内领先的流程行业新一代工业软件和智能工厂整体解决方案提供商。

（1）中智达新一代智能工厂整体解决方案

中智达基于自身丰富的产品线，提供了基于工业互联网的新一代智能工厂整体解决方案，如图2-3-64所示。在边缘端，中智达提供PID性能评估与整定软件、智能动态优化控制软件、零手动操作软件等智能控制创新产品，显著降低操作人员的劳动强度和对操作人员的依赖，显著提高对工业装置的控制水平，实现装置的“安全、稳定、长期、满负荷和优化”运行，显著降低能耗物耗，提高产品质量和产量。在平台PaaS层，中智达提供工业互联网平台核心组件，包括工业时序数据库、工业数据中台、模型库算法库组件库、APP

开发和管理平台等，为客户建设智能工厂提供一个统一的平台。在上层应用SaaS层，中智达提供智能生产和智能保障解决方案，包括生产计划与调度优化系统APS，生产运营管理系统MOM、能源管理与优化系统、工业互联网+安全管理系统、设备完整性管理系统、化验室管理系统LIMS等，帮助客户基于统一的平台，提高生产效率，提高能源利用效率，提高安全管理水平，提高质量管控水平，帮助企业实现安全、节能、绿色、低碳、高效的生产制造。

图2-3-64　中智达基于工业互联网的新一代智能工厂整体解决方案

（2）中智达智能控制软件产品与解决方案

中智达智能控制软件产品包括PID性能评估与整定软件、智能动态优化控制软件和零手动操作软件等。

① 中智达PID性能评估与整定软件Cyb-PID。基于国际先进的工业控制系统性能评估技术体系（荣获浙江省技术发明奖一等奖），内置融合控制理论和工业大数据的新一代智能PID性能评估与整定算法，可以实现自动采集PID回路运行数据、实时性能评估和自主整定等自动化作业，30min内即可完成1000+个PID回路的性能评估（图2-3-65）和自主整定（图2-3-66）。提供控制器、执行器、传感器等设备维度和被控过程非线性、回路振荡、外部干扰、控制器参数等诊断维度的评价结果。该软件根据评估结果动态触发整定作业，基于回路模式、工况模式匹配技术，自动化分析运行数据并在线给出PID参数整定结果，帮助客户显著提高PID自动化率。

② 中智达智能动态优化控制软件Cyb-IDPC。采用遵循国际标准ISO 15746的软件功能架构，是行业领先的实现复杂装置大规模控制器设计、运行、维护全周期闭环优化的新一代国产先进控制软件（图2-3-67）。其具有工况智能识别判断、多优先级协同优化控制、控制器运行速率调节、全工况自主优化运行等功能，经权威机构鉴定整体技术达到国际先进水平，全流程协同优化控制技术达到国际领先水平。在设计阶段，基于自主的数据模态分析和闭环系统辨识技术，可以基于历史数据建立系统模型，实现在线闭环测试。在运行阶段，内置新一代智能模型预测控制与优化算法、机理与大数据融合的智能软测量算法、多

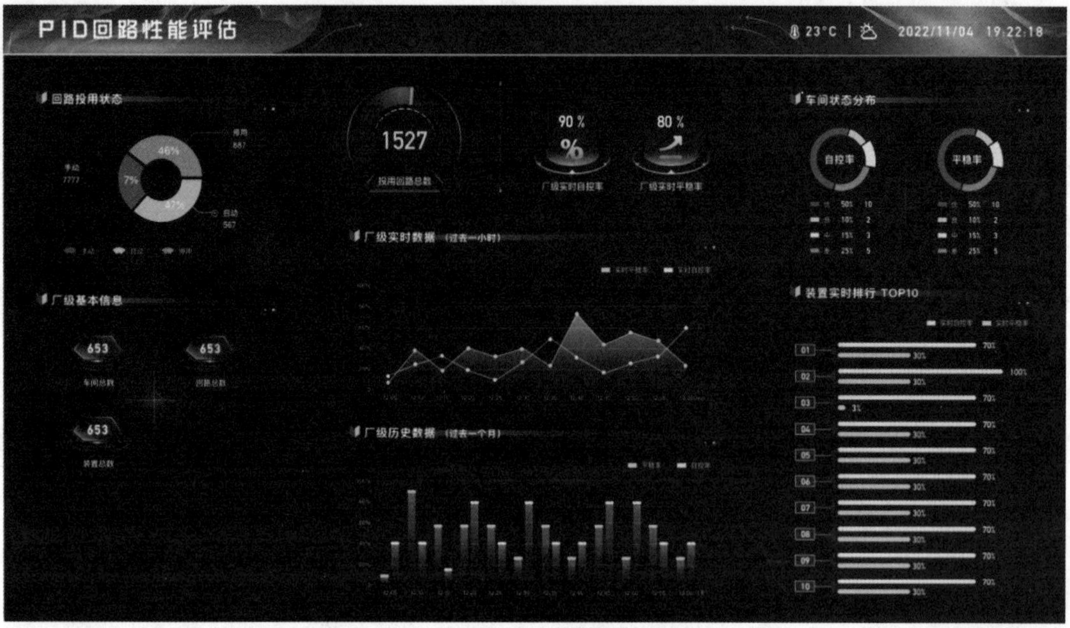

图 2-3-65　PID 控制回路性能评估总览

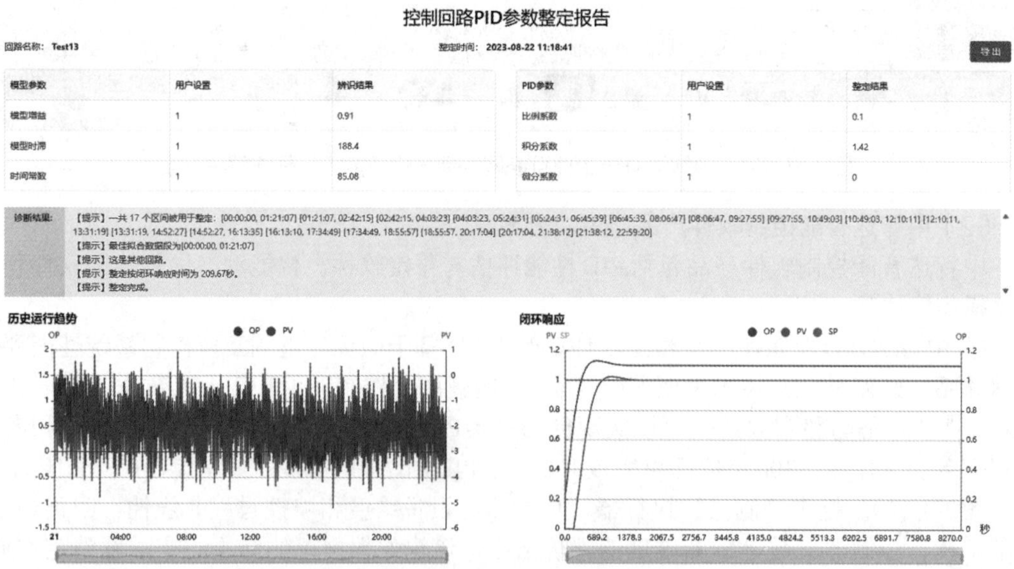

图 2-3-66　控制回路 PID 参数整定报告

变量回路自学习性能评估算法，可以实现大型、复杂、关键生产装置（单元）的多目标、多层次、多变量约束优化控制，自动给出先进控制器运行质量的评估结果。在运维阶段，结合控制器性能评估结果，基于控制器在线诊断序列生成技术，实现装置回路自动测试和模型优化更新，从而支撑在线运维，提高系统的使用寿命和效果。该工业软件先后在巨化集团有限公司、江西晶昊盐化有限公司、中化蓝天氟材料有限公司等单位应用了200多套，降低能耗2%以上，降低物耗1.5%以上，降低操作人员劳动强度90%以上，提高产量2%以上，提高产品优等率10%以上，经济和社会效益显著（图2-3-68）。

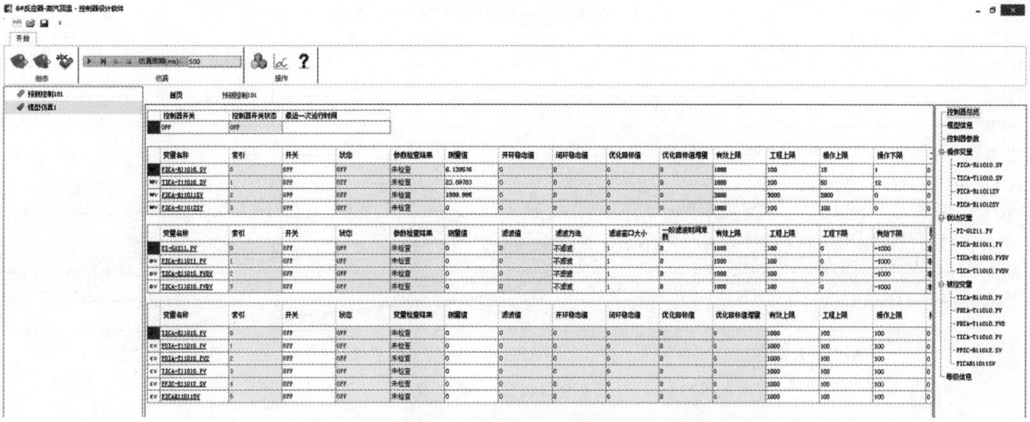

图 2-3-67　智能动态优化控制软件运行管理界面

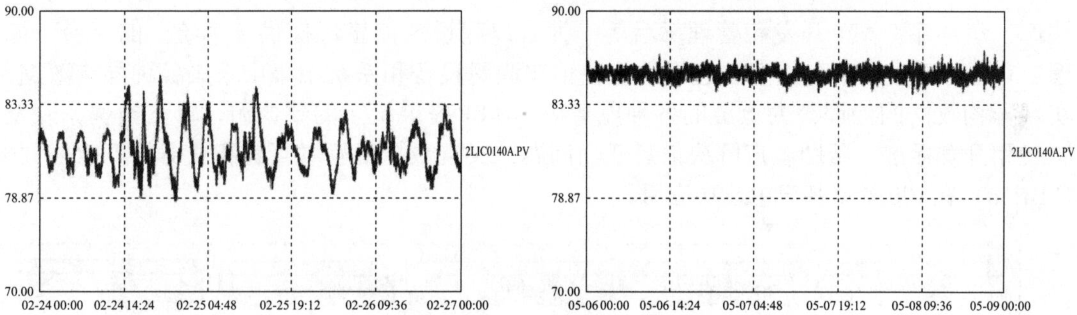

图 2-3-68　智能动态优化控制软件控制效果对比图

③ 中智达零手动操作软件Cyb-ZerOS。深度集成PID性能评估与自整定、智能动态优化控制、一键自动启停、自动升降负荷、先进报警管理、生产异常智能语音预警、设备异常在线诊断等智能应用，以“专项方案+装备精良+工艺优化+控制优化+深度融合”为实施方法论，如图2-3-69和图2-3-70所示，实现化工生产装置全流程、全过程零手动操作和自主协同优化运行。

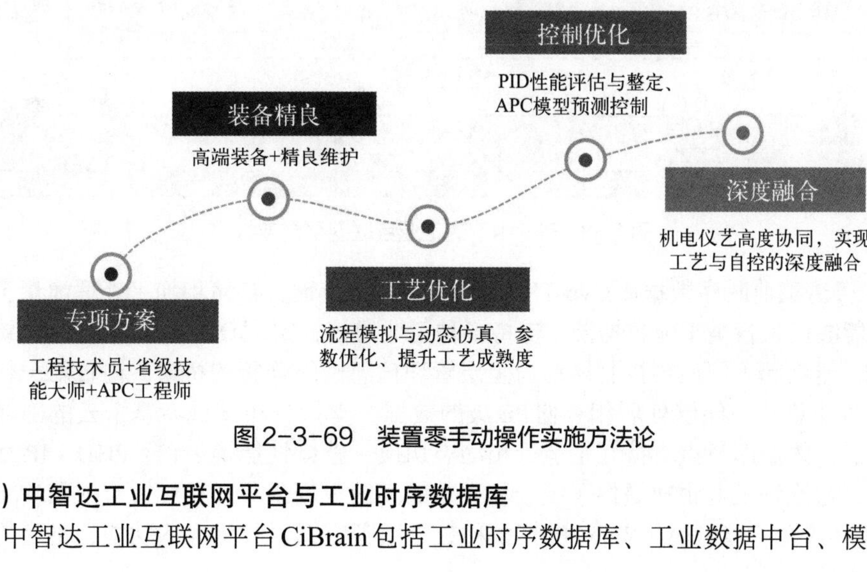

图 2-3-69　装置零手动操作实施方法论

（3）中智达工业互联网平台与工业时序数据库

① 中智达工业互联网平台CiBrain包括工业时序数据库、工业数据中台、模型库、算

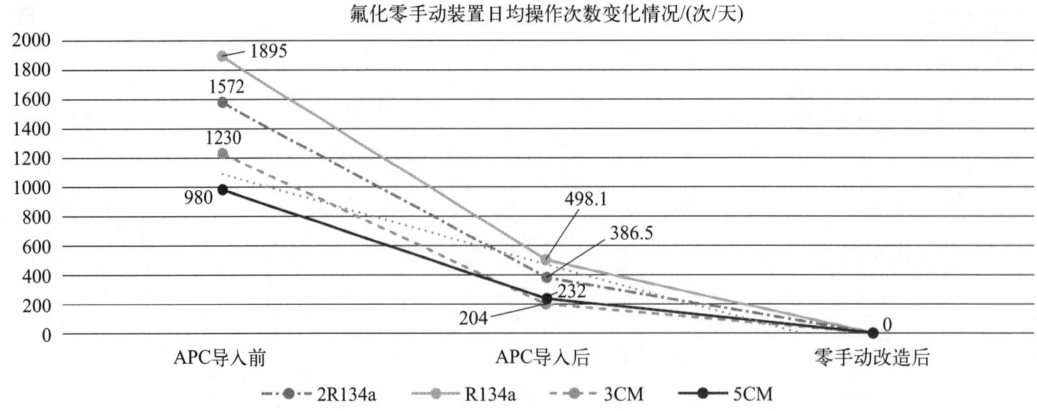

图2-3-70　装置零手动操作实施效果对比图

法库、组件库、APP开发和管理平台等，为客户建设智能工厂提供一个统一的平台，如图2-3-71所示。该平台从底层边缘端的各种物联网设备和系统中集中采集各种异构数据，实现异构数据的治理，为上层的各种业务应用APP提供统一的数据源、算法模型、开发工具和开发标准，帮助客户解决信息孤岛问题，实现数据的互联互通和业务的高效协同。CiBrain已在100多家客户中成功应用。

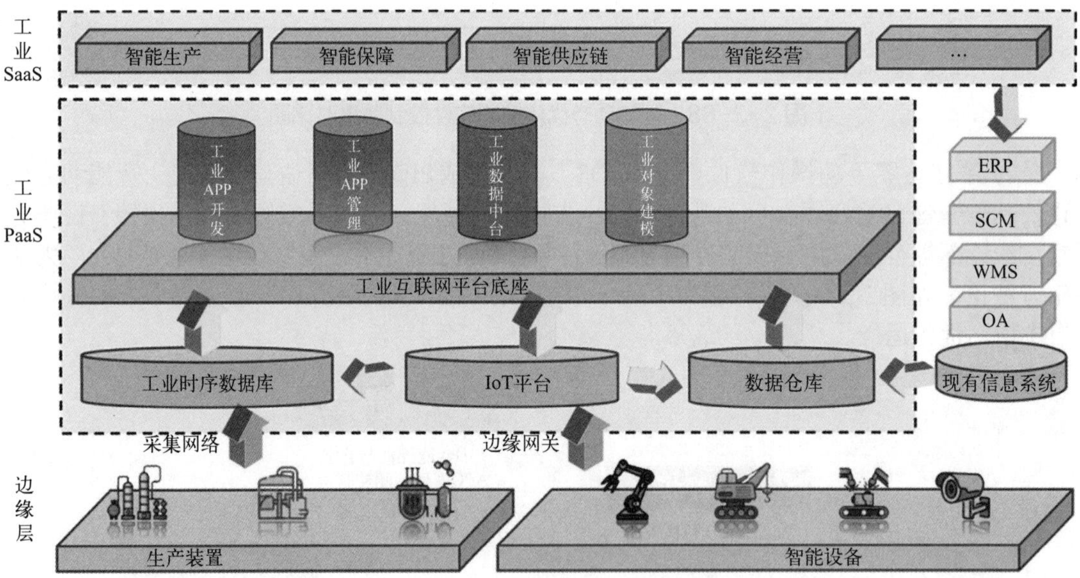

图2-3-71　中智达工业互联网平台架构

② 中智达工业时序数据库Cyb-TSDB能够采集、传输、存储和加工处理海量工业级实时数据，能够接入各类工业数据源，支持各种工业协议，实现DCS/PLC等控制系统数据的统一汇聚，建立起工厂底层控制网络与上层管理信息网络连接的桥梁，内置新一代数据存储和压缩智能算法，能够处理和存储PB级的数据，支持分布式或者基于云的部署，可无限扩充节点，数据库节点支持冗余运行和动态切换，整体性能媲美PI、PHD、IP.21等国外优秀产品，为流程工业企业提供了统一和完整的实时数据采集、存储、监视和Web浏览功能，提供了API、OPC-UA、WebAPI等多种数据服务方式。其强大的功能、稳定的性能以

及良好的开放性为企业实现先进控制、流程模拟和生产管理、能源管理、安全管理、设备管理等提供了底层的数据基础。

（4）中智达智能生产软件产品与解决方案

中智达智能生产软件产品包括生产计划与调度优化系统、生产运营管理系统和先进报警管理系统等。

① 中智达生产计划与调度优化系统Cyb-APS是用来制定最优的生产计划和排程的工业软件，它能够处理多产品型号、多工艺或多生产线、多设备生产条件下的最优排程问题，能够在复杂的制造环境中提高效率、降低成本并改善服务水平。其采用基于场景化强化学习的计划排程问题构建技术以及非竞争启发式多目标全局最优求解技术，实现多订单、多工艺、多设备极复杂组合下的快速计划排程，通过退避式订单组合算法，实现订单合并、生产工艺合并等复杂操作逻辑，进一步提升生产排程紧凑性，通过基于关键服务水平的安全库存计算方法，实现动态安全库存预警，灵活指导企业进行生产计划制定和执行。该软件包括生产计划、排程优化、多目标优化、多方案对比、库存管理、物料需求计划、产能计划、订单管理、实时监控、报告与分析等功能，如图2-3-72所示。

图2-3-72 中智达生产计划与调度优化系统功能架构图

② 中智达生产运营管理系统Cyb-MOM是服务于工厂和车间的生产管控统一平台，将相关部门和岗位高效协同在一起，在平台上可以实现从计划、调度、操作到统计、分析、考核的一体化协同、精细化和闭环管理，显著提高生产管控效率。该软件严格遵循MES相关国际标准ISO 62264和国家标准，如图2-3-73所示，包含但不限于过程监控、计划管理、调度管理、操作管理、工艺管理、计量管理、罐区管理、库存管理、物料平衡、统计分

析、报表管理等模块，也可为用户定制个性化功能模块。Cyb-MOM在几十家客户成功投用，覆盖炼油、石化、煤化工、盐化工、氟硅化工、磷化工、农药、焦化等行业，帮助客户减员增效，人力成本减少10%以上，生产效率提高10%以上，整体运营成本降低5%以上。

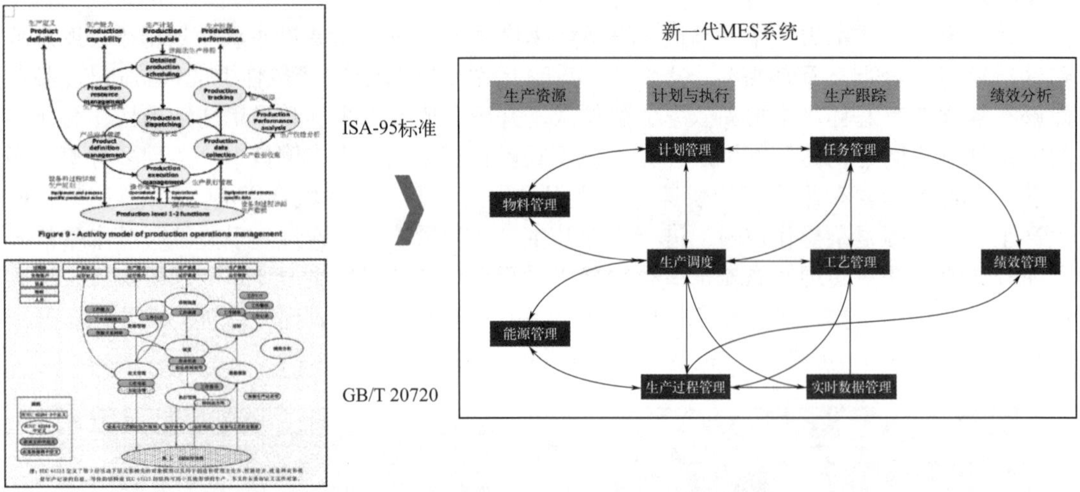

图 2-3-73　中智达生产运营管理系统标准架构设计

（5）中智达智能保障软件产品与解决方案

中智达智能保障软件产品包括工业互联网+安全管理系统、设备完整性管理系统、能源管理与优化系统、化验室管理系统等。

① 中智达工业互联网+安全管理系统Cyb-SPS以应急管理部《"工业互联网+危化安全生产"试点建设方案》《危险化学品企业安全风险智能化管控平台建设指南（试行）》等为遵循，覆盖应急管理部要求的必建场景和其他重要场景总计20多项，覆盖工业企业安全态、临界态、应急态全方位安全业务。该软件基于工业互联网平台底座，实现上述多个场景之间的数据互联互通和业务高效协同，真正杜绝安全管理漏洞（图2-3-74）。Cyb-SPS在

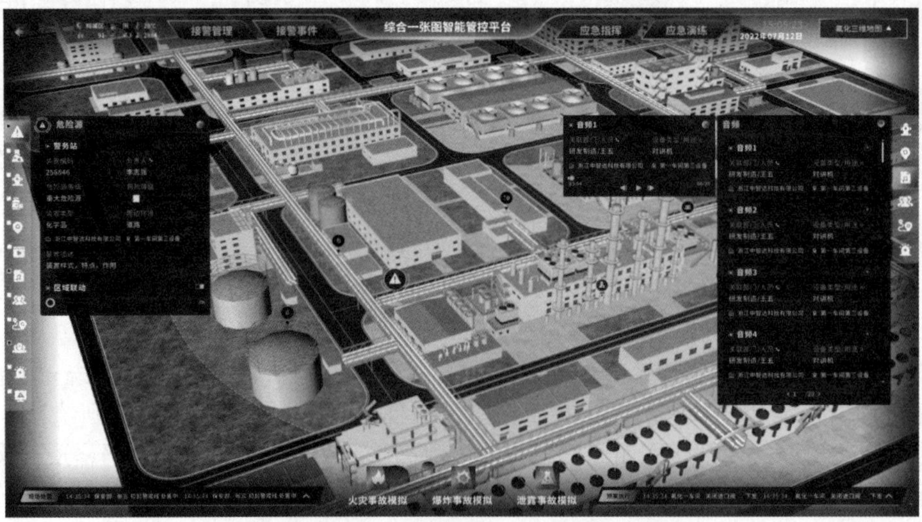

图 2-3-74　工业互联网 + 安全管理系统界面

几十家客户成功投用，覆盖炼油、石化、煤化工、盐化工、氟硅化工、磷化工、焦化等行业，其主要安全效益体现在：全方位监控无死角，线上闭环监督无漏洞，防患于未然；基于AI和物联网的事前预警，及时发现风险，扼杀在萌芽，减少事故发生；主动、智能化的应急指挥，快速、准确、高效处理事故，降低事故损失。

② 中智达设备完整性管理系统Cyb-EIM。以设备长周期安全运行和低成本运维为中心，涵盖管理、技术和经济完整性、设备全生命周期管理和设备智能巡检、设备在线监测和诊断预警等功能，提前预知设备故障，实现设备预知性维护（图2-3-75）。其中，设备在线诊断系统基于人工智能算法、在线温度振动信号监测、5G无线传输和在线诊断平台，实现动设备异常检测、故障识别，并给出预测性维修建议。

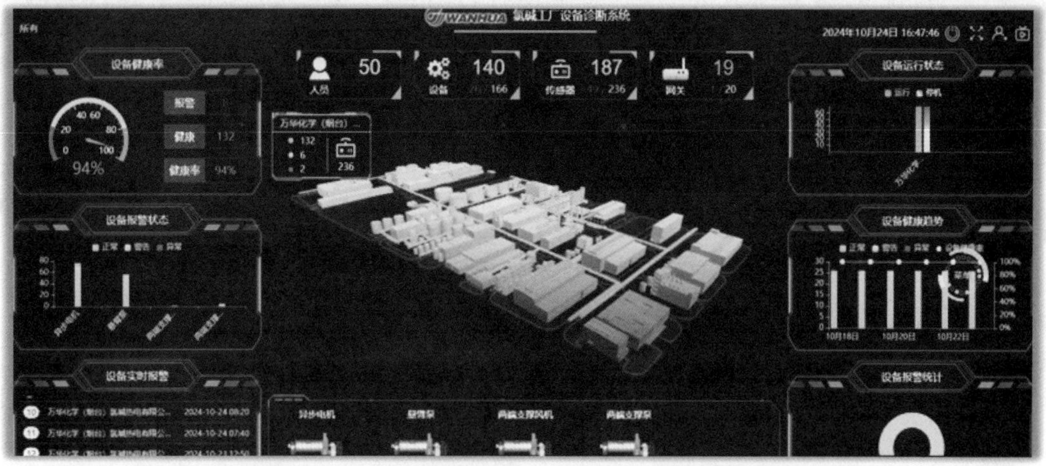

图2-3-75　设备完整性管理与在线诊断系统软件界面

（6）中智达工业软件与智能工厂典型示范案例

巨化集团有限公司以“零手动、零备机、零距离”三零工程为核心进行数智化变革，采用了中智达全套工业软件和平台，实现了“一个巨化、一个平台”架构和基于一个平台的整体智慧营运，实现了全集团148套装置的全流程零手动操作，物耗降低1.6%，能耗降低2%，产品不良品率降低22%，劳动生产率提升53.26%，员工劳动强度下降70%，节能降耗效益达3.2亿元/年。实现零手动操作后，DCS岗位从“操作员”变“监护员”，解放出更多的生产力，让更多的员工成为思考者、创造者，不断将智慧聚集到运营管理当中，为化工行业数智化变革写下“巨化方案”。

江西晶昊盐化隶属江盐集团，为了解决生产安全风险高、碳排量大、成本高利润率低等问题，以打造智能工厂满足安全稳定生产和降本增效为核心诉求，采用中智达核心产品和解决方案，打造了以“一张网、一朵云、一个平台、六大智能控制器、八大智能应用”为核心的新一代智能工厂新标杆（图2-3-76），实现一张5G网络全覆盖，一朵专属云更安全、更高性价比部署，一个工业互联网平台集成所有应用，六大智能控制器实现纯碱和锅炉全流程零手动操作，八大智能应用覆盖生产、安全、设备、质量、能源、5G+智能巡检、AI视频预警、数字孪生等全方位生产管控业务，生产和安全管理水平显著提升，产供销协同效率显著提升，精益化管理水平显著提升，通过降低能耗物耗，累计为晶昊带来1300多万元经济效益。

（7）未来技术展望和产品规划

中智达未来产品规划将沿两条路径开展。第一条路径是通过研发流程模拟软件，实现

图 2-3-76　江西晶昊盐化 5G+ 工业互联网平台综合展示界面

工业机理和专业知识的数字化，并通过研发实时优化软件等，将工业机理和专业知识与现有工业软件深度融合，赋能现有工业软件，实现基于工业机理和专业知识全面提升工业生产的智能化和优化水平。

随着智能工厂建设逐步进入深水区，结合生产装置运行机理开展操作优化的需求日益迫切，在原油加工中，通过流程模拟技术和实时优化技术，可以实现结合原料成本和产品效益的最佳生产操作条件计算。在化工企业的能源管网中，通过流程模拟技术和实时优化技术，可以实现蒸汽、水等资源的供需平衡。总之，基于流程模拟和实时优化技术，能够实现结合具体装置的、有针对性的生产操作条件优化。目前，中智达正在研发流程模拟软件和实时优化软件，以支持各种场景下的化工过程工艺建模、离线仿真和在线实时优化。

中智达流程模拟软件将严格的机理模型和人工智能相结合，进行精馏、吸收、换热、萃取等工艺过程的计算，进一步提高模型的准确性和专用装置的适用性，兼容 Windows/Linux/MacOS 操作系统，可以实现跨平台操作，并保持良好的运算速度，为了赋能现有各种工业软件，该软件的接口保持开放，第三方代码可方便调用，用户也可以采用 MATLAB、Python、Excel VBA 等开发自定义功能模块。该软件提供 AI 助手，帮助分析复杂的流程模拟数据、表格和图表，提供问题智能化诊断、数据自动化分析和实时优化建议，降低使用门槛，加速工程设计和运营优化。

中智达实时优化软件作为一种基于模型的严格稳态优化，能够从经济性的角度对 APC 的控制目标进行合理调节。开展实时优化首先需要利用化工原理、化工热力学对生产装置进行精确描述，因此需要流程模拟软件支持模型导出功能，包括提供化工热力学约束关系、化工热力学平衡参数计算接口，其次需要基于大规模非线性优化问题求解技术开展模型校正、新操作条件计算等工作。在模型校正阶段，需要具备数据清理功能，包括可信上限值、可信下限值、最大绝对变化量、最大相对变化量和最长间隔修改时间等，需要结合数据统计学特征，判断在窗口范围内是否达到稳态条件，进而触发实时优化逻辑，需要自动整定工艺参数，最大限度地保证模型与设备数据之间的匹配性。在新操作调节计算阶段，通过SQP算法、非梯度算法、强化学习等求解方法对操作单元实际运行过程模拟计算，得到用户定义优化目标下的系统最优解。在未来，可以将动态流程模拟软件与先进控制软件相结合，实现基于严格机理的APC先进控制系统，提升具体场景下的控制性能。

随着计算机技术的快速进步，尤其是最近几年人工智能（AI）的快速崛起，化工流程模拟技术和软件也随之会发生重大变革，开始朝着智能化、人性化、精确化方向发展。如开发工艺流程自动完成算法，只需用户输入组分和期望产品，流程模拟软件即可产生一套合理的工艺流程。在物性估算领域，可以借助大模型数据和更广泛已有实验数据，预测已有组分未知物性数据，或基于物性需求、基团贡献值和交互性质，在仿真环境下产生新的化合物分子式结构。基于专业大模型和智能体技术，逐渐实现生产调度、流程模拟、先进控制等软件相融合，发展成多功能集成的一体化软件，为设计和操作人员提供流程方案比选、环境影响评价、经济效益优化等提供参考依据。

中智达未来产品规划的第二条路径是基于不断快速迭代更新的通用大模型，开发工业垂直领域的专业大模型，并将工业大模型与现有工业软件融合，赋能现有工业软件，实现各种工业场景的深度智能化应用。

工业复杂生产过程系统已经形成“建模-感知-决策-诊断”的架构，但仍存在模型迁移能力差、装配模型耗时长、模型更新逻辑固化导致感知精度下降和决策指令不准确、无法自主生成新的诊断知识库等问题，大模型在对话交互、自动生成、建模预测等方面的优势正是解决这一问题的关键。中智达计划在未来两三年内与国内高校和企业一起，研发工业大模型驱动的复杂生产过程的智能化管控系统，将工业大模型技术深入应用到复杂生产过程的“模型-感知-决策-诊断”各个环节，开发大模型赋能的应用平台，丰富大模型在垂直领域的专业知识能力，以实现平台的通用化，满足场景的多样化。

中智达下一代智能管控系列工业软件将以大模型技术为支撑，深度融合流程模拟、实时优化与过程先进控制，实现从工业数据感知、机理建模到自主优化控制的全链路智能化。该软件构建基于工业知识图谱的智能认知系统，结合大规模自监督学习，能够从历史运行数据和工艺机理中提炼最优控制策略，自适应不同生产场景，实时调整参数，实现复杂生产过程的全局最优。通过多模态大模型，该系统不仅能够自动构建精确的场景化模型，还能结合动态优化算法，对实时工况进行精准预测，提前感知潜在异常并提供最优调整建议。同时，大模型驱动的自适应控制技术能够在非稳态运行条件下智能修正控制策略，使装置运行始终处于最佳状态。上述智能管控系列工业软件不仅突破了传统优化控制对机理建模和专家经验的依赖，还使企业能够以更低的成本、更高的效率实现稳定、安全和低碳的智能制造。

3.5 我国工业软件存在的几个突出问题

3.5.1 基础科学问题

首先，对于设计开发类软件来说，工业软件是一类非常重要的软件，由于规模体量小、集中程度高、开发难度大、开发周期长、资金需求大，成为我国软件中最薄弱的一个类别，国产设计软件市场份额只占5%，而且这5%的开发设计类软件大多数只用于工业机理简单、系统功能单一、加工复杂程度低的领域。对于工业机理复杂、加工过程繁复的核心工业软件缺乏研发能力。其次，对于生产控制类软件，工业软件是我国市场规模最大的一个类别，对国民经济发展担负着重大责任。我国流程工业生产控制类软件国产化应用相对比较成熟，表现在生产企业业务耦合性强、管理经验积累丰富，自主研发优势明显，目前占有50%的市场份额。但是，这类工业软件高端乏力，在全系统流程模拟软件PSS、全装置动态实时优化软件RTO，大型实时数据库软件RTDB等方面市场份额只占5%。综观我国工业软件发展现状的一个根本问题是对于高端、复杂、核心的工业软件缺乏研发能力。主要原因是缺乏数学、物理、化工、机械等基础科学强而有力的支撑，特别是缺乏线性代数、离散数学、概率论和统计学、动量传递规律、热量传递规律、质量传递规律、反应动力学，流体力学、空气动力学、热力学、电磁学等的综合支撑。高精尖的核心工业软件的研发，严重依赖基础科学，加强基础科学的研究与突破是最重要、最核心、最基本的支撑。

3.5.2 研发主体问题

三十多年的经验教训告诉人们，计算机软件工程师不可能单独完成核心工业软件的研发，因为软件工程师不熟悉工艺、机理、流程，不熟悉热力学方程、动力学方程、流体力学方程和反应动力学方程等。所以，不可能建立十分复杂的动态数学模型，并提出相应算法，也就不可能研发出核心工业软件。三十多年工业软件的发展历程已经表明，工业自动化工作者是研发核心工业软件的主体。这里所指的工业自动化，包括机械加工、航空航天、船舶工业、信息电子、冶金、电气、炼化、化工、轻工、制药、生化、交通、环保、矿山、纺织、建材等的自动化。工业自动化工作者熟悉相关领域的工艺、机理、流程，以及复杂的加工机理和加工过程。以工业自动化工作者为研发主体，结合工厂企业工程技术人员和计算机软件工程师，才能够推动工业软件的快速发展。

3.5.3 迭代更新问题

目前，国产工业软件用户少，产品缺少用户反馈，导致工业软件产品迭代更新、不断优化、不断升级的状态十分不理想。工业软件要不断解决自身的漏洞，不断迭代，才能不断增强自身的竞争力。MATLAB初始版本生于1984年，40多年来不断更新、不断迭代，才成为今天的“工科神器”。实际上，一个复杂的核心工业软件的诞生，必须经过反复检测、测试、修改、补漏、完善，即便在使用过程中，还必须不断发现问题，不断解决问题，不断迭代更新。因此，对起步阶段国产软件的偏见亟待破除，而应当用发展眼光看待国产工业软件的成长，逐步构建自主可控的工业软件生态。

3.5.4 测试验证问题

测试验证是工业软件开发过程中一个十分重要的环节，一个雏形的工业软件，必须经过反反复复的测试、验证、修改、补漏，才能成为一个正式软件产品。美国、德国、日本等世界发达国家，均建有大型规模的核心工业软件测试验证装置。目前我国开发厂商、科研机构、高等院校的工业软件，测试验证各自为政，资金投入严重不足，条件鸿沟难以跨越，实验装置小而分散，测试手段不成体系，真实环境严重缺失，这种测试验证环境与实际运行场景有“天壤之别”，环境的不真实，导致测试验证的不可信。特别是我国目前大型核心工业软件，如全过程流程模拟软件PSS、全装置动态实时优化软件RTO、全系统大型实时数据库软件RTDB等，完全不能在现有的工业装置上进行测试验证，所以，建立一套核心工业软件测试验证的大型实验装置是一项十分迫切的。

3.5.5 统一标准问题

建立一套完善的工业软件国家标准已迫在眉睫。建立工业软件标准，能够提高工业软件的可拓展性、可互换性和可维护性，标准包括软件体系、软件架构、开发流程、人机交互、质量评估等诸多方面。目前，一方面国内工业软件技术不过关，达不到高端市场的需求，产品附加值低，只能在中低端市场占有一席之地，在国际上少有话语权。另一方面，即便在中低端市场也因为没有统一的工业软件国家标准，造成十分混乱的局面。由于缺乏统一的工业软件标准，在用户企业的产业链上下游采购不同厂商的工业软件时，数据格式、接口标准难以协同，即使通过格式标准转换，也存在重要特性信息丢失的问题，使得国产工业软件之间无法形成合力，更难以与国外一体化的平台软件相抗衡。建立一套国家的完善的统一工业软件标准是一项十分复杂的坚定任务，但不排除万难建立统一标准，发展核心工业软件是很难实现的。

3.6 》 核心工业软件的发展建议

纵观科技部重点研发计划、科技创新2030重大计划、科技部重大攻关计划涉及工业软件的重点专项和相关项目已经列入了一系列工业软件，现在我国短缺的是形成体系的核心工业软件以及支撑核心工业软件研发的基础科学理论、方法、技术和测试验证的手段、装置、场景。与此同时，带数据底座的工业操作系统和统一的完善的国家标准等问题也亟待解决。为此提出如图2-3-77所示的发展核心工业软件总体架构。

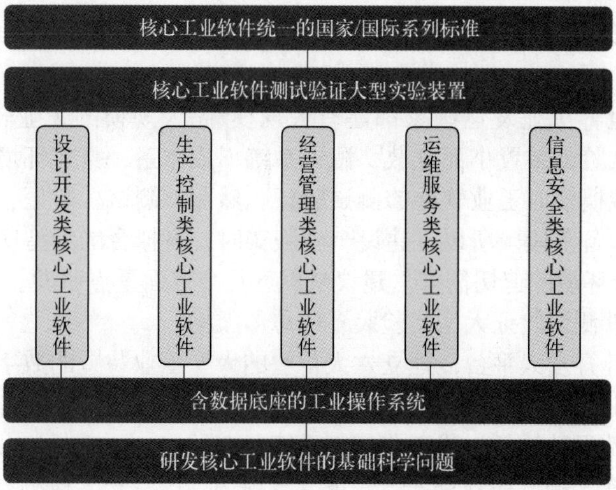

图2-3-77 发展核心工业软件总体架构

3.6.1　研发核心工业软件的基础科学问题

我国在核心工业软件研发领域面临的困境，根本原因在于缺乏基础科学强而有力的支撑，特别是数学基础、物理基础、化工基础、机械基础的科学支撑。大力促进四大基础科学研究是核心工业软件研发最基本、最核心、最重要的迫切需求，亟待突破五大基础理论与方法、五大算法库与数据库、三个模拟算法与模块。

① 反馈控制与强化学习的基础理论、机械运动创成与精度演化的基础理论、机械加工与复合成形设计制造的基础理论、AI赋能的物理仿真基本方法、机电液基础件及系统级装配的基本方法。

② 构建复杂高维优化问题的求解算法库、物理机理模型的求解算法库、化工热力学与物性数据库、化学反应机理与动力学参数库、工业大数据处理与建模的核心算法库。

③ 多物理场仿真软件核心模块、化工系统与流程模拟计算、传递过程与CFD模拟计算。

3.6.2　含数据底座的工业操作系统

工业操作系统不是工业软件，它是管理工业系统硬件、软件及数据资源的系统软件，任何其他软件都必须在它的支持下才能运行。建有数据底座（功能包括数据采集和处理、数据存储和分析、数据可视化和服务、数据安全和治理、数据管理与优化、数据驱动的决策和运行）及包含测量感知库、控制引擎库、工控协议库、工程模型库、工业算法库等的工业操作系统，有利于各类核心工业软件的研发。着力研发工业操作系统是确保各类工业系统安全、稳定、精准、可靠运行的迫切需求。建议着重研发以下几类工业操作系统。

① 工业现场级操作系统，包括新一代工业控制系统、嵌入式实时操作系统、新一代工业通信协议等。

② 工厂级操作系统，重点是多元异构系统集成、对象元模型组织与重构、面向对象模型的全信息画像等。

③ 工业操作系统，重点突破系统内核安全、平台安全、控制系统安全、网络安全、新一代工业通信安全等。

3.6.3　核心工业软件测试验证大型实验装置

美国、日本等世界工业发达国家都建有大规模/超大规模的工业软件测试验证装置，我国目前所建的测试验证装置小而分散，测试系统不成体系，真实环境严重缺失，难以进行高度复杂、超大规模核心工业软件的测试验证。然而，测试、验证、反馈、补漏、修正是工业软件研发的必备手段，所以，建设一套强实时、高拟合的大型实验装置是建立雄厚研发实力和真实运行环境的迫切需求。建议从以下几个方面重点研发。

① 核心工业软件测试验证大型实验装置的总体架构；

② 数字孪生设计开发大平台，建立六大行业的大型工业装置的数字孪生体；

③ 连接大型工业装置与数字孪生体的实时映射装置；

④ 核心工业软件驱动的新一代工业控制系统（选配）；

⑤ 场景构建生成、测试计划管理、验证分析评估、综合安全检测、辅助实验支撑等运行维护系统。

3.6.4 工业软件统一的国家 / 国际系列标准

集中力量，加快制定工业软件的统一国家标准，甚至国际系列标准，是夺取工业软件的国际话语权和提升我国工业软件的国际地位的迫切需求，建议从以下几个方面着重研究:

① 梳理现有工业软件标准，建立统一的国家标准体系；

② 选择重点关键行业，制定关键亟需国家标准；

③ 加强工业软件标准的测试验证和大面积推广应用；

④ 在以上基础上，扩大行业，加强国家/国际标准制定。

3.6.5 设计开发类核心工业软件

针对我国在设计开发类工业软件领域存在不足的局面，建议聚焦高端工业装备/产线，着重研发以下领域。

① 形性耦合的CAD/CAE一体化工业软件包；

② 工艺自主规划与数字孪生云化工业软件包；

③ 机器人产线数字孪生建模及核心工业软件包；

④ 工业机器人中间件及软件低代码研发平台；

⑤ 机器智能制造产线一体化控制系统及核心工业软件包等的通用/专用设计开发平台。

3.6.6 生产控制类核心工业软件

对于工艺机理复杂多变、大规模或超大规模的生产控制类核心工业软件，建议运用新一代人工智能技术、新一代信息通信技术、新一代工业控制技术与新一代工业制造技术的深度融合，以优质高效、绿色环保、节能降耗、安全可靠为目标，从以下几个方面着重研发:

① 面向智能制造的工业装置实时优化与智能控制软件；

② 面向制造业数字化转型的新一代流程模拟软件；

③ 全域智联生产线自主协同与网络化控制及优化软件；

④ 云边协同的生产制造流程智能化管控一体化软件等核心工业软件及通用开发平台、装备/流程专用工业软件平台、云化专用工业软件包。

3.6.7 经营管理类核心工业软件

我国经营管理类工业软件产业化程度最高，各行从业人员最多，市场占有率最大。但是，在高端市场，大规模复杂度高的经营管理类核心工业软件国产市场占有率小于30%，仍有很大的发展空间。建议从以下几个方面重点研发:

① 经营管理基础作业类工业软件；

② 经营管理支撑类工业软件；

③ 新型经营管理类工业软件工具集；

④ 经营管理类一体化工业软件等核心工业软件的通用设计开发平台、企业级经营管理软件平台，以及云化专用经营管理软件包。

3.6.8 运维服务类核心工业软件

运维服务类核心工业软件应用前景最广，具有巨大的发展空间。我国目前这类软件缺乏对数据应用和对支持决策的辅助，底层核心技术依赖国外，相关产品、技术、功能、市场占有率等方面与国外存在较大差距。建议从以下几个方面重点研发:

① PHM一体化工业软件设计开发平台；

② RMASS资源管理与调度系统工业软件；

③ MRO维护维修运行管理系统软件；

④ SARMS安全与风险管理系统软件；

⑤ KBAIS知识库与智能分析系统软件；

⑥ UISP运维服务通用一体化软件平台等核心工业软件及通用设计开发平台、行业运维服务软件平台、云化专用运维服务软件包。

3.6.9 信息安全类核心工业软件

在信息安全类核心工业软件方面的研究还不多，但信息安全至关重要，建议从以下方面着重研究:

① 未知隐匿入侵下关键工业装备全生命周期内生安全和主动防御的体系理论、方法、技术、算法；

② 核心工业软件全生命周期内生安全架构的通用设计开发平台；

③ 信息物理深度融合的工业网络安全设计开发平台；

④ 信息安全、功能安全、本质安全的一体化通用设计开发平台；

⑤ 深度安全检测专用软件包，信息安全完整性测试专用软件包，未知隐匿入侵内生安全专用软件包，信息安全、功能安全、本质安全一体化工业软件包。

本章负责人　孙优贤　浙江大学

参加编写人员　杜文莉　杨春节　刘飞　王文海　王耀南　苏宏业

第4章 机器人

4.1 引言

2021年12月，工信部等15个部门联合发布了《“十四五”机器人产业发展规划》，这一重大举措标志着中国机器人产业进入了新的发展阶段。此规划明确了机器人产业在中国国家发展战略中的重大意义，并提出了一系列宏伟的目标，旨在将中国机器人产业推向新的高度，实现全球领先地位。这一计划的发布反映了中国政府对机器人技术和产业的高度重视，以及对未来科技创新和经济增长的坚定承诺。中国政府制定《“十四五”机器人产业发展规划》的背后是深刻的战略思考。机器人技术已成为当今世界科技领域的重要前沿，它不仅推动着工业自动化的发展，还广泛应用于医疗、农业、教育、军事等多个领域。因此，加强机器人产业的发展对于提高生产效率、促进创新和改善生活质量都具有巨大的促进作用。此规划中，明确了机器人产业的发展目标，包括提高机器人核心技术的自主创新能力，加强产业链上下游的协同发展，推动机器人在智能制造、智能服务、智能农业等领域的广泛应用，培育一批具有国际竞争力的机器人企业，以及构建健全的法律法规体系和标准体系。这些目标的实现不仅将推动中国机器人产业的快速增长，还将为全球机器人技术的发展提供动力。随着语音识别、机器视觉、机器学习、自动导航与定位等多种智能技术的不断发展与落地，智能机器人已成为多个领域市场的“宠儿”。语音识别技术的进步使机器人能够更好地与人类进行交互，机器视觉的发展使其具备更强的感知能力，机器学习技术的应用使其具备了更高的智能化水平，而自动导航与定位技术的进步使其能够在复杂环境中自主操作。这些技术的不断进步不仅提高了机器人的性能，还扩大了它们的应用范围，从工业生产线到医疗手术室，从家庭助手到农业自动化，机器人的应用前景广泛而充满潜力。

智能技术的快速发展正在推动传统机器人行业进入一个快速转型的时期。尽管在面对疫情等外部因素的挑战时，整体经济形势相对低迷，但机器人行业仍然表现出令人瞩目的增长力。2021年，中国机器人市场规模突破了250亿美元，表明机器人产业在国内和国际市场上的地位逐渐上升。根据艾瑞（iResearch）的预测，到2025年，中国的智能机器人市场规模有望接近千亿美元，这预示着机器人产业的未来充满无限可能性。

智能技术在机器人行业的应用已经引领了一场革命。语音识别技术的不断进步使得机器人能够更好地理解和响应人类的语音指令，这使得它们在各种环境中都能够进行沟通和协作。机器视觉技术的发展让机器人具备了更强大的感知能力，能够在不同场景下识别和理解物体，这对于自动导航、协作机器人和工业生产等领域具有巨大价值。同时，机器学习的应用使得机器人能够不断地学习和改进自己的操作技能，从而提高了其智能水平。这些技术的共同进步推动了整个机器人行业的发展，使机器人不仅能够在传统领域如工业制造中发挥更大作用，还能够进一步拓展到新兴领域，如医疗保健、服务业、农业等领域。

近几年，人们对无人化和自动化技术的需求急剧增加。在工业制造中，机器人已经成为提高生产效率和确保工人安全的不可或缺的工具。在医疗领域，机器人被用于进行远程诊断、消毒和手术，有力地支持了医护人员的工作。而在服务领域，智能机器人也开始进一步普及，如餐厅服务员机器人、自动驾驶送货机器人等。这些机器人的出现不仅提高了生产力，还降低了人力成本，有助于应对劳动力短缺的挑战。

我国政府对机器人产业的支持也是机器人行业蓬勃发展的重要动力。政府通过政策扶持、研发资金投入和市场开放等方式，积极推动机器人技术的创新和应用。此外，中国的机器人制造企业也在全球范围内崭露头角，通过不断提升技术水平和产品质量，已经开始在国际市场上竞争领先地位。随着时间的推移，智能机器人将在各个领域发挥越来越重要的作用。在工业制造中，机器人将继续提高生产效率，减少人为错误，确保产品质量。在医疗领域，机器人将帮助医护人员进行手术和治疗，为患者提供更好的医疗服务。在农业领域，农业机器人将协助农民进行种植和收割，提高农业生产的效率。在服务领域，智能机器人将帮助提供更高质量的客户服务。这一切都将推动中国机器人市场持续增长，为国家经济健康发展作出积极贡献。

技术与需求的碰撞以及持续的打磨，已经成为推动机器人产品在多个领域广泛应用的主要动力。本报告着重选择了工业、商业服务、医疗和农业四大领域，以多维度的分析来深入探讨这一趋势，将从驱动因素、产品品类、智能功能、优势技术、演进趋势以及落地难点等多个角度，对机器人的应用进行深入剖析，以便为各行业相关主体提供有价值的参考。

在工业领域，自动化需求不断增长，机器人已经成为提高生产效率和安全性的不可或缺的工具。机器人在装配、焊接、搬运和品质检测等任务中发挥着重要作用。同时，劳动力成本的不断上升也催生了工业机器人的需求。这些机器人采用了人工智能、传感技术和自动路径规划等先进技术，以应对复杂多变的生产工艺。然而，协作机器人的发展和数据安全与隐私问题仍然是亟待解决的难题。

商业服务领域也在积极探索机器人的应用，以满足客户服务需求、降低成本并提升用户体验。服务机器人在餐饮、酒店、零售和银行等领域广泛使用，自然语言处理和情感识别等智能功能让机器人能够与人类客户进行有效的交流。然而，伦理和法律问题、人机互动设计和安全性仍然需要更多的研究和解决方案。

在医疗领域，机器人的应用正在推动医疗护理的革命。随着人口老龄化的加剧，机器人可协助处理老年人的需求。医疗机器人在手术、康复和药物管理方面表现出色，精确操作和数据分析技术有助于提供更好的医疗服务。然而，伦理问题、远程医疗的有效性和数据安全仍然是需要关注的挑战。

农业领域也在寻求机器人技术的应用，以提高农业生产效率和可持续性。农业机器人用于种植、收获和监测农田状况，能够减轻农民的工作负担。然而，机器人在复杂的农业环境中面临挑战，如地形不均、天气变化和作物识别等问题。

在技术侧，驱动机器人的智能化进程，实现感知向认知的跨越式发展。提升自研硬件性能，软件赋能硬件，以多源感知为基础，依托海量数据改进以算法为核心的智能技术，通过“端-边-云”协同架构，缓解终端数据处理压力。在机器人领域，技术的不断发展与创新是推动智能化进程的关键。首先，要不断提升机器人自研硬件性能，包括处理器、传感器、电池等关键组件的性能，以确保机器人能够更快、更准确地感知和响应环境。同时，软件也起着至关重要的作用，通过不断优化和升级软件，可以实现更高级别的功能和智能化操作。通过将软件与硬件紧密结合，可以让机器人更加智能化和高效化地运行。多源感知是智能机器人的核心技术之一。机器人需要能够从多个传感器中获取信息，包括视觉、声音、触觉等，以更全面地理解周围环境。在这种多源感知的基础上，机器人可以更好地应对复杂和多变的任务，提高工作的安全性和可靠性。海量数据在智能机器人的发展中扮演着重要角色。通过收集和分析海量数据，可以不断改进机器人的智能技术，包括机器学习和深度学习等算法。这些算法可以帮助机器人更好地理解和预测环境，提高决策的准确性和速度。此外，海量数据还可以用于机器人的训练和模拟，提高机器人在各种场景下的表现。协同架构是实现机器人智能化的关键。通过将机器人的计算和决策分布在端、边和云上，可以更好地管理和分配计算资源，缓解终端数据处理压力。在这种架构下，机器人可以在本地进行实时决策，同时利用云端的计算资源进行更复杂的计算和分析，以实现更高级别的智能化操作。

在产品侧，丰富机器人的多样化应用是推动机器人市场增长的关键。随着市场需求不断升级，机器人制造商需要不断改进产品，以满足不同领域的需求。一方面，可以通过广度上的拓展来推出新型品类，如家庭服务机器人、医疗协助机器人等，以满足不同领域的需求。另一方面，可以破除壁垒，实现机器人在不同场景下的全面作业，例如在工业、农业、物流等领域广泛应用。

在产业侧，助推机器人的生态化融合是实现机器人产业跨足向前的重要趋势。机器人产业需要汇聚各方主体的资源力量，包括制造商、开发者、研究机构、政府等，共同推动机器人技术的发展和应用。这种生态化融合可以帮助解决机器人面临的各种挑战，包括法律法规、标准化、安全性等问题，从而推动整个产业向前发展。

技术、产品和产业三方面的发展都是推动机器人智能化进程的关键因素。通过不断创新和合作，可以实现更智能、更多样化、更生态化的机器人应用，推动机器人产业持续向前发展。

4.2 智能机器人行业发展概述

4.2.1 智能机器人界定

智能机器人的发展已经成为现代科技进步的一个重要标志。国际标准化组织定义机器人为一种能够通过编程和自动控制来执行诸如作业或移动等任务的机器。这一定义虽然准确，但随着技术的发展，机器人的功能和应用已经远远超出了这一基本框架。特别是在感知、决策、执行、控制这四个基本要素的推动下，智能机器人的能力和应用领域正在快速扩展。

（1）感知：智能机器人的“眼睛和耳朵”

感知是智能机器人的基础能力之一，它使机器人能够通过多模态感知系统，如视觉、听觉、触觉等感知外部环境。这些系统通常包括摄像头、传感器、雷达等设备，它们帮助机器人捕捉周围环境的信息，从而做出相应的反应。例如，自动驾驶汽车通过摄像头和雷达感知周围的交通情况，而工业机器人则通过视觉系统识别和操纵物体。

（2）决策：智能机器人的“大脑”

决策是智能机器人的核心要素，它依赖于机器人的计算和分析能力。通过深度学习、机器学习等人工智能技术，机器人能够处理和分析感知到的数据，从而做出智能决策。这一过程涉及复杂的算法和数据处理流程，使机器人能够在不同的环境和情境中做出适当的反应。例如，服务机器人能够根据顾客的需求和行为做出响应，而搜索救援机器人则能够在复杂的环境中找到最佳的救援路径。

（3）执行：智能机器人的“手脚”

执行是智能机器人将决策转化为实际行动的能力。这通常涉及机器人的机械结构，如臂、腿、轮子等，它们使机器人能够在物理世界中移动和操作物体。执行能力的高低直接影响到机器人完成任务的效率和准确性。例如，精密制造中的机器人需要极高的执行精度来完成复杂的组装任务，而家庭服务机器人则需要灵活的移动能力来适应家庭环境。

（4）控制：智能机器人的“调节器”

控制是指机器人对其动作和行为的调节和控制能力。这不仅包括对机器人自身动作的精确控制，还包括对执行任务过程中可能出现的变化和异常情况的应对能力。控制系统通常需要实时监测机器人的状态，并根据外部环境的变化做出调整，以确保任务的顺利完成。例如，自适应控制系统可以使机器人在不同的地形上稳定行走，而智能调节系统则可以帮助机器人在复杂的工作环境中保持高效率。

4.2.2 智能机器人的应用领域

随着技术的发展，智能机器人已经被广泛应用于多个领域。在工业生产中，机器人可以提高生产效率和质量，同时降低劳动强度和生产成本。在医疗领域，机器人可以协助进行精确的手术操作，提高手术的成功率。在服务行业，机器人可以提供个性化的服务，如酒店服务、老人护理等。此外，智能机器人还在军事、教育、科研等领域发挥着重要作用。

企业级智能机器人通常指的是那些在企业和工业环境中使用的机器人。与个人消费级机器人相比，企业级机器人通常具有更高的性能要求，包括更强的负载能力、更高的精度和更复杂的功能。这些机器人通常用于自动化生产线、物流搬运、数据分析等领域，它们能够帮助企业提高效率、降低成本、提升产品质量。

随着技术的不断进步，智能机器人的能力将会进一步提升，应用领域也将进一步扩大。未来的智能机器人将更加智能化、自主化，它们不仅能够完成更复杂的任务，还能够更好地与人类协作，共同完成工作。例如，通过增强现实（AR）和虚拟现实（VR）技术，机器人可以在更复杂的环境中进行操作，同时提供更加直观的人机交互体验。此外，随着物联网（IoT）技术的发展，机器人将能够更加智能地与其他设备和系统交互，实现更高效的数据共享和任务协调。

在自主性方面，未来的智能机器人将拥有更高级的自学习能力，能够根据环境变化和任务需求自我优化。这意味着机器人将能够在没有人类直接干预的情况下，独立完成更加复杂的任务。例如，通过机器学习和人工智能，机器人可以自主学习新技能，适应新环境，甚至进行创新性的问题解决。

安全性也是未来智能机器人发展的重要方面。随着机器人在各个领域的广泛应用，确保其操作的安全性变得尤为重要。这不仅包括物理安全，如防止机器人造成伤害或损坏，还包括数据安全，如保护机器人收集和处理的敏感信息。因此，未来的智能机器人将配备更先进的安全系统，包括硬件保护措施和软件安全协议。

智能机器人的发展正处于一个快速变化的时期。随着技术的不断进步，它们将在更多领域发挥重要作用，成为推动社会发展和科技进步的重要力量。同时，我们也需要关注与之相关的伦理、法律和社会问题，确保智能机器人的发展能够为人类带来更多的利益，而不是问题。

4.2.3 发展历程

机器人技术的发展历程是人类智能化探索的缩影。从最初的自动化机械装置到如今的高度智能化机器人，这一领域经历了翻天覆地的变化。机器人的发展大致可以分为三个阶段：萌芽成长期、快速发展期与智能探索期。在这个过程中，机器人从具有简单的记忆存储能力逐渐演变为具备复杂感知和反馈能力的智能系统。目前，整个产业正处于机器人3.0探索阶段，探索机器人从部分智能向完全自主智能转变。

（1）萌芽成长期

早期，机器人主要被视为自动化的工具，用于执行重复性高、精度要求严格的工作。这一时期的机器人主要基于预设程序执行任务，缺乏环境感知能力和自主决策能力。它们在汽车制造、电子组装等领域得到了广泛应用，显著提高了生产效率和产品质量。

（2）快速发展期

随着计算机技术和人工智能的发展，机器人开始具备一定的感知能力。这一时期的机器人通过集成多样的传感器，如摄像头、红外传感器、触觉传感器等，能够感知周围环境并做出相应的反应。这些机器人不仅能在工业环境中执行复杂任务，还开始在医疗、教育、家庭服务等领域发挥作用。

（3）智能探索期

目前，机器人技术正处于智能探索期，这一时期的特点是机器人智能化程度显著提升。机器人不仅能感知环境，还能通过深度学习、机器学习等技术进行数据分析和决策。这使得机器人能够在更加复杂和动态的环境中工作，例如自动驾驶汽车、智能家居机器人、高级服务机器人等。

尽管目前的机器人已经具备了一定的智能化能力，但实现完全自主的判断和决策仍然是一个巨大的挑战。完全自主的机器人需要能够理解复杂的环境，做出合理的决策，并能够学习和适应新的任务和环境。这不仅需要先进的算法和计算能力，还需要对机器人伦理和安全性进行深入研究。

机器人技术的发展是人类智能化探索的重要组成部分。从最初的自动化机械装置到未来的完全自主智能机器人，这一领域经历了巨大的变化。未来的机器人将更加智能化和自主化，能够更好地服务于人类社会。然而，这也带来了新的挑战，包括技术、安全、伦理等方面。只有通过不断的研究和探索，才能充分发挥机器人技术的潜力，同时确保其健康和可持续的发展。

4.2.4 行业发展驱动因素

（1）政策引导

政策推动下的机器人行业发展，特别是在工业领域的规模化应用，已成为中国乃至全球制造业现代化的重要标志。近年来，中国工业机器人的产量和应用水平不断攀升，2021年整体产量突破36万套，稳居全球第一大工业机器人市场。这一成就的取得，不仅得益于政策的大力驱动，还源于企业对创新的持续投入和技术的快速发展。

工业机器人的规模化发展，是中国制造业转型升级的重要组成部分。随着制造业的机器人密度在2020年达到每万人246台，接近全球制造业机器人使用密度的2倍，中国在全球工业机器人应用领域的地位日益显著。这一转变不仅提高了生产效率和产品质量，还推动了制造业向更高端、智能化的方向发展。

政策的支持和引导对于工业机器人行业的发展至关重要。中国政府通过制定一系列政策和措施，如税收优惠、资金支持、研发补贴等，鼓励企业投资机器人技术，推动产业升级。这些政策不仅降低了企业的投资风险，还加速了技术的研发和应用。

中国机器人产业的蓬勃发展，也得益于企业的积极响应和创新能力。截至2021年底，机器人领域专精特新“小巨人”企业数量达到101家，这些企业在整机、核心部件、系统集成等领域取得了显著成就。这些企业通过不断的技术创新和市场拓展，为中国机器人产业的健康发展奠定了坚实的基础。

技术创新是推动机器人产业发展的关键因素。中国的机器人企业不断在核心技术、关键部件和系统集成等方面进行研发和创新，提高产品的性能和可靠性。例如，通过改进机器人的感知能力，增强其智能决策和执行能力，机器人能够更好地适应复杂和多变的生产环境。

随着机器人产业的快速发展，相关的产业链也在不断完善。从核心部件制造到系统集成，再到服务和维护，形成了一个完整的产业生态。这不仅提高了产业的整体竞争力，还促进了相关产业的发展，如电子、汽车、物流等。

展望未来，中国的机器人产业有望继续保持快速增长的势头。随着技术的进一步成熟和应用领域的拓展，机器人将在更多行业发挥重要作用。同时，随着人工智能、大数据、云计算等技术的融合，机器人的智能化水平将进一步提升，能够更好地满足不同行业和用户的需求。

尽管机器人产业发展迅速，但仍面临一些挑战，如高端技术的依赖、市场竞争的加剧，以及国际贸易环境的不确定性。为了应对这些挑战，中国需要继续加大研发投入，提升自主创新能力，同时加强国际合作，拓展全球市场。

政策的推动、企业的积极响应、技术创新的推动以及产业链的完善，共同推动了中国工业机器人行业的快速发展。未来，随着技术的不断进步和应用领域的拓展，机器人将在推动中国乃至全球制造业的现代化进程中发挥更加重要的作用。同时，面对挑战，中国需要持续推动产业升级，加强国际合作，以实现更广泛的应用和更深入的技术创新。

（2）技术赋能

机器人行业的发展正经历着一场深刻的变革，核心硬件的国产化和新兴技术的国际领先地位是这一变革的关键因素。过去，机器人行业在核心硬件（如减速器、伺服电机等）方面长期依赖进口，这一直是制约行业发展的重要因素。然而，随着智能制造的转型升级，中国企业开始加快国产自研进程，逐步缩小国产部件与进口零件的性能差距，核心零部件的国产化替代比重增大，有效打破了国外在核心技术上的垄断局面。

近年来，中国在机器人核心硬件的国产化方面取得了显著进展。众多企业通过自主研发和技术创新，逐步提高了国产减速器、伺服电机等核心部件的性能和可靠性。这不仅降低了成本，还提高了供应链的稳定性。国产化的推进，使得中国机器人企业在全球市场的竞争力得到了显著提升。

中国在大数据、人工智能、云计算、物联网等战略性新兴产业方面取得了显著成就。特别是在人工智能领域，中国的发展速度令世界瞩目。据统计，2021年中国在AI领域的专利申请量居全球首位，占比超过74.7%。这些新兴技术的发展不仅推动了机器人智能水平的大幅提升，还为机器人行业的创新和应用提供了强大的技术支撑。

智能技术的加持使得机器人在一定程度上减轻了对核心硬件的依赖。通过软件的赋能，机器人能够更加灵活地适应不同的应用场景，提高工作效率和准确性。例如，通过机器学习和深度学习，机器人可以更好地理解和适应复杂的工作环境，提高决策的智能化水平。

展望未来，随着核心硬件国产化的深入和新兴技术的不断发展，中国机器人行业有望继续保持快速增长的势头。机器人的智能化水平将进一步提升，应用领域将更加广泛。同时，随着国际市场的开放和合作的加深，中国机器人企业有望在全球市场占据更加重要的位置。

（3）生产驱动

在当今社会，企业对效率、质量和成本的追求日益增强，这促使“机器人代人”成为一个不断发展的趋势。机器人在多个方面展现出其相对于人工的固有优势，尤其是在生产效率、质量控制、工作稳定性和环境适应性方面。随着技术的进步和应用领域的拓展，机器人在工业、服务业、教育和医疗等多个领域的应用正在迅速增长。

在工业制造领域，机器人的应用已经非常成熟。机器人在完成高精度、耗时长、环境恶劣的工作时，能够有效提升生产效率，统一产品质量，并保障工作人员的安全。例如，在汽车制造、电子组装和重工业等领域，机器人已成为不可或缺的一部分。智能制造的发展使得机器人在这些领域的应用更加广泛和深入。

服务机器人的应用也在逐步增加。例如，在酒店业，机器人可以用于客房服务、清洁和前台接待；在零售业，它们可以用于货物搬运、库存管理和顾客服务。这些应用不仅提高了服务效率，还降低了人力成本。机器人被用作教学辅助工具，帮助提高教学质量和学生的学习效率。例如，编程教育机器人可以激发学生对科学技术的兴趣，而语言学习机器人可以辅助语言教学，提供更加个性化的学习体验，增强互动性。在医疗领域，机器人的应用正在快速发展。手术机器人可以协助医生进行更精确的手术操作，而护理机器人可以用于病人的日常护理和监护。这些应用不仅提高了医疗服务的质量，还有助于减轻医护人员的工作负担。随着人口老龄化的加剧，机器人代人成为应对未来劳动力短缺的一种可能解决方案。在老龄化社会中，机器人可以用于老年人的日常护理和陪伴，减轻社会的护理压力。

未来，随着机器人技术的不断进步，我们可以预见机器人在各个领域的应用将更加广泛和深入。机器人的智能化水平将进一步提升，使它们能够更好地适应复杂的工作环境和任务。此外，随着人工智能、大数据、云计算等技术的融合，机器人将能够提供更加智能化和个性化的服务。

4.2.5 智能体现

（1）环境感知

传感器作为机器人获取类人知觉与反应能力的基础，对于智能机器人的发展至关重要。它们不仅起到内部反馈控制的作用，还能使机器人感知并与外部环境产生交互。为了实现更加精准的环境信息反馈，现代机器人系统越来越多地采用融合视觉、听觉、触觉、体感等多模态感知系统。

按照检测对象的类别，传感器可分为内部传感器和外部传感器。内部传感器用于测量智能机器人自身的状态，如位置、速度、加速度等；而外部传感器则用于测量与机器人作业相关的外部因素，如温度、光照、声音、距离等。

为了获取完整和稳定的系统信息，机器人通常采用多源信息融合的方式来提高识别的准确率。多模态感知系统通过不同的方法和视角收集的耦合数据样本，即多模态数据，能够提供更全面的环境感知能力。

视觉传感器，如摄像头和图像传感器，是机器人最重要的感知组件之一。它们使机器人能够识别物体、测量距离、分析环境结构等。高级的视觉处理技术，如计算机视觉和图像识别，进一步增强了机器人的视觉感知能力。听觉传感器，如麦克风，使机器人能够接收和分析声音信息。这不仅包括语音识别，还包括环境噪声分析、声源定位等。听觉传感器在人机交互和环境监测方面发挥着重要作用。触觉传感器使机器人能够感知接触力度、纹理、温度等信息。这对于执行精细操作，如抓取不同材质的物体，尤为重要。触觉传感器的发展为机器人提供了更加丰富的交互方式。体感传感器，如加速度计和陀螺仪，用于感知机器人的运动状态和空间定位。这些传感器对于保持机器人的平衡、实现导航和避障至关重要。

信息融合技术是实现多模态感知系统的关键。它将来自不同传感器的数据综合起来，以获得比单一传感器更准确、更可靠的信息。例如，通过融合视觉和触觉信息，机器人可以更准确地抓取和操作物体。

（2）执行控制

机器人的控制系统，作为其“大脑”，在智能机器人的发展中扮演着至关重要的角色。这个系统不仅控制着机器人的运动位置、姿态、轨迹、操作顺序及动作时间，还涉及更高级的智能控制功能，如推理、学习和决策。随着多学科的交叉融合，机器人控制系统的能力正在不断增强，使机器人能够更加智能和高效地执行任务。

机器人控制系统通常分为两个层次：底层控制和上层控制。底层控制主要涉及机器人的物理部分，包括机械结构、驱动器和传感器等。这一层面的控制关注于机器人的基本运动和操作，如速度控制、力矩控制和基本动作执行等。上层控制则更加复杂，涵盖了运动分析、路径规划和配套软件控制等。这一层面的控制不仅包括机器人的物理运动，还涉及更高级的功能，如环境感知、数据处理、决策制定等。机器人控制系统的发展经历了从传统控制到智能控制的转变。传统控制技术侧重于确保机器人的基本运动和操作的准确性和稳定性，而智能控制则引入了信息科学、人工智能等技术，使机器人具备了更高级的推理、学习和决策能力。

通过引入人工智能和机器学习算法，机器人能够从经验中学习，优化其行为和决策。这使得机器人能够适应新的任务和环境，提高其工作效率和适应性。高效的数据处理和分析能力是智能控制系统的核心。机器人需要处理来自各种传感器的大量数据，并从中提取有用的信息以指导其行动。

环境感知能力使机器人能够理解其所处的环境，并据此做出适当的反应。此外，机器人还需要具备与人类用户或其他机器人交互的能力。在许多应用中，机器人需要能够自主导航并规划路径，以有效地完成任务。这需要复杂的算法来处理环境信息并做出决策。

尽管智能控制系统的发展前景广阔，但仍面临技术、成本和伦理等方面的挑战。例如，如何确保机器人的决策安全可靠，如何降低系统的成本，以及如何确保机器人的使用符合伦理标准，等等。

（3）智能决策

机器人的智能决策是其自主解决问题能力的体现，这种能力使得机器人能够通过感知理解行为环境，在与环境的交互中积累经验，并形成在复杂环境中执行任务的能力。智能决策的核心在于算法的应用，特别是机器学习、深度学习等人工智能技术的融入，这些技术优化了算法的实现路径，使得机器人能够在特定约束条件下做出最优决策。

机器人决策算法的应用依赖于机器人的类型和应用场景。例如，移动机器人侧重于定位导航、路径规划和避障功能，而工业机器人如机械臂则更加重视尺寸测量、缺陷检查和定位识别等环节。移动机器人的决策优化主要集中在如何更准确地定位、规划最优路径以及有效避开障碍物。这些决策依赖于复杂的算法，如同时定位与地图构建（SLAM）技术，以及基于传感器数据的环境感知和分析。工业机器人，特别是机械臂，其决策优化更多集中在提高操作的精确度和效率上。这包括通过视觉系统进行精确的尺寸测量、缺陷检测和物体识别，以及基于这些信息的精确动作控制。

视觉算法在机器人决策中扮演着至关重要的角色。通过视觉感知，机器人能够获取关于其周围环境的详细信息，这是实现精准决策的基础。视觉算法不仅用于物体识别和分类，还用于场景理解和深度估计，这些都是机器人进行有效决策的关键要素。人工智能技术，特别是机器学习和深度学习，为机器人决策提供了强大的支持。通过这些技术，机器人能够从经验中学习，不断优化其决策过程。例如，深度学习可以用于改进机器人的视觉识别能力，而强化学习可以用于优化机器人的路径规划和避障策略。

尽管机器人的智能决策技术已取得显著进展，但仍面临诸多挑战。这些挑战包括如何处理和分析大量复杂的传感器数据，如何确保决策的安全性和可靠性，以及如何提高算法的通用性和适应性。未来，随着算法和计算能力的进一步提升，机器人的智能决策能力有望得到更大的提升。

随着智能决策技术的发展，机器人的应用领域也在不断拓展。除了传统的工业自动化和服务机器人外，机器人在医疗、教育、家庭、公共安全等领域的应用也在增加。在这些领域中，机器人的智能决策能力将发挥关键作用。智能算法在实现特定约束条件下的机器人决策优化方面发挥着重要作用。

4.3 》 全球机器人产业发展现状

当前，全球机器人产业正处于快速发展和变革的关键时期。随着新一代信息技术、生物技术、新能源技术和新材料技术的不断进步，这些领域与机器人技术的深度融合正在推动着机器人产业的飞速发展。这种技术的结合不仅产生了大量创新产品和应用，而且构建了一个全新的生态系统，为全球经济增长和人类福祉的提升提供了强大动力。机器人在执行危险或重复性任务、提高生产效率、减少人际接触等方面发挥了重要作用，加速了全球机器人产业的发展。例如，医疗机器人在疫情防控中扮演了重要角色，不仅提高了医疗服务的效率和安全性，还减轻了医护人员的工作压力。

此外，随着人工智能技术的不断进步，机器人正变得更加智能化和自主化。这些智能机器人能够更好地理解和适应复杂的工作环境，提高决策和操作的准确性。同时，机器人与物联网、大数据等技术的结合，使得机器人能够更有效地与其他系统协同工作，提高整体作业效率。全球机器人产业的快速发展正为社会带来深刻的变革。机器人技术的应用不仅提高了生产效率和质量，还在提高人类生活质量、促进可持续发展等方面发挥着重要作用。未来，随着技术的不断进步和应用领域的不断拓展，机器人产业有望迎来更加广阔的发展前景。

4.3.1 市场高速发展

在数字化转型的推动下，全球机器人行业正经历着前所未有的蓬勃发展。创新机构和企业在技术研发与场景应用方面不断进行探索和创新，推动着机器人技术在各个领域的深入应用和广泛拓展。特别是在汽车制造、电子制造、仓储运输、医疗康复、应急救援等关键领域，机器人的应用正变得日益深入和广泛。

2023年，全球机器人市场规模突破477亿美元，展现出强劲的增长势头，这一增长趋势预示着机器人技术在工业和服务领域的广泛应用和深入渗透。

随着技术的不断进步和应用场景的持续拓展，全球机器人市场规模不断增长。这不仅得益于传统领域（如制造业和物流）的持续需求，还受到了新兴领域（如医疗康复和应急救援）的强烈推动。在医疗康复领域，机器人技术的应用正在改变传统的治疗和康复模式，提高治疗效率和患者的康复质量。而在应急救援领域，机器人被广泛用于灾害现场的搜救、危险环境的侦查和处理等任务，大大提高了救援效率和安全性。此外，随着人工智能、物联网、大数据等技术的融合与创新，机器人正变得更加智能化和自主化。这些技术的结合不仅提高了机器人的操作效率和智能水平，还使得机器人能够更好地适应复杂多变的工作环境和任务需求。因此，可以预见，未来全球机器人市场将继续保持强劲的增长势头，为各行各业带来更加丰富和高效的自动化解决方案。

近些年，工业机器人市场实现了历史性的增长。由于劳动力短缺和生产效率的需求提升，工业机器人成为了许多企业快速恢复生产的关键工具。2021年，全球工业机器人市场规模达到了175亿美元，安装量高达48.7万台，同比增长27%。这一增长得益于机器人技术的不断进步，以及其在汽车制造、电子产品组装等传统领域和新兴领域如食品加工和医药制造中的广泛应用。

服务机器人领域也迎来了新的发展机遇。在抗疫、无人配送等领域，服务机器人的应用显著增加，市场规模逆势增长。服务机器人在医疗护理、家庭清洁、零售服务等多个领域的应用不断扩大，特别是在疫情防控、无人配送和远程服务等方面展现出巨大潜力。

特种机器人市场同样呈现出强劲的增长势头。这类机器人主要应用于极端环境和危险作业中，如太空探测、深海探索和应急救援等领域。自2017年以来，全球特种机器人市场的年均增长率达到了21.7%。特种机器人的发展不仅推动了相关技术的进步，还为人类探索未知领域提供了新的可能性。

全球机器人市场的快速增长反映了机器人技术在各个领域的广泛应用和深入渗透。随着技术的不断进步和应用场景的持续拓展，机器人将在未来的社会和经济发展中发挥越来越重要的作用。

4.3.2 多技术融合引领产业发展

随着信息技术、材料科学、传感技术等多个领域的综合创新，机器人技术正在经历一场深刻的变革。这些技术的融合不仅推动了机器人技术的智能化和灵活化，还在不断拓展机器人的能力边界。机器人从最初的感知智能，逐渐向认知智能转变，其能力从执行简单的重复任务，发展到进行复杂的决策和学习。这种转变标志着机器人从单一的智能机器向更加复杂的智能系统的演进正在加速。在这个过程中，机器人技术呈现出协作化和智能化的新发展趋势。机器人不再是孤立工作的单一实体，而是能够与其他机器人、人类甚至整个生产系统协同工作。这种协作化的发展趋势使得机器人能够更加有效地完成任务，提高生产效率和质量。同时，随着人工智能、大数据、云计算等技术的融合，机器人的智能化水平也在不断提升，使其能够更好地理解环境、做出决策并自主学习。与此同时，机器人技术正在被广泛地“复制”和“移植”到各种生产设备和日常生活工具中。这种“机器人化”的趋势使得普通的工具和设备也拥有了一定程度的智能化和自动化能力。例如，在制造业中，传统的生产设备通过集成机器人技术，变得更加智能和灵活，能够适应更加复杂和多变的生产需求。在日常生活中，从智能家居到自动驾驶汽车，机器人技术的应用也在不断拓展，极大地提高了人们的生活质量和效率。

（1）工业机器人：技术持续迭代升级

“5G+工业互联网”的结合为机器人技术的发展开辟了新的领域。5G技术，以其高速、低延迟和大连接的特性，为机器人技术的进步提供了坚实的基础。通过将机器人终端接入工业互联网，结合人工智能、云计算、物联网等先进技术，机器人的数字化、网络化和智能化程度得到了显著提升。这不仅为机器人系统在工业环境中的应用提供了强大的技术支持，也使得机器人在极端环境下的应用成为可能。

韩国电信公司KT与现代重工集团下属的现代机器人科学公司合作，开发了基于5G的智能工厂产业机器人。这种机器人将KT的智能工厂平台与现代机器人的管理系统紧密结合，显著增强了机器人在生产联动、故障诊断、生产分析等方面的功能。这种创新不仅提高了生产效率，还为机器人技术的未来应用开辟了新的道路。

协作机器人的多元化应用趋势也日益明显。随着人工智能、生物技术、认知科学等技术的深度融合，协作机器人的复杂作业能力和对非结构化环境的感知能力得到了显著提升。应用场景从简单的人机协作扩展到精密作业、商业服务等更广泛的领域。在工业化应用方面，轻量化的协作机器人负载能力不断增强，在工业场景中承担更多工作。例如，优傲机器人发布的20kg负重协作机器人UR20，在码垛、焊接、物料搬运、机器装载和机器看护等场景中得到了广泛应用。在商业化应用方面，随着柔性化水平的提升，协作机器人在鞋服制造、快消品生产、生物医药研发、食品加工等领域越来越受欢迎。

“机器人化”的智能装备正在推动行业数字化转型。近年来，集群智能、自主定位导航、人工智能等技术不断取得突破，机器人处理复杂场景任务的能力大幅提高。机器人技术被广泛应用于生产装备中，使其具备全域感知、智能决策、精准执行等能力，“机器人化”成为装备数字化的重要途径。同时，机器人作为新型劳动力，正在重新定义生产作业及流程，加速工业制造的数字化转型。例如，极智嘉推出的第五代智能仓库执行系统平台，实现了超大规模机器人仓库的货到人拣选，为各类仓储物流机器人提供了全新的智能仓储解决方案，实现了以机器人为中心的自动化作业，推动了数据驱动、精准协同、高效智能的数字化再造。

机器人正在从产品和技术的应用推广阶段，迈向引领行业数字化变革的新阶段。随着技术的不断进步和应用场景的不断拓展，机器人技术将在未来的社会和经济发展中发挥越来越重要的作用。从工业生产到日常生活，从基础设施建设到环境保护，机器人技术的应用正变得越来越广泛和深入。这不仅为提高生产效率和质量提供了新的解决方案，也为人类社会的可持续发展提供了新的动力。

在工业生产领域，机器人技术的应用正逐渐从传统的重复性任务扩展到更加复杂和智能化的任务。随着机器人技术的不断进步，机器人不仅能够完成更加精密和复杂的操作，还能够通过学习和适应来不断提高其工作效率和质量。这种智能化和自动化的提升，使得机器人能够在更加多样化的生产环境中发挥作用，从而提高整个生产系统的灵活性和效率。

在日常生活领域，机器人技术的应用也在不断拓展。从智能家居到自动驾驶汽车，从个人护理到家庭服务，机器人技术正逐渐成为人们日常生活中不可或缺的一部分。这些应用不仅提高了人们的生活质量，还为解决日益复杂的社会问题提供了新的思路和方法。

在基础设施建设和环境保护领域，机器人技术的应用也显示出巨大的潜力。在基础设施建设中，机器人技术可以用于危险和复杂的建设任务，提高建设效率和安全性。在环境保护方面，机器人技术可以用于监测和治理环境污染，保护生态环境，为实现可持续发展目标提供了新的工具和方法。

未来，随着机器人技术的不断创新和应用，我们可以期待一个更加智能化、自动化和高效的社会。

（2）服务机器人：智能程度明显增强

服务机器人领域的发展正迅速进入一个新的时代，这一变革主要得益于多技术的深度融合，这些技术提升了机器人的自主智能水平。当前，服务机器人通过综合运用视觉、压力等多种传感器，深度融合软硬件，并不断优化控制算法，从而实现了显著的智能化提升。特别是在医疗服务机器人领域，新兴技术如穿戴式医疗设备、智能材料及智能算法与医疗领域的紧密结合，使医疗服务机器人成为新技术融合的平台，展现出更智能、更精准的发展趋势。

例如，强生推出的Monarch数字化手术平台，综合运用了电磁导航、虚拟重建、柔性支气管镜等技术，显著提高了术中视野的清晰度，并提升了手术治疗的精准性和灵活性，极大地减少了患者的创伤。此外，直觉外科通过收购临床数据服务商Orpheus Medical，增强了医院数据管理和信息技术服务能力，为医生提供了捕捉和共享临床视频及图像的功能，并通过人工智能分析手术治疗方法，改进了手术流程，提高了达芬奇机器人系统的智能程度。

在新兴服务需求方面，机器人企业针对特定应用，结合人机交互、3D视觉、激光雷达等技术研发了新型产品并投入使用，产生的行业新兴增长点已初具规模。抗疫系列机器人成为新生力量，从环境消杀、医废处理、物品配送，到测量体温、核酸检测等，已形成了丰富多元的机器人应用。此外，“无接触”的无人配送成为新焦点，沃尔玛、亚马逊、达美乐、谷歌母公司Alphabet、苹果等公司，以及中国的京东、美团、阿里等公司，都基于同时定位与地图构建（SLAM）、3D视觉和激光雷达、路径规划算法等技术，启动了无人配送机器人系统和服务的测试和应用。

随着技术的不断进步，服务机器人在更多领域中发挥着重要作用。在酒店服务、零售业、教育、娱乐等行业，服务机器人的应用正变得越来越普遍。例如，在酒店行业中，服务机器人可以进行客房服务、前台接待、清洁等工作，提高服务效率和质量。在零售业中，服务机器人可以帮助顾客购物、管理库存、处理支付等，为顾客提供更便捷的购物体验。在教育领域，服务机器人可以作为教学助手，辅助教师进行教学活动，提高教学效果。在娱乐行业中，服务机器人可以参与表演、游戏互动等，为观众提供新颖的娱乐体验。

此外，服务机器人在公共安全、环境监测、城市管理等领域的应用也在不断拓展。在公共安全领域，服务机器人可以进行巡逻、监控、应急响应等，提高公共安全水平。在环境监测领域，服务机器人可以进行空气质量监测、水质检测、噪声监测等，帮助管理和改善环境质量。在城市管理领域，服务机器人可以进行道路清洁、垃圾分类、绿化养护等，提高城市管理效率和质量。

随着技术的不断进步和应用领域的不断拓展，服务机器人的发展前景十分广阔。未来，随着人工智能、物联网、大数据等技术的深度融合，服务机器人将变得更加智能化、自主化和多功能化，为人类社会的发展带来更多可能性。从提高生产效率和质量，到改善人类生活质量，服务机器人的应用正变得越来越广泛和深入。

（3）特种机器人：应用领域深度拓展

特种机器人的发展正在经历一场革命性的变革，其复杂环境适应能力正在不断提高。随着特种机器人自主性和对环境的适应能力的增强，它们已经能够胜任包括定位、导航、避障、跟踪、场景感知识别、行为预测等在内的复杂工作。这种能力的提升使得特种机器人在深海探测、空间探索、紧急救援、防恐防暴等多个领域释放出更大的价值。

例如，波士顿动力开发的四足机器人Spot展现出了强大的非结构化环境适应性，能够爬楼梯并穿越崎岖的地形。这种机器人已经被纽约消防部门采用，辅助消防员执行搜索与救援任务。此外，美国宇航局成功完成了“冷可操作月球可展开臂”项目，通过将金属玻璃（BMG）齿轮集成到机械臂部件中，确保了机械臂可以在−173℃的极端环境下正常运行，从而使其能够更好地适应太空环境。

仿生技术的发展正在改变机器人的形态和运动方式。传统的特种机器人主要以刚性结构为主，但近年来，随着仿生新材料、刚柔耦合结构、柔性传感器等新型技术的发展，特种机器人的外在形态和运动方式正在发生显著变化。这些技术的进步不仅提高了机器人的灵活性和适应性，还拓展了它们的应用范围。

例如，中国研发的自供电软体机器人成功挑战了马里亚纳海沟，实现了万米海底深潜和驱动，在南海海平面以下三千多米实现了深海航行。德国Festo公司开发的仿生魔鬼鱼，基于充满氦气的气囊和控制羽翼拍打的驱动器等组件，可以模仿魔鬼鱼在水中的运动姿态，在空中自由翱翔。

随着技术的不断进步，特种机器人在更多领域中发挥着重要作用。在军事领域，特种机器人可以进行侦察、监视、排雷、炸弹处理等任务，提高军事行动的安全性和效率。在环境监测领域，特种机器人可以进行空气质量监测、水质检测、辐射检测等，帮助管理和改善环境质量。在农业领域，特种机器人可以进行土壤检测、作物喷洒、果园管理等，提高农业生产效率和质量。

此外，特种机器人在灾害应对、科学研究、文化遗产保护等领域的应用也在不断拓展。在灾害应对领域，特种机器人可以进行地震、洪水、火灾等灾害的搜救、评估和应急响应，提高灾害应对的效率和效果。在科学研究领域，特种机器人可以进行深海探测、极地考察、太空探索等，为科学研究提供新的工具和方法。在文化遗产保护领域，特种机器人可以进行文物修复、遗址保护、考古发掘等，帮助保护和传承人类文化遗产。

4.3.3 合作模式创新引领产业变革

随着机器人技术的迅猛发展和市场潜力的深入挖掘，新模式和新势力持续涌现，为行业带来了新的活力和创新动力。越来越多的企业跨界进入机器人领域，通过整合产业链资源，成为推动行业发展的重要力量。同时，“机器人即服务”（robot-as-a-service，RaaS）的商业模式和强强联合的研发模式，也成为行业加速创新的重要途径。

（1）工业机器人：国际化和平台化趋势明显

在工业机器人领域，企业国际化和平台化布局成为明显趋势。全球领先企业加速国际化布局，针对中国等全球重要市场进行本地化的研发、设计、制造和组装。例如，发那科、安川、ABB等均宣布在中国实施建厂或设立研发中心的计划，其中发那科的扩建工厂于2023年投产，面积扩大至原来的5倍。这种国际化布局不仅有助于企业更好地适应复杂的国际环境对全球贸易的影响，还有助于企业稳定市场环境和控制成本支出。

半导体企业也凭借其强大的底层平台能力加入机器人创新领域。芯片和底层智能平台已成为提升机器人价值的关键环节。例如，高通、英伟达等全球领先的半导体企业通过构建底层平台，加入机器人产业创新，为行业带来新的变革。高通推出了集成5G和AI功能的新一代机器人解决方案，增强了配送机器人的自主性，并在工业环境中实现了多个自主移动机器人之间的无缝调度协作。英伟达推出了Jetson边缘人工智能平台，并加速构建自动驾驶汽车DRIVE平台、操纵和控制系统Isaac平台以及机器人医疗器械Holoscan平台等，利用深度学习能力推动新一代嵌入式智能机器人的发展。

（2）服务机器人：模式创新促进业务增长

全球农机领军企业正加大对农业机器人的投入，以应对农业生产中的各种挑战。农业机器人在减少农场工作人员的体力劳动时间方面发挥着重要作用，对提高农作物生产效率具有显著的积极影响。在播种、田间测绘、杂草控制、施肥灌溉、土壤分析、环境监测等多个环节，农业机器人的价值日益凸显。例如，全球农机巨头约翰迪尔通过收购硅谷机器人初创公司Bear Flag Robotics，增强了自主农机重型机械技术实力，推动了农业自动化的进程。

此外，“机器人即服务”（RaaS）模式的创新正在促进业务增长。面对传统采购模式中的高采购费用、日常维保费用和退出成本，机器人企业推出了RaaS商业模式。这种模式允许企业选择短期租赁或系统代运营服务，以较低的服务费用开展业务。在医疗领域，直观外科公司采用RaaS方式推广手术机器人，医疗机构仅需支付年度培训服务费用即可使用达芬奇手术机器人。截至2023年7月，共有8042台达芬奇手术机器人采用此模式投入使用，完成了超过150万台手术。在消费领域，擎朗餐饮机器人和高仙清洁机器人采用租售结合的业务模式，解决了客户的价格敏感问题，降低了市场推广难度。

（3）特种机器人：多机构联合研发迎合市场

特种机器人领域正经历着多机构联合开发的新常态，这一趋势在全球范围内日益显著。为了有效应对复杂环境任务和重大突发事件，确保人们的生命安全和身体健康，全球的科研机构和创新企业正在加大对应用于极端环境、救灾抢险等场景的特种机器人的研发支持力度。例如，英国的机器人系统集成商Derkia与日本川崎公司合作，专注于安全分拣核废料的联合开发，形成了核废料分类机械臂的解决方案，有效保护工人免受放射性物质的伤害。

在太空探索领域，多国的联合努力正在推进空间机器人的升级。太空探索不仅是世界各国的国家战略，也逐渐成为国际关注的热点。外太空极端的高低温、超真空、强辐射环境对人类探索作业范围构成了限制，因此，应用于此环境下的空间机器人面临着设计难度大、控制复杂度高等挑战。为了应对这些挑战，各国科研机构采用联合研发模式，不断丰富在轨服务和深空探索领域的应用功能，加快产品的升级迭代。例如，德国马克斯·普朗克研究所和瑞士苏黎世联邦理工学院的科学家联合研制了小型四足机器人SpaceBok，计划将其应用于火星探索。SpaceBok能够爬过崎岖的地形，在25°斜坡上保持稳定，其装配的智能算法可以计算最佳运行路径，自主选择直线或“之”字形路线，有效节省能源消耗。

除了核废料处理和太空探索，特种机器人在其他领域的应用也在不断拓展。在海洋探索领域，特种机器人被用于深海勘探、海底资源开发和海洋环境监测。这些机器人能够在极端的深海环境中进行作业，提供关键的数据和信息。

4.4 》 中国机器人产业发展现状

中国高度重视机器人科技和产业的发展，这一领域在国内经济中扮演着越来越重要的角色。随着技术的不断进步和市场需求的增加，中国的机器人市场规模持续快速增长。国内机器人企业逐步发展壮大，已经初步形成了完整的机器人产业链。此外，“机器人+”的应用不断拓展深入，涉及制造业、医疗、服务、教育等多个领域，使得产业整体呈现出欣欣向荣的良好发展态势。

4.4.1 机器人市场潜力巨大

中国机器人市场的蓬勃发展已成为机器人产业发展的重要推动力。2022年的数据显示，中国机器人市场总规模达到约1700亿元。在这一市场中，工业机器人市场规模达到约1300亿元，服务机器人市场规模约为400亿元，而特种机器人虽然市场规模较小，但在2022年也取得了显著增长，市场规模约为50亿元。

随着国内外市场需求的增加，中国机器人产业的国际化步伐也在加快。中国企业不仅在国内市场占据重要地位，还在国际市场上展现出强劲的竞争力。伴随着政策支持和技术创新，中国机器人产业的研发能力和生产能力不断提升，产品种类和应用场景日益丰富。

此外，中国在机器人领域的教育和人才培养也得到了加强。高等院校和研究机构在机器人技术研究和人才培养方面发挥着重要作用，为产业发展提供了技术和人才支持。同时，政府和企业之间的合作也在加强，共同推动机器人技术的创新和应用。

（1）工业机器人：持续稳步增长

中国在全球工业机器人行业的复苏中扮演着引领角色。得益于国内政策的大力支持和市场的日益成熟，中国的工业机器人市场增长迅猛。除了传统的汽车和3C电子行业外，工业机器人在化工、石油等新兴应用市场中逐步应用。中国的工业机器人发展持续向好，已成为推动全球机器人产业发展的主要引擎。根据国际机器人联合会（IFR）的统计数据，2017年至2022年中国工业机器人市场规模始终保持增长态势。

（2）服务机器人：需求牵引发展

在服务机器人领域，中国市场同样展现出巨大的潜力和发展空间。随着人口老龄化趋势的加快，以及建筑、教育等领域的持续旺盛需求，服务机器人在中国市场的应用日益增多。2022年，中国服务机器人市场快速增长，教育和公共服务等领域的需求成为主要的市场推动力，市场规模达到约400亿元。随着更多新兴应用场景的开发，中国服务机器人市场规模有望突破600亿元。

（3）特种机器人：爆发式增长

特种机器人市场在中国也迎来了新的需求爆发期。国内特种机器人市场保持较快的发展速度，各种类型的产品不断涌现。在应对地震、极端天气灾害，以及矿难、火灾等公共安全事件中，特种机器人的需求日益突出。自2017年以来，中国特种机器人市场的年均增长率达到30.7%。2022年，市场规模达到约50亿元，未来将持续大幅度增长。

中国机器人市场的快速增长不仅体现在工业机器人领域，服务机器人和特种机器人市场也展现出强劲的增长势头。这一增长得益于中国政府的政策支持、市场需求的增加以及技术创新的推动。随着技术的不断进步和应用领域的不断拓展，预计中国机器人市场将继续保持强劲的增长势头，为全球机器人产业的发展作出重要贡献。

4.4.2 技术突破创新助力产业发展

目前，中国工业机器人的研发正聚焦于突破关键核心技术，这一战略目标得到了政府、产业界、学术界、研究机构和用户之间的紧密配合与联动。特别是在减速器、控制器、伺服电机、操作系统等核心环节，中国正不断提升技术能力，以增强工业机器人的性能并扩大应用范围。这些努力不仅提高了机器人的精确性和可靠性，还增强了其在复杂工业环境中的适应性和灵活性。与此同时，服务机器人领域的创新产品层出不穷，满足了市场对于多样化和高效率服务的需求。从医疗护理到家庭服务，从教育辅助到公共服务，服务机器人的应用领域正在迅速扩展。这些机器人不仅提高了服务效率，还在提升服务质量、降低成本和增强用户体验方面发挥着重要作用。特种机器人在复杂环境应用的相关关键技术也在不断取得突破。无论是在深海探索、太空任务、灾害救援还是在极端气候条件下的应用，特种机器人都展现出了卓越的性能。这些技术的进步不仅提高了机器人在极端环境中的操作能力和安全性，还扩大了其应用范围，使其能够在更多领域发挥关键作用。

（1）工业机器人：核心部件算法日趋成熟

关键部件：中国工业机器人行业的核心竞争力正在不断增强，特别是在关键零部件的研发和制造方面。中国已将突破机器人关键核心技术定位为重要工程，国内厂商在减速器、控制器、伺服系统等关键核心零部件领域取得了显著进展，核心零部件国产化的趋势日益明显。例如，绿的谐波基于三次谐波减速原理研发的Y系列谐波减速器产品，在扭转刚度和传动精度方面大幅提升，加速构建了具有自主技术产权的核心技术体系。南通振康、双环传动、大族谐波传动、来福谐波等企业凭借持续的研发投入和高精密制造能力，成为国内减速器市场的领军企业。在伺服系统和控制器方面，汇川技术、华中数控、固高自动化等企业已进入批量生产阶段，加速实现国产机器人的应用和替代。

视觉技术：机器视觉技术的发展和成熟，极大地增强了机器人对复杂外界环境的感知能力，提高了处理实际问题的自主性、稳定性和可靠性。机器视觉显著提高了工业生产中的柔性和自动化程度，保证了生产质量，在测量、引导、检测等场景中展现出极高的应用价值。例如，中科新松将机器视觉与协作机器人相结合，通过深度学习算法处理和融合多传感器收集到的信息，为协作机器人提供稳定的3D视觉柔性化定位，在鞋底涂胶应用中实现精准的边缘轮廓提取和不同鞋型生产过程中的随意切换作业，降低了客户成本。

复杂应用：工业机器人正向更复杂精密的应用场景渗透。融入柔顺力控特性的工业机器人变得更加柔性化，能够实现更高精度和更强灵敏性的应用，在装配、研磨、铆接等复杂精密场景中加快普及应用。例如，重庆华数针对3C产品推出的精密加工机器人，配备自主研发的高性能伺服电机和控制技术，重点突破了笔电全制程典型工序应用，建立了以打磨、涂胶及装配为代表的复杂应用，实现了全制程机器人生产及立体库全套自动化工厂应用。

随着技术的不断进步，中国工业机器人在智能制造领域的应用也在不断拓展。智能制造不仅要求机器人具备高精度和高稳定性，还要求其能够与其他智能设备和系统无缝集成，实现数据共享和智能决策。为此，中国工业机器人企业正在加大在人工智能、物联网、大数据等领域的研发投入，推动机器人技术与智能制造的深度融合。此外，中国工业机器人行业的国际化步伐也在加快。随着产品技术水平的提升和品牌影响力的增强，越来越多的中国工业机器人企业开始进入国际市场，与国际知名企业展开合作，参与全球竞争。这不仅提升了中国工业机器人行业的国际地位，也为中国制造业的转型升级提供了有力支撑。中国工业机器人行业的发展势头强劲，未来有望在全球机器人技术领域中占据更加重要的地位。随着技术的不断进步和市场的不断扩大，中国工业机器人行业有望实现更广泛的应用和更深层次的发展。

（2）服务机器人：创新技术产品推广应用

技术发展：技术融合在中国的发展日益活跃，特别是在人工智能、5G等新一代信息技术领域，中国取得了一系列国际领先的成果。这些技术与机器人的深度融合，大幅提升了机器人的感知、计算和执行能力，使其更加智能化、精准化和柔性化，从而更好地满足各种应用场景的性能需求。例如，北京梅卡曼德将深度学习、3D视觉等前沿技术与机器人深度结合，为制造、物流等行业客户提供了先进的机器视觉解决方案，包括拆垛、无序工件上料、缺陷检测、尺寸测量等。同时，北京柏惠维康将5G技术应用于手术机器人，该产品已进入市场推广阶段。2021年6月，浙江大学医学院附属第二医院神经外科团队成功实施了5G远程睿米神经外科手术机器人辅助的脑内血肿清除术，标志着5G数字化神经外科空中手术室的成功搭建。

应用场景：在应用场景的深化和下沉方面，服务机器人在医疗、公共服务等领域的深耕不断推进。在医疗领域，临床应用日益活跃，形成了较为完整的产品体系。例如，天智航提升了机器操作的便捷性与人性化程度，在天玑1.0的基础上推出了天玑2.0。大艾根据患者在康复早、中、晚期的不同需求，丰富了医疗康复机器人产品矩阵，提升了康养效率。以术锐、微创为代表的国内企业突破了单孔手术机器人技术难点，补齐了腔镜手术产品体系。在建筑领域，碧桂园旗下的博智林在研近50款建筑机器人及智能产品，截至2023年5月，其中28款建筑机器人已投入商业化应用。

随着技术的不断进步和市场需求的不断扩大，中国机器人行业的发展前景十分广阔。未来，随着人工智能、物联网、大数据等技术的深度融合，机器人将变得更加智能化、自主化和多功能化，为人类社会的发展带来更多可能性。从提高生产效率和质量，到改善人类生活质量，机器人的应用正变得越来越广泛和深入。

（3）特种机器人：突破极限，降低劳动强度

新产品涌现：随着集成设计、运动管理控制、传感器感知等关键技术的持续突破，以及人工智能、5G等信息技术的深度融合应用，特种机器人在煤矿、深海、极地等极端环境中的应用正在加速，展现出巨大的生产和科研价值。例如，中国矿业大学主导的掘进工作面机器人研究项目，采用了创新的工艺和设计方案，能够实现掘进、支护、锚固等多重作业的无人化操作，显著提高了掘进总效率，达到了约25倍的提升。在深海作业方面，山东未来机器人开发的深海铺缆机器人，具备国内首创的大水深智能作业能力，能在1500m深的海洋中进行海底光缆、电缆、管道等的铺设作业，这是人工无法完成的任务。在极地作业方面，山东国兴智能开发的履带式智能侦察机器人，采用具有自主知识产权的阻尼缓冲特性悬挂系统和高效减振防抖防滑抓地履带，在极端复杂环境中展现出良好的工作性能，已成功参与第38次南极考察任务。

巡检机器人：智能巡检机器人的发展也日益成熟。随着智能传感、精准控制、人工智能等技术的深入应用，智能巡检机器人的功能不断改进，成本持续优化，市场普及加速。应用场景从常规巡检扩展到智能抄表、线路监控、复杂环境检测等，推动了行业数字化水平的提升。例如，中信重工开发的高速运动系统巡检机器人，采用智能化、模块化设计，能够对图像、声音、红外热像及温度、烟雾、多种气体浓度等数据进行智能采集、判定、记录与追溯，显著减轻作业人员的劳动强度。广东韶钢开发的高炉高压配电室机器人，能够将传统的无法复现记录和不能准确量化的人工感官信息，以数字化的图像实时归类存储，便于故障问题的查询、统计、判断，并代替人工实现对高炉高压配电室的全天候自动巡检，大幅提高了高压配电室的供电可靠性。

4.4.3 适应中国特点的发展之路

面对国际机器人领军企业在汽车整车制造、3C制造等主流应用领域占据大部分市场份额这一现实，国内涌现了一批技术实力较强的机器人企业。这些企业紧密跟随行业的实际需求，推出了一系列成熟的应用方案。通过“人无我有，人有我优”的策略，这些企业在专业化和精品化产品服务方面取得了显著成就，尤其在汽车零部件制造、线路检修、3C产品质量检测、酒店服务、公共安全等多个细分领域的市场竞争中脱颖而出。这些企业不仅建立起了成熟的产品线和供应体系，而且迅速占领了一定的国内市场份额。在汽车零部件制造领域，国内机器人企业通过引入高精度和高可靠性的机器人技术，提高了生产效率和产品质量，满足了汽车制造业对精密和高效生产的需求。在线路检修领域，机器人技术的应用大幅提高了检修工作的安全性和效率，尤其是在高危和难以接近的环境中。在3C产品质量检测领域，机器人技术的应用确保了产品质量的一致性和可靠性，同时提高了检测速度和准确性。在酒店服务领域，机器人技术的应用不仅提高了服务效率和质量，还提升了客户体验感。机器人能够执行多种服务任务，如客房服务、前台接待、清洁工作等，提供更加便捷和个性化的服务。在公共安全领域，机器人技术的应用提高了公共安全事件的响应速度和处理效率，尤其是在灾害救援、犯罪侦查等领域。中国机器人企业在技术创新和市场应用方面取得了显著成就。这些企业不仅在国内市场中占据了一席之地，而且在国际市场上也展现出了强劲的竞争力。

（1）工业机器人：头部企业深入挖掘细分市场

国内机器人企业在特色应用领域的布局正逐步提升其市场份额。近年来，沈阳新松、哈尔滨博实、上海新时达、广州数控、安徽埃夫特、北京珞石等一系列本土机器人企业经历了快速的发展和壮大，形成了完整的机器人产业链。这些企业的机器人应用领域正从传统的搬运、焊接、装配等操作型任务向加工型任务拓展，开发出具有中国特色的应用解决方案，受到市场的广泛欢迎。部分企业采取“农村包围城市”的战略，利用其快速响应市场的优势，抓住机遇，在细分应用领域构建“特色产品护城河”，迅速占领新兴场景市场份额，并以此为基础扩大行业影响力，逐步实现部分行业的机器人国产化替代。例如，珞石机器人经过多年的研发攻关，综合运用机器人视觉、机器人力觉、强化学习等技术，在刀具自动化开刃、柔性物料加工等领域与应用厂商合作，开发出特色化解决方案。

战略性新兴产业成为机器人应用的新阵地。近年来，中国的新能源汽车、锂电、光伏等战略性新兴产业展现出强劲的发展势头。例如，2021年，全年新能源汽车产量达到367.7万辆，同比增长152.5%；全国锂离子电池产量达到324GW·h，同比增长106%；光伏发电并网装机容量突破3亿千瓦大关，连续7年稳居全球首位。机器人企业围绕新能源汽车、锂电、光伏的产品生产以及使用维护中的需求，推出创新解决方案，推动了战略性新兴产业机器人安装量的快速增长。例如，埃斯顿推出的光伏行业系列化解决方案，结合埃斯顿工业自动化全系列产品线、运动控制、视觉系统等，推动光伏行业智能制造的升级。

(2) 服务机器人：行业生态逐渐完善

当前，国内机器人企业正在加速开发具有特色化的产品，以应对国内外市场的特殊需求。国产机器人在性能和可靠性方面已经实现了显著提升，特别是在手术医疗、消费服务等多个赛道，国内企业推出了具有创新特点和功能的产品，部分产品的性能水平已经达到甚至超越国际领先水平。在医疗领域，例如天智航、元化智能的骨科机器人技术已达到国际水平，术锐、微创、精锋推出的国产单孔腹腔镜机器人系统也表现出色。此外，在眼科、口腔科、呼吸科等专业科室领域，一系列国产化特色产品相继问世，实现了疾病筛查、诊断、治疗的精准实施。

在消费服务领域，智能接待、无人配送、无人零售等需求大幅增加，为接待机器人、递送机器人、新零售机器人等服务机器人带来了新的发展机遇。商场导航、酒店引导、商品贩卖等领域的机器人产品大量涌现。云迹科技公司凭借全链条人工智能技术和全自研软硬一体化能力，推出了重载型递送服务机器人、餐厅服务机器人、酒店递送机器人等多种类产品，广泛应用于连锁餐厅、酒店、宴会厅等场景。上海氦豚、苏州艾利特、猎户星空等国内企业紧抓咖啡制作市场，推出了能复制专业咖啡师制作手艺的咖啡机器人，产品不仅在国内市场受到欢迎，还远销海外。

机器人企业与细分领域单位的合作也在共建机器人生态方面发挥着重要作用。近年来，机器人企业高度重视与下游行业应用、上游科技研究的相关机构和企业的合作，联合开展研发以增强产品竞争力。例如，达闼在2022年4月与华为签署合作协议，推进人工智能与云端机器人产业的协同发展，共同打造云端机器人城市运营联合解决方案，推广机器人运营服务，促进人工智能产业的发展壮大。三坛医疗与中国科学院深圳先进技术研究院签署战略合作协议，共同成立“穿刺机器人联合实验室”，攻破图像引导软组织穿刺机器人共性关键技术，研发系列经皮穿刺机器人系统，共同推动临床手术向精准化、微创化和智能化的方向发展。

(3) 特种机器人：局部应用场景形成优势

在面对卫生和疫情防控的挑战时，国内机器人企业将卫生防疫作为重点拓展领域，并在多个领域发挥了智能机器人的作用，包括消杀、智能测温、室内配送、智能巡检、陪护、导诊、清扫等。这些机器人在疫情防控期间发挥了重要作用，不仅降低了各区域的疫情感染风险，还有效减轻了工作人员的工作负担。

例如，钛米智能消毒机器人采用多种消毒模式，能够实现自动、高效、定时、精准的高水平消毒，不仅满足国内需求，还远销海外。另外，布科思基于智能机器人和室内无人驾驶技术，深入研究了室内空气综合管理，并研发了消杀机器人产品矩阵。作为2022北京冬奥会全场景唯一的消杀机器人供应商，他们共投入127台机器人，覆盖了240万平方米的消杀面积，为保障冬奥零感染发挥了重要作用。

得益于自动控制、人工智能、5G、高性能计算等一系列技术的迅速发展，救援机器人领域也取得了积极进展。云深处发布了名为“绝影X20-消防侦察机器狗”的解决方案，该方案将绝影X20四足机器人的越障能力与灾后搜救、救援侦察需求结合在一起，使其能够适应地震灾后废墟、易塌建筑室内、隧道交通事故现场，以及化学污染、火灾后的有毒、缺氧、浓烟等恶劣环境。该机器人结合了消防侦察功能模块，能够灵活地进行无人侦察和搜救工作。此外，中国科学院沈阳自动化研究所研制了可变形废墟搜救机器人，该机器人集成了红外夜视摄像头、拾音器等实用搜索任务载荷，可以采集和识别废墟内部的图像和声音信息，以适应不同的应用环境和任务需求。

卫生防疫和救援机器人在各自领域取得了显著进展，为应对疫情和灾害提供了重要支持和解决方案。随着技术的不断创新和发展，这些机器人在未来将继续发挥关键作用，提高卫生安全和救援效率。

4.5 》 中国机器人产业布局

基于机器人产业的实地发展基础和特点，我国的机器人产业主要集聚在六大区域，包括长三角地区、珠三角地区、京津冀地区、东北地区、中部地区和西部地区。通过对这六大机器人产业集聚区进行问卷调查和实地调研，我们综合评估了它们的产业规模效益、结构水平、创新能力、集聚情况以及发展环境，并对各区域的机器人产业发展水平进行系统比较。长三角地区和珠三角地区在我国机器人产业发展方面具有相对雄厚的基础。这两个地区的机器人产业规模较大，效益良好，结构水平较高，创新能力强，企业相对密集，发展环境较为有利。京津冀地区的机器人产业正在逐步发展壮大，虽然相对于前两个地区来说，它的基础相对较弱，但近年来取得了显著进展。东北地区具有一定的机器人产业先发优势，但近年来其机器人产业整体表现相对有限，需要进一步发挥潜力。中部地区和西部地区的机器人产业发展也表现出相当的后发潜力，尽管它们的产业规模和效益相对较低，但在逐步增长和发展的过程中，这些地区有望实现更好的发展。综上，我国各地的机器人产业呈现出多样化的特点和发展水平。未来，可以进一步加强不同地区之间的合作与交流，以促进机器人产业的全面发展和提高国内机器人产业的整体竞争力。

4.5.1 长三角地区

当前，长三角地区已经构建了我国最完善、最系统的机器人产业生态体系，代表着我国机器人产业在产业规模效益、产业结构水平、产业创新能力以及创新环境等方面的领先地位。长三角地区以上海、昆山、无锡、常熟、徐州、南京等城市为代表，形成了强大的机器人产业集群，下面将对其各方面特点进行详细分析。

（1）产业规模效益

长三角地区的机器人产业链条相对完整，不仅引进了国际先进的研发基地和产品中心，还依托本地龙头企业，实现了规模化发展，形成了集生产、销售和物流配套为一体的产业集群。这一地区在工业机器人领域尤为显著，凭借规模经济、先进的软硬件设计和生产能力，快速占领了工业机器人高附加值市场。此外，长三角地区拥有相当规模的汽车制造、3C 制造、食品包装等工业机器人应用市场，为地方机器人产业的发展提供了坚实支撑。

（2）产业结构水平

在长三角地区，机器人产业的核心零部件、本体制造等环节国产化进程正在不断加速。借助国内外领先企业的示范效应，该地区特别注重减速器控制系统、伺服电机研发生产、本体装备制造以及系统集成供应服务等产业链环节的发展，以实现全产业链的有效增值。在核心零部件开发方面，南通振康和绿的谐波等公司已经实现大规模生产，其中，绿的谐波在2021年的产能达到了30万台/年，市场渗透率超过了80%。在本体制造方面，埃斯顿、节卡、新时达等企业都以本地区为基地，积极发展特色业务，为机器人自主品牌的长期发展提供了坚实支持。

（3）产业创新能力

长三角地区机器人产业的创新能力在国内处于领先水平。截至2022年7月，该地区机器人产业技术专利数累计达79844件，虽然与2020年相比增长的专利数量有所减少，但江苏、浙江和上海依然是专利申请数量最多的地区。上海交通大学、浙江大学、浙江工业大学、南京航空航天大学、东南大学、擎朗智能、上海高仙等高校和企业在专利申请数量上名列前茅。长三角地区的研发投入具有明显的效果，吸引了一批具有创新活力和成果转化能力的企业，这些企业在产品创新、专利设计和标准制定等方面积累了丰富的经验。例如，绿的谐波在2022年推出了新一代e系列谐波减速器，除了保持原有的优异性能参数外，还显著降低了振动，进一步提高了密封性。

（4）产业集聚情况

长三角地区在机器人产业集聚方面表现出较高的集聚度。众多国际机器人巨头企业以及国内龙头品牌纷纷在该地区设立总部基地或研发中心，使得该地区的机器人产业生态体系更加完善。截至2022年7月，长三角地区拥有4547家与机器人相关的企业，其中上海有1118家，江苏有2254家，浙江有1175家。这一地区集聚了全球巨头企业以及国内知名的企业，如新时达、埃斯顿等。此外，还有一批专精特新“小巨人”企业，如绿的、节卡、图灵、钛米、国自、上海高仙、铭赛、徐工传动、禾川等。以上海、昆山、无锡、常熟、徐州、南京等城市为代表的机器人产业集群在应用场景驱动下迅速壮大，重点研发整机、核心零部件、集成系统等机器人关键共性技术，推动特色产品建设与自主品牌推广，为机器人产业的发展提供了强大的市场推动力。

（5）产业发展环境

长三角地区拥有雄厚的经济基础和良好的就业条件，吸引了全国各地的人才汇聚发展。该地区的大专以上学历人员比例较高，高水平人才结构为机器人研发与应用提供了有力支持。长三角地区在机器人领域的科研水平处于国内领先地位，聚集了一系列高水平研究机构，包括国家机器人检测与评定中心（总部）、南京机器人研究院、昆山工研院工业机器人研究所、浙江省机电设计研究院、中国（浙江）机器人及智能装备创新中心、浙江大学机器人研究院、上海交通大学机器人研究所、复旦大学机器人研究院、阿里巴巴达摩院、之江实验室等。此外，知名高校如浙江大学、复旦大学、同济大学、东南大学、南京航空航天大学等多年来一直致力于机器人研究，并已形成了各自的特色领域。这些高校和科研院所与企业联合开展针对性的技术研发，有助于加快创新融合与成果转化的步伐。

长三角地区已经成为我国机器人产业的中坚力量，不仅在国内处于领先地位，而且在国际竞争中也具备了相当的竞争力。未来，长三角地区的机器人产业有望继续保持领先地位，并为我国机器人产业的可持续发展作出更大的贡献。

4.5.2 珠三角地区

珠三角地区的机器人产业一直以来都具备着极为坚实的发展基础。这一地区包括深圳、广州、佛山和东莞，它们在中国机器人产业中扮演着重要的角色，展现出卓越的创新能力和广泛的影响力，一直位居全国机器人产业前列。深圳作为中国改革开放的前沿城市，一直以来就是技术创新和科研实力的代表。深圳的高新技术产业和研发中心不断吸引着国内外顶尖的科学家和工程师，为机器人技术的发展提供了强大的人才支持。这里的企业也积极投入到机器人领域，推动了行业的发展。广州则以其广泛的制造业基础和出色的工程技术能力而著称。这里的企业在机器人制造和自动化领域取得了令人瞩目的成就。广州的机器人产业集群不仅能够满足国内需求，还出口到世界各地，为中国机器人产业的国际化贡献力量。佛山和东莞也在机器人产业中崭露头角。佛山以其发达的制造业和物流业为机器人应用提供了广阔的市场。东莞则因其精湛的制造技术和成熟的产业链而吸引了众多机器人企业的投资和发展。珠三角地区的机器人产业凭借其强大的技术实力、丰富的制造经验和广阔的市场需求，一直处于中国机器人产业的前沿。这一地区的创新能力和影响力将继续推动中国机器人产业不断发展壮大，为世界范围内的机器人技术进步作出贡献。

（1）产业规模效益

珠三角地区的制造业规模庞大，已经实施自动化和智能化改造升级，为该地区机器人产业的发展提供了坚实的基础。目前，该地区已经形成了从关键零部件生产到整机制造和应用的完整机器人产业链。具体来说，深圳市致力于推动工业机器人及其集成应用，特别是面向3C（计算机、通信和消费电子）产业的机器人应用。深圳市已经建成了多个机器人产业园，如南山机器人产业园、智能机器人产业园和宝安机器人制造产业园，以支持工业机器人本体和核心零部件的制造。与此同时，广州市加速推进面向高端制造业领域，如汽车、船舶和航空等的集成应用，同时提升了标准化、检验检测和技术培训等公共服务能力。广州市已经建立了黄埔智能装备价值创新园和大岗先进制造业基地等机器人产业园，以促进机器人在这些高端制造行业的应用。佛山市则专注于打造智能制造产业基地和机器人谷，重点发展工业机器人在家电、陶瓷和纺织等重要行业的集成应用。此举旨在培育核心零部件企业和机器人系统集成商，推动工业机器人在这些领域的应用。东莞市也采取了类似的策略，重点培育核心零部件企业和机器人系统集成商，推动工业机器人在电子信息制造业和电气机械及设备制造业的集成应用。

珠三角地区已经构建了一个多层次、多领域的机器人产业生态系统，从零部件制造到整机制造和应用领域都有涉及。这些举措有助于提高制造业的自动化水平，提高生产效率，推动科技创新，促进经济增长，为中国的机器人产业发展作出重要贡献。这也为未来机器人技术的研发和应用提供了更广阔的空间和机会。

（2）产业结构水平

总体而言，珠三角地区的机器人产业呈现出相对合理的产业结构。这一地区在生产机器人所需的精密机械加工、电子设计和工艺装配等方面拥有一定的技术优势，其产品研发与应用程度相对成熟。在核心零部件技术攻关和成品研制方面，一些自主品牌企业，如广州数控和利迅达机器人等，已经取得了一定程度的国产化核心技术和自主知识产权，逐渐形成了完善的产业链布局。珠三角地区的机器人企业充分利用该地区良好的制造业发展基础，重点集中在系统集成领域进行布局。他们在流通渠道和价格方面具备一定的竞争优势，因此能够为机器人应用企业提供灵活多样的定制化服务。这种定制化服务有助于满足不同行业和客户的特定需求，进一步推动了机器人应用的发展。

珠三角地区的机器人产业在技术实力、自主研发和市场定位等方面都表现出合理的结构。这种合理结构为该地区机器人产业的可持续发展提供了坚实的基础，未来有望继续推动机器人技术的创新和应用，为中国乃至全球的机器人产业作出积极贡献。

(3) 产业创新能力

珠三角地区的机器人产业拥有坚实的发展基础，其产业集群以深圳、广州、佛山和东莞为代表，在创新能力和影响力方面位于全国领先地位。截至2022年7月，该地区机器人产业积累了总计57192项技术专利。从主要专利申请者来看，优必选、珠海格力、华南理工大学、广东博智林、深圳银星智能、珠海一微半导体、广东工业大学等企业和机构的专利数量居于前列。

珠三角地区的机器人企业普遍注重业务研发，侧重于系统集成和解决方案的提供。他们致力于工业机器人与生产线的深度融合、供应链系统的建设以及客户管理体系的完善等方面，持续增加投入，显著提高了生产效率和产品质量。例如，广东嘉腾公司专注于无人搬运车（AGV）的研发和生产，为客户提供自动化的搬运解决方案。

这些创新和投资举措有助于提升机器人产业的竞争力，推动技术的进步和市场的拓展。珠三角地区的机器人企业在持续发展中发挥了重要作用，为未来的工业自动化和智能制造提供了有力支持，同时也有望在机器人领域进一步巩固其领先地位。这一发展趋势对于促进科技创新、提高制造业水平以及推动经济增长具有重要意义。

(4) 产业集聚情况

珠三角地区，以核心城市广州、深圳、佛山、东莞等为中心，不断推动工业机器人在高端制造和传统支柱产业中的示范应用，深入发展商用服务机器人，处于全国机器人产业重点集聚区的前列。截至2022年7月，珠三角地区机器人相关企业数量已达到2643家，较2021年有明显增长。此外，珠三角地区还培育了近40家机器人领域的专精特新企业，这些企业主要聚焦在核心零部件、系统集成和机器人本体等细分领域。其中，部分本地企业在机器人控制系统和伺服系统等关键技术领域具备强大的技术实力和市场竞争力，如越疆、库卡、隆深、合信、华成工业等企业。

这一地区拥有良好的双创氛围和强大的发展基础，为珠三角地区机器人企业提供了有利的发展机遇。这些企业在高端制造领域推动工业机器人的示范应用，助力传统支柱产业的升级和转型。同时，商用服务机器人的发展也为新兴市场提供了新的增长点。这些发展趋势不仅推动了当地机器人产业的蓬勃发展，也为中国机器人产业的整体壮大贡献了重要力量。

珠三角地区作为中国机器人产业的关键地区，凭借其多样化的企业生态系统、技术创新能力和市场前景，已经在国内机器人产业中赢得了重要地位。随着技术不断进步和市场需求的不断增长，这一地区的机器人企业有望进一步壮大，并在全球机器人产业中发挥更大的影响力。

(5) 产业发展环境

珠三角地区在大专以上学历人员占比方面相对较低，与其他人才发达地区如长三角和京津冀相比，存在明显劣势。然而，尽管如此，该地区在机器人领域的科研机构数量仍相对较多，主要集中在广州、深圳和东莞等城市。包括华南理工大学、广东工业大学、中国科学院深圳先进技术研究所、广州机械科学研究院、广州智能装备研究院、华南智能机器人创新研究院、广东省智能机器人研究院等。

这些科研机构在机器人领域具有较强的学术研究和产业应用能力。他们在机器人技术、控制系统、人工智能、自动化和机械工程等领域进行深入研究，不仅推动了学术界的创新，也为珠三角地区的机器人产业提供了技术支持和创新动力。这些机构与企业、政府合作，推动机器人技术的转化和应用，为地区的机器人产业发展注入活力。

尽管珠三角地区技术人员的平均学历水平相对较低，但这些科研机构的存在和活动为地区的科技创新和产业升级提供了关键支持。未来，随着更多的人才涌入该领域，以及教育和培训的进一步发展，珠三角地区有望进一步提高其在机器人领域的科研和产业发展水平，以应对国内外市场的竞争和挑战，实现更加可持续的机器人产业增长。

4.5.3 京津冀地区

近年来，在国家政策的积极引导和扶持下，京津冀地区的机器人产业逐渐崭露头角。这一地区，包括北京、天津和河北，依托其卓越的区位优势和强大的制造业基础，已经形成了一种错位竞争和优势互补的有利局面。

京津冀地区的机器人产业受益于其独特的地理位置。作为中国的政治、经济和文化中心，北京凭借其独特的吸引力，拥有丰富的市场资源和政策优势，为机器人企业提供了广阔的发展空间和机遇。天津作为中国的沿海城市，具备出口和国际合作的便利条件，为机器人产品的国际化提供了便捷通道。河北省则拥有丰富的制造业资源和劳动力，为机器人产业提供了可靠的生产基础。京津冀地区的机器人产业呈现出错位竞争和优势互补的特点。北京主要注重高端技术研发和应用，拥有一流的科研机构和人才资源，助力机器人技术的创新和高质量产品的开发。天津则侧重于机器人制造和出口，借助港口优势，实现机器人产品的大规模生产和国际市场拓展。河北则在机器人零部件制造和装配领域具备一定优势，为整个供应链提供了稳定的支持。

京津冀地区的机器人产业在国家政策的积极引导下，凭借其独特的地理位置和产业优势，已经建立起一种错位竞争和优势互补的良好发展格局。这为该地区的机器人产业提供了丰富的发展机会，有望进一步推动中国机器人产业的创新和竞争力提升，为全球机器人领域的发展作出贡献。

（1）产业规模效益

京津冀地区虽然不是国内机器人产业规模最大的地区，但其机器人产业的发展质量和附加值相对较高。在当地新一代信息技术产业的支持下，该地区的机器人产业逐渐向价值链的中高端攀升。同时，京津冀三地积极筹建特色化的机器人产业园区和创新基地，形成了优势互补和差异化发展的格局。

首先，北京市充分发挥中关村机器人产业创新中心和亦庄机器人产业园等园区的带动作用。北京市重点依托亦庄、顺义、大兴和房山等地，积极推动协作、医疗、物流和应急机器人产业基地的建设。这些地区将成为京津冀地区机器人产业的重要发展基地，促进新兴领域和高附加值的机器人产品的生产和应用。其次，天津市重点依托滨海机器人产业园、天津机器人产业园和天津新松智慧产业园等，积极构建机器人产业聚集区，实现“以点带面”的发展态势。这些园区将为天津市的机器人产业提供支持和发展空间，促进机器人技术在各个领域的应用。河北省则以发展工业机器人和特种机器人为主要方向，重点打造河北香河机器人产业园、沧州机器人产业园、唐山机器人产业园和石家庄机器人产业园等特色产业园区。这些园区将成为河北省机器人产业的核心区域，推动机器人产业在工业制造和特种领域的发展。

京津冀地区的机器人产业虽然规模相对较小，但在提高产业质量和附加值方面取得了显著进展。通过构建特色化的产业园区和创新基地，这一地区已经形成了优势互补和差异化发展的格局，为未来机器人产业的持续增长和创新提供了坚实的基础。这也有望为整个京津冀地区带来更多的就业机会和经济增长点。

（2）产业结构水平

近年来，京津冀地区在软件和信息服务业方面一直保持全国领先地位。该地区在人工智能、云计算、大数据等领域不断涌现出新成果，这些技术的突破对于培育和发展以智能机器人为核心的高精尖产业生态系统具有极大的促进作用。随着京津冀协同发展战略的深入实施，该地区的机器人本体和核心零部件的自给率正在稳步上升。一些领军企业已经成功实现了核心零部件的自主研发，从而降低了对进口零部件的依赖程度，核心零部件的平均国产化率也有了显著提升。

在软件和信息服务业方面，京津冀地区一直是全国的领先者。该地区在人工智能、云计算和大数据等前沿技术领域积极推动创新研究，取得了一系列重要的新成果。这些技术突破不仅促进了信息产业的发展，还为智能机器人产业的蓬勃发展提供了强大的技术支持和智力资源。

随着京津冀协同发展战略的深入实施，该地区的机器人产业迎来了更多机遇。机器人本体和核心零部件的自给率持续稳步上升，这意味着该地区越来越不依赖于进口零部件。一些龙头企业已经成功实现了核心零部件的自主研发，从而提高了国产化水平。这些举措不仅有助于降低生产成本，还提升了机器人产品的技术含量和竞争力。

京津冀地区在软件和信息服务业的领先地位以及对机器人产业的技术支持，为该地区培育和发展智能机器人产业生态系统提供了坚实的基础。随着协同发展战略的不断推进，该地区的机器人产业有望进一步壮大，为中国的高科技制造业提供更多动力。这也将有助于实现区域内的经济增长和技术创新，为全国乃至全球的机器人产业作出更大的贡献。

（3）产业创新能力

截至2022年7月，京津冀地区的机器人产业在技术专利方面表现出强大的实力，累计拥有超过36200件专利。其中，北京市的专利申请数量最多，天津市和河北省紧随其后。这一数据反映出京津冀地区在机器人领域的技术创新和研发活动相当活跃。

从专利申请主体来看，一些知名高校和科研机构在京津冀地区的机器人产业创新中扮演着重要角色，包括清华大学、北京理工大学、百度网讯、北京航空航天大学、天津大学、燕山大学、河北工业大学和北京云迹等，在机器人领域的专利申请数量居于前列。这些高校和研究机构的积极参与和技术创新活动，为该地区的机器人产业提供了丰富的技术支持和创新资源。

京津冀地区的机器人产业链也表现出全面覆盖的特点，从硬件到软件、从产品到服务都得到了充分发展。这种全面性的覆盖不仅促进了机器人产业的多样化发展，还为该地区的机器人企业提供了更多的商业机会。京津冀地区已经在机器人领域取得了显著进展，为中国乃至全球的机器人产业作出了重要贡献。

京津冀地区的机器人产业在技术专利数量、研发创新资源、产业链覆盖等方面表现出强大的实力。这为该地区的机器人产业提供了坚实的技术和创新基础，有望在未来进一步推动机器人技术的创新和产业的发展，这也将为京津冀地区的经济增长和科技创新注入新的动力。

（4）产业集聚情况

自京津冀协同发展战略实施以来，该地区已经形成了以高端工业机器人、服务机器人和特种机器人为主要方向的产业链条，凸显了“链”式集群优势。截至2022年7月，京津冀地区的机器人相关企业数量已达到995家，其中，北京拥有466家企业，天津拥有235家企业，河北拥有294家企业。不同城市凭借其在不同领域的独特优势，形成了各具特色的机器人产业生态系统，展现出多样化的产业格局。

北京市在医疗机器人、物流及无人配送机器人、协作机器人等领域处于明显的领先地位。这一地区集聚了一批专精特新“小巨人”企业，如遨博、云迹、锐洁、天智航、康力优蓝等。这些企业在技术创新和产品开发方面表现出色，为北京市的机器人产业注入了活力。天津市则专注于发展工业机器人、混联机器人、水下机器人、轻型协作机器人以及工业无人机等领域。这些领域的发展对于支持本地工业制造和智能化生产具有重要意义。天津市聚集了一系列机器人企业，如深之蓝、沃德传动（天津）、福臻、德明福等，他们在不同领域的机器人技术和应用上发挥着关键作用。河北省则着力发展并联机器人、移动机器人、特种机器人等领域，积极推进唐山、廊坊、保定、邯郸等特色产业聚集区的机器人产业发展。这些特种机器人在应对特殊环境和任务方面具备独特优势，为河北省的工业和服务领域提供了有力支持。

京津冀地区的机器人产业在不同领域形成了多元化的发展格局。在各地方政府的积极推动下，这些地区注重培育和发展各自的机器人产业特色，形成了互补性强的产业链，为京津冀地区的经济增长和技术创新注入了新动力。这些机器人企业的发展也为我国机器人产业的蓬勃发展作出了积极贡献。

（5）产业发展环境

京津冀地区长期以来一直是中国人才聚集的重要地区，其在人才成长环境和人才待遇方面一直处于全国领先地位，为该地区的机器人产业发展提供了充足的人力资源支持。京津冀地区的大专以上学历人员占比逐年提升。

北京市作为京津冀地区的核心城市，汇聚了众多国内外知名高校和科研机构，在机器人领域具备雄厚的研究实力。这些机构包括清华大学、北京航空航天大学机器人研究所、北京理工大学智能机器人研究所、北京机械工业自动化研究所、机械科学研究总院、中国科学院自动化研究所、北京科技大学机器人研究所、天津大学机器人与自主系统研究所、南开大学机器人与信息自动化研究所、河北工业大学机器人及自动化研究所、中国民航大学机器人研究所等。这些高校和科研院所在机器人领域积累了丰富的研究经验，具备雄厚的科研实力，为京津冀地区的机器人产业提供了坚实的学术支持和人才培养基础。

京津冀地区的人才资源不仅局限于高校和科研机构，还包括了拥有丰富的产业经验和技术创新能力的从业人员。这些人才涵盖了机器人产业的各个领域，从硬件设计到软件开发，从机器人本体制造到系统集成等各个方面都有优秀的专业人才。这些从业人员为地区内的机器人企业提供了关键的技术支持和创新动力。

京津冀地区不仅在人才引进、培养和留住方面表现出色，还在机器人领域汇聚了众多具备国际竞争力的高校、科研机构和业界精英。这些宝贵的人才资源为该地区的机器人产业提供了强大的技术和创新支持，为未来的发展注入了不竭的动力。这也有望进一步推动京津冀地区的机器人产业迅速崛起，并为中国的高科技制造业发展作出更大的贡献。

4.5.4 东北地区

东北地区作为中国最重要的老工业基地之一，具备显著的资源和区位优势，以及坚实的制造业发展基础。近年来，东北地区已经着眼于高端产品领域，特别是工业机器人和医疗机器人，在这些领域积极进行创新研发。

东北地区的资源和区位优势包括丰富的矿产资源、广阔的土地面积和便捷的交通网络。这些优势为该地区的制造业提供了坚实的物质基础。另外，东北地区拥有大量的工业基地和传统工业企业，这些企业积累了丰富的制造经验和技术实力，为高端产品的开发提供了宝贵的资源。

工业机器人和医疗机器人是目前全球高科技制造领域的重要方向之一。工业机器人在自动化制造和智能制造中发挥着关键作用，能够提高生产效率和产品质量。医疗机器人则在医疗领域具备广阔的应用前景，可用于手术、疾病诊断和康复治疗等方面。东北地区已经意识到这些领域的潜力，积极投入创新攻关，推动相关高端产品的研发和生产。在工业机器人领域，东北地区的企业和研究机构致力于提高机器人的自动化水平和智能化程度，以适应现代制造业的需求。他们关注机器人的自主导航、机器视觉等关键技术，努力实现机器人在工业生产中的广泛应用。在医疗机器人领域，东北地区的研究机构和医疗设备制造商致力于开发创新的医疗机器人产品，用于支持医疗诊断、治疗和手术。这些医疗机器人具备精确控制和导航能力，可以在手术室和医疗实验室中发挥关键作用。

东北地区充分利用其资源和区位优势，以及传统制造业的基础，积极投入工业机器人和医疗机器人等高端产品的研发。这些努力有望为东北地区的产业升级和经济发展注入新的动力，同时也为中国的高科技制造业作出贡献。

（1）产业规模效益

作为中国工业机器人产业发展的关键地区，东北三省通过龙头企业的协同作用，积极推动产业链的整合与集聚，重点发展集机器人本体整机制造、零部件研发生产和应用系统集成于一体的产业园区和制造基地。典型的例子包括哈尔滨哈南机器人产业园和沈阳机器人产业园等。这些园区和基地的建设有助于推动东北地区工业机器人产业集群的规模扩大和实力提升，促进制造业水平的升级和转型。

在这一发展过程中，龙头企业发挥了关键作用，他们在引领创新、推动技术进步和整合资源方面发挥了积极作用。这些企业通过与地方政府合作，建立了具有竞争力的工业机器人产业集群，为地区内的机器人产业提供了强大的支持和引领。

哈尔滨哈南机器人产业园和沈阳机器人产业园等园区在整个产业链的不同环节提供了重要的支持。他们不仅为企业提供了生产和研发的场地，还提供了必要的基础设施和服务，包括研发中心、试验场地、技术培训等。这些园区的建设有助于集中资源，推动技术创新和产品开发。

龙头企业与地方园区之间的协同合作在促进工业机器人产业的发展方面发挥了双向作用。企业通过与园区合作，可以更好地利用地方资源和政策支持，提高了生产效率和竞争力。同时，地方园区也从龙头企业的引领和投资中受益，促进了地方产业的升级和发展。

东北三省通过龙头企业和园区的双向协作，不断壮大和强化了地区内的工业机器人产业集群。这一发展有望推动东北地区制造业的水平升级，提高产业附加值，促进地区经济的可持续增长。

（2）产业结构水平

东北地区的机器人产业已经建立了完整的产业链体系，覆盖从零部件制造到整机研发和批量制造的各个环节。特别值得注意的是，该地区的整机研发和制造能力不断增强，越来越多的企业开始重点布局机器人的核心零部件，如运动控制结构和机电传动装置，以减少对国外供应商的依赖，提升机器人整机的设计和制造能力。

在核心零部件领域，东北地区的企业已经开始积极投资研发，以提高其自主研发和生产的能力。这一趋势有助于降低对进口零部件的依赖，同时也推动了整机的性能和品质的提升。一些领先的机器人企业和科研机构，如新松机器人和哈尔滨工业大学机器人研究院，已经成为该地区机器人产业的龙头，带动了众多优秀的机器人企业竞相发展，形成了竞争激烈的产业格局。

东北地区充分利用传统产业优势，积极推动机器人产业的结构布局深化。未来，该地区将加快技术自主可控的步伐，进一步完善产品体系，扩大适用领域，以加速形成具有国际竞争力的先进装备制造业基地。

这一发展方向将有助于提高机器人产业的创新能力和市场竞争力。通过技术自主可控，东北地区有望在机器人领域取得更多突破和创新，不仅能够满足国内市场的需求，还能够积极参与国际市场竞争。

（3）产业创新能力

截至2022年7月，东北地区的机器人产业已累计拥有13383项技术专利，虽然专利数量增长率与前一年度相比略有下降，但仍然表现出相对强大的知识产权基础。该地区的自主知识产权主要集中在一些关键机构和企业，其中包括中国科学院沈阳自动化研究所、哈尔滨工业大学、哈尔滨工程大学、沈阳新松机器人、哈尔滨理工大学等。这些机构和企业在机器人领域拥有一定数量的专利，反映出其在技术创新和自主研发方面的实力。

东北地区的机器人产业以一些重要的龙头企业为核心，这些企业不仅规模庞大，而且具有强大的创新能力。它们生产的机器人产品种类齐全，涵盖了工业机器人、服务机器人、医疗机器人等多个领域，在国内机器人产业中具有一定的影响力。这些企业不仅推动了机器人产业的发展，还在技术创新和自主研发方面发挥了积极作用，有助于提高地区的科技水平和产业竞争力。

尽管知识产权数量增长率在某种程度上有所下降，但东北地区的机器人产业仍然表现出稳步增长的趋势。这一趋势反映出该地区的机器人产业在技术创新和知识产权保护方面的持续投入和努力。随着未来的发展，东北地区有望进一步加强自主创新，提高知识产权的质量和数量，为机器人产业的可持续发展提供坚实的基础。

（4）产业集聚情况

东北地区作为中国的老工业基地，拥有较为完整的装备制造业体系，特别是在汽车制造、高端机床、数控设备等领域拥有一批行业领军企业。这些企业为机器人产业的发展提供了重要的基础和支持。截至2022年7月，东北地区已经孕育出了915家机器人相关企业，其中黑龙江地区拥有255家，吉林地区拥有194家，辽宁地区拥有466家。机器人产业在东北地区的集聚程度持续提升，已经形成了以自主核心技术、关键零部件、特色产品和行业解决方案为一体的完整产业链。

此外，东北地区的机器人产业得到了一些龙头企业和科研机构的引领和推动，如新松机器人和哈尔滨工业大学机器人研究院等。在他们的带动下，该地区内的机器人产业园区、孵化基地和创新平台建设不断加速，为自主创新能力强、专注于垂直细分领域的中小企业集聚和发展提供了更多机会和支持。

东北地区机器人产业正在迅速崛起，并在技术研发、自主创新和产业链完整性方面取得了显著进展。其装备制造业体系的完整性为机器人产业提供了坚实的基础，而地区内的龙头企业和创新平台则为产业的不断壮大提供了动力。随着未来的发展，东北地区的机器人产业有望进一步蓬勃发展，成为中国机器人产业的重要增长极之一。

（5）产业发展环境

近年来，东北地区的经济发展相对较慢，同时面临着人才流失现象较为严重的挑战。该地区大专以上学历人员占比相对较低，与中国其他人才高地如京津冀、长三角相比存在明显差距。尽管如此，东北地区仍然拥有一批重要的科研机构，这些机构在机器人领域的研究和创新方面发挥着重要作用。其中的一些主要机构包括中国科学院沈阳自动化研究所、机器人技术与系统国家重点实验室、机器人协同创新中心、国家机器人检测与评定中心、哈尔滨工业大学机器人研究所以及机器人技术国家工程研究中心等。

中国科学院沈阳自动化研究所作为东北地区机器人产业科研创新的核心机构之一，具有悠久的历史和丰富的经验，是中国最早开展机器人系统研发和工业化应用研究的机构之一，培育了一批知名企业，如沈阳新松机器人自动化股份有限公司等。近年来，中国科学院沈阳自动化研究所致力于机器人技术的研制和开发，涵盖了多个领域，包括极地科考机器人、纳米操作机器人、仿生结构智能微小机器人、反恐防暴机器人等。这些研究取得了一系列高水平的科研成果，推动了东北地区机器人产业的不断进步与创新。

尽管东北地区面临着人才流失和教育资源相对匮乏的问题，但其拥有的科研机构和创新力量为机器人领域的发展提供了强力的支持。通过不断积累科研成果和推动技术创新，东北地区有望在机器人产业领域发挥更大的作用，为中国的高技术产业和装备制造业的发展作出更多贡献。

4.5.5 中部地区

中部地区作为机器人产业的新兴发展地，地方政府积极出台了一系列旨在促进机器人与智能装备产业发展的行业措施与指导意见，从而推动了该地区机器人产业的快速发展。

这些政策措施包括支持机器人产业的财政和税收政策、鼓励创新研发的科技政策、提供技术培训和人才引进的人力资源政策等。这些措施旨在营造有利于机器人产业生态系统的环境，激励企业增加研发投入，提高产品质量，拓展市场份额，从而推动了机器人产业在中部地区的快速发展。

此外，地方政府还积极引导企业加强合作与创新，促进了区域内机器人产业链的形成与完善。通过与高校、科研机构的合作以及企业间的技术共享与协同创新，中部地区的机器人产业得以不断提升其竞争力，实现了从技术研发到市场应用的良性发展。

（1）产业规模效益

总体而言，中部地区的机器人产业规模相比于长三角地区和京津冀地区仍存在较大差距。中部地区的机器人产业起步相对较晚，但通过一系列扶持政策的实施，已经成功打造了多家机器人骨干企业，全面推动了该地区机器人产业向高端化、集群化和智能化方向迈进。具体而言，安徽省为加快机器人整机、零部件和系统集成的协同发展，以推广应用工业机器人为主要抓手，实施了一系列有力举措。在此过程中，安徽省成功建成了芜湖国家级机器人产业园和合肥机器人产业园等重要园区，这些园区不仅在国内具有重要的影响力，更成为机器人示范应用的基地。

湖北省也积极加快了机器人领域的发展步伐，特别注重机器人整机、零部件和集成应用等关键共性技术的攻关。同时，湖北还进一步推动机器人行业的应用场景示范，不断壮大产业规模。这些举措有助于中部地区机器人产业的迅速崛起，为其在全国范围内的竞争地位提供了坚实基础。

尽管中部地区与其他发达地区相比存在一定的差距，但随着政策扶持和产业发展的不断深化，中部地区的机器人产业正逐渐崭露头角，展现出强大的发展潜力。未来，随着技术创新和市场需求的不断增长，中部地区的机器人产业有望持续蓬勃发展，为地方经济发展和国家高技术制造业的壮大作出更大的贡献。

（2）产业结构水平

中部地区的机器人产业正在取得良好的发展，已经基本形成了集研发、关键零部件生产、机器人本体制造和集成应用于一体的产业链发展格局。为了激发区域内机器人企业的创新活力，提高企业自主研发能力和国产化水平，中部地区采取了多项措施，其中包括引进国内外优秀的机器人技术团队，与本地企业和研究机构合作加强机器人技术创新能力，以及提升机器人产品研发能力，以促进机器人产业实现跨越式发展。

首先，中部地区积极引进国内外杰出的机器人技术团队，通过合作与交流，将国际领先的机器人技术和经验引入到地区内的企业和研究机构。这有助于提高中部地区机器人产业的技术水平，加速新技术的应用和创新。

其次，中部地区重视与本地企业和研究机构的合作，以共同加强机器人技术的创新能力。这种合作可以包括共同研发项目、技术交流和知识共享等方式，有助于推动机器人领域的科研成果转化为实际产品和解决方案。

最后，中部地区致力于提升机器人产品的研发能力，通过支持企业的研发投入和提供相关资源，促进了地区内机器人企业的创新活动。这有助于推动机器人产业的快速发展，提高了产品的竞争力和国际市场占有率。

总之，中部地区通过引进国内外优秀的技术团队，与本地企业和研究机构合作，以及提升研发能力等措施，加快了机器人产业的发展步伐，为地区经济的升级和国家高技术制造业的壮大作出了积极贡献。未来，中部地区的机器人产业有望继续迈向新的高度。

（3）产业创新能力

截至2022年7月，中部地区机器人产业的技术专利数量累计已经达到了34880余件，在全国范围内属于中游水平。值得注意的是，安徽在专利申请数量上领先其他中部地区，而湖北和河南紧随其后。当前，中部地区已经充分认识到机器人产业创新的重要性，正在依托区域内的机器人龙头企业和创新型企业，不断努力寻求核心技术突破，积极争取自主知识产权和专利技术。例如，埃夫特公司拥有多项与喷涂机器人相关的核心技术，他们研发的紧凑型防爆喷涂机器人已经达到了同行业领先水平。

这一趋势表明，中部地区的机器人产业正逐渐发展壮大，不仅在技术创新方面取得了一些重要成就，还在知识产权和专利领域取得了一定的进展。这对于地区内的机器人产业来说是一个积极的信号，表明他们正在朝着更高水平的技术和创新努力前进，有望在未来继续提升竞争力，为国内机器人产业的发展作出更大的贡献。

（4）产业集聚情况

截至2022年7月，中部地区的机器人产业集聚度相较于2021年有所提高，引进的头部企业对资源的集聚吸引作用渐显。其中，中部地区拥有2014家机器人相关企业，其中安徽拥有496家，河南442家，湖南423家，湖北333家，山西170家，江西150家。这些企业分布在武汉、合肥、芜湖、长沙、湘潭、洛阳等地，形成了明显的机器人产业集聚的发展态势。

在这些地区，机器人产业的发展重点主要集中在餐饮加工、纺织、装备制造、生物医药等领域。企业们致力于机器人系统集成、本体制造以及解决方案创新，这有助于推动当地制造业实现换挡升级，提高产品质量和生产效率。

此外，中部地区还注重加强市场、企业、园区以及行业主管部门之间的协作和沟通，致力于提升区域内机器人重点品牌的知名度。同时，他们积极拓展销售渠道，促进了机器人产业的更好发展。中部地区的机器人产业正在蓬勃发展，通过集聚资源和加强协作，有望在未来继续壮大，为地区制造业的升级和创新提供更多支持。

（5）产业发展环境

中部地区位于我国内陆地区，与沿海地区如长三角和珠三角相比，在经济发展水平和吸引人才方面存在一定差距。该地区的科研机构总数相对较少，主要包括华中科技大学、武汉大学、武汉理工大学、国家数控系统工程研究中心、南昌大学、中南大学、长沙智能机器人研究院等。

尽管如此，中部地区的一些产业园区通过重点建设机器人产业科研创新平台，积极引进国内其他地区的先进技术创新团队，并与高校科研院所展开深度合作，推动了当地机器人初创企业的融合发展。这些举措有助于填补地区科研资源相对不足的缺陷，促进了创新和技术进步。

虽然中部地区在机器人产业的发展上面临一些挑战，但通过加强科研合作、引进外部创新团队以及积极推动科技创新，该地区有望逐渐缩小与沿海地区的差距，实现机器人产业的可持续增长和发展。

4.5.6 西部地区

在中国西部地区，机器人产业的发展呈现出独特的趋势和挑战。尽管该地区在机器人产业的发展上不具备显著的先发优势，但通过有效结合地区特色和国家政策的引导，西部地区已逐渐培育出一批具有显著影响力的龙头企业和产业园区。这一过程体现了地方政府和企业在资源配置、产业定位以及创新驱动方面的积极努力。

首先，西部地区的机器人产业发展得益于地方政府的政策支持和引导。地方政府通过提供财政补贴、税收优惠等方式和采用灵活的土地政策等，吸引了机器人产业的投资和企业落户。此外，政府还推动了与高校和研究机构的合作，促进了技术创新和人才培养，为机器人产业的发展提供了科技和人力资源支持。

其次，西部地区的机器人产业在发展过程中，积极探索与地区特色相结合的路径。例如，一些企业专注于开发适应地区特定需求的机器人产品和解决方案，如农业机器人、矿业机器人等，这些产品和解决方案充分考虑了西部地区的地理环境和产业特点。这种针对性的发展策略，不仅提高了产品的市场适应性，也促进了地方产业结构的优化和升级。

然而，西部地区的机器人产业在快速发展的同时，也面临着一些挑战。其中最为突出的是产业链上下游配套的不足。由于地区内相关配套产业的不完善，机器人企业在原材料采购、零部件供应、技术支持等方面经常面临困难。这种情况限制了企业的生产效率和产品创新能力，也增加了企业的运营成本。

为了解决这一问题，需要从多个方面入手。首先，加强产业链内部的协作和整合，促进上下游企业之间的信息交流和资源共享。其次，吸引和培育更多的配套企业，完善产业链结构。最后，加大对创新技术和关键零部件研发的投入，提高产业链的自主创新能力和核心竞争力。

（1）产业规模效益

中国西部地区在先进制造业的发展上相比沿海经济发达地区确实存在一定的差距。这种差距主要体现在工业基础薄弱、创新能力有限和产业结构单一等方面。然而，近年来，西部地区通过充分利用自身的资源禀赋和地理优势，实现了机器人产业的单点突破，并通过引进龙头企业和建设产业园区，逐步发挥了产业规模的集聚效应。

在这一过程中，西部地区的一些城市已经成为机器人产业发展的典范。例如，重庆市重点发展了两江新区和永川区的机器人产业基地，通过政策扶持和资金投入，吸引了一批国内外优质企业的入驻。这些企业不仅带来了先进的技术和管理经验，也为当地的产业升级和经济发展提供了强有力的支撑。

西安市则着力打造了投资百亿元的人工智能与机器人产业基地。该基地的建设不仅促进了当地机器人产业的集聚和发展，还推动了相关高新技术的研发和应用，为西安乃至整个西部地区的经济转型和产业升级提供了新的动力。柳州市的北部生态新区机器人产业园则是另一个例子。该产业园区致力于打造一个集研发、制造、展示于一体的机器人产业集群，旨在通过产业链的完善和技术创新，提升柳州乃至广西地区的机器人产业水平。这些城市的案例表明，西部地区虽然在先进制造业的发展上起步较晚，但通过对外引进和产业园区建设，已经取得了显著的成效。这些努力不仅促进了当地经济的发展，也为中国机器人产业的整体进步作出了贡献。

然而，西部地区的机器人产业发展仍面临一些挑战，如存在产业链不完整、创新能力不足等问题。因此，未来的发展策略应包括加强产业链建设、提升创新能力和技术水平、优化产业结构等方面。通过这些措施，西部地区的机器人产业有望实现更加全面和深入的发展。

（2）产业结构水平

西部地区在机器人产业方面虽然起步较晚，但正在逐步构建一个多元化且综合性的机器人及智能装备产业链。这一产业链不仅涵盖了研发生产、系统集成、零部件配套、智能化改造，还包括示教培训等多个环节。在这一过程中，西部地区特别重视创新园区与科研基地的布局，以此作为推动产业发展的关键支点。

以重庆市为例，该市围绕工业机器人和服务机器人产业链，实施了创新的“链长制”管理模式。这一模式旨在构建一个产学研用协同创新的产业生态链，通过上下游企业的紧密协作，促进技术创新和产业升级。重庆市的这一策略不仅促进了机器人产业链的完善，还加强了产业内部的协同效应，为机器人产业的健康发展提供了有力支撑。重庆市的目标是到2025年，形成一批具有共生、互生、再生特性的机器人产业新业态。这些新业态将具备活力和可持续发展的特点，不仅能够促进产业自身的发展，还能为相关产业的发展提供支持和起到带动作用。此外，重庆市还计划建成国内一流的机器人应用示范基地和产业创新发展示范区，这将有助于展示机器人产业的最新成果和应用前景，同时也将成为推动区域经济发展的重要力量。

西部地区的机器人产业发展策略体现了对产业链整体布局的深入思考和对创新驱动发展模式的积极探索。通过这种综合性和系统性的发展策略，西部地区的机器人产业不仅能够弥补起步晚的劣势，还有望在未来成为国内乃至国际机器人产业的重要力量。这一过程中，政府的政策支持、企业的技术创新、高校和研究机构的知识贡献以及产业链上下游企业的紧密合作，都将是推动西部地区机器人产业发展的关键因素。

（3）产业创新能力

截至2022年7月，中国西部地区在机器人产业技术专利方面的表现呈现出一定的波动。据统计，该地区的机器人产业技术专利总数达到了25600余件，相较于上一年度出现了明显的下降。在众多省份中，四川省在申请专利数量上位居首位，湖北省紧随其后，显示出这些地区在机器人技术创新方面的活跃度。

值得注意的是，尽管专利数量有所下降，但西部地区的企业在机器人本体研制和关键零部件技术方面取得了显著成果。例如，重庆神驰电机成功研制出用于机器人的伺服电机，这一成果对于提高机器人的运动控制精度和效率具有重要意义。此外，重庆川仪与中国科学院重庆绿色智能研究所合作，开发出了机器人控制器和传感器，这些关键技术的突破为机器人的智能化和精准控制提供了重要支撑。

在整机开发方面，长安工业和中船重工涂装厂的成果也值得关注。这些企业不仅开发出了机器人整机，还推动了机器人技术在特定行业中的应用，如在汽车制造和船舶制造等领域的涂装作业。这些应用的成功展示了机器人技术在提高生产效率和质量方面的巨大潜力。

尽管西部地区的机器人产业在专利数量增长率上出现下降，但这并不意味着技术创新的减缓。相反，这可能反映了该地区企业在专利质量和技术深度上的提升，即从数量扩张转向质量提升和深度开发。此外，专利数量增长率的下降也可能与产业调整和市场需求变化有关，反映了企业在研发方向和资源配置上的战略调整。

西部地区的机器人产业虽然在专利数量增长率上有所下降，但在技术创新和应用开发方面取得了显著成果。这些成果不仅提升了西部地区机器人产业的整体技术水平，也为该地区的经济发展和产业升级提供了重要支撑。未来，随着技术创新的持续推进和市场需求的进一步拓展，西部地区的机器人产业有望实现更加全面和深入的发展。

（4）产业集聚情况

西部地区的机器人产业虽然起步较晚，但近年来已经取得了显著的发展进步。截至2022年7月，西部地区的机器人企业数量已达到1422家，其中四川省拥有313家，重庆市有232家。这一增长趋势表明，尽管总体上仍然落后于国内其他机器人产业集聚区，但西部地区的机器人产业正在逐步缩小与先进地区的差距，并展现出强劲的发展势头。

重庆市在机器人产业的发展上尤为突出。该市已经形成了一个完整的机器人产业链，涵盖研发、整机制造、检测、系统集成、零部件配套、人才培训和应用服务等多个环节。在北碚、九龙坡、永川、大足等区域，重庆市集聚了众多机器人企业和研发机构，如重庆华数、国家机器人检测与评定中心（重庆中心）、重庆智能机器人研究院等。这些机构和企业的集聚，不仅促进了当地机器人产业的技术创新和产业升级，还为区域经济发展提供了新的动力。

四川省则利用其独特的区位优势，成为吸引机器人企业的“强磁场”。在成都、德阳、眉山、绵阳等地，四川省集聚了一批具有特色的机器人企业。这些企业在机器人技术研发、制造和应用方面取得了显著成就，为四川省乃至整个西部地区的机器人产业发展作出了重要贡献。

西部地区机器人产业的发展不仅体现在企业数量的增加，还体现在产业结构的优化和技术水平的提升上。随着越来越多的机器人企业和研发机构的集聚，西部地区在机器人核心技术研发、高端制造能力和市场应用方面都显示出了良好的发展潜力。此外，地方政府的政策支持和产业引导也为机器人产业的发展提供了有力的保障。

西部地区的机器人产业虽然起步晚于东部沿海地区，但通过不断的努力和创新，已经在产业规模、技术水平和市场应用等方面取得了显著的进步。未来，随着技术创新的深入和市场需求的不断扩大，西部地区的机器人产业有望实现更加快速和全面的发展。

（5）产业发展环境

长期以来，西部地区的制造业发展一直面临着人才短缺的挑战，机器人产业也未能幸免。在这一地区，拥有大专及以上学历的人员比例低于全国平均水平，这在一定程度上限制了高技术产业，尤其是机器人产业的发展。尽管如此，西部地区在机器人科研领域仍有显著的进展，这得益于一些知名研究机构的聚集。

西部地区虽然在机器人科研机构的总数上不占优势，但已成功集聚了一批高水平的研究机构，包括中国科学院重庆绿色智能研究院、西安交通大学人工智能与机器人研究所、西北工业大学、电子科技大学、兰州大学、四川大学机器人研究所、重庆大学机器人学院以及重庆固高科技长江研究院等。这些机构在机器人技术的研发、创新和应用方面发挥着重要作用，为西部地区乃至全国的机器人产业发展提供了强有力的技术支持和人才储备。

这些研究机构的存在，不仅提升了西部地区在机器人领域的研究和教育水平，还促进了与产业界的合作。通过产学研结合的模式，这些机构与地方企业共同推动了机器人技术的转化和产业化，加速了机器人产业的发展。此外，这些机构还为机器人产业提供了大量的技术人才，缓解了西部地区在高技术领域的人才短缺问题。

然而，要进一步推动西部地区机器人产业的发展，还需应对一系列挑战。首先，需要提高该地区的教育水平，特别是在工程和技术领域，以培养更多的高技术人才。其次，应加强与国内外先进地区和机构的交流合作，引进先进的技术和管理经验。最后，政府应出台更多激励政策，吸引和留住人才，同时鼓励企业加大研发投入，提升自主创新能力。

4.6 》 代表性企业

4.6.1 灵动科技

灵动科技是一家专注于视觉导航移动机器人（AMR）的创新型企业，主要服务于制造和仓储行业，提供高效的机器人搬运和拣选解决方案。该公司的核心技术——Cortex技术，是AMR的中枢大脑，它不仅连接并融合了AMR集群系统，还整合了人工智能能力，使得AMR能够在复杂的工业环境中灵活运作。

灵动科技的AMR柔性拣选解决方案通过一系列先进技术实现高效的自动化操作。首先，该方案利用智能传感器收集动态数据，这些数据包括机器人周围的环境信息和搬运物品的具体情况。接着，通过视觉同步定位和地图绘制技术，AMR能够准确理解并适应其周围环境。此外，利用强化学习算法，AMR能够规划出最佳的运输路径，确保搬运过程的高效和安全。

灵动科技的AMR不仅能够自主导航，还能根据实际环境和特定需求进行精准操控，从而高效完成各种复杂任务。这种高度的自适应能力和灵活性，使得AMR在不同的工业环境中都能发挥出色的性能。

此外，灵动科技的“127”承诺体现了其AMR系统的快速部署能力。在短短1天内，

AMR系统可以完成部署；2天内完成环境部署，包括地图扫描、视觉标记采集和重建，而且这一切都不会影响现场的正常工作；7天内，可以完成业务场景部署，包括业务流程的完整验证和上下游系统的平滑对接，实现与客户系统的无缝接入和试生产，达到项目验收的标准。

灵动科技的AMR系统以“感知+决策+控制”三大智能化能力，具备了柔性、视觉、跨场景、全流程的强大优势。在感知方面，AMR通过集成的传感器和视觉系统，能够实时感知周围环境和物体状态。在决策方面，通过先进的算法和数据处理能力，AMR能够做出快速准确的决策。在控制方面，AMR具备高度自适应的控制系统，能够在各种环境中稳定运行。

这些技术的综合应用，不仅提高了目标企业的运营效率，还显著降低了运营成本。灵动科技的AMR系统能够在多种工业环境中灵活部署，从而帮助企业实现自动化升级和智能化改造。无论是在仓储物流、制造业还是其他需要高效搬运和拣选的场景中，灵动科技的AMR系统都能提供有效的解决方案，帮助企业实现降本增效的目标。

总而言之，灵动科技通过其创新的AMR技术和快速部署能力，在制造和仓储行业中为企业提供了高效、灵活且成本效益高的自动化解决方案。

4.6.2 进化动力

深圳进化动力数码科技有限公司（以下简称“进化动力”），率先提供了端侧训练-学习系统平台，构建了国内罕见的国产自主研发的“全栈式”人工智能视觉技术平台。该公司不仅拥有多项发明专利、集成电路知识产权和软件著作权，而且在人工智能视觉领域取得了显著的技术突破和创新。

依托于其强大的技术平台，进化动力为众多世界五百强企业和上市公司用户提供了系统性的解决方案，满足了他们在货损降低（如生鲜零售、智慧农贸）、人力替代（如生鲜零售机器人）以及活体及非标品监测确权（如畜牧供应链金融、畜牧农业保险）等多个领域的需求。这些解决方案具有高性能、低功耗、开放性和端云协同等特点，已经服务了数十亿人次，显示出其广泛的应用范围和深远的市场影响。

在机器人视觉系统方面，进化动力依托于EvoThink算法平台，开发了包括SLAM、导航避障、人脸识别、人体行为分析、多目标分割识别等在内的核心算法，这些算法构成了机器人视觉系统的基础。结合机器人控制器、协作机器人、复合机器人等产品，进化动力构建了成熟的机器人应用解决方案，特别是在柔性场景中的应用。

凭借在物流仓储和零售行业的多年深耕，进化动力深刻理解这些领域的痛点，并结合自身的业务优势，形成了针对这些领域的机器人解决方案。这些解决方案不仅在特定行业中表现出色，还逐步向其他非工业场景拓展，显示出其广泛的应用潜力和灵活的适应能力。

进化动力在端侧机器学习领域的技术创新为其赋予了独特的优势。通过优化模型和提升算法的准确度，公司不断提高其产品和服务的性能和效率。这些技术创新不仅提升了机器人的行业应用能力，还为机器人的广泛应用提供了坚实的技术基础。

此外，进化动力在人工智能视觉技术的研发和应用方面的成就，不仅体现在其产品的技术先进性上，还体现在其对行业发展的深远影响上。公司的技术和产品在提高企业运营效率、降低成本、提升安全性和可靠性方面发挥了重要作用。

进化动力凭借其在人工智能视觉技术领域的深厚积累和不断创新，不仅在提高企业运营效率、降低成本方面发挥了重要作用，还在推动整个行业向智能化、自动化方向发展中起到了关键作用。

4.6.3 高仙机器人

高仙机器人凭借其自主研发的领先SLAM自主移动技术，在商用清洁机器人赛道上精耕细作，为各类商用清洁场景提供了完善的数字化和智能化解决方案。在商用移动机器人和无人驾驶领域，高仙机器人展现出了良好的市场落地能力和广泛的应用前景。

目前，高仙机器人推出的六大产品线，涵盖了七大清洁功能，这些产品被广泛应用于商场、写字楼、酒店、工业场所等多种室内外场景。这些产品线的推出，不仅体现了高仙机器人在技术创新和产品多样化方面的实力，也展示了其在满足市场需求和提升用户体验方面的专注。

高仙机器人的核心技术优势在于其高效的导航能力、灵敏的识别技术和智能的决策系统。这些技术的结合，使得高仙机器人的产品能够在复杂的环境中自主导航，准确识别清洁区域和障碍物，以及做出高效的清洁决策。从自动化到智能化的转变，从单机操作到集群协同的发展，高仙机器人在商用清洁领域的技术进步和应用拓展，充分体现了其在智慧服务领域的深入探索和持续创新。

除了在商用清洁机器人领域的精耕，高仙机器人还在逐步拓展其业务范围，将其核心技术应用于更多领域的智慧服务。这包括但不限于物流配送、医疗辅助、公共安全等多个行业。在这些领域中，高仙机器人的产品和解决方案能够帮助企业和机构提高效率、降低成本，并提升服务质量。

在技术研发方面，高仙机器人持续投入资源，不断优化其SLAM技术和机器学习算法，以提高机器人的导航精度、环境适应性和任务执行效率。同时，该公司也在探索如何通过云计算和大数据分析，进一步提升机器人的智能化水平和服务能力。

高仙机器人在市场落地方面也展现出了其独特的策略，不仅注重产品的技术创新，还重视与客户的深入合作，了解并满足客户的实际需求。通过提供定制化的解决方案，高仙机器人能够更好地服务于不同行业和场景，实现产品的市场快速响应和有效部署。

未来，随着人工智能和机器人技术的不断进步，以及市场需求的日益增长，高仙机器人不仅将推动商用清洁机器人行业的进步，也将为智慧服务领域带来更多创新和变革。

4.6.4 北京天智航医疗科技股份有限公司

北京天智航医疗科技股份有限公司（以下简称“天智航”）的产品和服务涵盖了骨科手术机器人、手术中心专业工程、配套设备与耗材、技术服务四个关键领域，展现了其在医疗技术服务领域的全面性和深度。核心产品天玑骨科手术机器人作为国内首个自主研发并上市的骨科机器人导航定位系统，标志着天智航在高端医疗设备领域的重大突破。该系统主要应用于脊柱外科和创伤骨科领域，通过机械臂辅助，精确完成手术中的手术器械或植入物的定位，极大提高了手术的安全性和精确度。

天智航已经形成了以“产、学、研、医”为导向的产品创新研发体系。这一体系不仅促进了技术创新和产品升级，还加强了与医疗实践的紧密结合，确保了技术研发与临床需求的同步发展。未来，天智航计划继续加速数字化技术与医疗解决方案的融合，通过更智能、更精确的手术解决方案，维持并加强其在行业中的领先优势。

在骨科手术机器人领域，天智航的技术创新主要集中在提高手术精度、降低手术风险和改善患者康复效果上。通过高级的图像处理技术、精确的机械臂控制系统和先进的导航算法，天玑骨科手术机器人能够在手术过程中提供实时的、高精度的辅助，使得手术过程更加安全、高效。

在手术中心专业工程方面，天智航提供全面的解决方案，包括手术室设计、设备配置和系统集成等。这些解决方案旨在优化手术室的工作流程，提高手术室的使用效率和安全性，同时确保手术环境符合最高的医疗标准。

在配套设备与耗材、技术服务方面，天智航不仅提供高质量的医疗设备和耗材，还提供全面的技术支持和服务，包括设备的安装、调试、维护和培训等，确保医疗设备能够在临床中稳定、高效地运行。

未来，天智航将继续深化其在医疗技术服务领域的研发和创新，包括利用人工智能、大数据分析和云计算等技术，进一步提高手术机器人的智能化水平，优化手术流程和提高手术效果。同时，天智航也将加强与医疗机构、科研机构和高等院校的合作，共同推动医疗技术的发展和应用。

4.6.5 杭州乔戈里科技有限公司

杭州乔戈里科技有限公司（以下简称“杭州乔戈里科技”）一直致力于机器视觉、计算机图像处理及人工智能技术的研究与开发。该公司研制的智能检测设备，依托于机器人控制、深度学习和机器视觉三大核心技术，已在汽车制造、医疗食品、烟草机械等多个领域解决了客户在制造过程中的质量检测难题。其自主研发的软件技术拥有多项自主知识产权，为深耕高端智能自动化检测服务提供了坚实的技术基础。

杭州乔戈里科技的智能检测设备结合了先进的图像处理技术和机器学习算法，能够高效、准确地识别和分析制造过程中的各种缺陷和问题。在汽车制造领域，该公司的解决方案能够实现对汽车零部件的精确检测，保证产品质量和安全性。在医疗食品和烟草机械领域，其技术同样展现出了高效的检测能力和良好的适应性。

随着技术的不断进步和市场需求的不断扩大，杭州乔戈里科技的业务范围也在不断拓展。该公司的业务已经从机器视觉检测向新能源和智能农业领域渗透。在新能源领域，杭州乔戈里科技的技术能够帮助提高能源设备的效率和可靠性。在智能农业领域，该公司的技术应用包括智能采摘、果实智能分拣、农业精准作业等功能，这些技术的应用不仅提高了农业生产的效率和精度，也为智能新农机的打造提供了技术支持。

杭州乔戈里科技在机器视觉领域的技术积累和业务沉淀，使其能够为客户提供完整的解决方案。该公司的解决方案不仅包括硬件设备，还包括软件系统和服务，能够根据客户的具体需求提供定制化的解决方案。

在未来发展中，杭州乔戈里科技将继续加大在人工智能、深度学习和机器视觉等领域的研发投入，不断提升技术水平和产品性能，同时，也将探索更多新的应用场景和业务模式，如通过云计算和大数据分析进一步提升智能检测的效率和准确性。此外，还将加强与科研机构和高等院校的合作，共同推动技术创新和产业发展。

4.7 》 智能机器人发展趋势及未来建议

4.7.1 发展趋势

（1）从技术侧驱动机器人的智能化进程

核心零部件的国产化替代对于产业发展具有重要意义，尤其是在高科技领域。这一过程不仅关乎技术自主性和产业安全，还关系到国内企业在全球市场的竞争力。提升自主研发硬件的性能，打破外资品牌长期的市场控制，对于国内企业来说是一个既具挑战性又充满机遇的任务。这需要业内企业持续发力，通过创新和协作，共同推动产业的发展。

在这一过程中，软件对硬件的赋能至关重要。以多源感知为基础，以算法为核心，依托海量数据改进的智能技术，能够显著提升硬件的性能和智能化水平。多源感知技术，如视觉、听觉、触觉等，可以提供更丰富、更准确的环境信息，使得机器人或其他智能设备能够更好地理解和适应其工作环境。

海量数据的收集和分析是智能技术不断进步的基础。通过对大量数据的分析，可以不断优化和改进算法，提高其准确性和效率。这些数据不仅来源于机器人或设备的日常运行，还可以来源于模拟环境和用户反馈等多种渠道。

“端-边-云”协同架构在这一过程中发挥着关键作用。在这种架构下，数据处理和智能决策被分布在设备端（端）、网络边缘（边）和云平台（云）之间。这种分布式的处理方式可以有效缓解终端设备的数据处理压力，同时保证数据处理的实时性和高效性。设备端可以进行初步的数据收集和处理，网络边缘可以进行更复杂的数据分析和决策，而云平台则负责存储大量数据并提供强大的计算能力。

此外，数据反哺是智能技术持续迭代的重要机制。通过对设备运行数据的分析，可以不断发现问题和改进点，从而优化算法和提升设备性能。这种基于数据的迭代机制，使得智能技术能够不断适应新的挑战和需求。

总之，核心零部件的国产化替代是一个复杂而长期的过程，需要国内企业在硬件研发、软件赋能、数据分析和算法优化等多个方面持续发力。通过“端-边-云”协同架构和数据驱动的技术迭代，国内企业可以逐步提升自主研发硬件的性能，打破外资品牌的市场控制，最终实现在全球市场的竞争优势。

（2）从产品侧丰富机器人的多样化应用

机器人产品的演进与市场需求的升级紧密相连。在当前阶段，机器人产品主要针对标准化、单一的工作场景，其功能通常只能满足这些场景的基本需求。然而，随着产品逐步规模化和企业对场景需求洞察的加深，机器人产品的发展趋势呈现出两个显著的方向。

首先，机器人产品将在应用的广度上进行拓展。这意味着推出新型的机器人品类，以覆盖更多样化的应用场景，如高危环境、恶劣条件、劳动力短缺的区域等。例如，在高危环境如核电站、矿山等场景，机器人可以执行危险的任务，保护人类工作者免受伤害。在劳动力短缺的农业领域，机器人可以进行自动化种植、收割等工作，提高生产效率。这些新型机器人将具备更强的适应性和更高的效率，能够在极端或特殊环境中稳定运行。

其次，机器人产品将破除现有的应用壁垒，实现全场景作业的能力。这意味着机器人将更加灵活地参与到人类的各种活动中，与人类进行更紧密的协作。例如，在医疗领域，机器人可以协助医生进行精确的手术操作；在教育领域，机器人可以作为教学助手，提供个性化的学习体验；在服务行业，机器人可以在餐饮、零售等领域提供高效的服务。这些全场景的应用不仅满足了用户的刚性需求，也极大地提升了用户体验。

随着技术的不断进步，机器人产品将更加智能化和自主化。利用人工智能、机器学习、传感技术等先进技术，机器人将能够更好地理解和适应其工作环境，做出更加智能的决策。此外，机器人与云计算、大数据、物联网等技术的结合，将使得机器人能够实时接收和处理大量数据，提高其工作效率和准确性。

未来，机器人产品的发展还将受到伦理、法律和社会接受度等因素的影响。随着机器人在更多领域的应用，如何确保机器人的安全性、隐私保护和伦理合规性将成为重要的议题。此外，公众对机器人的接受度和对机器人技术的理解程度也将影响机器人产品的普及和应用。

（3）从产业侧助推机器人的生态化融合

智能机器人被誉为“制造业皇冠顶端的明珠”，其研发、制造与应用是产业生态中各个主体共同创造的成果。随着越来越多的新兴力量加入这一领域，构建一个健康、协调的生态体系，汇聚产业各方主体的资源和力量，已成为智能机器人产业发展的重要趋势。

国家层面对机器人产业的整体战略规划至关重要。通过制定明确的发展目标和政策指导，可以为产业的健康发展提供方向和动力。这包括对产业主体对象的精准扶持，如提供财政补贴、税收优惠、研发资金支持等，以激励企业进行技术创新和产品升级。

头部企业在智能机器人产业中扮演着领导者的角色。这些企业应发挥其在技术、产品和市场方面的优势，引领产业的创新和发展。通过不断的技术研发和产品创新，头部企业可以为整个产业输送新的动力，推动产业向更高水平发展。

产学研用的联动也是推动智能机器人产业发展的关键。通过紧密的产学研用合作，可以确保技术研发和产品创新更加贴近市场和用户需求。这种以需求为牵引的发展模式，可以提升机器人产品与场景需求的契合程度，加快技术成果的转化和应用。

资本力量在推动智能机器人产业发展中也发挥着重要作用。通过投资和融资，可以为企业提供必要的资金支持，促进产品创新和市场拓展。同时，资本市场也可以为企业提供更多的资源和机遇，帮助企业实现快速成长。

除了上述方面，智能机器人产业的发展还需要关注以下几个方面：

技术创新：持续的技术创新是推动智能机器人产业发展的核心动力。这包括机器学习、人工智能、传感技术、控制系统等方面的创新。

人才培养：高质量的人才是智能机器人产业发展的基础。通过加强教育和培训，可以为产业提供足够的技术和管理人才。

国际合作：在全球化背景下，加强国际合作，引进先进的技术和管理经验，可以加速产业的国际化进程。

法律法规和标准制定：随着智能机器人技术的发展，相关的法律法规和标准制定也显得尤为重要。这不仅关乎产业的健康发展，也关乎社会的安全和伦理。

4.7.2 发展建议

为了促进我国机器人产业高质量发展，迅速提升国际竞争力，我们提出以下一系列保障措施和建议，着重强化产业创新、保障供应链稳定、开拓应用场景、营造创新发展环境、完善标准规范体系、建立健全人才保障体系等方面。

（1）增强产业创新能力

① 加大对机器人核心技术研发的资金支持：为了加速机器人领域的科技进步，政府应该持续增加对机器人核心技术研发的资金支持。这包括直接资助研究项目、设立创新基金，以及提供税收优惠政策，鼓励企业增加研发投入。这些资金的投入不仅可以用于基础研究，还可以支持应用研究和技术转化，从而加速机器人技术的商业化进程。

② 建立跨学科合作机制：机器人技术的发展需要跨足多个学科领域，包括计算机科学、机械工程、电子工程、人工智能等。因此，需要建立跨学科的合作机制，鼓励不同领域的专家和研究人员之间进行协作。这可以通过设立联合研究项目、组织跨学科研讨会和研究团队来实现。这种合作有助于促进机器人技术与其他领域的融合创新，推动新的突破和发展。

③ 推动产业界、学术界和政府部门的合作：为了推动机器人产业的创新，需要建立更紧密的合作关系，涵盖产业界、学术界和政府部门。政府可以通过设立政策引导和奖励机制来鼓励企业与研究机构合作，共同开展研究和开发项目。此外，建立创新平台和研究中心也是一个重要举措，这些平台可以成为不同利益相关方交流合作的桥梁，促进技术交流和知识共享。

（2）维护产业链供应链稳定性

① 鼓励国内企业建立稳定的供应链关系：为了减少对国际市场的依赖，政府可以采取措施鼓励国内企业建立稳定的供应链关系。措施包括提供政策支持，鼓励企业与国内供应商建立长期合作关系，并提供相应的激励，如税收减免或补贴，以降低企业的采购成本。同时，政府还可以加强对供应链的监管，确保供应商的质量和可靠性，以保障产业链的稳定性。

② 提高国内关键零部件和材料的自主生产能力：为了确保供应链的可持续性，需要着力提高国内关键零部件和材料的自主生产能力。政府可以提供资金支持，鼓励企业进行研发和生产国产化的关键零部件和材料。此外，政府还可以制定相关政策，鼓励技术创新和保护知识产权，以促进国内零部件和材料产业的发展。

③ 建立紧密的产业协同机制：为了共同应对外部风险，需要建立紧密的产业协同机制，协调上下游企业的合作。政府可以发挥中介作用，促进产业链各个环节之间的协同合作，推动信息共享和风险分担。此外，政府还可以建立应急响应机制，以应对突发事件和外部冲击，确保供应链的连续性。

（3）拓展应用场景需求

① 加强与各行业的合作对于深入了解不同领域的需求至关重要。机器人技术的发展需要紧密结合实际应用场景，这要求企业与农业、医疗、制造等行业的专家和用户进行深入交流，以确保开发出的机器人产品能够有效解决实际问题。例如，在农业领域，机器人可以用于自动化种植、收割和监测作物生长情况；在医疗领域，机器人可以协助进行精确手术或提供护理服务；在制造业，机器人可以提高生产效率和控制产品质量。了解这些领域的具体需求，可以帮助企业开发出更加精准和高效的机器人解决方案。

② 鼓励企业开展示范项目，推广机器人技术在各个领域的应用是非常重要的。示范项目可以作为机器人技术应用的典范，展示其在实际工作中的效果和优势。通过这些项目，可以提高公众和行业对机器人技术的认识和接受度，同时收集宝贵的实践经验，为进一步的技术改进和产品迭代提供参考。示范项目还可以作为政策制定和市场推广的依据，帮助政府和企业更好地理解机器人技术的潜力和应用前景。

③ 制定相关政策，为机器人在特定领域的应用提供支持和激励，是推动机器人技术发展的关键。这些政策可以包括财政补贴、税收优惠、研发资金支持等，旨在降低企业在机器人研发和应用中的成本和风险。此外，政策还应包括标准制定、知识产权保护、市场准入等方面，以确保机器人技术的健康发展和公平竞争。通过这些政策支持，可以激励企业加大在机器人技术上的投入，推动技术创新和应用普及。

（4）营造创新发展环境

① 简化机器人产业相关审批流程：为了鼓励竞争和创新，政府应该致力于简化机器人产业相关的审批流程。这包括简化市场准入程序、缩短审批时间，并降低准入门槛，以吸引更多的企业参与竞争。此外，政府还可以建立一站式服务平台，为企业提供更加便捷的注册和审批流程，从而降低创业成本，鼓励更多初创企业涌现。

② 推动知识产权保护：为了维护机器人产业的创新成果，政府应该加强知识产权的监管。这包括制定更加严格的知识产权保护法律和法规，加大知识产权的执法力度，打击侵权行为。此外，政府还可以建立知识产权登记和保护的便捷机制，鼓励企业主动申请专利和注册商标，提高知识产权的保护意识。

③ 建立风险投资基金：为了支持初创企业和新技术的孵化发展，政府可以建立风险投资基金。这些基金可以提供资金支持、技术咨询和市场推广等方面的帮助，帮助初创企业克服创业过程中的各种挑战。此外，政府还可以鼓励私人投资者和风险投资机构参与，共同支持机器人产业的创新和发展。

（5）完善标准规范体系

① 制定国际化的机器人产业标准：为了提高我国机器人产品在国际市场的竞争力，需要制定国际化的机器人产业标准。这些标准应该与国际标准保持一致，以确保我国的机器人产品在国际市场上能够顺利销售和竞争。政府可以设立专门的标准制定机构，汇集行业专家和企业代表，制定符合国际标准的机器人产业标准，涵盖机器人的安全性、性能、互操作性等方面。

② 加强标准制定的透明度和公平性：为了确保标准制定的公正性和透明度，政府应该建立标准制定的程序和机制。这包括公开征集各方意见、广泛征求国际机构和专家的建议，确保标准的制定过程公开、透明，不偏袒任何一方的利益。政府还可以建立标准制定的监督机构，监督标准制定的过程，确保标准的制定符合法律法规和国际惯例。

③ 建立标准检测与认证机构：为了确保机器人产品符合相关标准和法规，政府可以建立标准检测与认证机构。这些机构负责对机器人产品进行检测和认证，验证其是否符合标准要求。政府可以为这些机构提供必要的资源和支持，确保其独立运营，提高检测和认证的可信度。同时，政府还可以与国际认证机构合作，提高我国机器人产品在国际市场上的认可度。

（6）建立健全人才保障体系

① 提高机器人领域的人才培养投入是基础。这意味着需要培养更多具备专业知识和技能的工程师和研究人员。为此，可以加大对相关教育和培训项目的投资，如增加机器人技术、人工智能、自动化等领域的课程和研究项目。同时，鼓励学生参与实际的机器人研发项目，提供必要的实验设备和研究平台，以增强学生的实践能力和创新意识。

② 支持高校与企业之间的合作对于提供实践机会至关重要。通过校企合作，学生可以获得更多实际工作经验，了解机器人技术在实际应用中的需求和挑战。企业可以提供实习岗位、工作坊、讲座和项目合作等多种形式的实践机会，帮助学生将理论知识应用于实践

中，同时也为企业做好人才储备。

③ 引进国际顶级人才，促进人才的跨国流动和知识传递，对于提升机器人领域的整体水平和国际竞争力同样重要。这可以通过建立国际交流和合作项目、提供吸引人才的条件和环境等方式实现。国际顶尖人才的引进不仅可以带来先进的技术和经验，还可以促进不同文化和背景下的创新思维的交流和融合。

综上所述，为了推动我国机器人产业的高质量发展，需要在多个方面采取积极的保障措施，包括技术创新、供应链稳定、市场拓展、创新环境、标准规范和人才培养等方面。通过这些努力，可以加速实现机器人产业的国际领先水平，为我国经济的发展和社会的进步作出更大的贡献。

本章负责人　于海斌　中国科学院沈阳自动化研究所

参加编写人员　宋国立

第5章　数控系统

5.1 引言

5.1.1 概述

数控机床与基础制造装备被誉为装备制造业的“工作母机”，它们在现代制造业中起到了至关重要的作用。像人体的心脏和大脑对于整个生理系统的重要性一样，数控机床在装备制造业中的地位也是不可替代的。在《中国制造2025》中，明确将这一领域列为“加快突破的战略必争领域”。这也进一步凸显了其在整个产业链中的核心地位。

目前的状况是，尽管中国在全球制造业中的份额日益扩大，成为了真正的“世界工厂”，但在数控机床这个关键领域中，我国的企业主要还是集中在中低端产品。这意味着在高精度、高复杂性的设备制造方面，我们仍然依赖于进口。更为明显的一个事实是，在全球十大数控机床企业中，没有一家是中国的。这不仅仅是一个数字上的差距，更反映了我们在技术研发、品牌建设、市场推广等方面的短板。

但正如古人所说，“危”与“机”并存。在我国由制造大国迈向制造强国的历史进程中，数控机床产业仍然存在着巨大的发展机会。首先，随着中国经济的持续增长和工业升级，对高端制造装备的需求也在快速增长。这为国内数控机床企业提供了广阔的市场空间。其次，国家政策对高端装备制造业的扶持也为企业提供了强大的后盾。从技术研发补贴到税收减免，从市场开拓到人才培养，各种政策措施都在鼓励企业加大投入，提高技术含量，走出国门，与国际巨头竞争。

此外，集群模式对于数控机床产业的发展也有着深远的影响。集群模式可以理解为在某一地理区域内，相似或相关的企业聚集在一起，形成一个完整的产业链。这种模式带来的好处是明显的：一方面，企业之间可以形成合作，实现资源共享和互补；另一方面，通过集群效应，可以吸引更多的投资和人才，加速技术创新和市场扩张。

中国的数控机床产业面临着无比巨大的机遇与挑战。在迈向制造强国的路上，我们需要深入研究和分析产业的现状和趋势，把握住每一个可能的发展机会，加快技术研发和品牌建设，努力在全球舞台上取得更大的突破。

5.1.2 数控系统产业的重要性和背景

随着工业4.0的概念在全球范围内逐渐深入人心，数控技术及其相关的系统产业已经成为了当下制造业的关键组成部分。数控，即数字化控制，为我们提供了一种通过数字信号来控制复杂机械系统的方法。在这一背景下，我们不得不认识到数控系统产业的重要性及其所扮演的角色。

首先，从历史背景来看，数控技术的诞生与发展是与现代制造业特别是精密制造业的兴起密切相关的。自20世纪中期以来，随着计算机技术和自动化技术的逐渐成熟，人们开始寻求更为精确和高效的制造方法。这也催生了数控技术的初步研究和应用。相对于传统的机械控制方法，数控技术不仅提高了生产的精确度和效率，还极大地增强了生产过程的灵活性。

再者，从经济背景来看，随着全球制造业的竞争加剧，企业为了提高自身的竞争力，开始寻求降低成本、提高生产效率、满足客户定制化需求的方法。这使得数控技术及其产业得到了迅速的推广和应用。在此背景下，数控系统不仅成为了各种机械加工设备的标配，更在航空航天、医疗器械、汽车制造等高端制造领域得到了广泛应用。

此外，从技术背景来看，互联网、大数据、人工智能等前沿技术的快速发展，为数控技术带来了新的发展机遇。传统的数控系统主要依赖于预先设定的程序来控制机械运动，而现代的数控系统则可以实时地接收和处理大量的数据，实现智能化的决策和控制。这不仅极大地提高了生产过程的自适应性，还为实现工厂的全自动化和智能化打下了坚实的基础。

然而，数控系统产业的快速发展也带来了新的挑战。在技术层面，如何实现更为复杂、精密的控制算法，如何应对各种突发情况，如何确保系统的安全性和稳定性等问题都亟待解决。在市场层面，如何应对外国先进制造企业的竞争压力，如何开拓新的市场和应用领域，如何提高自主创新的能力等问题也都摆在了产业的前沿。

数控系统产业在当今社会已经成为了一个不可或缺的部分。它的发展不仅关乎到制造业的未来，更关乎到国家的经济安全和技术进步。面对这样的机遇与挑战，我们应该加大对数控系统产业的投入和支持，鼓励技术研发和创新，培养更多的高素质人才，推动产业的持续、健康、快速发展。

（1）数控系统的定义和概述

数控系统，即数字化控制系统，是利用数字信号来实现某一或一系列的机械运动控制的系统。这一技术的出现，标志着制造业从传统的手工操作和机械操作进入了自动化和智能化的新时代。

数控系统可以定义为：一个利用数字命令来直接控制移动部件位置和速度的系统。这些数字命令通常基于符号数字语言生成，并能使控制对象按照预定的轨迹运动，完成各种复杂的任务。

数控系统主要包括四个核心组成部分：首先是输入设备，如键盘、打孔纸带读取器或计算机接口，它们负责将数控程序或其他指令输入系统；接着是数控装置，作为系统的“心脏”，它解释和处理这些输入的数字信号并输出对应的控制命令；然后是驱动装置，它根据来自数控装置的指令，驱动如机床等设备的移动部件执行特定的任务；最后，一些先进的数控系统会配备有反馈系统，它监测设备的实际运动并与期望的轨迹做对比，如有必要，会修正这些动作，确保最终的加工精度得到保障。

自数控技术诞生之初，便在机械加工领域如数控铣床和数控车床中得到了广泛应用，它的出现使得对复杂曲线和曲面的精密加工成为可能。而在现代制造业中，尤其是生产线，数控系统已经成为保证工艺流程稳定与提高生产效率的关键技术。更进一步，我们观察到高端和专业的产业领域，例如航空、航天、汽车制造和医疗器械制造等，这些领域对产品复杂性和精度的要求极高，数控系统凭借其高精度和可靠性在其中发挥了不可替代的重要作用。

数控系统的出现无疑为现代制造业带来了革命性的改变。它不仅提高了生产效率，还大大提高了产品的质量和一致性。随着技术的进步，数控系统正在变得越来越智能和自适应，为未来的制造业创造了无限的可能性。无论是在机械加工，还是在其他高技术领域，数控系统都将继续扮演核心角色，引领制造业进入新的时代。

（2）数控系统在中国工业中的重要性

数控系统在中国工业中的作用日益凸显，它涵盖了一系列对现代制造业至关重要的方面。首先，它通过对机床的精确控制达到了提高生产效率的目的，特别是在大规模生产中，这种自动化的操作方式确保了高效的流程。与此同时，数控机床保证了每个零部件都能够按照严格的规格和尺寸来加工，这不仅确保了产品的高质量一致性，而且在那些对精度要求特别高的行业，如航空、汽车和高端制造，这种优势尤为明显。

另外，相较于传统的机械加工方式，数控系统带来了明显的生产灵活性，它可以方便地进行编程和调整，满足市场日益多样化的需求。当然，引入数控系统也需要一定的初步投资，但长远看来，这种投资是值得的。因为数控设备不仅提高了工作效率，确保了产品质量，还大大降低了废品率，从而降低了生产成本。

再者，中国的制造业正在经历一个从传统向智能的转型过程。这背后有政府的政策推动，如“中国制造2025”，但更为关键的是，数控技术成为了实现这种转型的基石。只有掌握了先进的数控技术，中国制造业才能够与国际接轨，进而领先。

而数控技术的推广与应用，也为中国培养了大量的高技能人才。这些操作工和技术员是推动制造业发展的重要力量，他们不仅提高了整体的技能水平，也为下一代技术人才的培养打下了基础。

最后，不能忽视的是，数控技术还对许多相关产业产生了深远的影响。软件编程、高精度部件制造、自动化传感器等领域因为数控技术的广泛应用而得到了迅速发展，为中国工业开辟了新的增长领域。这也意味着，随着数控技术的进一步推广，中国工业的发展潜力将得到进一步挖掘。

5.2 数控系统产业概述

数控系统，以其高精度和自动化能力，已经成为现代制造业的关键技术之一。它的应用领域相当广泛，从大型机械部件的加工，到小型精密零件的生产，都可以看到数控技术的身影。

在机械加工行业，传统的手工操作方式已逐渐被数控技术取代，这不仅大大提高了生产效率，而且确保了产品的质量和精度达标。模具制造业则是数控技术的另一个重要应用领域。模具的形状通常都十分复杂，而数控技术可以确保每一个细节都被精确地加工，从而满足各种精密要求。航空航天领域中，无论是发动机的零部件还是飞机的结构部件，都需要极高的精度，而这也是数控技术能够大显身手的地方。汽车制造业同样离不开这项技术，特别是在制造复杂的发动机零件或车身结构时。此外，各种精密零件的生产，如钟表、医疗器械等，都依赖于数控技术。

对于数控产业链来说，核心控制系统是它的“大脑”，决定着机械设备的每一个动作。驱动元件则如同身体的“肌肉”，执行着控制系统的命令。传感检测系统起到的作用就如同人的“感官”，实时监测设备的工作状态。界面软件则为操作者提供了与机器交互的平台。而在整个系统的背后，还有一整套完整的服务和支持体系，确保数控系统能够稳定、持续地工作。

随着制造业的飞速发展，全球范围内，尤其是在中国、欧洲和北美，数控机床市场也在持续扩张。知名的企业（如发那科、西门子、海德汉）在全球数控领域中占据着举足轻重的地位，他们不仅提供了高质量的产品，还为全球的制造业提供了技术支持和服务。

近些年，数控技术正经历一场革命，许多前沿技术，如人工智能、大数据和物联网都被纳入其中。这使得数控系统不仅仅是一个简单的机械控制工具，更是一个集成了多种技术的智能系统。同时，随着环境保护和可持续发展成为全球的共识，数控技术也在向绿色制造方向发展，尽量减少废物产生和能源消耗。此外，随着消费者需求的多样化，小批量和个性化生产也成为趋势，这也为数控技术带来了新的机遇。

但是，数控技术也面临着不少挑战。高额的初始投资、技术更新速度以及对技术人员的培训需求都是企业需要面对的问题。但幸运的是，许多国家为了促进制造业的高质量发展，出台各种政策，如资金支持、税收优惠等，以鼓励数控技术的进一步发展和应用。

5.2.1 数控系统的定义和分类

数控系统依靠编程代码来控制机器的操作，从而实现精确、高效的加工和生产。这套系统包括一个输入装置，通常是一个计算机或特定的数控装置，一个执行输出的机械设备，以及介于二者之间的一套转换指令到机械动作的软硬件。自20世纪50年代以来，随着计算机技术的飞速发展，数控技术也经历了从早期的打孔卡片控制到现代计算机直接编程控制的转变。

根据不同的标准和应用，数控系统可以被分类为多种类型。首先，按照控制方式，数控系统可以分为点位控制系统和连续路径控制系统。点位控制系统主要用于那些不需要连续控制的场合，例如钻孔、铣槽等操作，只需要控制机械设备移动到特定位置进行加工即可。而连续路径控制系统则用于那些需要连续控制的场合，例如车削、磨削等操作，这类系统可以确保机械设备在加工过程中连续、平滑地移动，从而得到连续、光滑的加工表面。

其次，根据控制轴数，数控系统可以分为二维数控系统、三维数控系统和多轴数控系统。二维数控系统通常只控制机械设备在X和Y两个方向的移动，主要用于平面加工。三维数控系统则可以控制X、Y和Z三个方向的移动，使机械设备能够进行立体加工。而多轴数控系统不仅可以控制三个基本方向的移动，还可以控制机械设备的旋转、摆动等其他动作，从而实现更为复杂的加工操作。

此外，按照功能和应用领域，数控系统还可以分为数控机床系统、数控焊接系统、数控切割系统、数控装配系统等。其中，数控机床系统是最为常见的一种，主要用于各种金属和非金属材料的机械加工，如车、铣、磨、钻等。数控焊接系统则用于各种焊接操作，可以确保焊缝的质量和精度。数控切割系统则主要用于金属、玻璃、石材等材料的切割，包括火焰切割、激光切割、水刀切割等。数控装配系统则用于各种零部件的自动装配，可以提高生产效率和产品质量。

5.2.2 数控系统的应用领域

数控技术已深入渗透到多个行业中，成为核心的生产工具。在机械制造领域，常见的数控机床如车床、铣床、钻床和磨床负责执行精确切削任务。同时，航空航天行业的高精度部件和电子行业的PCB（印制电路板）钻孔及贴片机也依赖数控技术。汽车制造、模具制造、建筑行业以及医疗器械加工都大量运用数控设备。此外，艺术品和家具制作也利用数控雕刻和切割，而大型数控机床在能源行业的风电叶片加工中不可或缺。农业设备如种植机和收割机也开始采用数控技术，保证精确作业。更不用说，为了培养技术人才，职业教育和培训中心也广泛使用数控模拟器和机床进行教学。

（1）机械制造

机械制造是现代工业的基石，而数控机床无疑在其中扮演了一个不可或缺的角色。作为制造业中最常见的应用，数控机床代表了一种集高效、精准与自动化于一体的先进加工技术。它们旨在满足现代制造业对于速度和精确度的严格要求，以保持生产的连续性和减少浪费。

数控车床、数控铣床、数控钻床和数控磨床等是数控机床中的代表。每一种机床都针对不同的加工需求进行了优化。例如，数控车床主要用于轴类、圆盘类零件的外圆、内圆、端面和螺纹等的车削；数控铣床专为铣削复杂曲面或零件进行设计；数控钻床更侧重于精确的钻孔工作；而数控磨床则是针对表面光洁度有较高要求的零件进行磨削加工。

这些机床都可以执行极为复杂且精确的切削任务。例如，车削可以对工件进行非常精准的尺寸和形状加工，使其达到所需的规格；铣削则可以处理各种复杂的几何形状，无论是平面还是三维形状；钻削和磨削则分别用于创建精确的孔和提供光滑的表面。这种精确度在传统的机械加工方法中是难以达到的。

数控技术带来的自动化优势，不仅提高了生产效率，还显著降低了生产成本。手工或半自动机床在操作中可能会出现人为因素导致的误差，但数控机床通过电脑编程实现精确控制，大大减少了这种误差，保证了产品的一致性和质量。而且，通过数字化模拟和预测，工程师可以在实际加工前预测并避免潜在的问题，进一步提高了生产的效率和稳定性。

此外，随着工业4.0和智能制造的推进，数控机床也在逐渐与云计算、物联网等技术融合，使得机床不仅仅是一个加工工具，而是工业生产中的智能节点，能够实时收集、分析数据，为生产决策提供有力支持。

（2）航空航天

航空航天行业代表着人类技术的前沿，它涉及许多高科技和复杂的工程项目，如飞机、卫星、宇宙飞船等。这些项目中的部件，无论是庞大的飞机机翼还是精密的卫星导航系统，都需要经过极高精度和复杂度的加工处理。因此，航空航天领域对加工技术的要求远超其他行业，而数控技术在这里扮演着关键角色。

数控技术，特别是高端的数控机床，能够进行超精密加工，满足航空航天部件的生产需要。这些部件的任何微小偏差，都可能导致整个系统的故障或性能下降。比如，发动机涡轮叶片的微小缺陷可能导致燃烧不完全、动力减少，甚至造成发动机损坏。因此，这些部件必须在严格的质量控制下加工，保证每一个细节都达到设计要求。而数控机床可以精确控制刀具的运动，确保加工过程的稳定性和重复性，大大减小了加工误差。

除了高精度之外，航空航天部件往往也需要处理复杂的几何形状，如曲面、异形孔、薄壁结构等。传统的机械加工方法很难满足这些要求，但数控技术却可以轻松应对。通过复杂的数学模型和算法，数控机床可以对任意形状的工件进行高效、精准的加工。

此外，随着航空航天技术的不断进步，其对材料的要求也越来越高。很多先进部件需要使用高温合金、复合材料等难加工材料制造。这些材料的加工难度远超普通钢铁，需要特殊的刀具、工艺和参数。数控技术可以精确控制每一个加工参数，如切削速度、进给量、刀具路径等，确保这些难加工材料得到高质量的加工。

在现代的航空航天生产线中，数控技术还带来了自动化和智能化的生产模式。部件的加工不再依赖于熟练工人的经验，而是由计算机程序控制。这不仅提高了生产效率，还确保了生产的稳定性和质量一致性。同时，通过与其他信息系统的集成，数控机床可以实时反馈加工数据，为生产管理和决策提供有力支持。

（3）电子行业

电子行业是当今世界的技术驱动力，支撑着各种智能设备、通信网络和现代化生活。而在电子行业中，PCB是绝大多数电子产品的核心组件。为了保证电子产品的性能和可靠性，PCB的生产必须达到极高的精度和速度。正是在这样的背景下，数控技术在电子行业中发挥了至关重要的作用。

首先，考虑到PCB的钻孔工艺。传统的钻孔方法不仅速度慢，而且精度难以满足现代PCB设计的复杂性和微型化趋势。而数控钻孔机则能够以惊人的速度和精度钻出成千上万的微小孔。每一个孔都必须位于精确的位置，以确保与其他组件的对接。数控技术确保了孔的位置、大小和形状都与设计图纸完美匹配。

再来看贴片机，这是现代SMT（表面贴装技术）生产线上的关键设备。随着电子元件越来越小，手工贴片已经不再现实，数控贴片机能够自动、快速地将微小的元件精确地放置在PCB上。它们利用高级的视觉系统、精确的数控驱动和先进的算法，确保每一个元件都被准确地定位和焊接。

数控技术带来的不仅仅是生产速度和精度的提升，它还大大提高了生产的灵活性。随着市场需求的不断变化和产品更新换代的速度加快，生产线必须能够迅速适应不同的产品设计。数控设备可以通过简单的编程来适应新的设计，无需复杂的机械调整或大规模的设备更换。

此外，数控技术还为电子生产带来了更高级的自动化。与其他系统如MES（制造执行系统）和ERP（企业资源规划）系统的集成，可以实现生产数据的实时反馈和分析，帮助生产管理者做出更加明智的决策。这种数据驱动的生产模式不仅提高了效率，还大大降低了生产成本，减少了浪费。

随着物联网、5G通信和人工智能的兴起，电子产品将变得更加复杂和智能化，对PCB和其他电子组件的要求也会越来越高。数控技术无疑将继续在电子行业中发挥关键作用，支持这一行业的快速发展和创新。

电子行业的高速、高精度生产离不开数控技术的支持。从PCB钻孔到元件贴片，数控技术确保了电子产品的高质量和性能，同时也为生产提供了无与伦比的灵活性和高自动化水平。

（4）汽车制造

汽车制造是一个高度复杂和技术密集的行业，其涉及多种生产工艺和方法。随着技术的进步，数控技术已经成为汽车制造过程中不可或缺的一部分，尤其在汽车部件的加工领域中。

在汽车制造中，数控技术的应用尤为广泛。例如，发动机零件往往需要精确的尺寸和形状，以确保发动机的正常工作和长寿命。传统的手工加工方法可能会因为操作不当、工具磨损等因素导致加工误差，而数控技术可以通过计算机程序精确地控制机床的运动轨迹，从而实现零件的高精度加工。此外，数控技术可以自动化生产，这大大提高了生产效率和产量。

车身部件的加工同样也离不开数控技术。汽车的车身部件包括车门、车顶、车身板材等，这些部件的形状往往较为复杂，需要进行多种工艺的加工。数控技术可以实现这些部件的自动切割、冲压、焊接等操作，确保车身部件的形状、尺寸和质量都能满足设计要求。

除此之外，随着汽车工业向智能化、电动化的方向发展，汽车中的电子元件、传感器、控制器等也需要高精度的加工。数控技术同样在这些领域发挥了巨大的作用，确保汽车的智能系统、电动系统能够稳定、可靠地工作。

数控技术还带来了其他一些优势。例如，通过数控技术，可以实现对生产数据的实时监控和分析，从而进行生产过程的优化和调整。同时，数控技术还可以与其他先进的制造技术如3D打印、机器人技术等结合，进一步推动汽车制造工艺的革新。

（5）模具制造

模具制造是现代制造业中的核心环节，因为模具不仅是产品批量生产的基础，而且直接关系到产品的质量和生产效率。随着产品结构和形状的日益复杂化，传统的模具制造方法已经难以满足现代制造业的需求。因此，数控加工中心在模具制造中的应用变得越来越广泛。

数控加工中心（CNC）是一种集机、电、液、气为一体的高精度、高效率的自动化机械设备。它可以通过计算机程序对机床的运动轨迹进行控制，实现对工件的精确加工。相比于传统的手工制造方法，数控加工中心具有更高的精度、效率和自动化水平。

在模具制造中，复杂模具的生产尤为依赖数控加工中心。例如，塑料模具通常用于注塑成型，它的形状和尺寸要求非常高，因为模具的质量直接影响到塑料零件的形状、尺寸和表面质量。而数控加工中心可以通过先进的加工算法，实现对复杂曲面的精确加工，确保模具的精度和质量。

冲压模具则用于金属板材的冷冲压成型，其结构和形状通常比较复杂。冲压模具需要具有高强度、高韧性和良好的耐磨性，以保证在高速、高压的冲压条件下能够稳定工作。数控加工中心不仅可以实现对冲压模具的高精度加工，还可以通过专用的加工策略，优化模具的结构和性能。

除此之外，数控加工中心还具有以下优势：

① 快速反应能力：通过数控编程，可以快速地转换生产不同类型和规格的模具，满足市场的快速变化需求。

② 自动化生产：数控加工中心可以实现24小时不间断的自动化生产，大大提高了生产效率。

③ 生产数据管理：数控加工中心可以实时收集和分析生产数据，为生产过程的优化和管理提供有力的支持。

（6）建筑行业

建筑行业是全球经济的重要支柱之一，随着城市化进程的加速和技术的不断创新，建筑行业也经历了深刻的变革。其中，数控技术在建筑行业中的应用已逐渐成为标配，大大提高了建筑生产的效率和质量。

首先，数控切割机是建筑行业中钢结构构件加工的重要工具。传统的钢材切割方法如火焰切割、等离子切割虽然也能达到目的，但在切割精度、速度和效率上都存在一定的限制。而数控切割机通过先进的编程技术，可以实现对钢结构构件的高精度、高效率切割。它不仅能够按照预设的参数精确地切割出所需的形状和尺寸，还能大大缩短生产周期，减少浪费。此外，由于数控切割机采用的是冷切割技术，所以在切割过程中不会产生热影响区，从而保证了构件的力学性能。

再说数控弯管机，它是现代建筑行业中不可或缺的工具之一。传统的管材弯曲方法往往依赖于手工操作或简单的机械设备，这不仅效率低下，而且弯曲质量也难以保证。数控弯管机则采用了电脑编程控制，可以实现对钢管的高精度、高效率弯曲加工。无论是简单的弯曲还是复杂的多角度、多平面弯曲，数控弯管机都可以轻松应对。这对于现代建筑行业中那些需要大量使用弯曲管材的工程，如桥梁、高架道路、大型建筑结构等，提供了强大的技术支持。

此外，数控技术还在建筑行业中的其他领域发挥了作用。例如，在混凝土加工、建筑装饰、楼梯制造等方面，都有数控技术的身影。它不仅提高了生产效率，还确保了建筑结构的安全性和耐用性。

但要注意，数控技术在建筑行业中的广泛应用也带来了一系列的挑战。如何提高数控设备的使用寿命、降低使用成本、提高操作员的技能和技术水平等，是当前建筑行业需要面对的问题。

（7）医疗器械

医疗器械的进步与技术发展紧密相连，特别是在需要高精度、微小部件的领域。随着医疗技术的日益进步，对医疗器械的要求也变得越来越高，而数控技术为这一需求提供了有力支持。

人工关节是一个颇为复杂的领域，因为关节代替品需要高度模仿人体的自然关节，以确保其功能性和耐用性。人工关节如髋关节、膝关节等，都需要高度的精确性以满足生物力学的要求，使患者在移植后能够恢复正常的日常活动。传统的制造方法往往无法满足这些高精度的需求，而数控技术则能够通过电脑编程，确保每一个加工步骤都达到所需的精确度。

牙科种植体也是另一个依赖数控技术的领域。牙科种植体是替代缺失的牙齿的一种永久性解决方案，需要与口腔中的骨结合。这要求种植体必须有精确的尺寸和形状，以确保与牙骨的完美结合。数控技术能够实现这种高度的精确性，从而确保种植体的稳定性和长期的功能性。

除了这些，数控技术还被广泛应用于各种其他医疗器械的制造中，如手术器械、心脏起搏器、耳蜗植入物等。这些器械通常有着非常严格的制造标准，以确保其质量和功能性。数控技术为这一过程提供了可靠的解决方案，确保每一个部件都按照预定的标准精确加工。

此外，随着3D打印技术的发展，数控技术在医疗领域的应用也得到了进一步的拓展。例如，现在可以通过3D打印技术，利用数控技术设计和制造出定制化的医疗器械和植入物，完全根据患者的身体结构和需求进行量身定制。

但值得注意的是，医疗器械的制造不仅仅是技术的问题，它还涉及伦理、法规和质量控制等多方面的问题。因此，虽然数控技术为医疗器械的制造提供了强大的技术支持，但在实际应用中还需要与其他相关领域紧密结合，确保医疗器械的安全性和有效性。

（8）艺术与手工艺

艺术与手工艺是人类文明和创意的重要象征，而随着科技的发展，传统手工艺与现代技术结合，为艺术创作带来了无穷的可能性。其中，数控技术在艺术与手工艺中的应用已经开始改变这个领域的生产方式和审美标准。

传统的雕刻工艺依赖于艺术家的手工操作，每一件作品都需要花费大量的时间和精力，限制了生产效率。而数控雕刻机则将艺术家的设计通过计算机编程转化为机械指令，自动化地完成雕刻过程。这种方法不仅提高了工作效率，还确保了雕刻的精度和细致度。无论是复杂的浮雕，还是细致的线条雕刻，数控雕刻机都能完美展现，因此，它逐渐被应用于木雕、石雕、金属雕刻等多种艺术品的制作中。

数控激光切割机则为艺术与手工艺开辟了一个全新的领域。激光切割技术可以在各种材料上进行精确的切割，如纸、布、金属、塑料等。艺术家们利用这种技术制作出前所未有的工艺品和装饰品，如激光切割的纸艺、布艺等。与传统的切割方法相比，激光切割具有更高的精度和更细的切割线条，使得作品更加精美和细腻。

此外，数控技术还为艺术与手工艺的创作提供了更大的自由度。艺术家们可以通过计算机软件自由设计，然后通过数控设备将其转化为实物。这种方法不仅大大提高了生产效率，还使得艺术家们能够实现之前难以完成的设计概念。

然而，数控技术在艺术与手工艺中的应用也带来了一些争议。有人认为，机械化的生产方式缺乏传统手工艺的情感和魅力，可能会导致艺术品的同质化。而另一些人则认为，数控技术是艺术与手工艺发展的必然趋势，它为艺术家们提供了更多的创作可能性。

数控技术为艺术与手工艺的生产带来了革命性的变化。它不仅提高了生产效率，还为艺术创作带来了无限的可能性。如何在机械化生产与手工艺的传统之间找到平衡，将是未来艺术与手工艺领域面临的一个挑战。

（9）家具制造

家具制造业作为一个古老而持续发展的产业，随着技术的进步和消费者需求的变化，正经历着一场深刻的变革。其中，数控技术的应用无疑是这场变革中的重要推手。数控设备的使用，不仅提高了家具制造的效率，还赋予了家具更多的创意和设计可能性。

传统的家具制造中，板材的裁切主要依靠人工操作，这不仅效率低，而且裁切的精度也受到限制。而数控裁切机可以按照电脑预设的程序，自动进行板材的裁切，确保每一片板材都裁切得精确到位。这不仅极大提高了生产效率，还确保了板材利用的最大化，减少了材料浪费。

在家具的雕刻方面，数控技术更是展现出了其无可比拟的优势。传统的雕刻技术需要依靠工匠的经验和技巧，而数控雕刻机则可以根据计算机设计的图案进行高精度的自动雕刻。这意味着家具设计师在设计时无需受传统工艺的限制，可以展现出更多的创意和设计想法。同时，数控雕刻还确保了每一件家具都能够保持相同的高品质标准，满足消费者对于家具质量的高要求。

而在家具的钻孔工序中，数控技术同样展现出了其高效和精确的特点。传统的钻孔方式容易出现位置不准、钻孔不均等问题，而数控钻孔机则可以确保每一个孔都精确到位，满足家具组装的严格要求。

数控技术不仅提高了家具制造的生产效率，还带动了整个家具行业的设计创新。现代家具设计不再仅仅是对传统工艺的延续，而是更加注重个性化、创新性和实用性。数控技术为家具制造提供了更多的可能性，使得家具不仅仅是日常生活中的实用物品，更是展现个性和品位的艺术品。

（10）能源行业

能源行业，作为支撑现代社会运转的核心领域，一直在追求更高效、更绿色的生产方式。在新能源领域，如风能，其设备制造尤为关键。其中，风电叶片的加工成为了一个重要环节。对于这一环节，大型数控机床的应用已经成为了行业标准，因为它带来了诸多前所未有的优势。

首先，风电叶片的规模和形态是其核心特点。一块风电叶片的长度可能达到几十米，它们需要承受高强度的风压并且在复杂的环境中长时间稳定运作。因此，叶片的加工精度和强度要求极高。使用大型数控机床可以确保叶片加工的精度，每一个切割、打磨都按照计算机预设的路径进行，减少了人为错误和不必要的材料浪费。

其次，风电叶片的设计通常是基于复杂的气动学原理，它们的形状和结构都是为了获得最大的风能转化效率。这意味着叶片的每一部分，每一个角度，都有其特定的设计意图。传统的手工或半自动化加工方式很难满足这样的精细需求，而大型数控机床可以根据三维设计模型进行加工，确保每一部分都与设计完美匹配。

此外，大型数控机床的自动化程度高，这不仅提高了加工效率，还为批量生产提供了可能。对于风电行业，快速而高效地生产风电叶片是项目投产的关键。通过数控技术，企业可以大规模、标准化地生产风电叶片，加速新能源项目的部署和推广。

然而，数控加工技术也带来了新的挑战。如何确保机床的稳定运行、如何进行日常的维护和保养、如何对机床操作人员进行专业培训等问题都需要得到解决。此外，随着技术的进步，数控机床本身也在不断升级，企业需要不断投资更新设备，确保技术的领先性。

（11）农业

随着技术的发展，农业这一古老的行业也正在经历前所未有的变革。从传统的人力耕作到现代化的机械化、自动化农业，数控技术在农业机械中的应用逐渐成为热门。现代农业设备，如种植机、收割机等，已经开始采用数控技术来提高作业的精确度和效率。

首先讨论种植机的发展与应用。在种植的过程中，种子的深度、间距和数量都会影响到作物的生长和产量。传统的种植方式往往难以保证这些参数的精确性。而现代的种植机，通过采用数控技术，可以根据预设的程序，确保种子按照精确的深度和间距播种。这不仅可以提高种植的均匀性，还可以最大化地提高土地的利用率和作物的产量。

再来看收割机。在收割过程中，机器的速度、高度和角度都会影响到作物的收割效果。数控技术可以实时调整这些参数，确保机器在各种地形和作物状况下都能够进行高效、低损的收割。此外，通过数控技术，收割机还可以与其他农业设备如打包机、运输车辆等进行无缝对接，实现整个农业生产链的自动化和智能化。

数控技术在农业中的应用，还远不止于此。例如，现代的农药喷洒机可以根据作物的生长情况和病虫害的分布，精确控制农药喷洒的量和位置，既节约了农药，又提高了防治效果。智能灌溉系统可以根据土壤的湿度和作物的需求，自动调整灌溉的时间和量，确保作物得到充足的水分，同时节约水资源。

但是，数控技术在农业中的应用也带来了一些挑战。如何确保设备的稳定运行、如何对农民进行技术培训、如何保证数据的安全性和准确性等问题都需要得到解决。此外，农业机械的投资成本相对较高，如何确保技术的经济效益和可持续性也是一个值得思考的问题。

（12）教育与培训

随着科技和工业的快速发展，教育和培训领域也正在经历深刻的变革，尤其在工业生产、设计和制造领域，数控技术的应用已经成为行业的标准和核心。因此，现代的职业教育和培训中心开始广泛使用数控模拟器和数控机床来为学生提供实际操作的经验和技能培训。

数控模拟器作为一种数字化的训练工具，可以为学生提供一个安全、经济且高效的学习环境。在模拟器上，学生可以模拟真实的数控机床操作流程，进行编程、模拟加工等操作。这种模拟环境既可以避免真实机床在学习过程中可能发生的损坏或事故，同时还可以节约材料和能源，降低培训成本。

数控机床的应用则为学生提供了真实的操作体验。在这些现代化的设备上，学生可以深入了解数控技术的基本原理、机械结构和操作流程。通过亲自操作机床，学生可以培养自己的实际操作技能、故障排除能力和创新思维。实际操作中的经验是任何模拟器都无法替代的，它可以使学生更好地将理论知识与实际应用结合起来。

除此之外，这些先进的教学工具还为教师提供了更多的教学方法和资源。教师可以通过模拟器和机床来组织各种实践活动、比赛和项目，激发学生的学习兴趣和创新精神。同时，这些工具还可以为教师提供实时的反馈和评估，帮助他们更好地了解学生的学习进度和需求。

然而，数控技术在教育和培训中的应用也带来了一些挑战。如何确保设备的安全使用、如何为教师和学生提供持续的技术培训、如何更新和维护教学设备等问题都需要得到关注和解决。此外，与传统的教育方法相比，数控技术的引入也需要一定的投资，如何确保技术的经济效益和可持续性也是教育机构需要考虑的问题。

数控技术在职业教育和培训中的应用为学生提供了宝贵的学习机会和资源，同时也为教育机构带来了新的机遇和挑战。随着技术的进一步发展和教育理念的不断创新，我们有理由相信，未来的职业教育将更加先进、高效和个性化。

5.2.3 数控系统市场规模和发展趋势

近年来，全球供应链因多种原因而受到挑战，尤其是机床市场。上游原材料的供应中断导致机床生产受阻，使得整个市场面临机床紧缺的状况。这种紧缺与下游市场如新能源汽车和3C电子的迅猛发展形成了鲜明的对比。2021年，受益于这两大市场的需求激增，我国数控系统市场规模达到了159.28亿元，显示出该行业的强劲增长潜力。

新能源汽车的推广普及使得对数控机床、自动化设备和先进生产线的需求日益增长。新能源汽车不仅仅涉及传统的机械加工，还涉及电池、电机、电控等核心部件的制造，这些都对精密加工和高效生产提出了更高的要求。同时，随着5G、IoT和人工智能等技术的逐步应用，3C电子产品不断更新换代，使得相关的加工和生产设备需求也在不断升级。

然而，由于2021年数控系统市场规模扩张迅速，为了满足短期内的需求，客户和经销商大量囤货，这意味着在2022年至2023年，主要消化了现有的库存，而并未继续增加订单。2022年至2023年这两年，数控系统市场规模有所回落。

但值得注意的是，这种回落并不意味着市场的长期衰退。随着库存的逐步消化和市场需求的再次增加，加之新技术的推广应用，市场对数控系统的需求将逐渐回升。再加上我国国民经济的长期持续性发展。未来，市场规模将再次增长，并带动该领域在国内的稳健前景。图2-5-1所示为2017～2025年中国数控系统市场规模及增速。

尽管我国数控系统市场在短期内可能面临一些波动，但从长远角度看，该市场仍然具有巨大的增长潜力。对于投资者和行业参与者来说，了解市场动态、把握技术趋势，并做好长期布局将是关键。

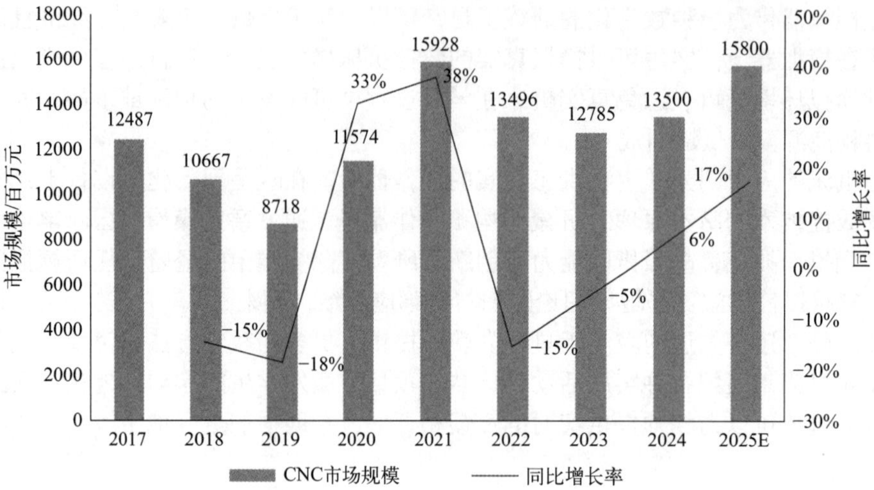

图 2-5-1　2017—2025 年中国数控系统市场规模及增速

数控机床在现代制造业中起着至关重要的作用，它的“心脏”，即数控系统，为机床赋予了智能化、高效化和精确化的功能。与此同时，随着我国制造业转型升级的步伐加快，数控机床的市场需求也在不断上升，这也反映在其市场规模的稳定增长中。

赛迪顾问的数据提供了对中国数控机床产业发展趋势的深入了解。虽然该产业规模在过去的一段时间内出现了轻微的波动，但整体上呈现了一个明显的增长态势。这主要得益于制造业的数字化和智能化转型，这一转型不仅仅是技术进步的表现，更是产业升级的必然结果。随着生产方式的变革，对于设备的精度、效率和稳定性要求提高，这为数控机床提供了广阔的市场空间。

2021 年，中国数控机床产业规模达到了 3589 亿元，同比增长 10.40%。这样的增长速度，在全球经济多变、竞争加剧的背景下，无疑是一项非常亮眼的成绩。这也证明了我国数控机床产业在全球产业链中的地位日益稳固。

2021 年到 2024 年的复合增长率约为 7.19%。2024 年，我国数控机床产业规模达到 4420.3 亿元。背后的原因多种多样，其中最主要的是，随着我国经济结构的持续优化，高端制造业、智能制造业等领域的发展势头将更为强劲。这些领域对数控机床的需求量大且对其技术要求高，从而推动整个产业的发展。

同时，随着我国在新材料、新能源、航空航天等领域的研究与应用逐渐深入，对数控机床的技术创新和性能提升需求也将不断增加，加上国家政策的扶持和市场机制的优化，数控机床产业的前景非常乐观。

但值得注意的是，产业的发展也面临着一系列挑战，如国际竞争加剧、技术快速迭代等。我国数控机床产业要保持持续健康发展，不仅要加大技术研发力度，还需要进一步拓展市场，优化产业结构，提高产业链的完整性和竞争力。

5.2.3.1　数控系统的最新发展

目前，全球数控机床行业正在经历一场前所未有的技术革命。高速化、高精度化、复合化、智能化、开放化、并联驱动化、网络化、极端化、绿色化等技术特性已逐渐成为数控机床发展的新标准。这些技术特性不仅是数控机床行业的技术趋势，更代表了制造业的未来方向。

作为全球制造业的重要支柱，中国数控机床行业的发展具有不可或缺的重要性。过去，中国制造业长期依赖劳动力丰富、低成本、资源优势等比较优势，取得了举世瞩目的成绩。然而，在产品的技术创新和自主开发方面，与美国、日本等制造业发达国家相比，差距仍然明显。

中国数控机床行业的现状，一方面是庞大的市场需求和巨大的产能，另一方面是技术瓶颈和研发创新能力的不足。我们不能只满足于当前的技术水平，应看到国际市场对高精度、高效率、绿色环保的数控机床的巨大需求，及时调整发展策略，抓住机遇，积极进取。

要实现这一目标，首先需要强化技术研发和创新。在借鉴国外先进技术的同时，鼓励企业进行自主研发，培育具有国际竞争力的核心技术。加强研发机构、高校和企业之间的合作，构建产学研紧密结合的创新体系。此外，培训和吸引高级技术人才也至关重要。我们需要吸引海外优秀人才回归，为国内数控机床行业的发展注入新的活力。

除了技术创新，还需要加强对企业的支持。通过税收优惠、金融扶持、产业园区建设等方式，为数控机床企业创造良好的发展环境，鼓励企业拓展国内外市场，提升品牌影响力。

同时，推进绿色制造，响应国际社会对可持续发展的关注。加大对环保技术的研发投入，提高数控机床的节能减排性能，满足市场对绿色产品的需求。

中国的数控机床产业在面对这些挑战时，也蕴藏着巨大的机遇。随着中国经济的持续增长，市场需求将继续扩大，为企业提供更大的发展空间。只要我们紧跟时代步伐，坚持创新驱动，不断提高产品技术水平，中国数控机床产业必将迎来新的发展高峰。

5.2.3.2 创新技术及其影响

（1）高速化的趋势和重要性

随着现代制造业的高速发展，特别是汽车、国防、航空、航天等工业，对于数控机床的加工效率、精度和稳定性要求逐步提高。不仅如此，新型材料如铝合金在这些工业中的广泛应用也为数控机床带来了新的挑战。高速加工已经不仅仅是一个选择，而是行业的必然发展方向。在这样的大背景下，数控机床的高速化成为了制造业的热点。

① 主轴转速的革命。传统的数控机床主轴转速受到许多限制，但现代技术的发展使得机床可以采用电主轴（内装式主轴电机）。这种主轴设计使得主轴最高转速可以达到惊人的200000r/min，这不仅大大提高了加工效率，还为精密加工提供了条件。当我们谈及高速化时，一个如此高的主轴转速已经是一个里程碑。

② 进给率的巨大突破。进给率是指数控机床运动部件在单位时间内移动的距离。在高精度的前提下，最大进给率达到240m/min。这意味着在复杂的型面加工中，机床可以快速且精确地移动，保证了高效和高质量的加工成果。

③ 运算速度的飞跃。微处理器技术的快速发展为数控系统提供了强大的后盾。随着CPU技术的进步，32位、64位的数控系统已经应运而生，运算频率也提高到了几百兆赫，甚至上千兆赫。这种高速的运算能力确保了机床在极高的进给速度下仍然可以保持高精度，为高速加工打下了坚实的基础。

④ 换刀速度的创新。换刀速度直接影响了加工中心的生产效率。现代加工中心的换刀时间已经做到了令人难以置信的1s，一些高端设备甚至做到了0.5s。比如德国的Chiron公司，将刀库设计得非常独特，类似篮子的形式，刀具围绕主轴圆周布置，这种创新设计使得换刀时间缩短到了0.9s。

（2）高精度化的重要性与趋势

随着工业制造的深入发展，数控机床的精度要求已经超越了基本的几何要求，涉及了更多的动态方面，如机床在运动中的精度、机床受到温度影响的热变形以及各种内外部因素产生的振动，这些都对加工精度提出了更高的挑战。

① CNC系统的控制精度提升。为了满足更高的加工精度要求，现代CNC系统已经做出了许多改进。首先是高速插补技术的采用，它能够通过微小的程序段实现连续进给，使得CNC控制更为精细。此外，高分辨率的位置检测设备也得到了广泛应用。例如，日本已经开发出了装有106脉冲/转的内置位置检测器的交流伺服电机，这种技术能够实现0.01μm/脉冲的高精度位置检测。此外，位置伺服系统的前馈控制与非线性控制方法也大大提高了系统的控制精度。

② 误差补偿技术的应用。由于各种因素，如机床的机械结构、温度变化等，机床在加工过程中都会产生一些误差。为了提高加工精度，误差补偿技术被广泛应用。其中包括反向间隙补偿、丝杠螺距误差补偿、刀具误差补偿等技术。这些技术可以对设备的热变形误差、丝杠和导轨的空间误差进行综合补偿。据研究，这些综合误差补偿技术能够将加工误差减小60%～80%。

③ 运动轨迹精度与仿真预测。为了确保机床在不同的运行条件下都能保持高精度，现代数控机床已经采用了网格检查技术，这种技术可以提高加工中心的运动轨迹精度。而通过仿真预测机床的加工精度，我们可以在实际加工之前就了解机床可能的加工误差，进而采取相应的补偿措施。这不仅可以确保机床保持高的定位精度和重复定位精度，而且也确保了机床性能的长期稳定性。

（3）功能复合化：为生产效率与质量开辟新天地

复合机床的兴起和发展，是工业生产进程中对效率和精度要求提高的直接结果。当我们提到复合机床时，其背后所蕴含的不仅仅是单纯的技术升级，而是生产理念的变革。

① 从工序到工艺的转变。传统的加工方式往往需要通过多个独立的工序来完成一个零件或产品的制作。这样的方法不仅增加了生产中的时间消耗，而且每一个转移和调整都可能导致误差的累积。复合机床的出现，实现了多个工序在同一台机床上连续完成，这不仅大大简化了生产流程，也减少了中间转换环节中可能出现的误差，提高了生产的稳定性和产品质量。

② 工艺复合型与工序复合型的选择与应用。工艺复合型和工序复合型，这两种复合机床在实际应用中有着不同的优势和使用场景。工艺复合型更适用于需要多种不同工艺协同完成的复杂零件加工，如航空航天、汽车制造等领域；而工序复合型则更多地服务于那些需要高度自动化、连续生产的现代化制造业。

③ 模块化与多轴化：为复杂加工创造可能。德国Index公司所推出的模块化车削加工中心，展现了功能复合化所能达到的高度。一个机床能够实现如此多的功能，如车削、铣削、钻削等，意味着制造商可以在一个紧凑的空间内，实现前所未有的生产力。

多轴化则为加工那些需要在多个方向、多个角度进行精密加工的产品提供了可能，尤其在航空、汽车、精密仪器等领域，多轴联动数控机床的应用已经变得越来越普遍。

（4）控制智能化：赋能制造业的新纪元

随着科技的日新月异，尤其是人工智能技术的迅速发展，制造业也正在经历一场深度的技术革命。为了适应制造业生产的柔性化、制造自动化以及智能制造的趋势，数控机床的技术水平与智能化程度正在经历一个质的飞跃。这些变化不仅仅是单纯的技术进步，更是工业4.0背景下，制造业迈向智能、高效和绿色制造的必然选择。

以下是几个具体的重要方面：

① 加工过程的自适应控制技术：切削加工过程中，刀具和工件之间的交互会产生各种物理变化，例如切削力的变化、温度的升高等。传统的数控机床对这些变化反应较慢，但借助现代的自适应控制技术，机床可以实时监测这些变化，并立即作出反应，如调整主轴转速、进给速度等。这样不仅能确保加工的精度和表面质量，而且可以有效延长刀具的使用寿命，并提高机床的工作效率。

② 加工参数的智能优化与选择：制造业中有着大量的经验知识和工艺规律，而这些知识和规律通常需要经验丰富的工程师或技师来掌握。但随着人工智能和机器学习技术的发展，这些经验和规律可以被转化为算法，实现加工参数的智能选择和优化。例如，根据工件的材料、形状和加工要求，机床可以自动选择最合适的刀具、切削速度、进给速度等参数。

③ 智能故障自诊断与自修复技术：任何机械设备都会随着使用时间的增长而出现各种故障。在传统的制造环境中，这些故障通常需要人工检查和修复。但在现代的智能制造环境中，数控机床可以实时监测自己的工作状态，如温度、振动、电流等，并在出现异常时自动进行诊断。如果是一些简单的故障，例如轴承的润滑不足，机床甚至可以自动进行修复，例如自动添加润滑油。

④ 智能故障回放和故障仿真技术：每当机床出现故障，都意味着生产的中断和经济的损失。为了避免同样的故障再次发生，需要对故障的原因进行深入分析。借助智能故障回放和仿真技术，可以清晰、直观地查看机床在故障发生前后的工作状态，找出故障的根本原因。

⑤ 智能化交流伺服驱动装置：在传统的数控机床中，伺服驱动装置通常需要人工设置参数，例如电机的转速、转矩等。但在现代的智能机床中，这些参数可以被自动识别和设置。例如，当机床正在加工一个大的工件时，伺服驱动装置可以自动增加电机的转速和转矩，以保证加工的精度和效率。

⑥ 智能4M数控系统：这是一个集成了测量、建模、加工和操作的全功能系统。传统的制造环境中，这四个环节通常是分开的，需要人工进行数据的转换和输入。但在智能4M系统中，这四个环节是高度集成的，可以实现数据的自动流转和共享。例如，当机床完成一个工件的加工后，可以自动进行测量，然后将测量数据输入到建模环节，生成工件的三维模型，然后，这个模型可以被用于后续的加工或检验。

现代的制造业已经不再是单纯的“制造”，而是一个集技术、经验和创新于一体的复杂系统。而数控机床，作为制造业的核心设备，其技术和智能化的水平，直接决定了制造业的竞争力和未来的发展方向。

随着5G、物联网、大数据和云计算等技术的发展，数控机床的智能化将会达到一个新的高度。它们将不再是孤立的设备，而是制造业大生态中的一个节点，与供应链、物流、销售和客户等各个环节紧密连接，实现制造业的全流程自动化和智能化。

为了适应这一趋势，制造业企业需要不断地投资研发、培养人才，与科研机构和高校紧密合作，共同推动制造业的技术和智能化水平不断提高。

(5)体系开放化：探索制造业的未来之路

体系开放化，无疑是制造业和各个技术领域未来的发展方向。它不仅代表了技术进步和创新，还意味着更广泛的合作、交流和共享，进而推动整个行业向前发展。以下为体系开放化的深入探讨：

① 向未来技术开放：随着技术的快速发展，新的技术和产品层出不穷。然而，为了使现有的制造系统能够与这些新技术兼容，往往需要进行大量的重新设计和调整。但如果软硬件接口都采用公认的标准协议，那么现有系统就可以更容易地采纳、吸收和兼容新一代的通用软硬件资源。

这种开放性不仅意味着系统的开发费用将大大降低，而且意味着系统的性能和可靠性将随着新技术的引入而不断提高。此外，这种开放性还为制造系统带来了更长的生命周期，从而使企业获得更长远的投资回报。

② 向用户特殊要求开放：每个用户都有其独特的需求和期望，而开放的制造系统能够为用户提供更多的选择和灵活性。无论是更新产品、扩充功能，还是提供不同的硬软件组合，开放的体系都能更好地满足用户的特殊应用要求。

这种灵活性不仅提高了用户的满意度，还为制造企业带来了更多的商业机会。因为只有真正理解并满足用户需求的制造系统，才能在激烈的市场竞争中立于不败之地。

③ 数控标准的建立：标准化，无疑是技术发展和行业合作的关键。在制造领域，一个统一、开放和国际化的数控标准是至关重要的。例如，新CNC系统标准ISO 14649（STEP-NC）就为制造业提供了一个不依赖于具体系统的中性机制。这种机制能够描述产品整个生命周期内的统一数据模型，从而实现整个制造过程乃至各个工业领域产品信息的标准化。

此外，标准化的编程语言不仅能够使用户更加方便地使用制造系统，而且显著减少了劳动消耗，进一步提高了生产效率和经济效益。

体系开放化不仅是一个技术上的选择，更是一种发展的理念。它强调的是合作、共享和创新，而不是封闭、独立和守旧。只有真正实现体系开放化，制造业才能更好地应对未来的挑战，抓住每一个发展机会，不断提高自身的竞争力和市场份额。

而对于制造企业来说，体系开放化也意味着更多的责任和挑战。他们需要不断地研发新技术、拓展市场、与合作伙伴建立深度合作关系，同时还需要对用户需求保持敏感，始终站在行业的前沿，引领制造业的未来发展方向。

（6）驱动并联化：并联机床的崭新时代

随着科技的进步和制造业的变革，驱动并联化已经为机床技术开辟了一条新的道路。并联机床不仅克服了传统机床的许多固有缺陷，更重要的是，它为复杂零件加工和现代制造业提供了更高效、更灵活的解决方案。

① 并联与串联。传统的串联机床主要通过一个导轨和驱动系统按序来执行动作。为了提高效率和准确性，现代并联机床使用多个杆和驱动系统协同工作，从而为操作带来更大的自由度和更高的精确性。这种设计的核心思想是，通过更少的机械部件实现更大的工作范围和更快的响应速度。

② 增强的刚度与减小的重量。并联结构的优势不止于此。并联结构大大减小了移动部件的质量，它既增加了系统的刚度，又减小了系统的重量。这种设计不仅使得机床更加稳定和准确，而且提高了工作效率和精度。

③ 更高的模块化与灵活性。并联机床的另一个显著特点是高度的模块化和灵活性。与传统机床相比，其更容易进行调整和定制，以适应不同的加工需求。这种设计使得它能够轻松地完成多坐标联动数控加工、装配和测量等多种功能。

④ 满足复杂零件的加工需求。随着制造业对高精度和高效率的需求不断增加，复杂特

种零件的加工已经成为一个重要挑战。但是，并联机床凭借其出色的性能，已经成为应对这一挑战的理想解决方案。它不仅可以满足复杂零件的加工需求，而且还能大大提高加工速度和精度。

⑤ 被高度重视的研究方向。由于并联机床的突出优势，它已经成为当前机床技术的一个重要研究方向。国际机床行业对其给予了高度的重视，认为它代表了机床行业中最有意义的进步。

驱动并联化不仅代表了机床技术的一次革命性进步，更意味着制造业走向了一个全新的时代。在这个时代中，效率、精度和灵活性将成为主导，而并联机床无疑将在其中发挥重要的作用。随着更多的研究和创新出现，我们有理由相信，驱动并联化将为我们带来更加美好的未来。

(7)极端化发展：大型与微型机床的新时代

随着工业技术的迅速发展，从庞大的航空航天设备到纳米级的超精密部件，机床技术不断朝着“极端化”方向发展。这种极端化，即大型化和微型化，正在改变我们对制造工艺的认知和期望。

① 大型机床的需求与挑战。由于国防、航空、航天事业以及能源和其他基础产业的发展，大型数控机床的需求持续增长。这些领域需要的是大型、高效且性能卓越的机床，以确保其产品的质量、精度和生产效率。而满足这些高标准要求的大型数控机床，往往需要更为复杂的设计、更高的制造精度。

② 微型机床的崛起。微纳米技术及超精密加工技术是21世纪的战略方向，与大型机床的需求相反，这些技术的核心是制造出极小尺寸且精度高的部件。这不仅是技术上的一个巨大挑战，同时也为我们带来了全新的可能性和前景。

为了满足微纳米加工的需求，各种微型机床开始逐渐受到关注。这包括但不限于微切削加工机床（如车、铣、磨）、微电加工机床、微激光加工机床和微型压力机。这些微型机床不仅可以进行超精密加工，而且尺寸小、效率高、节能环保。

③ 大与小的完美结合。虽然大型和微型机床在许多方面有所不同，但它们共同体现了技术的前沿和制造业的未来趋势。这两个极端正是现代制造业的完美写照，它们共同打造出更为精密、高效和可靠的产品。

④ 前景展望。随着技术的进步，大型和微型机床都将继续发展和完善。可以预见，未来的机床将更加智能、自动化和环保，满足各种加工需求，同时降低生产成本。

大型化与微型化不仅仅是机床技术的发展方向，更是现代制造业的一个重要趋势。从庞大的飞机发动机到微小的医疗器械，无论大小，都需要精确、高效和可靠的制造解决方案，而这正是大型与微型机床所能提供的。

(8)信息交互的网络化：重塑数控机床产业

随着数字化技术的不断进步，数控机床行业也在迅速向信息交互网络化方向发展。企业在面对全球化的竞争压力下，更加重视高效、准确和即时的信息交互能力，而数字网络技术为这一需求提供了完美的解决方案。

① 联网通信功能的必要性。在当今的制造业中，快速的决策和精确的操作是取得竞争优势的关键。而高速的联网通信功能则确保了信息流能够畅通无阻地在车间各个部门之间流动。这不仅增强了各个部门之间的协同作战能力，更为生产过程中的问题提供了及时的解决方案。

② 网络资源共享与优势。数控机床的联网能力使资源共享成为了可能。无论是设计图

纸、生产计划还是操作手册，所有的信息都可以实时共享给需要的人员。这不仅提高了工作效率，还大大降低了重复劳动和错误的风险。

③ 远程操作与数字化服务。网络化的数控机床不仅可以实现远程监控和控制，更为用户提供了远程培训、教学和管理的可能。例如，一旦机床出现故障，专家可以远程诊断并为操作员提供解决方案，大大减少了停机时间。此外，数字化服务还包括常规的维护和检修，确保机床始终保持最佳状态。

④ 日本Mazak公司的先进尝试。如前所述，日本Mazak公司推出了配备信息塔（e-Tower）的加工中心。这一设备通过集成计算机、手机和摄像头，实现了多种通信模式，如语音、图形、视像和文本。该设备实时的故障报警和在线帮助功能，使得操作员能够迅速找到问题并进行处理。

⑤ 未来展望。随着5G和物联网技术的普及，未来的数控机床将更加智能化和网络化。不仅是机床与机床之间的通信，还可能包括与其他生产设备、物流系统以及供应链管理系统的深度集成，实现全流程的智能化生产和管理。

信息交互的网络化是数控机床产业未来的必然趋势。这不仅能提高生产效率，还能为用户提供更为便捷和高效的服务。而随着技术的不断进步，我们有理由相信，未来的数控机床将更加智能化、自动化和高效化。

（9）新型功能部件：重塑数控机床产业的未来

随着制造业的发展，对数控机床的性能和效率要求也不断提高。为了满足这些需求，采用新型功能部件变得越来越重要。下面将对其中一些具有代表性的部件进行探讨。

① 高频电主轴的优势。高频电主轴将高频电动机与主轴部件完美集成。这种结构的主要优点如下：

a. 体积小、重量轻：这使得机床的整体结构更加紧凑，便于安装和维护。

b. 转速高、无级调速：在加工过程中，能够根据材料和加工要求调整转速，提高加工质量。

c. 运行稳定、低振动：高频电主轴在运行时的振动非常小，这有助于提高切削的准确性和表面质量。

② 直线电动机的革命性影响。尽管直线电动机的价格相对较高，但它所带来的技术进步和效益是无可比拟的。

a. 负载变化扰动小：这意味着机床在加工过程中可以保持高精度。

b. 热变形补偿：机床在长时间运行下，热变形是常见的问题。使用直线电动机可以有效地解决这一问题。

c. 简化的机械传动结构：这减少了维护成本和可能出现的故障点。

③ 电滚珠丝杠的集成优势。电滚珠丝杠是数控机床中的一大创新，它将伺服电动机与滚珠丝杠完美集成。

a. 结构简化：由于集成设计，减少了很多中间传动环节，降低了故障率。

b. 紧凑、高效：电滚珠丝杠的结构紧凑，大大提高了数控机床的工作效率。

④ 未来的趋势与发展。随着技术的进步，可以预见更多的新型功能部件将应用于数控机床中。例如，传感器技术可以实时监测机床的工作状态，确保其始终在最佳状态下运行。而人工智能技术可以使机床自动调整参数，达到最佳的加工效果。

新型功能部件的应用是数控机床产业发展的必然趋势。它们不仅可以提高机床的性能和效率，还可以降低生产成本和维护成本。随着技术的不断进步，未来的数控机床将更加智能化、高效化和可靠化。

（10）高可靠性数控机床的重要性

在当今先进制造领域，数控机床已经成为生产过程中不可或缺的核心设备之一。与传统的机床相比，数控机床由于加入了精密的数控系统和一系列监控装置，具有了更高的加工精度和灵活性。但同时，由于集成了大量的电气、液压和机电装置，其复杂性也增加，这使得失效的概率相对较高。

电网电压的波动和外部环境的干扰，尤其是在复杂的工业环境中，会对数控机床的稳定性造成严重威胁。而考虑到数控机床所加工的零件往往形态复杂、加工周期长，其平均无故障时间对生产效率和产品质量起到至关重要的作用，因此，高可靠性数控机床的需求逐渐被提上了日程。

为了确保数控机床能够在长时间、连续的工作中保持稳定运行，需要从多个方面着手：

① 精心设计系统：这意味着在设计阶段就考虑到各种可能的失效模式，选择性能稳定、寿命长的部件，并确保整个系统的结构合理、布局合理。

② 严格制造流程：质量控制是确保设备可靠性的基石。只有通过严格的制造和检测流程，才能确保每一台机床都满足设计标准。

③ 明确可靠性目标：为数控机床设定一个明确的、可以量化的可靠性目标，这可以为设计、制造和维修团队提供明确的方向。

④ 维修与故障分析：及时的维修和对故障模式的深入分析，可以帮助发现和改进机床的薄弱环节，从而提高其整体可靠性。

在国际市场上，很多先进国家已经实现了数控系统的平均无故障时间在7万～10万h。相比之下，我国的数控系统平均无故障时间大约只有10000h，而整机的平均无故障工作时间也仅仅达到300h。这一差距显示了我国在数控技术领域还有很大的提升空间。

为了缩小这一差距，除了加强研发和引进国外先进技术外，还需要深化与国外先进企业的合作，学习他们的经验和技术，同时加强对本土企业的支持，培育出更多的高水平研发和生产团队。

高可靠性数控机床不仅是提高生产效率、确保产品质量的关键，更是我国制造业走向高端、与世界先进水平接轨的重要标志。我们必须认识到这一点，并为之付出持续的努力。

（11）加工过程的绿色化：走向可持续制造的未来

随着全球对环境保护意识的增强，传统的制造方式受到了巨大的挑战，引发了制造企业的深刻反思。面对日益严重的资源和环境问题，制造业的绿色化转型已成为当务之急。加工过程的绿色化是这一转型中的关键环节。

① 传统加工与环境的冲突。传统的制造加工方式往往伴随着大量的废水、废气和废弃物的产生。其中，冷却液的使用是制造过程中一个主要的环境问题源头。这些液体不仅消耗资源，还可能导致水源污染，对人体健康和生态环境产生严重威胁。

② 干切削与半干切削的兴起。为了解决上述问题，干切削和半干切削技术应运而生。这些技术试图减少或完全消除冷却液的使用，从而减少对环境的影响。

a. 干切削：完全不使用冷却液，凭借先进的刀具材料和切削参数来实现高效加工。

b. 半干切削：使用最小量的冷却液，通常以雾状形式喷射，旨在提供最佳的切削条件，同时最大限度地减少对环境的影响。

③ 其他绿色制造技术的探索。除了上述切削技术，还有其他一些技术和策略致力于制

造过程的绿色化:

a. 循环利用：对生产过程中产生的废弃物进行回收利用，将其转化为生产的原料或能源。

b. 数字化与智能化：通过先进的传感器和人工智能技术，对生产过程进行优化，减少资源浪费和环境污染。

④ 绿色制造的未来展望。进入21世纪，随着全球环境问题的日益突出，绿色制造将成为世界各国的共同目标。那些能够有效节约资源、减少污染的节能环保机床，无疑会在全球市场中占据越来越重要的地位。而对于中国这样的制造大国来说，抓住绿色制造的机遇，不仅可以解决自身的环境问题，还能在全球制造业中取得更大的话语权。

近年来，国产数控机床在发展过程中遭遇了多种挑战，尤其是在核心技术方面的缺失，导致其在国际市场上的技术劣势。尽管国内制造商已经实现了技术的一些进步，但与国外的技术相比仍有不小的差距。这种差距主要源于对核心技术的过度依赖，致使国产机床在功能、性能和可靠性上与国外产品存在差异。值得注意的是，为追求快速技术进步，许多制造商选择了技术引进、海外并购等方式，但这也导致了他们对自主研发的忽视，从而限制了其创新能力。同时，许多制造商还在生产工艺和管理方面存在问题，如过分依赖手工操作、低效的生产管理和落后的工艺技术等。这些问题不仅影响了生产质量，还导致了与国外制造商相比，生产效率较低。为了解决这些问题，国产机床制造商需要重视工艺技术的改进和管理水平的提升，如引入先进生产设备、使用现代生产管理方法和加强员工培训。在国家对制造业的大力支持和鼓励下，通过制造商的持续努力，国产数控机床的技术和生产效率将有望得到进一步提高。尽管国产数控机床目前仍然面临诸多问题，但随着技术和生产的双重进步，它们有望在国际市场上成为强有力的竞争者。

5.3 ≫ 数控系统产业链分析

数控机床在现代制造业中占据着极为重要的地位。从上到下，其完整的产业链涵盖了从技术研发到最终应用的各个环节，保障了现代工业生产的精确度和高效性，如图 2-5-2所示。

上游的数控技术是整个数控机床产业的技术基础，关乎到机床的精确性、稳定性和高效性。随着技术的进步，现代的数控技术已经不再局限于简单的运动控制，而是涉及复杂的加工路径优化、智能化监控、自适应控制等前沿技术。这些技术的进步，使得数控机床可以在更加复杂的条件下，实现更加精确和高效的加工。

数控机床主体零部件是构建机床的核心部件，包括主轴、滑台、导轨、刀具系统等。它们的质量和性能直接决定了机床的工作性能和使用寿命。因此，对于主体零部件的生产和制造，通常要求有较高的精密度和稳定性。

电气元件和数控系统则是数控机床的“大脑”。它们对机床的各个零部件进行统一的控制和管理，确保机床在各种工况下都能够稳定工作。随着智能制造和工业4.0的提出，电气元件和数控系统的功能也在不断扩展和升级，使得机床更加智能化、网络化。

中游的数控机床包括各种类型的机床，比如金属切削机床、特种加工机床及金属成型机床等。这些机床根据加工的工件和工艺要求不同，有着不同的结构和功能。例如，金属切削机床主要用于金属材料的切削加工，而特种加工机床则是针对特定的工艺或材料设计的，如激光切割、电火花加工等。

下游的应用领域则涉及数控机床在各个产业中的应用，汽车制造、工程机械、轨道交通等都是数控机床的主要应用领域。在这些领域中，数控机床的应用不仅保证了零部件的加工精度，还大大提高了生产效率。特别是在航空航天、消费电子等高科技领域，数控机床的应用更是无可替代。石油化工、军工等领域也对数控机床有着巨大的需求，因为在这些领域中，对零部件的加工精度和稳定性要求极高。

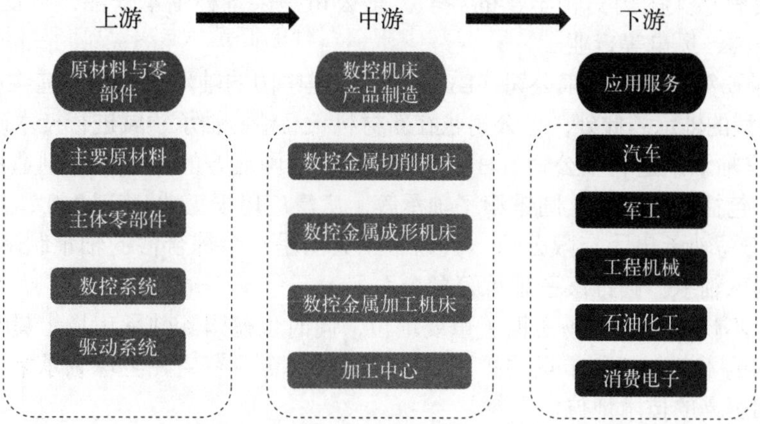

图 2-5-2　数控机床产业链

5.3.1　上游分析——数控机床核心部件

5.3.1.1　轴承

（1）轴承产量

轴承作为机械元件中的“心脏”，在各种机械设备中都有着重要的地位，尤其是在数控机床设备中。数控机床要求运行稳定、精度高，而轴承的质量和性能对其运行状态和效果有着直接的影响。

轴承的核心任务是支承机械旋转体。这意味着它需要承受各种由旋转体带来的负荷，包括径向负荷和轴向负荷。这样的支承不仅仅是物理上的支承，更是对旋转体稳定性的保障。稳定的旋转是所有机械设备正常运行的基础。

此外，轴承还有助于降低摩擦系数。低摩擦系数意味着机械设备在运行时产生的热量较少，磨损也较小。这是轴承为数控机床提供的另一个核心价值，因为高效、稳定的运行和较长的使用寿命是数控机床用户所追求的。

再者，保证回转精度是轴承在数控机床中的另一个关键职责。数控机床涉及的加工、制造等任务对精度要求极高，任意一个微小的偏差都可能导致制造出的零件不合格。轴承确保机床的旋转部分精确、稳定，从而确保加工出的产品满足或超过预期的质量标准。

根据最新的数据，2023年我国轴承产量约为275亿套，同比增长6.18%。这不仅反映了我国轴承制造技术和产能的进步，也说明我国的制造业正在经历一个快速的发展阶段。这种快速的增长，很大程度上得益于国家的政策扶持和制造业转型升级的趋势。

但是，产量的增长不仅仅是一个数字，背后涉及的是技术研发、原材料供应、生产工艺优化、市场需求变化等多方面的因素。为了满足这种增长，轴承企业需要持续创新，提高生产效率，降低成本，同时还要确保产品的质量和性能。

（2）轴承重点企业分析

中国的轴承产业近年来发展迅速，不仅在产量上占据全球重要地位，同时也涌现出了一批技术水平较高、市场份额较大的轴承企业。以下是对几家中国轴承重点企业的简要分析。

① 瓦房店轴承集团有限责任公司（ZWZ）：作为中国最早的轴承制造商之一，ZWZ在轴承行业中具有悠久的历史和丰富的经验。该公司提供各种轴承产品，广泛应用于汽车、工程机械、石油、风电等行业。

② 洛阳轴研科技股份有限公司（LYC）：LYC是中国的轴承研究和制造中心之一，提供各种大小和类型的轴承。此外，该公司也在新材料和高精密轴承领域进行技术研发和创新。

③ 哈尔滨轴承制造有限公司（HRB）：HRB是中国北方的主要轴承制造商，提供广泛的轴承产品，包括滚针轴承、圆锥滚子轴承等，广泛应用于工业、交通和军事领域。

④ 浙江天马轴承集团有限公司：天马轴承集团是一个综合性的轴承制造和销售企业，产品涵盖深沟球轴承、圆锥滚子轴承等多个系列。

这些企业不仅在中国市场占据了重要地位，同时也在国际轴承市场上具有一定的影响力。随着技术的不断创新和市场的扩张，中国的轴承企业有望在全球轴承产业中获得更大的市场份额和更高的技术地位。

5.3.1.2 变压器

变压器在电气领域中起着至关重要的作用。它不仅在数控机床制造中占据着关键的地位，而且几乎存在于各种电气设备和系统中，起到电压转换、电流调整的作用。变压器的质量和性能对整个电气系统的稳定运行都至关重要。这使得变压器成为电气领域的一个核心元件。

2020年，全球市场震荡，对于变压器行业来说，尽管需求仍然存在，但由于生产线的暂停、物流的受阻以及市场的萎缩，我国变压器的总产量规模出现略微下降，降至173601.2万千伏安。这一年度的数据展现了行业面临的巨大压力，但也反映了行业的韧性和适应性。

然而，随着我国对电力基建的投入持续加大，特别是各地特高压项目的不断建设和落地，变压器市场迎来了新的增长机会。特高压技术作为未来电网发展的重要方向，对变压器技术提出了更高的要求。这也为变压器制造企业带来了巨大的技术创新动力和市场拓展空间。

变压器作为电气领域的核心组件，其市场发展受到众多因素的影响，但随着我国电力行业的持续推进和技术的不断创新，变压器产业仍有巨大的发展潜力。企业需要把握市场机遇，持续创新，以满足未来市场的高品质需求。

5.3.1.3 伺服系统市场深度分析

伺服系统的发展可以追溯到20世纪，它在控制系统中逐渐显现出关键性作用。在多种工业应用中，伺服系统为精确位置控制和速度调节提供了强大的技术支持，从而成为自动化生产的核心技术。

（1）我国伺服系统市场的历史发展

从2018年的119亿元到2021年的224亿元，我国伺服系统市场规模翻倍。这种增长不仅是数字上的，在其背后反映出的是国家制造业转型升级的迅猛进程。在这四年中，数字化、网络化和智能化成为制造业发展的核心词汇，而伺服系统作为其中的关键技术，其市场需求也随之飙升。

2023年中国伺服电机市场规模约为195亿元，同比增长7.73%。这一增长趋势主要受益于工业自动化程度的提升和智能制造的深入推进，伺服系统在机床、电子制造设备、工业机器人等领域的应用需求不断增加。

（2）伺服系统的应用广泛

伺服系统的应用不仅局限于高端制造业，还广泛应用于机器人、医疗器械、航空航天、精密仪器和日常消费品生产等领域。尤其在现代机器人技术中，伺服系统为机器人的精确动作提供了强有力的支持。

（3）中国人口老龄化对伺服系统市场的推动

随着中国人口老龄化的加速，工业生产面临的人手短缺问题变得越来越严重。这不仅仅是因为劳动力数量的减少，还因为老龄化导致的劳动力质量下降。在这种情况下，提高生产自动化水平成为了应对劳动力问题的主要方式。而伺服系统作为自动化生产中不可或缺的组成部分，其市场需求将继续增长。

（4）伺服系统的未来展望

随着5G、物联网、大数据等新技术的发展，未来的伺服系统将更加智能、高效。可以预见，随着技术的不断进步，伺服系统将在更多的领域中发挥其关键作用。

（5）行业的挑战与机遇

尽管伺服系统市场展现出强劲的增长潜力，但行业内部仍面临一系列挑战，包括技术更新换代、市场竞争加剧、国际贸易摩擦等。但对于有前瞻性和创新能力的企业来说，这些挑战也意味着机遇。企业需要持续创新、提高产品质量和技术水平，以满足市场的日益增长的需求。

伺服系统在我国的发展前景非常广阔。随着国家制造业的不断深化和高端化，以及社会对自动化和智能化的日益追求，伺服系统市场将持续保持增长态势，为我国制造业的转型升级提供坚实的技术支撑。

5.3.1.4　伺服系统竞争格局深度解读

伺服系统是控制技术领域的核心组件，广泛应用于自动化、机器人、精密加工等多个领域。由于其在制造业和现代产业中的关键作用，伺服系统市场的竞争格局受到业界和学界的广泛关注。

（1）全球化背景下的竞争态势

在全球化的大背景下，伺服系统市场的竞争不仅仅是国内企业间的竞争，更是国际巨头之间的较量。由于历史原因，日本企业在伺服系统领域有着深厚的技术积累和市场基础，这使得安川、三菱电机、松下等日本企业在我国市场上占据了显著的地位，其市场份额达到了32%。

（2）我国伺服系统发展历程

尽管我国伺服系统自主研发起步较晚，但得益于国家政策的支持和市场的巨大需求，国内伺服系统厂商正在迅速崛起。近年来，随着技术研发的不断深入和市场策略的不断调整，汇川技术、埃斯顿、禾川科技等国内企业不断加大市场推广力度，其产品在国内市场逐渐被认可，市场份额累计达到16%。

（3）技术创新：驱动我国伺服系统行业前行的动力

在伺服系统领域，技术创新是关键。随着国内企业在伺服技术研究上的投入加大，尤其是在驱动技术、反馈控制技术、系统集成技术等关键领域的突破，国产伺服系统的性能和稳定性得到了显著提高。

（4）市场策略：品牌建设与服务创新

除了技术创新，品牌建设和服务创新也是决定企业市场份额的关键因素。国内伺服系统厂商在提供优质产品的同时，也逐渐意识到提供完善的售后服务和技术支持的重要性。同时，品牌建设和市场推广活动也在不断加强，使得国内品牌在用户心中的形象逐渐提升。

（5）未来展望：我国伺服系统市场的机遇与挑战

面对日本等国的技术和品牌竞争，我国伺服系统厂商仍然面临着巨大的挑战。但与此同时，国内外的巨大市场需求、国家政策的扶持，以及自身技术进步都为我国伺服系统厂商提供了广阔的发展空间。预计在未来几年内，随着技术的进一步突破和市场策略的不断优化，国产伺服系统在国内外市场的份额将进一步上升。

我国伺服系统市场竞争格局正处于一个变革期，既有来自国外的竞争压力，也有国内市场的巨大机遇。这要求国内厂商在保持技术创新的同时，也要加强品牌建设和市场策略调整，以更好地把握市场机会，实现自己的快速成长。中国伺服系统竞争格局统计见图2-5-3。

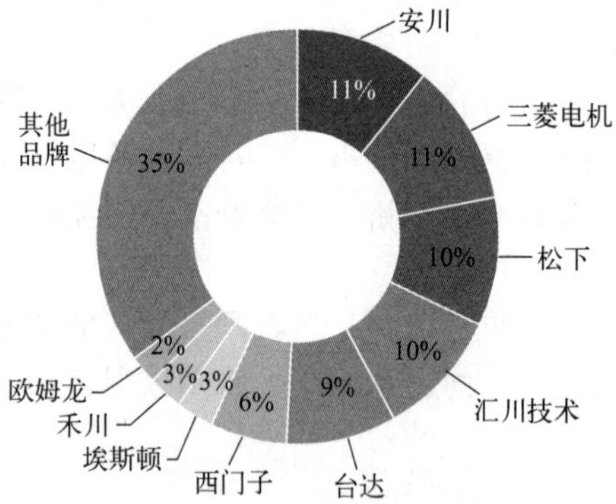

图 2-5-3　中国伺服系统竞争格局统计

（数据来源：中商情报网）

5.3.1.5　传感器市场深度洞察

（1）传感器简介

传感器作为当今技术领域的核心组件，旨在将物理量（如温度、压力、湿度等）转化为可供其他设备处理的电信号。随着科技的进步，其应用范围从简单的温度测量扩展到复杂的自动驾驶系统、医疗诊断设备和智能家居设备中。

（2）传感器在不同行业的应用

在多个行业中，传感器的应用已经变得普遍而关键。例如，在汽车行业，传感器不仅用于测量车速、油量和发动机温度，还被广泛应用于众多的先进驾驶辅助系统，如自动紧急制动、盲点检测和自动泊车。同时，在制造业，传感器的作用在于实时监控设备状态，预测可能的设备故障，进而优化生产流程，提高生产效率和产品质量。此外，医疗领域也充分利用传感器技术，特别是在远程健康监测、患者床旁监控和手术机器人中，传感器都起到了不可或缺的作用。而对于普通消费者，可以在智能手机、智能手表和其他可穿戴设备中找到各种传感器，如加速度计、陀螺仪和心率监测器，这些传感器为用户带来了更为丰富和便捷的体验。

（3）我国传感器产业发展状况

2020年，我国传感器市场规模达到了2510亿元，同比增长了14.7%，反映出传感器产业得到了迅速的发展和广泛的应用。这一增长得益于我国政府对科技创新的大力支持和持续的市场需求。

（4）传感器技术创新与挑战

尽管我国传感器市场发展迅速，但在某些高端和特定应用领域，国产传感器与国际先进水平仍存在差距，技术创新和研发投入是推动产业持续健康发展的关键。

（5）未来展望

传感器是现代社会不可或缺的关键技术之一，涉及各个行业和日常生活的各个方面。面对技术创新和市场需求的双重驱动，我国传感器产业正迎来一个黄金发展期。为了保持这一增长势头并在全球市场中获得更大的份额，我们需要不断加强研发，培养技术人才，并优化产业结构。

5.3.2 中游分析——数控机床的产品制造

5.3.2.1 数控机床市场深入分析

（1）我国在全球数控机床产业中的地位

作为数控机床的主要生产国家，我国在全球市场上的地位日益稳固，产业规模约占全球市场的78%。我国不仅满足了国内市场的需求，还将大量机床出口到国外。

（2）主要生产地区和企业

江苏、浙江、山东、广东和河南等省份是我国数控机床的主要生产地。这些地区拥有众多技术先进、规模巨大的数控机床企业，如沈阳机床等。这些企业在技术研发、品质管理和市场营销等方面都取得了显著成果。

（3）技术进步与创新

随着工业4.0、智能制造等概念的提出，我国数控机床产业也在不断追求技术创新。目前，我国在高速、精密、复合和智能化等方向上的数控机床技术已达到国际先进水平。但在某些尖端领域，如五轴联动数控机床、超高速数控机床等，还需要进一步努力。

（4）市场前景分析

2021年，我国数控机床产业规模达到3589亿元，同比增长10.4%。这一增长与国内外市场需求、技术进步和产业政策等多方面因素有关。

随着我国制造业的转型升级，对高效、精密、智能的数控机床需求持续增加。“一带一路”倡议的推进，为我国数控机床开辟了更多的海外市场。我国在数控技术、智能制造等方面的研发投入持续增加，技术创新将进一步推动产业发展。

作为全球最大的数控机床生产国，我国在这一领域的优势日益凸显。面对国内外市场的广阔前景，以及技术和政策的双重驱动，我国数控机床产业有望在未来几年中继续保持稳定、健康的增长态势。

5.3.2.2 数控机床市场占比情况

从产业结构的宏观角度深入分析，我国的数控机床产业展现出明显的特点与趋势。

（1）数控金属切割机床：产业巨头

占53.2%产业比重的数控金属切割机床在我国数控机床领域无疑是一个巨头。金属切割机床的主要功能是通过数控技术对各种金属材料进行精确切割，满足各行各业对精密部件的需求。随着我国制造业的快速发展，尤其是航空、汽车和高速铁路等高技术产业，对高品质金属切割机床的需求也飞速增加。

这一领域内的技术不断革新，使得切割速度、精度和效率都得到了显著提升。此外，由于其占据了如此大的产业份额，很多国内企业都将重点研发资源投入到这个领域，希望在竞争中脱颖而出。

（2）数控金属成型机床：稳定的第二梯队

紧随数控金属切割机床之后的是数控金属成型机床，其产业规模占比28.5%。不同于切割机床，成型机床的主要作用是改变金属材料的形态，以适应不同的工艺要求和产品设计。在汽车、家电以及其他消费品制造中，金属成型机床扮演了不可或缺的角色。

为了满足市场对复杂形态、高精度成型件的需求，我国的数控金属成型机床技术也在不断进步，生产效率和成型精度都得到了大幅提高。

（3）数控特种加工机床：独具特色的细分市场

尽管数控特种加工机床在产业规模中的占比仅为17.0%，但它在某些特定应用领域中却显得至关重要。数控特种加工机床通常用于那些传统机床难以完成的任务，如电火花加工、激光切割等。

由于技术的特殊性，数控特种加工机床通常价格较高，但由于其在高端制造业、精密零部件制造等领域的应用，市场需求仍然旺盛。中国数控机床产业结构见图2-5-4。

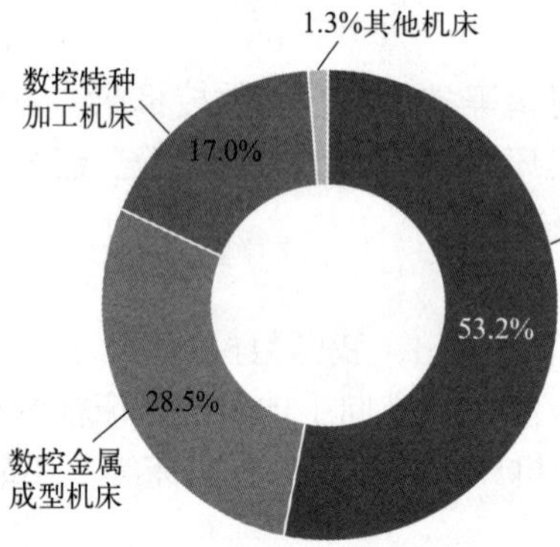

图2-5-4　中国数控机床产业结构（按产业规模划分）

（数据来源：中商情报网）

5.3.2.3　金属切削机床产量

金属切削机床在制造业和机械加工行业中占据着至关重要的地位。凭借切削的原理，这种机床可以将金属坯料加工成精确尺寸的机器零件，广泛应用于汽车、航空、铁路、造船、工程机械、家电制造等行业。

金属切削机床主要是利用硬质的切削工具对金属材料进行切削，通过转动、前进、复合运动等方式，以达到所需形状和精度的目的。不同的机床类型和模型都有其专门针对特定加工需求的设计，包括车床、铣床、磨床、钻床等。

2022年我国金属切削床的产量达到了57.2万台。然而相较于2021年，这一数字同比下降了4.98%。这种下降背后可能有多种因素作用，可能是由于国内外经济环境的变化、市场需求下滑，或者是因为技术创新和自动化水平的提高，导致单台机床的生产效率和功能得到增强，从而降低了对数量的需求。2018—2022年中国金属切削机床产量见图2-5-5。

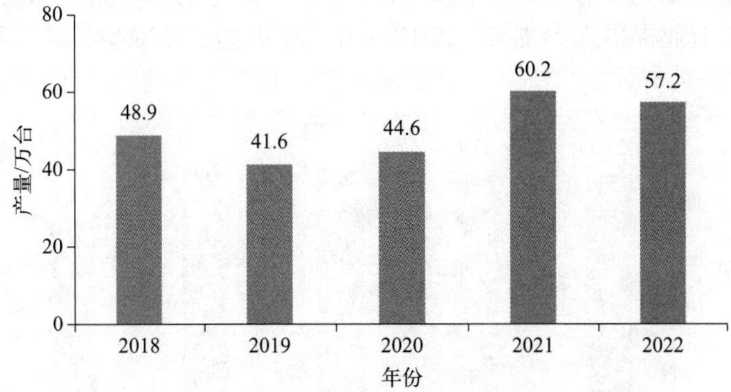

图2-5-5　2018—2022年中国金属切削机床产量

（数据来源：中商情报网）

随着国际经济环境的波动和全球供应链的不稳定，很多制造业都面临一定的压力。同时，随着技术的进步和产业的升级，对于高效、智能化的机床需求逐渐增加，传统的机床市场可能会受到一定的冲击。

智能制造、工业4.0等现代制造理念的推广，使得机床行业也在向智能化、自动化方向发展。自动化生产线、数控机床、机器人等高新技术在制造业中的应用日益普及，大大提高了生产效率和产品质量。

尽管2022年我国的金属切削机床产量有所下降，但这并不代表这一领域的前景不妙。随着技术的不断进步和市场的调整，预计未来金属切削机床将更加智能化、精密化，更好地满足各行各业的需求。同时，对于制造商而言，如何在市场变革中寻找新的机会、提高技术含量、增强核心竞争力，都是他们需要面对和思考的问题。

5.3.2.4　金属成型机床产量及其行业趋势

金属成型机床是制造业中不可或缺的工具，其主要功能是通过锻压加工方法，使金属产生塑性变形，从而得到所需的零件或工件。近年来，这一行业的产量和发展受到了多种因素的影响，其中2022年的产量数据显示了行业的某些变化。

金属成型机床主要包括各种锻压设备，如冲床、折弯机、剪切机、液压机等。这些设备利用机械、液压或电力等能源，对金属材料施加压力，使其发生塑性变形。这种变形过程不仅可以得到所需的形状，还可以改善金属的内部组织结构和性能。

据统计，2022年中国金属成型机床的产量达到了18.3万台，但同比下降了12.86%。这样的数据反映出行业可能面临的挑战，如市场需求的变化、技术的创新等。

全球经济的变化和不确定性，以及国内经济的调整，都会对金属成型机床的市场需求产生影响。此外，随着其他新技术和新材料的应用，如3D打印、复合材料等，传统的金属成型方法可能面临被替代或补充的情况。

随着技术的进步，金属成型机床行业也在不断创新和进化。智能制造、自动化、数字化等新技术使得生产过程更加高效、精确。例如，数控折弯机、机器人自动化生产线等，都在提高生产效率和产品质量。

伴随着全球对环境保护和可持续性的高度重视，金属成型行业也在积极寻找更加环保、节能的生产方式，如低能耗的设备、清洁生产技术等。

尽管2022年金属成型机床产量有所下降，但随着技术的创新和市场的调整，未来这一行业仍有巨大的发展潜力。预计在更高级的自动化、智能化和环保技术的引导下，金属成型机床将继续为制造业提供强大支持。2018—2022年中国金属成型机床产量见图2-5-6。

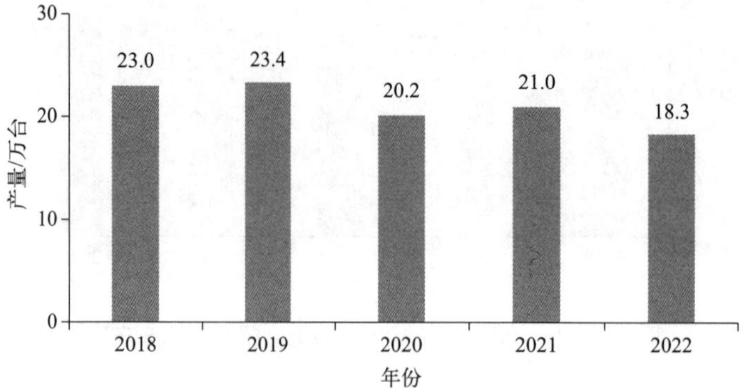

图2-5-6　2018—2022年中国金属成型机床产量

（数据来源：中商情报网）

5.3.2.5　数控企业发布

中国作为全球制造业的重要基地，其数控机床和自动化设备产业发展迅猛。在数控技术领域，中国已有数家知名的数控企业，其不仅在国内市场有着重要的地位，而且在国际市场上也有着越来越强的竞争力。以下是对中国数控企业的简要介绍:

（1）沈阳机床（SYMG）

位于沈阳的沈阳机床集团是中国知名数控机床制造商，有着丰富的数控技术研发和生产经验。该企业的产品种类繁多，包括数控车床、加工中心、磨床等。

（2）大连机床（DMTG）

大连机床集团是一家在数控机床领域具有领先地位的企业。其产品远销海外，尤其在加工中心和数控车床方面有着很高的市场占有率。

（3）哈尔滨工具集团（HMTG）

作为中国北方的重要数控机床生产基地，哈尔滨工具集团在大型数控机床和特殊工艺数控机床方面有着深厚的技术积累。

（4）启明星（QIMINGXING）

位于南方的启明星是一家专注于高速、高精度数控机床研发和制造的企业。它的产品在模具加工和航空航天领域有着广泛的应用。

（5）贝加莱（BGL）

贝加莱是一家专注于数控雕刻机和小型加工中心生产的企业。其产品以高精度和高性价比著称，受到中小企业的喜爱。

（6）其他企业

除了上述企业外，中国还有许多其他的数控机床制造商，如江苏金财、浙江盾安、广东汇丰等，这些制造商各具特色，为中国的数控技术发展作出了重要贡献。

随着技术进步和市场需求的不断变化，中国的数控企业也在持续地创新和升级，致力于提供更先进、更高效的数控设备。而在国际竞争日益加剧的今天，中国数控企业不仅要满足国内市场的需求，还需要努力开拓海外市场，进一步提升国际影响力。

5.3.3 下游分析——应用服务

5.3.3.1 中国汽车制造业的崛起与前景

中国的汽车制造业在过去的几十年中经历了飞速的发展。作为全球汽车产销的重心，中国在该行业中的地位日益凸显。

从20世纪末开始，中国汽车市场就呈现出爆发性增长的趋势。政府的开放政策、人民日益增长的购车需求以及国际汽车巨头纷纷进入中国市场，为汽车制造业的快速崛起创造了条件。

连续十几年全球第一的成绩单背后，是中国汽车制造业的持续创新和市场的巨大需求。2022年，我国汽车产量达到2702.1万辆，销量2686.4万辆，相比2021年分别增长了3.4%和2.1%，这一数据远远超过了其他国家。

中国政府对汽车产业的支持度极高，从减税、补贴到技术研发的政策利好，都为汽车制造业提供了有力的支撑，特别是新能源汽车政策，加速了电动汽车和混合动力汽车在国内的普及和发展。

随着中国经济的快速增长，中产阶级人群不断扩大，为汽车市场带来了巨大的潜在客户群。对更高的生活品质和出行便利性的追求以及城市化进程都推动了中国民众对汽车的需求。

中国汽车制造业在技术上也取得了很大的进步。从自主品牌到合资品牌，从传统汽车到新能源汽车，中国汽车企业在研发、制造和销售等各个环节都展现出强大的实力。

中国汽车企业不仅满足于国内市场，还积极拓展海外市场，与全球汽车供应链深度融合。通过全球化采购策略，降低成本，提高效益。

我们看到了中国汽车制造业的强劲增长势头，未来在自动驾驶、互联网+汽车等技术创新下，中国汽车有望进一步引领全球汽车行业的发展。随着电动化、智能化、共享化的趋势，中国汽车行业还将迎来更为广阔的市场空间和发展机会。

2018—2022年中国汽车产、销统计见图2-5-7。

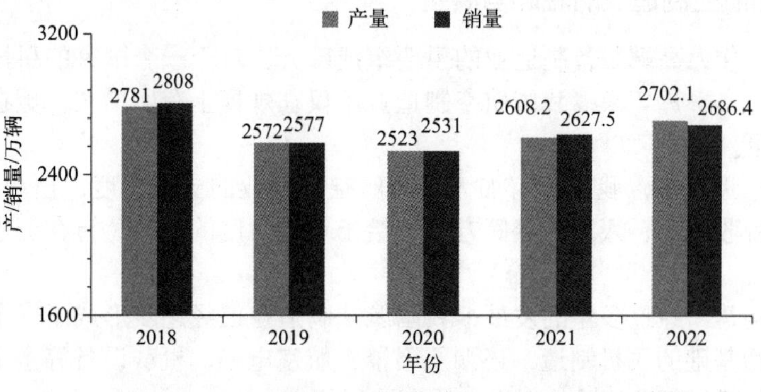

图2-5-7 2018—2022年中国汽车产、销统计
（数据来源：中商情报网）

5.3.3.2 中国工程机械行业现状与趋势分析

工程机械作为重要的基础设施建设工具，在国家经济发展中具有举足轻重的地位。过

去几年，尤其是2021年，中国的工程机械行业呈现出强劲的增长势头，但随着各种外部环境的变化，行业也面临着新的挑战和机遇。

2021年可称为工程机械行业的高光时刻，整个行业营业收入高达9065亿元，同比增长了16.95%。这一数字反映了国内外的基础建设的庞大需求和中国工程机械制造商在技术、品质、服务等方面的持续进步。

但到了2022年，工程机械行业面临着一系列的挑战，中国的工程机械制造商开始更加注重技术创新，智能化、自动化、节能化等趋势逐渐成为行业的主流。通过技术升级，企业希望能够提高产品的附加值，适应市场的变化。

在市场调整期，行业内部也进行了一定程度的洗牌。一些小企业由于资金链断裂或技术落后而退出市场，而那些具有强大技术实力和市场策略的企业得以进一步扩大其市场份额。

虽然2022年的市场环境较为严峻，但工程机械行业的长期发展趋势仍然乐观。随着中国基础设施建设的持续推进，以及"一带一路"倡议下的海外市场机会的增加，工程机械行业有望迎来新的增长点。

2018—2022年中国工程机械营业收入统计见图2-5-8。

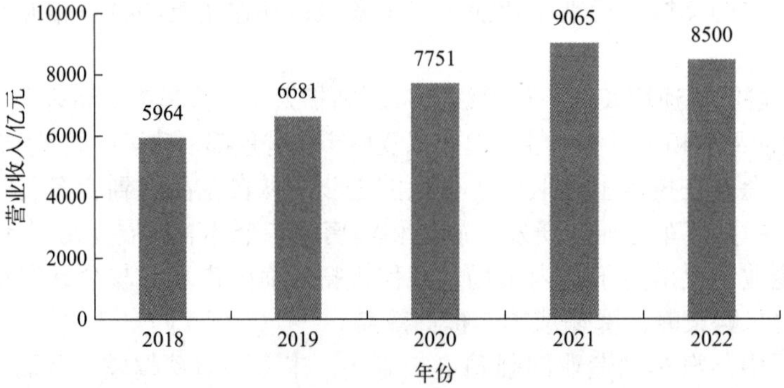

图2-5-8　2018—2022年中国工程机械营业收入统计

（数据来源：中商情报网）

5.3.3.3　中国航空制造业的崛起与展望

航空制造，作为高端装备制造业的重要组成部分，对于一个国家的科技和工业水平具有重要的标志意义。近年来，我国航空制造业不仅在规模上有所增长，更在技术与品质上得到了全球认可。

发展背景：近年来，我国政府加大了对航空制造业的支持力度，出台了一系列政策，在资金投入、税收减免、人才培养等方面都给予了大力度的支持，旨在促进航空制造业的创新与发展。

工业体系构建：经过多年的发展，我国航空制造业已经逐步形成了一个完整的工业体系。这不仅包括基础的飞机制造，还涉及引擎、航空电子、机载设备等多个领域。这意味着我国已经具备了从研发、试验到生产的全流程能力。

市场规模扩张：2018—2021年，中国的航空装备市场规模持续增长。2021年，这一数字已经达到了1177亿元，显示出中国航空制造业的巨大潜力和市场需求。

技术创新：在航空制造领域，技术是决定竞争力的关键。我国航空制造业在过去几年中加大了技术研发的投入，取得了一系列的技术突破。无论是民用航空还是军用航空，都有了一系列代表国际先进水平的产品问世。

国际合作：除了自主研发，我国也积极与国际上的航空制造巨头开展合作。通过技术引进、合资合作等方式，不仅丰富了市场供应，也推动了本土航空制造业的技术进步。

未来展望：中商产业研究院的数据显示，2023年，我国航空装备市场规模达到1390亿元，如图2-5-9所示，这意味着航空制造业将继续保持稳健的增长态势。随着技术创新的深入和市场需求的扩大，我国航空制造业将在全球航空市场中扮演越来越重要的角色。

挑战与机遇：虽然我国航空制造业发展迅速，但面临的挑战也不容忽视。如何在国际竞争中脱颖而出，如何应对技术制裁与贸易摩擦，如何持续推动技术创新等，都是未来需要面对的问题。但同时，“一带一路”倡议等的推进，也为航空制造业带来了巨大的机遇。

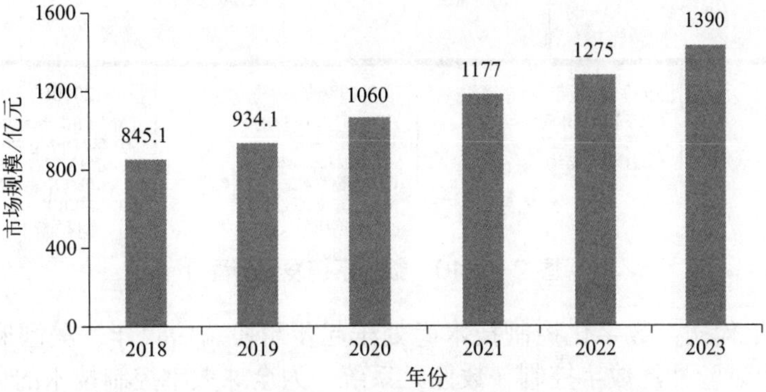

图2-5-9　2018—2023年中国航空装备市场规模

（数据来源：中商情报网）

5.3.3.4　中国石油和化工行业发展概述及展望

石油和化工是国民经济的重要基础产业，对于国家的工业化进程和现代化建设起到至关重要的作用。近年来，我国石油和化工行业得到了迅速的发展，经历了从初级阶段到全球重要参与者的跨越。

行业概况：到2022年底，我国的石油和化工行业规模以上企业数量已达到28760家。这一数量代表了中国形成了从原材料采集、加工到成品销售的完整产业链。

营业收入与利润：2022年，这些企业累计实现了营业收入16.56万亿元，同比增长了14.60%，这一数字创造了历史新高。然而，同年实现的利润总额为1.13万亿元，同比下降了2.59%。尽管如此，这一利润仍基本保持在历史高位，显示出行业内部的盈利能力和稳健经营。

市场动因：石油和化工行业的发展不仅仅基于国内需求，还与全球市场趋势、原油价格、技术进步以及环保政策等多种因素有关。随着我国经济的快速增长，国内消费者对各种化工产品的需求也在持续增加。

技术与研发：在这个行业中，技术创新和研发能力是提高竞争力的关键，我国的企业正在加大对新技术、新材料和绿色化工的研发投入，以适应市场变化和环保要求。

环境与可持续发展：随着环保法规的日益严格，石油和化工行业也面临着转型的压力，企业正在寻求更为环保、高效的生产方式，以减少排放和提高资源利用率。

行业挑战与机遇：石油和化工行业面临着原料价格波动、技术壁垒、国际贸易摩擦等挑战。但同时，随着新材料、生物化工和循环经济的发展，也为行业带来了新的机遇。

5.4 》 国内外数控系统发展历程

5.4.1 概述

数控系统发展历程见图2-5-10。

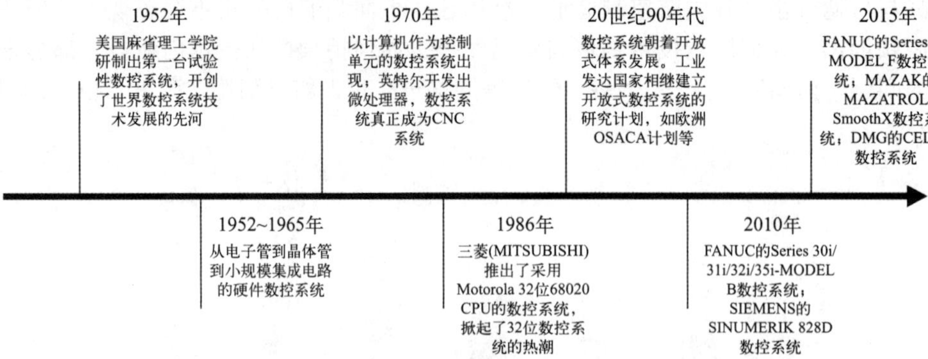

图2-5-10　数控系统发展历程

20世纪50年代初，数字化控制技术尚处于起步阶段。1952年，美国麻省理工学院成功地构建了首台试验性的数字控制（数控）系统，为全球数字控制技术的创新与进展奠定了基石。这一技术创新不仅使麻省理工学院在工程技术领域中获得了举足轻重的地位，而且为后续的研发工作提供了重要参考。

20世纪80年代中期，数控系统技术由初步探索逐渐进入了高速发展的黄金时期。全球各大制造商都开始积极投入研发，试图创造出更加先进和高效的数控系统。

1986年，出现了一个重要的里程碑——日本三菱（MITSUBISHI）公司成功研发并推出了基于Motorola 32位68020中央处理单元（CPU）的数控系统。这款系统的问世，对于整个数控行业而言，都具有里程碑式的意义，因为它为此后的数控系统设计提供了一个全新的、更为高效的参考模型。其影响之广泛，以至于可以说它掀起了32位数控系统的研发与应用热潮。

1987年，另一家日本企业发那科（FANUC）公司也取得了重要突破，成功推出了32位多CPU系统——ES-15。与此前的系统相比，ES-15在内部数据交换的速度上有了显著的提升，尤其是相较于16位数控系统。这一技术优势意味着在更短的时间内，系统能够处理更多的指令和数据，大大提高了数控机械的工作效率。

这两款产品的问世，不仅加速了数控技术在全球范围内的推广和应用，而且为后续的技术研发和创新打开了新的大门。他们的成功经验，为其他制造商提供了有益的启示，即要想在数控行业中取得领先地位，必须不断进行技术创新和研发投入。

自20世纪50年代以来，数控技术已经经历了从起步到高速发展的整个演变过程。而在这一过程中，无论是美国的麻省理工学院，还是日本的三菱和发那科，都为数控技术的进步作出了不可磨灭的贡献。

20世纪90年代初，随着计算机技术的飞速进步，数控技术也经历了一场革命性的变革。计算机的高速计算能力、大数据处理和丰富的软硬件资源为数控技术带来了前所未有的可能性。这一时期，数控系统开始逐渐从封闭式体系向开放式体系结构转变，从而更好地满足制造业的复杂和多样化需求。

受计算机技术进步的驱动，世界主要工业大国如德国、美国、日本等，都投入大量资源，争相研发新一代的高速数控机床。在此背景下，机床性能指标有了飞跃式的提升。例如，加工中心的主轴转速，从20世纪80年代的3000～4000r/min提升至15000～50000r/min，这意味着加工精度和效率得到了显著的提高。

同样，工作台的移动速度也有了显著的进步。在20世纪80年代，这一速度通常为10m/min，而到了90年代，这一数字达到了惊人的80～120m/min。这不仅大大缩短了机床的加工时间，而且使得更加复杂的制造任务变得可行。

更为明显的是换刀时间的显著降低。20世纪80年代，机床的换刀时间通常在53s。而到了90年代，数控机床的换刀时间通常在6～20s。这一变革对于提高机床的工作效率有着巨大的意义，特别是在批量生产和高效制造环境中。

这种技术的飞速进步不仅仅是数字上的提高，它在实际的制造中为企业带来了实实在在的经济效益。更快的加工速度意味着更高的生产效率，更短的换刀时间则可以减少生产中的等待时间，从而提高整体的生产流程效率。

而在更广泛的层面上，这种技术的进步推动了整个制造业的发展。新一代的高速数控机床为制造商提供了更加精准、高效的加工方式，这对于满足日益复杂的市场需求至关重要。而随着技术的进步，未来数控机床的性能还将得到更大的提升，为全球制造业创造更多的价值。

随着21世纪的到来，数控系统技术在控制精度上的发展显现出前所未有的活力和潜力。这一时代的技术进步不仅限于传统的加工能力，更体现在工程师和科研人员对于微观控制和纳米级加工的探索。事实上，这种技术的进步彻底改变了制造业的生产和研发模式。

2010年，在国际制造技术展览会上，众多知名的数控系统制造商纷纷展示了其在控制精度方面的最新成果。这不仅仅是为了与对手竞争，更重要的是为了满足制造业对于更高精度、更高效率和更高质量的追求。

作为日本的制造业巨头，FANUC向公众推出了其Series30i/31i/32i/35i-MODEL B数控系统。这款系统的推出，是对纳米技术在数控加工领域应用的一个重要声明。它引入了AI纳米轮廓控制、AI纳米高精度控制以及纳米平滑加工NURBS插补等尖端功能，旨在为用户提供以纳米为单位的插补指令。这意味着，与传统的数控系统相比，工件加工表面的平滑性和光洁度得到了质的飞跃，如图2-5-11所示。

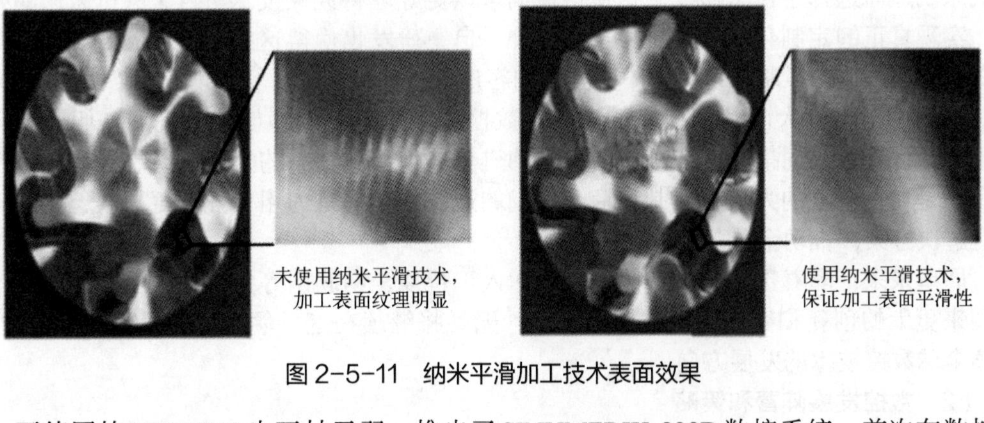

图2-5-11　纳米平滑加工技术表面效果

而德国的SIEMENS也不甘示弱，推出了SINUMERIK 828D数控系统，首次在数控系统中引入了80位浮点计算精度。这种精度在计算领域是前所未有的，它可以确保插补过程中的轮廓控制非常精确。SIEMENS的这一系统不仅提高了加工的精度，还大大提高了制造的效率。

此外，日本的MITSUBISHI公司，也在数控系统领域作出了重要贡献。它的M700V系列数控系统，能够实现纳米级插补。这意味着，在加工过程中，工件的大小、形状和表面都可以达到纳米级别的精确度。

这些技术的进步，不仅仅提高了机床的加工效率和精度，更重要的是，它们为制造业打开了一个全新的大门。纳米级加工技术使得制造商能够生产出前所未有的高精度和高质量的产品，从而满足了市场对于更好、更快、更强的需求。

在此背景下，全球制造业进入了一个新的时代。数控系统技术的进步，成为了制造业创新和竞争的新引擎。随着技术的不断发展，我们有理由相信，未来的数控系统将带来更多的惊喜和机会，为全球制造业创造更大的价值。

随着技术的飞速发展和全球制造业对于精度和效率的不断追求，数控系统已成为制造业的核心技术之一。其中，德国、美国、日本等工业发达国家在这一领域的研发和创新上均投入了大量的人力、物力和财力资源，成功地在全球数控技术领域取得了领先的地位。

5.4.2 国外技术发展概述

（1）两大阵营数控系统技术领先

经过多年的努力，一些国家已经基本掌握了数控系统的核心技术，并成功将其应用于各种机床和加工中心上，提供了高效、精确的制造解决方案。与此同时，数控技术的快速发展和广泛应用也催生了两大主要的技术研究和应用阵营。

首先，是以发那科、西门子等公司为代表的专业数控系统厂商。这些公司都拥有深厚的技术积累和研发背景，他们不仅在数控硬件上有着深入的研究，同时也在数控软件和算法上取得了一系列的突破性成果。例如，FANUC推出的AI纳米轮廓控制技术，西门子的80位浮点计算精度技术，都是这个阵营在数控技术上的代表性成果。

另外，还有一批大型机床制造商，例如山崎马扎克（MAZAK）、德玛吉（DMG）等，他们选择了一条与众不同的道路——与其依赖外部供应商为他们提供数控系统，这些大型机床制造商选择了自主研发。这使得他们可以更好地将数控技术与自家的机床产品相结合，实现真正的定制化和个性化生产。此外，自主研发也使得这些公司能够更快地响应市场变化，调整技术策略，以满足不断变化的客户需求。

正是由于这两大阵营的存在和竞争，数控技术得以持续、健康地发展。他们相互激励，相互借鉴，共同推动了全球数控技术的进步。但值得注意的是，无论是专业数控系统厂商还是自主研发的大型机床制造商，他们的最终目标都是为用户提供更高效、更精确的制造解决方案，推动全球制造业的发展。

展望未来，随着技术的进一步发展，如人工智能、物联网等技术的融合，数控技术也将迎来更大的创新和突破。而这两大阵营，无疑将继续在这一领域中发挥着重要的作用，引领全球数控技术的发展方向。

（2）数控发展阵营和策略

根据数控公司和机床制造商的不同定位和发展策略，目前主要形成了西门子模式、哈斯模式和马扎克模式这三大发展路线。这三种模式各具特色，反映了数控技术与产业结合的不同发展路径。

① 西门子模式。这一模式主张数控系统厂家专业化地生产各种规格的数控系统。这意味着，无论是小型还是大型机床制造商，都可以从西门子那里获得与其需求相匹配的标准化数控系统。这种模式的一个显著特点是其标准化和模块化的功能配置，使得主机厂在全球范围内能够获得一致和稳定的数控系统配套。这不仅降低了生产成本，而且使得大批量生产变得更为便捷。

② 哈斯模式。这种模式代表了主机厂自主研发数控系统的方向。换句话说，主机厂不仅仅制造机床，还参与数控系统的研发工作。哈斯公司和菲迪亚公司就是这一模式的经典代表。他们起初是从数控系统的研发工作开始的，后来为了更好地推广自己的数控系统，他们开始了数控机床的生产和销售。这种一体化的生产与销售模式，使得这些公司可以更好地控制产品质量，提供更为完善的售后服务。

③ 马扎克模式。这种模式强调主机厂与数控系统厂家之间的合作关系。主机厂在数控系统厂提供的开发平台上，研发自己的品牌数控系统。例如，马扎克和森精机在三菱和发那科提供的数控系统平台上，共同研发出了属于自己的数控系统品牌。这种模式有利于主机厂快速适应市场变化，根据客户需求研发出具有竞争力的产品。

当然，无论哪种模式，其背后的核心目标都是满足客户需求、提高产品质量和降低生产成本。随着全球化和技术革新的加速，未来数控系统的发展还将面临更多的挑战和机遇。与此同时，新的发展模式和技术路径也会不断涌现，推动整个数控行业朝着更为高效、智能和绿色的方向发展。

5.4.3 我国数控系统发展及策略

（1）我国数控系统发展历程

在我国，数控系统的发展历程可谓是一段充满挑战与机遇的历程。其初步形态是在政府的主导与扶持下，得以启动和成长。

1958年，我国迎来了第一台数控机床，这标志着国内数控技术的正式起步。但在此之前，与许多先进技术一样，我们处于技术跟随的位置，大部分高端数控设备都依赖进口。1981年的一个关键时刻，我国决策者看到了发那科数控技术在全球市场上的成功，并开始引进其技术。这不仅是技术的引进，更重要的是，它开启了国内对数控系统技术理解与学习的大门。不久之后，通用电气和西门子等国际知名的数控系统也被引入国内。

但仅仅依赖技术引进并不是长久之计。在1996年，一些富有远见的国内数控系统制造商开始了模型学习，并努力实现自主创新。他们认识到，只有真正掌握核心技术，才能在激烈的国际竞争中立于不败之地。通过不断的技术积累和市场开拓，他们逐渐掌握了数控系统的核心技术。

进入2006年，我国的数控技术已经有了长足的发展，一些企业开始将目光转向更为高端的数控系统研发。这一转变并不是偶然，而是多年技术积累的必然结果。随着国内市场对高端数控系统的需求逐渐增长，一些有远见的企业已经看到了这一机遇，并投入大量资源进行研发。

多年的努力，终于取得了显著的成果。经过技术创新与市场拓展的不断努力，我国的数控技术不仅达到了国际先进水平，还在某些领域取得了领先地位。华中数控、广州数控、北京凯迪恩等企业已经成为国内数控行业的领军企业，不仅在国内市场上具有很高的竞争力，同时也在国际市场上赢得了一席之地。

我国数控系统发展历程见表2-5-1。

表 2-5-1 我国数控系统发展历程

时间	发展情况
1981～1985 年	北京集装研究所引进发那科数控技术；辽宁精密仪器厂引进美国 bandix 样机；引进 GE 的数控系统
1989～1990 年	发那科 6 系列数控系统国产化率达到 60%；BS-04 型号数控系统国产化率超过 80%。问题：片面追求国产化率使电子元件质量无法保证
1991～1995 年	航天数控、珠峰数控和东方西门子研发普及型数控系统；南京大方合作研发经济型数控系统
1996～2005 年	广州数控、大连大森、华中数控、大连光阳等企业通过模仿学习、自主创新、产学研结合等模式在中低端数控系统中占据一席之地
2006～2010 年	在“九五”“十五”数控系统产业化后，开始研发高端数控系统并取得突破；主机厂、系统厂、用户厂联盟初步形成
2011～2015 年	国内数控系统在中端市场占据 1/3 份额，高端市场也开始有产品进入；华中数控、埃斯顿、北京凯迪恩、南京泽荣等企业初具规模
2015 年至今	2015 年，“中国制造 2025”战略发布，明确提出要推动制造业的智能化发展，数控系统作为智能制造的重要组成部分，成为国家重点发展的领域。近年来，基于 5G、物联网、大数据等技术的智能数控系统逐渐成为主流，推动了自动化、智能化生产模式的发展。现代数控系统具备了更高的智能化水平，能够实现自主编程、智能故障诊断、远程监控等功能，广泛应用于高端装备制造业

（2）传统数控系统面临的挑战

随着现代制造业的迅速发展，传统数控系统面临着巨大的挑战。其固定、闭环的特点已经不能满足日益复杂的制造环境和多样化的生产需求，因此，数控系统的未来发展方向必须是智能化、网络化和开放性。

首先，智能化。随着人工智能技术的飞速进展，将其融入数控系统成为了一种趋势。智能数控系统可以根据实际生产情况自动调整参数，实时监测工作状态并做出预测，这将大大提高生产效率，减少浪费，并保证制造过程中的高质量和高精度。

其次，网络化已成为生产领域中的关键词。通过网络连接，数控系统可以实时获取全球的数据，与供应链、仓储和物流系统等进行无缝连接。同时，网络化也为远程监控、诊断和维护提供了可能，使得生产管理更为便捷高效。

最后，开放性则是未来数控系统的另一重要特点。与传统的封闭系统不同，开放的数控系统允许用户根据自己的需求定制软硬件，这将极大地促进技术的创新和应用。

然而，向这三个方向发展的过程中，也存在一些问题和挑战。例如，网络制造接口的标准化、跨平台的通信机制建设、先进的控制算法的研发等都是亟待解决的关键问题。解决这些问题不仅可以推动数控系统技术的进一步发展，还能为整个制造业带来实质性的飞跃。

对于国内的数控系统制造业，尽管与国外先进水平相比，在某些功能性能和可靠性方面还存在差距，但我们也应看到，近年来我国在多轴联动控制、功能复合化、网络化、智能化和开放性等领域都取得了可观的进步。这些进步的背后，是无数科研人员和工程师的努力和汗水。

更重要的是，我们拥有巨大的市场和广泛的产业基础。这为我们提供了一个独特的优势，使得我们可以更快地实现技术的迭代和应用的普及。而随着我国在全球制造业中的地位逐步上升，国产数控系统也将迎来更多的机遇和挑战。

（3）数控发展的方向

① 高速、高精度、高可靠性。在全球化的经济背景下，快速响应市场需求已成为企业的核心竞争力。高速的数控系统可以极大地提高机床的加工效率，这意味着在相同的时间内，可以完成更多的生产任务。加工效率的提高直接导致加工成本的降低，从而帮助企业在激烈的市场竞争中占得先机。另外，高速加工还有助于缩短产品的生产周期，使得产品能够更快地进入市场，满足消费者的需求。因此，高速化不仅仅是技术上的追求，更是企业在市场中赢得竞争优势的关键。随着现代科技和工业的发展，对于产品的质量要求也越来越高。精度直接影响到产品的性能、使用寿命和用户体验。高精度的数控系统能够保证产品的加工质量，满足或超越市场和消费者的期望。比如，在航空、医疗和微电子等高技术领域，对于产品的精度要求尤为严格。只有高精度的数控系统，才能满足这些行业的特殊需求，保证产品的优质和高性能。可靠性是衡量数控系统综合性能的重要指标。一个高可靠性的数控系统意味着它在长时间的连续运行中能够稳定工作，不易出现故障。高可靠性不仅可以减少因系统故障导致的生产中断，从而避免经济损失，还可以减少维修和保养成本。而且，高可靠性也是消费者选择产品时的重要参考因素，直接关系到企业的品牌形象和市场口碑。对于国产数控系统，可靠性的提高是其在国际市场上获得认可和信任的关键。

在制造业中，高效、高精度和多功能的机床是提高生产效率和降低生产成本的关键。尤其是在现代生产环境下，随着产品复杂度的增加和生产批次的减少，多轴联动和复合化技术在数控系统中的应用日趋重要。

② 多轴联动、复合化。多轴联动数控系统结合了先进的计算机控制、高性能的伺服驱动和精密加工技术。这种技术能够确保机床在复杂的空间轨迹中精确移动，从而实现高效的切削。多轴联动加工的主要优势在于，它可以利用刀具的最佳几何形状进行切削，使得切削更为高效、准确。此外，与传统的三轴机床相比，五轴联动机床在加工同一工件时具有更高的效率。据统计，1台五轴联动机床的加工效率相当于2到3台三轴机床。这意味着采用多轴联动技术的企业可以大幅度提高生产效率，缩短产品上市时间，并降低生产成本。

随着社会经济的发展，市场对于产品的个性化需求日益增强，而生产交货时间却在不断缩短。这对制造企业提出了更高的要求——能够在更短的时间内生产出更高质量、更具个性化的产品。为了满足这一需求，金属加工行业开始广泛采用复合机床技术，对复杂工件进行一体化、综合加工。复合型数控系统能够在一个机床上完成多种工艺操作，如车削、铣削、镗削、钻削和磨削等，从而大大提高生产效率，减少中间环节，缩短产品生产周期。与传统的单一功能机床相比，复合机床更能满足现代制造业的需求，提供更高的生产效率和更低的生产成本。

随着技术的不断进步和市场需求的日益复杂化，多轴联动和复合化技术在数控系统中的应用将会越来越广泛。未来的数控系统不仅需要具备更高的精度、更快的响应速度，还需要能够满足更复杂、更多样化的生产需求。此外，随着制造业智能化、自动化的发展，机床和数控系统的集成、互联和协同将成为未来的主要发展方向。只有不断创新、不断完善，才能确保数控技术始终站在制造业发展的前沿，为现代制造业提供强大的技术支撑。

③ 智能化、柔性化、网络化。在当今的制造业中，技术日益发展，智能化、柔性化和

网络化已经成为数控系统的三大发展方向。它们共同构成了支撑现代化生产的基石，并决定了制造企业的竞争力和地位。

智能化不仅仅是一个简单的术语，它已经渗透到数控系统的方方面面。首先，智能化在控制加工质量和效率上表现得尤为明显。例如，自适应控制技术可以根据工件的实际情况，自动调整刀具的运动轨迹，确保加工质量的稳定性和提高效率。此外，自动生成工艺参数功能可以根据工件的材质和加工要求，自动选择最佳的刀具、切削速度和进给量，从而节省大量的编程时间。再者，智能驱动技术，如负载自动识别、电机参数自适应运算和前馈控制，能确保驱动系统始终在最佳状态下工作，提高系统的稳定性和可靠性。最后，智能编程和操作技术，如自动编程和智能化的人机界面，大大提高了操作员的工作效率，使其可以更加专注于加工过程的优化。

柔性化是指数控系统可以灵活地适应生产的变化，满足多样化和小批量生产的需求。从发展的角度来看，柔性化有两个明显的方向。首先，是从数控单机、柔性生产线到自动化车间、计算机集成制造系统的逐级发展。这意味着，制造企业不仅可以在单一的机床上实现柔性化生产，还可以在整个生产线、车间甚至整个工厂范围内实现柔性化生产。其次，柔性化也注重经济性和实用性。在当今的经济环境下，制造企业面临着日益激烈的市场竞争，只有通过柔性化生产，才能快速响应市场变化，满足客户的需求。

网络化不仅仅是指数控系统与外部控制系统的连接，更重要的是实现信息的共享和资源的整合。通过网络技术，制造企业可以实时获取生产数据，进行远程监控和诊断，确保生产过程的稳定性和可靠性。此外，数字制造已经成为现代机械制造企业的标志，它不仅仅是一个技术，更是一种思维方式，一种追求效率、质量和创新的哲学。数字制造通过整合企业内外的信息资源，实现了产品设计、生产、检测和服务的一体化，从而提高了企业的竞争力和市场地位。

④ 开放式、软数控模式。随着制造业的日趋复杂化和个性化，开放式和软数控模式正在逐渐成为数控系统发展的必然趋势，为数控技术带来更广阔的应用领域和更多的可能性。

开放式数控系统意味着数控技术的“开放”与“自由”。这种系统允许制造商重新组合、调整、增加或删除特定功能，从而迅速创建各种不同种类和级别的数控系统。开放式的核心在于灵活性，可以针对不同的制造商、用户和行业需求来定制。这种定制不仅仅是表面上的外观和界面的定制，更是深入到系统的内部，结合具体的应用场景和技术经验的定制。

在多样化的市场环境中，每个用户都希望得到专为其打造的解决方案。这种解决方案能够完美匹配他们的特定需求，从而提高生产效率、质量和可靠性。开放式数控系统为制造商提供了这种可能性，使其可以为每个用户创建专属的数控系统。

未来的数控系统将更加聪明和灵活，用户可以按照自己的需求重新配置、修改、扩展和改造系统，而且，随着技术的进步，这种修改和扩展变得更加简单和方便。此外，模块化的设计理念将深入到数控系统的每一个角落，使得用户可以根据需要添加传感器、监控加工过程、实现网络通信和远程诊断等功能，而无需重新设计软硬件。

随着开放式数控系统的广泛应用，制造业将迎来一个全新的时代。这个时代不再是简单的大规模生产，而是追求高效、精准和个性化的生产。开放式数控系统不仅仅是一种技术，更是一种制造业的新思维，它将推动制造业向前发展，满足21世纪的市场需求。

数控技术发展趋势见图2-5-12。

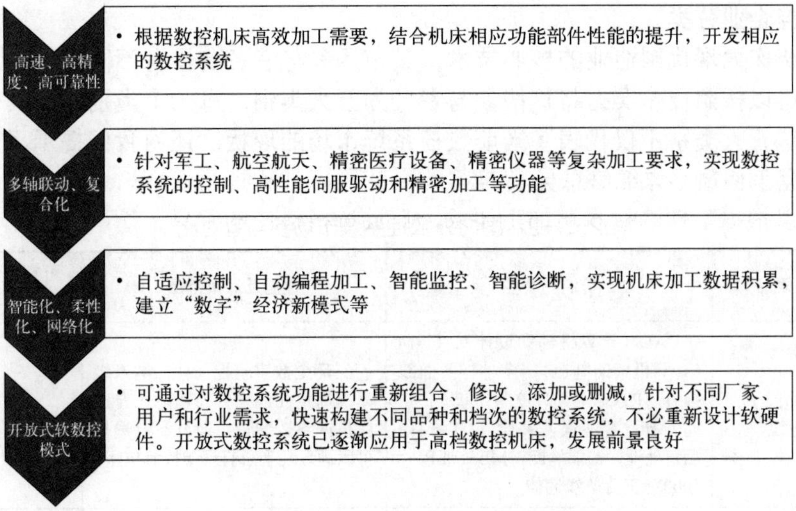

图 2-5-12　数控技术发展趋势

5.5 数控系统市场分析

5.5.1 总体市场情况分析

（1）机床数控化提升将持续带动行业增长，行业市场空间千亿级

机床行业正在经历一个数字化和自动化的转型期，其中数控化成为推动这一转型的关键因素。随着技术进步和市场需求的变化，数控技术得到了广泛应用，为整个机床行业带来了前所未有的机会和挑战。

① 机床数控化的必要性和优势：机床数控化不仅可以提高加工精度、效率和质量，还可以减少劳动力成本、提高生产自动化程度和满足个性化生产的需求。数控技术通过计算机控制，实现了加工过程的精确控制和高效管理，大大提高了机床的使用效益。

② 数控机床市场的潜在规模：根据机床工具协会的数据，我国的数控机床市场仍然存在巨大的增长空间。虽然2021年我国数控机床的产量已达到数十万台，但其数控化率仍低于50%，远低于海外发达国家的80%。在未来几年中，随着数控技术的进一步普及和机床行业的持续增长，数控机床市场规模有望接近或达到千亿级别。

③ 数控技术在国内外的应用对比：相比于海外发达国家，我国的数控技术起步较晚，但发展速度却非常迅猛。在短短几年时间里，我国数控技术已经从初级阶段迅速走向了中高级阶段，并在某些领域达到了国际领先的技术水平。这也为我国数控机床行业的未来发展提供了强大的技术支撑。

④ 未来数控技术的发展趋势：随着物联网、人工智能、大数据等先进技术的发展，数控技术也将进一步向智能化、网络化和柔性化方向发展。未来的数控机床将更加智能、自动和灵活，能够满足各种复杂、精密和个性化的加工需求。

⑤ 数控技术对整个制造业的影响：数控技术不仅仅是机床行业的技术创新，更是整个制造业发展的关键因素。数控技术可以为制造业提供更高效、更精确和更智能的生产方式，帮助企业降低成本、提高效益和增强竞争力。

（2）数控企业分类

数控系统作为现代制造业的核心技术，其市场参与者各自具有不同的技术水平和市场地位。我们可以按照技术实力将这些参与者分为五大类别，每一个类别都有其代表性的企业和产品。这五大类别不仅代表了当前数控系统市场的现状，还为我们揭示了未来的发展趋势和市场竞争格局。详细信息见表2-5-2。

表2-5-2　国内外数控系统市场参与者对比

企业类别	代表品牌	功能完备性	性能及适用范围	可靠性（平均无故障工作时间MTBF）/h
国外顶尖企业	西门子、海德汉	CAD（计算机辅助设计）、CAM（计算机辅助制造）、多种样条曲线插补、RTCP（实时控制协议）、空间刀补、智能误差补偿、3D仿真、后置处理、智能诊断、MES、ERP；1000M工业总线通信	三环全数字驱控一体，纳米级高速高精曲线插补，智能化自适应机床参数配置，通过参数选择可以满足几乎所有设备控制应用	30000
国外一流企业	发那科、三菱、NUM	CAD、简易CAM、多种样条曲线插补、RTCP、空间刀补、综合误差补偿、3D仿真、后置处理、智能诊断；1000M工业总线通信	三环全数字驱控一体，纳米级高速高精曲线插补，通过参数数据可满足车床、铣床、加工中心及各类专用设备控制	15000
中国台湾企业	新代、亿图、宝元	简易CAM、NURBS样条插补、RTCP、侧刃加工、动态误差补偿、2D仿真、在线诊断；100M工业总线通信	位置环闭环控制，微米级高速高精插补，通过参数选择可满足车床、铣床、加工中心及部分专用设备控制	10000
中国大陆高端企业	华中、光洋、广数、KND	NURBS样条插补、RTCP、侧刃加工、动态误差补偿、2D仿真、在线诊断；100M工业总线通信	位置环闭环控制，微米级高速高精插补，其有车床、铣床、加工中心及部分专用设备控制系统；加工效率一般	10000
中国大陆普适企业	华兴、开通、达丰、广泰	通用插补功能、刀具直线及半径补偿功能、静态误差补偿、2D仿真、在线诊断；100M工业总线通信	脉冲或总线闭环控制，小线段前瞻插补控制，具有车床、铣床、加工中心及个别专用设备控制系统；加工效率较低	3000

① 国外顶尖企业：西门子和海德汉是这一类别的代表。这些企业凭借先进的技术、优秀的产品性能和全球化的销售网络，长期占据了数控系统市场的高端领域。尤其是在高端五轴联动数控系统应用方面，这些企业的产品在国内市场有着广泛的应用。其技术和品质是市场上的顶尖标准，为全球的制造业提供了强大的技术支撑。

② 国外一流企业：发那科和三菱等企业位居这一类别。与国外顶尖企业相比，这类企业的产品性能同样出色，但在价格上更具竞争力。这使得这些企业在国内市场拥有广阔的发展空间，成为许多制造企业的首选合作伙伴。其凭借高性价比的产品和服务，赢得了广大客户的信任和青睐。

③ 中国大陆高端企业：华中数控、广州数控、光洋等企业属于这一类别。在过去的几年里，这些企业凭借自主研发的技术和产品，迅速崭露头角，成为国内数控系统市场的重要参与者。这些企业不仅具有较高的技术水平，而且拥有良好的品牌效应和市场口碑。这使其在与国内外其他企业的竞争中，逐渐取得了优势地位。

④ 中国大陆普适企业：这一类别的企业主要针对国内中、低端市场，提供性价比较高的数控系统产品。虽然在技术上可能略逊于高端企业，但凭借其灵活的市场策略和良好的服务，这些企业也赢得了许多客户的认同。

（3）外资占据国内主要市场份额，中、高端数控系统基本被垄断

外资企业在中国的数控系统市场中长期占据主导地位，特别是在中、高端数控系统领域，几乎实现了市场垄断。这背后既有外资企业的技术和品牌优势，也反映出国内数控系统行业面临的技术和市场挑战。

根据华经产业研究院提供的2020年统计数据（图2-5-13），发那科、三菱数控和广州数控分别在市场上占据了34%、21%和15%的份额，其技术水平和品牌影响力在国内外都颇有声誉。特别是发那科和三菱，他们长期深耕数控领域，凭借其在软硬件技术、系统集成、用户服务等方面的综合实力，稳固了自身在市场中的领先地位。与此同时，西门子作为德国工程技术的代表，也在中国市场占有10%的份额，其产品在高精度和高稳定性方面得到了广大用户的认可。

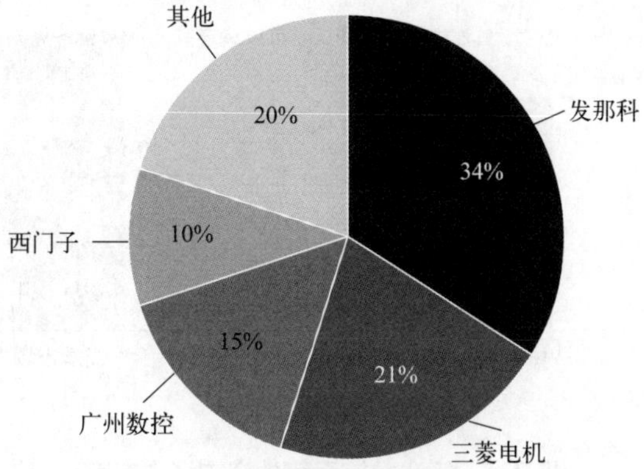

图 2-5-13　中国数控系统市场竞争格局

（数据来源：华经产业研究院 2020 年统计数据）

三级别数控系统市场竞争格局见图2-5-14。低端的数控系统市场，由于技术门槛相对较低，国内企业已经逐渐崭露头角，占据了较大的市场份额。国内企业在这个领域发展迅速，凭借在价格、服务、本地化等方面的优势，逐步替代了外资企业，取得了显著的市场份额。

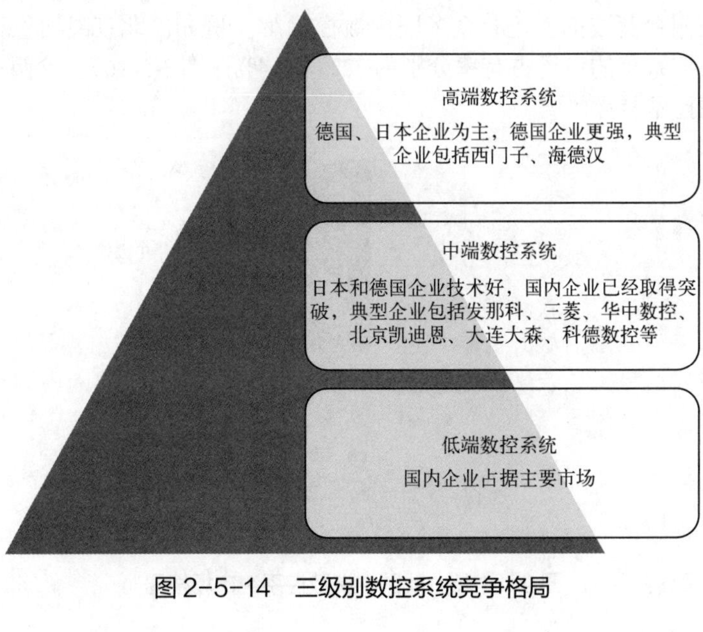

图 2-5-14　三级别数控系统竞争格局

然而，中端数控系统市场的竞争就变得异常激烈。用户对产品的稳定性和精度有着较高的要求，同时也关注产品的性价比。日本的发那科和三菱是这个领域的主要竞争者，但随着技术的进步和市场的拓展，华中数控、科德数控、凯迪恩等国内知名企业也逐渐进入了这个市场，与外资企业进行正面竞争。

高端数控系统市场则是一个全新的战场。由于技术难度大、附加值高、市场需求专业化，国内企业在这个领域的发展受到了很大的制约。但随着国家政策的扶持和企业自主研发的加强，国内已经有少数企业开始研制高端数控系统，并取得了初步的突破。尽管国产高端数控系统在市场上的份额还不足10%，但这代表了国内数控行业走向高端市场的坚定步伐。数控系统外资市场占有率如图2-5-15所示。

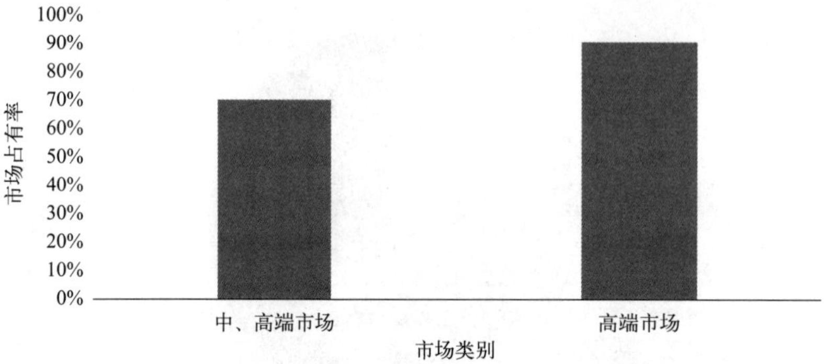

图 2-5-15　数控系统外资市场占有率

华中数控作为国内的数控技术领军企业，无疑在中端数控系统领域展现出了卓越的实力，占据了部分市场份额。这不仅仅是技术的领先，更是品牌价值和市场认知度的体现。在我国中端数控系统的市场格局中，华中数控稳坐龙头，其占有率高达30%，这一数据背后反映的是该公司在中端数控系统领域的强大竞争力和深厚的用户基础。除了在中端数控系统市场中的杰出表现，华中数控在高端数控系统领域的市场份额也是国内领先。

与华中数控同台竞技的，还有众多国内数控品牌。例如，北京凯迪恩和大连大森，它们在我国中端数控系统的市场占有率分别为22%和14%（图2-5-16）。这两家公司也有着各自的市场策略和技术特点。

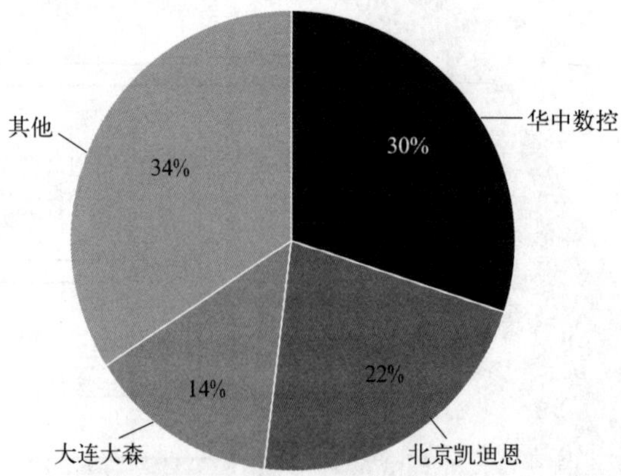

图 2-5-16　我国中端数控系统市场格局

北京凯迪恩作为首都的数控技术代表，凭借其技术研发能力和市场策略，赢得了22%的市场份额。其产品线丰富，服务网络完善，深得用户的信赖和好评。凯迪恩不仅仅关注产品技术的研发，更注重与用户的互动，通过不断的市场调研和用户反馈，使其产品更加贴近市场需求。

大连大森则以其稳健的技术发展和明确的市场定位，稳占14%的市场份额。作为东北地区的数控技术代表，大连大森深耕本土市场，同时也积极开拓外部市场。其产品在多个行业中都有着广泛的应用，尤其在航空、船舶和重工业等领域，都得到了行业内的高度评价。

在这三家企业中，无论是华中数控的领先，还是北京凯迪恩和大连大森的追赶，都反映了我国数控技术的快速发展和市场的激烈竞争。随着技术的不断进步和市场需求的日益增长，我们相信，未来我国的数控技术将更加成熟，市场份额也会有所调整，这对于整个行业来说，都是一个巨大的机遇和挑战。

（4）高端数控系统研发发力中，国内优秀企业持续追赶

在全球的制造业竞技场中，高端数控系统是技术竞争的关键所在。国内的制造业历经数十年的积累，如今已从“跟跑”阶段转变为“并跑”甚至“领跑”阶段。这种变化的背后，是我国优秀企业不断的研发努力与创新实践。

华中数控，作为我国数控技术的佼佼者，经过多年的深入研发与技术攻关，成功推出了华中8型系列高端数控系统。这不仅仅是一个简单的产品，更是华中数控在高端技术上的一次突破。与国际顶尖的数控系统产品对标，意味着我们的技术已经达到了一个全新的高度。目前，这款产品已成功应用于数千台高端数控机床，其广泛的应用和市场认同度说明，国内技术有了真正的实力和信心与国际巨头竞争。图2-5-17为华中数控HNC-848Di五轴数控系统。

此外，科德数控也不甘示弱，其推出的GNC60高端数控系统，实现了与德国西门子840D型高端数控系统的功能对标。这意味着，我国不仅在自主研发能力上取得了跨越式进展，而且在具体的产品性能上，已经实现了与国际顶尖标准的平齐。更令人振奋的是，从细致的性能参数对比来看，我国的产品在某些方面甚至已经超越了国际同类产品。图2-5-18所示为科德数控GNC62数控系统。

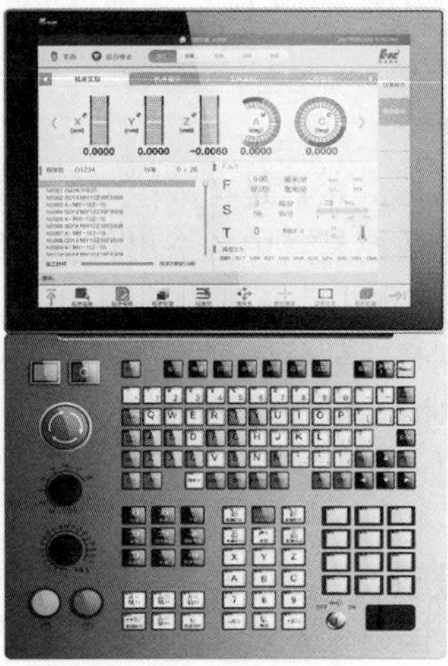

图2-5-17　华中数控HNC-848Di五轴数控系统

图2-5-18　科德数控GNC62数控系统

与国际巨头比较，我国的优势不仅仅是在技术层面，在价格方面，我们也具有明显的优势。由于生产成本的优势、规模经济的效应，以及国家政策的支持，我国的高端数控系统产品在价格上具有明显的竞争力。这使得国内产品在国际市场上更具吸引力，能够更好地开拓市场和扩大市场份额。

但我们也应认识到，单凭技术和价格优势并不足以保证长期的市场领先地位。未来，我国的数控企业还需加强品牌建设、优化服务体系、强化研发创新和提升供应链管理水平。同时，也要关注市场的变化和用户需求的升级，及时调整产品策略和市场布局，以确保在激烈的国际竞争中始终保持领先地位。

国内外数控系统技术及产品比较如表2-5-3所示。

表2-5-3 国内外数控系统技术及产品比较

数控系统技术及产品	国内现状、国际前沿水平	国内优势单位
高阶算法	国内产品主要以中低端产品为主，在高阶算法方面投入少，效果差；国外如西门子、发那科、海德汉等深耕高性能算法，投入多，研究时间长，在高端产品应用上占据绝对优势	华中数控依托华中科技大学，在前沿算法研究上具有先天优势
数控机床高精密伺服控制系统	国内产品在功能和性能上基本能媲美国外优势产品，但在易用性和稳定性上还有一定差距，因此在市场上以低价格产品占据一定的市场份额，但难以进入高性能需求场合	汇川技术在伺服驱动技术上已达到国际领先水平，在性能上已不输于国际优势产品
软实时操作系统和EtherCAT主站	国内企业大部分基于嵌入式平台，采用商用、开源实时操作系统和实时总线主站，自身无实时操作系统和总线主站研发能力；国外企业如西门子、发那科等都拥有具有自主知识产权的实时操作系统和相应的总线主站	科德数控具备自主研发实时操作系统的能力，并在自己的五轴联动机床上应用，有较好的效果
数控机床和机器人一体化控制系统	国内的数控系统和机器人控制系统分别实现各自的数字控制功能，或采用PLC进行简单的控制，机床和机器人之间简单进行交互；国外已出现机床和机器人融合控制的样机	华中数控和广州数控均拥有具有自主知识产权的数控系统和机器人控制系统，并占据了一定的市场份额
数控机床工业互联网应用技术	国内外大部分产品具备互联互通接口，或采用外挂设备进行有限的互联互通，主要应用于设备监控、简单操作和生产计划等浅应用	华中数控在工业互联网前沿应用领域具备独特优势
自主知识产权PLC-IDE数控平台	国内产品多采用向第三方付费的PIC平台或开源PLC平台，实现简单的梯形图编程控制；国外企业如西门子、发那科等拥有具备自主知识产权的PLC平台，能与CNC进行深度交互，效果更优	科德数控具有自主研发的软PLC系统，并在自己的五轴联动机床上使用，效果较好

（5）自主化能力提升明显，高端市场开始突破

近年来，自主化成为制造业追求的一个重要目标，尤其是在数控领域。这一方向的努力在众多企业中明显体现，我国的华中数控和科德数控是其中的杰出代表。他们成功地展示了中国制造业在高端技术研发上的重要突破和非凡潜力。

华中数控与科德数控的技术自主化进程，特别是在伺服驱动和电机等关键领域，已经达到了与国际顶尖企业相当的水平。这不仅仅是对外的竞争力的体现，更是对技术团队、研发团队的肯定和鼓励。他们的成功也证明，通过不懈的努力和对技术的深入研究，国内企业完全有能力在全球制造业舞台上脱颖而出。

2017年“高端数控机床与基础制造装备”科技重大专项的结束，标志着我国在高端数控系统领域取得了显著的进展。如图2-5-19所示，国产化率实现了从1%到5%的提升，虽然在数字上看似不大，但其背后却体现了我国在这一领域的坚定决心和明显进步。5%的国产化率意味着，国内企业已经开始在高端数控系统领域取得了市场份额，这无疑是对其他

国内企业的鼓舞和激励。

国内的替代进程不仅仅意味着技术的突破，更重要的是意味着国内市场的认可和对国产品牌的信赖。这种信赖和认可的背后，是我国企业多年来在产品质量、技术研发和市场服务上的不懈努力。

但我们也必须看到，5%的市场份额还远远不够。这只是一个开始，面对日益激烈的国内外竞争，我国企业必须继续加大研发投入，加强与国内外研究机构和高等院校的合作，提高产品的技术含量和市场竞争力。

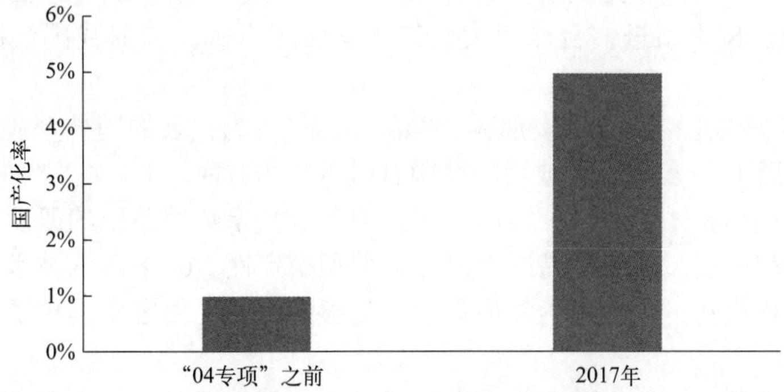

图 2-5-19　高端数控设备国产化率

在“十二五”与“十三五”期间，我国数控系统产业经历了前所未有的飞跃和发展。随着国家对于自主创新和高新技术产业的重视与持续投入，我国数控系统行业得到了有力的推进。在这一阶段中，国产数控系统在功能、性能以及可靠性等关键领域都实现了显著的进步，为我国制造业提供了强大的技术支撑。

特别值得一提的是，这种进步在某种程度上已经改变了我国在航空、航天等关键领域中，长期依赖进口高端数控系统的情况。这无疑是我国制造业及其研发领域的一个重大胜利。但与此同时，我们也必须认识到，相较于国外的顶尖技术和产品，我国的数控系统仍然存在一定的差距。这些差距并不是短期内可以完全弥补的，但也为我们指明了未来的发展方向。

这些差距主要集中在以下两个方面：

（1）技术成熟度差距明显，缺乏长期应用验证

① 技术成熟度的挑战：数控系统的核心在于其高度的可靠性要求。一个成功的数控系统需要在各种环境和工况下稳定工作，而这需要其背后的支持技术十分成熟。海外龙头企业在此领域已经有数十年甚至上百年的研发和应用经验，每一个技术细节都经过了无数次的验证和优化。与之相比，国内企业在这方面起步晚，技术积累相对较少，因此在技术成熟度上存在明显差距。

② 多学科技术交叉的复杂性：数控系统不仅涉及电气、机械、自动化、软件等多个学科的交叉，还需要与各种机械设备进行精准配合。这种交叉性给技术研发带来了很大的挑战，需要研发团队具有广泛的学科知识和丰富的实践经验。

③ 长期应用验证的重要性：单纯地研制出数控系统并不困难，但要确保其在长期、大批量的生产应用中稳定工作，就必须进行大量的验证测试。这不仅需要大量的时间和资源，还需要有足够的客户基础和应用场景。海外企业由于其长期的市场优势，已经在各种真实应用场景中积累了大量的数据和经验，而国内企业在这方面还需要努力追赶。

④ 市场认可度和用户信赖的建立：数控系统的成功不仅仅取决于其技术性能，还与市场的认可度和用户的信赖紧密相关。海外品牌因为其长期的市场表现和稳定的产品质量，已经赢得了用户的广泛信赖。国内企业需要在技术研发的同时，加强品牌建设，提高市场推广力度，不断增强用户的信心。

⑤ 国家政策和资金支持：发展数控系统需要巨大的资金和技术投入。在这方面，国家的政策支持和资金扶持是非常关键的。只有得到充分的资金和政策支持，企业才能持续投入技术研发，快速迎头赶上国外的先进水平。

⑥ 与国外的技术合作与交流：与国外的技术合作与交流也是一种快速提升技术水平的方法，可以通过技术引进、合作研发、技术交流等方式，加速我国数控系统技术的发展进程。

⑦ 市场认可度不足：以日本发那科、德国西门子等为代表的国外企业，已在这个领域里持续稳定地发展了60多年。其成功的原因有以下几个方面。

a. 技术积累和创新：发那科、西门子等企业不仅从事数控系统的研发，更在各种应用环境中不断完善和调试，确保产品的高度可靠性和稳定性。60多年的技术沉淀，使他们在各种机床、自动化装备、生产线等领域都有了足够的经验，为客户提供了极具竞争力的完整解决方案。

b. 全球市场布局：这些企业在全球范围内有着广泛的业务网络和服务体系。这使得他们不仅在技术上与全球最前沿接轨，更在市场营销、服务支持等方面为客户提供了全方位的保障。

c. 在华经营历史：这些企业在我国市场已经耕耘了几十年，其产品在技术和性能上一直领先于同行，使得大部分高端制造企业对他们产生了深厚的信任感。此外，他们也为中国的用户提供了完善的售后服务和技术支持，进一步加深了与客户之间的合作关系。

d. 品牌与市场生态建设：西门子、发那科等企业非常注重品牌建设，凭借先进的技术和高质量的产品，在全球范围内建立起了很高的品牌知名度和美誉度。在中国市场，他们通过与各种制造业企业的深入合作，形成了一个稳定的“市场生态圈”。这不仅仅是产品的销售，更包括技术交流、人才培养、产业合作等多个层面。

e. 持续的研发投入：成功背后，这些企业每年都在研发上投入大量资金，不断探索新技术、新应用，确保他们在数控系统领域始终保持领先地位。

f. 与客户深度合作：除了传统的销售模式，这些企业还与大客户开展深度的技术合作，为客户定制化解决方案，满足其特殊需求，进一步加强双方的合作关系。

g. 对新技术和趋势的敏锐洞察：从过去到现在，无论是云计算、物联网还是人工智能，这些企业总能在技术变革中迅速把握新机会，开发新产品，确保他们在市场上始终处于领先地位。

（2）高端数控系统的性能和可靠性存在差距

在我国数控系统发展的进程中，尽管在中低端数控系统领域取得了显著进展，并逐渐实现了国产替代，但在高端数控系统方面，尤其是在航空、航天、军工等高精尖领域的应用中，仍存在显著差距。具体体现在数控系统的精度、稳定性、关键技术的自主化程度等方面，与国际先进水平相比，我国高端数控系统还有很大的提升空间。

① 精度与稳定性不足。数控系统的核心指标之一就是其精度和稳定性，这直接决定了其在高端制造领域中的应用水平。在航空航天、精密制造、医疗器械等领域，制造的精度通常要求达到微米级甚至纳米级水平。这些领域对数控系统提出了极高的要求，不仅要求

加工精度高，而且在长时间运行中能够保持这种高精度。

我国数控系统的现状：我国在中低端数控系统方面，经过数十年的技术积累，已经达到了相对成熟的水平，可以满足大部分工业生产的需求。然而，在高端领域，精密加工的需求远超一般工业加工。尽管一些国产高端数控系统已经具备较高的精度水平，但与国外先进数控系统相比，仍有不小的差距。

国外高端数控系统的优势：国际上顶尖的高端数控系统能够在微米级甚至纳米级的加工精度上保持长期稳定的性能，主要得益于其先进的控制算法、伺服系统以及高精度的传感器和驱动器。这些技术经过多年积累和优化，能够在长时间加工过程中有效应对各种复杂的工况，保持系统的稳定性与抗干扰能力。尤其在应对环境变化、工件材料差异以及工具磨损等情况时，国外的数控系统可以通过自适应控制和误差补偿技术，保证加工精度不受影响。

② 关键技术的自主化不足。关键技术主要包括控制算法、伺服系统及硬件设计。

控制算法的差距：数控系统的控制算法是决定其性能的核心要素之一。先进的控制算法不仅能够提高加工精度，还能优化加工路径、提高加工效率、降低能耗。目前，国外顶尖数控系统在控制算法上具备明显优势，特别是在复杂多轴联动加工、多任务并行处理和实时误差补偿等领域，国外厂商拥有丰富的经验和技术积累。

相较之下，我国的数控系统在控制算法上虽然有所突破，但大多依赖于国外的开源技术或技术引进。尽管在一些高校和科研机构的努力下，我国已经开发出了一些自主创新的控制算法，但这些算法的成熟度和实际应用效果仍有待进一步验证和推广。

伺服系统的差距：伺服系统是数控系统实现精确控制的关键组件，它决定了加工过程中的响应速度、精度和稳定性。高性能伺服系统需要具备快速响应、精确定位和稳定的动态特性。在这方面，国外领先企业如德国的西门子、日本的安川电机等拥有强大的技术积累和市场经验，其产品具备更高的精度、更快的响应速度和更好的稳定性。

相比之下，我国的伺服系统虽然在中低端市场已经取得了一定的进展，但在高端市场仍然存在技术瓶颈。特别是在高性能伺服电机和伺服驱动器的研发上，国内企业仍然需要依赖部分进口核心元器件，如高精度编码器、功率模块等。这些核心元件的进口不仅限制了国产伺服系统的性能提升，也在一定程度上影响了其成本竞争力。

硬件设计的差距：数控系统的硬件设计同样是决定其性能和可靠性的重要因素。国外的高端数控系统采用了更加先进的硬件架构设计和更高精度的制造工艺，使其在处理复杂任务时能够保持高效和稳定的性能。尤其在多轴联动加工和实时控制方面，国外厂商的硬件设计更具优势。

反观国内，虽然一些领先的数控系统厂商已经具备自主设计和制造能力，但在硬件设计的精度和制造工艺上，仍与国际先进水平存在差距。尤其是在复杂任务处理和多任务并行处理时，国内数控系统的硬件性能尚不足以完全满足高端制造业的需求。

5.5.2 海外龙头企业简析

（1）发那科

1956年，FANUC诞生于日本的科技圈。FANUC是富士自动化数控（Fuji Automatic Numerical Control）的缩写，它是富士通公司为响应早期数字控制（NC）和伺服系统的需求而创建的一个部门。

随着时间的推移，发那科逐渐独立，并与美国密歇根州罗切斯特山的美国发那科公司以及卢森堡的欧洲发那科公司联手，形成了一个强大的国际联盟。此后，它不仅仅提供机器人和数控机床等自动化产品，而且还为全球各地的制造商提供了一系列的技术支持和服务。

1959年，这家刚刚起步的公司就推出了电液步进电动机，这在当时是一个革命性的技术。随着市场对于高效、高精度的数控设备的需求不断增加，发那科也逐步将目光转向了开发更为先进的硬件开放系统。

到了20世纪70年代，发那科在数控系统领域已经取得了不小的成功。1976年，它成功研制了采用直流伺服电机的数控系统5。这一创新使得机器的运行更为稳定，提高了加工的精度。不久后，1985年和1987年，发那科又先后推出了数控系统0和数控系统15。尤其是数控系统15，被誉为划时代的人工智能型数控系统，再一次展现了发那科在技术领域的领先地位。

然而，技术创新只是发那科成功的一部分。作为世界上最大的工业机器人和数控系统制造商之一，它的产品线相当丰富。无论是简单的数控机床，还是复杂的复合加工机床和产业机械，发那科都有相应的产品可以满足。比如其主打的Series 30i/31i/32i-MODEL B Plus（图2-5-20）、Series 0i-MODEL F Plus（图2-5-21）和 Power Motion i-MODEL A 系列，这些产品不仅在技术上领先，更在市场上得到了广大用户的认可。

图2-5-20　发那科 Series 30i/31i/32i-MODEL B Plus 产品

图2-5-21　发那科 Series 0i-MODEL F Plus 产品

在经济数据上，发那科的业绩也同样出色。截至2021年上半年，发那科的数控系统累计出货量已经达到了几百万套（图2-5-22）。这样的规模，无疑使发那科站在了全球数控系统领域的顶峰。

回首发那科的发展历程，从早期的电液步进电动机到现在的高端数控系统，发那科始终走在技术的前沿，为全球制造业提供了强大的技术支持。同时，发那科也积极参与全球市场竞争，通过不断的市场拓展和品牌建设，赢得了广大用户的信赖和支持。

（2）西门子

在数控系统领域，西门子（SIEMENS）的影响力和贡献都是无可比拟的。众多产品系列中，图2-5-23所示的808、828、840以及MC等型号的数控系统都被广大工厂和制造商

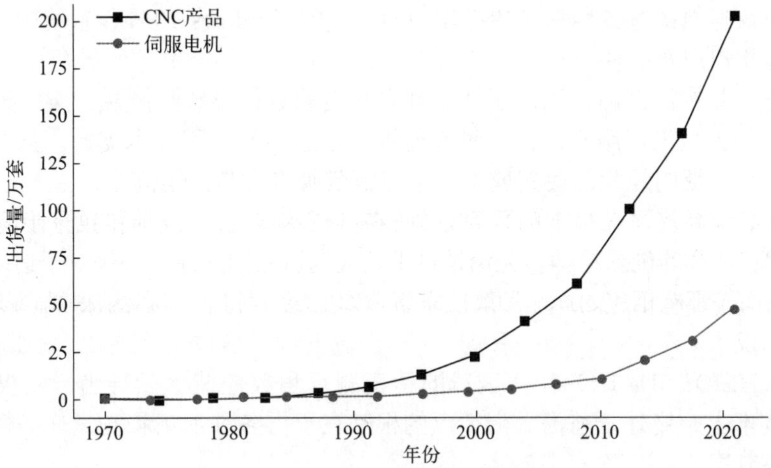

图 2-5-22　发那科数控系统累计出货量

所青睐，这是因为它们每一种都有其独特的设计理念和适用范围，满足了从入门到高端的多种加工需求。

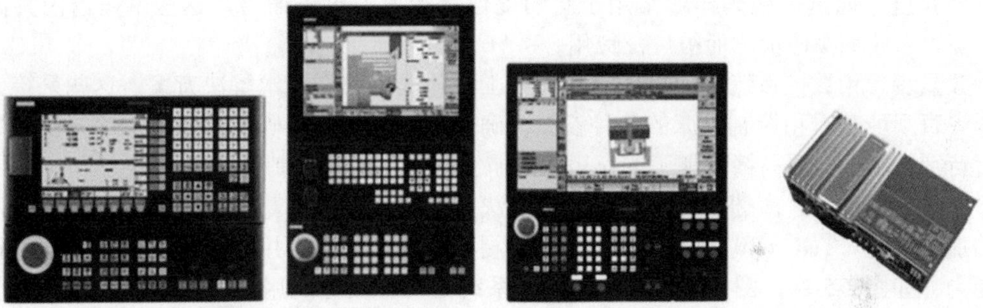

图 2-5-23　西门子 808、828、840 及 MC 数控系统

SINUMERIK 808，作为西门子数控产品线中的一员，它的定位很明确，就是为那些初入数控机床领域的用户提供一个理想的预配置数控系统。这样的设计思路不仅考虑了初学者在操作上的便利性，也在成本和性能之间找到了一个平衡点。适用于普通机床的SINUMERIK 808为那些希望迅速上手并开始生产的入门级操作者提供了极大的帮助。

而SINUMERIK 828则是专为那些常规但稍显复杂的加工任务设计的。它在设计上紧凑而高效，可以轻松适应铣床、磨床等标准机床的工作需求。其独特之处在于，虽然是紧凑型系统，但SINUMERIK 828的可扩展性相当出色，允许用户根据生产需求进行各种定制和调整。

对于那些追求顶级性能和灵活性的用户，SINUMERIK 840则是一个不二之选。它是为模块化机床设计的开放式数控系统，这意味着它可以适应几乎所有的工艺需求，无论是传统加工还是现代高精度加工。SINUMERIK 840的开放性设计让用户可以自由选择和搭配各种模块，以满足特定的加工要求。

SINUMERIK MC与840有相似的开放性设计，但更偏向于为那些需要进行定制化加工的用户服务。这款数控系统拥有一套优化的运动控制方案和高性能的自动化系统，确保机床能够精确、快速地执行各种复杂的操作。而集成的Windows 10操作系统则进一步增强了其智能化程度和用户友好性。

除了上述几款主流产品，西门子还有许多其他的数控系统和解决方案。无论是为中小型制造商还是为大型工厂服务，西门子都能提供合适的产品和技术支持。其在数控系统领域的深厚积累和广泛的经验，使其成为了全球制造业的首选合作伙伴。

西门子在数控系统领域的成就不仅仅体现在其技术实力，更重要的是西门子对于用户需求的深入理解和持续的创新精神。无论是对于初入此道的制造商，还是对于追求顶级性能的高端用户，西门子都有相应的产品和解决方案，确保每一位客户都能获得满意的加工效果。

（3）海德汉

海德汉（HEIDENHAIN）作为全球的精密测量和数控技术领导者，不仅产品范围丰富，而且在技术上始终处于前沿。海德汉的根基在于为各种加工和测量任务提供精确、可靠的技术解决方案。

光栅尺是海德汉的核心产品之一，主要用于精确的长度测量。它们被设计成可以在各种恶劣环境如高温、高湿或尘土环境中提供准确和可靠的读数。这些光栅尺在机床定位、工业自动化以及其他需要精确位置控制的应用中都起到了关键作用。

角度编码器和选择编码器是海德汉的另外两个代表性产品。角度编码器用于测量物体的旋转角度，而选择编码器通常用于将角度位置转换为电子信号。这些编码器因其高精度、高可靠性和高性价比而被广泛应用。

数显装置和数控系统是为机床制造商和工程师提供的高技术解决方案。这些系统允许操作者直观地查看和控制机床的各种参数，确保加工过程的准确性和效率。海德汉的数显装置特别适用于需要高精度加工的应用，如航空、医疗和精密制造业。

对于数控系统，海德汉提供了一系列解决方案，从简单的三轴数控机床到高度复杂的多轴加工中心。TNC 620、640和7系列是公司的旗舰产品，为用户提供了强大的编程和加工能力，如图2-5-24、图2-5-25所示，这些系统都具有友好的用户界面、强大的计算能力和灵活的连接选项，使它们能够轻松地与其他设备和系统集成。

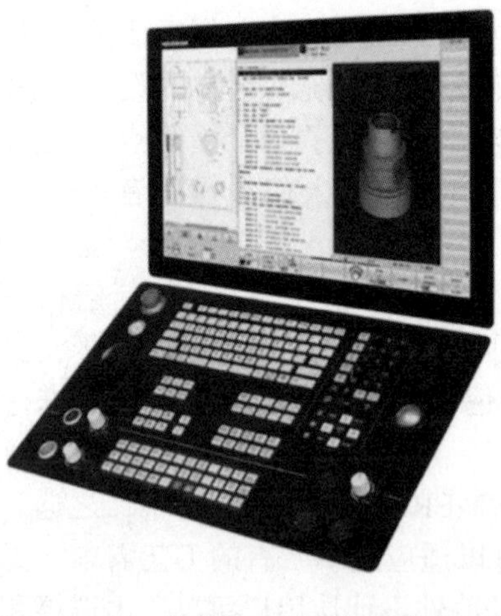

图2-5-24 海德汉TNC 640数控系统

图2-5-25 海德汉TNC 7数控系统

海德汉为全球的制造业提供了无与伦比的技术支持和解决方案，使其在精密测量和数控技术领域始终保持领先地位。

（4）三菱电机

三菱电机（Mitsubishi Electric）是一家享有全球声誉的公司，自成立以来，致力于推动技术进步和提高生活质量。作为其多样化产品和服务的一个核心部分，数控系统已经为许多制造商带来了显著的效益。

三菱电机的数控系统以三大核心理念为指导。首先是加工控制技术，该技术不仅确保了高精度和高效率的生产，还能满足各种复杂的加工需求。无论是简单的加工任务还是复杂的五轴联动加工，三菱的数控系统都能为用户提供无与伦比的性能和可靠性。

其次，三菱电机对于质量和数量的高可靠性给予了高度重视。这意味着不仅每个数控系统的组件都要经过严格的质量检验，而且整体系统在长时间连续运行中都能保持稳定的性能。这种可靠性为全球的制造商提供了持续稳定的生产能力，帮助他们在激烈的市场竞争中脱颖而出。

网络是三菱数控系统的第三大理念。在现代的制造业中，连接性和数据交流变得越来越重要。三菱电机正是捕捉到了这一趋势，其数控系统不仅可以轻松地与其他设备连接，还支持远程监控和诊断，为智能制造提供了强大的基础。

M800/M80/E80系列以及最新的M800V/M80V系列（图2-5-26和图2-5-27）代表了三菱数控技术的前沿。这些系列不仅具有出色的性能和扩展性，而且易于操作，无论是经验丰富的操作者还是新手都可以轻松上手。

三菱电机在多个领域都取得了不俗的成绩。如图2-5-28和图2-5-29所示。

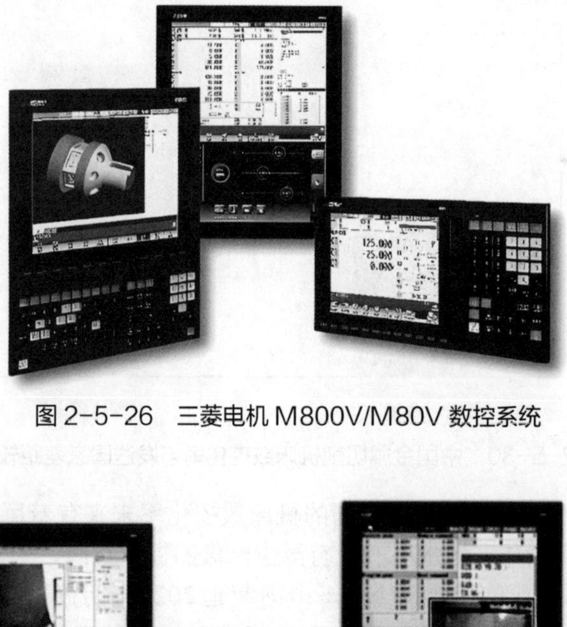

图2-5-26　三菱电机M800V/M80V数控系统

图2-5-27　M800V/M80V系列图像输入界面灵活定制

（数据来源：三菱电机官网，财通证券研究所）

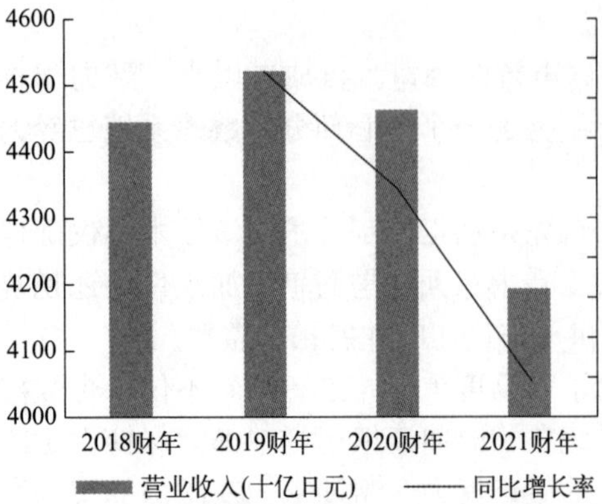

图 2-5-28　三菱电机营收变化

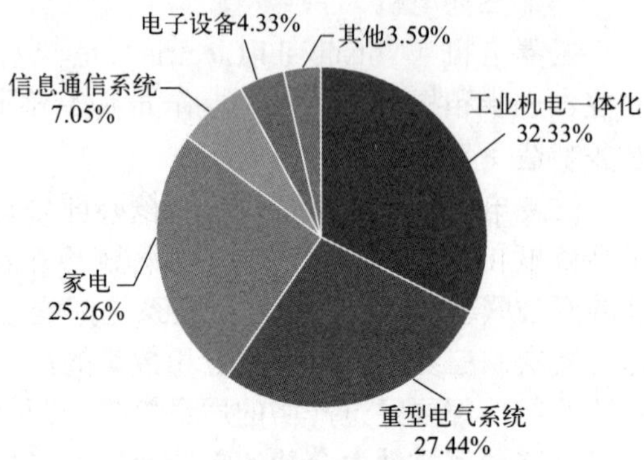

图 2-5-29　2021 财年三菱电机产品营收占比

5.5.3　国内数控系统行业的分析

（1）数控化率提升与机床国产化替代赋予行业成长基础

我国机床数控化率仍处于较低水平，数控系统成长空间巨大。我国的机床数控化率一直是制造业发展的重要议题。尽管近年来有所上升，但与全球发达国家相比仍存在显著的差距。如图2-5-30所示。

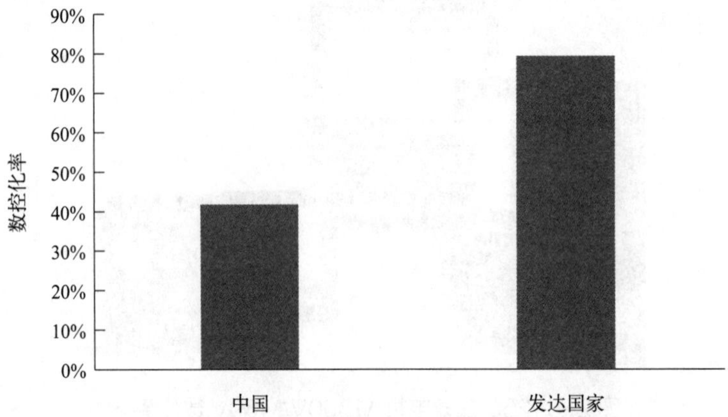

图 2-5-30　中国金属切削机床数控化率与发达国家差距较大

根据这种现状，我们可以预测，我国的机床数控化率未来有着巨大的增长空间。以当前的基数来看，仅达到全球平均水平，就有至少一倍的提升空间。

为了促进我国制造业的转型升级，《中国制造2025》明确提出，到2025年关键工序的数控化率要达到 64%。这意味着，政府将会对机床数控化领域给予大力的支持和推广。

随着智能制造、工业4.0等的推进，数控机床将更好地满足精细、高效、个性化的生产需求。此外，汽车、航空航天、医疗器械等高端制造领域的持续增长，都将进一步拉动数控机床的需求。

要提高数控化率，除了设备升级外，还需要大量的数控操作人员。因此，我国应加强数控技术和操作的培训，促进人才的成长。

(2)下游需求与产业链整合

随着我国经济的增长，下游产业对于高精度、高效率机床的需求也日益增长，而数控机床可以更好地满足这些需求，再加上产业链的进一步整合，有望推动整体数控化率的快速提升。

(3)我国中高端机床领域仍然被外资大量占据

在我国的机床行业，由于各种历史和技术原因，中高端机床领域的市场大部分被外资占据。这种现象不仅反映了技术差距，也展示了产业链上下游的结构问题。以下从多个角度详细分析。

① 历史背景分析：近几十年来，尽管我国的机床产业在数量上取得了飞速的增长，但在技术水平、品牌建设等方面与世界先进国家仍有一定的差距。这主要是因为我国机床产业起步较晚，技术积累和创新能力相对较弱，长期依赖于引进外国技术。

② 机床行业的三大梯队：

第一梯队主要是外资企业，尤其是那些有着深厚技术积累和品牌优势的企业。他们不仅拥有先进的技术和生产设备，而且在全球市场有广泛的客户群和服务网络。

第二梯队是我国的一些优质机床企业。这些企业在国内市场有一定的份额和影响力，但在技术和品牌上与第一梯队还有一定的差距。

第三梯队主要是规模较小、竞争力不足的企业。由于技术和资金的双重限制，这些企业主要依赖价格竞争，产品主要集中在低端市场。

③ 中高端机床的国产化问题：根据前瞻产业研究院的数据，我国低端数控机床的国产化率已达82%，但高端数控机床的国产化率仅为6%（图2-5-31）。这说明，尽管在低端市场上，我国机床企业已经取得了一定的突破，但在高端市场仍面临着巨大的挑战。

④ 进出口数据分析：2022年的数据显示，我国金属切削机床的进口金额高达56.1亿美元（图2-5-32），这表明我国在中高端机床领域仍然对外资有很高的依赖度。这不仅增加了生产成本，还限制了我国机床产业的发展速度和深度。

⑤ 外资企业在国内的布局。除了直接进口机床外，许多外资企业还在我国设立了生产基地或研发中心，充分利用我国的市场规模和劳动力成本优势，加速其在国内市场的布局和扩张。

⑥ 未来的机遇与挑战。尽管目前我国中高端机床仍然依赖于外资，但随着技术的进步和政府的扶持，我国机床产业有望实现技术上的突破和产业升级。特别是在智能制造、工业互联网等领域，我国机床产业有机会迎头赶上，实现从跟跑者到领跑者的转变。

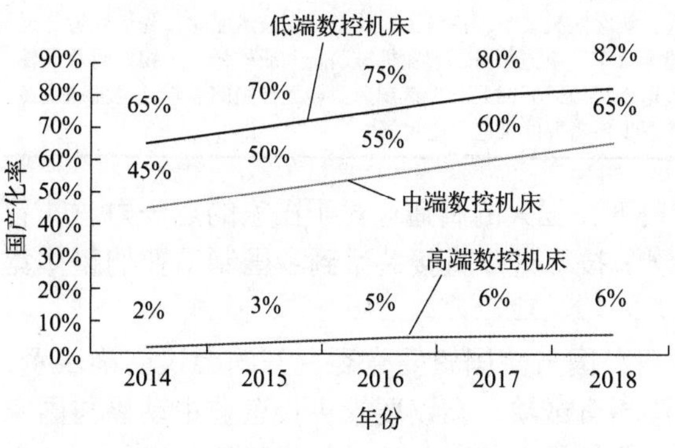

图2-5-31 中国不同数控机床产品国产化率水平

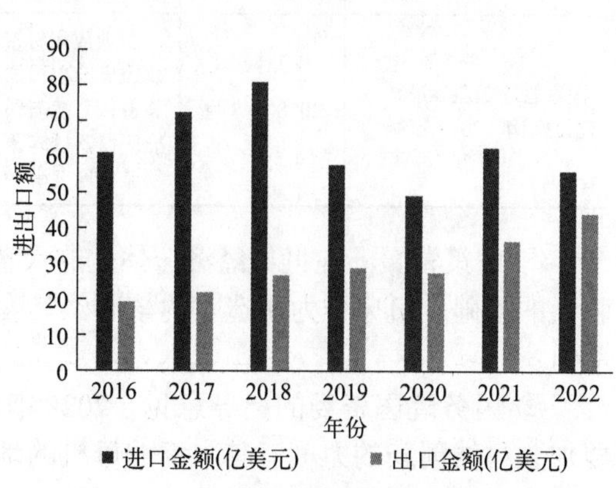

图2-5-32 中国金属切削机床进出口金额

我国机床产业虽然在中高端领域还面临外资的竞争压力，但随着产业的升级和技术的进步，我国机床产业的未来仍然充满了机遇和挑战。

(4)政策持续推动，高端机床持续替代进口

近年来，我国政府对于机床行业的发展给予了高度的关注和支持，政府出台了一系列政策法规（表2-5-4），不仅推动了整个行业的健康成长，而且特别强调了高端机床的研发与创新。

表2-5-4 数控机床行业相关政策文件

政策名称	颁布日期	主要内容
《"十四五"智能制造发展规划》	2021年12月	开展装备联网、关键工序数控化、业务系统云化等改造，推动中小企业工艺流程优化、技术装备升级。依托数字化服务商，提供数字化咨询诊断、智能化改造、上云用云等服务；研发智能立/卧式五轴加工中心、车铣复合加工中心、高精度数控磨床等工作母机，到2025年，规模以上制造业企业基本普及数字化，重点行业骨干企业初步实现智能转型。到2035年，规模以上制造业企业全面普及数字化，骨干企业基本实现智能转型
《国家智能制造标准体系建设指南（2021版）》	2021年11月	到2023年，制订、修订100项以上国家标准、行业标准，不断完善先进适用的智能制造标准体系。到2025年，在数字孪生、数据字典、人机协作、智慧供应链、系统可靠性、网络安全与功能安全等方面形成较为完善的标准簇，逐步构建起适应技术创新趋势、满足产业发展需求、对标国际先进水平的智能制造标准体系
《中华人民共和国国民经济和社会发展第十四个五年规划和2035年远景目标纲要》	2021年3月	进一步推动制造业优化升级，培育先进制造业集群，推动集成电路、航空航天、工程机械、高端数控机床等产业创新发展，同时提出发展壮大新兴产业，构建产业体系新支柱，聚焦新一代信息技术、高端装备、新能源汽车、航空航天等战略性新兴产业，加快关键核心技术创新应用，增强要素保障能力，培育壮大产业发展新动能
《制造业设计能力提升专项行动计划（2019—2022年）》	2019年10月	到2022年，在高端数控机床、工业机器人等行业实现原创设计突破
《产业结构调整指导目录（2019年本）》	2019年10月	将高端数控机床及配套数控系统，五轴及以上联动数控机床，数控系统，高精密、高性能的切削刀具、量具量仪和磨料磨具等产品列为鼓励发展项目
《关于印发制造业设计能力提升专项行动计划（2019—2022年）的通知》	2019年10月	总体目标在高端数控机床、工业机器人、汽车、电力装备、石化装备、重型机械等行业，以及节能环保、人工智能等领域实现原创设计突破
《战略性新兴产业分类（2018）》	2018年11月	智能测控装备制造、金属切削机床制造、机床功能部件及附件制造电主轴、机械主轴数控动力刀架数控铣头数控转台、其他金属加工机械制造机床现场总线控制系统、机床可编程控制系统、机床数位伺服控制系统等被列为战略新兴产业
《国家智能制造标准体系建设指南（2018年版）》	2018年8月	行业应用标准依据基础共性标准和关键技术标准，围绕新一代信息技术、高端数控机床和机器人、航空航天装备、海洋工程装备及高技术船舶、先进轨道交通装备、节能与新能源汽车、电力装备、农业机械装备、新材料、生物医药及高性能医疗器械等十大重点领域，同时兼顾传统制造业转型升级的需求，优先在重点领域实现突破，并逐步覆盖智能制造全应用领域

① 政策背景。在世界经济一体化的大背景下，强大的制造业对于国家的竞争力意味着强大的基础。机床作为制造业的核心，其发展与技术进步直接关系到我国制造业的整体竞争力。

② 国务院国资委的指导意见。2021年8月，国务院国资委党委召开的会议明确表示，要加强科技创新的力度，其中工业母机的地位不可或缺。会议要求中央企业主动参与国家基础研究和应用基础研究创新体系，并突出工业母机、高端芯片、新材料等关键核心技术

的研发工作，从而确保我国在这些领域的技术领先地位。

③《“十四五”智能制造发展规划》的指导。2021年12月发布的《“十四五”智能制造发展规划》进一步明确了智能制造的目标和方向。规划明确提出，到2025年，我国智能制造装备的市场满足率要超过70%。这意味着，我国将加大力度推进智能立/卧式五轴加工中心、车铣复合加工中心、高精度数控磨床等高端机床的研发工作。

④ 政策的深远影响。这些政策法规的出台，对于机床行业的发展无疑是一个强大的推动力。它不仅为企业提供了明确的发展方向和目标，而且鼓励企业加大研发投入，不断创新技术，提高产品的技术含量和附加值。

⑤ 技术创新与人才培养。要实现高端机床的研发与创新，技术创新和人才培养是两个核心要素。我国政府同时也加大了对于技术人才的培养力度，鼓励高校和研究机构与企业深度合作，培养更多的高技能、高水平的技术研发人才。

⑥ 国际合作与竞争。在全球化的背景下，国际合作和竞争同时存在。我国政府鼓励机床企业与国外的技术合作伙伴建立长期的合作关系，共同推进技术的交流与合作，提高我国机床行业的国际竞争力。

未来几年，我国机床行业将在政府的政策指导和支持下，迎来更为广阔的发展空间。政府的明确指导和强大的支持，将使我国机床行业在国际舞台上取得更为突出的成绩，为我国制造业的持续发展提供政策支持。

（5）数控系统国产化替代加速

对于制造业来说，一个优质的数控系统不仅意味着生产效率的提高，还意味着生产质量和稳定性的保障。因此，机床用户在选择数控系统时，往往会非常谨慎，甚至有一定的品牌偏好。

① 中高端机床的数控系统选择。由于我国数控技术起步较晚，许多中高端机床倾向于使用国外知名品牌的数控系统。这一方面是因为外国品牌在技术上有一定的优势，另一方面也是因为用户的使用习惯。长时间以来，外国品牌在用户心中建立了良好的形象，使得很多客户在选择时更倾向于选择已经认可的外国品牌。

② 国内数控系统的崛起。随着我国科技发展，国内数控系统技术也得到了快速进步。一些公司已经开始在自家的机床上使用国内数控系统。同时，也有很多机床制造企业开始与国内领先的数控系统研发企业合作，共同开发更加适应国内市场需求的数控产品。

③ 政策支持与市场机遇。随着《中国制造2025》等政策的出台，国家对于高端制造业，尤其是高端机床的研发和生产给予了大量的支持。这为国内数控系统提供了巨大的市场机会，同时也鼓励了国内企业加大研发投入，不断提高数控技术的核心竞争力。

④ 技术进步与市场接受度。随着技术的进步，国内数控系统在功能、稳定性、易用性等方面已经与国外知名品牌逐渐接轨。这使得国内用户对国产数控系统的接受度逐渐提高。在成本、服务和技术支持方面，国产数控系统更具有优势，这使得更多的机床制造商和用户开始转向国产数控系统。

⑤ 未来展望。随着我国制造业的转型升级，对于高精度、高稳定性的数控机床需求持续增长。这为国内数控系统提供了巨大的市场空间。预计在未来几年内，随着国内机床国产化的深入推进，国产数控系统的市场份额将持续上升。

数控系统作为数控机床的心脏，其技术和品质直接影响机床的功能和性能。尽管目前中高端机床仍有较大的外资品牌依赖度，但随着我国数控技术的持续进步和市场的开放，国产数控系统的市场前景十分广阔。

5.5.4 数控系统发展的新动力

（1）通用设备行业景气度有望恢复，机床上行周期将延续

数控行业的起伏，既与国内外宏观经济有关，又与行业内部技术创新、市场需求等多种因素紧密相关。

① 行业周期性。机床行业具有显著的周期性特征，通常每个周期在6～12年。这与全球制造业的需求变化、技术升级换代等因素有关。2011年以前，行业上行期较长，这是因为在此期间，全球经济保持增长，各国制造业都在扩张，对机床设备的需求强劲。

② 下行趋势的原因。从2012年到2019年，国内机床行业呈现下滑趋势。这与全球经济增速放缓、国内制造业转型升级以及国外先进技术设备进入中国市场竞争等因素有关。

③ 贷款增长与行业恢复。如图2-5-33所示，2022年8月份，国内企业端中长期贷款恢复增长，这表示实体经济和制造业投资有望恢复。2023年1月，这一增长趋势更为明显。企业贷款增长，意味着企业对未来市场有信心，对扩大生产有需求，从而驱动机床行业的需求。

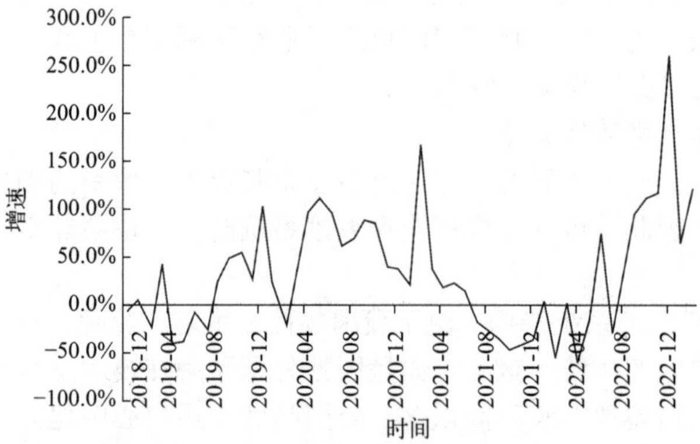

图2-5-33 企（事）业单位中长期新增人民币贷款同比增速

④ 机床行业的未来。我们认为，机床行业的上行周期并未结束。不利影响逐渐消除后，行业上行周期有望继续。由于国内制造业的升级需求，对高端、精密、智能机床的需求将持续增长。

⑤ 技术创新与竞争。未来，机床行业将面临更加激烈的竞争，特别是与国外先进设备的竞争。但这也意味着，只要国内机床企业加大技术研发，完善服务，不断创新，就有可能占据更大的市场份额。

机床行业作为制造业的基础，其发展趋势与全球经济、国内制造业、技术创新等多方面因素紧密相关。未来几年，伴随着国内外经济的复苏，特别是国内制造业的转型升级，机床行业有望迎来新的增长机会。

（2）机床出口需求增长，数控系统有望走出国门

以俄罗斯为例。俄罗斯拥有丰富的矿产资源和工业基础，其经济依赖于出口。2020年和2021年，其外贸额中欧盟的份额均超过了三分之一，这显示了欧盟在俄罗斯外贸中的重要地位。但是，随着冲突的发生和欧盟对其实施制裁，这种经济联系遭到了严重冲击。

俄罗斯机床市场以进口为主，其中德国和中国是最大的两个供应国，如表2-5-5所示。此前，由于欧洲的高质量和先进技术，德国机床在俄罗斯市场上占据了优势。但在欧盟的连续制裁中，这一优势逐渐受到挑战。而对于中国来说，这无疑是一个巨大的机会。

表 2-5-5 俄罗斯机床主要进口来源

排名	国家和地区	2016 年进口数额 / 百万美元	2017 年进口数额 / 百万美元	占比（2017 年）
1	德国	209.956	284.631	20.94%
2	中国大陆	112.509	189.523	13.94%
3	意大利	82.232	154.242	11.35%
4	中国台湾	96.583	133.571	9.83%
5	日本	83.71	74.335	5.47%
6	韩国	56.13	64.594	4.75%
7	瑞士	6.4	62.878	4.63%
8	美国	32.304	56.645	4.17%
9	捷克	44.97	46.462	3.42%
10	西班牙	22.31	29.548	2.17%

根据统计数据，2022 年我国机床工具的出口总额达到了 209.5 亿美元，同比增长达到了9.0%。这一数据的增长，很大程度上得益于欧盟对俄制裁后的订单转移。特别是在高端金切机床和数控装置领域，出口增速超过了 20%。

随着技术的持续进步和经验的积累，中国机床产业在技术、品质、价格和服务等方面都有了显著的提升。与欧洲品牌相比，中国品牌更具有价格优势。同时，由于欧盟制裁的影响，中国机床在俄罗斯市场上的竞争力得到了进一步增强。

对于中国机床产业来说，维护和进一步扩大在俄罗斯市场的份额，将是一项重要任务。同时，随着数控系统技术的持续发展，中国数控系统有望在更多国家和地区得到应用，真正实现“走出国门”，中国机床产业有望在全球市场上获得更大的成功。

（3）新兴行业发展迅速，行业迸发新动力

随着科技的不断进步，新能源、半导体、5G 等行业已经成为全球发展的新引擎，特别是在中国。这些行业的崛起不仅推动了技术创新，也为相关的制造业，尤其是机床产业，提供了巨大的市场机会。

① 新能源行业的影响。随着环保政策的加强和技术进步，新能源行业正在经历一个黄金发展期。新能源汽车产业，尤其是电动汽车产业，正在快速扩张。这为机床产业提供了巨大的机会。从汽车结构部件、一体化压铸汽车零部件，到电池外壳的精密加工，都需要高质量的机床进行生产。纽威数控、创世纪、国盛智科等企业，凭借其先进的技术和市场优势，有望在此领域获得更多市场份额。

② 风电行业的崛起。风电作为新能源的重要组成部分，其对机床的需求也在迅速增长，尤其是大型零部件、箱体类产品等，对于重型机床的需求巨大。龙门加工中心、铣镗床等机床产品，因其出色的加工能力和精度，成为了风电行业的首选。

③ 5G 与半导体行业的崛起。5G 技术的应用，为通信、医疗、娱乐、工业等各个领域带来了革命性的变化。5G 基站的建设和设备的生产，对于机床的需求尤为明显。散热

器壳体、滤波器等部件的生产，需要使用高精度、高效率的机床进行加工。半导体行业同样如此，随着集成电路技术的不断进步，对于机床的精度要求也越来越高。

④ 国产数控系统的机会。新兴行业通常有更多的定制化需求，而国产数控系统在本地化服务、技术支持、价格等方面具有明显优势。随着产业链的完善，国产数控系统有望在更多应用场景中得到广泛应用，从而实现更快的增长。

⑤ 行业合作与交流。为了更好地满足新兴行业的需求，机床企业和新能源、半导体、5G 等行业的企业应加强合作和交流。通过共同研发、技术创新、产学研合作等方式，推动机床技术和应用的进步。

新兴行业的发展，为机床产业提供了巨大的机会。而机床产业的进步，也为新兴行业的发展提供了坚实的技术支撑。只有双方紧密合作，共同发展，才能实现真正的互利共赢。

5.5.5 国内代表企业

国内机床数控系统产业中，上市公司和非上市公司共同构建了一个多元化和竞争的格局。其中，华中数控、科德数控、埃斯顿、秦川机床、禾川科技等都是在资本市场中具有一定影响力的公司，在数控机床领域拥有长久的历史和深厚的积累。

华中数控作为国内颇具声誉的数控机床上市公司，它的特色是金属切削机床数控系统，而且华中数控是国内少数几家专门做第三方专业数控机床的上市公司，这使得华中数控在整个产业链中的位置特殊，与其他侧重自用的数控公司相比，它更多地服务于外部客户，为整个行业提供更广阔的选择和专业的解决方案。

科德数控和秦川机床，这两家公司都强调金属切削机床数控系统，而且主要以自用为主，这使得其在自主研发、生产和应用上都有了足够的实践和经验，从而为自身的产品和技术提供了更为坚实的基础。

埃斯顿虽然在此列中，但其与华中数控、科德数控等的侧重点有所不同，这也为市场带来了更为多元的选择。禾川科技的数控机床技术也不容小觑，它在金属切削机床数控系统方面有着深厚的积累。

除了上述的上市公司外，非上市的数控系统企业也在国内市场上起到了不可或缺的作用。广州数控、北京精雕、凯迪恩数控等都是其中的佼佼者。尤其是广州数控，它在车床领域已经取得了很大的市场份额，这也从侧面反映出其在技术和服务上的优势。而北京精雕则主要以自用为主，这也意味着它对自家产品有着极高的信心和质量要求。

5.5.5.1 华中数控

武汉华中数控股份有限公司，是国内领先的中高端数控系统的研发和产业化中心，同时也是国内数控系统行业中的佼佼者，更是首家在资本市场亮相的数控公司。此公司以其独特的“一核三军”战略持续引领行业的进步与革新，确立了其在国内数控领域的领先地位。

核心“一核”即是华中数控公司的数控系统技术。华中数控在数控领域的技术积淀丰厚，是国内该领域的技术领先者，始终保持技术与市场的同步发展。该公司通过持续的技术研发，不仅保障了数控系统的稳定与高效，而且还不断地为客户提供新的技术解决方案，帮助其应对不断变化的市场需求。

“三军”是华中数控公司综合其核心技术，延展至其他三大业务领域。首先，该公司以其数控系统为基石，向国内机床行业提供了大量的数控系统产品（图2-5-34），帮助国内机床企业快速实现了技术升级，提高了整个行业的技术水平。在数控系统市场逐渐饱和后，华中数控并没有止步，而是不断寻求更广阔的市场。

其次，工业机器人及智能产线领域。得益于数控系统的核心技术，公司在工业机器人领域实现了技术与应用的深度融合，成为了国内知名的工业机器人制造商，为众多行业提供了高效、精准、智能的自动化解决方案。华中数控工业机器人产品见图2-5-35。

图2-5-34　华中数控数控系统产品

图2-5-35　华中数控工业机器人产品

最后，新能源汽车配套领域。随着社会对于环保和节能的日益重视，新能源汽车成为了一个巨大的市场。华中数控抓住了这一历史性机遇，利用其在数控系统上的技术优势，成功地将数控系统核心技术应用于新能源汽车行业，为新能源汽车制造提供了强大的技术支持。

该公司的“一核三军”战略（图2-5-36）不仅体现了华中数控对于市场趋势的敏锐洞察，更展示了其在技术创新和市场拓展上的决心与魄力。未来，华中数控有信心依托其深厚的技术积累和市场经验，持续引领行业的进步，为国内外客户提供更为先进、高效的数控解决方案。

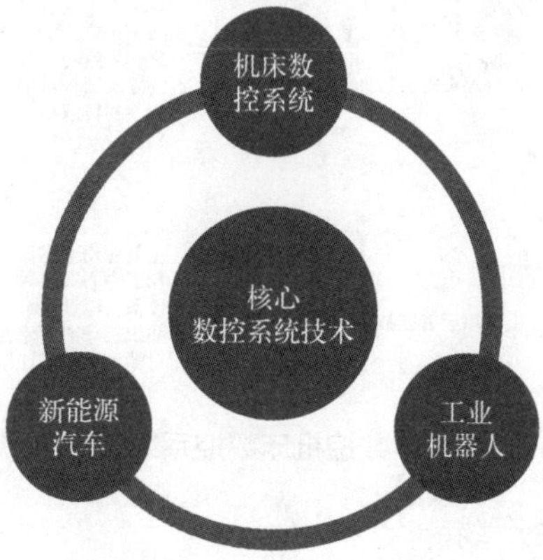

图2-5-36　华中数控“一核三军”战略

（1）机床数控系统

机床数控系统，作为现代制造业中不可或缺的核心技术组件，在确保制造过程精准、高效和智能化中起到了至关重要的作用。武汉华中数控股份有限公司凭借其深厚的技术积累和丰富的市场经验，为广大的数控机床制造商及最终用户提供了一流的数控系统配套和服务。

该公司的业务不仅覆盖了航空航天、汽车、3C、木工和磨床等重点行业，更为各类数控机床、专用机床、高速钻攻中心、加工中心、五轴机床等高端机型提供了华中 8 型高端数控系统。这种高端数控系统以其卓越的性能和稳定性，确保了用户在各种复杂的制造场景中都能获得优异的加工效果。

除此之外，针对普及型的数控车床和数控铣床，该公司提供了一系列经济而高效的数控系统、伺服驱动以及伺服电机，满足了中小型制造企业的日常生产需求，使其能够以较低的成本享受到数控技术带来的便利和效益。

值得一提的是，2019年，该公司推出了前沿的9型智能数控系统。这一产品不仅是基于先进的AI技术，更加入了许多创新的功能，例如机床指令域大数据汇聚访问接口、机床全生命周期的“数字孪生”数据管理接口以及大数据智能的算法库。这些功能使得9型智能数控系统不仅可以实现传统的机床控制，还能为用户提供大量的数据支持和智能分析，极大地提高了生产的智能化水平。

9型智能数控系统的推出，无疑将华中数控推到了国内数控领域的前沿位置。通过机床指令域大数据汇聚访问接口，用户可以方便地获取各类机床的运行数据和状态信息，实时了解生产过程中的各种情况，从而做出快速而准确的决策。而“数字孪生”的数据管理接口，更是为用户提供了一个完整的机床生命周期数据管理方案，使得从产品设计、制造、使用到维护的每一个环节都能得到数据的支持和指导。最后，加入的大数据智能算法库，则为用户提供了一系列的智能分析和优化工具，使得生产过程不仅可以实现自动化，更可以实现智能化，大大提高了生产效率和产品质量。

华中数控机床数控系统相关产品及应用见图2-5-37。

产品	华中8型数控系统	华中9型智能数控系统	HSV系列伺服驱动	ST/GK系列伺服电机

特点	高速、高精度控制技术、多轴联动、多通道控制技术、平台化技术、智能化控制技术	新一代基于AI技术的智能数控系统，提供了机床指令域大数据汇聚访问接口、机床全生命周期“数字孪生”的数据管理接口和大数据智能的算法库	具有高速工业以太网总线接口，采用具有自主知识产权的NCUC总线协议；具有高分辨率绝对式编码器接口，位置反馈分辨率最高达到23位。支持双编码器接口，可以实现全闭环控制	电机采用高分辨率编码器，低转矩波动、高安装精度；完美的最大转矩与惯量比，可达到最高转速；高防护等级IP65，三倍过载能力、高精度、高动态、可靠耐用、免维护
应用	数控车、铣、车削中心、立式卧式加工中心、车铣复合、五轴龙门机床等大型、重型、高速、精密数控机床以及各种专用加工设备	主要用于智能数控机床的控制	主要应用于车床、铣床、加工中心等各种机床加工设备，以及造纸、包装、纺织、印刷等主要应用于对精度和响应比较敏感的高性能数控领域	主要应用于机械、纺织、印刷、包装及自动化等各种行业，是数控系统和自动控制装置执行元件的首选产品

图 2-5-37　华中数控机床数控系统相关产品及应用

（2）工业机器人及智能生产线

作为现代制造业中的关键技术，工业机器人正在逐渐改变传统的制造方式，提高生产效率和质量。武汉华中数控股份有限公司，为国内外的制造商和教育机构提供了一系列高效、先进的机器人及智能解决方案。

多关节工业机器人，是该公司产品线中的明星产品。这种机器人通过模拟人体关节的结构和动作，能够完成各种复杂、精细的任务，比如精密焊接、装配、搬运等。该公司提供的机器人核心零部件控制器，具有高度的智能化和灵活性，能够根据不同的工作环境和任务需求进行快速、准确的调整。

在消费电子和家电领域，机器人已经成为制造过程中不可或缺的工具。武汉华中数控不仅为这些行业的制造商提供了高性能的机器人，还为教育院校提供了一系列教育用机器人，帮助学生更好地了解和学习机器人技术。

而在新能源、厨具和制鞋等领域，该公司提供的智能产线方案，为客户带来了更高的生产效率、更好的产品质量和更低的生产成本。这些智能产线采用了最先进的机器人、传感器、控制器等技术，能够实现全自动的生产流程，从原料处理、加工、装配到检测、包装，都能够实现无人化、智能化的操作。

截至2020年，华中数控已经推出了六大系列的工业机器人产品，包括双旋、垂直多关节、水平多关节、SCARA、Delta、特殊系列等。每一系列都有其独特的应用领域和优势，能够满足不同行业和任务的需求，如图2-5-38所示。例如，双旋系列适用于需要快速、灵活搬运的任务；垂直多关节系列适用于需要上下、左右、前后多方向操作的任务；水平多关节系列适用于需要在一个平面上进行操作的任务；而SCARA、Delta和特殊系列则适用于更为特定、复杂的应用场景。

除了提供机器人整机产品，华中数控公司还提供了一系列与机器人相关的配套产品和服务，如机器人培训、系统集成、技术支持等，确保客户能够充分利用机器人的性能，实现最佳的生产效果。

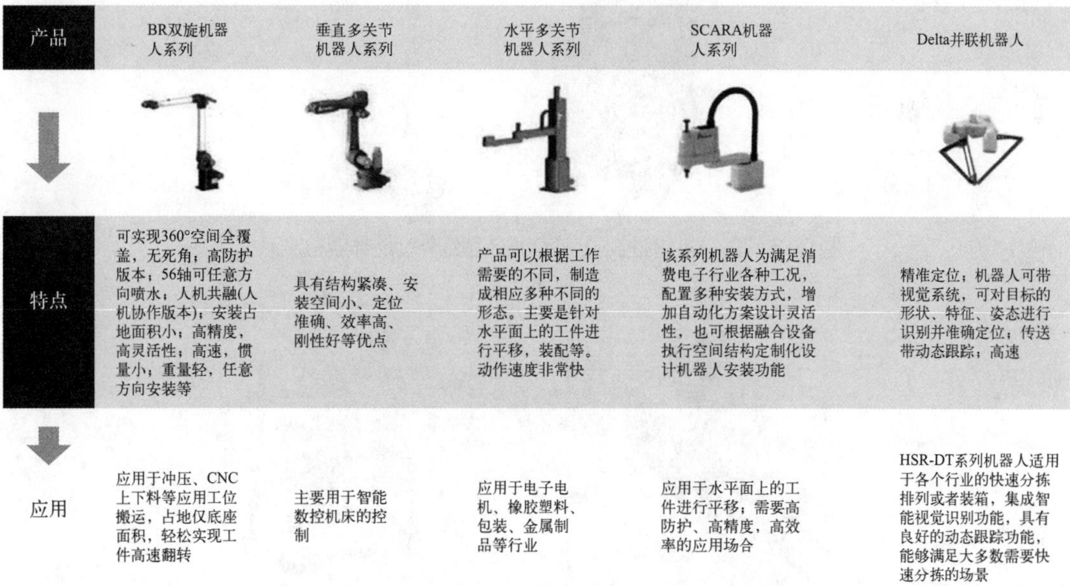

图2-5-38　华中数控工业机器人相关产品及应用

(3) 新能源汽车配套及特种装备

新能源汽车，作为现代社会的一个重要发展方向，正在逐渐取代传统的燃油汽车，成为交通运输的主流选择。武汉华中数控股份有限公司紧跟时代的步伐，投入大量资源于新能源汽车的技术研发和应用推广。

汽车电动化、轻量化和智能化是当前汽车工业的三大发展趋势。电动化意味着传统的内燃机被电驱动系统取代，从而实现零排放，更加环保；轻量化则是通过采用先进的材料和工艺，减小车辆的重量，提高燃料效率；智能化则是通过集成先进的传感器、控制器和软件，使汽车更加智能、安全和舒适。

针对这些发展趋势，武汉华中数控股份有限公司开展了一系列技术研究和应用推广。在电动化方面，其研发了新能源汽车伺服电机、伺服驱动器和控制器等核心部件，这些部件是电动汽车驱动系统的关键组成部分，决定了车辆的动力性能和驾驶体验。在轻量化方面，其采用先进的材料和工艺，研制出轻量化车身，旨在提高汽车的燃料效率，延长电池的续航里程。在智能化方面，其研发了一系列新能源汽车智能化产品，如智能驾驶辅助系统、自动泊车系统、远程控制系统等，使驾驶更加便捷、安全。

除了新能源汽车配套业务，武汉华中数控股份有限公司还涉足了特种业务，主要包括红外热成像智能人体测温系统和国防相关产品。2020年，该公司研发了红外热成像智能人体测温系统，可以快速、准确地测量人体的体温，对于发热者进行及时的隔离和治疗。图2-5-39所示为华中数控HY-2005B型红外智能体温检测系统。图2-5-40所示为华中数控HNC-KZJ175A高速智能平面口罩机。

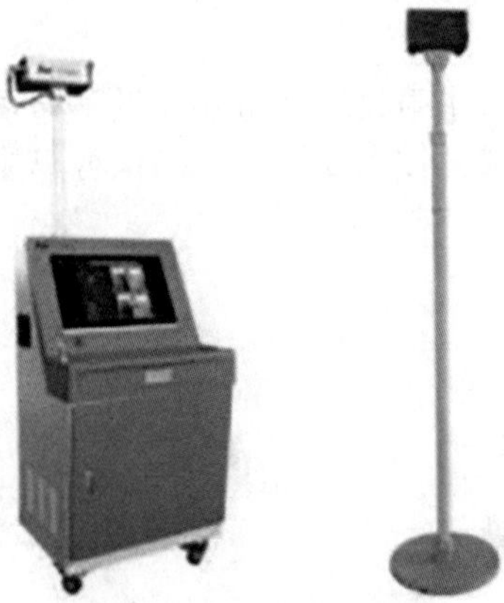

图2-5-39　华中数控HY-2005B型红外智能体温检测系统

图2-5-40　华中数控HNC-KZJ175A高速智能平面口罩机

在国防相关产品方面，武汉华中数控股份有限公司利用其在数控技术、机械制造等领域的深厚积累，为国家的国防事业提供了一系列高质量的产品和服务。这些产品不仅为我国的国防事业增添了强大的实力，而且也为公司的业务发展开辟了新的机会。

5.5.5.2 科德数控

科德数控股份有限公司，简称“科德数控”，是国内在数控领域具有领导地位的企业，专注于高端数控系统、关键功能部件以及高端数控机床的制造与研发。其产品的特点和优势在于精准、高效和持久稳定的性能。

科德数控的主营业务囊括了多个领域，但高端数控机床始终是核心，如图2-5-41所示。这一部分业务长期稳定，为科德数控贡献了90%以上的收入，而相比之下，数控系统的收入占比虽然只有1%～2%，但这并不意味着它的重要性较低。事实上，随着技术的进步和市场需求的变化，数控系统正在逐渐获得市场的关注。

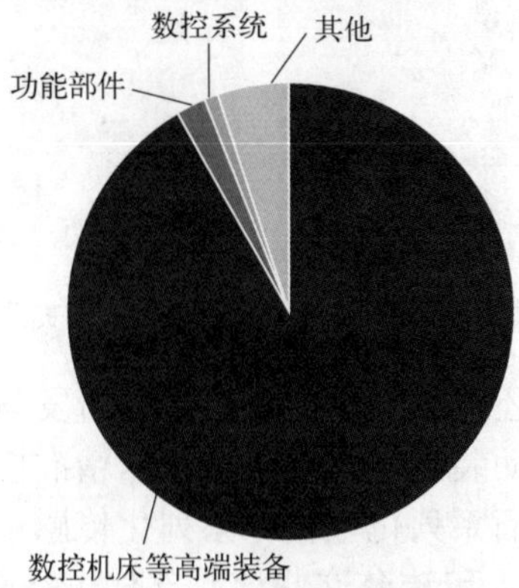

图2-5-41　科德数控收入结构

科德数控的成功，一方面归因于其对技术和品质的追求。该公司在研发上投入了大量资源，不断地更新技术和设备，确保每一个从生产线上下来的产品都能满足或超越客户的期望。此外，该公司还与多家研究机构和高等教育机构建立了合作关系，共同开展技术研究和人才培养。

另一方面，科德数控在市场定位上也做得相当成功。高端数控机床市场是一个高门槛、高回报的领域，科德数控凭借其专业知识和技术实力，在这一领域中站稳了脚跟。同时，科德数控也非常注重与客户的关系管理，提供全方位的售后服务，确保每一位客户都能得到满意的使用体验。

尽管科德数控的数控系统业务目前在整体收入中所占比例较小，但这一领域具有巨大的潜力和前景。随着制造业的进一步智能化和自动化，数控系统的需求将持续增加。科德数控已经认识到了这一趋势，并在研发和市场推广上作出了相应的布局。

科德数控作为国内专业化高端数控系统和高端数控机床的制造商，未来前景广阔。

科德数控在数控机床产品方面展现了深厚的技术积累和研发能力，其产品线涵盖了从通用加工中心到专用机床的各个领域，彰显了其在数控技术应用方面的全方位实力。

首先，科德数控的机床产品系列丰富多样，满足了各种加工需求。其中，五轴立式（含车铣）、五轴卧式（含车铣）、五轴龙门和五轴卧式铣车复合是四大主要的通用加工中心，这些加工中心具备高度的自动化与精密度，适应现代制造业对于高效、精准生产的需求。此外，五轴工具磨削与五轴叶片机则是科德数控专门为特定加工需求推出的专用机床系列。这些专用机床专为某一类零件的加工设计，展现了科德数控在解决特定制造难题方面的能力。科德数控机床数控系统相关产品及应用见图2-5-42。

五轴立式加工中心	五轴卧式加工中心	五轴卧式铣车复合加工中心	五轴龙门加工中心	五轴叶片铣削加工中心	五轴工具磨削加工中心
(1) KMC系列： 适用于航空航天叶轮、叶片、机匣、飞机结构件的加工；汽车发动机壳体、变速箱壳体、发动机缸体缸盖、轮毂等零件的加工；能源领域结构件的加工；船舶部件的加工等诸多领域 (2) 德创VMC系列： 适用于复杂、工序多、精度要求高、需要多种普通机床多次装夹完成加工的具有适当批量的零件，应用于精密磨具、汽车、船舶等领域	(1) KHMC系列： 适用于航天航空领域大型叶轮、大型机匣、大型整体叶盘的加工 (2) 德创KMC系列： 适用于进行复杂箱体类活曲面零件的加工，应用于航天、军工、IT产业、精密仪器模具制造等行业机械加工 (3) KFMC翻板铣系列： 适用于航空领域，应用于航空结构件的高速高效加工，飞机翼板、翼肋、型框等典型零件的加工	(1) KDW系列： 适用于长轴类、盘类、套筒类等回转体类复杂结构零件铣车复合加工。飞机起落架加工 (2) KTX系列： 用于油气、工程机械、能源、航空航天、塑料机械、液压等长轴类零件加工	(1) KGHM系列： 适用于航空航天结构件、汽车模具、钛合金、铝合金、黑色金属加工 (2) 德创G 35： 适用于中等尺寸、中等重量的各种基础大件、板件、盘类件、壳体件、模具等多品种零件的加工	KTurboM3000： 适用于电力、航空航天、船舶、军工等行业；适用于粗、精加工复杂型面，如飞机机翼骨架等典型工件	KToolG系列： 适用于刀具、航空航天、模具行业等复杂刀具的加工、修整

图 2-5-42　科德数控机床数控系统相关产品及应用

除了机床产品，科德数控还注重关键功能部件的研发与生产，这些部件是机床高效稳定运行的关键。例如，伺服驱动装置是实现数控机床精准控制的重要组成部分，它直接影响机床的运动精度和稳定性。而系列化电机、系列化传感产品则是为机床提供动力和感知环境的关键元件。电主轴、铣头和转台这些核心部件更是影响机床加工效果的重要部分，它们在机床中起到了至关重要的作用。

另外，科德数控在数控系统方面也有所突破，特别是五轴联动数控系统。五轴数控系统相比于传统的三轴、四轴系统来说，具有更高的灵活性和加工能力，能够实现更为复杂的加工任务，如复杂曲面、异形零件的精密加工。科德数控在这方面的投入和研发，反映了该公司对于技术前沿的追求和对市场需求的敏锐洞察。

科德数控股份有限公司已经在数控机床和数控系统领域确立了自己的领导地位，与此同时，其盈利能力也十分显著。近些年来，科德数控保持着迅猛的增长势头。

首先，科德数控的数控机床和数控系统业务的毛利率均远高于行业的平均水平。这一显著的差距主要归因于科德数控专注于五轴联动机床及系统的研发和生产，这些产品在机床行业中属于高端领域。与传统的三轴机床相比，五轴联动机床提供了更多的加工方向和角度，能够完成更为复杂的加工任务，因此其市场价格相对较高，这也为科德数控带来了更大的盈利空间。

其次，五轴联动机床及系统的技术门槛相对较高，不是所有公司都能够进入这个领域。科德数控凭借其技术实力和研发团队的持续创新，成功地在这个高端领域占据了一席之地。这也意味着该公司在市场上的竞争对手较少，可以更容易地维持其高利润率。

再者，科德数控的强大盈利能力也归因于其对市场趋势的敏感度以及对客户需求的深入了解。通过对市场的持续研究，科德数控能够及时地调整产品策略，推出更符合市场需求的新产品。同时，通过与客户的深入沟通，能够了解到客户的实际需求，从而为客户提供更为精准的解决方案，这也为该公司赢得了大量的忠实客户。

值得注意的是，尽管机床行业的景气度受到经济周期的影响，但科德数控却始终能够保持稳健的增长（图2-5-43）。这一点再次证明了科德数控强大的市场竞争力和对市场趋势的准确判断。无论经济状况如何，高质量和高性价比的产品始终能够获得市场的青睐。

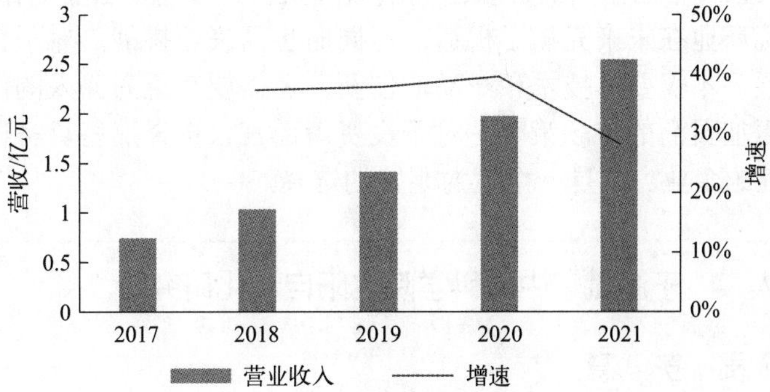

图 2-5-43 科德数控营收变化

5.6 总结

在全球化的时代，机械制造业，尤其是机床产业，日益显现出其核心地位。国内机床数控化率的持续提升不仅是中国制造业技术进步的标志，也预示着中国机床产业在全球产业链中的地位不断上升。

（1）国内机床数控化率的持续提升背后的驱动力

随着工业4.0、智能制造等概念的提出，传统的机床已经很难满足现代制造业的高效、精确和个性化要求。数控机床以其高度的自动化、高精密度和灵活性，在各种复杂的制造环境中都展现出了无可替代的优势。这是数控机床市场需求持续增长的核心驱动力。

此外，随着国家对高技术产业的持续扶持，中高端数控系统逐渐成为国家重点关注和支持的方向。政府鼓励企业加大研发力度，积极参与国际竞争，争取在中高端数控系统领域取得更多的市场份额。

（2）市场的机遇

对于具备核心竞争力的国内数控系统制造商而言，未来将面临一个充满机遇的发展环境。其中，华中数控、科德数控和埃斯顿等公司，凭借其在数控系统技术上的积累和优势，有望在未来的竞争中占据有利地位。

同时，随着国家政策对中高端制造业的持续扶持，国内数控系统制造商也将享受到更多的政策红利，包括税收减免、研发补贴等。这些都为数控系统制造商提供了强大的市场支持，有助于其更快地成长和发展。

（3）市场的挑战

然而，机遇与挑战并存。下游的汽车、船舶、航空航天、国防军工等领域与宏观经济周期的关联度较高，宏观经济的任何调整和波动都可能对数控机床产业带来较大的影响。特别是在全球经济不确定性增加的背景下，如何稳定经营、降低风险，成为各大数控机床制造商面临的重要课题。

此外，数控系统行业的竞争也日益加剧，不仅有国内的同行竞争，还有来自国外的强大竞争对手。价格战的发生，可能会对企业的盈利能力造成损害，非理性竞争也可能加大企业的经营风险。

而国产替代进程的不及预期，也是制约国内数控系统产业发展的重要因素。高端数控系统的国产化难度大，与国外的技术差距仍然存在。尤其是当部分国外高端数控系统功能不能完全开放或禁止对中国出口时，我国高端数控机床产业可能会受到限制。

国内数控系统产业在未来充满了机遇，但同时也面临着挑战。对于企业而言，要在这种环境中稳定发展，不仅要靠技术和产品的创新，还需要有更为深入的市场洞察、更加明确的战略定位和更加灵活的市场策略。对于投资者而言，选择那些具备核心技术、市场定位明确、经营稳健的企业，将是一个更为明智的选择。

本章负责人　　**于海斌　中国科学院沈阳自动化研究所**

参加编写人员　**彭　慧**

第6章　工业互联网

6.1 引言

6.1.1　工业互联网的概念

工业互联网简称IIoT（industrial internet of things），是新一代信息通信技术与工业经济深度融合的新型基础设施、应用模式和工业生态，通过对人、机、物、系统等的全面连接，构建起覆盖全产业链、全价值链的全新制造和服务体系，为工业乃至产业数字化、网络化、智能化发展提供了实现途径，是第四次工业革命的重要基石。

工业4.0和智能制造的发展为世界经济带来了巨大变革。其中，IIoT作为贯穿这一变革的核心纽带，正在逐步改变我们对传统工业的看法，它并不仅仅是一个或一组简单的技术与工具，更是一个涵盖了工业生产的各个方面，使其更为智能、高效和经济的新型基础设施。

传统工厂和生产线通常具有业务环节独立运作的特点，其生产效率和质量很大程度上依赖于人工操作。而IIoT的出现，使得机器和设备可以自动化、智能化地与其他设备或系统进行沟通，实现自我调整与优化。这种智能化不仅可以减少人为错误，还可以更好地适应生产中各方因素的变化和需求。

工业互联网将全面提升生产企业的生产与运行模式。借助传感器、控制器、执行器、机器和先进的软件系统，工业企业能够通过各种设备从生产车间和工厂中实时收集大量数据，这些数据不再是孤立的，而是通过IIoT被逻辑互联到一个中心系统或者云边系统中，以进行深度解析和挖掘。这样全方位、高实时的数据驱动的细粒度决策过程，将促进企业提高生产效率、优化生产流程，更准确地预测市场需求，更快地响应客户变化，并大幅度降低生产和运营成本。除此之外，IIoT还为工厂和生产线带来了前所未有的灵活性，传统的生产线一旦建成投产，修改和调整都是非常困难且耗时的。而在IIoT的帮助下，生产线可以根据实际需求进行快速调整与重组，大大提高了生产的响应速度和灵活性。

从长远来看，IIoT不仅是现代工业自动化、信息化和智能化转型升级的重要发展方向，还是未来工业发展的必然趋势。随着技术的不断进步，可以预见，未来的工厂将更加智能、高效，而工业生产的每一个环节都将得到前所未有的优化和提升。

工业互联网为全球的工业领域开辟了一条全新的发展之路，既有技术的创新和突破，也有生产方式和思维模式的根本变革。而对于每一个工业企业来说，把握住这一变革的机遇，将是他们未来成功的关键。

6.1.2　发展工业互联网的重要性

工业互联网在全球范围内都受到了高度关注，而中国作为全球制造业门类最为齐全的制造大国，发展工业互联网的重要性更是不言而喻。

（1）推动制造业转型升级

随着全球制造业格局的演变与竞争的加剧，中国面临着由“制造大国”向“制造强国”转型的压力。过去几十年，中国依靠丰富的劳动力资源和低成本优势，通过大规模生产的模式迅速崛起，成为全球制造业中心，但在全球化、数字化和信息技术革命的大趋势下，简单依赖低成本劳动力和规模经济的优势已经不再足够，为了维持我国在全球制造业中的领先地位，必须进行深度的先进技术应用与产业模式转型升级。

工业互联网作为新时代的技术引擎，为中国制造业转型升级提供了强大的支持。工业互联网的引入，意味着制造过程将不再只是单一的生产活动，而是将生产、信息技术、大数据、人工智能等多个领域紧密结合，形成一个高度自动化、网络化、智能化的整体系统。这不仅可以提升生产过程的自动化和智能化程度，还能通过数据分析和预测，为企业决策提供更为精确和科学的依据。

在工业互联网的帮助下，制造企业和产业链能力都将得到大幅度提升。在制造企业层面，通过对生产数据的实时分析，企业可以更为精确地掌握市场需求和趋势，调整生产策略，工厂能够实现平台化设计、智能化制造、个性化定制和网络化协同等先进生产模式，大大提高生产效率和生产能力，降低生产成本，提升产品质量，满足消费者的个性化需求；在产业链层面，工业互联网能够帮助企业实现供应链的优化和协同，通过对供应链各个环节的数据分析，企业可以更为精确地掌握原材料的需求和供应情况，及时调整采购策略，降低成本，同时，通过与供应商、客户等合作伙伴的深度数据交互，企业可以实现供应链的深度协同，提高响应速度，降低库存和运营成本。

工业互联网还将为企业带来管理和创新的新机会。通过对海量工业数据的深度分析与挖掘，企业将更精准、更快速地发现潜在的市场机会，推出新的产品和服务。同时，通过对内部管理和流程的数据化，企业可以实现管理的精细化和透明化，提高管理效率和决策效果。

（2）助力实现产业融合

在全球化的经济背景下，传统制造业正在经历前所未有的挑战与机遇。一方面，传统制造业面临着日益激烈的国际竞争，成本压力、环境规制、消费者需求多样化等挑战使得企业需要不断地进行创新和优化；另一方面，我国在互联网、大数据、人工智能等新兴技术领域的快速发展，也为传统制造业带来了前所未有的机会。正是在这样的背景下，工业互联网作为一个新的技术趋势，将为产业深度融合和优化提供强大动力。

首先，工业互联网通过连接设备、系统和流程，实现了制造业的数字化和网络化。这意味着，制造企业不仅可以实时地监控和管理其生产线和设备，还可以通过数据分析对生产过程进行优化，提高生产效率。例如，通过对生产数据的实时分析，企业可以及时发现生产中的问题，进行故障预测和维护，从而减少停机时间，提高设备的利用率。

其次，工业互联网使得制造业与互联网、大数据、人工智能等新兴技术和行业实现了深度融合。传统的制造业不再只是单一的生产活动，而是变成了一个复杂的、跨行业的系统。例如，汽车制造业可以通过工业互联网与智能交通、自动驾驶等行业实现深度融合，开发出新的产品和服务，满足消费者的个性化需求。

此外，工业互联网还为制造业带来了新的业务模式和盈利模式。传统的制造业往往以产品销售为主要的盈利模式，而在工业互联网的帮助下，制造企业可以提供更为丰富和多样化的服务，如设备维护、数据分析、远程监控等，从而实现更高的利润。

更为重要的是，工业互联网还为制造业的创新带来了新的机会。通过对大量数据的分析和挖掘，企业可以发现潜在的市场机会，推出新的产品和服务。例如，通过对消费者的购买数据和行为数据的分析，企业可以更为精确地掌握市场的需求和趋势，开发出更为符合市场需求的产品。

（3）推进供给侧结构性改革

工业互联网，作为当下制造业的一大热点和关键技术，其核心价值在于能够帮助企业更好地了解市场需求、优化资源配置、提高生产效率，从而助力供给侧结构性改革的深化。

首先，工业互联网能够为企业提供准确、实时的市场信息。在传统的生产模式中，企业往往需要花费大量的时间和资金进行市场调研，以便更好地了解市场的需求。但在工业互联网的帮助下，企业可以通过收集和分析各种数据，迅速掌握市场的动态和趋势，从而制定更加合适的生产和销售策略。这不仅可以帮助企业减少不必要的存货和浪费，还可以提高产品的市场竞争力。

其次，工业互联网可以帮助企业优化资源配置。在传统的生产模式中，资源配置往往依赖于人工经验和直觉，这很容易导致资源的浪费和效率的低下。但在工业互联网的支持下，企业可以实时监测生产线上的各种资源使用情况，从而做到精准调配，确保资源的最大化利用。这不仅可以降低生产成本，还可以提高产品的质量和产量。

再次，工业互联网可以提高企业的生产效率。通过对设备、物料和人员进行实时监控，企业可以及时发现并解决生产中的各种问题，确保生产流程的顺畅进行。同时，通过对生产数据的分析，企业还可以发现潜在的效率瓶颈，从而采取措施进行优化。这不仅可以缩短产品的生产周期，还可以提高产品的合格率，为企业创造更高的经济效益。

最后，工业互联网为供给侧结构性改革提供了有力的技术支撑。在供给侧结构性改革的背景下，企业需要不断地进行创新和转型，以适应市场的变化和需求。而工业互联网则为企业提供了强大的数据支持和技术手段，帮助企业实现从传统制造向智能制造的转型，从而提高企业的核心竞争力。

（4）增强数据驱动决策

工业互联网作为信息技术与工业制造业深度融合的产物，通过连接设备、系统和服务，实现数据的交互、集成和协同，而其中最为重要的价值，便是使得企业有能力收集和分析海量的生产和运营数据，从而为决策提供更为科学和精准的依据。

在生产制造的大背景下，为何数据如此重要？在传统的生产模式中，决策往往基于经验和直觉。而随着生产规模的扩大和市场竞争的加剧，这种方式显然已经无法满足现代企业的需要。数据，特别是大数据，为企业提供了一种全新的、更为科学的决策方式。通过对数据的分析，企业可以更准确地了解市场需求、消费者习惯、生产状况等，从而制定出更为合理和有效的策略。

工业互联网为数据的收集和分析提供了强大的支持。在工业互联网的框架下，各种设备和系统都可以实时地上传数据，形成一个巨大的、实时更新的数据池，企业不再需要依赖人工去收集、整理数据，而是可以直接从这个数据池中提取所需信息，在提升数据采集效率的同时也大大提升了数据质量，降低数据错误率。

同时，工业互联网还带来了大数据分析的能力。传统的数据分析方法，往往只能处理有限的、结构化的数据。而在工业互联网的环境下，企业可以对各种结构化、半结构化和非结构化数据进行分析，挖掘出更为深层次的、之前人类经验不掌握的关联信息。例如，通过对生产线上的各种传感器数据的分析，企业可以准确地掌握设备的工作状态，预测其未来的故障概率，从而实现预防性的维护和修理，降低生产中断的风险。

除此之外，工业互联网还使得数据分析变得更为智能。通过引入人工智能、机器学习等技术，企业可以构建出自动化的、实时的数据分析模型，实现数据的持续监控和分析。这样，当数据所反映的生产环节中出现异常或者有重要信息时，系统可以立即发出警告，帮助企业及时作出反应。

（5）提高资源利用效率

对生产过程和产业链动态进行实时监控和预测是工业互联网应用的核心价值，可为企业带来前所未有的先发优势。通过工业互联网，企业可以更为精确地掌握资源使用情况，实现节能降耗、减少浪费的重要目标。

首先，工业互联网的实时监控功能，使企业能够在第一时间获取生产线上的数据。这意味着，不再需要人为地进行大量的数据收集和整理工作，减少了人为误差和延迟。而这样高效、准确的数据收集，为企业提供了一个全面、实时的生产全貌，使决策者能够更为敏捷地作出反应，优化生产过程。

其次，工业互联网的预测功能，对于资源管理具有重大意义。传统的资源管理方式往往依赖于人们的经验和判断，这种方式在一定程度上是不准确的，容易造成资源的浪费。而工业互联网，通过对历史数据的分析，可以为企业提供精准的资源使用预测。这不仅可以帮助企业减少不必要的存储成本，还可以有效地减少生产中的浪费。

此外，工业互联网还带来了一系列的生态效益。节能降耗、减少浪费不仅是企业追求效益的重要手段，更是对地球环境的保护。在全球气候变暖、资源日益紧张的大背景下，如何有效地利用资源，减少碳排放，已经成为每一个企业和每一个人应该思考的问题。而工业互联网，正是一个有效的解决方案。

工业互联网并非只是一个简单的技术工具，它的背后是一套复杂的系统架构，包括了大数据、人工智能、云计算等多种先进技术。这些技术的结合，使得工业互联网具备了强大的数据处理和分析能力，为企业带来了前所未有的优势。

同时，工业互联网也为企业带来了新的挑战。如何有效地整合数据、保障数据的安全、提高数据的质量，都是企业在引入工业互联网后需要面对的问题。但无论如何，工业互联网都已经成为了现代工业生产的重要趋势，任何一个有远见的企业都不应该错过这一机遇。

（6）促进区域协同发展

工业互联网通过深度融合推广应用实现了跨越地域的连接，为研发、生产、销售等各环节提供了深度而高效的协同，从而进一步推动区域间经济协同发展。

首先，地域限制曾是很多企业发展的一大障碍。传统的生产方式往往受制于地理位置，使得信息、物流、资源等要素流动受限。而工业互联网的应用，打破了这种局限性，无论是生产基地还是研发中心，都可以通过工业互联网实现快速、实时的数据交流和资源共享，使得企业无须受限于地域而可以全球布局。

其次，深度的研发、生产、销售协同是工业互联网带来的一大优势。通过云计算、大数据分析等技术，工业互联网可以帮助企业实时掌握市场动态，快速响应用户需求，优化生产流程，提高产品质量。此外，销售与研发之间的紧密联系，使得市场反馈能够直接反映到产品研发中，进一步提高产品的市场竞争力。

再者，工业互联网的推广应用，为区域间的经济协同发展提供了强大的动力。在这个全球化的时代，区域经济的发展不能仅仅依赖于本地的资源和市场，更需要与外部进行深度的连接和协同。工业互联网为此提供了一个平台，使得各个区域能够根据自己的优势资源，与其他地区进行深度合作，共同发展。

不仅如此，工业互联网还为中小企业提供了更为广阔的发展空间。在传统的生产模式下，中小企业往往受限于资金、技术、市场等多方面的因素，在信息获取、能力发布等方面受到很大限制，而工业互联网通过连接全球的资源和市场，使得中小企业也可以实现大规模的生产和销售，获得更为广阔的市场空间。

（7）提升产品质量和服务

工业互联网的实时监控功能对生产过程的调整和优化具有至关重要的作用，为企业在各个生产环节中提供了强大的技术支持，确保了产品质量的持续和稳定。此外，其强大的数据分析和处理能力，使企业能够为消费者提供更为个性化和智能化的服务，大大提升了客户的满意度。

首先，工业互联网的实时监控能力对生产过程的质量管理起到了关键作用。传统的生产模式往往受限于手工检测、人为判断等因素，容易出现质量问题。而工业互联网通过高精度的传感器、先进的数据分析技术，可以对生产过程中的每一个环节进行精确的实时监控，及时发现并纠正可能出现的问题，从而确保生产过程流畅进行，保证产品的高质量。

其次，工业互联网对大量的生产数据进行深度挖掘和分析，为企业提供了强大的决策支持。通过对生产数据的分析，企业可以更加精确地掌握生产的效率、成本、资源利用等关键指标，为生产管理提供有力的数据支撑。这不仅可以帮助企业优化生产流程，提高生产效率，还可以为企业节约大量的生产成本。

最后，工业互联网在产业链方面的数据处理和分析能力，还使得企业能够根据消费者的实际需求，为其提供更为个性化和智能化的服务。通过对消费者数据的分析，企业可以更加准确地了解消费者的喜好、需求、购买习惯等信息，为消费者提供更加贴心、个性化的服务，满足消费者的多元化需求。

（8）赋能绿色发展

通过工业互联网，企业可以更为精准地掌握能源和材料的使用情况，实现绿色、环保、低碳的生产方式，支撑中国绿色发展的战略方向。

在现代工业化进程中，工业互联网正在逐渐成为一个核心技术体系，重塑着企业的运营模式和管理方式。通过工业互联网，企业不仅可以更为精准地掌握能源和材料的使用情况，更重要的是，它助力企业实现了绿色、环保、低碳的生产方式，这正好符合中国绿色发展的战略方向。

首先，从能源管理的角度看，工业互联网为企业提供了一个实时、准确的能源消耗监测平台。传统的能源管理方式通常比较粗放，受限于人工采集和信息采集周期较长，信息的不准确性和延时性都给企业带来了很大的挑战。而工业互联网，通过先进的传感器技术和大数据分析手段，能够对企业的能源消耗进行实时监控和预警，为企业提供即时的能源使用报告，帮助企业及时调整能源使用策略，从而达到节能减排的目的。

其次，从原材料管理的角度看，工业互联网为企业生产提供了一个智能、高效的材料使用平台。通过对生产数据的实时分析，企业可以更为精准地掌握材料的使用情况，避免材料的浪费，提高材料的利用效率。这不仅有助于降低企业的生产成本，更重要的是，它有助于减少生产过程中的废弃物排放，符合绿色、环保的生产理念。

最后，从生产过程的角度看，工业互联网为企业提供了一个绿色、环保的生产平台。传统的生产模式往往受限于设备的老化和技术的落后，导致生产过程中的能源消耗和污染排放都较高。而工业互联网，通过对生产设备的远程监控和智能优化，可以实现生产全过程的自动化和智能化，从而实现绿色、环保、低碳的生产方式。

6.2 工业互联网发展概述

6.2.1 中国工业互联网市场处于发展初期

我国工业互联网市场，在经过多年的辛勤耕耘后，尽管取得了不小的进展，但与国外先进的工业互联网市场相比，仍然处于发展的初期。这一发展情况，对于一个如此大规模、如此多元化的市场来说，是充满了机遇与挑战的。

首先，回顾一下国外的工业互联网市场发展。国外的工业互联网市场是由诸如GE、SIEMENS等头部企业带动的，他们通过技术创新、资本运作等多种手段，推动了整个行业的快速发展。这些头部企业不仅在技术上有很深的积累，而且在市场推广、生态建设等方面也有着丰富的经验。相比之下，我国工业互联网市场的发展则显得相对滞后，政府政策和补贴成为了主要的推动力，而真正的市场需求仍然处于次要地位。这意味着，我国工业互联网市场的发展还不够市场化，仍然依赖于外部力量的推动。

其次，从企业能力上来看，国外的工业互联网企业已经建立了较为完善的产品服务体系。他们的产品在经过了多轮的市场验证之后，已经形成了成熟的产品线和服务体系。而我国的工业互联网企业，大部分仍然处于产品研发和完善的阶段。他们还在努力构建自己的生态系统，努力寻找合适的合作伙伴，努力为客户提供更好的服务。这意味着，我国的工业互联网企业在与国外企业竞争时，面临着巨大的挑战。

最后，从需求市场来看，我国的工业互联网市场主要的需求仍然来自国央企和政府部门。这些大型的企业和机构，由于其特殊的地位和资源，成为了工业互联网市场的主要需求方。但这也意味着，我国的工业互联网市场仍然没有真正触及广大的中小企业和个人用户。这部分的市场需求，仍然有待释放。

然而，尽管我国工业互联网市场面临这么多的挑战，我们仍然看到了无数的机会。这是一个年轻、有活力的市场，充满了无尽的创新和探索的可能性。随着技术的进步、市场的开放、企业的成长，我国的工业互联网市场将会迎来更加广阔的发展空间。

首先，技术的进步将为工业互联网市场带来更多的创新机会。随着5G、AI、物联网等技术的发展，工业互联网将会迎来更多的应用场景，为企业和个人用户提供更加丰富、更加智能的服务。

其次，市场的开放将为工业互联网市场带来更多的合作机会。随着国际贸易的发展，随着国内市场的进一步开放，我国的工业互联网企业将会有更多的机会与国外的头部企业进行合作，学习他们的经验，提高自己的竞争力。

最后，企业的成长将为工业互联网市场带来更多的市场机会。随着企业的不断成长，他们的需求也会不断变化。他们需要更加专业、更加个性化的服务，这为工业互联网企业带来了更大的发展空间。为满足这些日益多样化的需求，工业互联网企业必须持续创新、优化产品与服务，确保自己始终处于市场的前沿。

此外，中小企业和个人用户是我国工业互联网市场潜在的巨大需求源。随着技术的普及和成本的降低，这一部分市场的需求将逐渐释放。如果工业互联网企业能够抓住这一机遇，为中小企业和个人用户提供合适的产品和服务，那么他们将会在市场上获得更大的份额。

政府在推动工业互联网的发展中扮演了非常重要的角色，但随着市场的成熟，政府的角色将逐渐从直接干预转向为提供一个更加公平、透明的市场环境，为企业创新和竞争提供更多的空间。这意味着，未来的工业互联网市场将更加市场化，企业之间的竞争将更加激烈，同时，这也为有竞争力的企业带来了更多的机会。

为了更好地抓住这些机会，我国的工业互联网企业必须不断提高自己的技术水平，优化产品服务，加强与其他企业和机构的合作，确保自己始终处在市场的前列。只有这样，才能在这个充满机遇和挑战的市场中脱颖而出，为我国的工业互联网市场写下新的辉煌篇章。

（1）国内外工业互联网发展历程

工业互联网是现代工业发展的一个重要趋势，它代表了第四次工业革命的方向。基于互联网、云计算、现代通信等技术的融合，工业互联网在21世纪10年代开始逐渐浮出水面。然而，由于各国的历史背景、工业基因、技术积淀和发展策略的差异，工业互联网的发展路径在全球各国呈现出了各自的特点，如图2-6-1所示。

美国作为全球技术创新的领头羊，其工业互联网的发展显然受到了市场的强烈推动。在美国，技术巨头如Google、Amazon、Microsoft等都投入巨额资金在这个领域进行研究和开发，他们坚持市场化原则，强调技术的领先和市场的响应。这种市场导向使得美国的工业互联网发展迅速，有很多创新的应用和商业模式在这里诞生。同时，资本的加入也助推了这一领域的发展，大量的创业公司得到了资金支持，推出了一系列的创新产品和服务。

德国作为制造业强国，其工业互联网的发展显然受到了其强大的制造业基因的影响。德国更注重产品的质量和技术的完善，其工业互联网的发展重点是围绕整体的工业形态打造，强调与传统工业的深度融合。例如，德国推出的“工业4.0”计划，就是一个典型的例子，该计划着重于将现代信息技术与传统工业制造技术深度融合，创造出更智能、更高效的工业生态。

而中国，尽管起步较晚，但其工业互联网的发展也有着自己的特色。在中国，一系列的政策扶持和导向，使得工业互联网在中国得到了快速的推广和应用。比如，政府推出的“互联网+”“新一代信息技术产业”等计划，都明确了工业互联网的重要地位和发展方向。与此同时，中国的工业互联网发展也得到了众多云平台如阿里云、腾讯云的支持。这些企业积极与传统工业企业合作，推出了一系列的解决方案，助推了中国工业互联网的发展。但总体上来看，中国的工业互联网仍然处于初步发展期，面临着技术、应用、商业模式等多方面的挑战。

工业互联网作为一个全球性的趋势，各国都在积极响应和参与。但由于各国工业化及优势产业能力的差异，其发展路径和重点也各不相同。未来，随着技术的进一步进步和应用的深化，工业互联网将更加成熟，为全球工业的发展带来更大的助力。

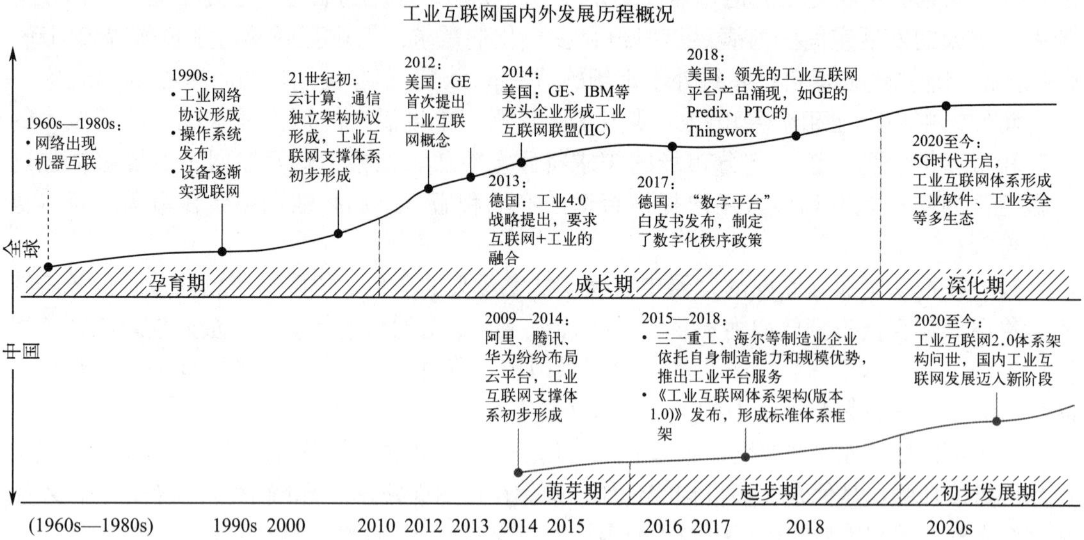

图 2-6-1　工业互联网国内外发展历程

工业互联网的发展与推广不仅仅依赖于技术进步，还需要一系列的支持与推动力量，其中地方补贴政策是关键因素。特别是在中国，地方政府对于工业互联网的扶持和鼓励展现出了极大的热情，尤其是在经济发达的地区，如长三角和珠三角。

地方补贴成为工业互联网的驱动因素。地方政府为了吸引和培养高新技术企业，经常会为相关的工业互联网项目提供资金支持。这种补贴不仅能够降低企业的经营成本，还可以为企业提供初创期所需的资金流，确保其稳定发展。长三角和珠三角作为中国的经济重镇，其在工业互联网的发展上也有着明显的领先地位。地方政府为了进一步加强这种领先优势，提供了一系列的优惠政策和补贴，鼓励更多的企业在这些地区发展工业互联网业务。

① 研发创新的补贴支持。为了鼓励企业进行技术研发和创新，地方政府会为相关的研发项目提供补贴。这可以确保企业在技术研发上的投入得到回报，同时也可以吸引更多的技术人才加入，推动工业互联网技术的进步。

② 平台建设和推广的补贴支持。工业互联网的发展离不开平台的支持，而平台的建设和推广需要大量的资金投入。为了解决这个问题，地方政府会为相关的平台建设和推广项目提供补贴，确保平台能够快速地建设完成并投入使用。

③ 服务厂商和项目培育的补贴支持。除了技术研发和平台建设，工业互联网的发展还需要一系列的服务厂商和项目来支持。地方政府为了吸引和培养这些服务厂商和项目，会为其提供补贴，确保他们能够快速地成长和发展。

④ 项目实施的补贴支持。项目实施是工业互联网项目落地的关键步骤，但也是资金需求最大的阶段。为了确保项目能够顺利实施，地方政府会为相关的项目实施提供补贴，确保项目能够按照计划完成。

总体来说，地方补贴作为工业互联网的重要驱动力量，对于推动其发展起到了至关重要的作用。特别是在经济发达的地区，如长三角和珠三角，地方政府的大力支持使得这些地区在工业互联网的发展上取得了显著的成果。

（2）中国工业互联网市场发展现状

在国家政策、产业技术、生态系统三大因素共同推动下，我国工业互联网取得了初步的进展。这样的进展是多方面的，既体现在技术的创新和应用，也体现在不同行业间的互动和整合。但与此同时，我们也不得不看到，有些领域还存在着明显的问题和短板，这些问题和短板限制了工业互联网的进一步发展。

工业互联网整体上呈现出“工业+互联网”的趋势，这意味着传统的工业生产正在逐步与现代的互联网技术相结合。从简单的自动化生产线到复杂的数据分析和管理，工业互联网的应用正在改变我们的生产和管理方式。围绕着如何连接生产、消费、销售三大环节，工业互联网在实际应用中扮演着至关重要的角色。而这也意味着，工业互联网不再仅仅是一个技术领域的问题，它与市场、与消费者、与各个生产环节都有着紧密的联系。

但是，尽管工业互联网在很多方面都取得了很好的进展，但在产业链和价值链两个维度上，仍然存在许多亟待解决的问题。首先是产业链上的问题。不同的行业、不同的企业在工业互联网的应用程度上存在着很大的差异，一些先进的企业已经将工业互联网应用到了生产的各个环节，但还有很多企业仍然停留在起步阶段。这种差异导致了整个产业链上的不平衡，一些环节非常先进，而一些环节则显得落后。

其次是价值链上的问题。工业互联网的推广和应用，使得生产数据和用户数据变得更加透明。但是，如何更好地利用这些数据，如何在数据之间建立起更紧密的联系，如何保护数据的安全和隐私，都是目前工业互联网面临的挑战。而这些挑战的背后，其实都与价值链上的问题有关。如何将数据转化为价值，如何使得整个价值链变得更加高效和顺畅，都是工业互联网需要解决的问题。

此外，工业互联网还面临着一系列的技术、政策和市场挑战。在技术上，工业互联网的应用需要更加稳定和安全的网络环境，需要更加先进的数据分析和处理技术。在政策上，工业互联网的发展需要得到国家和政府的支持，需要有利于技术创新和市场发展的政策环境。在市场上，工业互联网需要得到更多企业和消费者的认可，需要有更加完善的市场机制来推动其发展。

工业互联网作为一种新的技术和应用领域，已经在很多方面取得了很好的进展，但仍然面临着很多问题和挑战。如何更好地整合资源，如何更好地应对挑战，如何更好地服务于生产和消费，都是工业互联网未来需要探索和努力的方向。

① 政策向导。自2017年起，中国政府开始积极推进国家政策，着重于“互联网+”和“新型+先进制造”的方向，以期将传统的工业制造与现代互联网技术更为紧密地结合。这些政策旨在通过技术创新和工业升级，进一步推动中国从制造大国向制造强国迈进，确保国家在全球产业链中占据更有竞争力的位置。

2018年，政府为了进一步加强工业互联网的发展，再次投入资金。资金的注入不仅仅是为了技术研发和基础设施的建设，更是为了培育工业互联网的生态系统，鼓励创新，吸引企业、科研机构和高校深入参与，以形成一个全方位、多层次的协同发展格局。

此外，这些政策和资金支持也激励了更多的企业开始转型和升级，加强与互联网企业的合作，从而实现生产效率、管理模式和服务模式的全面革新。这标志着中国工业互联网步入了一个新的快速发展时期。

② 技术向导。随着科技的飞速进步，5G、AI、大数据、云计算以及边缘计算等前沿

技术逐渐浮现并逐步嵌入到各行各业。特别是在工业互联网领域，这些技术为其注入了全新的生命力，引领着工业制造向更智能、更高效的方向迈进。

5G技术的引入，提供了比以往任何时候都快的网络速度和更低的延迟。这种快速和稳定的网络环境为实时数据传输打下了坚实的基础，使得远程监控、预测维护等应用得以实现。而当5G与AI结合，其可能性则变得更为广阔。例如，AI可以实时分析从生产线上传回的大量数据，为决策者提供有关生产效率、设备健康状况等的即时反馈，从而帮助其做出更加明智的决策。

大数据技术的应用，使得企业能够对过去视而不见的数据进行深入分析。在工业生产中，每一个生产环节、每一台机器都会产生大量的数据。通过大数据技术，这些数据可以被有效整合并进行深度挖掘，帮助企业找出潜在的问题，抓住潜藏的机会。这不仅能提高生产效率，还可以降低成本，为企业带来更大的利润。

云计算则为工业互联网提供了强大的计算支持。在云端，企业可以无需考虑硬件的限制，轻松进行大规模的数据存储和计算。这使得数据的备份、恢复和迁移变得更为简单。同时，云计算还支持多用户、多设备的并行访问，极大地提高了数据的利用效率。

边缘计算是云计算的一个补充。在某些高要求的场景中，例如实时机器人协作，数据处理的延迟需要降到最低。边缘计算能够在数据产生的地方就对其进行初步处理，从而在确保实时性的同时，减轻中央服务器的压力。

工厂现在可以稳定高效地实现万物互联。从原材料的采购到产品的最终检验，每一个环节都可以实时地与其他环节进行数据交互，确保整个生产过程的顺畅。通过深入的数据分析和应用，工厂不仅能够提高数据利用效率，还能挖掘数据资产的深层价值，从而实现场景的降本增效，迈向更智能、更高效的制造未来。

③ 生产数字化。工业4.0的浪潮正推动全球制造业进入一个全新的数字化时代。在这一大背景下，制造业企业正经历着深刻的数字化转型，旨在将传统的生产模式升级为更为智能、高效和灵活的方式。其中，工厂内部的生产线数字化转型被认为是这一变革的核心和关键。仅仅拥有高效的生产设备还不够，如何使得这些设备和系统能够相互沟通、实时反馈并做出决策，才是真正的数字化挑战。

当我们提及数字化，不仅是指硬件的升级和改造，更多的是数据的收集、处理和应用。因此，如何高效地结合制造业场景与现代互联网技术，使得生产中产生的海量数据能够得到快速流转和处理，进而为企业创造出真实且有价值的信息，是目前制造业数字化的关键任务。这也意味着企业需要构建一个完善的数据生态，包括数据的采集、存储、分析和应用，确保数据能够在整个生态中自由流动，发挥其最大的价值。

此外，制造业与互联网的结合，不仅仅是技术上的整合，更为重要的是思维方式的转变。在互联网时代，数据被视为新的石油，拥有巨大的潜在价值。制造业企业也需要认识到，数字化不仅仅是指技术升级，更是一次业务模式、组织结构甚至文化的全面转型。将传统的制造思维与现代的数据驱动思维结合起来，实现生产过程中数据的高效利用，成为数字化转型中不可或缺的一部分。

④ 产业协同化。在当前的工业环境中，产业链的信息交互问题成为了许多工业企业面临的一大挑战，尤其是在产业链上下游之间，信息的传递往往存在着延时、阻塞等不利情况，这不仅影响了企业的运营效率，还可能对其经济效益造成严重损害。

这种信息交互的不畅通，很大程度上会导致信息孤岛现象。所谓信息孤岛，就是指在企业或者产业链的某一环节，信息被隔离或者独立存储，与其他环节的信息无法实现有效的整合和共享。这种现象在很多传统的工业企业中都有所体现，尤其是那些尚未完成数字化转型的企业。

信息孤岛的存在给工业企业带来了一系列的问题。当信息流通受阻，企业难以快速准确地掌握上下游的需求和供应情况。这可能导致原料的匮乏或者生产过程中的资源浪费。例如，由于无法及时获取下游订单信息，企业可能会过度生产某一产品，导致库存积压；或者由于未能及时了解上游的原料供应情况，导致生产线停滞，影响出货时效。

此外，信息孤岛还会增加企业的运营成本。企业需要投入更多的人力、物力来处理因信息不畅通而带来的各种问题，如库存管理、物流调度等。长此以往，企业的整体竞争力将受到严重影响，可能导致市场份额的丧失。

因此，打破信息孤岛，实现产业链上下游的信息流通和整合，已经成为当今工业企业亟待解决的问题。只有这样，企业才能更好地应对市场变化，提高运营效率，降低成本，从而在激烈的市场竞争中脱颖而出。

（3）工业互联网市场多元并存，平台服务能力日趋重要

工业互联网的崛起为现代产业带来了前所未有的变革机会。众多行业企业都希望从这股浪潮中获得一席之地。当前，工业互联网平台的竞争日益白热化，各类企业在这块市场上都展现出了强烈的生存意识和竞争欲望，形成了一种“野蛮生长”的局面。

对于那些制造业的巨头，他们具有丰富的行业经验和深厚的技术积累，有着显著的“从内到外”的战略，这意味着他们从自身的内部需求出发，进而推向整个市场，为外部客户提供服务。这些企业的优势在于他们非常了解实际的制造过程和痛点，因此他们提供的解决方案更为贴切和实用。

而传统软件厂商凭借其多年的市场经验和客户资源，已经形成了稳定的渠道和服务网络。他们擅长提供行业解决方案，与企业深度合作，创造实际价值。对于许多制造企业来说，选择传统软件厂商作为合作伙伴是因为他们值得信赖，并且有足够的行业经验来解决实际问题。

ICT（信息与通信技术）厂商和互联网巨头则是新兴的力量，他们有着强大的技术背景和丰富的互联网经验。他们的优势在于能快速迭代产品，满足市场的新需求，并且他们通常拥有更广泛的用户基础和生态合作伙伴。例如，他们可以利用云计算、大数据、人工智能等先进技术，为企业提供更加智能和高效的解决方案。

泛数据治理企业和设备及物联网企业在特定领域也有着无法替代的优势。前者擅长数据的分析和处理，后者则专注于数据的采集和传输。这两类企业通常会与其他工业互联网平台合作，提供全面的解决方案。

那么，对于这些企业来说，未来的发展方向是什么呢？数据资产的价值挖掘和赋能依然是他们的核心任务。数据不仅仅是数字，它背后蕴含着巨大的价值。正确地利用数据，可以帮助企业优化生产流程、提高效率、降低成本，并创造新的商业机会。

随着平台的持续运营，我们也看到了新的趋势。一方面，平台服务的边界和广度正在不断拓展，这意味着平台不再仅仅满足于提供基础服务，而是希望提供更加综合和高级的解决方案。另一方面，随着技术的进步，平台工具也变得更加简化和易用。这对于企业来说是一个好消息，因为他们可以更加轻松地部署和使用这些工具，从而更好地实现数据的价值。

总的来说，工业互联网平台的市场正在快速变化，每一个企业都需要不断地调整自己的战略和方向，以应对这些变化。而对于企业来说，选择合适的合作伙伴，充分利用数据的价值，是他们在未来市场中立于不败之地的关键。

（4）国内工业互联网厂商的发展之路

在中国，对非民生行业的宏观调控，无论如何，都是一个短暂的干预，而不是一个永恒的状态。这给予了国内工业互联网企业一个明确的提示：他们必须对未来有一个明确的、超越补贴和临时政策的长远规划。

首先，这些企业必须从真正的市场需求出发，不再依赖政策风向。当补贴消失，那么依赖补贴的业务模式也就不再可持续。这意味着，工业互联网供应方不仅要了解市场，还要深入挖掘、锚定并满足市场需求。他们需要更接近客户，了解客户的真实需求，为其提供真正的价值。

其次，随着数据资产归属权的日益明晰，数据不仅仅是数字，它代表了巨大的价值和机会。企业必须认识到这一点，并为数据保驾护航，以确保在未来的竞争中获得有利位置。

然后是产业互联网领域。对于一些能力已经相对全面的工业互联网厂商来说，虽然可以尝试延伸到产业互联网领域，但他们必须意识到，这个领域的步伐不能过大，需要稳扎稳打，逐步推进。

此外，在当前的市场环境下，合作远比竞争更为重要。中小企业可以在短期内与头部企业合作，借助其资源快速发展。但从长期来看，他们还是需要依赖自身的产品和技术能力，确保其在市场中的位置。不仅如此，中小企业在技术和渠道上的协同发展潜力巨大，他们可以通过合作，相互借力，开创新的业务模式，实现共同发展，但这也意味着他们需要在技术研发、市场营销、渠道建设等方面加大投入。

至于标准化的产品和服务，这是每一个工业互联网企业都面临的挑战。虽然这条道路充满了未知和困难，但只要企业勇于尝试，坚持创新，总会找到属于自己的路。

最后，像ChatGPT这样的先进技术在工业端的应用潜力巨大，但其深度应用也面临很多挑战。企业可以适当关注这些新技术，但决不能盲目跟风，应根据自身的实际情况进行选择和应用。

国内工业互联网企业面临着诸多挑战和机遇，只有真正了解市场，不断创新，坚守初心，才能在这个竞争激烈的市场中立于不败之地。

6.2.2 中国工业互联网发展驱动因素

工业互联网正在改变着传统制造业的面貌，为工业领域带来前所未有的机遇与挑战。在这一变革的浪潮中，头部互联网厂商，凭借其强大的技术积累和丰富的市场经验，率先在这一领域布局，成为领军者。

首先，这些头部的互联网厂商拥有丰富的数据处理和分析经验。工业互联网的核心在于数据。工业互联网是通过连接各种设备、机器和系统，收集、分析和应用大量的数据来提高生产效率和降低成本的。这恰恰是这些厂商的强项，他们早已在消费互联网领域积累了丰富的经验，对于如何处理、分析和利用大数据有着深入的了解。

再者，国家对于工业互联网的重视也为这些厂商提供了巨大的机会。随着国家政策力度不断加大，对于工业4.0和智能制造的支持日益明显，许多政策和资金纷纷倾斜至此。这不仅为这些厂商提供了有利的政策环境，也为他们带来了巨大的市场需求。

此外，这些厂商的进入，也带动了整个市场的快速发展。他们与传统工业企业的合作，推动了新技术和新模式的应用，使得许多原本固守传统的工业企业开始转变观念，寻求与互联网厂商的合作。这不仅提高了整个产业的生产效率和竞争力，也促进了产业结构的优化和更新。

当然，这些并不意味着一切都是轻松的。工业互联网与消费互联网在许多方面都有很大的差异，如数据的特性、应用场景等，这也为互联网厂商带来了新的挑战，但正是这些挑战，为他们提供了更多的机会和空间。

6.2.2.1 中国工业互联网产业相关政策

从2015年开始，政府为推动制造业的升级，出台了一系列的政策。这些政策为国内的企业提供了一个明确的发展方向，也为他们提供了一个巨大的机遇。在这个背景下，国内众多企业开始了他们在工业互联网领域的布局。

航天云网、三一重工、海尔、富士康等制造业的巨头，拥有丰富的制造经验和强大的生产能力，更重要的是，他们在市场上拥有巨大的份额和影响力。这些企业，早在政策推动工业互联网的布局之前，就已经在他们自己的企业内部开始了数字化、智能化的转型。这为他们后续的布局提供了有力的支持。

以航天云网为例，这家企业一直在航天和卫星通信领域有着深厚的积累，而这恰恰是工业互联网中非常重要的一环。基于这个优势，航天云网开始了他们的工业平台服务。他们不仅为其他企业提供航天级的数据传输和处理能力，更为他们提供了从设备连接到数据分析，再到应用开发的全套解决方案。

而三一重工、海尔和富士康这样的制造业大厂，则更多地是依托自己的制造能力和规模优势。他们有着丰富的生产数据和经验，这为他们在工业互联网领域提供了巨大的优势。他们不仅可以为自己提供优化生产的方案，更可以将这些方案外包给其他小型制造企业，帮助他们提高效率。

与此同时，用友、沈阳机床、徐工集团等企业，虽然在制造业中并不像前面几家那样有着超高的知名度，但他们在自动化系统、工业软件和制造装备领域有着非常深厚的积累，这为他们在工业互联网的布局中提供了独特的优势。

例如，用友作为国内领先的企业级软件提供商，已经为众多制造业企业提供了ERP（企业资源计划）、MES（制造管理系统）等软件服务。而在工业互联网的浪潮下，他们进一步扩展了自己的服务范围，开始为企业提供整体的工业智能化解决方案，涵盖从数据收集到分析，再到应用的全过程。

沈阳机床和徐工集团则更多的是基于自己在制造装备领域的优势，开始向平台方向延伸。他们不仅为企业提供了先进的制造设备，更为他们提供了与这些设备相匹配的软件和服务，确保企业可以在使用他们的设备的同时，也能够享受到工业互联网带来的所有便利。

从2015年开始，众多国内企业在政策的推动下，开始了他们在工业互联网领域的布局。而不同的企业，根据自己的优势和特点，选择了不同的路径。但无论是哪一种路径，都证明了国内企业对于这一新兴领域的重视和决心。未来，随着工业互联网的进一步发展，相信这些企业会在这个领域中取得更多的成绩，为国内的制造业注入更多的活力。

（1）引导期

为了推进工业和信息技术的深度融合，国家层面逐步出台了一系列相关政策，旨在指导和促进工业互联网的健康、快速发展。

2016年5月，《国务院关于深化制造业与互联网融合发展的指导意见》的发布可以说是一个里程碑。这一政策明确了深化制造业与互联网融合发展的总体思路、基本原则和重点任务，为我国制造业的转型升级提供了政策指导。

首先，该指导意见明确了“中国制造2025”与“互联网+”行动的结合。这两个方案在之前各自有着明确的目标和方向，但结合起来，两者能够相辅相成，互相促进。其中，“中国制造2025”主要着眼于推动制造业的智能化、绿色化、服务化等方向的转型，而“互联网+”则旨在将互联网、大数据、人工智能等先进技术与各个行业进行深度融合，从而推动产业的升级。

这一结合意味着，我国制造业在追求技术和模式创新的同时，还将深入利用互联网等信息技术，以数据为驱动，实现生产和管理的数字化、网络化、智能化。这不仅有助于提高生产效率，降低成本，还能够更好地满足消费者的个性化、多样化需求。

其次，该政策还强调了加快制造强国建设的重要性。制造业是我国国民经济的支柱产业，也是我国综合国力的重要标志。加强制造业，不仅可以保障我国在国际竞争中的地位，还可以为我国经济的可持续发展提供有力支撑。而深化制造业与互联网的融合，则是实现这一目标的重要途径。

为了实现上述目标，该政策还明确了一系列的任务和措施。例如，鼓励企业进行技术和模式创新，推动互联网平台和制造业企业之间的深度合作，加强工业数据的收集、分析和应用，以及培养一批工业互联网的人才，等等。

（2）体系搭建期

工业互联网的发展不仅仅是技术的演进，更多的是一个系统性、整体性的变革。从2017年到2019年，中国政府出台了一系列关于工业互联网的指导性政策，标志着我国工业互联网从初步的探索走向了系统的布局和深入的推进。

①《国务院关于深化“互联网+先进制造业”发展工业互联网的指导意见》。2017年11月，国务院发布了这一纲领性的文件，为工业互联网的发展明确了方向。文件首先确立了工业互联网的指导思想和基本原则，其中最核心的思想就是要推进制造业与互联网的深度融合，利用信息技术推进制造业的转型升级。

此外，文件还明确了发展目标、主要任务和保障支撑。其中，发展目标包括建设一批工业互联网平台，发展一批与之匹配的应用，形成一批工业互联网创新企业等。主要任务则涵盖了平台建设、应用创新、安全保障等多个方面。

②《工业互联网APP培育工程实施方案（2018—2020年）》。2018年4月，工信部这一实施方案的出台标志着我国工业互联网的应用层面进入了实质性的操作阶段。文件明确了到2020年，要培育30万个面向特定工业、特定场景的工业APP的目标。

为了实现这一目标，文件提出了构建工业APP标准体系的要求。这意味着，工业APP不仅仅是单纯的应用程序，更多的是要与实际的工业生产、管理等环节深度融合，形成一个完整、高效的生态系统。

③《工业互联网综合标准化体系建设指南》。2019年1月，工信部和国家标准化管理委员会共同发布这一指南，进一步加强了工业互联网的标准化工作。文件强调了顶层设计和引领规范的作用，明确了工业互联网的标准化体系的框架和内容，这为相关产业的转型升级提供了明确的方向和参考。

标准化不仅仅是为了统一，更多的是为了提高效率、降低成本、保障安全。随着工业互联网的深入发展，标准化工作的重要性日益凸显。

综上所述，从2017年到2019年，我国工业互联网的政策布局从宏观的指导到微观的实施，形成了一个完整的体系。这些政策的出台，为我国工业互联网的健康、快速发展提供了有力的政策支撑，也为相关企业提供了明确的方向和机会。

（3）集中发展期

工业互联网已成为推动制造业转型升级、实现智能制造的重要驱动力。随着技术的不断进步和产业的深度融合，中国政府在2020年和2021年出台了一系列针对工业互联网的政策，为其健康、有序、快速发展提供了政策指引和保障。

①《“工业互联网+安全生产”行动计划（2021—2023年）》。2020年10月，这一行动计划的发布标志着中国政府对工业互联网安全问题的高度重视。计划明确提出，到2023年底，工业互联网与安全生产的协同推进发展格局应基本形成。这意味着，工业互联网不仅要保证生产的效率和质量，还要确保生产的安全性。

在安全生产方面，计划强调了工业互联网平台的安全建设，包括网络安全、数据安全、设备安全等。同时，计划还提出了加强安全监管、提高安全意识、培训安全人才等一系列措施，使工业互联网在推进生产的同时，确保生产的安全性。

②《工业互联网创新发展行动计划（2021—2023年）》。2020年12月，这一行动计划的发布进一步明确了我国工业互联网的发展方向。计划从基础设施、融合应用成效、技术创新能力、产业发展生态、安全保障能力等方面提出了具体的行动目标。

其中，基础设施的建设是工业互联网发展的基石，计划提出了加快工业互联网平台建设、推进5G和工业互联网的融合、加强数据中心建设等措施。在融合应用成效方面，计划强调了工业互联网与制造业、农业、服务业等多个领域的深度融合，推动产业转型升级。技术创新是工业互联网发展的核心驱动力，计划提出了加强技术研发、推动产学研合作、建立技术创新体系等措施。同时，计划还强调了构建健康的产业发展生态和进一步增强安全保障能力，吸引更多的企业、研究机构参与到工业互联网的建设中来。

③《“十四五”信息化和工业化深度融合发展规划》。2021年11月，这一规划的发布标志着工业互联网进入了一个新的发展阶段。规划提出，到2025年，工业互联网平台应用普及率应达到45%。这意味着，我国将有近半数的企业采用工业互联网平台，实现生产的智能化、自动化。

规划还明确了推进信息技术与传统产业深度融合、促进数字经济与实体经济互促共进、加强信息基础设施建设等一系列措施，为工业互联网的快速发展创造了有利条件。

从2020年到2021年，我国政府对工业互联网的政策布局从安全生产到创新发展，再到信息化和工业化的深度融合，形成了一个完整、系统的政策框架。这些政策的出台，为我国工业互联网的快速发展提供了有力的政策支撑，也为相关企业和研究机构提供了明确的发展方向。

6.2.2.2 地方补贴

为了吸引和培育高新技术企业，并提高本地企业的技术含量和产值，地方政府经常会为相关的工业互联网项目提供资金补助和税收减免。这种财政支持有助于企业减少初创期的经营压力，使其能够更专注于技术研发和市场拓展。

不仅如此，中国的一些经济发达地区，如长三角和珠三角，已经形成了较为完善的工业互联网产业链。这些地区的政府在提供资金补助的同时，还积极为企业提供产业配套、人才培养、技术研发、市场拓展等多方面的服务支持。例如，长三角地区的政府为了吸引更多的工业互联网企业在当地落户，不仅提供了一系列的财政补助和税收减免，还推出了多项人才引进政策，为企业解决人才短缺问题。

此外，技术研发与创新是工业互联网发展的核心。地方政府通常会为技术研发项目提供额外的资金补助，以鼓励企业持续进行技术创新。这不仅可以提高企业的技术水平，也有助于吸引更多的高级技术人才。平台建设和推广也是工业互联网发展的关键。一个稳定、高效、安全的工业互联网平台能够为企业提供更多的市场机会。因此，地方政府通常也会为相关的平台建设项目提供资金补助，确保平台能够在短时间内建设完成，并迅速投入使用。

然而，仅仅依靠技术研发和平台建设不足以确保工业互联网的成功，还需要有一系列的服务商为企业提供配套服务。这些服务商可能是软件开发商、硬件提供商、咨询公司、培训机构等。为了培育这些服务商，地方政府通常会提供一系列的培训、咨询和金融服务，帮助他们快速成长。

工业互联网的发展不仅仅是一个技术问题，更是一个复杂的系统工程，需要得到政府、企业、研究机构和其他多个利益相关方的共同努力和支持。在这个过程中，地方政府的作用和地位不容忽视。他们不仅提供了资金支持，还提供了一系列的政策扶持和服务支持，为工业互联网的发展创造了良好的环境。

（1）长三角地区补贴方案

在苏州，当地政府为了鼓励企业进行独立研发和应用，对相关机构提供了最高达1000万元的补贴。这一策略明确显示了苏州对于工业互联网领域的技术研发的高度重视。另外，苏州对于工业互联网的建设投入也给予了相应的支持，最高可以达到建设投入的30%，并且在某些特定的垂直领域，如双跨领域，最高补贴可以达到3000万元，其他垂直领域则达到了1000万元。此外，苏州还为省、市工业互联网平台服务类企业提供了最高50万元的奖励，而对于国家、省、市工业互联网平台专业服务类企业则分别提供了50万元、20万元、10万元的奖励。对于制造业企业向外提供“5G+工业互联网”领域的技术、咨询和集成服务，苏州也给予了1%的年度服务收入奖励，最高达到500万元。

与苏州相似，上海也为工业互联网项目提供了不少的资金支持。一般的项目可以获得不超过300万元的补贴，而重点项目则可以得到最高达2000万元的支持。另外，上海还特别为服务能力类项目根据评估等次给予最高不超过50万元的奖励。

而扬州政府针对省级以上的工业互联网平台，按照平台投入的13%给予最高500万元的补贴。对于新获批的省级及以上的智能制造服务商，扬州则给予最高50万元的奖励。此外，扬州还支持产业园区建设数字化园区，并按照不高于投入总额的15%给予补助，最高可以达到200万元。

杭州则对经认定的国家级、省级工业互联网平台分别给予了300万元和200万元的一次性补助，这一政策有助于鼓励企业在杭州进行工业互联网平台的建设和发展。

从上述长三角地区城市的补贴政策可以看出，中国各大城市都高度重视工业互联网的发展，并通过补贴政策为企业提供了大力的支持。这不仅可以降低企业的经营成本，还可以为企业提供初创期所需的资金流，确保其稳定发展。同时，这些补贴政策也可以吸引更多的高新技术企业在这些地区进行研发和创新，从而推动工业互联网技术在中国的快速进步。

（2）珠三角地区补贴方案

深圳，作为中国的科技创新中心，对于工业互联网项目的支持尤为明显。当地政府提供了多重的资金扶持政策，以推动这一领域的快速发展。对于融合创新项目，深圳按照不超过项目投入金额的30%给予资助，最高可以达到300万元。这种政策意味着，只要企业有创新和融合的想法，就可以得到政府的资金支持。此外，深圳针对双跨平台、行业级和专业型工业互联网平台也有专门的补贴政策，最高补贴金额分别为1000万元、500万元和300万元。另外，对于服务商培育项目，深圳也给予了不超过项目投入金额的30%的资助，最高可以达到100万元。这些政策都显示出深圳对于工业互联网的高度重视和大力支持。

而佛山则从不同的角度出发，支持工贸企业上云，为其提供补贴。同时，佛山还为工业互联网企业提供了荣誉奖励，只要企业获得了国家、省、市的工业互联网相关荣誉，都可以获得政府的奖励。对于新落户的工业互联网服务商，佛山提供了最高达到1000万元的奖励。此外，从事工业互联网服务的企业还可以获得租金补贴，这无疑是对企业的一个巨大吸引。而对于入选广东省工业互联网产业生态供给资源池的平台服务商，佛山还给予一次性的50万元奖补。

广州也不甘示弱，针对双跨平台和国家级专业型平台，提供了一次性的500万元和300万元奖励。这显示了广州对于高端、高质量的工业互联网平台的重视。此外，广州还特别针对与5G网络结合的平台服务商提供了最高达到500万元的奖励，这意味着广州在5G与工业互联网的结合上下了大功夫。

东莞，一个传统的制造业城市，也在工业互联网方面发力。对于5G+工业互联网项目，东莞提供了不超过投入总额的25%的资助，单个项目的最高资助金额为500万元。这种政策无疑鼓励了更多的制造业企业尝试和应用5G和工业互联网技术，从而实现产业的升级和转型。

总的来说，珠三角地区的各大城市都看到了工业互联网的巨大潜力和前景，纷纷出台了一系列的扶持政策和措施。这些政策不仅对本地的工业互联网企业有利，也吸引了大量外部的高新技术企业进驻。

（3）其他地区

随着工业4.0的概念深入人心，中国除长三角和珠三角外的各大城市开始大力推动工业互联网的发展，期望通过这一技术，为传统的工业带来新的生机和活力。济南、成都和天津在这一趋势下都出台了一系列鼓励和支持政策，以吸引和培育更多的工业互联网企业和项目。

济南，这座古老的文化名城，在工业互联网领域也不甘示弱。为了鼓励相关研发机构在济南落地发展，济南针对省级和市级的工业互联网相关研发机构给予一次性奖励，最高分别为100万元和50万元。这样的政策无疑会吸引更多的研发机构选择在济南进行研发和创新，从而为济南的工业互联网发展提供技术和人才支持。

成都，作为西部的经济中心，对于工业互联网的支持也是相当到位。成都明确提出，对于服务企业数量超过200家且设备连接数超过5000台的平台，将按照平台的年度服务收入的10%给予补助，最高不超过500万元。这样的政策鼓励平台企业提高服务质量和扩大服务范围，吸引更多的企业加入，并鼓励他们增加设备的连接数。这无疑为成都的工业互联网平台带来了更大的发展空间和更多的可能性。

天津，北方的重要港口城市，同样看到了工业互联网的巨大潜力。为了推动企业更好地使用工业互联网，天津提出，对于企业购买的平台系统上云、业务应用服务和产品设备上云服务，会给予补贴，最高不超过实际发生费用的30%。这样的政策将极大降低企业采用工业互联网技术的成本，鼓励更多的企业尝试和应用，从而加速工业互联网在天津的普及和推广。

总之，中国各大城市都清晰地看到了工业互联网的发展趋势和潜力。通过出台一系列的政策和采取措施，旨在吸引和培养更多的工业互联网相关企业和项目，推动传统工业的转型和升级。可以预计，在不久的将来，这些城市将在工业互联网领域取得更多的突破和成果，为中国的工业4.0贡献更多的力量。

6.3 工业互联网需求分析

6.3.1 市场需求分析

（1）政府侧，以工业互联网研究院为主

需求市场在今日的工业环境中发挥着日益重要的作用。在这个环境中，政府和各个相关机构都在积极地探索和寻找新的发展方向和策略。特别是政府侧的参与，为市场的成熟和发展提供了坚强的后盾。例如，图2-6-2展示了2022年第三季度～2023年第一季度部分政府及协会类招标单位相关情况。

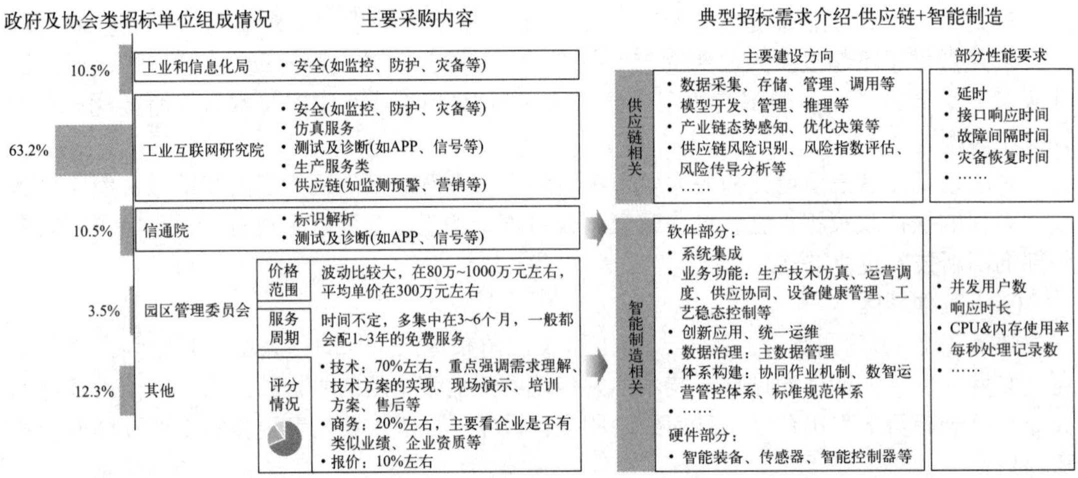

图2-6-2 2022年第三季度～2023年第一季度部分政府及协会类招标单位相关情况

工业互联网研究院作为政府侧的代表之一，其角色重要性和地位日益上升。其原本主要负责行业研究和标准制定，但现在已经演变为行业集成汇总节点的角色。这个变化不仅代表了工业互联网研究院的战略转型，也体现了工业互联网市场的深度整合趋势。

从服务业务主体的角度来看，工业互联网研究院是领域内的佼佼者，其不仅在工业互联网领域拥有丰富的测试和评估服务能力，而且还成功地转型为集成分包商。这也意味着，未来参与行业标准制定的机构，如果拥有集成优势，其在市场中的地位将更加稳固。

除了工业互联网研究院，工业和信息化局也是一个不容忽视的需求方。相比之下，工业和信息化局更加关注工业互联网如何为当地的整体产业带来价值，如何通过工业互联网实现产业链的协同管理和智能制造。这些需求非常高，也非常具有前瞻性。

这种高度的技术导向，也是工业互联网市场发展的一个显著特点。随着技术的进步，市场对技术的需求也在不断增加。这为技术提供商提供了巨大的机会，但同时也带来了巨大的挑战。

工业互联网市场在政府和相关机构的支持下，呈现出蓬勃的发展势头。工业互联网研究院和工业和信息化局等机构，在市场中扮演了至关重要的角色。而对于企业来说，拥有先进的技术和集成能力，将是未来在市场中取得成功的关键。

（2）企业侧，央国企推动

需求市场在现代工业背景下，面临的是一个多元化、层次化的环境，特别是当我们从企业侧去观察，会发现央企、国有企业（简称“国企”）在其中发挥着无可替代的作用。例如，图2-6-3 展示了2022年第三季度～2023年第一季度部分企业类招标单位相关情况。

央国企因其特有的体量和影响力，不仅在工业互联网应用中成为了领头羊，而且还肩负着示范的任务。这意味着，央国企不仅要引领整个行业的发展趋势，还要为其他企业提供一个实践的标杆和参考。而标识解析节点就是央国企需要面对的一大双重任务。

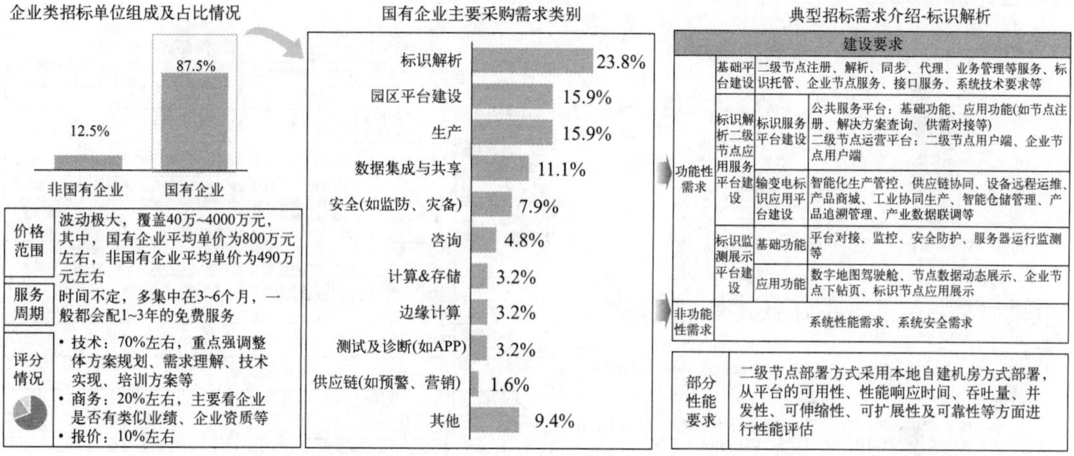

图2-6-3 2022年第三季度～2023年第一季度部分企业类招标单位相关情况

央国企是企业侧需求的绝对主体。这不仅仅是因为央国企本身的规模和资源优势，更多是因为其在工业互联网中的示范作用。央国企既要展示如何正确、高效地使用工业互联网，还要承担起二级节点、企业节点等多重角色。这也是为什么在标识解析建设时，央国企会特别关注其作为节点所能覆盖的能力和范围。

再来看央国企的采购需求，我们可以发现，标识解析、园区平台建设和生产是其排名前3的需求点。这与央国企所承担的双重任务是直接相关的。为了能够更好地实施标识解析和园区平台建设，央国企必须确保自己在生产和其他方面的能力是顶尖的。

央国企在工业互联网的需求市场中，无疑是最大的、最有影响力的参与者。其对技术的重视，对质量的追求，都为整个市场树立了一个高标准。而对于供应商来说，如何满足央国企的高要求，无疑是一个巨大的挑战，同时也是一个巨大的机会。

（3）高校侧，建设实训平台推动

高校在现代工业4.0的时代中，也开始逐渐把注意力转向工业互联网的应用和研究。其中，建设实训平台是大多数高校关注的焦点。这一方向的推动，对于培养学生的实践能力和对接未来的工业需求都具有非常重要的意义。例如，图2-6-4 展示了2022年第三季度～2023年第一季度部分高校类招标单位相关情况。

实训平台的建设，在不同高校中有着不同的侧重点。尽管都是以实训平台为名，但其中的内容和形式却因学校的不同而有所差异。一些高校可能会更侧重于某一单一模块的实训建设，例如机器人编程、物联网应用、数据分析等。而有些高校则会更为宏观，会考虑整个产线的实训建设，使学生能够从整体上理解和掌握工业生产的各个环节。

统计数据显示，高校对工业互联网的需求中，有高达83.9%都是围绕实训平台的建设。这一数字远超其他方向，足以见得实训平台对于高校来说的重要性。而这与政府和企业侧的需求又有所不同。首先，高校侧的需求更多是由资金驱动的，不同学校的经费、预算、学科设置等因素都会影响到实训平台的建设方向和内容，因此，尽管都是实训平台，但每所学校的具体内容都会有所不同。

高校在实训平台建设中还会考虑到学科交叉和综合应用。工业互联网不仅仅是一个技术领域，它还涉及管理、经济、人文等多个学科。因此，高校在建设实训平台时，会尽量将这些学科的知识和技能融合进来，使学生在学习工业互联网的同时，也能够培养出跨学科的思维和能力。

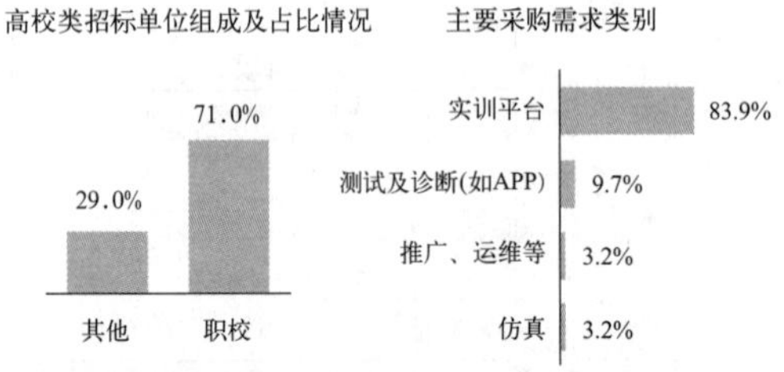

价格范围	波动极大，覆盖10万~900万元，平均单价为214万元左右，一般超过百万元的都是较为体系化的实训平台或者整套解决方案服务
服务周期	时间不定，多集中在3~6个月，一般都会配1~3年的免费服务
评分情况	• 技术：50%~60%左右，重点强调整体方案规划、技术参数及要求、产品服务、培训方案、项目团队人员等 • 商务：10%~20%左右，主要看企业是否有类似业绩、企业资质、售后服务等 • 报价：30%左右，价格占比较高

典型招标需求介绍-5G+工业互联网创新平台

建设要求		
塔台控制中心	液晶显示单元、信号处理器、操作员站	
	工业互联网设备数字化管理系统	工业互联网平台、工业APP
工业互联网基础设施	微模块机柜	微模块机柜、万兆交换机、图像工作站、数据计算工作站
数字化产线，包含流程制造、离散制造、混合制造	产线操作技术(OT)部分	立式操作实验机械装置、主处理器与控制模块、模拟量输入输出扩展模块、运动控制模块、变频驱动模块、智能马达起动和保护单元、温控单元、人机交互单元、工业以太网交换机、物理网关、电能采集模块
	产线信息技术(IT)部分	实验工作台、工程师工作站、组态软件、千兆以太网交换机、网络安全防控单元、机电一体化仿真平台软件、软网关模块
数字化仓储系统	仓储管理系统、自动化立体仓库、料箱、扫码枪、打印机	
厂内物流系统	AGV小车	
电气产品装配模拟柔性生产线	移载输送线	移载输送线、协作机器人、集成系统
5G通信工业应用装置	5G室内专用网络、物联网无线智能网关	
多功能操作台	一体机、多功能识别器	
检测模块	数显卡尺、千分尺	
开放自动化实验装置	立式操作实验机械装置、工业级可触摸显示和控制单元、小型自动化分布式控制器、分布式控制变频器驱动单元、工业级树莓派	
工业机器视觉综合实训台	设备、算法软件、质量管理系统	
其他	三轴机械手、微电网实验装置、电磁耦合实验装置、智能制造虚拟接口、区块链集成节点、边缘计算模块	

图 2-6-4　2022 年第三季度～2023 年第一季度部分高校类招标单位相关情况

6.3.2　人才需求分析

工业互联网市场是一个充满活力和无限机遇的新兴市场，随着技术的快速迭代和行业应用的深化，它对于人才的需求也在日益增长，尤其是对产品、研发和解决方案类的人员，市场的渴求已经非常明显。图2-6-5展示了2023年工业互联网市场人才需求情况。

（1）产品经理的关键作用

为什么产品经理的需求占比如此之高呢？在工业互联网市场中，产品经理扮演着桥梁的角色。他们不仅需要了解技术和市场的动态，还要不断与客户沟通，了解其真实需求，使得产品更具市场竞争力。工业互联网产品的复杂性和深度远远超过普通的互联网产品，它需要不断地完善和开发创新。每一个细微的产品改进，都可能为企业带来巨大的经济效益。

（2）解决方案和规划类的需求

解决方案和规划类的人员同样受到市场的追捧。工业互联网的应用场景复杂多变，企

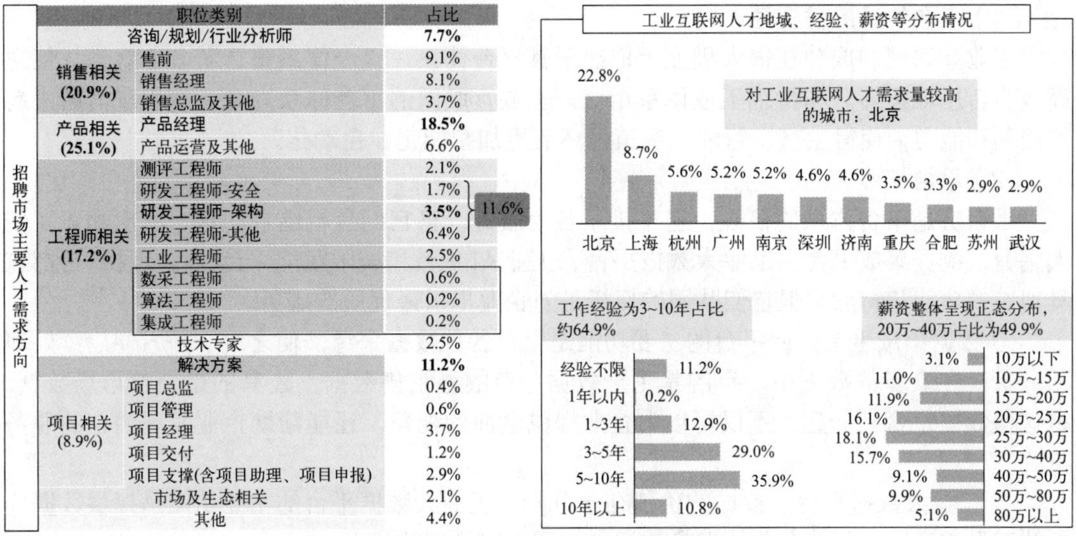

图 2-6-5　2023 年工业互联网市场人才需求情况

业对于量身定制的解决方案有着强烈的需求。这类人员需要具备强烈的洞察力和创新能力，帮助企业找到最佳的应用路径。

然而，算法工程师和数采工程师等更细化的分工的需求相对较低。这并不意味着市场不需要这类人才，而是市场还处于初级阶段，许多企业还没有意识到这些细分岗位的重要性。随着市场的成熟，这些岗位的需求会快速增长。

（3）地域需求的差异

从地域来看，北京作为我国的政治、经济和文化中心，吸引了大量的工业互联网企业和创新机构。其强大的技术研发能力和完善的产业链，使得北京在人才需求量上遥遥领先。但随着其他地区的经济发展和产业结构的优化，人才需求的地域差异会逐渐减小。

（4）工作经验与薪资的关系

工业互联网市场对人才的抢夺相对理性。企业更加关注人才的专业性和行业经验，而不是简单的工作年限。有经验的人才可以更快速地融入工作，为企业创造价值。因此，对于这部分人才，企业愿意支付更高的薪资。

当前的人才市场需求充分体现了工业互联网行业的初期特性。随着技术的发展和市场的成熟，人才需求的结构和特点也会发生变化。对于求职者来说，现在是一个极好的机会，对于企业来说，抓住这个机会，吸引和培养合适的人才，将是未来竞争的关键。

6.4 》 工业互联网平台发展

6.4.1　工业互联网平台

平台体系在工业互联网中的作用不可或缺，其意义深远，涉及的层次与维度也十分丰富。工业互联网如同一个高大的建筑，由各种服务体系构成，而平台体系无疑是这座建筑的核心结构，提供支撑并决定整体的稳定性。

（1）平台体系的重要性

工业互联网的成功在很大程度上取决于其平台体系。这一体系整合了多个服务，使之高效、有序地运转。与传统工业体系相比，工业互联网的平台体系为企业提供了前所未有的便利和能力，使得生产、管理、决策等环节更加智能化、自动化。

（2）平台核心

平台层是平台体系的核心，它连接了各个服务，将它们有机结合。这一层次涵盖了四大平台：数据集成平台、工业大数据平台、工业AI平台和技术赋能平台。每一种平台都有其独特的功能和特点，但它们共同的目标是为企业提供最优质的服务。

① 数据集成平台：此平台的主要功能是整合各种数据来源，使之统一并方便后续处理和分析。在众多的数据中，有的是生产数据，有的是销售数据，还有的是外部市场数据。将这些数据整合到一起，不仅可以为企业提供全面的视角，还能帮助企业发现潜在的业务机会。

② 工业大数据平台：数据的价值在于分析。工业大数据平台的主要功能是提供数据分析的工具和环境，帮助企业从海量数据中挖掘出有价值的信息。

③ 工业AI平台：AI技术在工业领域的应用前景广阔。工业AI平台为企业提供了强大的算法和模型，使其能够实现自动化决策、智能诊断等高级功能。

④ 技术赋能平台：技术赋能平台为第三方服务和客户自身开发提供了开发工具和环境，它使得企业能够更加灵活地进行技术创新和业务拓展。

（3）平台服务

平台层提供的服务主要有两大类。第一类是围绕数据资产价值挖掘提供的服务，这包括数据集成、处理、分析等。这一类服务为企业解锁了数据的价值，使其能够更加精准地进行决策和管理。第二类是围绕第三方服务及客户自身开发提供的能力，如开发工具、API等。这一类服务为企业提供了技术上的支持，使其能够进行持续创新。

工业互联网的发展离不开平台体系，而平台层则是这一体系的核心。它整合了各种服务，为企业提供了全方位的支持。无论是数据集成、分析，还是技术赋能，平台层都能为企业带来实实在在的价值。在未来，随着技术的进步和市场的发展，平台层将会扮演更加重要的角色，为工业互联网的繁荣做出更大的贡献。工业互联网的功能体系图架构如图2-6-6所示。

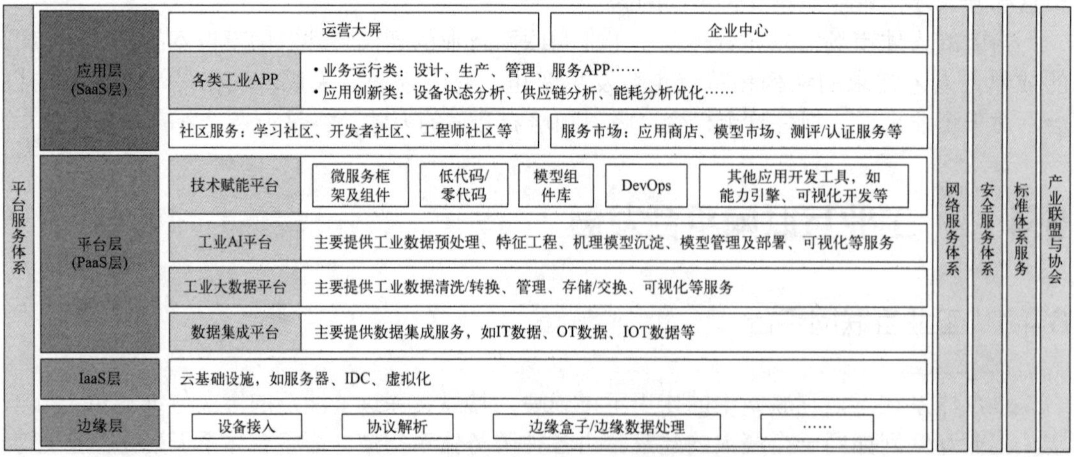

图2-6-6　工业互联网的功能体系图架构

6.4.2 工业互联网平台的发展分析

在工业互联网的日益发展中，各个企业的角色和影响力正在形成和巩固。制造业大厂、ICT企业和互联网大厂是其中的主要参与者。每种类型的企业都有自己的优势和劣势，但由于制造业大厂在工业领域的深厚背景和丰富经验，目前在整体竞争中暂时领先。

6.4.2.1 工业互联网平台的成长逻辑

在工业互联网的发展历程中，平台企业的策略和路径呈现出了明显的特点。其中的"产品、项目、平台及生态"的发展战略成为了多数企业的选择。制造业大厂由于其深厚的行业背景和明显的资源优势，已经在这条路径上取得了显著的成果，而其他类型的企业仍在努力寻找最佳的前进方向。

（1）产品——基石的打造

每一个成功的平台都起始于一个强大、高效并且易于使用的产品。对于工业互联网平台而言，产品的打造关键在于其实用性和稳定性。制造业大厂凭借其丰富的行业经验，能够深入了解工业生产的实际需求，从而开发出真正满足市场需求的产品。而其他类型的企业则可能需要花费更多的时间和资源去了解市场和调研需求。

（2）项目——解决方案的提供

有了优质的产品，下一步就是如何将其与实际的业务需求结合，形成一整套的解决方案。这通常是通过具体的项目来实现的。制造业大厂可以依托自身的生产线和供应链，为客户提供定制化的解决方案，确保项目的成功实施，而其他企业则需要更多地依靠合作伙伴和外部资源，来完成项目的落地。

（3）平台——整合资源的中心

随着产品和项目的成功推进，平台企业开始意识到，单一的产品或项目并不能满足所有客户的需求。这时，构建一个整合了各种资源和服务的平台成为了必然的选择。制造业大厂凭借其强大的资源整合能力，可以快速地构建起一个完善的平台体系。而其他企业则需要逐步积累和整合资源，形成自己的平台生态。

（4）生态——多方共赢的网络

最终，真正的成功并不仅仅取决于单一的平台，而是一个健康、活跃的生态系统。这需要平台企业与各类合作伙伴、供应商、客户等形成紧密的合作关系，共同创造价值。制造业大厂由于其行业地位和影响力，可以更容易地吸引伙伴加入其生态，而其他企业则需要不断努力，扩大其生态的规模和影响力。

制造业大厂在"产品、项目、平台及生态"的路径上已经取得了显著的进展，而其他类型的企业仍在逐步探索和前进。但不论是哪一类企业，都需要明确自己的定位和优势，找到最适合自己的发展路径，才能在工业互联网的浪潮中脱颖而出。

工业互联网平台企业战略路径总览见图2-6-7。

6.4.2.2 工业互联网平台盈利模式

工业互联网，这个集合了创新技术、管理方法和工业化的巨大体系，正在逐步改变传统工业的生产与运营模式。在这样一个蓬勃发展的领域中，平台层企业如何获利，成为了业界关心的焦点。目前的盈利模式，无论是解决方案还是订阅服务，都在不断地演化中，展现出了前所未有的机遇与挑战。工业互联网平台层企业盈利模式如图2-6-8所示。

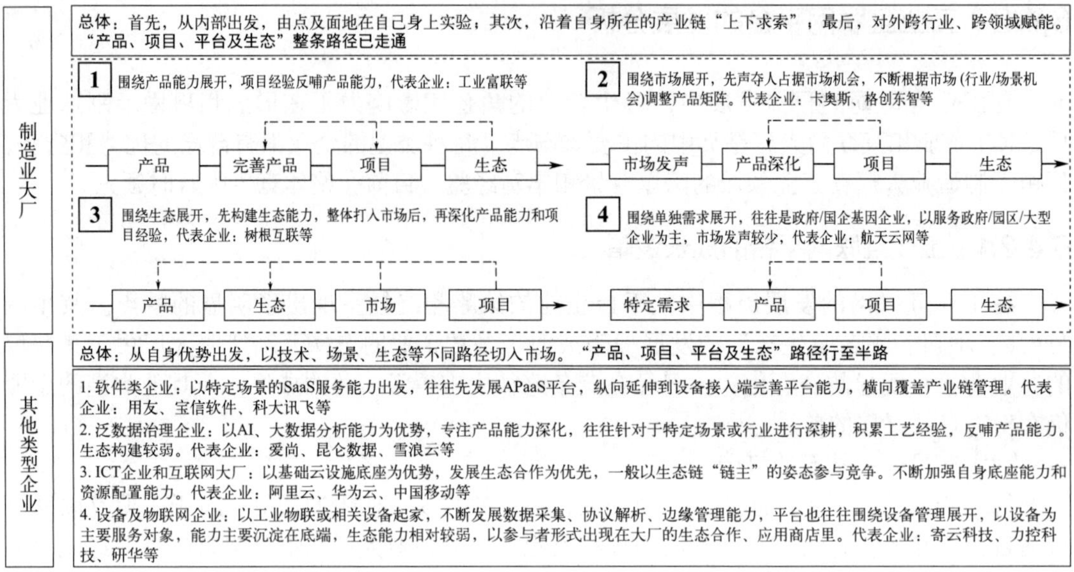

图 2-6-7　工业互联网平台企业战略路径总览

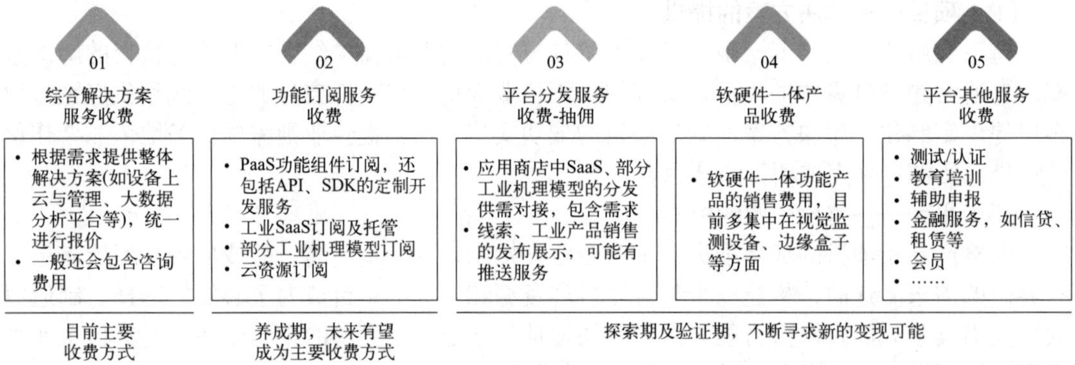

图 2-6-8　工业互联网平台层企业盈利模式

（1）“保姆式”的综合解决方案

在工业互联网的初始阶段，市场对于技术和解决方案的认知度并不高，这时“保姆式”的综合解决方案成为了企业的首选。这种模式下，平台企业为客户提供从咨询规划、项目实施和建设到项目运维的全流程服务。这种服务模式可以快速帮助客户建立起工业互联网的应用能力，同时也为平台企业带来了丰厚的盈利。

在咨询规划阶段，平台企业通常会为客户提供宏观的顶层设计和针对性的场景分析，帮助客户明确自己的需求和方向。项目实施和建设阶段则是真正的技术输出和实践，通过项目的交付，平台企业可以为客户构建起一个完整的工业互联网系统。而在项目运维阶段，平台企业则需要为客户提供持续的技术支持和优化服务，确保系统的稳定运行。

（2）功能订阅服务

随着市场的成熟，功能订阅服务开始受到企业的关注。这种服务模式主要包括PaaS功能组件的使用及定制开发服务、工业SaaS功能订阅以及工业机理模型订阅等。与“保姆式”的综合解决方案相比，功能订阅服务更加灵活，可以为客户提供更加个性化的服务。

订阅模式的最大好处是，它可以为平台企业带来稳定的收入来源，同时也降低了客户的初始投入成本。随着技术和市场的发展，订阅模式有望成为工业互联网的主流盈利模式。

（3）分发抽佣模式

除了上述两种模式，分发抽佣也成为了平台企业的重要盈利方式。这种模式下，平台企业主要通过为第三方开发者提供技术和市场支持，从而获得分成或抽佣。这种模式不仅可以为平台企业带来额外的收入，还可以帮助其快速拓展市场和增加用户。

工业互联网平台层企业的盈利模式还在不断地探索与完善中，无论是解决方案、功能订阅还是分发抽佣，都有其独特的优势和局限性。但可以确定的是，随着市场和技术的不断发展，平台层企业的盈利模式将会更加丰富和多元，为整个工业互联网带来更加广阔的发展空间。

6.4.2.3 工业互联网平台的市场竞争态势

工业互联网平台在现代工业领域中扮演着至关重要的角色。与消费互联网不同，它的复杂性、技术壁垒以及特有的数据属性，使得其发展呈现出与众不同的特点。尤其是在当前，企业间的合作大于竞争已成为一种普遍趋势。

（1）技术庞杂与高壁垒

工业互联网的复杂性首先体现在技术上。从数据采集、传输、存储到分析，每一个环节都涉及多种技术的深度融合。无论是硬件技术、通信技术，还是数据处理与机器学习技术，都要求平台具备极高的技术实力。正因为技术的复杂性，单一类型的技术公司难以满足工业互联网平台的全面需求。这也意味着，为了构建一个完整的工业互联网系统，企业必须寻求外部合作，形成技术上的互补。

（2）工业数据的特性

工业数据的特性进一步加大了工业互联网的复杂度。不同于消费互联网上的社交数据或电商数据，工业数据涉及生产、设备、物流等多个环节，其实时性、关联性和准确性要求都极高。每一个数据点都可能关联到生产效率、设备健康状态或者产品质量。此外，不同的行业和企业，其数据特性、数据结构以及数据的价值都存在显著差异。这就要求工业互联网平台不仅要有强大的数据处理能力，还需要具备深厚的行业知识和经验。

（3）企业互补性

正是由于上述的技术和数据特性，工业互联网企业间的互补性显得尤为重要。在这个领域，很难有一家企业能够独立完成从数据采集到分析的整个流程，更不用说提供跨行业的解决方案。因此，企业之间的合作变得尤为重要。通过合作，企业可以共享技术、资源和经验，更有效地为客户提供服务。这种合作大于竞争的模式不仅可以提高工业互联网的整体效率，还有助于推动整个行业的健康发展。

（4）未来的发展趋势

尽管工业互联网仍处于发展初期，但其巨大的潜力和市场前景已经吸引了大量的资本和企业投入资金。随着技术的进步和市场的成熟，工业互联网将会呈现出更多的创新和变革。但在可预见的未来，由于工业互联网的独特性，很难出现类似消费互联网那样的超级大平台。相反，企业间的合作与互补仍将是主导工业互联网发展的主要模式，如图2-6-9所示。

工业互联网作为新兴领域，其发展模式与消费互联网有显著差异。技术的复杂性、工业数据的独特性以及企业间的互补性，都使得合作大于竞争成为这个领域的主要特点。随着技术和市场的不断发展，工业互联网将会带来更多的机遇和挑战，而企业间的合作将是应对这些挑战的关键。

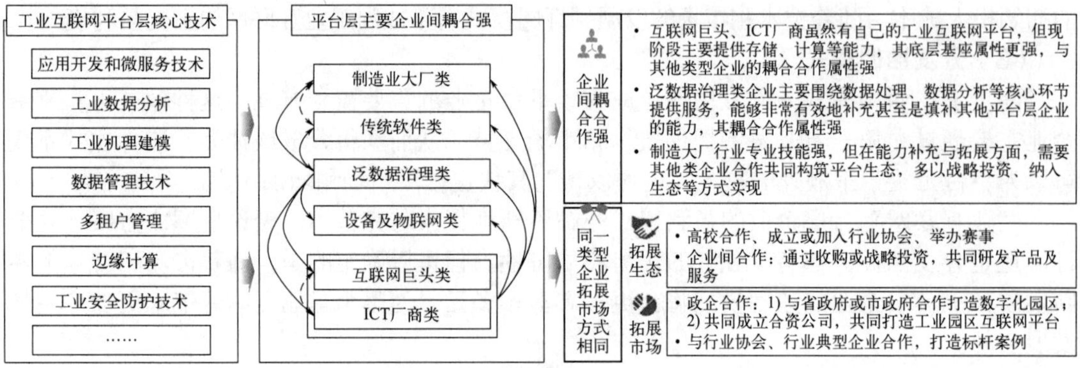

图 2-6-9　工业互联网平台层企业合作模式

6.4.2.4　工业互联网平台的本质

在当今的工业互联网时代，数据已经成为最宝贵的资源。其价值早已超越了单纯的数字组合，更是成为了驱动现代企业运营的核心资产。工业互联网平台的主要任务，就是将这些分散在各个环节的数据进行集中、处理和分析，最终转化为可用的知识和智慧，从而为企业带来实际的经济效益。工业互联网平台实现的数据流转和基础服务如图2-6-10所示。

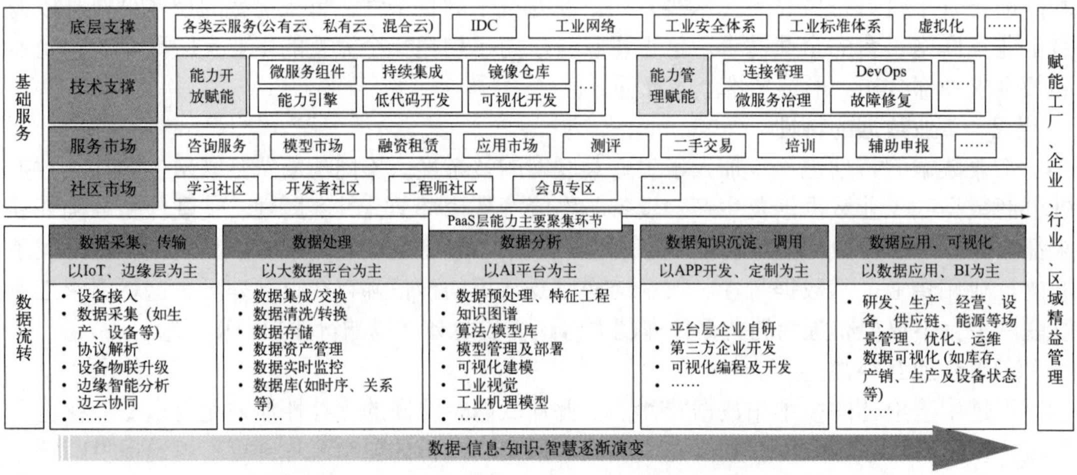

图 2-6-10　工业互联网平台实现的数据流转和基础服务

（1）数据的来源与利用

首先，数据的来源是工业互联网平台要考虑的首要问题。在现代的生产和经营活动中，数据无处不在。无论是生产线上的传感器数据、销售部门的订单数据，还是财务部门的数据，都是工业互联网平台的重要数据来源。为了有效地收集这些数据，平台需要与各个系统和设备进行无缝连接，确保数据的实时、准确和完整。

其次，数据的利用是平台的核心任务。通过先进的数据处理、分析和机器学习技术，平台可以从原始数据中提取出有价值的信息和知识。这些知识不仅可以为企业的决策提供有力的支持，还可以成为企业的核心竞争力，为企业创造持续的价值。

（2）平台的核心能力

工业互联网平台的能力，大致可以分为两类。其一是基础服务能力，主要包括底层支撑和技术支撑。这些能力为平台提供了稳定、可靠和高效的运行环境，确保平台能够满足企业的各种业务需求。

其二是数据服务能力。这些能力围绕数据的整个生命周期，提供全方位的服务。从数据的采集、传输到处理、分析，再到知识的沉淀和调用，平台都能为企业提供一站式的解决方案。这些服务不仅涉及物联网、大数据、AI等前沿技术，更是平台的核心价值所在。

（3）服务的输出

随着技术的不断进步和市场的发展，工业互联网平台的服务也在不断扩展。从最初的PaaS平台底座，到生态共筑、应用APP，再到综合解决方案，平台一直在为企业提供更为丰富和个性化的服务。这些服务不仅能够满足企业的当前需求，更是为企业的未来发展打下了坚实的基础。

作为现代工业生产和经营的核心，工业互联网平台的价值不仅体现在技术上，更体现在对企业的实际帮助上。通过有效地收集、处理和利用数据，平台为企业创造了实际的经济效益，提升了企业的核心竞争力。随着技术的进步和市场的发展，工业互联网平台将会发挥出更大的价值，为企业带来更多的机遇和挑战。

6.4.3 工业互联网的企业分类

工业互联网作为当今数字化转型的关键驱动力，涉及的范围和深度在不断地拓展。在这一大背景下，各类企业纷纷进入，形成了一个多元化的生态。从平台服务、网络服务、安全服务到标准服务，工业互联网的这四大体系构成了整个行业的骨架，而在其中，平台服务企业尤为重要，他们主要集中在平台层，即PaaS层。平台服务是工业互联网的核心，为企业提供了构建、管理和优化数字化解决方案的基础。平台服务企业的主要任务是提供一个稳定、可扩展和高效的环境，使企业能够迅速地开发和部署各种应用。工业互联网平台服务体系如图2-6-11所示。

图2-6-11　工业互联网平台服务体系

（1）平台服务企业的作用

平台即服务，即PaaS，是一个为软件应用开发者提供的平台，使他们可以在此基础上构建、部署和管理应用。在工业互联网中，PaaS层的作用尤为关键，因为它直接决定了应用的性能、稳定性和扩展性。

平台服务企业在PaaS层提供的服务多种多样，包括但不限于：数据管理、计算能力、存储服务、网络连接以及各种开发和部署工具。这使得企业可以根据自己的需要，灵活地选择合适的服务，从而大大提高了开发效率和应用质量。

值得注意的是，平台服务企业不仅仅是提供服务的供应商，他们还是创新的驱动力。随着技术的进步，PaaS层的服务也在不断更新和完善，这为企业带来了更多的机会和可能性。

工业互联网是一个巨大的生态，涵盖了多个体系和众多企业。其中，平台服务企业在PaaS层扮演了关键的角色，他们为企业提供了构建和部署应用的基础，同时也推动了整个工业互联网的技术进步和创新。随着工业互联网的不断发展，可以预见，平台服务企业将会在未来扮演更加重要的角色，为整个行业带来更多的价值和机会。

（2）工业互联网平台企业分类

中国的工业互联网平台市场，虽然仍然处于初期阶段，但其发展的势头已经越来越明显。其中，供给方的角色不容忽视，尤其是那些大型企业，他们不仅仅是供给方，更是推动者和创新者。对于这个市场的分析，我们可以从多个维度来探讨，尤其是从企业的“基因”出发，去理解他们在市场中的地位、作用和未来的走向。工业互联网平台企业分类如图2-6-12所示。

图 2-6-12　工业互联网平台企业分类

（来源：艾瑞咨询研究院）

① 制造业大厂。制造业在中国的历史悠久，拥有众多的大型企业。这些企业在进入工业互联网市场时，带来了丰富的制造业经验。他们不仅理解生产线的工作原理，还对市场有着独特的洞察。由于他们自身就是制造业的一部分，所以他们在制定产品和服务策略时，能够更准确地满足市场的需求。此外，这类企业通常拥有强大的资金实力和技术支持，在市场上有着不可替代的地位。

② 传统软件企业。这类企业拥有丰富的软件开发和服务经验，他们深知如何为客户提供高质量的软件产品和服务。进入工业互联网市场后，他们可以利用自己的技术优势，为

企业提供定制化的解决方案。

③ 互联网大厂企业。随着互联网的普及，一些大型互联网公司也开始进军工业互联网市场。这些公司拥有先进的技术、庞大的用户基数和雄厚的资金，使其在市场上具有明显的竞争优势。他们擅长使用大数据、人工智能等技术，为企业提供智能化的解决方案。

④ ICT企业。ICT企业在信息和通信技术领域有着深厚的积累。他们在网络、数据传输、云计算等领域具有领先的技术和服务。在工业互联网市场上，他们可以提供稳定、高效、安全的基础设施服务。

⑤ 泛数据治理企业。数据是工业互联网的核心。泛数据治理企业专注于数据的收集、存储、分析和应用，他们的服务对于企业来说至关重要。他们深入了解数据的价值，能够为企业提供有针对性的数据解决方案。

⑥ 设备及物联网类企业。这类企业关注的是设备和物联网技术。他们的产品和服务可以为企业提供智能化的设备管理和运维，使得生产过程更加高效和安全。

中国的工业互联网市场虽然还在初步发展阶段，但已经呈现出繁荣的态势。各类企业根据自己的“基因”优势，在市场上各展其长，形成了一个多元化、竞争激烈的市场格局。未来，随着技术的进步和市场的扩大，这些企业将继续加深合作，共同推动工业互联网市场的快速发展。

6.4.4 工业互联网平台的服务发展趋势

平台服务的核心目标在于满足数字化转型和数据价值挖掘的需求。随着工业互联网的发展，服务市场在这方面的逻辑并未发生重大变革。但值得注意的是，客户对产品和服务的理解与需求逐渐提高，使得供应商对其产品和服务进行了进一步的优化与扩展。

首先，供应商在产品和服务的设计中更加注重范围的覆盖。在工业互联网的上下游中，无论是在产品设计、生产还是在应用层面，都在寻求更广泛的协同管理和赋能。例如，新型的服务平台，如橙色云，专注于为产品经理提供从产品设想到实际实现的全链条服务，使得产品的设计和实现更加高效且符合市场需求。

其次，平台服务也在向细分领域发展。一方面，针对不同的应用场景，供应商提供了更多细分的服务平台，如IoT平台、大数据平台、AI平台等。这些平台旨在满足特定应用场景下的需求，使得客户可以根据自己的实际情况选择合适的平台进行服务。另一方面，随着市场的成熟，针对管理层和一线工业专家的赋能服务也逐渐增多，使得他们能够更好地管理和监控工业生产过程。

再者，为了提高平台的变现能力，一些成熟的服务平台开始加强在生态构建和知识沉淀方面的投入。通过与多方合作伙伴建立紧密的生态关系，以及不断地积累和分享知识，这些平台希望能够吸引更多的用户，从而增加收入。

最后，为了让更多从事工业生产和运营的人能够使用这些平台，供应商也在不断地改进产品的易用性。通过提供更加人性化的界面设计、更加完善的帮助文档和更加高效的客户支持，希望能够降低用户的学习成本，使得他们能够更快地上手并充分利用这些产品和服务。

随着工业互联网市场的发展，供应商对平台服务进行了多方面的优化和扩展，以满足不断变化的市场需求。无论是在产品和服务的范围、细分领域的拓展，还是在生态构建和知识沉淀方面的努力，都显示出供应商对市场的深度理解和对客户的关注。未来，随着技术的进一步发展和市场的进一步成熟，我们有理由相信，平台服务将会为工业互联网带来更大的价值。

图2-6-13是近几年工业互联网平台服务演变情况。

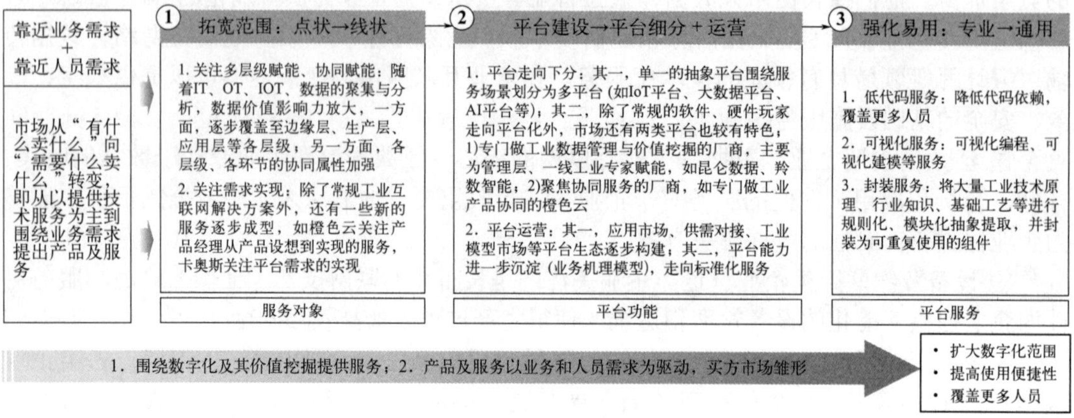

图 2-6-13　近几年工业互联网平台服务演变情况

（来源：艾瑞咨询研究院）

6.5 》 工业互联网产业宏观表现

6.5.1 产业市场数据

作为工业数字化转型的核心驱动力，工业互联网平台已在国内得到了广泛的关注和蓬勃的发展。从总体趋势来看，国内的工业互联网平台正在经历一个蓬勃发展的时期，无论是平台的规模还是市场份额，都呈现出稳定增长的态势。这种增长不仅仅是数字上的提升，更是反映了工业生产、管理和服务模式的深度变革。

平台应用解决方案的发展还处于成长期，意味着市场上有大量的机会和空间。由于行业集中度不高，多个创新型的企业和团队都在积极探索和尝试，希望能为工业生产提供更高效、智能的解决方案。这种情况也造成了解决方案的多样性，各个平台都在努力寻找自己的特色和差异化，以满足不同类型工业企业的需求。不过，这也意味着市场上存在大量的竞争，平台之间需要不断地创新和优化，以确保自己在市场中的地位。

而在区域平台应用的发展方面，情况则略有不同。这一方面的发展已相对成熟，大部分的市场空间和需求已被满足。行业的集中度已经从之前的竞争型转变为寡占型格局。这意味着少数的领先平台已经占据了主导地位，而其他小型或新兴的平台则面临更大的挑战。这种格局的形成是基于多种原因的，包括但不限于技术的积累、品牌的影响力、资本的支持等。对于企业来说，选择一个稳定、可靠的区域平台成为了优先考虑的因素，而对于平台提供商来说，如何维持自己的领先地位、如何进一步扩大市场份额则成为了主要的任务。

在这种背景下，国内工业互联网平台的未来走势值得期待。随着技术的进步和工业生产模式的变革，平台将扮演更为重要的角色。对于平台应用解决方案的提供商来说，如何捕捉市场的机会、如何提供更为创新和差异化的服务将是关键。而对于区域平台来说，如何维持和加强自己的竞争力、如何进一步满足客户的需求既是挑战也是机会。无论如何，工业互联网平台的发展将为工业生产带来革命性的变化，也将为社会经济发展注入新的活力。

（1）中国工业互联网平台及应用解决方案市场份额数据

数字化转型已经成为全球各大产业发展的主导方向。中国作为全球第二大经济体，自然也成为了这场数字化革命的主战场。特别是在工业互联网平台及应用解决方案这一领域，中国表现得尤为突出。

据统计，2021年，中国工业互联网平台及应用解决方案市场规模已达到120亿元，同比增长约18%～20%。这样的增速足以说明，工业互联网在中国的发展空间依然巨大，而且仍然处于一个高速成长的阶段。

而在这个巨大的市场里，资源能源、装备制造、通信及电子制造、原材料这四大行业以及IoT、大数据、AI这三大技术领域成为了市场的主力军。其市场份额都相对较高，并且彼此之间的差距也不大。这说明在中国，无论是传统的资源和制造业，还是新兴的通信和电子业，都已经开始深入拥抱工业互联网技术，并在这个过程中取得了显著的成果。

但与此同时，中国工业互联网平台及应用解决方案市场总体上还呈现出碎片化的格局。尽管市场规模巨大，但没有哪一个企业能够真正称霸全场。这说明，中国的工业互联网市场还处于一个初级阶段，大家都在努力寻找机会和方向，竞争非常激烈。

但无论如何，随着企业数字化转型的持续深入，预计到2025年底，中国工业互联网平台及应用解决方案市场规模将达到惊人的361.6亿元。这意味着从2021年到2025年，这个市场的复合年增长率将高达31.7%。

这样的数字和预测再次证明，工业互联网在中国的未来发展潜力是无可限量的。而对于各大企业而言，如何在这个市场中找到自己的定位，如何利用工业互联网技术提高自己的竞争力，将是他们未来几年必须面对和思考的问题。不仅仅是技术和市场，企业还需要考虑如何培养和吸引相关的人才，如何与合作伙伴建立稳固的关系，以及如何应对不断变化的市场环境和政策调整。这一切都要求企业有足够的前瞻性和创新能力，只有这样，他们才能在工业互联网的浪潮中立于不败之地。

（2）中国工业互联网区域平台及产业服务市场份额数据

工业互联网区域平台及产业服务逐渐成为了中国经济发展的一部分。2021年，这一市场规模达到了2.64亿美元，与2020年相比有了28.6%的增长。虽然相对于其他技术领域这一增长率并不算很高，但总体上呈现了一个相对平稳的增长态势，反映出市场在不断地稳固和发展。

值得注意的是，这一市场的集中度较高，前六的厂商已经占据了市场的65.4%的份额。这些领先的厂商包括卡奥斯、百度智能云、浪潮、新华三、航天云网和用友。每家公司都有其独特的优势和市场策略，使他们在竞争中脱颖而出。

卡奥斯在2021年的市场份额达到38.9百万美元，同比增长111%。这种爆炸式的增长体现了卡奥斯在工业互联网区域平台和服务市场中的领导地位。作为一个技术驱动型企业，卡奥斯凭借其先进的技术和创新的业务模式，赢得了大量客户的信任和支持。

接下来是百度智能云，其2021年的市场份额为31.5百万美元，同比增长73.3%。作为百度集团的云计算业务板块，百度智能云充分利用了百度在大数据、AI等领域的技术积累，为工业企业提供了一站式的解决方案。

浪潮、新华三、航天云网和用友分别以30百万美元、28.6百万美元、25百万美元和18.8百万美元的市场份额紧随其后。这些企业都是中国工业互联网领域的佼佼者，他们不仅有着深厚的技术背景，还在市场运营、合作伙伴关系和客户服务上有着出色的表现。

这六家公司的出色表现不仅仅是因为他们的技术和产品，还因为他们对市场的深入了解、对客户需求的准确把握，以及持续的研发投入。在工业互联网的大背景下，这些公司都认识到了自己的机会和挑战，并在此基础上制定了清晰的战略和行动计划。

中国工业互联网区域平台及服务市场在2021年呈现了一个健康、稳定的增长态势。随着技术的不断进步和市场的不断扩大，这个市场在未来还会有更大的发展空间和更多的机会。

6.5.2 产业企业数量及评价

经过多年的技术发展和市场沉淀后，中国的平台企业数量已经取得了显著的增长。这些企业涵盖了从社交、购物、金融、教育到工业互联网等多个领域，成为了日常生活和工业生产中不可或缺的一部分。尤其是在国内市场，许多平台企业已经成为了领域内的翘楚，具有广泛的影响力和大量的用户基础。

然而，当我们将目光投向国际市场时，可以发现一个不容忽视的事实：尽管在国内有众多的平台企业具有一定影响力，但在国际舞台上，我国具有国际影响力的平台企业数量仍然有限。这一现象背后，既有市场环境、文化差异、政策法规等外部因素的制约，也有企业自身战略定位、技术储备、人才结构等内部原因。

面对这一现状，培育具有国际影响力的工业互联网平台成为了下一阶段的重要目标。为何这样的目标如此关键？首先，工业互联网是连接全球工业生产和供应链的关键技术，具有国际影响力的平台将有助于中国企业更好地融入全球市场，分享全球资源，参与国际规则的制定，进而提高国家的话语权。

其次，具有国际影响力的工业互联网平台可以带动相关产业链的发展，促进技术和标准的输出，推动国内相关技术和产品在国际市场的普及和应用。这不仅可以带来经济效益，更有助于提升中国工业互联网的技术和品牌形象。

再者，随着全球化的加速和技术的持续进步，国际市场上的竞争将越来越激烈。如果中国的工业互联网平台企业不能及时走出去，与国际先进企业进行深度合作和交流，就可能错失发展的良机，甚至被边缘化。

所以，为了实现这一目标，需要从多方面着手。政府需要提供有利的政策环境，鼓励企业“走出去”，并为其提供必要的支持和保障。企业本身也需要根据国际市场的需求，调整产品和技术策略，加强国际化人才的培养和引进，积极参与国际合作和交流。

培育具有国际影响力的工业互联网平台不仅是为了提高国家的国际竞争力，更是为了推动中国工业互联网的持续健康发展，为未来创造更多的机会和可能性。

（1）工信部发布中国工业互联网影响力平台

2022年4月19日，工信部在国务院新闻办公室的新闻发布会上，对国内工业互联网平台的发展情况进行了详细的通报。

① 工业互联网的崛起与背景。工业互联网的崛起源于数字化、网络化、智能化三大技术的深度融合，其目的是通过数据的连接、分析和应用，提高工业生产的效率和质量。在全球化和技术进步的大背景下，工业互联网已经成为了各国追求的战略高地。

② 中国的成就。在这样的背景下，我国的工业互联网发展可以说取得了令人瞩目的成果，我国工业互联网的产业规模即将达到1.2万亿元。这一数据足以说明，工业互联网在

我国已经成为一个庞大的产业，为我国经济社会的高质量发展提供了强有力的支撑。

③ 平台的数量与质量。更为明显的是，我国培育出的具有影响力的工业互联网平台数量已经超过了240个。这意味着，在我国有240多个平台正在为工业生产提供数据支持、资源链接和技术服务。其中，跨行业跨领域的平台达到了28个，这些平台不仅在某一特定领域内有所作为，还能够跨界连接，实现数据的互通和资源的协同。

④ 全流程的互通与数字化转型。这些平台已经实现了产品全流程、生产各环节、供应链上下游的数据互通和资源协同。这意味着，从原材料的采购，到产品的设计、生产、销售、服务，每一个环节都已经实现了数字化和网络化。这为企业的数字化转型提供了有力的支持，也为整个社会经济的高质量发展提供了坚实的基础。

⑤ 未来的挑战与机遇。虽然我国在工业互联网领域取得了显著的成果，但前路仍然充满了挑战。一方面，全球竞争日趋激烈，各国都在加大投入，争夺工业互联网的制高点。另一方面，技术的更新换代速度越来越快，如何确保我国的工业互联网技术始终处于前沿，是摆在我们面前的一个重要问题。

同时，这也是一个充满机遇的时代。随着5G、AI、大数据等技术的日趋成熟，工业互联网将迎来更为广阔的发展空间。如何抓住这些机遇，加快我国工业互联网的发展，将是我们面临的重要任务。

（2）Gartner发布《2022 全球工业互联网平台魔力象限报告》，树根互联、徐工汉云上榜

2022年12月12日，全球领先的IT研究与顾问咨询机构Gartner发布了备受瞩目的《2022全球工业互联网平台魔力象限报告》。这份报告被广大业界人士视为洞悉全球工业互联网平台发展趋势的关键参考，其内容和结论对于制定行业策略、投资方向等均具有指导性价值。

① Gartner魔力象限报告的影响力。每年发布的魔力象限报告都会根据企业的“执行能力”和“愿景完整性”对其进行评估，将企业分为领导者、挑战者、异步者和角色企业四个象限。对于每一个参与竞争的企业来说，能够入选魔力象限，尤其是被评为“领导者”，无疑是对其实力和市场地位的最佳肯定。

② 中国企业的表现与崛起。在2022年版报告中，令人骄傲的是，来自中国的两大工业互联网平台企业——树根互联和徐工汉云成功上榜。这不仅展现了中国工业互联网平台在全球竞争中的实力和地位，更是中国工业互联网发展速度的生动体现。

尤为值得一提的是，这次树根互联不仅成功上榜，更是已经连续四年入选这份权威报告，且在中国企业中位居榜首。这样的成绩不仅说明了树根互联在工业互联网平台领域的卓越表现，更显示了其在技术创新、服务能力、市场策略等多方面的综合实力。

③ 深入解读树根互联的成功。其连续四年在Gartner的魔力象限报告中脱颖而出，反映了该公司在工业互联网领域精耕细作的决心与努力。树根互联的成功并非偶然。无论是在技术研发上的持续投入，还是在市场布局、合作伙伴关系的精心策划，树根互联都表现出前瞻的战略眼光和扎实的执行能力。

而徐工汉云的上榜，同样证明了中国工业互联网平台在全球舞台上的逐渐崛起。这不仅代表了个别企业的成功，更是整个中国工业互联网生态的共同努力和成果。

④ 展望未来。随着工业4.0和数字化转型的深入推进，工业互联网平台的重要性将日益增强。对于中国企业而言，除了要在国内市场稳固自己的地位，更需要放眼全球，与国际顶级企业竞技。而Gartner的魔力象限报告，无疑将是中国企业在全球市场拓展的重要风向标。

6.5.3 相关企业动态

6.5.3.1 平台大事件

在数字化转型的大背景下，自动化平台正在快速崛起，成为推动产业进步的关键力量。随着技术的日益进步和市场需求的不断变化，具备快速部署、易于应用且能够兼容打通多类设备品牌的自动化平台正逐渐成为未来产业发展的明确方向。这样的平台不仅可以提高企业的运营效率，还能为客户提供更为便捷的服务，从而帮助企业在激烈的市场竞争中脱颖而出。

平台的核心运行环境是其稳定、高效工作的基石。只有当平台在各种应用环境下都能保持稳定的性能，企业才能确保其业务的连续性和可靠性。因此，为了满足这一需求，很多国内企业正将其作为发展的重点，投入大量资源进行研究和优化。

函数计算在平台发展中也起到了至关重要的作用。它可以帮助企业更为灵活地调用和管理资源，从而实现更为高效的业务处理。工具模型则为企业提供了一种快速开发和部署业务应用的方法，大大提高了业务的响应速度。

为了应对未来产业的发展趋势，国内平台在核心运行环境、函数计算和工具模型等方面的自主化研发是不可或缺的。这不仅能够帮助企业提高其在市场上的竞争力，还能为国内产业的长远发展打下坚实的基础。

（1）OnRobot公司推出可自动部署机器人应用的平台

在工业4.0的时代，自动化和数字化转型已经成为了制造业的主要趋势。对于现代化的工厂来说，机器人和自动化平台已经成为生产线上不可或缺的一部分。在这样的背景下，丹麦协作机器人公司OnRobot推出了旗舰平台D：Ploy。这一新的自动化平台无疑为工业自动化领域带来了划时代的革命。

D：Ploy的推出完全改变了传统的机器人应用部署方式。作为业界首个用于构建、运行、监控和重新部署协作应用的自动化平台，它实现了真正的一键式部署。对于工厂来说，这意味着大大节省了部署机器人应用的时间和成本。无需专业的编程知识，仅需完成简单的步骤，工厂工人就能够轻松地在车间部署完整的机器人应用。这种简化的操作模式为生产线带来了前所未有的灵活性和效率提升。

此外，D：Ploy与多家世界领先的机器人品牌如ABB、电装、爱普生、发那科、川崎、库卡、欧姆龙、安川等进行了深度合作，这使得平台的兼容性和稳定性得到了极大的增强。无论是码垛、数控机床加工、包装还是取放操作，D：Ploy都能够提供完美的解决方案。更令人期待的是,OnRobot还计划为D：Ploy添加更多的应用场景，使其功能更为丰富，满足各种复杂的工厂生产需求。

为了支持D：Ploy的广泛应用，OnRobot还提供了一系列的培训和技术支持服务。这些服务旨在帮助工厂工人更快地掌握平台的使用方法，确保机器人应用的稳定和高效运行。

（2）同元软控发布MWORKS 2023平台产品

同元软控在2023年1月对其核心产品MWORKS平台进行了全面的更新和升级。这次的更新，无疑是对原有平台的一个重大突破，带来了许多创新功能和更加出色的性能。

MWORKS.Syslab2023a的发布是这次更新的一个亮点。它具备了更加完整和成熟的数学计算函数库，使得工程师和技术专家能够更加方便地进行复杂的工程计算和模型分析。不仅如此，新的函数库还增加了许多高级算法和技术，为复杂的工程问题提供了更加专业和高效的解决方案。

而MWORKS.Sysplorer2023a的升级更是引起了业界的广泛关注，它的性能和易用性得到了大幅提升，使得用户可以更加流畅地进行模型设计和分析。此外，其内核、平台环境、工具箱和模型库也都进行了全面的升级，进一步增强了稳定性和兼容性，能够满足更加复杂和多样化的工程需求。

MWORKS.Syslink2023a也不甘示弱，它新增的多分支协同建模功能为多团队、多部门的协同工作提供了强大的支持。这一功能使得不同的团队和部门能够更加方便地分享和协作模型，大大提高了工作效率和质量。

另外，MoHub作为MWORKS平台的新成员，也蕴含了许多创新技术和功能。它为用户提供了一个集中的资源和数据管理中心，使得模型、数据和工具可以得到更加高效和规范的管理。此外，MoHub还提供了丰富的API接口和开发工具，支持用户进行个性化开发和扩展，满足特定的工程需求。

（3）Uptake发布Fusion3.1版本

Uptake推出了Fusion3.1版本。这次的更新体现了Uptake对于产品创新和技术升级的不懈追求，旨在为客户提供更高效、灵活且安全的数据管理和分析工具。

3.1版本的FusionUI中新增的Trender功能为用户提供了一个强大的分析工具。通过Trender，Fusion的用户可以非常方便地从Fusion数据模型中挑选标签，对数据值进行深入的趋势分析。这不仅提供了一个直观的方式来理解数据背后的信息，还使得用户能够在Fusion中直接查看和分析数据，无需跳转到其他平台或工具。

此外，Uptake还为Fusion3.1带来了更加灵活和用户友好的数据请求功能。通过优化和改进数据请求，Fusion3.1允许最终用户直接上传自己的数据历史记录，从而更加方便地整合和管理数据。这不仅消除了IT障碍，还为数据科学家和工程师提供了一个更加高效的工作流程，帮助他们更容易地进行数据探索和分析。

在云服务方面，Fusion3.1进行了一次重大的技术升级。其中，所有的连接器配置都被迁移到Azure云中，使得配置管理变得更加集中和高效。用户可以直接在Azure门户中完成所有配置，而且任何更改都会自动推送到连接器。这种方式不仅简化了配置管理的过程，还极大地提高了系统的安全性，用户无需再为单独登录或潜在风险区域而担忧。

Fusion3.1的发布再次展示了Uptake对于工业互联网技术的深入理解和前瞻性思考。此版本不仅在功能和性能上都进行了大幅度的提升，还在用户体验和安全性方面都进行了明显的优化。

6.5.3.2 个体投融资、收并购及上市

在工业4.0时代，工业互联网平台已成为产业链中的重要环节。领先的平台及工业软件企业正面临着一个高度竞争的市场环境。为了在这一市场中取得优势，这些企业采纳了多种策略来加强其市场地位和业务能力。

收购已成为领先企业迅速扩展其业务和技术能力的主要策略。通过收购，这些企业可以迅速获取新技术、进入新市场、吸纳新客户以及获得优质的人才资源。这些收购的目标往往是那些在特定领域或技术上具有领先地位的小型企业或创业公司，他们拥有领先企业所需的关键技术或市场资源。

此外，随着工业互联网的发展，平台企业对外部资金的需求也在增加。为了支持研发、市场拓展或其他业务活动，这些企业纷纷寻求外部投资。目前，融资活动的热度仍然很高，证明了投资者对这个领域的乐观态度和长远看好。

更值得注意的是，供应链领域的平台企业数量最为突出。在全球化背景下，供应链管理的复杂性日益增加。数字化供应链平台可以提供更加高效、透明和灵活的管理方式，这也是为什么这一领域的平台企业受到了投资者的青睐。

面对日益激烈的市场竞争，领先的平台及工业软件企业正在采取各种策略来维持和提升其市场地位，而供应链领域则成为了投资者和平台企业争夺的热土。

（1）Ansys正式收购领先颗粒动力学仿真软件Rocky

此次收购展示了Ansys对于技术领域内离散元模拟方法（DEM）的认可和投资。DEM工具在许多行业中都得到了广泛应用，尤其是在那些需要处理和分析固体颗粒的场合。例如，在矿业、制药、化学和食品加工等领域，DEM工具的应用已经成为了标准做法。

而Rocky，作为一家在DEM领域具有领先地位的公司，无疑为Ansys带来了巨大的技术和市场优势。Rocky不仅拥有先进的DEM工具，而且还在GPU计算和与粒子方法相关的多物理场仿真方面具有独特的优势。这使得Ansys可以为其客户提供更加完整和高效的仿真解决方案。

此外，此次收购也进一步巩固了Ansys与Rocky之间的长期合作关系。双方在2021年就已经宣布了其长期合作关系和联合开发颗粒建模工作流程的决定。这不仅证明了两家公司之间的互信和合作，还为未来的技术创新和产品开发提供了坚实的基础。

与此同时，此次收购还为Ansys带来了Rocky的一支由开发人员、应用支持技术人员和面向客户的员工组成的专业团队。这些团队分布在巴西、西班牙和美国，他们的存在无疑会为Ansys的全球业务和客户服务提供强大的支持。

（2）PTC完成对ServiceMax的收购

随着工业化和全球化的持续深入，企业越来越重视全方位的产品生命周期管理（PLM）和数字线程产品，以为客户提供全面、高效和可持续的解决方案。而PTC对ServiceMax的这一收购，正是在这样的大背景下产生的，它预示着工业软件和服务领域新的合作和融合。

PTC，作为一个全球领先的工业创新平台和技术解决方案提供商，已经具备了强大的PLM和数字线程产品能力。而这次收购ServiceMax，可以说是对其现有产品线的一次重要补充。ServiceMax是一家专注于现场服务管理（FSM）的领先企业，其云原生FSM功能为长生命周期的复杂产品提供了全面的服务解决方案。

这意味着，PTC现在不仅能够帮助客户在产品设计、制造和销售过程中实现优化和升级，还能够在产品投入使用后，为客户提供持续、高效和全方位的服务支持。ServiceMax的FSM功能，包括管理服务产品的信息、创建和管理工作订单、调度和派遣技术人员等，为PTC的客户带来了更高的价值。

而在当前的市场环境下，产品制造商已经不仅仅满足于传统的制造和销售模式，他们越来越多地将与产品相关的服务视为其核心竞争力。因此，通过提供高效、及时和贴心的服务，不仅可以保持产品的最佳性能，还能够提高客户满意度、推动收入增长和扩大盈利能力。

ServiceMax的加入，使得PTC能够为其客户提供从产品设计、制造、销售到使用后的全方位解决方案。这不仅加强了PTC在工业软件和服务领域的竞争力，还为其打开了新的市场机会和业务增长点。

另外，这次收购也反映了PTC对于数字化、云计算和现场服务的高度重视。未来，随着工业互联网和物联网技术的发展，企业对于产品和服务的需求会越来越高，而PTC和ServiceMax的合作，无疑为满足这些需求提供了强大的技术和市场基础。

（3）徐工汉云完成3亿元B轮融资

徐工汉云技术股份有限公司，作为国内技术领先、快速发展的企业，引起了资本市场的关注与热捧。2022年12月31日，其成功完成了3亿元B轮融资，这不仅证明了市场对其发展前景的强烈信心，也为该公司在技术研发、市场拓展等方面提供了更加充足的资金支持。

国开制造业转型升级基金作为本次融资的领投方，展现出了其对于制造业升级、技术创新的重视。作为国家层面的大型基金，国开制造业转型升级基金的投资决策向来都是经过深入研究和严格筛选的，其选择领投徐工汉云，足以证明徐工汉云在行业内的领先地位和强大的技术实力。

同时，徐州疌盛金瑞产业投资基金合伙企业和江苏省大运河（徐州）文化旅游发展基金的跟投，也为徐工汉云带来了更加多元的资本和资源支持。这两家基金在地方经济、文化旅游等领域有着深厚的积累和显著的优势，与徐工汉云的合作无疑将为双方带来更加广泛的市场机会和资源整合。

据悉，本轮融资的资金主要是投入到平台关键技术攻关、HANYUNOS工业操作系统的能力打造、高端人才引进以及营销服务体系的优化。这些方向恰恰是当前制造业、科技领域最为关注和竞争激烈的领域，也是徐工汉云未来发展的重要方向。

平台关键技术的攻关，对于确保技术领先、维持竞争优势至关重要。特别是在当前技术迭代加速，行业变革加剧的背景下，只有不断的技术创新，才能确保企业在市场中的领先地位。而HANYUNOS工业操作系统，则是徐工汉云的核心产品之一，其能力的不断打造和升级，直接关系到产品的市场竞争力。

另外，高端人才的引进和营销服务体系的优化，也是企业长远发展的基石。高端人才是技术研发、市场开拓的关键，而营销服务体系的优化，可以确保产品更好地被市场接受，满足客户的需求。

（4）工业互联网服务商恒远科技完成亿元级B轮融资

恒远科技，作为国内在装备制造行业工业智能化领域的佼佼者，其业务与技术能力备受市场和资本的关注。继2022年6月成功获得5000万Pre-B轮融资后，其业务发展，于2022年12月再次获得了亿元级B轮融资，足以看出其在行业内的优势和市场前景的认可度。

本次亿元级B轮融资得到了国内一线知名投资机构毅达资本的领投。毅达资本在投资领域有着丰富的经验和敏锐的市场嗅觉，其对恒远科技的投资，显然是看中了恒远科技在装备制造行业工业智能化领域的独特竞争力和未来的市场潜力。此外，国资背景的烟台国丰投资控股集团和烟台业达经济发展集团等五家机构的共同参与，为恒远科技带来了强大的资本和资源背景，也意味着其业务在未来有望得到国资背景的深度合作和市场拓展。

恒远科技明确表示，本次获得的融资资金主要是投向核心技术平台的强化、国产工业软件及智能控制领域的产品研发与应用，以及在航天航空装备和能源装备市场的深度布局。这三个方向分别涵盖了技术研发、产品应用、市场拓展等关键领域，反映了恒远科技对于业务发展的长远规划和战略定位。

在技术层面，恒远科技不断强化其核心技术平台，旨在打造更加稳定、高效、先进的工业智能化解决方案。在产品研发层面，国产工业软件和智能控制领域是未来制造业升级的关键，恒远科技致力于为企业提供高质量的软件和控制系统，以满足其日益增长的需求。而在市场布局方面，航天航空装备和能源装备市场无疑是高增长和高附加值的领域，恒远科技的深度布局有助于其在这些领域获得更大的市场份额和更多的商业机会。

6.5.4 未来发展的思考

6.5.4.1 锚定市场需求

工业互联网数字化正处于一个兴起与普及的黄金期。就像新能源行业，工业互联网数字化的补贴政策也会经历一个从宽松到收紧、从高补贴到低补贴，甚至可能取消补贴的过程。但无论政府政策如何调整，市场的真正动力始终来自需求。工业互联网数字化的根本目的是满足企业、政府及协会、高校等多种客户的多样化需求。

企业类客户对于工业互联网数字化的需求强烈，因为在日常生产经营中，数字化可以为其带来效率的提升和成本的降低。而且，由于企业的生产模式各异，其对技术的要求相对较高，希望可以得到一套完全符合自己需求的解决方案。

政府及协会类客户主要在于公共服务和管理层面，对工业互联网的需求是从宏观经济和社会管理的角度出发，同样对技术有着较高的要求。他们希望通过工业互联网提高公共服务的效率和质量。

高校类客户则更重视整体解决方案的输出，因为高校有着丰富的研究资源和人才储备，他们希望借助工业互联网来加强学术研究和教育教学，所以更注重系统的整合和优化。

在这样的背景下，供给方企业在进行市场拓展时，需要有清晰的战略定位。首先，要明确自己的技术和解决方案特点，这是与客户进行合作的基石。其次，要有良好的渠道关系，这样才能更好地进入到目标市场。此外，企业的资质和行业服务经验也是客户选择合作伙伴时会考虑的因素。

供给方企业应当认识到，补贴政策只是一个过渡期的激励，真正决定企业生死的是市场，因此，企业要结合自身的优势，寻找适合自己的市场赛道，深入了解客户需求，不断创新产品和服务，确保自己始终处于市场的前沿。

此外，随着技术的不断进步，工业互联网的应用场景也会越来越广泛，这就要求供给方企业要有前瞻性的战略眼光，持续投入研发，掌握最新的技术动态。同时，也要加强与客户的沟通和合作，确保自己的产品和服务始终与市场需求保持同步。

工业互联网市场需求方的市场特点如图2-6-14所示。

图 2-6-14　工业互联网市场需求方的市场特点

6.5.4.2 数据归属权——企业发展新机遇

数据已经成为了现代工业的黄金，拥有数据就意味着拥有未来。在这个数据驱动的市场中，每一家企业都在努力嗅探产业重构带来的新的机会。当谈到工业互联网供给方时，会注意到他们都在走向平台化。这不仅仅是一个技术的演变，更是一个战略转变。这涉及对客户数据归属权的争夺，是当前最核心的竞争，如图2-6-15所示。

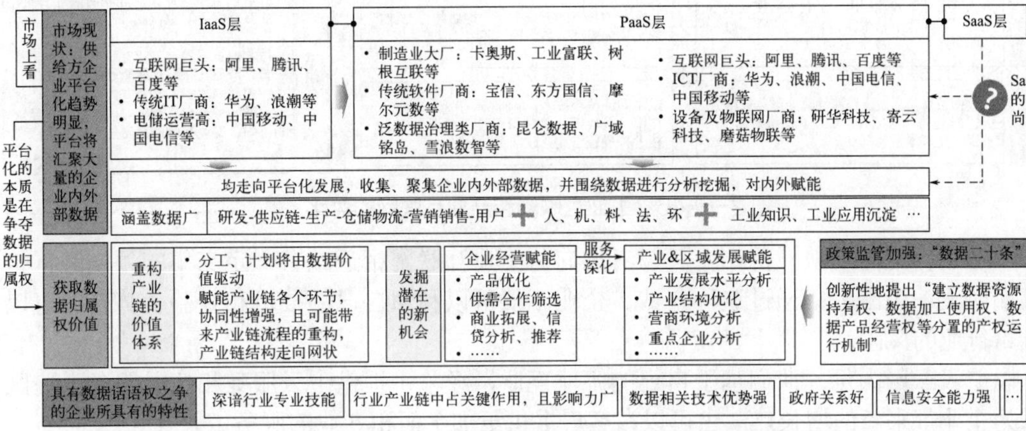

图2-6-15　工业互联网的竞争核心是数据

首先，数据被视为新的生产力。它可以促进产业价值链的重构和新的分工。对于供应方，这意味着他们可以根据这种新的分工为客户提供新的服务价值。换句话说，数据让供应方能够更好地了解客户的需求，从而为客户提供更精准的服务。

其次，数据资产可以为企业提供短期和长期的利益。短期来看，数据可以为企业的日常运营提供强大的支持，帮助企业更好地了解市场趋势，优化业务流程，提高效率。长期来看，随着数据资产的积累和行业上下游的整合，供应方可以为产业和区域发展提供更广泛的服务。这为供应方提供了新的增长机会，为他们带来了第二增长曲线。

但是，当前的数据竞争还只是开始。国家将逐步制定数据管理和竞争的规则。供应方需要根据这些规则调整自己的战略，并结合自己的竞争优势来思考如何获得更多的数据归属权。

数据归属权不仅仅是一个技术问题，更是一个策略问题。如何收集、存储、分析和使用数据，如何确保数据的安全，如何遵循相关的法律和规定，这些都是供应方需要考虑的问题。为了在这场无硝烟的战争中获得优势，供应方需要有前瞻性的战略眼光，持续创新，并与客户、政府和其他利益相关方建立良好的合作关系。

（1）工业互联网走向产业互联网

工业互联网和产业互联网，虽然在名称上有些相似，但其实际的业务领域和运营模式有所不同。如图2-6-16所示。

对于大多数工业企业来说，他们在原有的领域已经有了深厚的积累和丰富的经验，直接跨足到其他与其核心业务不太相关的领域，例如零售或医疗，显然是存在很大风险的。这不仅仅是因为这些领域与工业企业的核心业务不同，更因为每个行业都有其独特的市场规则、运营模式和客户需求。

因此，工业互联网企业更为明智的选择是基于自己在工业互联网的服务经验，向相关

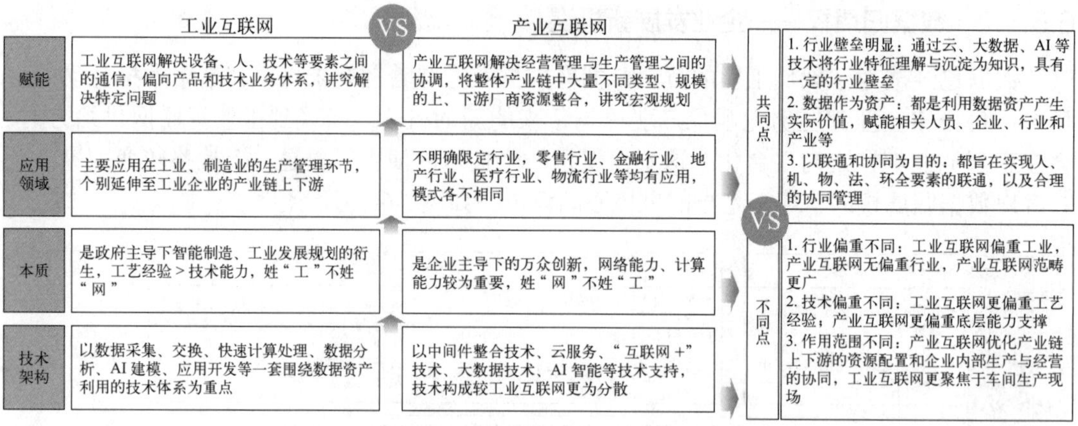

图 2-6-16　工业互联网和产业互联网的对比

的产业链进行能力发散。例如，可以考虑向与工业互联网相近或有一定交集的领域进行扩展，如航天、金融等。通过这种方式，企业不仅可以利用自己的技术和经验优势，还可以降低跨行业的风险。

以航天云网为例，他们基于自己的工业互联网经验，提供上云服务和金融服务，这既可以为企业带来新的增长点，也可以为客户提供更加全面和专业的服务。

对于工业互联网企业如何迈进产业互联网，一个很好的策略是“存同补异”。这意味着企业在继续发展和巩固自己的核心业务的同时，也要寻找和自己业务有一定相似性或有交集的新的领域。

首先，企业需要明确自己的核心竞争力是什么，然后在这个基础上进行创新和扩展。例如，如果企业在数据分析方面有优势，那么他们可以考虑向大数据领域进行扩展；如果企业在物联网方面有优势，那么他们可以考虑向智能硬件或者智能家居领域进行扩展。

其次，企业还需要注意到每个产业都有其独特的规则和客户需求。因此，在进入新的领域时，企业需要深入了解这个产业的特点，与相关的利益相关方进行合作，以确保自己的产品和服务能够满足市场的需求。

（2）中小厂商参与生态合作是发展趋势

市场企业的成长轨迹可以理解为一个持续演进的过程。它可以大致划分为三个阶段：萌芽期、积累期和全面发展期。

在萌芽期，市场企业主要处于探索和尝试阶段，对于自己的定位和市场方向可能并不十分清晰。这一阶段的企业往往专注于某个技术领域，试图通过技术创新来获得市场的认可。此时的企业往往小而美，精准而高效，但也容易受到外部环境的冲击和变化，风险较高。

进入积累期，市场企业开始逐步扩大规模，不再仅仅满足于技术领域的专精，而是开始走向全面发展。在这个阶段，企业开始意识到单纯的技术领先并不能保障持续的市场优势，需要进一步整合资源，扩大市场份额。此时的企业可能开始寻求与其他企业，尤其是头部企业的合作，希望通过生态合作获取更多的市场机会和渠道关系。

对于中小企业，这一时期的合作尤为关键。假设他们参与生态合作，由于头部企业的扶持，他们可以快速获取更多的市场机会，完成更多的项目，使其竞争力急剧上升。但是，需要注意的是，这种上升很可能是短期的。

到了全面发展期，市场企业的成长曲线开始呈现出平稳的趋势，竞争也日益激烈。对于之前参与过生态合作的中小企业，他们可能会发现，尽管在积累期获得了短期的竞争优势，但在全面发展期，这种优势已经不再明显。这是因为，长期来看，企业的竞争力不仅仅取决于其外部的合作关系，更重要的是企业自身的产品和技术能力。

事实上，一些未参与过生态合作的企业，由于在市场上长时间的独立操作，深入研究和实践，可能获得了更为深厚的技术和工艺经验。这些经验在全面发展期可以为企业带来巨大的优势，使其在市场上具有更强的竞争力。中小厂商生存现状及未来可能探索途径如图2-6-17所示。

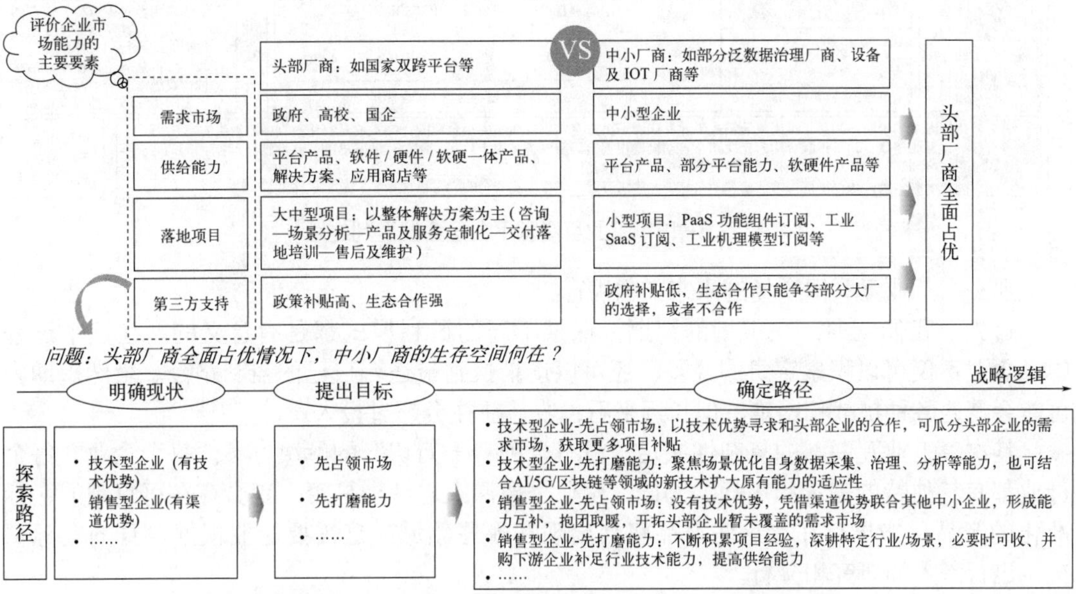

图 2-6-17　中小厂商生存现状及未来可能探索途径

因此，对于中小企业来说，参与生态合作固然重要，但更关键的是在合作的过程中不忘初心，始终注重自身的产品和技术创新。只有这样，企业才能在激烈的市场竞争中保持持续的竞争力，走出一条长久而稳定的成长道路。

（3）工业互联网未来盈利模式

工业互联网与传统的消费互联网有着明显的差异，其复杂性、多样性和对专业知识的要求都比消费互联网要高。为此，企业在寻找合适的盈利模式时面临更大的挑战。常规的综合解决方案，如提供完整的工业解决方案，已被许多企业尝试，但真正能够取得成功的例子并不多。

其中，平台分发抽佣和软硬一体化设备是近期被企业广泛探索的两大盈利模式，如图2-6-18所示。

① 平台分发抽佣：此模式中，平台通过对第三方提供的应用和服务收取佣金来实现盈利。然而，目前这种模式的盈利贡献尚不明显。主要的问题在于研发设计、生产制造等核心环节的复杂性和企业之间的差异性。这意味着在这些领域，第三方应用的适配性较低，难以满足所有企业的需求。统计数据显示，研发设计和生产制造的应用虽然数量较多，但用户更倾向于为解决实际需求的应用付费，如运营管理类应用。

② 软硬一体化设备：这种模式强调软件和硬件的完美结合，以提供更加高效、专业的解决方案。尽管有一些早期的报道显示某些企业在此领域取得了一些进展，但整体上，这个领域仍然处于起步阶段，真正的成功案例还有待时间的检验。

工业互联网市场虽然充满了机遇，但也存在不少挑战。企业需要保持开放的心态，勇于创新和尝试，才能在这个快速变化的市场中找到自己的立足之地。

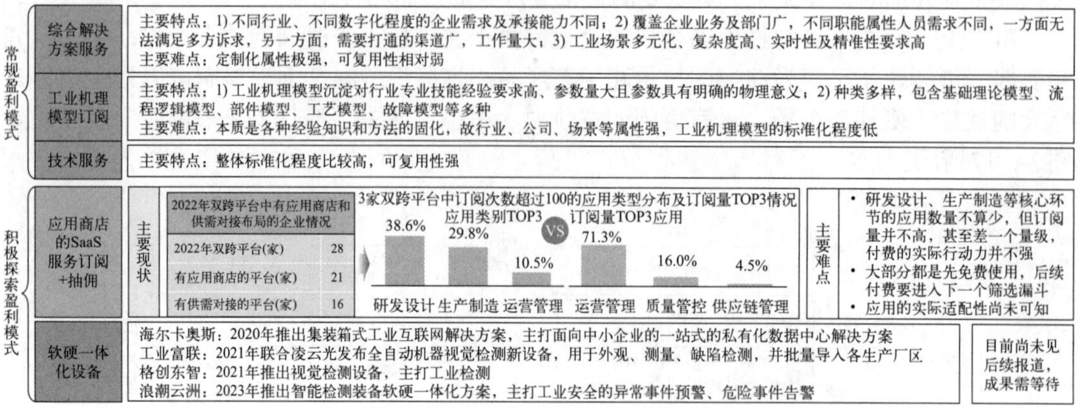

图 2-6-18　工业互联网平台层企业盈利之路

那么，工业互联网市场的未来如何呢？

首先，我们认为，在市场的初期，探索不同的盈利模式都是有意义的。在这个过程中，企业不仅可以积累宝贵的经验，还可以逐渐找到最适合自己的盈利路径。虽然短期内可能会遭遇各种挑战和困难，但长远来看，收益往往会超过投入。

其次，工业互联网的复杂性决定了没有一种“一刀切”的解决方案。每个企业、每个行业都有其独特的需求和挑战。因此，企业需要深入思考：是否一定会存在可复制的、标准化的产品？如果存在，这些产品将会出现在哪些领域？这需要企业根据自身的实际情况，进行深入的研究和分析。

（4）新技术促进新发展

ChatGPT是近年来人工智能领域的一颗璀璨明星。它代表了一种前所未有的技术能力，即机器语音与人类语言的结合。这种结合使得ChatGPT不仅能理解人类的指令，还能生成流畅、自然的文本回复，为人工智能与人类之间的交互提供了全新的可能性。ChatGPT对工业互联网供需双方皆有影响，如图2-6-19所示。

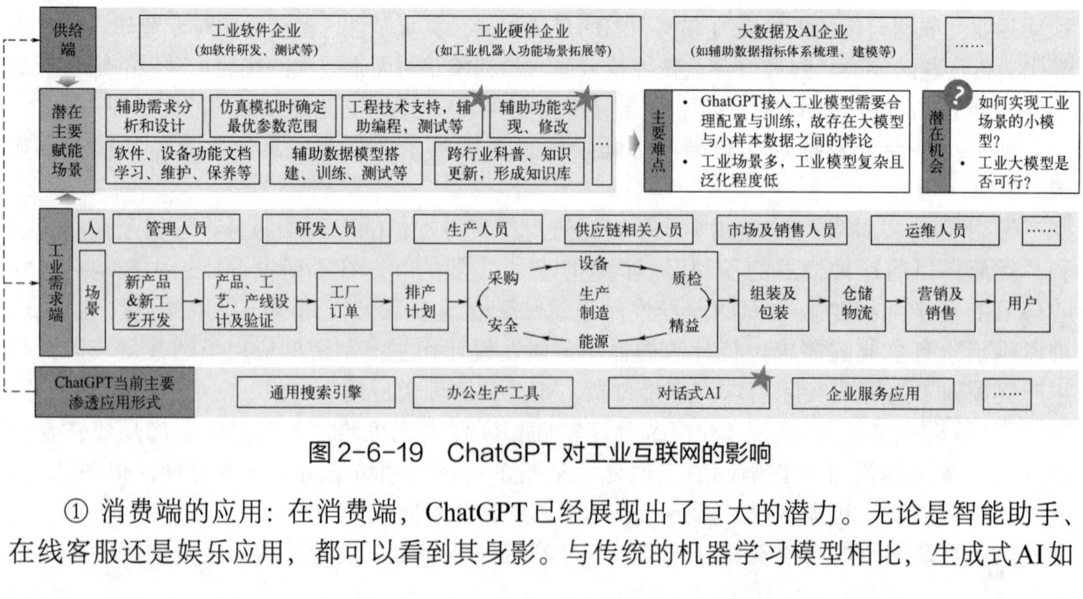

图 2-6-19　ChatGPT 对工业互联网的影响

① 消费端的应用：在消费端，ChatGPT已经展现出了巨大的潜力。无论是智能助手、在线客服还是娱乐应用，都可以看到其身影。与传统的机器学习模型相比，生成式AI如

ChatGPT更加灵活、自然，为用户提供了更为人性化的交互体验；而对话式AI已经相对成熟，能够处理各种复杂的对话场景，为用户带来了极大的便利。

② 工业端的应用：在工业领域，ChatGPT的应用价值同样不可忽视。企业的相关人员可以利用其自然语言编程的能力，以低门槛实现各种需求，如设计、功能实现等。这不仅大大简化了工业生产流程，还可以帮助企业更高效地运转。不过，与消费端相比，工业端的应用场景更为复杂，对技术的要求也更高。因此，如何将对话式AI技术融入工业应用中，是企业需要深入思考的问题。

③ 模型的挑战：虽然ChatGPT在很多方面都展现出了优越性，但在实际应用中仍然存在一些挑战。其中最大的挑战是大模型与小样本数据的悖论。在工业应用中，很多场景的数据量相对较小，但需要的模型复杂度却很高，这导致模型的训练和部署面临着诸多困难。如何对模型进行深度的改造、配置与训练，以适应工业应用的特性，是目前的研究热点。

④ 未来的发展方向：随着技术的进步，未来ChatGPT在工业领域的应用将会更为广泛。但如何确保模型的稳定性、安全性以及效率，仍然是研究者和工程师们需要解决的问题。此外，如何设计针对工业应用的小模型，以及如何在有限的数据上进行高效的训练，也将是未来的研究方向。

6.6 》 结论

随着全球数字化转型的深入发展，工业互联网已经从一个概念转化为一个具体的、可操作的现实，它正逐步重构整个工业生态系统。工业互联网的核心在于连接，它将人、机器、设备和数据整合在一起，通过先进的数据分析和机器学习技术，为企业提供前所未有的智能决策和操作能力。这种深度整合为传统制造业、能源、交通、医疗等多个领域带来了革命性的变革，同时也为新的商业模式和盈利点提供了空间。经过多年的积累和探索，工业互联网已经在各个环节形成了一套完整的解决方案，从硬件设备、网络连接、数据存储到应用开发和服务输出，整个链条已经逐渐成熟。但与此同时，工业互联网也面临着一系列挑战，如数据安全、隐私保护、技术互通以及跨国、跨行业的标准制定等问题，这些都需要各方的共同努力和协作来解决。从全球范围来看，各国政府都高度重视工业互联网的发展，通过出台一系列政策和措施，为企业提供了良好的发展环境。企业也在加大投入，开展技术研发和市场布局，努力在这场数字化转型的浪潮中抢占先机。未来，随着5G、边缘计算、人工智能等新技术的普及和应用，工业互联网将迎来更加广阔的发展空间。总的来说，工业互联网不仅仅是一种技术或者是一个市场，它更是一个推动全球经济、社会、文化向前发展的强大引擎，它的崛起将重塑我们的生产方式、生活方式和思维方式，为全人类创造一个更加美好、智能和繁荣的未来。

本章负责人　　于海斌　中国科学院沈阳自动化研究所

参加编写人员　李　栋

第7章 工控安全产品

7.1 工控安全产品产业概况

7.1.1 工控安全产品产业发展背景

在全球信息化背景下，网络空间政治化、军事化、经济化进程明显加快，网络空间已成国际战略竞争的新制高点、经济发展的新支撑、国家主权的新疆域、军事斗争的新战场。特别是工业互联网开放性的日益增强，其已经完全暴露在网络战争的炮火之下，成为各种势力攻击破坏和实施网络战的首选目标。

以电力、炼化、公用等重大工程为代表的工业互联网系统对政治、经济、社会、国防、国计民生有重大影响，且普遍运行在有害有毒、高温高压、易爆易燃的环境中，其若屡屡遭受攻击，造成重大装备或人员生命的巨大损失，严重危害国家安全与稳定。一些典型案例如表2-7-1所示。

表2-7-1 典型案例

电力工程	炼化工程	公用工程
2010年，“StuxNet”病毒入侵伊朗布尔什核电站，导致离心机报废，核反应堆无法运行	2012年，“火焰”病毒入侵中东地区，肆意破坏石油工业的重要控制系统，造成巨大经济损失	2008年，黑客入侵波兰某市的地铁控制系统，篡改并控制地铁轨道扳道器，导致四节车厢脱轨
2015年12月，乌克兰电力公司设备遭到BlackEnergy攻击，并导致大规模停电事件，引起公众极大恐慌	2012年，“Shamoon”病毒入侵沙特阿拉伯的石油巨头阿美石油公司，清除了超过3万台计算机上的数据	2000年，澳大利亚昆士兰新建的马卢奇污水处理厂被网络攻击，导致当地环境受到严重破坏

工控安全，又称工业信息安全或工业互联网安全，从内容来看，工业信息安全泛指工业生产运行过程中的信息安全，涉及工业领域各个环节，其核心任务就是要确保工业自动化、信息化、网络化、智能化等基础设施的安全。从保障对象上看，工业信息安全要保障工业系统和设备（如工业控制系统）、工业互联网平台（包括承载平台运行的工业云以及应用服务）、工业网络基础设施（包括基础电信网络、解析网络和其他接入网络）、工业数据等的安全。因此，工业信息安全不仅涉及传统计算机网络和信息系统安全，还涉及工业软硬件设备、控制系统、工业协议等的安全。

早期的工控系统，因其基本上部署在工厂内部，在网络上同外部物理隔离。因此在这个阶段，对于工控设备的防护都是以物理安全为主。

随着工业信息化的发展，工控系统接入网络进行数据上传和远程控制变得必不可少。传统的物理隔离被打破，为了保障工控系统的信息安全，工控安全产品应运而生。同时，2010年“震网”病毒攻击纳坦兹核工厂事件和肆虐全球的“永恒之蓝”病毒事件，以及近年来不断增多的各类勒索病毒事件，都在不断提醒人们工控安全的重要性。

针对工业企业用户的信息安全需求，工控安全产品类市场主要分为以下两大类。

① 防护类产品。从技术防护的角度，工控安全类产品包括边界安全产品、终端安全产品及监测审计类产品。其中边界安全的具体产品有工业防火墙、工业网闸、工业准入系统等。终端安全产品有工业主机防护等。检测审计类产品有工业流量监测、工业入侵检测、工业安全审计、工业日志审计、工业漏洞扫描等。

② 管理类产品。从安全策略和管理流程的角度，工业信息安全管理类产品包括资产管理、补丁管理、身份验证管理、安全运维管理和安全合规管理几大类，旨在帮助企业管理和维护工业资产和设备安全态势，其产品类型主要是各种形态的平台类产品。

7.1.2 工控安全产品产业发展战略意义

① 保障国家安全和社会稳定。工业控制系统广泛应用于电力、石油、化工、交通等关键基础设施领域，对国家安全和社会稳定具有重要意义。然而，随着工业控制系统不断走向数字化、网络化和智能化，面临着越来越多的网络威胁，一旦工业控制系统遭到网络攻击，可能导致严重后果。因此，加强工控安全的防护和应急能力是制造业的重要课题。

② 促进产业升级和技术创新。工控安全产品产业的发展可以推动相关产业的升级和技术创新。据统计，我国超过80%的涉及国计民生的关键基础设施依靠工业控制系统来实现自动化作业。因此，发展工控安全产品产业不仅可以提升我国的信息安全水平，还可以推动相关产业的技术进步和产业升级。

③ 提高企业竞争力。首先，可以提高企业的生产效率和产品质量，降低生产成本。例如，通过防止生产执行过程的因素被篡改或盗取，企业可以确保生产过程的稳定和既定的生产目标的完成。其次，工控安全体系的建立可以增强企业对未授权访问、蓄意破坏、间谍和恶意攻击的防御能力，这对于保护企业的机密信息和知识产权至关重要。

④ 创造经济效益。据统计，2022年，我国工控安全市场规模已达到58.5亿元，且近三年一直保持着40%以上的年均增速。这表明，发展工控安全产品产业具有巨大的市场潜力和经济价值。同时，建立行业标准，制定工控安全集群产品的质量管理、服务体系、能耗指标等要求，可以提升工控安全集群产品竞争力。此外，扶持培育工控安全研究机构、测评机构，建立政产学研用一体化机制，保障工业企业的工控系统安全。这些都是发展工控安全产品产业，创造经济效益的有效途径。

7.2 》国外工控安全产品产业发展现状

随着OT与IT融合的日渐深化，工业领域网络安全事件频发，漏洞数量逐年增加。2022年，全球工业信息安全产业发展驱动力进一步增强，各国政府筑牢本国工业信息安全藩篱，在政策、人才、技术、资金等不同领域采取措施，助推工业信息安全产业发展。

7.2.1 全球工业信息安全事件频发

Check Point Software发布的《2025年第一季度全球网络攻击报告》显示了不同地区工业领域网络攻击的增长情况，但未给出全球工业领域每周具体攻击次数。其中非洲每个组织每周平均遭受3286次攻击，同比增长39%；亚太地区平均为2934次，增长38%；拉丁美洲增长最为显著，同比增长108%，达到每个组织每周平均遭受2640次攻击，这些数据反映出全球工业领域网络攻击形势愈发严峻。

7.2.2 各国产业政策环境持续向好

为应对日益复杂的工业自动化生产环境，筑牢工业信息安全防线，世界各地纷纷加强顶层设计，以保护关键基础设施和重要工业系统平稳运行。

（1）美国持续加强工业信息安全保障体系建设

① 完善联邦立法，强化工业信息安全监管。美国政府通过发布、修订法案，持续弥补其在关键基础设施网络安全应急响应、工业控制系统教育培训等方面存在的不足，不断健全工业信息安全体系。在关键基础设施网络安全应急响应方面，据BitSight统计分析，2019—2022年，美国12000起网络安全事件中，各机构披露安全事件的平均周期为105天，大型企业为41天。为进一步加强联邦政府对于关键基础设施网络安全事件的全面掌控力度，2022年3月，美国发布《关键基础设施网络安全事件报告法案》，涉及能源、信息技术、医疗保健、运输、化学制造、国防工业等重点行业领域，要求无论安全事件是否引发实质性损害，关键基础设施运营实体都应在72小时内向CISA上报该事件，对于未履行上报义务的实体单位，CISA有权问责。该法案的出台极大提升了美国工业信息安全保障能力。

工业控制系统安全教育培训方面，为提升美国工业控制系统相关人员网络安全教育和培训覆盖度，2022年6月，美国通过《工业控制系统网络安全培训法案》，授权CISA设立一个长期的工业控制系统网络安全教育培训项目，为公共和私营工业控制系统运营单位及个人提供免费的线上线下培训课程，以应对国内外工业控制系统网络攻击。该法要求CISA出具年度分析报告，分析年度教育培训效果，并对改善培训计划、应对工业控制系统安全威胁提出政策建议。

② 持续投入资金，加强工业体系防护能力。2022年6月，美国政府发布报告，称将在2023年财年投入156亿美元开展网络安全建设，资金投入较2021年增长超10%，其中，国防部网络安全预算为112亿美元，CISA预算为29亿美元，能源部、卫生部、交通部也都得到了相应资金支持。美国将持续开展“持续诊断与缓解计划”（CDM）项目，以保障政府网络、系统、敏感数据不被攻击或非法利用。美国能源部将启动“弹性工业控制系统网络安全测试”项目，提升能源基础设施的网络安全防护水平。美国国家科学基金会启动CyberCorps奖学金计划，培养下一代美国网络安全专业人才。2022年9月，美国拜登政府通过《两党基础设施法》，明确美国国土安全部（DHS）未来4年将为地方政府网络安全建设提供10亿美元资金，以应对国内外网络安全威胁。

③ 强化产业指导，引导企业落实网络安全职责。当前，美国各部门正加紧标准和指南编制，指导工业企业在高效生产的同时实现网络与信息安全，切实提升企业工业信息安全保障能力。

安全与生产融合发展方面，美国高度重视制造业在全球的领先地位，从全局角度对制造企业的网络安全与高效生产做出规划。2022年7月，美国能源部下属网络安全制造创新研究所（CyManll）发布《2022年制造业网络安全路线图》，概述了未来五年美国制造业网络安全的广阔前景，提出了兼顾网络安全风险管理与制造业务全流程考虑的安全制造架构，并针对大型、中小型制造商提出安全发展建议，以应对数字化转型过程中新兴技术带来的复杂安全环境。

OT安全保障方面，美国国家标准与技术研究所（NIST）陆续发布多项针对工业控制系统的网络安全指南，通过提供实践案例，指导工业企业提升网络与数据安全保障能力。2022年3月，NIST发布《NIST特别出版物（SP）1800-10，保护工业控制系统环境下信息和系统完整性指南》，描述了常见的攻击场景，给出了解决方案和最佳实践案例，为制造商降低工业控制系统网络安全风险提供指导。同年4月，NIST 发布《OT 网络安全指南（草案）》，针对监控和数据采集（SCADA）、分布式控制系统（DCS）、可编程逻辑控制器（PLC）、楼宇自动化系统（BAS）、物理访问控制系统（PACS）和工业物联网（IioT）6类常见的OT 系统，明确了OT 安全防护的主要目标，即“限制对OT 网络和设备的物理访问和逻辑访问，规范未经授权的数据修改”，阐明了OT 系统可能面临的安全风险，提出了OT 系统网络安全架构和常用框架，指导开展风险管理、技术措施、安全监测等工作。

关键基础设施安全保障方面，美国强化关键基础设施运营者网络安全防护指导，提升安全保障能力。2022 年3 月，美国国家安全局发布《网络基础设施安全指南》，从网络设计、设备密码和密码管理、远程登录、安全更新、密钥交换算法，以及NTP、SSH、HTTP协议等多角度为网络基础设施运营者提供了网络攻击防范建议。落实拜登政府《关于改善关键基础设施控制系统网络安全的国家安全备忘录》相关要求，2022 年11 月，美国CISA与NIST 联合制定了《跨部门网络安全绩效目标》，建立了一套具有广泛适用性的美国关键基础设施网络安全极限目标，覆盖账户安全、设备安全、数据安全、管理与培训、漏洞管理、供应链安全、应急响应与恢复等8 个方面共37 项安全实践，帮助网络运营者，特别是中小企业提升网络安全保障能力。

④ 紧抓行业试点，推进企业网络安全落地实践。美国高度重视电力、管道、水务、化工等重点行业网络安全保障能力。2022 年1 月，美国政府发布《工业控制系统网络安全倡议：水务部门百日行动计划》，倡议由美国白宫、环境保护署（EPA）和CISA 联合实施，将改善水务部门与美国政府之间的威胁情报信息共享，并为水务部门提供必要的“实时态势感知”技术支持。同时，鼓励各水务部门采用必要的网络安全检测技术，全方位监测工业控制系统潜在的网络威胁，保障水务系统网络安全。2022 年11 月，美国政府启动化工行业工业控制系统网络安全行动计划，由CISA 牵头实施，成立了美国化工行业网络安全工作组，旨在敦促化工行业企业部署网络安全检测工具，提高风险可预见性和监测能力，并要求化工企业依据计划内容，在100天内完成网络安全实践能力评估，完善化工行业网络安全标准体系。

（2）欧盟逐步完善工业信息安全生态

欧盟近年来坚持推进立法、发布报告、采取专项计划等措施，提升欧盟各成员国的工业信息安全防护能力和产业水平，切实保障工业信息安全。

一是推进立法，完善工业领域网络安全建设。欧盟能源、交通、制造业等重点行业频繁遭到不同程度的网络威胁，企业迫切需要一种高度协同的网络安全防护体系。在此背景下，2022 年12 月，欧盟发布《关于在欧盟全境实现高度统一网络安全措施的指令》（以下简称《NIS2 指令》），为成员国采取更具创新性的网络安全监管方法提供了法律支撑。《NIS2 指令》扩展了适用的实体类型，并根据类型和规模将企业划分为“关键实体”部门和“重要实体”部门，关键实体部门包括能源、交通、银行、金融、医疗、数字基础设施、公共管理部门等，重要实体则包括邮政和快递服务、废物管理、制造业、数字提供商等，不同等级实体承担不同程度的法律义务。

二是发布报告，警醒企业加强工业信息安全防护。2022年2月，欧盟网络安全局（ENISA）和欧盟计算机应急响应小组（CERT-EU）发布网络安全最佳实践，指导企业增强自身网络风险抵御能力。具体措施包括严格控制第三方对内部网络和系统的访问、加强云环境安全防护、确保数据备份、确保电子邮件安全环境、组织网络安全宣传活动、防范DDos网络攻击、严格限制企业服务器的互联网访问等。2022年11月，欧盟发布《2022年网络安全威胁全景》报告，提出政府部门面临的网络威胁占比最高，达到24.21%，其次是数字服务商（13.09%）和一般公共服务部门（12.43%），与工业领域相关的能源部门占比为3.8%。报告分析了勒索软件、恶意软件、社会工程威胁、数据安全威胁、拒绝服务、互联网威胁、虚假信息和供应链攻击等八种常见的网络攻击手段，为成员国防范网络安全攻击提供预警和参考。

三是采取专项计划，加速关键基础设施领域落实网络安全责任。面对日益严峻的能源危机，欧盟加大关键基础设施数字化转型和网络安全的资金投入。2022年10月，欧盟委员会启动“能源系统数字化计划”，旨在建立可持续、安全、透明和有竞争力的数字能源服务市场，并对数字能源基础设施的网络安全风险投资给予支持。计划执行委员会重点关注能源和电网供应链中的网络安全风险，评估人为和技术安全风险因素。同期，欧盟委员会提出了一项针对关键基础设施网络韧性的5点计划，包括加强关键基础设施网络安全防护、与成员国合作开展关键基础设施压力测试、提高网络安全应急响应能力、充分利用卫星作用发现潜在威胁、加强与北约等伙伴在关键基础设施网络弹性方面的合作。

（3）其他国家工业信息安全采取的措施

澳大利亚“转守为攻”，调整国防网络安全发展战略。2022年4月，澳大利亚财政部斥资99亿澳元启动“REDSPICE”（弹性、效果、国防、空间、情报、网络和推动者）计划，由国防部下属网络情报机构通信管理局（ASD）牵头实施，通过健全网络治理架构、加强技术管控、扩充人才储备、布局新兴领域等手段，增强本国关键基础设施的网络弹性，提升网络情报、网络防御和进攻能力。澳大利亚国防网络安全战略基调由防守转向进攻，通过实施该计划，预计将网络攻击能力提升3倍，网络搜索能力提升2倍，情报人员的海外活动范围扩大4倍，同时关键基础设施的安全防护能力也将得到全面增强。

俄罗斯出台政策，进一步保障关键信息基础设施网络安全。近年来，俄罗斯信息基础设施遭到的网络攻击愈发频繁，挑战日益严峻，政府部门、大众媒体、金融机构等遭受网络攻击数量成倍增加，对此，俄罗斯高度重视关键基础设施网络安全，多措并举提升本国网络安全防御能力。2022年5月，俄罗斯发布《确保关键信息基础设施安全的国家政策基本原则》草案，提出应不断完善关系国防能力、经济发展和社会稳定的关键设施领域信息安全保障机制，提高国家机构信息系统和通信网络的安全性，加强对国内数字空间的防御，通过控制设备、通信等手段，降低个人数据的泄漏风险。

韩国加入北约网络安全机构，设立国家网络安全工作组。2022年5月，韩国正式加入北约合作网络防御卓越中心（CCDCOE），成为首个加入该机构的亚洲国家。自2020年提交加入意向书后，韩国连续两年出席合作网络防御卓越中心主办的“索盾”演习（全球最大规模网络演习）。在韩国国家基础通信网Kakao服务器瘫痪事件背景下，2022年10月，韩国宣布设立国家网络安全工作组，该工作组由韩国国防部、国家情报院、大检察厅、警察厅和军事安全支援司令部等部门高层人士组成，并将在国家安保室长的主持下定期召开网络安全状况检查会议。

日本优化国家网络安全保障战略，适时调整应对措施。2022 年12 月，日本发布《国家安全保障战略》，指出日本面临着严峻的关键基础设施网络安全威胁，并提出以下措施：一是将持续评估政府机构的信息系统安全能力，不断提高其网络安全防护能力；二是采取“主动防御”战略，加强关键基础设施保护；三是强化网络安全领域的信息收集和分析能力；四是调整国家网络安全事件准备和战略中心（NISC）机构职能，统筹协调网络安全领域政策发布；五是加强与他国交流合作，积极参与国际规则的制定。

7.2.3 工业信息安全产业规模稳定增长

（1）产业规模增长平稳

如图2-7-1所示，据市场研究公司Verified Market Research 分析，2022年全球工业信息安全市场规模达201.25 亿美元，较2021 年增长了7.88%。其中，工业控制系统安全、工业云安全和物联网安全解决方案的大规模应用是全球工业信息安全市场规模增长的最主要驱动因素。工业企业对于防火墙、防病毒、入侵检测系统等高级解决方案的需求有增无减，5G、大数据和人工智能等新兴技术与传统安全解决方案的融合应用也助推了工业信息安全市场规模的增长。各国政府、全球主要工业信息安全厂商对于工业信息安全解决方案研发的投入不断增加，也推动了2022 年全球工业信息安全产业规模的平稳增长。

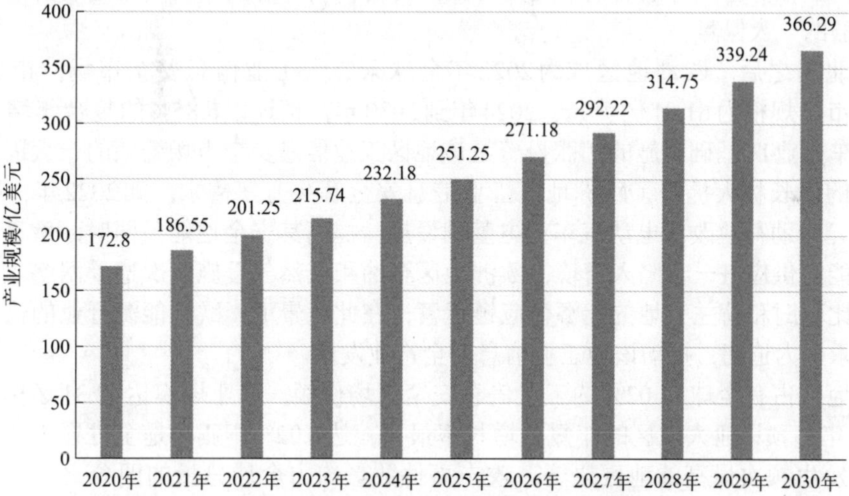

图2-7-1 2020—2030 年全球工业信息安全产业规模

据预测，到2030年，全球工业信息安全产业规模将增至366.29亿美元，2024年至2030年的年复合增长率为7.89%。随着工业信息安全解决方案在各细分行业、场景的逐步应用，以及安全技术与新一代信息技术的融合发展，工业控制系统、工业云、物联网设备的暴露面将持续加大，攻击手段将进一步丰富，加之工业信息安全事件对各行业供应链运营都造成了极大威胁，各行业对工业信息安全技术、产品、服务的需求将日渐迫切。此外，在工业信息安全事件驱动下，制造业、能源、医疗等行业企业内生安全意识进一步激发，推动全球工业信息安全产业的全面发展。

（2）区域格局保持稳定

区域分布方面，据Verified Market Research 的数据显示（图2-7-2），北美地区依旧是

2022年全球工业信息安全最大市场，市场份额为42.27%，市场规模达85.07亿美元，较2021年增长约7.70%，2024年到2030年预计以8.37%的复合年增长率持续发展。

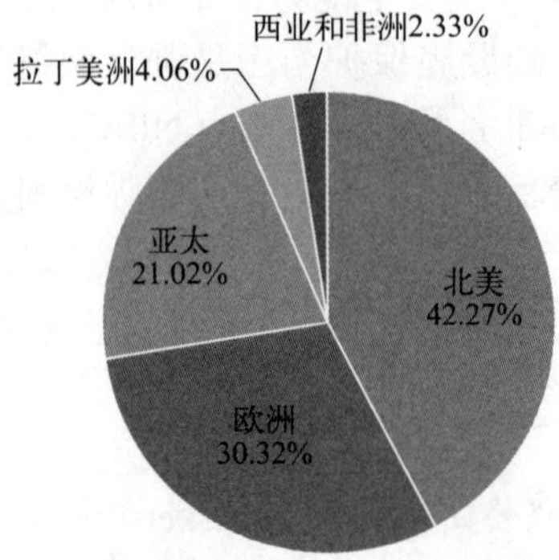

图2-7-2　2022年全球主要地区工业信息安全市场份额

得益于高度成熟、多样化的工业市场，以及更为灵活的工业领域升级、创新能力，北美地区的工业信息安全需求持续火热，美国、加拿大等国家最新网络安全技术的使用率逐年提高，占据了2022年北美地区的最主要市场份额。此外，2022年北美地区报告的数据泄露事件数量攀升，损失居高不下，促使各行业进一步寻求工业信息安全解决方案，制造业、电力、运输等垂直行业的需求最为旺盛。同时，政府的巨额投资也是北美地区保持最高市场份额的一大保障。

紧随北美之后，欧洲地区成为2022年全球第二大工业信息安全市场，市场份额为30.32%，市场规模为61.01亿美元，2024年到2030年，预计以6.85%的复合年增长率持续发展。汽车行业IT基础设施的扩张投资是该地区工业信息安全市场繁荣的一大因素，网联汽车数量的增长极大提升了欧洲地区工业信息安全解决方案需求。如2022年，欧盟投资3600万美元帮助荷兰改善电动汽车充电基础设施，提高其安全性能。同时，俄乌冲突的爆发使欧洲能源供应进一步陷入窘境，欧洲地区石油和天然气设施屡次遭受网络攻击，威胁到德国、比利时和荷兰等地的能源供应链运营，在此背景下，欧洲能源行业的信息安全解决方案需求更为迫切，推动该地工业信息安全产业发展。

亚太地区占有全球21.02%的工业信息安全市场份额，产业规模达42.31亿美元，2024年到2030年，预计亚太地区的年复合增长率最高，达8.92%。亚洲是全世界工业领域网络攻击事件发生频次最高的地区之一，攻击事件数量约占全球总量的四分之一，其中，制造业是攻击的重灾区。据TechwireAsia统计，2022年，东南亚地区制造业每周遭受的网络攻击数量较2020年增加了50%。据IBM的年度X-Force威胁情报指数，亚太地区金融和制造业网络安全事件占比高达60%。此外，工业云安全服务和解决方案研发是亚太地区工业信息安全市场的一大热点，据IBM分析，2022年，新的Linux勒索软件程序数量增加了146%，攻击重点目标转向了Docker容器，后疫情时代，基于云的服务正成为网络攻击的热点。同时，中国、印度、日本、澳大利亚等国家和地区拥有大量制造业中小企业和初创企业，为工业信息安全市场提供了广阔发展空间。

随着互联网、物联网等技术在工业领域的广泛应用，各种智能设备、传感器被远程监控、攻击的风险将持续攀升，拉丁美洲地区工业信息安全需求保持平稳，但该地区网络安全专业的缺乏抑制了工业信息安全行业的壮大。西亚和非洲地区工业信息安全市场增速明显，阿拉伯等国数字化进程持续加速，联网设备数量显著增加，为网络攻击创造了新的切入点。此外，土耳其、伊朗、以色列等国对安全项目的投资增加也是该地区工业信息安全市场增长的一大引擎。

（3）行业应用持续深入

行业应用方面，据Verified Market Research 数据，能源和公用事业仍占有2022年的最大市场份额，市场份额达37.78%，市场规模为76.03亿美元，较2021年增长了8.31%，增速相较于2021年略有放缓。据统计，能源和公共事业领域每年因网络攻击造成的损失高达1320万美元，多国政府针对能源和公共事业的网络安全审查出台了政策指南，通过合规战略驱动行业安全意识的提升。智能电网技术、智能工业控制系统设备以及物联网设备的大规模接入应用加剧了能源系统的网络攻击脆弱性，能源部门采取了更为先进的网络安全解决方案，保护其信息系统免受攻击威胁。同时，安全解决方案的使用有利于解决能源基础设施老化带来的诸多问题，辅助能源系统运行监测，帮助系统业务中断后的快速服务恢复。此外，端点检测和响应（EDR）系统是一大应用热点，可以保护物理设备免受恶意软件感染以及未经授权的访问和其他威胁。

2022年，交通运输系统成为仅次于能源和公用事业的第二大工业信息安全垂直行业，市场规模为44.09亿美元，且该行业增速最快，为8.38%。航空、汽车、运输、铁路等交通运输系统，对互联数字技术的日渐依赖加重了该行业面临的网络攻击风险。根据Cybertalk.org 的数据，2021年6月至2022年6月，美国运输业每周发生的勒索软件攻击数量增加了186%，尽管勒索软件攻击的数量在所有行业均有所上升，但运输业受到的打击最为严重。此外，新一代信息技术在汽车行业的部署应用产生了巨大的新的攻击面，为汽车行业信息安全解决方案提供了发展空间。同时，数据安全的重要性日益提升，公路、铁路、汽车等各大厂商在处理敏感行业数据和个人信息的过程中面临着巨大安全风险，数据安全产品、服务、解决方案需求量的增加也助推了工业信息安全产业的快速发展。

如图2-7-3所示，化工和制造业2022年工业信息安全市场规模为31.67亿美元，较2021年增长了7.48%。当前，化工行业和制造业已成为网络攻击的高价值目标。该行业的网络攻击除面临信息泄露、系统宕机、业务中断等问题外，还关乎人身安全。因此，全球主要国家均出台专项政策以保障其信息安全不受侵害，一定程度助力了工业信息安全市场的繁荣。此外，化工和制造业领域新老安全技术的融合使用也一定程度上引发网络安全风险，企业已意识到部署应用最先进、一体化的工业信息安全产品、服务和解决方案有利于减小系统脆弱面，降低系统面临的安全风险，这也是该行业工业信息安全市场持续增长的一大因素。

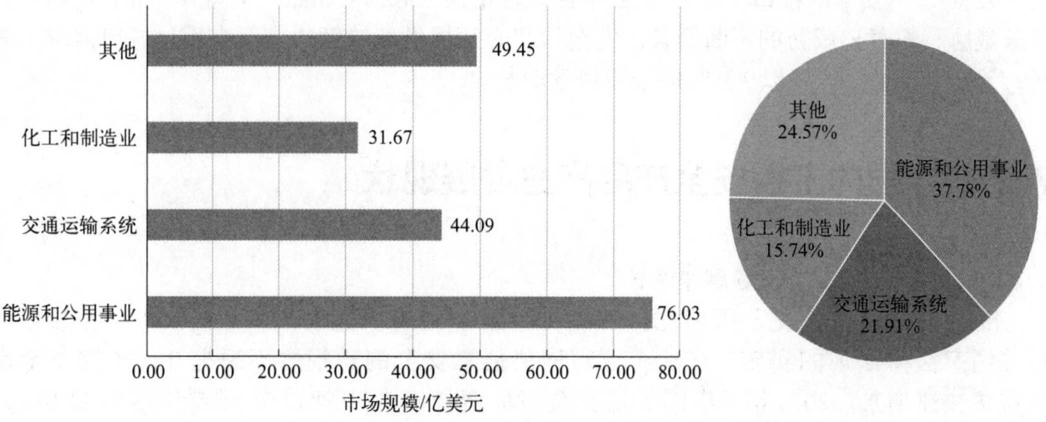

图2-7-3　2022年全球工业信息安全应用行业市场规模

（4）产业结构不断优化

产业结构方面，网络安全依旧是2022年工业信息安全最大细分市场，市场份额为27.17%，市场规模达54.68亿美元，年增长率为8.20%。数据安全和个人隐私持续引发全球关注，各国立法政策不断完善，也是推动网络安全市场扩张的显著因素之一。各大企业纷纷增加安全投入，强化网络安全架构，推动了全球工业信息安全产业继续稳步增长，预计未来网络安全市场将以9.91%的年复合增长率持续蓬勃发展。

如图2-7-4所示，端点安全成为工业信息安全第二大细分市场，市场规模为48.06亿美元，年增长率为7.45%。防火墙和反病毒软件等端点安全产品，可实时监控系统数据、监测潜在端点攻击事项，已成为产业发展的关键驱动因素之一。互联网接入、机器通信（M2M）和自动化拓展的规模化应用，也推动了端点安全市场的发展。随着手机和其他智能触摸设备数量的不断增加，端点安全公司也在开发设计具有更高管理灵活性的软件，未来，端点安全市场将以5.72%的增速持续发展。

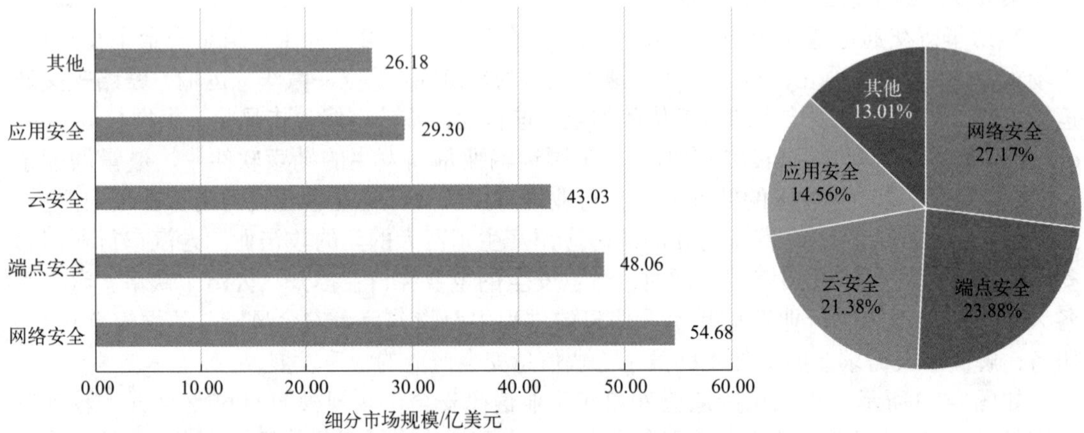

图2-7-4　2022年全球工业信息安全产业结构规模（单位：亿美元）

2022年，工业信息安全市场规模中云安全市场规模达43.03亿美元，年增长率最高，为9.72%。近年来云计算技术的迅猛发展，数据隐私和软件安全问题愈演愈烈。2022年，通过SQL注入、跨站请求伪造攻击和云服务攻击等方式，对物联网或Web应用程序的暴力破解和信息窃取依旧是最常见的攻击手段。根据Checkpoint统计数据，未经授权的云访问（42%）、不安全的接口（42%），云平台配置错误（40%）和账户劫持（39%）是四大公有云威胁。随着云威胁的不断增长，安全厂商必须提供新的解决方案来满足客户需求，未来，云安全市场预计将以9.36%的增速持续增长。

7.3 国内工控安全产品产业发展现状

（1）中国工控安全市场高速增长

随着各行业信息化、网络化、智能化、数字化的快速发展，“等保2.0”的推进和相关国家法律法规的实施，工业企业对网络信息安全的重视度不断提升，工控安全市场需求快速增加。2021年，中国工控安全市场增长率为39.9%，市场规模达到42.1亿元（图2-7-5）。

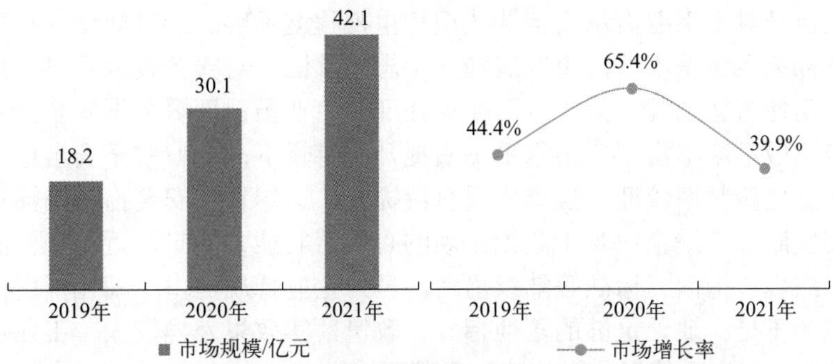

图 2-7-5　2019—2021 年中国工控安全市场规模和增长率

（2）能源电力、石油石化行业占中国工控安全市场一半以上

从行业结构来看，目前能源电力、石油石化、烟草、轨道交通等行业起步较早，出台了较为完善的政策与标准，工控安全布局已经走在前列，四个行业总和占比超过70%（图2-7-6）。此外，随着对工控安全重视度的提升，装备制造、航空航天等领域的工控安全投入也在逐步提升。

（3）中国工控安全市场需求还是以合规性产品为主

从产品结构来看，目前工控安全的产品主要还是以合规性产品为主，集中在工控防火墙、工控安全审计、工控主机安全等防护及检测类产品。其次，工控安全管理平台与态势感知类产品也逐步被市场所接受，近两年市场增长较快。2021年，工控防火墙在工控安全市场中占比最高，工业态势感知系统由于单品销售额较高，市场需求也逐渐增多，在市场占有率上占据第二位（图2-7-7）。

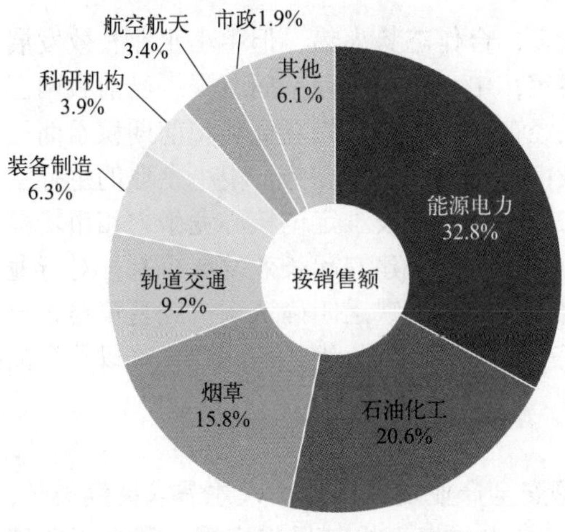

图 2-7-6　2021 年中国工控安全行业结构

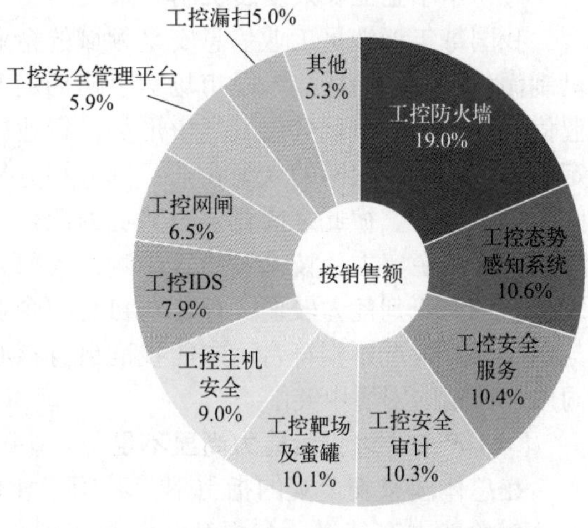

图 2-7-7　2021 年中国工控安全产品结构

7.4 》 工控安全产品产业发展面临的主要问题

（1）产业发展的内生牵引力有待加强

我国工业信息安全产业起步晚，尽管近年取得显著增长，但产业的内生驱动力仍显不足。一是企业自身对于工业信息安全的认识和重视程度不够。一方面体现在部分企业对安全与发展的依存关系认识不够，重发展轻安全思想顽固，对安全投入不足，部署安全防护的积极性、主动性有待加强。另一方面体现在部分企业虽已部署数据安全技术、产品、服务，但在攻击手段不断丰富、攻击水平不断提升的背景下，企业对于安全形势变化的把握不够，安全产品更新频率较低，运维水平有待提升，这导致了安全措施的滞后和薄弱，容易受到攻击和威胁。二是企业对于政策法规的有效落实能力不足。近年来，我国工业信息安全相关政策法规、指南、标准等陆续出台，虽为企业合规提供了细化指引，但企业对于相关文件的理解不足，缺乏足够的落地指导，政策落实效果差异较大，工业信息安全防护屏障和内部工业信息安全管理体系构建尚显薄弱。

（2）技术产品创新能力有待提升

我国工业信息安全面临着严峻的内外部风险威胁，行业技术发展、产品应用水平相较于威胁升级速度存在滞后情况。一是工业信息安全保障的创新水平仍显不足。随着云计算、物联网、人工智能等新兴技术在工业信息安全领域的融合应用，OT 环境的开放程度逐步提高，系统设备的安全边界更加模糊，安全厂商虽在不断更新升级自身的安全产品，但创新发展速度还有待提升。另一方面，行业用户仅仅部署传统防病毒、木马、入侵攻击、拒绝服务等安全产品已不能满足当前需要。二是内生安全的落地应用尚处于初级阶段。当前工业信息安全威胁或攻击呈现出不可预测性、极度不确定性和快速演变性等特性，然而我国工业信息安全大多依靠在用户侧实施外挂式或内置安全防御措施来实现，系统本身的内生安全水平不足，亟需产业供给侧和需求侧协同发力，共同打造出从数字产品软硬件设计到制造均可实现的工业信息安全内生安全产品，切实提升我国工业信息安全整体防护能力。

（3）中小企业长效发展机制尚未成熟

我国每年新涉足工业信息安全领域的企业众多，合作态势火热，但中小企业长效发展机制尚处于摸索阶段。一是市场竞争格局趋于稳定，中小企业生存空间有限。当前我国工业信息安全市场呈现分层式竞争形势，行业内已经存在一批凭借先发优势和前期积累而稳定占据较大市场份额的大型企业，部分细分领域市场已呈现饱和态势，中小企业的生存空间因此被挤占，彼此之间竞争态势更为激烈。二是中小企业较难定位核心竞争力和市场落脚点。受资金实力、技术经验等影响，大部分中小企业并未建立起长效发展机制，对行业发展新动向研判能力较弱，存在对自身与企业目标客户群体缺乏明确认识，经营策略选择与自身实际情况不相符合，未能找准自身核心竞争力并培育竞争优势的问题，难以从产品同质化严重的困境中突围。

（4）产业人才供给能力尚显不足

在总体国家安全观的指引下，我国工业信息安全产业发展迅猛，人才需求持续增长，人才供给能力有待进一步提升。一是工业信息安全人才培养机制仍需完善。我国工业信息安全产业起步较晚，相应的人才培育体系也尚未健全，成熟的校企联合培养机制与专业人才储备机制还处于完善阶段，人才供给速度小于市场需求增长。二是工业信息安全人才准入门槛持续提升。除需掌握信息安全的相关技术、熟悉工业生产相关知识以外，随着合规要求的持续细化，人才还需熟悉相关法律法规，掌握国内外技术、产业的新形势新变化，人才准入门槛持续提升，高水平人才的缺口难以填补，企业面临招聘困难、培训困难、用工成本控制困难等现实问题，一定程度制约了工业信息安全产业的高质量发展。

7.5 》 工控安全产品产业发展对策及建议

（1）政策引导继续增强

工业信息安全是我国实施制造强国和网络强国战略的重要保障，也是落实总体国家安全观的重要抓手。2023年，“十四五”规划有序实施推进，数字经济进入发展的换挡提速期，工业信息安全政策体系更加完善，以满足制造业在数字化、网络化、智能化过程中安全需求。在《数据安全法》等相关法律的指引下，工业领域部门规章、政策性文件、指南标准等陆续出台，以明晰和细化法律要求，指导企业落实工业信息安全主体责任，助推产业高质量发展。

（2）产业发展持续强劲

在5G、工业互联网等新型基础设施建设加速发展的大背景下，统筹发展与安全成为我国新时期制造业数字化转型的长期主旋律。随着网络与数据安全战略的深入推进，我国不断加大政策和财政支持力度，促进工业信息安全产业的内需增长，引导企业加大安全技术投入，加快相关安全技术研发和产业化推进。此外，新技术、新场景催生了工业互联网安全、工业物联网安全、工业云安全、工业数据安全等细分领域更大需求，为行业发展赋予新动能。随着国家相关法规政策的持续推进，工业信息安全产业环境将不断优化，产业基础更为坚实，产业聚集效应更为显著。

（3）内生安全逐步显现

我国工业信息安全技术产品体系可分为外建安全（IT安全）和内嵌安全（OT安全）两大类。随着制造业数字化转型的加速推进，来自工控系统、工业智能设备、工业平台、数据的安全问题不容忽视，以IT 安全为主的传统产品和服务已不能完全满足实际市场需求，对内嵌信息安全功能产品和服务的市场需求激增。此外，面对不断变化、愈演愈烈、防不胜防的网络与数据安全威胁，自适应与网络弹性成为工业信息安全防护关切的热点，锻造自适应的内生安全能力将成为行业研究的重点领域。

（4）多元主体积极入局

当前，我国工业信息安全产业供给侧仍处于多种角色共建状态，参与方主要包括传统安全背景厂商、专注工控安全厂商、自动化背景厂商三类，产业链上下游企业的共同发力，同步加快着资本整合和战略合作步伐。未来，随着5G、物联网等在工业领域的深化落地，以及《数据安全法》《个人信息保护法》等法律要求的合规驱动，数据分类分级保护、数据交易管理等制度将有序落地，数据安全风险评估业务将火热开展，律师事务所、会计师事务所、数据交易所等主体将纷纷布局工业信息安全业务，成为产业发展新兴力量。同时，云服务商、工业互联网平台运营商等将加强与工业信息安全厂商的合作，以多种方式入局工业信息安全市场，共同打造工业信息安全新的竞合体系。

7.6 》 产业重点企业分析

7.6.1 奇安信科技集团股份有限公司

奇安信科技集团股份有限公司（以下简称奇安信）专注于网络空间安全市场，向政府、企业用户提供新一代企业级网络安全产品和服务，2022年营业总收入62.23亿元，在人员规模、收入规模和产品覆盖度上均位居行业第一。

安全理念方面，奇安信提出的“数据驱动安全”“内生安全”“经营安全”“网络安全零事故目标”“数智安全”等先进理论，成为国内网络安全和数据安全发展新的风向标，为网络安全技术进步作出了突出贡献。技术能力方面，奇安信在终端安全、云安全、威胁情报、态势感知等领域的技术先进性及市场占有率排名持续领先。业务领域方面，奇安信是全领域覆盖的综合型网络安全厂商。

奇安信集团2015年建立工控网络安全实验室，经国家发展改革委批准成立“工业控制系统安全国家地方联合工程实验室”。实验室积极开展工业控制系统安全攻防研究，承担工信部等部委级研究课题和工程项目。2018年至2020年，实验室陆续承担了工信部工业互联网创新发展工程项目中的多个安全专项，包括“新兴领域中小企业工业互联网安全监测公共服务能力建设”“工业企业侧安全数据采集设备”等十多个项目，项目金额累计近2亿元。在工业互联网安全态势感知、工业互联网平台安全防护、企业侧安全数据采集等领域发布多项成果，多个项目入选工业互联网产业联盟、工业信息安全产业发展联盟优秀案例集，“重点企业工业互联网安全监测预警系统”入选工信部工业互联网试点示范项目。

奇安信工控网络安全实验室建设了一套完善的工控网络安全仿真测试床，采用真实的工业控制设备，模拟实际工艺流程，搭建起智能制造、火力发电、燃气输送以及自来水生产等典型的工业生产控制场景，为工控安全研究、防护方案验证以及教育培训演示提供了仿真环境支持。测试床涵盖离散型和流程型工艺特点，为PLC、DCS、SCADA等各类工业控制系统提供了完整的研究平台。实验室拥有一支高水平的工控安全攻防研究团队，通过对主流工控设备的持续研究，建立了业内领先的工业资产指纹库、工控系统漏洞库和工业协议特征库，积累了30多个工控厂商超过2000种工控设备指纹，工控漏洞数量超过4500个，识别工控协议120多种，为工控安全产品研发与方案完善提供持续的安全能力。

奇安信工业互联网安全事业部在此基础上研发了工业主机安全防护系统、工业防火墙、工业网闸、工业安全监测系统、工业安全审计系统、工业安全检查评估工具、工业安全管理与分析系统等系列工业互联网安全产品。同时，结合工业互联网的安全需求和特点，奇安信推出了工业企业生产网网络安全解决方案、工业互联网平台安全解决方案、工业大数据安全解决方案、IT/OT一体化威胁检测与分析解决方案、IT/OT一体化工业安全运营解决方案、IT/OT一体化工业互联网安全态势感知解决方案，为工业互联网安全保驾护航。同时，奇安信工业互联网安全团队勇于创新，积极探索新业务模式，推动城市级和企业级工业安全运营中心的建设，并与工业自动化领域的龙头企业建立战略合作，把奇安信的工业网络安全产品和能力内嵌入工业控制自动化业务系统，共同打造工业网络“内生安全”解决方案。这些产品和解决方案广泛应用于能源电力、轨道交通、智能制造、钢铁、军工、烟草、水务等行业的数百家工业企业。

奇安信在工业互联网安全产业的拓展获得业界高度认可，是国家工业信息安全产业发展联盟工业互联网安全组组长单位、工业控制系统信息安全产业联盟副秘书长单位等多个工业互联网安全联盟协会 主要成员。奇安信参与了中国工业互联网安全架构体系的顶层设计工作，参与制定了多项工业控制系统安全国家标准。此外，奇安信还密切关注工业互联网安全行业发展动态，连续3年发布行业态势分析报告。同时，与工业互联网产业联盟、边缘计算产业联盟等合作，发布多个行业发展白皮书，建立了较强的行业影响力。

7.6.2 宁波和利时信息安全研究院有限公司

宁波和利时信息安全研究院有限公司（以下简称“和利时信安院”）依托和利时集团30年工业自动化技术积累和现场经验，与信息安全领域权威专家沈昌祥院士强强联合，以创新产品技术引领中国工业信息安全核心技术研发与产业应用，提供支撑工业企业的工控安全产品技术与方案服务。基于可信计算3.0体系架构，和利时信安院研发创新形成国内首（套）具备自主知识产权的工业嵌入式安全可信技术平台HOLLiTrust，满足工控系统嵌入式、分布式、轻量化、高实时性、高可靠性的要求，并基于该平台推出了国内首款原生安全主动免疫可信PLC与DCS，通过主控制器的双系统并行验证、全生命周期动态度量，构建了核心控制系统的安全可信与主动防护，达到国际领先技术水平。为工业自动化和轨道交通自动化等关键基础设施领域提供“业务+安全”解决方案，为用户构建信息安全综合防护体系，提供专业的产品技术与服务支撑，有效提升了我国核心工业控制系统的安全保障水平。

同时，和利时信安院将网络安全防护技术与工业控制系统、工业互联网技术深度融合，研发推出工业安全统一管理平台、工业安全入侵检测系统、工业日志审计系统等产品，与原生安全主动免疫的工业控制系统相配合，构建形成满足网络安全等级保护、关键信息基础设施安全保护要求的工业信息安全综合防护体系，面向电力、石化、轨道交通等重点领域推广应用，已服务数百个大型工业用户现场的安全建设。

在核心技术研发创新的基础上，和利时信安院积极参与国家工业信息安全标准规范与政策的编写制定，牵头行业内多个重要联盟协会，已经建成有重要影响力的工业信息安全领域专家智库，为我国工业信息安全行业的规范发展贡献了巨大力量。

7.6.3 浙江中控技术股份有限公司

浙江中控技术股份有限公司（以下简称中控技术）成立于1999年，始终秉承“让工作与生活更轻松”的使命，致力于面向以流程工业为主的工业企业提供以自动化控制系统为核心，涵盖工业软件、自动化仪表及运维服务的智能制造产品及解决方案，赋能用户提升自动化、数字化、智能化水平，实现工业生产自动化、数字化和智能化管理。

在工业信息安全领域，中控技术通过在流程行业的持续深耕，构建了更易推广和落地的中控工业信息安全三级运营防护体系——内建安全（固）、纵深防御（防）、安全运维（管）。工业信息安全三级运营防护围绕内建安全、纵深防御、安全运维、数据安全以及工业现场生产业务开展针对性的工控安全防护能力建设，实现控制网安全、信息网安全、数据安全相结合的网络安全模式，将网络安全下沉至控制器本身安全防护能力，大大提升了控制器本身的安全性，使方案更加贴合用户的实际需求。工业信息安全三级运营防护建设，涉及控制器、操作站、装置边界、网络流量等多种工控设备和数据安全防护，在不改变客户的业务系统的情况下，将原本的控制网安全提升为控制器安全、控制网安全、数据安全、运维安全等多方面的防护建设，实现了装置级安全防护、工厂级安全预警、集团级安全运维的能力建设，覆盖用户现场所有的安全场景，实现了为用户降本增效的目标。

因此，工业信息安全三级运营防护体系不仅提升了网络安全管理深度，也提升了网络安全的覆盖面。

目前，中控技术自主研发了主机安全卫士、工控防火墙、工控安全管理平台、工控安全隔离网关、全网诊断软件、工控网络安全监测审计系统等一系列安全防护产品，构建了一个较为完整的工业信息安全系统，覆盖工业控制系统安全、工业信息系统安全和安全运维服务等方面，并致力于打造了智能工厂工业信息安全一体化解决方案，提供包括数据安全、主机安全、网络安全、内建安全、应急容灾等核心功能的全方位、多维度安全技术体系，提供网络安全评估、网络安全运维、等保建设咨询等覆盖工业网络全生命周期安全服务，助力提升客户企业对生产控制的恶意程序防护、信息事故溯源、容灾备份、安全运维等能力，协助企业实现法规、标准、政策的合规性等级保护建设。

（1）产品框架介绍

工业信息安全系统从工控安全出发，创新性地提出多级安全运营模式（图2-7-8），将整体工业信息安全运营拆解成“装置级安全管理中心→工厂级安全预警中心→集团级安全运营中心”，结合工业大数据、设备安全联动、群体免疫、威胁情报分析等技术，将海量的安全日志转化成少量的安全事件再转化成个别安全事故，帮助企业降低安全运维成本的同时，进一步提升安全运营能力，做到安全态势可知、安全风险可控、安全事件可溯源。

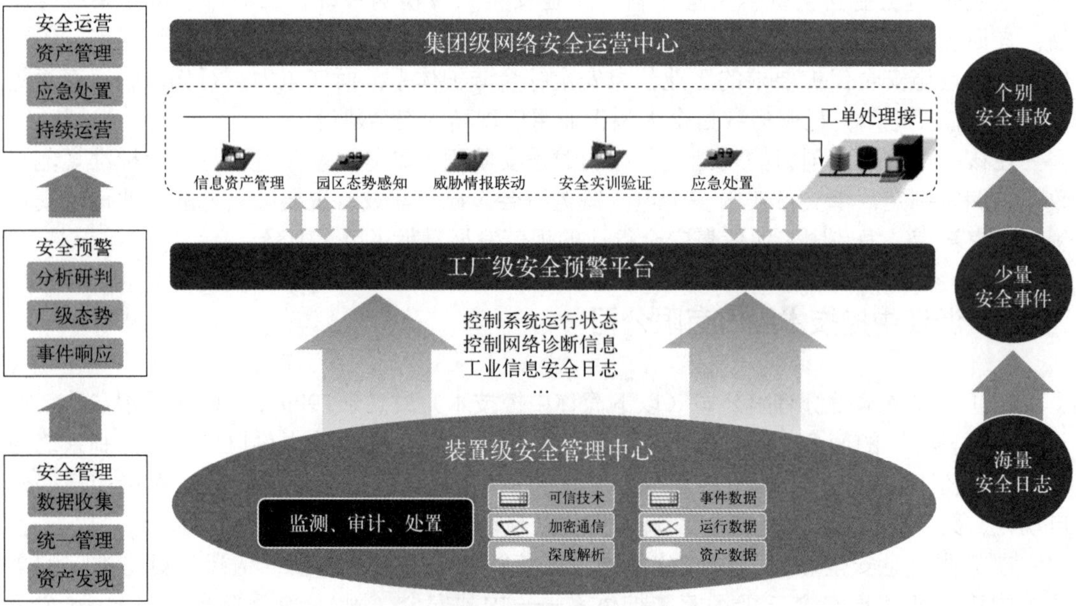

图2-7-8 多级安全运营模式

（2）核心产品介绍

核心产品如表2-7-2所示。

表2-7-2 核心产品

产品名称	产品介绍
主机安全卫士	主机安全卫士是一款集程序白名单防护、网络白名单防护、病毒查杀、强制访问控制、安全基线、安全U盘、补丁管理、群体免疫、动态度量等功能于一体的工业主机防护软件。采用白名单机制，拦截一切未知程序和脚本的执行，利用黑名单防护机制加固白名单的安全性，可有效阻止病毒、木马感染及0-day漏洞利用，保障工业环境中的工程师站、操作员站、SCADA服务器、数据库服务器、OPC服务器等工业主机的安全。同时，支持工控安全管理平台集中管理，支持远程配置、系统补丁更新、病毒库更新等功能，提升工业现场的工作效率

续表

产品名称	产品介绍
工控防火墙	GW031系列工控防火墙是专门用于工控网络边界隔离安全防护产品，通过构建基于“白名单”技术的工业安全通信模型，对通信链路上的工业流量进行深度报文解析，保证工控网络区域间通信的安全性。具有工业资产识别、资产行为控制、异常流量检测、病毒检测、VLAN隔离、SSLVPN等核心功能一体化工业边界防护系统。产品提供多种网络工作模式，用于常见复杂工业网络场景应用。产品基于高性能多核报文处理系统架构设计，提供高效的报文解析引擎，可满足大型工业网络应用要求，同时为工控安全管理平台提供持续安全检测与审计数据
工控安全管理平台	工控安全管理平台实现对中控工业信息安全产品的统一管理，具备资产管理、统一配置、群体免疫、补丁管理、事件分析、日志审计等功能特性，可满足监控网络安全、降低运维成本、提高响应效率的要求。同时，支持搭配工控安全超级管理平台的分布式部署方案，可满足离散工业场景和大型工业网络分级管理场景的使用需求
工控安全隔离网关	工控安全隔离网关是一款部署于管理信息网和生产控制网之间，专为解决工业控制系统和企业其他系统间网络隔离问题而设计，提供数据采集功能的边界防护类产品。 隔离网关内置双主机异构系统，通过专用硬件，实现工业数据信息摆渡，从物理层面上实现网络隔离。网关支持常见工业协议数据采集，并转发接入实时数据库，具有高效的实时数据交换性能。同时，网关还集成网络访问控制、常见攻击检测防护等功能，确保网络通信的安全性
工控网络安全监测审计系统	工控网络安全监测审计系统是专门针对工控网络的安全审计系统。不仅包括网络安全层面的异常监测，还融入了不同行业的关键业务行为告警。系统采用旁路部署模式，保证工业生产过程的“零风险”，结合特定的安全策略与行为基线，可快速识别网络中的异常、攻击行为，并实时告警。同时记录所有网络通信行为，提供网络监测、协议分析和安全审计功能，为工业控制系统的安全事故调查提供全面支持
USB安全隔离终端	USB安全隔离终端是专为移动存储设备全面防护而设计的终端防护类产品。工业主机可以通过网络方式安全访问移动存储设备，实现移动存储设备和工业主机的物理隔离。内置文件过滤功能，通过过滤移动存储设备上的文件进行病毒查杀与防护，能有效防止移动存储设备上的文件携带病毒对主机造成威胁。基于虚拟沙盒的动态行为分析技术，增强了病毒查杀的能力
全网诊断平台	全网诊断平台是一款适用于工业网络的网络管理与监控产品，可提供工业网络资产管理、设备配置、网络拓扑自动绘制、工作状态监控、运行负荷监测、故障报警等功能，可满足大型项目中对控制网络与APL现场以太网的监测管理要求
工业安全交换机	工业安全交换机是中控技术自主研发的控制网络接入和管理的产品，具备完善的二层管理功能。该系列工业交换机集成交换、安全、SNMP等多种丰富协议，具备优越的组网能力，满足工业网络对可靠性和安全性的要求。该产品可配套中控控制系统网络方案，全面提升工控网络的安全防护能力，实现网络关键节点的威胁抑制和整网安全的桌面化运维

7.6.4 四川安控科技股份有限公司

四川安控科技股份有限公司（以下简称安控科技）。安控科技聚焦于自动化、工业安全、智能制造、新基建的产品技术核心能力和场景应用能力的提升，在工业自动化、能源技术创新应用、数字经济等业务领域提供自主产品及解决方案，助力城市和工业领域的数字化和智能化。

安控科技以自动化、信息化技术为核心，拥有自主知识产权近500项，是《远程终端单元RTU技术规范》国家标准主起草单位。安控科技紧密结合工业互联网、大数据、云计算、5G网络等新一代科学技术，发挥人工智能技术的赋能效应，打造融创新、产业、人才链于一体的融合发展体系，为用户提供可行性研究、方案设计、产品定制、软件开发、系统集成、技术支持一站式服务。

在工业自动化领域，安控科技持续推进工业互联网、工控安全、智能制造相关的技术、产品和应用场景方案的研发，进一步打造和提升公司在油气物联网、工业系统安全领域的核心竞争力。拥有工业互联网平台、功能安全产品、模块化 RTU、一体化 RTU、PLC 系列产品、扩展 I/O、行业专用控制器等核心技术产品，构建了集产品研发、生产、销售及行业系统解决方案于一体的完整产业链。广泛应用于油气、化工、水务、能源管理等领域，通过软硬一体化技术的整合应用，实现了便捷与全面的智能化服务，助力企业提高生产效率和管理水平。

在能源技术领域，基于在油气行业深厚的积累，安控科技提供从工程项目设计、地面建设、装备制造到油井技术服务、水处理、油气田自动化与信息化建设的全方位服务以及对油气田耗能设备和装置进行节能降耗的技术研究，同时创建微电网系统，配套智能融合终端、新能源调控系统，为行业提供更加高效、可持续的新能源产品和解决方案。

安控科技依托多年在自动化、信息化领域的技术创新和实践，致力于为政企客户提供数据可视化、数据交互、数据安全、数据孪生、软件开发、传感控制、服务支持于一体的综合解决方案，赋能城市管理数字化、建设数字化和产业数字化，以点带面构建万物智联、开放共享、和谐美好的数字城市。

7.6.5 杭州优稳自动化系统有限公司

杭州优稳自动化系统有限公司（以下简称杭州优稳）与浙江大学工业控制技术全国重点实验室、浙江大学工业自动化国家工程研究中心合作，一直致力于工业控制安全装备及系统的研究开发，先后研发成功高安全高端控制装备及系统、高安全成套专用控制装置及系统、高端大规模可编程自动化装置及系统，以及工控系统全生命周期内生安全主动防御大平台等工控安全系列产品，在炼油、石化、钢铁、火电、生物、危化、环保等领域推广应用。

一是我国重大工程和关键基础设施的主体装置和核心装置中，工业控制装备80%被美国、日本、德国等发达国家垄断，一旦发生重大国际冲突，可能导致重大工程和工业企业陷入十分危险的境地，造成重大经济损失、社会动荡和人员伤亡，这是严重的客观存在的问题，所以国外引进工业控制装备的深度改造、迭代更新已刻不容缓。

二是我国重大工程和关键基础设施不仅大量配置国外的工业控制装备，而且由于国产核心元器件自主可控技术远落后于美、日、德等国，因此，国产工业控制装备也大量使用国外“有毒带菌”的元器件，所以国产工业控制装备轻易“被后门”“被漏洞”“被渗透”“被攻击”的现象在一段时间内必定无法避免，数百万套工业装备将面临网络攻击的威胁。所以国产现役工业控制装备的逐步改造、伴生共进已迫在眉睫。

三是我国重大工程和关键基础设施的工业控制装备配有十分严密的功能安全措施，在这种情况下，信息安全如何植入？工业控制系统是一种信息空间和物理空间深度融合系统，而跨越信息物理空间对其进行恶意攻击所引发的安全问题不是传统功能安全（safety）和信息安全（security）的简单物理叠加，而是一个可靠、可控、可信相互作用，信息安全与功能安全深度融合的全新的科学领域。所以工业控制系统功能安全与信息安全的深度融合、协同增强是当务之急。

面对以上国情，杭州优稳研发了以下工业控制综合安全的四类产品。

（1）高安全高端控制装备及系统

控制装备与控制系统是现代工业装备以及冶金、能源、石化、国防等领域重大工程的神经中枢、运行中心和安全屏障，但高端的控制装备与系统90%依赖国外。杭州优稳面向国家重大需求，经过10多年的技术开发和应用研究，解决了控制装备与系统的高可靠性、高适应性、高安全性与大规模化等四大难题，成功研制了高安全高端控制装备及系统的设计开发平台，形成了自主知识产权的核心技术体系。并运用这一平台，开发了面向冶金、能源、化工、煤化等领域各种重大工程需求的系列高端控制装备及系统，这对于加快发展国家安全、经济安全以及装备制造业，具有战略意义。高安全高端控制装备及系统的关键技术包括以下几个方面。

高安全高端控制装备及系统的软件平台技术：提出包含被控对象的过程机理、控制策略、动态优化、故障诊断、界面操作的工程对象多领域描述模型，实现工程对象控制策略的自动化编程，提高工程设计编程效率与可靠性；开发分布式工程对象实时数据库，满足工业数据高安全性、多实时性、多语义性、多时空性、多尺度性的信息集成要求；开发图形化编程、文本编程及多语言混合编程的控制编程语言与集成开发环境，支持大规模复杂系统的在线动态调试、远程协同编程、行业算法库封装重用等功能。

高安全高端控制装备及系统的硬件平台技术：提出多重化硬件冗余表决机制与运算节奏同步算法，实现全系统多重化硬件冗余，保证控制系统的高可靠性与高可用性；以控制装备元件及系统的工作性能退化为切入点，提出性能退化定量分析与监测技术，为控制装备健康状态的定量监测提供基础；创建具备高度自动化的复杂工程实验系统，为测试验证硬件系统的可靠性和性能指标提供关键装备。

高安全高端控制装备及系统的先进控制与优化平台技术：研发了系列先进控制和优化算法，并获得成功应用：针对特大型高炉煤气余压回收装置TRT，提出带前馈的高炉顶压约束预测控制算法和基于管网阻力系数等效的专家智能控制方法，研制成功自主技术的特大型高炉TRT装置优化控制系统，解决了TRT装置紧急切换时顶压波动过大、危及高炉与TRT装置安全的国际性难题；针对特大型空分装置，率先提出产品质量和节能最大效果下同时保证过程可操作性和可控性的控制优化一体化方法，建立多种非线性模型，提出多种有效的非线性模型预测控制、超高纯控制和节能优化方法，实现了特大型空分装置大能耗、超高纯、强耦合、非线性节能运行优化技术的重大突破。

高安全高端控制装备及系统成功应用于1000MW超超临界、600MW超临界火电机组，2500M^3/d煤气化炉、800kt造纸机、80000M^3空分装置、5000M^3高炉等重大工程2500余套，其中大型高炉TRT装置优化控制系统市场占有率90%以上，大型空分装置节能优化系统约占40%，大型火电机组控制系统约占45%。技术性能指标全面优于国外主流控制系统，达到同类技术的领先水平，产品已出口韩国等多个国家，具有国际市场竞争优势。

（2）高安全成套专用控制装置及系统

工业控制装置及系统是能源、冶金、石化、环保等领域现代工业装备的重要组成，是工业生产安全可靠和高效优化运行的重要保证，是国家实现重大工程节能、降耗、减排总体目标的重要手段。但是，我国能源、冶金、石化、环保等领域的关键工业装备，其工业控制装置及系统大部分被国外垄断，特别是具有高安全性能的成套专用控制装置及系统CCS（customized control system，CCS）绝大多数依赖国外引进。针对国内外工业生产安全事故频发的严峻态势，经过十多年的研究开发和推广应用，杭州优稳先后解决了工业控制装置及系统的功能安全、工程安全等一系列关键技术，成功研制出保障控制系统全生命周期安全稳定运行的高安全成套专用控制装置及系统，并大规模推广应用，形成了自主知识产权的核心技术体系，打破了国外的技术垄断，推动了国家经济安全和产业安全，促进了装备工业和流程工业发展，具有重要战略意义。在研发应用中，形成了硬件系统技术、软件系统技术和工程系统技术三大系统性核心技术。

高安全成套专用控制装置的硬件系统技术：发明了多种现场总线模块多重化冗余配置的本质安全型总线测控单元技术，首创本安型通用模拟量输入模块，实现工业测控单元的本安异构互联；优化了制造过程工业工程技术，研制出系列专用智能工装设备，实现制造流程设备的规范封装，保证了制造过程质量控制和工程安全；提出了实时数据质量戳与可信戳轻量化标识技术，成功解决了实时数据可靠性、精确性和安全性问题。

高安全成套专用控制装置的软件系统技术：首次提出以设备多领域知识封装和流程在线重构为核心的工程设计技术，定义构建规范化制造流程，保障设备安全与运行安全；提出了基于工业控制对象安全连锁集合的操作审计规则生成系统，解决了编程中发生多变量连锁、程序死锁等一系列问题；发明了控制装置及系统的动态再分配控制技术和远程协同服务技术，支持多主冗余控制、多主协调控制和远程运行维护。

高安全成套专用控制装置的工程系统技术：运用高安全成套专用控制装置的硬件系统技术、软件系统技术，结合相关领域工艺技术，研制出超/超超临界汽轮机、超/超超临界直流炉、高速/超高速电梯等三类成套专用控制系统CCS，攻克了控制对象温度/压力剧烈变化、大容量高参数运行、强耦合非线性大时变控制的国际性难题，实现了超/超超临界汽轮机、超/超超临界直流炉、超高速电梯高可靠、高精度、高安全控制的重大突破。

为全面推广高安全成套专用控制装置及系统，建立了8条大型生产线，在汽轮机、直流炉、电梯、脱硫、脱硝、除尘、污水处理等领域关键工业装备推广应用13000余套，超/超超临界汽轮机CCS占全国市场65%以上，超/超超临界直流炉CCS占全国市场65%以上，高速/超高速电梯CCS占国产电梯80%，技术经济指标达国际先进水平，产品出口美、日、韩、俄等20多个国家。

（3）高端大规模可编程自动化装置及系统

我国现代工业生产日趋大型化、高速化、精细化，能源、冶金、石化、环保等领域对高端大规模可编程自动化系统提出了迫切需求。在国家863计划等的支持下，杭州优稳突破了广域协同的高端大规模可编程自动化装置及系统的总体设计技术、功能安全与信息安全融合的综合安全技术、感知网络优化技术和运行优化技术等四大难题，形成了自主知识产权的核心技术体系，研制出广域协同的高端大规模可编程自动化装置及系统，并大规模推广应用。其关键技术表现在以下几个方面。

高端大规模可编程自动化装置及系统的总体设计技术：提出了广域分布式协同自动化系统体系架构，构建了全链接和全集成的协同自动化系统平台；首创数据驱动、事件触发的控制策略分布式高效并行协同执行机制，实时检测并发过载与突发任务等引起的实时性异常，实现了调度同步性的异常检测与快速恢复，调度周期5ms，同步抖动＜10μs；成功研制出系列硬件模块与广域监控软件平台，提出工程程序自动生成与云端协作机制，编程效率提高90%。

高端大规模可编程自动化装置及系统的综合安全技术：提出并实现了控制模块等的多重异构冗余容错技术，有效防范单点故障失效及共因故障失效，控制冗余5ms，输入输出冗余1ms；提出了工程程序综合安全技术，实现了程序编辑、编译、发布、更新等的全生命周期安全防护；提出了工控系统运行安全技术，解决了工控场景识别与快速身份认证、设备程序形式化封装与流程可信重构等难题。

高端大规模可编程自动化装置及系统的感知网络优化技术：提出了负载自适应的信道接入协议与高能效的实时路由协议、高鲁棒的感知节点部署策略与拓扑优化技术、高利用率的时-空稀疏信号联合采集与传输技术，突破了工业网络高性能传输与动态自组织难题，保障了高端大规模可编程自动化系统运行稳定性、通信实时性、动态网络自适应性。

高端大规模可编程自动化装置及系统的运行优化技术：提出了求解动态优化、静态优化等复杂问题的多种优化新方法，形成了系列工程优化软件，突破了大规模自动化系统运行优化的技术难题，成功应用于高炉炼铁、烯烃聚合等多种工业过程，解决了多个运行优化的国际性难题，特别是大型高炉性能指标和操作参数多目标智能优化系统等。

高端大规模可编程自动化装置及系统，实现了产业化与规模化推广，在能源、冶金、石化、环保等行业实现应用4000余套，近3年新增销售额475.34亿元，新增利税79.89亿元，合计经济效益81.13亿元，经济效益显著，并形成自主可控的系列硬软件产品与行业工程解决方案。

（4）工控系统全生命周期内生安全主动防御大平台

面对未知隐匿攻击、“有毒带菌”器件、综合安全构建等世界级难题，在国外引进工控系统亟待深度改造、国产现役工控系统急需迭代更新、功能安全与信息安全急需协同增强的大背景下，在国家重点研发计划“内生安全的主动防御工控系统防护技术”等支持下，杭州优稳突破了工控系统威胁态势感知与异常检测、工控系统行为监视与安全增强、工控系统内生安全与主动防御等关键技术，形成了保障工控系统全生命周期内生安全的核心技术体系和主动防御大平台，为国家关键基础设施综合安全提供了全新的解决方案。工控系统全生命周期内生安全主动防御大平台关键技术主要包含以下几个方面。

工控系统威胁态势感知与异常检测技术：提出了系列主动安全防御及异构组件等效多样化方法，创建了覆盖端、边、云的工控系统内生安全主动防御体系架构；发明了基于静态符号和“自底向上”的数据依赖分析方法，提升了工控漏洞的静态检测效率；提出了工控系统规模化漏洞分析方法和信息物理融合的主被动结合的异常检测机制，研制出工控系统漏洞挖掘与关联平台和工控系统威胁态势感知与应急响应平台。

工控系统行为监视与安全增强技术：提出了“有毒带菌”环境下的工控系统主动防御机理，发明了工控系统目标侦查、漏洞利用、木马投放、权限获取等技术及相应反制技术，国际上建立了首个工控系统全生命周期全流程攻防模型；提出了工控系统脆弱性分析技术，创建了工控系统功能执行安全性、有效性、时效性、合理性等的行为监视与安全增强平台；提出了工控实时网络安全监测技术，有效提高了工控系统安全风险的识别、评估和应急响应能力。

工控系统内生安全与主动防御技术：提出了工控装置内生安全架构设计与规范，创建了动态多路多分片加密传输协议，提出并实现了工程应用程序的全生命周期安全完整性技术；提出了具有动态重构、随机多样化、异构冗余特征的工控系统主动防护技术，研制出国际上首批相关组件，建立了工控系统内生安全设计开发与主动防护平台。

基于平台研制出的国际首套内生安全关键控制系统，通过SIL3/SC3功能安全认证及公安部三所增强级销售许可，并实现了产业化，在危化、化工、电力等行业实现应用2000余套；近3年新增销售135.78亿元，经济效益38.84亿元，社会效益显著，为国家重大工程和关键基础设施的工控系统综合安全提供了全新的解决方案。

本章负责人　**周永刚　奇安信科技集团股份有限公司**

参加编写人员　**刘　畅**

第3篇

行业应用

CHINA AUTOMATION INDUSTRY
DEVELOPMENT REPORT (2025)

第1章 电力自动化

1.1 电力行业发展现状

电力是国民经济发展中最重要的基础能源产业，是事关国计民生的战略产业。2000年以来，我国电力工业取得了举世瞩目的成就，发电装机、电网规模等多项指标居世界首位，有力支撑了国民经济的发展和人民生活水平的提升。新常态下，我国电力工业发展的主要目标已由长期以来保障供应，向以调整优化、转型升级为主线，构建安全高效、清洁低碳、灵活智能的低碳能源电力转变。

电力行业作为事关国计民生的战略产业正在经历由人工智能引领的转型升级和深刻变革。能源电力的清洁化、低碳化、智能化发展已上升到国家战略层面。2016年2月，国家发展改革委发布了《关于推进“互联网+”智慧能源发展的指导意见》。2018年3月23日，国家发展改革委和国家能源局印发《关于提升电力系统调节能力的指导意见》，明确要求实施火电灵活性提升工程，提高调节能力及运行效率，破解新能源消纳难题。2021年3月，国家发展改革委、国家能源局发布了《关于推进电力源网荷储一体化和多能互补发展的指导意见》，明确指出促进能源和人工智能深度融合，推动智能发电技术发展及应用。2021年10月，国务院发布《2030年前碳达峰行动方案》。2022年1月，国家发展改革委、国家能源局印发《“十四五”新型储能发展实施方案》。2022年8月，科技部等九部门印发《科技支撑碳达峰碳中和实施方案（2022—2030年）》，指出要推动煤电向基础保障性和系统调节性电源并重转型、开展火电厂数字化智能化技术、规模化储能与常规电源联合优化运行技术研究。2023年3月，国家能源局发布《关于加快推进能源数字化智能化发展的若干意见》，指出推动数字技术与能源产业发展深度融合，加强传统能源与数字化智能化技术相融合的新型基础设施建设，有效提升能源数字化智能化发展水平，构建清洁低碳、安全高效的能源体系，为积极稳妥推进碳达峰碳中和提供有力支撑。2023年6月，国家能源局组织发布《新型电力系统发展蓝皮书》，全面阐述新型电力系统的发展理念、内涵特征，制定“三步走”发展路径，并提出构建新型电力系统的总体架构和重点任务。

（1）全国电力生产供应情况

截至2024年底，全国发电装机容量达33.5亿千瓦，同比增长14.6%。分类型看，水电4.4亿千瓦（含抽水蓄能5869万千瓦），占全部装机容量的13.0%；火电14.4亿千瓦（含煤电11.9亿千瓦、气电1.4亿千瓦），占全部装机容量的43.1%；核电6083万千瓦，占全部装机容量的1.8%；并网风电5.2亿千瓦，占全部装机容量的15.5%；并网太阳能发电8.9亿千瓦，占全部装机容量的26.5%。各类发电装机容量占比如图3-1-1所示。

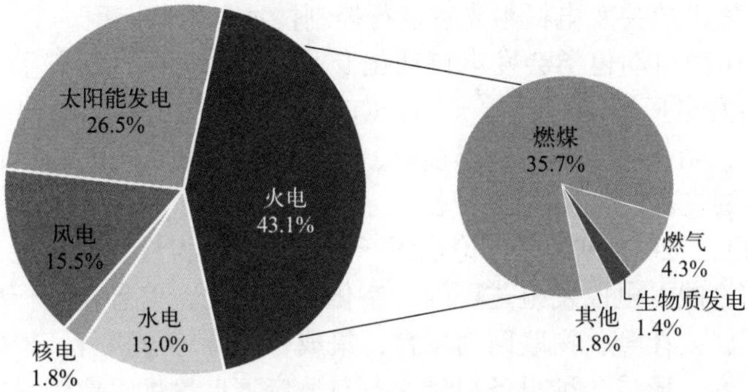

图 3-1-1　各类发电累计装机容量占比

2024年全国电力工业统计数据如表3-1-1所示。

表 3-1-1　2024 年全国电力工业统计数据

指标名称	单位	全年累计	同比增长 /%
全国发电装机容量	万千瓦	334862	14.6
其中：水电	万千瓦	43595	3.2
火电	万千瓦	144445	3.8
核电	万千瓦	6083	6.9
风电	万千瓦	52068	18.0
太阳能发电	万千瓦	88666	45.2
全国线路损失率	%	4.37	−0.17▲
6000 千瓦及以上电厂发电设备利用小时	小时	3442	−157*
电源工程投资完成	亿元	11687	12.1
电网工程投资完成	亿元	6083	15.3

注："同比增长"列中，标*的指标为绝对量；标▲的指标为百分点。
数据来源：国家能源局。

2024年全国发电量为100868.8亿千瓦时，同比增长6.7%。其中水电、核电、风电、太阳能发电等清洁能源发电量37126.1亿千瓦时，比上年增长16.36%。其中，火电发电量63742.6亿千瓦时，占总发电量的比重为63.19%；水电发电量14256.8亿千瓦时，占总发电量的比重14.13%；核电发电量4508.5亿千瓦时，占总发电量的比重4.47%；风力发电量9970.4亿千瓦时，占总发电量的比重9.88%；太阳能发电量8390.4亿千瓦时，占总发电量的比重8.32%。

（2）发电行业自动化发展现状概述

2016年7月25日，中国能源报专访华北电力大学刘吉臻院士并发表《智能发电：第四次工业革命的大趋势》，明确了智能发电的概念。

2016年11月，中国自动化学会发电自动化专业委员会、电力行业热工自动化技术委员会联合发布了《智能电厂技术发展纲要》，提出了智能电厂的概念、体系架构和建设思路。

2016年12月，国家能源局发布了《电力发展"十三五"规划》，第一次将智能发电的内容写入了规划：发展智能发电技术，开展发电过程智能化检测、控制技术研究与智能仪表控制系统装备研发，攻关发电机组先进运行控制技术与示范应用。

2018年1月，中国自动化学会发电自动化专业委员会组织，发布了中国电力企业联合会团体标准《火力发电厂智能化技术导则》（T/CEC 164—2018），给出了智能火电厂的基本概念、体系结构、功能与性能、外部接口、设计、安装调试与验收、运行检验测试、智能程度评估等方面的技术要求和实施策略。

2018年5月8日，“2018智慧电厂论坛第一期”大会报告《智能发电系统体系架构及其关键技术》指出：智能发电以发电过程的数字化、自动化、信息化、标准化为基础，以管控一体化、大数据、云计算、物联网为平台，集成智能传感与执行、智能控制与优化、智能管理与决策等技术，形成一种具备自学习、自适应、自趋优、自恢复、自组织的智能发电运行控制管理模式，实现更加安全、高效、清洁、低碳、灵活的生产目标。

2018年6月6日，中国能源研究会成立智能发电专业委员会，专委会主任委员在大会上做了《智能发电系统体系架构及其关键技术》专题报告。

根据中国电力企业联合会团体标准《火力发电厂智能化技术导则》（T/CEC 164—2018），火力发电厂智能化是指火力发电厂在广泛采用现代数字信息处理和通信技术基础上，集成智能的传感与执行、控制和管理等技术，达到更安全、高效、环保运行，与智能电网及需求侧相互协调，与社会资源和环境相互融合的发展过程。电厂智能化的系统结构，原则上包含由智能化设备层、智能化控制层和智能化管理层组成的管控体系，由本地技术支撑和远程技术支撑组成的技术支撑体系，以及电厂与外部的互动接口三部分，系统架构如图3-1-2所示。

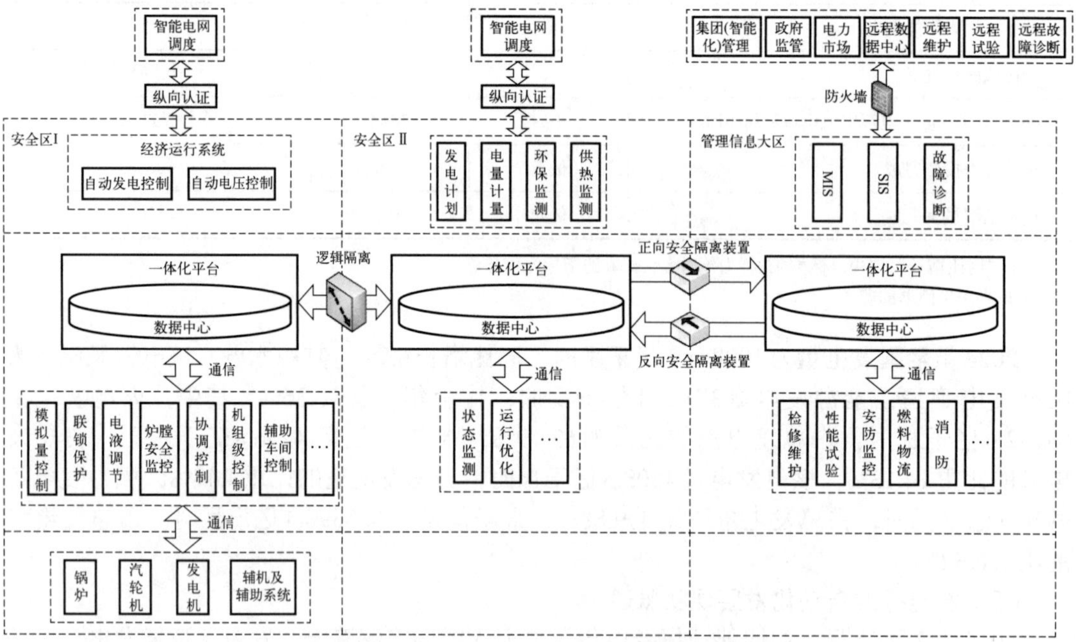

图3-1-2 智能化火力发电厂系统架构图

根据中国能源研究会智能发电专业委员会成立大会《智能发电系统体系架构及其关键技术》专题报告指出，随着互联网、大数据、云平台以及新的安全理念和管理技术的发展，为了适应智能化管控的需求，原有DCS（分布式控制系统）+ SIS（厂级监控信息系统）+ MIS（管理信息系统）的三层物理架构进一步简化为如图3-1-3所示的二层架构。整合拓展发电过程的实时数据处理和管理决策业务，构建智能控制系统（intelligent control system，ICS）和智能服务系统（intelligent service system，ISS），其核心是数据的深度利用，如图3-1-4所示。

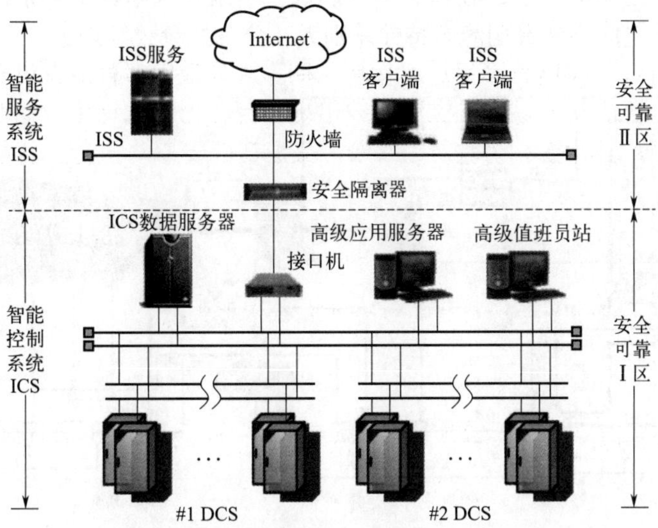

图3-1-3　智能发电系统物理架构

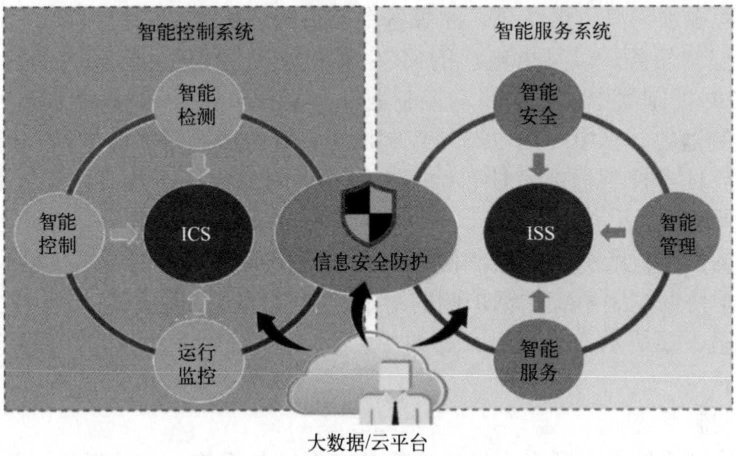

图3-1-4　智能发电系统数据应用架构

1.2 》 电力行业自动化技术、产品应用现状

1.2.1　火电自动化技术、产品应用现状

1.2.1.1　火电自动化技术简介

火电主要是燃煤发电，燃煤发电过程是典型的流程工业，大型超（超）临界燃煤发电机组生产对象往往有着大惯性、大迟延、特性随负荷变化明显、非线性强且多变量耦合等

特点，图3-1-5所示为660MW超临界燃煤发电机组热力系统图。目前，国内外已经对火电机组智能控制有一定研究，但是随着机组参数和容量逐渐增大，燃煤机组从以往的亚临界向超临界和超超临界发展，超（超）临界机组不仅需要协调快速动作的汽轮机和有着大惯性、大蓄热的锅炉之间的耦合，在锅炉侧的燃烧、给水、汽温各个子系统之间也有着强耦合，且不同的对象之间还有着动静态特性差别大、分布式参数等现象。

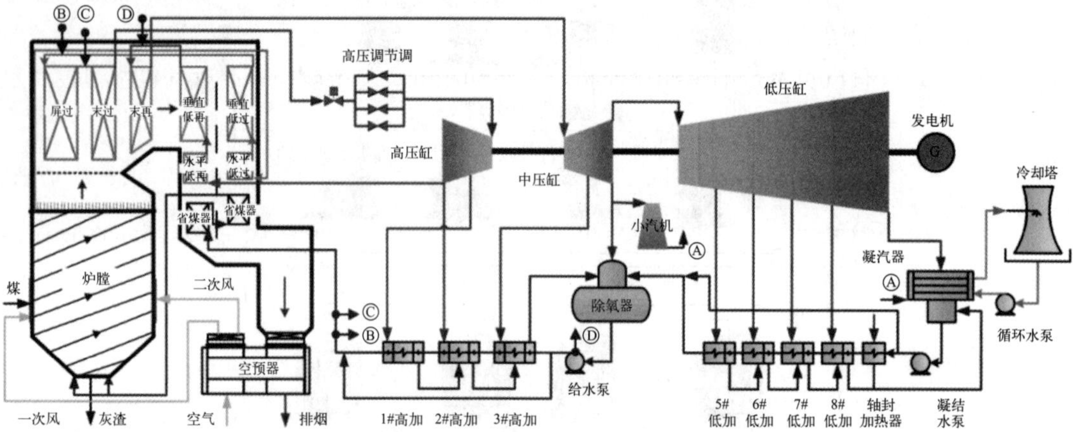

图3-1-5 660MW超临界燃煤发电机组热力系统图

火电自动化系统中最重要的是模拟量控制系统（modulating control system，MCS），它担负着发电过程中水、汽、煤、风、油等各个子系统过程变量的模拟量调节任务，以及整个机组的负荷控制任务。以某火电厂的MCS系统为例，其炉侧自动控制逻辑主要分布在9～10、15～23号控制器中，机侧自动控制逻辑主要分布在1～6号控制器中，协调给水部分则在14号控制器中。其中：15～23号控制器中设计有磨风量风温控制、磨煤量控制，以及燃料风调节；11号控制器中设计有给水主控、过热汽温、再热汽温等控制回路；9、10号控制器中设计有送风、炉膛负压、一次风压、二次风门控制回路；14号控制器中设计有协调、燃料控制回路，所有自动控制回路逻辑页扫描周期均为200ms。需要进行控制优化的系统包括机炉协调控制系统，锅炉侧的给水、炉膛负压、送风氧量、一次风压力、过热汽温、再热汽温、凝结水、磨煤机、高加/低加水位等控制系统，每个系统特点和控制方案简要描述如下。

（1）协调控制系统

机炉协调控制系统是大型火力发电机组的主要控制系统，它将锅炉和汽轮发电机作为一个整体考虑来进行控制，协调控制锅炉系统与汽轮机系统的能量平衡，以消除锅炉和汽轮机在动态特性方面的差异，使机组既能够适应电网负荷变化的需要，尽最大可能发挥机组调频、调峰的能力，又能够保证机组的安全稳定经济运行。

协调系统有如下几种控制方式：基本方式（BASE MODE）、炉跟随控制方式（BF MODE）、机跟随控制方式（TF MODE）、以炉跟机方式为基础的协调控制方式（CCS MODE）。

一般协调控制系统采用以炉跟机方式为基础的协调控制方式，由汽机主控调节机组功率，锅炉主控调节主汽压力，机组指令作为锅炉的基础静态指令，同时采用了机组指令的动态信号加快变负荷过程中的锅炉响应。为了适应自动发电控制（AGC）快速调节的要求，在汽机主控侧也增加了AGC指令的动态信号。锅炉主控直接作用于燃料和风量控制回路，由燃料量来生成热一次风压的设定，确保了机组动态调节过程中制粉系统的可靠响应。

（2）给水控制系统

给水控制系统是调节给水系统的相关设备，保障给水管路上主要设备的安全稳定运行。电厂给水系统一般由三台电泵组成，正常运行两台，每台电泵可带50%负荷。给水调门根据调节级压力切换单冲量控制或三冲量控制。给水调门自动切换到三冲量调节方式，根据水位偏差、蒸汽流量和给水流量信号调节。某电厂的给水控制系统控制策略为：在正常运行工况下，调节电动给水泵的转速；在启动和低负荷运行工况下，调节给水旁路调节阀与电动给水泵的转速。正常的控制应由蒸汽流量、汽包水位和给水流量组成三冲量控制系统，启动时只有汽包水位的单冲量控制。在启动和低负荷阶段，单冲量汽包水位控制应调节给水旁路调节阀。在蒸汽参数稳定、给水流量允许的情况，控制系统自动到三冲量控制，应将给水调节门节流以保证必要的减温水压差。

（3）炉膛负压控制系统

炉膛负压控制系统是通过调整引风机动叶开度，保持锅炉微负压运行，其炉膛负压控制为单回路控制，采用运行投自动台数和负荷变参控制，使用送风动叶指令均值作为前馈。同时增加了炉膛压力高、低闭锁减加动叶指令功能，RB（辅机故障减负荷）工况时为了加快炉膛负压的响应，增加了不同RB下对引风机动叶的超驰控制。

（4）送风氧量控制系统

送风氧量控制系统是通过调节送风机动叶开度来控制送风量，保证燃料在炉膛中充分燃烧，同时也保证微量的过剩空气系数，保证燃烧的热经济性。其控制策略为根据燃烧率指令产生基本风量指令，经过炉膛尾部烟气的氧量修正，通过燃料-风交叉限制回路和最小风量限制回路，产生最终的风量指令。通过调节送风机动叶的位置来控制风量，达到最佳燃烧工况。通过两台风机入口风道上的一次元件测得锅炉二次风量加上进入磨煤机的风量，该测量结果经温度补偿、求和即为总风量。该信号用来限制总负荷指令和总燃料量。

（5）一次风压控制系统

一次风压控制系统通过调整一次风机动叶开度，保证一次风母管压力能够满足机组负荷要求。某电厂的一次风压控制系统为单回路控制系统，采用运行投自动台数和负荷变参控制。其中一次风压力设定值由燃料主控输出生成，运行人员可通过修改偏置来校正一次风压设定值。根据运行投自动台数进行变参控制。由于RB切磨工况会使一次风压提高，因此增加了非一次风机RB风机动叶超驰关的控制策略。

（6）过热汽温控制系统

过热汽温控制系统的任务是维持过热器出口蒸汽温度在允许范围内，并保护过热器，使管壁温度不超过允许工作温度。某电厂的过热器为左右两侧布置，每一侧为三级过热，二级喷水布置，采用调节减温水流量调节过热汽温。因而左右两侧的控制策略相同，其中二级过热汽温通过一级喷水减温阀控制，采用串级PID控制策略，配以四阶Smith预估算法补偿器动态特性，同时采用燃料量动态信号加速变负荷过程中的汽温响应。主蒸汽温度采用二级喷水减温阀控制，其控制策略与一级减温类似，也采用了四阶Smith预估算法，并设置了在MFT跳闸或RB工况情况下，一、二级喷水阀被强制关闭防止温度突降的保护性控制策略。

（7）再热汽温控制系统

通过再热循环可以降低汽轮机尾部叶片处的蒸汽湿度，降低汽耗，提高循环热效率，再热汽温控制系统的任务是保持再热器出口蒸汽温度为给定值。某电厂的再热汽温采用再热喷水控制，控制策略为常规的串级回路，采用喷水减温器出口汽温作为副回路的导前信号，以加快再热汽温的调节，同时为了在大幅变负荷过程中加快再热汽温的调节，增加了锅炉热量信号变化（汽包压力的动态微分）直接作用于喷水阀开度。在MFT跳闸或RB工况情况下，一、二级喷水阀被强制关闭防止温度突降。

（8）凝结水控制系统

凝结水控制系统的作用是保持凝结水母管压力和除氧器液位符合要求值。某电厂的凝结水系统设计为当机组负荷大于420MW时，除氧器水位由凝泵变频来控制，凝结水压力则由除氧器入口调阀来控制。当机组负荷小于400MW时，除氧器水位由除氧器入口调阀来控制，凝结水压力则由凝泵变频来控制。其控制策略采用除氧器上水调阀水位控制，设计了单冲量和三冲量两种方式，而凝泵变频则只设计了三冲量方式。机组负荷大于150MW（10MW死区）时转为三冲量控制，小于150MW（10MW死区）为单回路控制。在单冲量控制方式下，根据除氧器水位设定值与实际水位的偏差，通过PID调节器运算输出控制除氧器水位调节阀开度。在三冲量串级控制方式下，主调节器被控对象为除氧器水位，副调节器被控对象为凝结水流量，采用锅炉给水流量作为主调节器前馈，经多次连续大范围负荷变动工况检验，除氧器水位调节品质优良。

（9）磨煤机控制系统

磨煤机控制系统包括了磨煤机一次风风量控制和磨煤机出口温度控制系统。某电厂采用热一次风风门调节一次风风量，采用冷一次风风门调节磨煤机出口温度，由于冷、热一次风对一次风风量和磨煤机出口温度都有显著的影响，因而磨煤机控制系统是典型的耦合系统。考虑风量调节速度快，效果明显，而温度调节速度慢，耦合性强，其控制策略采用了部分解耦方案。其中一次风风量采用调节热风门挡板开度的单回路控制，其设定值根据对应给煤机煤量指令给出，运行人员可以通过修改偏置来改变风量设定值。在实际投运调试过程中根据实际情况对其设定值函数进行了优化，风量调节迅速，调节品质良好。磨煤机出口温度采用调节冷风门挡板的单回路控制系统，并加入热风门开度对冷风门的前馈作用以减小变负荷过程中磨出口温度扰动。

（10）高低加水位控制系统

某电厂机组有三级高压加热器，每个高压加热器都有正常疏水和紧急疏水，控制方案采用单回路控制，其正常疏水与紧急疏水控制回路的设定值全部由运行人员手动给出。机组有三级低压加热器，三级低压加热器都有正常疏水和紧急疏水调节阀，正常疏水与紧急疏水控制回路的设定值全部由运行人员手动给出。控制方案均为单回路控制。

1.2.1.2 火电自动化产品DCS应用情况

一般来说，应用于火电厂的自动化产品主要包括DCS、PLC等，DCS主要应用于主机系统，PLC主要应用于辅机系统，主要是施耐德Quantum系列和罗克韦尔ControlLogix系列等，也有电厂主辅一体化全部应用DCS产品。进口品牌DCS主要包括EMERSON公司的Ovation和WDPF系统、ABB公司的Symphony和AC800系统、西门子公司的TT3000系统、GE公司的OC 6000e系统等，国外品牌曾在300MW、600MW、1000MW等级机组占有较大市场份额。国内品牌DCS主要包括国能智深公司的EDPF-NT、和利时公司的HOLLiAS MACS、上海新华公司XDC800和NetPAC、南京科远公司的NT6000、浙江中控公司的ECS-700、杭州优稳公司的UW500等，早些年主要应用于300MW及以下机组，以及部分600MW、1000MW等级机组，现在一些600MW、1000MW机组也主要应用国产品牌DCS。

目前火电厂分散控制系统DCS一般集数据采集、过程监控、智能控制、设备管理和安全防护于一体，是一套全集成的面向整个火电生产过程的控制系统，根据不同火电厂生产现场的环境要求，灵活配置人机接口站HMI、安全交换机、现场总线网络和I/O模块，具备全冗余、高可靠、全开放等强大功能。

火电厂分散控制系统DCS一般需要配置可视化图形组态软件，利用开放的现场总线和高速工业以太网实现对各种工业现场的实时监控和管理，拥有全动态点目录、控制策略自定义、故障自诊断/自报警及多重多级加密、柔性分区分域等多项先进技术，内置智能分析、智能计算和智能控制等核心引擎，集成主机安全加固软件和设备管理软件，并可镜像配置基于工业互联网架构的大数据库平台，为发电企业用户构建安全、智能和优化的管控一体化平台，使发电企业构建以“更安全、更高效、更环保、更灵活”为目标的智慧电厂建设体系的数据基座和基础平台。

典型火电厂分散控制系统DCS架构如图3-1-6所示，系统网络构架分为三个层次，分别是信息监视网（ISnet）、系统控制网（SCnet）和I/O控制网（IOnet）。ISnet由100/1000M以太网络构成，用于联通生产执行系统MES、厂级信息管理系统SIS、仿真培训系统OTS、大屏幕DLP与闭路电视监控系统CCTV，以及各子控制系统服务器，并能通过安全网络隔离装置、Web服务器与Internet互联网通信，实现数据高级管理和共享。SCnet用于分布式控制单元与上位机之间的实时数据传输。由100/1000M高速冗余工业以太网络构成，用于工程师站、操作站、现场控制站、通信控制站、历史站、AMS站等设备的连接，可快速构建成星形、环形或多层拓扑结构的高速冗余安全网络。IOnet包括I/O通信网络以及数字化远程I/O通信网络。冗余配置的I/O通信网络用于NCU与本地I/O模块之间数据传输，数字

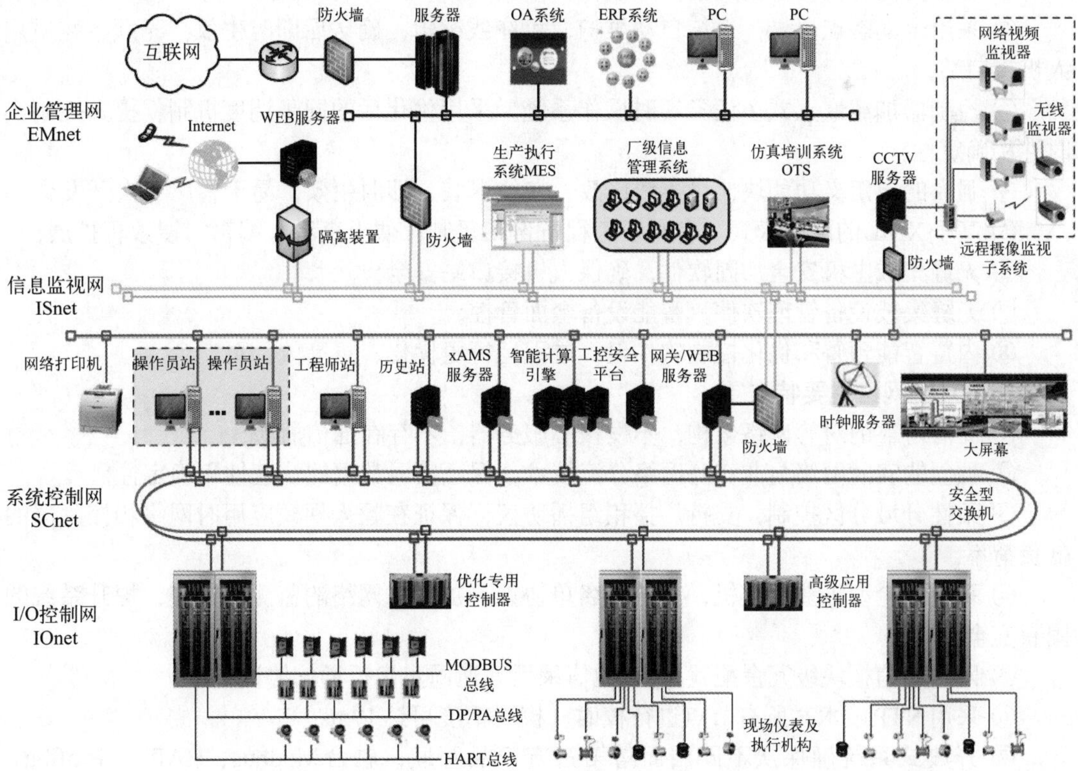

图3-1-6　典型火电厂分散控制系统DCS架构

化远程IO系列包括现场FIO、现场控制站FCS。

（1）系统硬件主要特点

① 简洁的机柜布置、创新的外观和结构设计；

② 基于恶劣工业环境设计，通过CE/FCC/G3认证，极强的抗干扰和抗腐蚀能力；

③ 控制器深度自检、故障无扰切换，集成5路以太网和8路冗余串行通信接口，先进的嵌入式实时操作系统，最小扫描周期10ms；

④ 控制器采用CFAST卡代替传统CF卡，提升存储介质的可靠性；

⑤ 全面支持HART、Profibus-DP/PA、FF等现场总线协议；

⑥ I/O模块冗余供电，冗余高速通信，通道级多重隔离，支持全冗余配置；

⑦ I/O模块地址自适应，可在线热插拔，本地I/O与远程I/O完全兼容；

⑧ I/O模块通道级自诊断、主动报警及失效安全设计；

⑨ DI模块通道接地检测，标配48V DC查询电压；

⑩ SOE模块时间标签分辨率1/32ms，优于行业标准；

⑪ SV模块双冗余配置（2oo2D），三/六线LVDT自适应，多级自诊断、故障无扰切换，支持免标定在线更换；

⑫ LP模块三冗余配置（2oo3），独立于控制器的异构设计，模块级CPLD实现ETS逻辑保护功能，所有输入输出信号具备SOE功能；

⑬ SD模块三冗余配置（2oo3），支持多种测速探头，模块级CPLD实现OPC/AST保护功能，内置甩负荷预测LDA和功率不平衡PLU功能。

（2）系统软件主要特点

① 采用全新可视化界面风格，集成化一体式（All-In-One）组态环境；

② 采用全动态点目录，系统自动维护，可在线编辑，确认后即时生效，无须下装重启人机接口站；

③ 控制器加载嵌入式多任务实时操作系统，采用优化后的同步调度机制，提升控制实时性和确定性；

④ 强大的自定义功能块，可离线修改、在线下装、即时生效，易于客户二次开发；

⑤ 基于XML的配置模式，有利于工程备份和复制，便于查看、编辑、搜索和扩展；

⑥ 无缝集成主机安全加固软件，确保人机接口站安全；

⑦ 无缝集成设备管理软件，智能设备全面管控；

⑧ 内置智能预警和优化控制软件包，过程运行更优化、更高效、更安全。

（3）系统网络主要特点

① 简洁可靠的对等网络架构，不设核心服务器，不存在通信瓶颈；

② 独创的实时网络与非实时网络分流技术，保证实时数据的快速性和确定性；

③ 柔性分域分区控制，支持广播和组播协议，保证在超大规模应用时网络和控制器的低负荷率；

④ 采用安全型工业交换机，支持白名单协议，加强对网络的监测和管控，提升系统的固有安全特性；

⑤ 网络通信模块级冗余配置，I/O通信采用高速同步串行通信协议；

⑥ 采用NTP技术对所有节点进行校时，校时精度可达10ms；

⑦ 开放式系统确保从不同层面与第三方产品互联，融合Modbus、HART、Profibus-DP/PA、FF等现场总线技术。

（4）系统核心技术指标

系统核心技术指标如表3-1-2所示。

表3-1-2 火电厂DCS系统核心技术指标

内容	具体项目	最大指标	推荐指标	说明
系统	系统操作域数量	16		
	单域HMI节点数量	54		201～254
	系统控制域数量	64	小于16	
	单域最大节点数	254		
	单域控制器节点数量	100对		1～100; 101～200
网络	拓扑结构	星形、树形、环形等	冗余双环形	
	网络通信介质	屏蔽双绞线、单模/多模光纤等		
	网络通信速率	100Mb/s		
	网络负荷率	小于20%		典型<10%
	网络协议类型	标准工业以太网TCP/UDP		
控制器	单控制器ID数	Ax：20000 Dx：20000		
	单控制器I/O点数	Ax：2048点 Dx：4096点		
	CPU负荷率	60%	小于40%	典型<20%
	内存使用率	50%	小于50%	典型<20%
	操作系统	QNX、Linux、麒麟Linux		
	本地链路数量	8条		每条10I/O模块
	远程链路数量	16条		每条4链路×10模块
上位机	主频	≥ Pentium G620双核64位2.6GHz		
	内存	≥ 2GB		
	硬盘	≥ 500GB		
	分辨率	1920×1080		
	响应时间	<2s		典型<1s
	操作系统	Windows/麒麟Linux		
I/O模块	I/O通信	2Mbps冗余高速串行总线		
	模拟量通道数量	8点/模块		
	开关量通道数量	16点/模块		
	模拟量精度	AI小信号0.1% AI大信号0.2% AO输出0.2%		
	SOE分辨率	1/32ms		
	现场总线模块	支持Modbus、Profibus-DP/PA和FF等协议		
	输出故障安全	可单通道配置		

续表

内容	具体项目	最大指标	推荐指标	说明
I/O 模块	DEH/ETS 模块	一体化设计		测速、保护与伺服模块
	是否支持冗余	支持所有信号类型		测速、保护模块三重冗余；伺服模块双冗余；其他信号双冗余
接地	接地种类	机柜地 CG、信号地 PG		
	接地方式	单点接地		
	接地电阻	<4Ω	1Ω	
电源	交流输入电源	220V AC±20%		冗余切换
	A/B 内电源	24V DC/10A		冗余高选
	C/D 外电源	24V DC/10A		冗余高选
环境	环境温度	−20～60℃		
	环境湿度	0～90%（无凝结）		

火电厂分散控制系统DCS机柜一般采用标准化模块化设计，可按单个项目和客户要求进行配置。控制柜和扩展柜采用相同的控制机架，其中：控制柜正面可布置控制器NCU组件、链路分配基座模块、I/O模块，其他电气元件及配套端子板；控制柜背面可布置电源，电源分配组件，链路分配基座模块、I/O模块、其他电气元件及配套端子板；扩展柜正面和背面可布置链路分配模块、I/O模块、其他电气元件及配套端子板。

1.2.1.3 火电自动化产品DCS应用案例

以某火电厂新建2×600MW热电联产超超临界燃煤发电机组工程为例，采用某公司DCS系统，控制范围涵盖主机、公用系统及全厂辅助车间（含水、煤、灰）。其中主机及公用系统配置情况如表3-1-3所示。

表 3-1-3 主机及公用系统 DCS I/O 测点及配置

测点类型	需求点数	配置点数	模块类型	模块数量
AI（mA）	2018	2336	NAI-21	292
AI（RTD）	2030	2344	NRTD-21	293
AI（TC）	715	840	NTC-21	105
AO	170	200	NAO-21	25
DI	14972	17248	NDI-21	1078
SOE	512	608	NSOE-21	38
DO	7247	8352	NDO-21	522
PI	112	144	NPI-21	18
AI（HART）	1000	1152	NAIH-21	144
AO（HART）	340	400	NAOH-21	50

该工程每台单元机组各设置一套DCS，公用系统设置一套DCS系统。两台单元机组DCS系统相互独立，但通过网桥同时与公用DCS系统相连，并可经由公用DCS系统进行数据交互。总体网络架构如图3-1-7所示。

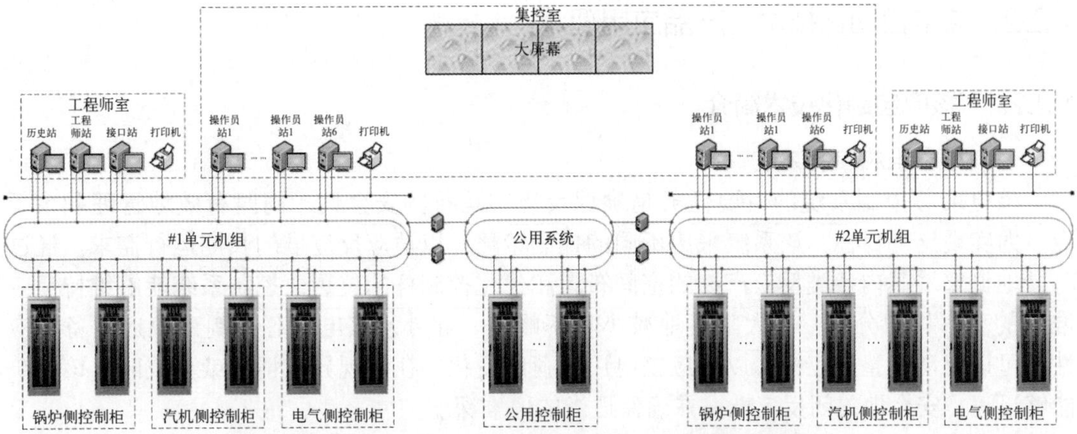

图 3-1-7　某火电厂分散控制系统 DCS 网络架构

公用DCS系统的数据全部传输到两台单元机组DCS系统，故两台单元机组DCS系统均可实现对公用DCS系统的监视与控制。为了避免误操作，公用DCS系统还可设置权限，同一时间只允许一台单元机组上位机对公用系统的设备进行操作。

每套DCS系统的网络均可包含A、B、C三个网络。其中A、B网为冗余配置的实时数据网，用于各上位机之间、控制柜之间，以及上位机与控制柜之间各类实时数据的传输。根据工程实际情况，A、B网可灵活采用星形、虚拟环网，及其组合网络拓扑结构。C网为非实时数据网，用于上位机之间，以及上位机与控制柜之间各类非实时数据的传输。

火电厂典型DCS系统监控画面如图3-1-8所示。

图 3-1-8　火电厂典型 DCS 系统监控画面

1.2.2 核电自动化技术、产品应用现状

1.2.2.1 核电自动化技术简介

（1）核电堆芯控制系统

核电堆芯控制系统的首要任务是确保反应堆运行的安全性，同时有效地管理剩余反应。为实现这一目标，该系统采用不同的控制策略，以适应反应堆的长期运行需求。通过巧妙地调整堆芯内各类反应产物的空间布置和优化控制杆的位置，控制系统能够维持反应堆内的功率均匀分布，最大限度地减小功率峰值。此外，核电堆芯控制系统还具备适应性，可以自动调整反应性，以响应核电厂负荷的变化。在出现异常情况或事故时，该系统能够迅速、安全地关闭反应堆，并确保适当的停堆深度。

（2）反应堆冷却剂控制系统

反应堆冷却剂控制系统是核能发电中的关键组成部分，其主要任务是维持反应堆内的核反应过程以及核燃料温度在安全范围内，以确保反应堆运行的稳定性和安全性。以下是反应堆冷却剂控制系统的主要职责和功能。

① 温度控制。系统监测并维持反应堆内部温度在安全的范围内。通过控制冷却剂的流速和温度，可以调整核燃料的温度，防止过热和熔化。

② 压力控制。系统监测和维持反应堆内部的冷却剂压力，以确保不发生压力过高或过低的情况，从而维护反应堆的结构完整性。

③ 冷却剂流速控制。系统调节冷却剂的流速，以维持核反应的合适强度，确保反应堆的功率在预定范围内。

④ 核反应控制。控制系统可以调整冷却剂中的中子吸收体，如控制棒的位置，以调整反应堆中的中子通量，从而控制核反应的速率。

⑤ 应急关闭。在发生异常情况时，冷却剂控制系统可以迅速关闭反应堆，防止进一步的事故。

⑥ 核安全。系统具备安全保障功能，可监测和响应潜在的核安全问题，确保反应堆在任何情况下都维持在安全状态。

⑦ 燃料管理。系统还可以辅助管理核燃料的寿命，以确保燃料的高效使用和合理更换。

反应堆冷却剂控制系统的目标是维持核反应堆的稳定性、安全性和高效性。它通过监测和调节冷却剂参数，确保核反应堆的运行在设计参数内，并在必要时采取措施以应对不同情况。这一系统对于核能发电的成功和安全运行至关重要。

（3）反应堆稳压器控制系统

稳压器的主要职责是维持一回路冷却水的压力，以防止压力过高。稳压器与一回路的热管段相连，分为上半部分和下半部分，上半部分是蒸汽空间，下半部分装满水。在稳压器的顶部设有喷淋嘴，底部则配备了电加热器。通过调节电加热器和喷淋水可实现稳压器水位控制，从而控制一回路压力。稳压器内的水位由一个精密的系统管理，以确保在反应堆功率变化或瞬态情况下，稳压器能够正常运行。当压力下降时，系统会自动启动电加热器，以增加蒸汽量。反之，当压力上升时，稳压器的顶部会喷水，将蒸汽冷凝成水，从而降低压力。此外，控制系统还提供保护信号，以监测稳压器内的压力情况。如果压力过高或过低，系统会触发反应堆自动停堆，确保核反应的安全性。

（4）蒸汽发生器控制系统

核反应堆蒸汽发生器控制系统是核电站中的重要组成部分，其主要任务是管理和控制蒸汽发生器的运行，以确保提供稳定的蒸汽供应，维持核反应堆的稳定性和安全性。以下是核反应堆蒸汽发生器控制系统的主要职责和功能。

① 蒸汽发生器给水控制系统。将蒸汽发生器二次侧蒸汽压力维持在一个定值并通过调节进入蒸汽发生器的给水流量使得给水流量和负荷需求相适应。该系统通过给水流量的控制和主给水泵转速控制相互配合最终实现蒸汽发生器的给水控制过程。给水流量控制通过蒸汽发生器压力信号、给水流量信号和蒸汽流量信号实现主给水阀的三冲量连续调节。

② 蒸汽排放控制系统。蒸汽排放控制系统分为压力高排放通道和功率差排放通道。核功率在20%～100%满功率范围内，当汽机负荷出现大于10%满功率的阶跃变化时功率差排放控制通道根据核功率信号和给水流量信号的差值实施排放。蒸汽压力排放控制通道根据蒸汽压力测量信号与蒸汽压力高限设定值的偏差实施排放。

（5）核反应堆自动安全控制系统

核反应堆自动安全控制系统是核电站中至关重要的组成部分，其任务是监测、检测和在需要时采取措施以确保核反应堆的安全性，尤其在异常情况和事故发生时该系统更是不可或缺。以下是核反应堆自动安全控制系统的主要职责和功能。

① 异常情况检测。系统监测核反应堆内部各种参数，包括温度、压力、核反应速率等，以检测是否存在异常情况。

② 事故检测。自动安全控制系统能够检测核反应堆是否发生了事故，如冷却剂泄漏、压力异常升高等。

③ 应急关闭。如果系统检测到潜在的危险情况或事故，它可以自动启动应急关闭程序，迅速停止核反应堆的核反应，以确保核安全。

④ 控制棒运动。控制系统可以自动调整核反应堆内的控制棒的位置，以减缓或停止核反应的进行。

⑤ 冷却剂流量控制。在应急情况下，系统可以自动调整冷却剂的流量，以冷却核反应堆。

⑥ 辐射监测。系统还监测核反应堆周围的辐射水平，以确保辐射水平在可接受范围内，同时保护操作人员和环境的安全。

⑦ 通信与报警。自动安全控制系统与核电站其他系统相连，可以发送警报信息，以通知操作人员并与其他系统进行协作。

⑧ 自动恢复。一旦危险情况得到控制，系统还可以自动恢复核反应堆的正常运行。

（6）核电汽轮机调节控制系统

核电站汽轮机调节控制系统是核能发电厂中的重要组成部分，其任务是确保汽轮机的运行稳定性，以有效地转化核反应堆产生的蒸汽能量为电能。以下是核电站汽轮机的调节控制的主要职责和功能。

① 负荷调节。控制系统监测电网负荷需求的变化，并相应地调整汽轮机的负荷，以满足电力需求。负荷调节包括逐步负荷变化和快速负荷跟踪，确保电力输出的稳定性。

② 蒸汽流量调节。控制系统监测蒸汽供应的流量，并根据需要调整蒸汽的流量，以匹配负荷需求。这有助于维持适当的蒸汽压力和温度。

③ 汽轮机速度控制。系统可以控制汽轮机的转速，以确保其在合适的范围内运行。速度控制有助于维持电力生成的频率和稳定性。

④ 蒸汽压力和温度控制。控制系统监测和调整蒸汽压力和温度，以确保在核反应堆功率变化时，维持蒸汽的参数在安全范围内。

⑤ 防止过热和过压。系统可以自动采取措施，以防止蒸汽在汽轮机中过热或压力过高，从而保护汽轮机和相关设备的安全性。

⑥ 应急关闭。如果出现异常情况，如蒸汽泄漏或其他安全问题，控制系统可以迅速关闭汽轮机，以确保核安全。

1.2.2.2 核电自动化产品应用现状

（1）核电仪控系统简介

作为核电厂的关键组成部分之一，基于先进电子技术和计算机控制技术的仪控系统在监控、控制、保护核反应堆及其他重要设备方面起着重要的作用。典型的核电仪控系统总体架构如图3-1-9所示。

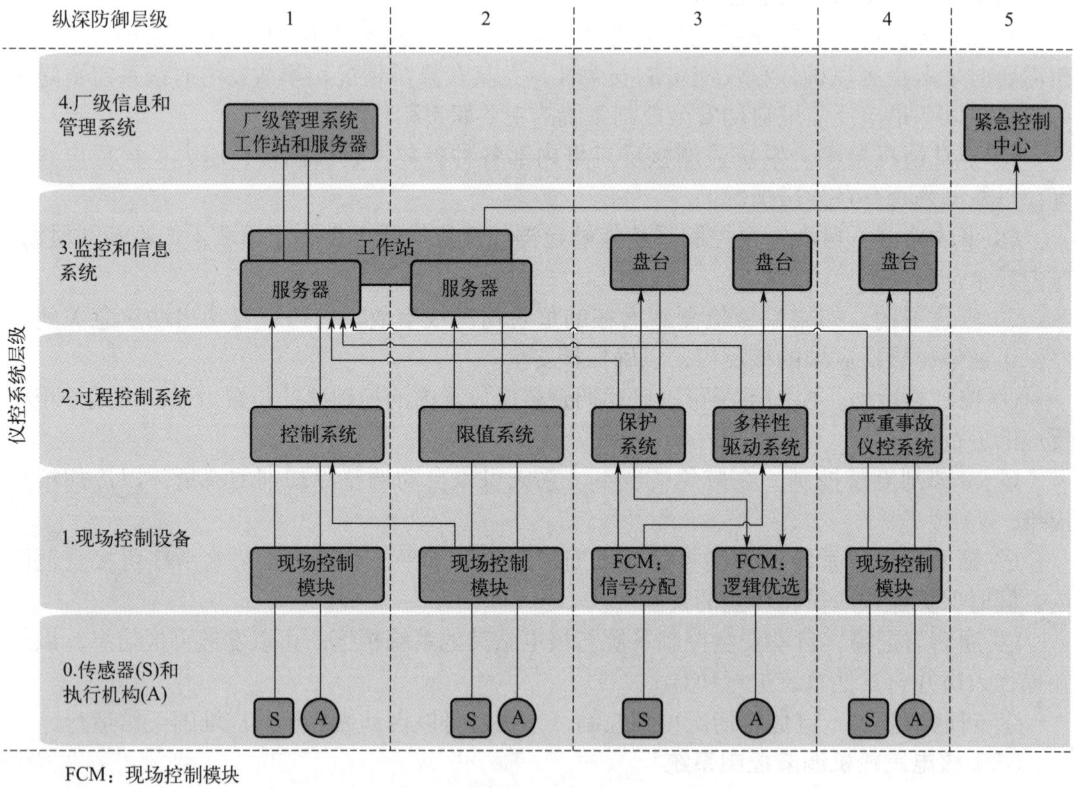

图3-1-9　典型核电仪控系统总体架构

早期核电仪控系统主要由模拟量组合单元构成，由于模拟量仪表电路集成程度低且大量使用运算放大器等电子器件，因此系统所需的仪表控制器件数量多，这也就使得主控室较为庞大。需要注意的是，早期的核电站仪控系统主要依赖于模拟技术，运行操作管理和维护工作任务重，大部分采用手动操作，控制系统性能明显比较落后，安全性和经济性也随着设备老化和备件减少以及故障率升高而明显降低，并且一定程度上限制了系统的灵活性和扩展性。因此，由模拟量和数字量相结合的仪控系统应运而生，其中核岛部分采用小规模集成电路等为基础的模拟量元件来控制，而部分常规岛和辅助部分则采用PLC自动控制系统。此外，这一代仪控系统还使用了一定的软件技术及网络通信技术，不仅减少了硬接线及就地控制柜的数量，同时也有效提高了系统可靠性。

随着数字化、网络化技术的飞速发展及其在工业领域中的大规模应用，核电厂仪控系统也开始了数字化转型与升级。尤其是近些年高度集成计算机技术、通信技术及控制技术的分布式控制系统（DCS）的应用，使得核电厂的运行效率、安全性及可靠性得到了大幅度提升。核电厂DCS系统的主要特征如表3-1-4所示。

表3-1-4 核电厂DCS系统的主要特征

项目	主要特征
分布式架构	DCS系统采用分布式架构，包括多个控制节点和分散的输入/输出模块（I/O模块）。控制节点负责数据处理和算法运算，而I/O模块负责与传感器和执行器之间的数据交换
数据采集与处理	DCS系统通过数字传感器和变送器实时采集各种过程变量，如温度、压力、流量和液位等。采集到的数据通过I/O模块传送给控制节点进行处理。数据处理包括校准、滤波、线性化和故障检测等操作，以确保测量值的准确性和稳定性
控制与执行	控制节点根据采集到的数据进行控制算法的计算，并生成控制命令。这些控制命令通过I/O模块传输给执行机构，如阀门、执行器等，以调整和控制核电厂的各个过程变量
数据显示与操作	DCS系统提供了图形化的人机界面，使操作员能够实时监视和操作核电厂的运行状态。操作员可以通过显示器、触摸屏或者键盘等设备，查看各个过程变量的数值、趋势曲线和报警信息，进行参数设置和操作控制
故障检测与诊断	DCS系统具备故障检测和诊断功能，能够实时监测各个设备和系统的运行状况。如果发现异常情况或故障，系统会自动报警，并提供详细的故障诊断信息，帮助操作员及时采取措施进行处理和修复
数据存储与分析	DCS系统提供了数据存储和历史数据分析功能。采集到的数据可以存储在数据库中，用于事后分析、性能评估和报告生成。通过数据分析，可以发现潜在的问题、改进运行策略，并提高核电厂的效率和安全性
网络通信与集成	DCS系统通过计算机网络实现各个子系统和设备的连接与通信。它可以集成其他核电厂的子系统，如安全系统、辅助系统和监控系统，实现全面的集成化管理

（2）核电仪控系统产品简介

在早期基于模拟量组合单元组成的仪控系统中，典型应用有如正在运营的我国300MW秦山核电站主控制系统（应用FOXBORO公司的SPEC200组装仪表）、大亚湾980MW核电站主控制系统（采用Baliy 9020系统）等。

目前，国际上比较典型的核电站数字化仪控系统有欧洲核电广泛使用的TXS（AREVA-NP公司）+TXP（SIEMENS公司）系列，以及西屋核电站使用的CommonQ（ABB公司）+Ovation（EMERSON公司）系列。目前芬兰OL3核电站是第一座代表第三代技术核电站（EPR），采用TXS+TXP数字化系统。美国西屋公司推出的三代技术AP1000型核电站推荐采用CommonQ+Ovation数字化系统。国内已经投运的岭澳二期核电站采用的是AREVA NP安全级数字化平台（TXS）和SIEMENS的标准数字化平台TXP，在建的其他厂址相同系列的核电机组同样拟采用数字化仪控系统；三门核电站的一号机组为全球首台AP1000核电机组，采用的是Common Q+Ovation数字化仪控系统。

值得指出的是广利核研发的核安全级仪控系统——“和睦系统”已走完一条完整的产品自主化道路，并在“华龙一号”得到了应用。此外，中核控制系统工程有限公司、国核自仪系统工程有限公司也分别开发出了具有自主知识产权的核安全级仪控系统NicSys8000和NuPAC。

（3）中国自主研发第三代压水堆核电简介

“华龙一号”是中国自主研发的第三代压水堆核电技术产品，也是目前最先进、安全性最高的商业化核电技术之一。对于安全性，“华龙一号”采用了多层次、多功能、多路径的核安全设计理念，拥有更高的抗灾能力和事故防范能力。它采用经过验证的被动安全系统和先进的安全分析方法，具备更强的核安全性。同时在设计中还注重了经济性，采用了标准化和模块化设计理念，能够降低建设成本和施工周期。对于高效率性，“华龙一号”充分利用了先进的技术设计，提高了热效率和发电效率，相比于二代核电技术，“华龙一号”可以显著提高燃料利用率，降低燃料成本，提高经济性。对于可靠性，“华龙一号”采用了先进的材料和工艺，具备更高的可靠性和稳定性。它采用了更先进的核燃料组件和冷却系统设计，能够提供长期稳定的电力输出。对于环境友好性，“华龙一号”在设计上注重环境保护和可持续发展。它采用了能耗更低的燃料装载方式，减少了放射性废物和碳排放，具备更好的环境适应性。

截至目前，“华龙一号”在我国已经开始批量化建设。每台机组每年发电近100亿度，能够满足中等发达国家100万人口的年度生产和生活用电需求，相当于每年减少标准煤消耗3120kt、减少二氧化碳排放8160kt。中国在海南、广东等地建设了多个“华龙一号”核电项目。此外，中国还与巴基斯坦、阿根廷等国签署了“华龙一号”核电技术合作协议。“华龙一号”在中国国内和国际上都得到了广泛应用，为清洁能源的发展作出了积极贡献。

1.2.3 水电自动化技术、产品应用现状

1.2.3.1 水电自动化技术

（1）水电机组自动调节系统

水电机组的运行涉及复杂的水力、机械和电气相互关联的非线性特性。在电网中，水电机组扮演着至关重要的角色，包括能源供应、负荷调节和备用电源等方面。因此，确保水电机组的安全、稳定和高效运行对于提高电力质量和保持电力系统的稳定性至关重要。近年来，随着超大容量机组和抽水蓄能机组的广泛投入使用，水电机组的容量不断增加，其结构也变得更加复杂，这也使得机组调节系统的控制变得更加复杂和关键。

由于水锤效应引发的功率反馈现象，水电机组在系统频率调节过程中表现出负阻尼特性。当电力系统中水电发电量占比较高时，电力系统的稳定性受到水电机组的调节特性支配，从而使得水电机组的负阻尼特性显得十分明显。因此，深入研究水电机组的控制策略对于确保水电机组的安全稳定运行具有重要的理论意义和工程应用价值。在水电机组控制策略的改进方面，存在多种方法，包括调速器参数的优化整定、频率与功率死区的设置以及功率系统稳定器的改进。

（2）水电站调度优化系统

自动化技术已广泛应用于水电站的调度管理系统，以实现对水电站发电量、负荷和输出等方面的优化控制。通过数据采集和分析，自动化系统能够根据不同的条件和需求，自动调整水轮机的运行模式和发电机的输出，以实现最佳的发电效率和经济性。

（3）水电站设备状态监测与维护技术

传统的水电机组检修方式是以计划检修和事后维修相结合的模式，但这种方式在现场应用中逐渐暴露出一些缺陷。主要问题在于，固定周期的“计划检修”没有评估设备部件的健康状况，因此降低了正常设备的有效利用率。而“事后维修”则是在机组发生异常或故障后才采取的紧急维修方式，这导致无计划停机，必然对电网调度产生不利影响。为了

满足工程领域对自主诊断和自主预测的需求，“状态维护”（condition-based maintenance，CBM）理念应运而生，CBM着重于监测、识别和预测复杂设备的运行状态，避免了设备的过度维修或不足维修，从而有效降低了维护成本。水电机组的CBM主要包括三个关键环节：状态监测、故障诊断和健康状态预测。

1.2.3.2 水电自动化技术产品应用现状

PLC在水电站中有广泛的应用，用于自动化和监控水力发电站的各个方面。以下是PLC在水电站中的主要应用领域：

① 水位控制。PLC可以监测水库或河流的水位，并根据预定的水位范围自动控制水闸或泄洪门的开关，以维持适当的水位，确保发电机和涡轮的正常运行。

② 发电机控制。PLC用于监控和控制水轮发电机的运行。它可以调整发电机的负荷和速度，以确保稳定的电力输出。

③ 阀门控制。水电站中的阀门和阀门执行机构通常由PLC控制。这包括进水阀、出水阀、压力阀等，以控制水流和水位。

④ 泄洪控制。PLC可用于管理和控制水电站的泄洪过程，确保安全和有效的泄洪操作。

⑤ 风机和泵控制。水电站可能需要风机和泵来辅助运行。PLC可以控制这些设备的启停、速度和方向，以适应不同的工况需求。

⑥ 数据采集。PLC用于采集各种传感器和仪器的数据，如水位、流量、温度等，以监测水电站的性能和环境条件。

⑦ 通信和远程监控。PLC可以通过通信协议将数据传输到中央控制室或远程监控中心，以实现远程监控和操作。

⑧ 自动化系统集成。PLC通常与SCADA系统和其他自动化控制系统集成，以实现更全面的监控和控制功能。

⑨ 故障检测和报警。PLC可以监测设备和系统的运行状态，并在出现故障或异常情况时触发警报，以促使操作员采取适当的措施。

⑩ 能效优化。PLC可以用于监控和控制水力发电站的运行，以优化能源效率，减少能源浪费，降低运营成本。

1.2.4 风电自动化技术、产品应用现状

1.2.4.1 风电自动化技术简介

风力发电因其可再生、清洁、成本低和环境效益好等特点，已经成为我国新能源发电系统中重要的发电形式。为提高能源利用率和节约成本，需利用风力发电设备进行可靠有效发电，因而其控制系统的优化运行已成为学者研究的焦点。由于受季节、温度、压力和太阳辐射等影响，实际风速本质是随机的，这种随机变化使得风电设备的疲劳负荷加大，容易增大风电系统安全风险，对风电机组和风电场的控制提出了巨大的挑战。

风电机组主要设备包括发电机、变压器、风轮等，而要想实现风力发电技术的良好控制，就需要对这些系统设备的应用做好控制，以此来达到理想的风力发电效果，满足实际需求。如图3-1-10所示，风力发电控制系统包括风轮控制技术、风力发电机控制技术、电力电子变换器控制技术等。

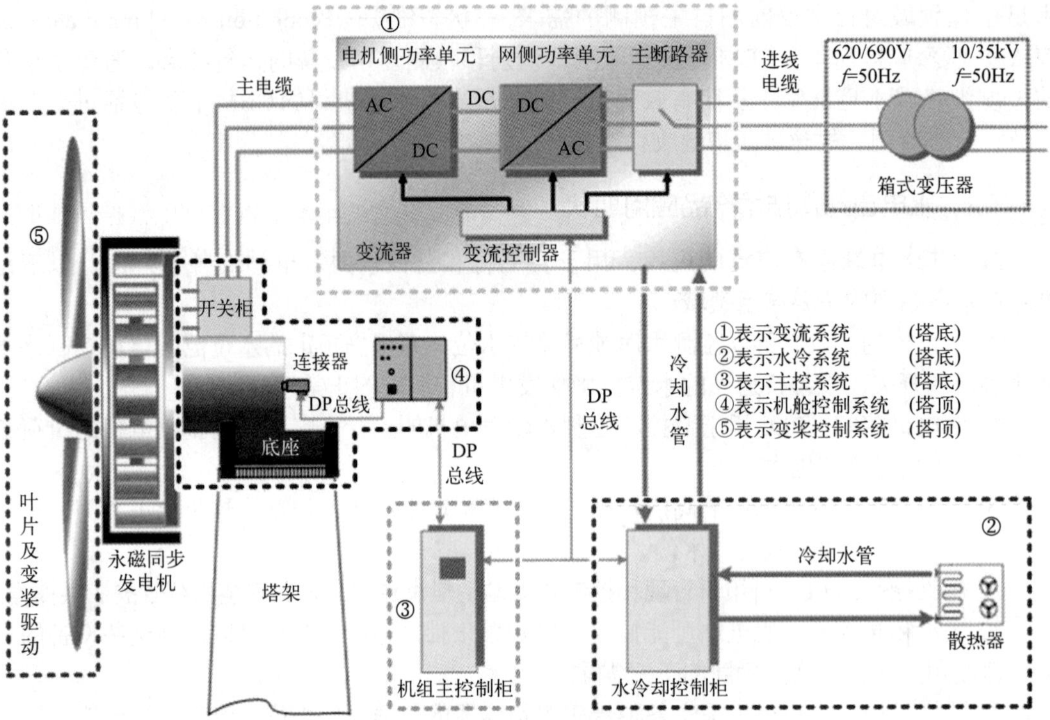

图 3-1-10　风力发电控制系统示意图

（1）风轮控制技术

在风力发电系统的具体应用中，要想达到最高的风电转化率，就需要降低风能的消耗。为达到这一目的，就需要对风轮进行合理控制，具体控制技术如下：

① 合理控制风轮叶尖速比。风轮在运行过程中，其风叶尖端在风力作用下所转动的线速度就是叶尖速，而叶尖速与这段时间内风速之间的比值就是叶尖速比。通过对叶尖速比的合理控制，便可让风机系统得到进一步的优化，以此降低风能消耗。实际运行中，因为自然风速的大小以及风力都无法调节，所以要想达到理想的控制效果，就需要通过叶尖速的改变来实现叶尖速比的调节，在此过程中，可以根据实际的风力和风速情况，通过变桨系统调整风轮转矩，这样就可以使其最外侧边缘速度得到合理控制，以此来实现叶尖速比的进一步优化。

② 合理控制功率信号反馈。对功率信号的反馈进行控制，可以有效控制风轮机功率。在运行过程中，风轮的功率会在条件改变时发生变化，这也是该控制方法得以应用的一个基础条件。通过对功率关系的分析可以绘制出其最大功率曲线，并以此为基础进行功率信号反馈的合理控制。具体运行时，首先对最大功率以及系统的实际输出功率进行差值分析，然后根据这个差值进行风轮桨距调整，让风轮始终保持最大的运行功率，通过这种控制方式，不仅可以有效降低风能消耗，同时也可以有效降低控制成本。

③ 合理控制爬山搜索。通过对爬山搜索的合理控制，可以让风机功率点得到合理控制，因其图像和抛物线相类似，所以最大功率点在最高处。具体控制中，如果不能确定出目前工作点的具体位置，可以将风轮运行中的转动速度适当提升，以此来实现系统直流功率输出的改变，在系统中的直流功率输出加大的情况下，最高点就会出现在这个抛物线图像的左侧。反之就会出现在这个抛物线图像的右侧。通过这样的方式，就可以及时找出最

大功率点的位置，并以此为基础来进行风轮转速的合理确定。但是这种方法也有一定的缺点，如果风轮具体转动中的惯量比较大，就很难改变其转速。

（2）风力发电机控制技术

① 风电机组功率控制技术。早期的风力发电系统主要采用恒速恒频发电方式，具有结构简单、性能可靠、价格低廉等优点。随着风电的发展，恒速恒频风力发电机组不再具有优势，近年来，变速恒频风力发电机组已成为主流。变速恒频发电机组可以根据风速的变化调整发电机的转速来捕获最大的风能，提高了系统的发电效率。可以通过调节风力机的速度吸收风速突变产生的巨大风能，避免在主轴、齿轮箱和叶片等机械设备上产生大的机械应力。变速恒频风力发电机组还可以提高系统的功率因数，在需要时向电网提供电压和频率支撑，随着风电在电网中的比重日益增加，这点显得尤为重要。

变速恒频风力发电机组根据发电机、齿轮箱和电力电子变流装置的不同分为多种类型。发电机有鼠笼型异步发电机、双馈感应发电机和永磁同步发电机。按齿轮箱划分有齿轮箱增速型和直接驱动型。按电力电子变流装置划分有全功率变换器型和滑差功率变换器型。将上述三种划分结合起来，变速恒频风力发电机组主要分为以下三种类型：基于笼型异步发电机的采用全功率变换器的齿轮箱增速型；基于双馈感应发电机的采用滑差功率变换器的齿轮箱增速型；基于永磁同步发电机的采用全功率变换器的直驱型。

这三种类型中，基于双馈感应发电机的变速恒频风力发电机组具有许多的优点：可对风轮转速进行调节实现风能最大转换效率；可独立调节电磁转矩和无功功率；传动部分机械应力小；能保持系统频率和电压的稳定；等等。与其他变速恒频风力发电机组相比，变流器只需流过转子上的电流，电力电子变流装置容量的减小降低了电气控制的难度和成本。因此，双馈感应发电机在风力发电领域获得了广泛的应用。目前，双馈感应电机的控制策略主要包括：多变量控制、基于定子磁链定向的矢量控制和基于定子电压定向的矢量控制、直接转矩控制等。

② 风电机组偏航控制技术。根据叶轮调整方式的不同，偏航控制系统有两种工作方式，一种是被动迎风，一种是主动迎风。

被动迎风一般采用尾舵调向方式，它是在风力的作用下叶轮自动调至迎风位置。被动迎风不需要测量风向，不需要对迎风进行控制，结构较简单，且小型风力发电机的调向力矩小，叶轮平面摆动对调向机构的寿命影响小，因此在小型风力发电机中获得了广泛的应用。但是，由于风向存在离散性，被动迎风会造成叶轮频繁摆动，对于中、大型风力发电机，由于其偏航力矩大，叶轮频繁摆动对偏航机构的寿命造成了严重影响，因此中、大型风力发电机通常都采用主动迎风。

主动迎风一般由驱动机构、偏航调节机构、减速机构和扭缆保护装置等部分组成，其中偏航调节系统包括风向风速传感器及其相应的调节软件等。当风力发电机组迎风面与风向偏离时，风向传感器获取风向数据并通过偏航调节机构转换成相应的偏航信号输出到偏航驱动机构，进而通过减速机构作用到风力发电机组，实现对风向的主动跟踪运行。

风力发电机在偏航过程中会产生力矩波动，风速和偏航角度的变化又会产生阻力波动，这些负载扰动都会造成偏航电机的转速波动，偏航电机的转速波动又会引起塔架和桨叶的振动，影响整个系统的稳定性。

（3）电力电子变换器控制技术

电子电力变换器在当今的风力发电系统中的适用面非常广泛，尤其是在大型的风力发电系统中，电子电力变换器更是得到了广泛应用。通过电子电力变换器进行风能的转换过程中，其能量转换率非常高，且完成转换后，能量传输效率也非常高。通过电子电力转换器的应用，可使风力发电系统中的无功功率得到有效补偿，在提升系统运行效率的基础上实现其功率范围的进一步扩大。且该设备的购买和应用都不需要太高的成本，具有非常合理的经济性。

具体应用中，一般通过矢量控制的方式对有功功率和无功功率进行解耦处理，让无功功率有效满足系统的实际运行需求，另外，通过全功率SPWM矢量控制变流器的合理应用，也可以让风力发电系统中的无功输出量达到最大，通过合理设置直流环节，可实现风力发电系统中有功功率以及无功功率的有效调节。

此外，风电场的自动化技术在风力发电行业中也扮演着重要的角色，它可以提高风电场的运行效率、可靠性和安全性。接下来从风电场监测和诊断技术、风电场数据分析与优化技术、风电场智能化运营技术等几个方面展开介绍。

① 风电场监测和诊断技术。风场监测技术可以实现对风场内各个风机的状态、风速、气象参数等进行实时监测。这些数据可以用于风电系统的运行和维护，提高风电系统的可靠性和稳定性。诊断系统通过实时监测风电场的运行状态和风机的工作情况，识别潜在问题并提供预警和故障诊断。运维人员可以通过该系统实时获取风电场的运行数据、诊断结果和报警信息，远程调整参数和采取措施，提高运维效率和响应速度。

② 风电场数据分析与优化技术。风电系统中的数据分析与优化系统可以收集风速、温度、电流、电压等参数，然后利用大数据和人工智能技术对风电场的运行数据进行分析和建模，优化风机的运行策略和风电场的布局。通过预测和优化，可以提高发电效率、降低运维成本，并实现更可持续的风力发电。利用大数据和人工智能技术进行风电场数据分析和优化可以带来显著的收益。根据中国风电场的研究报告，通过数据分析和优化系统的应用，即通过对风速、功率曲线和设备状况等数据进行分析，并优化运行策略和维护计划，风电场的发电效率提高了2%～3%，运维成本降低了10%以上。

③ 风电场智能化运营技术。风电场智能化运营系统可以实现对风电系统的自动化控制和监测，提高风电系统的运营效率和经济效益。这些系统可以进行风电产量预测、风机状态诊断、运维计划制定等。

a. 风电场智能监控：我国风电场监控系统主要存在协议不开放、不同的厂商在协议信息中描述不统一、无法实现互联互通和扩展等问题。这些系统使用的通信协议结构各异，信息描述不统一，难以实现互联互通和扩展，即便是同一制造商生产的风电机组，由于电力电子技术、控制技术、单机容量和软件版本的不同，它们的控制方式也可能不同，且需要不同的运行参数和调控指令，这给风电场统一调度控制与生产管理制造了很大障碍。

为了实现风电场中互联性、互操作性和可扩展性，国际电工委员会（IEC）起草制定了IEC 61400-25标准。该标准定义用于搭建风电场监控系统平台的通信原理和信息交换模型等方面，是电力系统自动化通信协议IEC 61850标准在风力发电领域内的延展。我国也对IEC 61400-25标准进行了国家标准的转化与执行，基本实现了风电场的监控运行管理。

b. 风电场智能运维：我国风电设备多运行于自然条件艰苦、可到达性较差的环境，对智能运维的需求尤为迫切，力求在考虑设备可靠性、维修性、经济性等影响因素的情况下，实现定检、维修、维护的合理安排，以达到减少值守人员数量、缩短备件供应时间和提高运行可靠性的目的。

在风电场智能化运维管理系统方面，国外起步较早，实用化水平也相对较高，作为风电场控制系统的载体，GH-SCADA、RISØ-Clever Farm等系统除具有完成传统的数据采集、分析、展示的功能外，还在功能上集成了风电场优化控制、运行数据分析、供应链服务、信息流管理等高级控制功能，已初步体现了风电场智能化运维的理念。

我国陆上风电场智能化运维水平在精细化与信息化方面与国际上存在较大差距。海上风电场在运维管理的限制性条件、服务装备、安全要求等方面和陆上风电场存在显著差异，欧洲厂商根据多年经验，形成了海上风电场运维管理的系统性方法，而我国目前海上风电场的运维手段和理念主要借鉴陆上风电场的经验，尚未形成真正适用于海上风电场的运维管理体系。

c. 风电机组故障智能诊断和预警：我国目前已经面临大批风电机组陆续过保的现状，风电机组可利用率下降、传动系统和叶片等零部件的性能下降和故障造成的停机现象较为严重。国内一些科研机构和整机厂家逐渐开始重视风电机组健康状态诊断技术，并借鉴国外先进经验开展了初步研究，也已开发出一些状态监测产品批量应用到风电场。一些风能利用发达的国家，如丹麦、德国、西班牙等拥有长期共生、紧密合作的风电零部件与整机产业链，并根据大量现场采集的运行数据开展风电机组运行状态评价和全寿命周期评估，将风能资源、风电规划、风电场评估、风电机组设备运行状态与检测结果、风电场运行维护、风电场性能评估等统一考虑，用于开展风电机组状态评价、故障诊断以及经济性运行。

随着大数据技术的发展，各整机厂商纷纷建立大数据中心并开展了风电机组状态监控及故障预警的研究，但国内风电机组故障诊断技术从整体来看，产品分析和诊断功能都较为薄弱，主要问题在于对于整机和零部件的运行机理与失效模式认识尚不够深入，当前以趋势判断和定性分析为主，缺乏定量分析，还不具备整套评估体系及对故障进行准确判断与预警的方法。

1.2.4.2 风电自动化产品现状

风电机组控制系统核心产品主要是PLC控制器设备、智能化控制技术及控制程序相关设计及应用调试等。风电机组控制系统PLC设备，因其应用环境条件恶劣、地域差异性大以及特殊功能需求等因素，至今国内各大风机厂商风电机组批量应用的PLC控制器设备主要以国外品牌为主，包括贝加莱、倍福、西门子等。随着风电机组运行环境从陆上到海上复杂多样，整机设计趋向大型化，相应地，风电机组需要更先进及智能化的控制技术和软件程序。国外风电行业发展较早，在风电机组控制技术上较为领先，一些先进的控制技术和控制程序架构国外已经进行了商业化应用。

（1）硬件系统

风电机组控制对象主要包括塔基、机舱和轮毂三个部分。PLC在塔基控制站中包括CPU模块和I/O模块，通过光纤以太网与机舱相连，同时通过CAN口与变频控制器连接；机舱控制站中包括CAN模块和I/O模块，通过CANopen与轮毂变桨控制器连接进行通信。其中CPU作为数据处理中心和算法执行中心，I/O模块负责外部传感器数据的采集和执行机构的驱动。

（2）软件系统

风电机组主控系统PLC运行软件即安全控制运行系统（safety & security control running system，SCRS）是运行在PLC上的嵌入式应用软件，是用户控制逻辑（主控算法）与控制器之间的桥梁。SCRS软件架构主要分为3层：硬件驱动层、通用服务层、业务应用层。其中：硬件驱动层实现对控制器网卡、CF卡定时器等底层硬件的功能支持；通用服务层用于屏蔽硬件差异，提供通用的以太网服务、现场总线服务、文件服务、事件服务等功能；业务应用层主要完成用户逻辑的运行控制、与编程软件逻辑组态软件的交互、现场总线数据刷新、故障诊断与恢复等事务处理功能。

1.2.4.3 风电自动化产品PLC应用案例

以某风光电场一期项目为例进行介绍，该项目采用的是国能智深公司自主研发的针对风机应用环境设计开发的一款全国产化控制器P2-CU31，采用4×1.2GHz全国产ARM处理器，嵌入式操作系统采用裁剪优化的实时Linux操作系统，具有运算速度快、功耗低等优点，控制器性能得到了显著提升与优化。主控系统I/O卡件也进行了全国产卡件替换：DI卡7块、DO卡4块、AI卡2块、RTD卡4块、SSI卡1块、RCS卡1块，CAN卡1块。主控系统与变桨、变流系统及电能质量模块通信方式为CANOpen通信模式，与中控平台SCADA采用ModBus TCP协议。

国能智深全国产风机PLC主控系统具有以下主要特点:

① 设计了基于主从分级控制、数据同步、端口重映射技术等核心计算的控制器系统架构，自主化深度适配OpenWrt嵌入式Linux操作系统，实现了控制器至简、稳定、高效运行。通过采用服务组件最小化技术，建立用户进程和内核线程协调调度机制，降低了国产CPU负荷。系统内核添加Preempt-rt实时补丁满足硬实时要求。针对复杂计算、多任务、高网络负荷场景，通过优化加解锁技术，优化网络包的顶半部/底半部处理机制，降低以太网通信延时。解决了高负荷以及负荷波动超标问题，大幅提高系统性能。

② 自屏蔽滤波算法，通过与典型的脉冲噪声进行对比，算法加减削波权重，解决低频扰动和高速电子脉冲对信号的影响，尤其对差共模干扰和高频脉冲群干扰效果明显。使用芯片大数据温控筛选技术和温度智能补偿技术，结合大数据进行温度阶段性的线性补偿，解决控制系统模拟量输入和输出信号在极限高低温状态下漂移较大的问题，从而使控制系统在−40℃到70℃时能够可靠运行，解决了风机昼夜温差大引起的芯片无法稳定运行问题。

③ 利用大气对流原理，控制器和卡件与机箱采用一体化空气动力场设计，产生了热对流效应，配合电路板的低功耗设计达到了无风扇散热运行。基于弹簧端子和古代榫卯技术中的悬山梢檩、小式箍头枋榫卯结构设计，使卡扣和刻槽之间形成90°的纵向固定力实现自动锁定，达到周期振动3*g*、冲击30*g*的国际领先水平，解决风电机组运行时振动大、部件松动等行业难题。

④ 开发了基于代码自识别、自替换及可视化调试技术，实现了不同厂家、不同型号风机主控程序中的C语言代码的转换、集成化编译、下载和调试等功能，解决了主控代码兼容性与调试效率问题，该技术使基于C语言编写的风机主控代码性能优于国内外同类产品，整体技术水平达到国际领先。开发了毫秒级的数据波形文件同步技术，可以实现10ms的高速数据缓冲，同时满足30s前的数据追忆需求，解决了风机非正常停机发生后，无法根据风机关键参数记录排查故障的问题。

1.2.5 光伏/光热发电自动化技术、产品应用现状

光伏/光热发电自动化技术是指通过现代控制技术和信息技术，对光伏/光热发电系统的发电过程进行自动化管理，以提高光伏/光热发电系统的效率、可靠性和安全性。

1.2.5.1 光伏发电自动化技术简介

光伏发电系统是利用半导体材料的光伏效应，将太阳辐射能转化为电能的一种发电系统。光伏发电系统的能量来源于取之不尽、用之不竭的太阳能，是一种清洁、安全和可再生的能源。发展光伏产业是实现“双碳”目标的重要步骤和重要支撑，光伏产业已成为名副其实的未来产业、风口产业。我国大部分光伏电站建在太阳能资源比较丰富的地区，这类地区电网结构较薄弱，地区负荷小，而单个并网点光伏发电接入容量很大，给光伏发电并网运行带来很大挑战。另外，与常规电源不同，光伏电站的输出功率具有波动性和间歇性的特点，给电力系统的调度运行带来挑战。为促进光伏发电并网，有效降低光伏发电功率随机性对电网带来的不利影响，光伏电站必须通过光伏电站自动化系统与电网调度自动化系统有效衔接，实现光伏电站实时监测、功率控制、自动电压控制、安全稳定控制及信息申报等站端信息的上传、下发，满足安全并网运行要求，实现最优调度。

（1）光伏发电控制系统

光伏输出功率受环境条件影响很大，为提高光伏系统运行效率，使光伏在不同环境条件下具有较高的电能转换效率，一般采用最大功率跟踪（MPPT）控制技术。按照工作原理不同，可分为以下三类。

第一类属于依赖光伏电池特性参数的MPPT控制方法，该类方法有固定电压法、短路电流法和开路电压法等。该类控制方法优点是控制流程简单、易实现且稳定性好。缺点是算法的环境适应性差，且存在一定误差，环境条件变化后跟踪控制结果与真实的最大功率值之间偏差变大，光伏阵列输出效率显著降低。

第二类属于基于扰动寻优的MPPT控制方法，该类方法需要对光伏电池的输出电压、电流进行实时检测，主要包括扰动观察法、电导增量法和极值搜索法等。该类控制方法逻辑清晰，易实现，是目前应用研究最为广泛一类光伏MPPT控制方法。

第三类为基于现代控制理论的各种智能控制方法。该类方法可以为前两类方法无法解决的某些难点问题提供新的思路，主要表现为全局寻优能力强，跟踪速度快，最大功率点附近输出功率振荡小，可避免因外界环境条件突变或光照不均匀而产生的误判现象。缺点是相应的控制算法通常都是针对具体的环境问题而设计，需要大量经验数据，且运算过程复杂、实现难度大。

（2）光伏逆变器控制系统

光伏发电系统通过并网逆变器接入电网，按照不同拓扑结构，可分为单级式、两级式以及单相型、三相型等类型，无论哪种类型，逆变单元都至关重要。实际工程中的光伏发电系统，其直流侧需要有相应的滤波装置，在典型的两级式光伏系统中，滤波装置通常设置位于DC/DC变换环节与DC/AC变换环节之间，不仅可以在前后两级之间起到能量缓冲的作用，还有利于实现前后两级间的解耦控制。对于两级式光伏发电系统，DC/DC变换环节通常利用BOOST电路将太阳能光伏电池阵列输出的直流电压升高到逆变器所需的电压等级，同时也可实现最大功率跟踪控制功能。后级DC/AC变换环节主要用于控制输出电压或电流并最终实现功率控制，其相关控制策略对分布式光伏发电系统的工作性能起着决定性作用。

（3）光伏发电功率预测系统

光伏发电功率预测技术是指研究分析光伏电站发电功率的影响因素及其变化规律，同时根据现有气象条件和光伏电站运行状态，采用适当的数学预测模型预测未来一定时段光伏电站功率的方法。光伏电站功率预测系统是借助计算机手段开发的功率预测技术支持系统。其能为光伏电站合理安排检修计划提供辅助分析决策，进而提高光伏发电利用时间和发电量，有助于电网调度机构及时制定科学的日运行方式，调整和优化常规电源的发电计划，提高电网的安全性和稳定性，同时降低因光伏发电并网而额外增加的旋转备用容量，改善电网运行的经济性。光伏电站功率预测系统主要由实时气象采集系统、功率预测计算系统组成。

（4）光伏发电并网控制系统

光伏电站功率控制是光伏发电并网控制的核心环节，其过程是通过光伏电站并网控制系统实现光伏发电的有功功率控制和无功功率控制。光伏电站并网校制系统是指安装于电站内，自动接收调控（集控）中心下发的有功功率限制指令、电压（无功）目标指令，并通过自动闭环调节站内逆变器、无功补偿设备（SVC/SVG）等设备的有功/无功出力实时跟踪调控（集控）中心下发指令的系统，包括有功功率控制系统（AGC）和无功电压控制系统（AVC）。通过功率控制系统，电站可实现对电站发电功率的控制和电压的调整。

1.2.5.2 光伏发电自动化产品

（1）光伏逆变器

光伏逆变器是将光伏电池板产生的直流电转换成交流电并接入电网的设备。目前市场上已经出现了很多种光伏逆变器，这些逆变器具有高效率、高精度、多功能等特点，能够提高光伏发电系统的发电效率和电网接入能力。图3-1-11为某三相组串形光伏并网逆变器的应用方案。

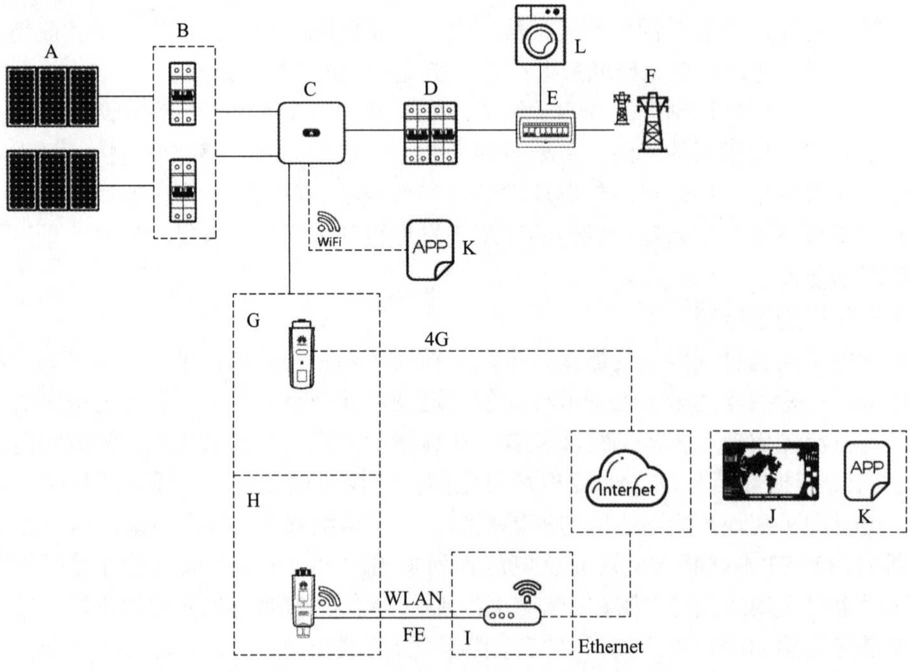

图 3-1-11 某三相组串形光伏并网逆变器应用方案

A—光伏组串；B—直流开关；C—SUN2000；D—交流开关；E—变压器；F—电网；G—4G 模块；H—WLAN 模块；I—以太网交换机；J—计算机或服务器；K—移动应用程序；L—负载

在集中式逆变器方面，单机功率等级、功率密度和可靠性不断提高，国际单机功率等级已提升至4MW～5MW范围，我国通过并联扩展将逆变器单机功率等级提高至8.8MW。

在地面电站组串式逆变器方面，功率等级国内外均已提升至300kW+，电网适应能力得到进一步加强，电力载波通信、组件PID自动修复、直流拉弧检测技术获得应用。

在光储逆变器方面，分为集中式光储逆变器、大功率组串式光储逆变器以及户用小功率组串式光储逆变器，户用组串式光储逆变器普遍采用一体化设计，可实现模块安装，即插即用，国内外转换效率最高已达98%以上。中国电科院、中国科学院电工研究所等单位在河北张北县建成世界首个MW级分布式光伏直流并网工程实证平台，在山东济宁华勤工业园屋顶建成全球单体最大分布式光伏电站，总装机120MW，全部采用组串逆变器。

（2）光伏监测系统

光伏监测系统是一种用于监测光伏/光热发电系统运行状态的系统。通过监测系统中各种参数，如电压、电流、功率、温度等，实现对光伏发电系统的监测和诊断。目前市场上已经出现了很多种光伏/光热监测系统，如通威集团的SunExplorer系列、远东电缆的PVMON系列、清华大学的PVGuard系列等。这些监测系统能够提高光伏/光热发电系统的可靠性和维护效率。分布式光伏发电监测系统示意图如图3-1-12所示。

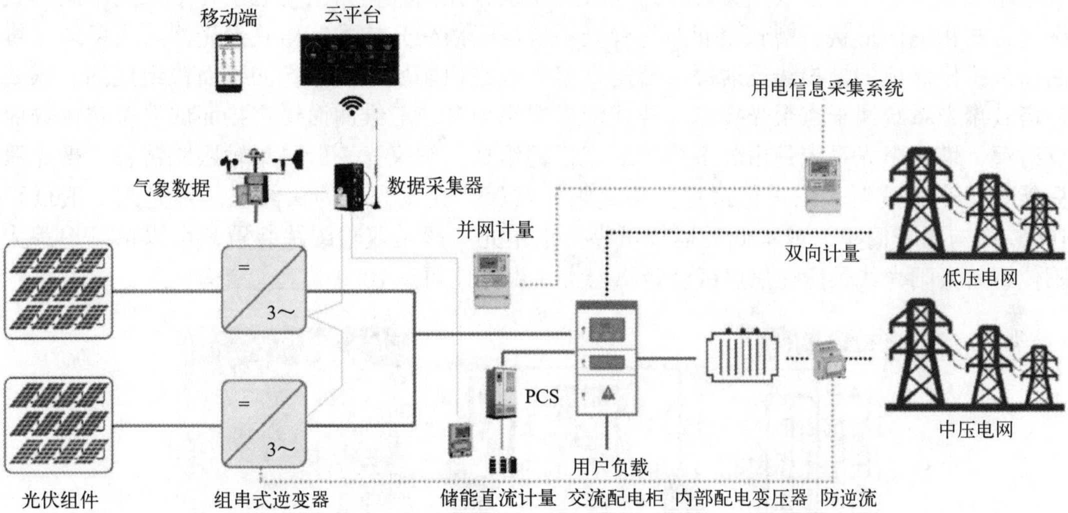

图3-1-12 分布式光伏发电监测系统示意图

2023年7月，基于飞腾CPU和银河麒麟操作系统研发的国内首套全国产光伏监测系统——华能睿渥S316，在华能青海共和世能光伏电站正式投运，标志着我国光伏电站控制技术在自主安全方面取得重大突破。该系统软硬件全部采用飞腾FT-2000+/64、FT-2000/4、飞腾腾锐D2000芯片和银河麒麟高级服务器操作系统V10等国产自研元器件和系统，通过对光伏电站电池组件、汇流箱、逆变器、交直流配电柜、太阳跟踪控制系统等设备进行实时监测和控制，实现了光伏电站AGC、AVC、五防系统和逆变器、汇流箱等发电设备监控一体化，提升了光伏监测系统的安全运行水平，减少了项目建设成本和后期运维成本。通过采用人工智能、大数据分析、模型预测控制等新技术，实现了智能控制、运行优化、故障诊断与预警等功能，全面提升了光伏电站系统的自动化和智能化水平。光伏监测系统作为光伏电站的“大脑”，保障着电站安全、稳定、可靠运行。此次中国电子助力华能睿渥S316正式投运，标志着我国光伏电站控制技术在自主安全方面取得重大突破，提升了光伏发电的安全性和稳定性，有力支撑光伏电站产业未来发展。

1.2.5.3 光热发电自动化技术简介

光热发电是一种有别于光伏的新型太阳能发电技术，通过太阳能镜场汇集太阳能并对集热场的传热流体进行加热，该部分传热流体可经由朗肯循环带动发电机发电，也可通过储热模块储存，在需要时放热后再进行发电。光热电站的结构示意图如图3-1-13所示。整个光热电站主要由3部分组成：集热系统、储热系统和发电模块。其包含了“太阳能→热能→动能→电能”这一能量转换过程。

（1）光热发电系统

光热发电技术的应用，主要为光能通过反射集热转化为热能，热能转化为机械能推动蒸汽轮机发电等，最终使太阳能转换为电能。太阳能热发电技术具有高光电转换率，而蓄热系统的使用提高了发电的稳定性，太阳能发电以其独特的优势在即将来到的低碳革命中扮演着重要的角色。太阳能光热发电也有能量密度低、随机性和间歇性等特点，其工作过程受天气和昼夜影响大。因此，为了提高太阳能利用效率，聚光热系统就成了光热发电的关键技术之一。目前高倍聚光热发电技术主要有菲涅耳式、碟式、塔式和槽式这四种不同技术路线，按照聚光方式分类可分为点聚光和线聚光两大类，主要区别在于采用不同形式聚光方式和镜面形状。槽式和菲涅耳聚光系统属于线聚光技术，槽式聚光器采用多块二维曲面镜拼接而成的抛物线反射镜，菲涅耳聚光器是由多块独立平行的平面镜组成的。碟式和塔式聚光系统属于点聚光技术，碟式聚光器是由多块三维曲面镜拼接而成的旋转抛物面反射镜，塔式聚光系统是由分散排列的定日镜组成。线聚光一般是单轴跟踪装置，聚光器只能在一个维度对太阳进行跟踪，将太阳光线聚焦在聚光器的焦线上，聚光比一般低于100，结构比较简单、成本低、运行可靠。点聚光一般是双轴跟踪装置，可以精确追踪太阳位置将太阳光线聚焦在焦点或者吸热器上，聚光比可达1000以上，结构复杂、成本高。

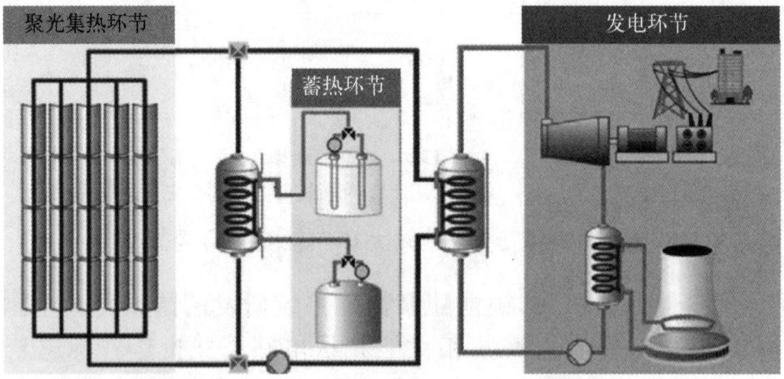

图3-1-13 光热电站的结构示意图

（2）光热电站运行控制系统

类似于火电的单元机组负荷控制系统，光热电站控制系统运行模式包括：基本模式、汽轮机跟随模式、蒸汽发生器系统SGS跟随模式和协调控制模式。接下来以槽式光热发电系统为例具体讲述。

在汽轮机跟随模式下，SGS系统负责响应负荷需求，而节流阀则用于控制主蒸汽压力。具体来说，首先根据功率偏差信号计算光热供能侧控制量，通过光热供能控制量调节光热转化与蓄热系统的供热量，供热量调整后汽轮机组的输入能量发生改变，从而消除功率偏差。然后根据压力偏差信号计算汽轮机发电侧的控制量，通过汽轮机发电侧的控制量调整主汽调节阀门开度来维持主蒸汽压力。虽然该模式能够实现较小的压力偏差，但其不能充分利用SGS系统中存储的能量。

SGS跟随模式则是汽轮机直接调节负荷，光热转化和蓄热系统调节主蒸汽压力。该模式下，根据功率偏差信号计算汽轮机发电侧的控制量，通过汽轮机发电侧的控制量调节主汽调节阀开度来消除功率偏差。根据压力偏差信号计算控制量光热供能侧控制量，通过光热供能侧控制量控制供热量的大小，从而控制主蒸汽压力。而供热量的大小是根据光热资源、蓄能工况参数以及设备的工作状态等分配到光热转化系统以及蓄能系统，即调节主油泵的出口速度达到额度油温的导热油流量，蓄热油调节阀调节供油量以及蓄热油量的平衡，将储热油泵和高低温熔盐泵协调使用，以满足储热系统供给发电系统额度温度的油量。SGS跟随模式牺牲了主蒸汽压力的稳定性，以期获得更为快速的负荷响应特性。

协调控制模式的主要特点是将槽式供热岛与储热岛作为供热端，与常规的汽轮发电机组相协调，充分利用储热作用，以保证机组在安全、稳定的前提下响应电网的调度。该模式能够在压力稳定性和负荷响应特性之间做出折中处理，能够同时较好地满足压力与负荷控制需求。为此，在实际正常运行中光热电站大多采用协调控制模式。

（3）光热追踪系统

光热追踪系统是光热发电站中的关键设备之一，它的主要功能是实时追踪太阳的位置，并根据太阳的运动调整聚光器或反射器的角度和位置，使光线始终能够准确地聚焦在热工质上，以最大限度地提高能量转换效率。目前常用的追踪模式包括以下几种。

ATS（axis tracking system）：ATS是一种智能双轴追踪系统，被许多光热发电站所采用。它使用先进的传感技术和控制算法，可以实时跟踪太阳的位置，并通过调整聚光器或反射器的角度，确保光线始终垂直于表面，提高能量聚焦效果。ATS系列追踪系统适用于大型光热发电站，能够提供高效、可靠的追踪性能。

TPT（thermal power tracker）：TPT是一种智能单轴追踪系统，主要用于小型和中型光热发电站。它通常可以在水平方向上自动追踪太阳的位置，实现日出到日落的追踪。TPT系统结构简单、易于安装和维护，适用于一些规模较小的光热发电项目。

SkyTrough：SkyTrough是一种集中式光热追踪系统，采用曲面槽式镜面聚光技术。这种系统利用一系列镜面反射器将光线聚焦到集热管上，产生高温蒸汽驱动涡轮发电。SkyTrough系统广泛应用于一些商业光热发电项目，具有较高的能量收集效率。

SolarBeam：SolarBeam是一种在家庭光热发电系统中常用的智能光热追踪器。它采用高精度的传感器和控制系统，可以实时跟踪太阳的位置，通过调整反射器的角度，将光线聚焦到热工质上，提供家庭供暖和热水。

1.2.5.4 光热发电自动化产品

DCS控制系统作为整个光热电站的核心及大脑，控制并监视全厂所有的设备，并辅助操作人员对现场工况进行监视及控制，最终保证光热电站的安全运行。相比传统火电站，光热电站的DCS系统更加复杂。由于包括太阳岛、储热岛及常规岛三大部分，因此针对光热电站的控制也包括镜场控制、储换热岛控制及常规岛控制三大部分，而一般的常规火电厂则不涉及镜场和储换热系统。

镜场控制系统并未有传统意义上的硬件，DCS与镜场控制系统的信息交互采用OPC通信方式，DCS侧作为OPC服务器，SDC（镜场控制系统）作为客户端。DCS送给SDC的信号有吸热器表面温度高二、高三值、吸热器汽包水位信号低三值、蓄热器压力、汽包压力，镜场断电信号SDC送给DCS的信号有镜场当前DNI（太阳光垂直辐射强度）值及最大DNI值、镜场能量控制指令、当前投入镜子的数量等。

光热发电控制系统是一种对光热发电系统进行自动化管理的系统。通过对光热发电系统中各种设备进行监测和控制，实现光热发电系统的高效运行。目前市场上已经出现了很多种光热发电控制系统，如ABB的ACS800系列、西门子的SPPA-T3000系列、德国迈斯的MaiSight等。

国能智深的EDPF-NT+系统在延庆八达岭太阳能1MW槽式导热油光热电站DCS系统进行了应用。其监控范围包含槽式系统的槽式集热系统、热工系统（蒸汽发生系统、导热油系统）、塔式光热发电系统的常规岛系统，以及塔式和槽式的公用系统（如汽轮机、发电机、热力主蒸汽系统、给水系统、抽汽系统、凝结水系统、辅助蒸汽系统等）。国产DCS系统不仅可提高我国重大装备自控系统自主化水平，满足太阳能光热发电自动化和智能化要求，还可大幅降低工程建设投资和运维成本。

1.3 电力行业自动化新技术、新产品应用情况

1.3.1 传统能源发电自动化新技术、新产品应用情况

（1）智能发电运行控制系统研发及应用

2019年10月29日，中国首套智能发电运行控制系统研发及应用项目技术鉴定会在北京召开，多位院士和专家组成的鉴定专家组认为，由国家能源集团及相关下属单位与华北电力大学联合技术攻关完成的该项目，具有完全自主知识产权，融合工业数据分析和先进智能控制技术，构建了智能感知、智能决策、智能控制和精准执行能力，具备自趋优、自学习、自恢复、自适应、自组织等特征的全新发电运行控制与管理模式，为火力发电装上“智慧大脑”，填补了国内行业空白，且达到国际领先水平。

2017年10月，国家能源集团所属科环集团智深公司以自身优质的DCS系统平台为基础，通过充分研究人工智能技术（即“数据”“算法”“算力”三大要素）与工业控制相融合，形成了岸石（iSol）智能控制系统并运用于该项目。该系统着力于提升工业过程控制中数据分析挖掘、智能算法、实时计算的能力，为全过程运行控制、在线优化技术、智能报警与保护、重要设备实时诊断等功能实现提供高实时性和高可靠性的资源环境。

以此为基础，国家能源集团组织安排，由所属国电电力牵头，联合集团智深公司、江苏公司、新能源研究院与华北电力大学共同组成研发团队，历时一年进行技术综合攻关，并于2018年7月4日在东胜电厂300MW#1号机组投入示范应用。运行实践显示，该技术项目完全具备智能检测、智能控制、智能运行和智能诊断四大功能，是实现火电厂安全、高效、环保、灵活、智能运行的可靠“大脑”，带来显著的直接经济效益。该系统的研发和应用全面体现了国产自主化系统在技术把控、时间把控、费用把控方面的优势，为我国智慧企业和智能发电建设开创了道路。

（2）燃煤电厂智慧管控系统研发及应用

国家能源集团国能信控互联技术有限公司研发的燃煤电厂智慧管控系统（IMS）实施应用于国家能源集团宿迁发电有限公司。2020年12月10日，IMS研发与应用技术顺利通

过了中国电机工程学会组织的专家评委会。

专家组听取了国家能源集团国能信控互联技术有限公司关于该项技术的背景和技术报告、国家能源集团江苏电力有限公司关于该项技术的运行报告、国家能源集团宿迁发电有限公司关于该项技术的效益分析报告、测试报告和查新报告，审阅了相关技术文档，经质询和讨论一致认为：国能信控互联技术有限公司基于工业互联网技术，重构了厂级监控信息系统（SIS）和管理信息系统（MIS），提出并实施了智慧管控系统（IMS）架构。成果在国家能源集团宿迁发电有限公司等多家发电企业成功应用。应用结果表明，系统设计思想先进，系统架构合理，功能齐全实用，集成和融合能力强，技术创新突出。该项目整体技术达到国际领先水平。

（3）“睿渥”全国产化分散控制系统及应用

2020年11月25日，中国华能集团有限公司自主研发的国内首套100%全国产化1000MW级分散控制系统（DCS）在华能玉环电厂成功投运，标志着我国高参数、大容量发电领域核心控制设备实现完全自主可控，如图3-1-14所示。

图3-1-14　华能“睿渥”全国产化DCS在华能玉环电厂1000MW机组成功投运

DCS作为火电厂的“大脑”，是确保稳定供电的关键设备，也是保障电网安全运行的重要基础。掌握核心技术、拥有完全自主知识产权的DCS，将有力保障我国能源安全。为解决DCS“卡脖子”难题，中国华能制定科技创新战略规划，总结三十多年控制系统应用经验，与中国电子、南瑞继保等强强联合，发挥产、学、研、用多方技术力量，成功研制出国内首个基于国产芯片、国产操作系统和国产核心元器件，国产化率100%的华能睿渥DCS实现了软硬件完全自主可控。该系统综合了国内外多种类型DCS的优点并进一步优化提升，硬件板卡精度、抗干扰性等多项系统指标超过国内外同类产品。华能睿渥系统的成功投用，从根本上消除电力网络安全的重大隐患，对于保障电力基础设施网络安全具有重大意义。

据介绍，华能睿渥系统在百万千瓦机组的成功投运验证了这项煤电领域“卡脖子”技术成果后续转入大规模商业投运的可靠性，具备大范围推广使用条件。下一步，可逐步应用于我国新建电站以及在役电站工业控制系统的安全替代，进一步提高电力生产企业技术装备的国产化率，推动我国能源安全和科技创新水平再上新台阶。

（4）“华电睿蓝”全国产化分散控制系统及应用

2020年11月27日，由中国华电集团自主研发的“华电睿蓝”自主可控智能分散控制系统（DCS）在华电芜湖电厂660MW超超临界机组成功投运，控制范围覆盖锅炉、汽轮机等主辅设备，实现国内自主可控DCS在超超临界火电机组上的首次示范应用和全厂一体化控制。

“华电睿蓝”自2017年6月研制以来，经过多轮次技术方案验证，芯片级和系统级反复测试，持续迭代升级，目前整体性能稳定。该系统于2019年12月26日在华电扬州电厂330MW机组成功示范应用，并于2020年7月29日通过中国电机工程学会技术鉴定，整体达到国际领先水平。在华电芜湖电厂投运的“华电睿蓝”DCS实现首次在超超临界火电机组应用，系统控制层、网络层、监控层均实现国产化，自主可控率100%，主要卡件国产化率100%。基于新一代国产CPU的控制器，运算能力更强，功耗更低。设计了多路并发高速串行通信机制，通信更快更可靠。嵌入吹灰、燃烧等智能优化模块，有效提高锅炉燃烧效率，降低机组煤耗。采用全方位一体化安全防护体系技术，系统安全性提升。

“华电睿蓝”先后在330MW和660MW机组成功投运，表明了中国华电自主可控DCS技术已经成熟，具备了全面推广应用的条件。目前，中国华电已成功构筑起覆盖火电“华电睿蓝”、水电“华电睿信”、风电“华电睿风”、电网“华电睿智”的电力自主可控工控产品系列。接下来，中国华电将继续加速国产芯片和软件系统创新成果的规模化应用，大力引领并推动形成能源电力及其他工控领域自主可控、安全可靠的产业链、供应链。

（5）NT6000自主可控智能控制系统及应用

2021年5月6日，南京科远100%自主可控智能控制系统NT6000在大唐南京发电厂2号660MW机组正式投入商业运行，实现进口替代，成为国内超超临界全机组DCS、DEH系统“100%自主可控”机组。

大唐南京发电厂2号机组原使用完全进口的DCS、DEH控制系统，已运行近11年。为解决核心技术“卡脖子”问题，进一步提升机组效率，汇集大唐南京发电厂、大唐华东院、科远智慧公司等多方力量，在中国大唐集团和电力行业内率先开展DCS自主可控项目改造。项目使用国内完全自主设计、具备完全自主知识产权的NT6000 V5自主可控DCS系统，通过国家权威机构认证为100%自主可控的DCS系统，并通过了中国自动化学会（CAA）DCS系统整体性能测试，达到行业先进水平。

大唐南京发电厂2号660MW机组采用国内全新一代100%自主可控智能分散控制系统NT6000 V5完全替代进口控制系统，实现国内超超临界机组DCS、DEH、ETS、MEH、METS系统一次性全国产化完整替代。改造后将进一步提升我国发电领域DCS控制系统的安全可靠性和智能化水平，实现发电领域核心控制系统“卡脖子”问题的破局。NT6000 V5系统在自主可控基础上，基于大数据分析、人工智能、先控技术等技术应用，拓展了智能预警、设备诊断、燃烧优化、一键控制等智能控制应用，以机器监盘逐步替代人工监盘，大幅降低运行操盘工作量，实现智能监盘。

（6）自主可控智能分散控制系统（iDCS）及应用

2021年8月19日，国家能源集团组织召开“国内首套自主可控智能分散控制系统（iDCS）示范应用”项目验收会，项目顺利通过行业权威专家组进行的验收。验收专家组一致认为，该系统设计思想先进、功能齐全，实现完全自主可控，智能化程度高，同意通过验收，建议推广应用。国内首套芯片级全国产化自主可控智能分散控制系统“岸石”首次在国家能源集团国电电力内蒙古能源公司布连电厂2号机组成功应用，标志着火电厂分散控制系统拥有了全国产化“智能大脑”，如图3-1-15所示。

图3-1-15　国内首套芯片级全国产化自主可控智能分散控制系统“岸石”上线应用

国内首套自主可控智能分散控制系统（iDCS）由国能智深公司自主研发，是智深公司在通过几十年自主创新研发、不断优化升级、有大量成功应用业绩的成熟DCS技术和2018年推出的智能发电控制系统（ICS）技术以及软件全国产化研发应用基础上，进一步实现硬件芯片的全国产化替代研发应用，推出的真正意义上的集全国产化和智能化于一体的新一代智能分散控制系统。先后通过了中国自动化学会发电自动化专委会进行的基本功能和应用功能测试以及内蒙古电力科学研究院在示范项目现场进行的智能功能测试。

自iDCS成功应用于布连电厂以来，系统运行稳定、可靠，控制系统性能指标优秀，应用大量先进控制策略及智能算法，实现了机组安全、高效、环保、灵活、智能的目标，如图3-1-16所示为布连电厂iDCS智能管控平台首页界面。示范项目应用结果表明：系统功能完备，运行稳定可靠，功能及性能指标满足或优于行业标准，智能化应用效果显著，取得了明显的经济和社会效益。

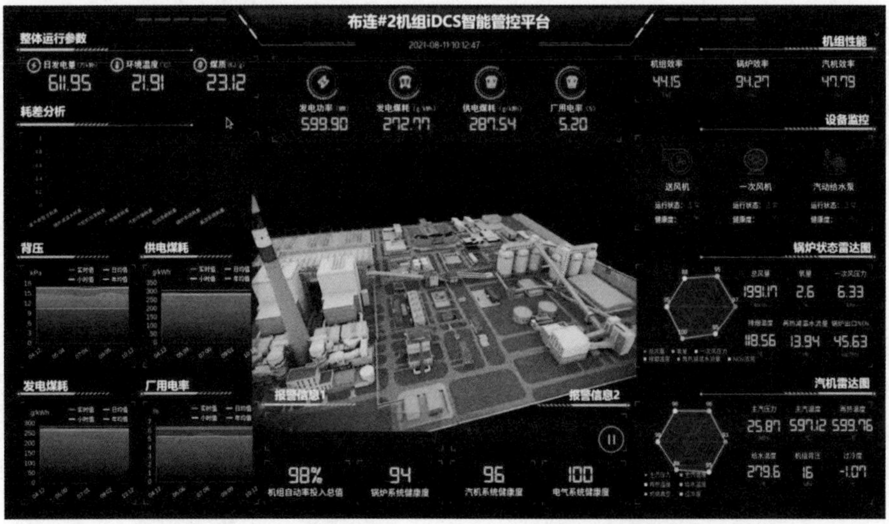

图3-1-16　布连电厂iDCS智能管控平台界面

（7）全国产DCS/DEH主辅一体化控制系统及应用

2021年12月14日，华能瑞金电厂4号机组完成168小时试运，华能瑞金电厂二期工程全部建成投运。该工程是我国首个采用全国产控制和信息系统（DCS/DEH+SIS）的大型智慧电厂，标志着我国发电领域已形成较为完整的基础设施网络安全体系，如图3-1-17所示。

图3-1-17　华能瑞金电厂二期全国产DCS/DEH主辅一体化控制系统

华能瑞金电厂二期工程建设两台1000MW高效超超临界二次再热机组，是国家能源局第一批能源领域首台（套）全国产安全智能DCS/DEH一体化重大技术示范项目，也是中国华能落实“央企入赣”的红色工程。

华能瑞金电厂二期工程首次在全厂范围内实现了完整的全国产DCS/DEH主辅一体化控制系统，首次部署了新一代全国产SIS系统，以西安热工院自主研发的高性能全国产睿腾实时数据库为基础，实现了发电行业信息监控系统的全面安全自主可控。华能瑞金电厂4号机组168满负荷试运行期间，自动、仪表及保护投入率100%，机组一直保持在满负荷稳定运行，汽轮机轴承振动最大为51.2μm、漏氢量为5.15m^3/d，机组主要性能指标达到设计值（发电煤耗249.7g/kWh、热效率49.25%）各项指标均达到国内同类型机组领先水平。此外，该工程首次采用基于工业互联网技术的“云边协同”体系架构，建设与华能集团云协同互动的一体化厂侧边缘云，囊括智慧运行、智慧安全、智慧巡检和智慧营销4大应用体系，助推电厂生产运维、管理智能化达到国际先进水平。

1.3.2　清洁能源发电自动化新技术、新产品应用情况

（1）国产核电DCS系统

2023年8月18日，国家核安全局正式向中国核动力研究设计院中核控制核电厂安全级数字化控制系统（DCS）NicSys®8000N平台（图3-1-18）颁发了民用核安全电气设备设计和制造许可证，标志着中核控制在核电安全级DCS系统方面具备了从研发设计、生产制造到设备供货全过程服务的能力和资质，这将进一步提升核仪控技术水平，助力核电产业长足发展。

NicSys®8000N平台取证后，核动力院成为国内首家同时拥有自主知识产权的基于微处

理器技术的核安全级DCS龙鳞平台和基于FPGA技术的核安全级DCSNicSys®8000N平台，以及非安全级DCS龙鳍平台，从而形成了“龙鳞+龙鳍”“NicSys®8000N+龙鳍”两种全厂DCS平台。

图3-1-18 NicSys®8000N DCS

（2）国产水电智能监控系统

2020年11月，基于国产CPU和操作系统的新一代“华电睿信”水电智能监控系统，成功在华电贵州构皮滩水电站600MW机组投运（图3-1-19），标志着我国水电控制系统在大型水电站上实现了自主可控的成熟应用，同时也为国产芯片和操作系统提供了能源工控应用场景，对加快工控系统产业链国产化进程具有重要意义。飞腾联合华能西安热工院、南瑞继保等公司，联合开发了基于飞腾CPU的水电机组国产计算机监控系统，实现了大型水电控制系统自主可控。同时还研发了独立的装置型AGC（自动发电控制）/AVC（自动电压控制），实现了全国产下位机各功能模块的优化和创新，增强了发电机组运行可靠性。

图3-1-19 “华电睿信”水电智能监控系统

（3）智慧风电场技术

智慧风电场，就是使风电场可以具备人一样的自我感知能力、结合风电场实际情况的分析能力，以及形成针对风电场特点的控制逻辑和风机动作能力。如图3-1-20所示为鲁能宁夏盐池于家梁100MW智慧风电场。

图 3-1-20 鲁能宁夏盐池于家梁 100MW 智慧风电场

鲁能于家梁风电场采用了激光雷达控制技术、风电场群控制系统、电压管理平台、智能健康诊断和运维管理技术等国内领先的创新技术，使数字技术成为风电场的运行效率提升的最大的驱动力。

激光雷达前馈控制技术，结合了激光测风传感技术和先进的机组控制技术，通过提前感知机组前方的风速信息，并将该风速信号引入机组控制，使得传统的机组根据风参数的反馈控制，变成了前馈控制，机组能够更好地适应风速变化。这不仅有效降低项目机组载荷5%～15%，提升运行稳定性；同时能够在保证机组安全的情况下，将降低的载荷转化为发电量，为项目额外贡献发电量2%以上。

风电场群智能控制系统，将传感技术、实时控制系统与机器学习技术相结合，从全场发电量最高的角度出发，对每一台机组实施个性化控制策略优化。场群控制技术不仅可以使单机通过最大功率追踪自校正、偏航对风自校正控制、自季节性功率自校正、变桨自适应控制等手段提高约1%～2%的发电量，同时也结合了项目现场地形和周边限制因素，统筹整个风电场内机组的协同控制，充分挖掘整个风电场发电潜能。

鲁能于家梁风电场充分考虑了西北电网未来的要求，配合电网智能调度，配置了先进的电压智能管理平台。它不仅可以适应电网一次调频的要求，还可以充分挖掘永磁直驱全功率变流机组发无功的能力，提高系统无功电压控制稳定性的同时，减少了项目集中式无功补偿设备SVG负载率，减少SVG年用电量50%以上，提高了电网平衡调节能力，成为电网友好型风电场。

风电场运维管理成熟度也是智慧风电场的关键指标。设备健康智能管理系统通过算法分析建立故障预警模型，提前发现机组在运行过程中对整体性能影响较大潜在问题，减少由于传统运维模式靠人工难以察觉的电量损失，同时动态监测大部件运行状态，及时发现大部件异常信号，提前处置，减少大部件安全风险和质量损失。通过设备健康管理，风电场实现了运维策略优化，增加了计划性检修工作比重，提升了机组稳定性和可靠性，降低了部件损耗和发电量损失，将风电场被动运维转变为主动的策略性运维模式。

智慧风电场移动资管系统，使参与项目生产和管理的所有工作人员都能够随时随地掌握风电场设备运行和状态数据，提高信息获取效率和决策效率：现场维护工程师通过系统故障诊断模块，对照APP端的操作流程处理问题，明显减少故障恢复时间，降低发电量损失。风场值长结合系统中提供的气象安全服务，合理安排现场的运维工作；利用设备预警模块，对安排现场设备的预防性维护；同时跟踪预警工单的工作记录，实现处理过程透明化。

（4）智慧光伏系统

2023年6月30日，由国家能源集团投资建设的宁东200万kW光伏复合大基地项目全容量并网，如图3-1-21所示，这是中国首期1亿千瓦大型风电光伏基地项目之一，同时也是国家首批“沙漠、戈壁、荒滩”大型风电光伏基地项目之一，全国单体规模最大的光火储氢一体化外送项目。项目利用采煤沉陷区空地建设，总占地面积约6万亩（40km^2），同步配套建设4座110千伏升压站、2座330千伏变电站、1座200兆瓦/400兆瓦时储能电站。项目同步建设区域新能源集控中心，以周边928万千瓦容量煤电支撑，通过“混合式+构网型储能”先进技术研发与应用，实现光储联合协同调控和光火储多能互补。

图3-1-21　国家能源集团宁东2000MW智慧光伏基地项目

宁夏地势海拔高、日照时间长、辐射强度高、大气透明度好，是我国太阳能资源最丰富的地区之一，在开发利用太阳能方面有着得天独厚的资源禀赋。国能宁东200万千瓦光伏大基地就坐落在距宁夏银川约80km的宁东能源化工基地梅花井矿区，利用煤炭备采区、采空区、沉陷区及荒山荒坡等土地资源，因地制宜建设光伏电站。考虑到矿区地形复杂，项目中采用了两种不同功率的G12高效叠瓦双玻组件，分别为550W、660W，在沉陷、沟壑、山地等多种地形下依旧保持稳定的发电表现，凸显其优异的多场景应用优势。该项目并网投运后，每年可为浙江等地输送绿电37亿kWh，减少碳排放310万吨，对推动能源结构转型、提高生态环境质量、促进东西部区域协同发展具有重要作用和深远影响。

国家能源集团宁夏电力坚持“数字设计、智慧运维，远程监控、少人值守，多能互补、低碳高效”原则，打造全国单体规模最大的智慧光伏示范样板和全国单体规模最大的光火储氢一体化外送示范基地，搭建起全国第一个“空、地、底”采煤沉陷区全景智能监测预警平台，探索出“光伏+生态修复+农业+畜牧”高效发展模式。在项目建设中，国家能源集团宁夏电力创新使用“无人机+应用”模式，进行人员、安全、质量和进度的全方位智能督查，率先实现手机端智慧管理，解决工程点多面广的管理难题，形成业内首个智慧光伏示范样板。

（5）聚光集热智能系统

国家首批20个光热示范项目之一、新疆首个光热发电项目——中电工程哈密5万千瓦熔盐塔式光热发电项目在核心技术上实现突破，研发了“聚光集热智能系统”，可对镜场的定日镜进行自动调整，以便使其达到最佳运行状态。

中电工程哈密塔式50兆瓦光热发电项目于2017年10月开工，由中国能源建设集团投资有限公司出资，中电哈密太阳能热发电有限公司建设，总投资约16亿元，项目采用塔式熔盐发电技术和独特的巨蜥式定日镜设计，配置大容量、高参数、高效率自主集成设计的储换热系统，该系统可以为发电机组提供13小时连续满负荷发电能力，电站可以实现聚光集热系统与发电系统完全解耦运行，具有优越的电力系统错峰调节能力，为实现碳达峰碳中和目标进行了积极探索。

该项目中，聚光集热系统主要分镜场部分跟熔盐部分，镜场部分叫SCS，熔盐部分叫DCS控制，主要控制部分是APS，通过APS来协调DCS和SCS两部分，通过两部分配合能达到温度调整。镜子的投用和镜子的跟踪都是自动完成的，不需要人为去干涉。

定日镜控制属于中电工程哈密塔式50MW光热发电项目最核心的高精尖技术，最初由中国能建、东方锅炉、国外参与方共同设计、开发、运行，这套控制系统可以指挥每一面定日镜，让每一面定日镜都能追随太阳轨迹精准运行，并自动调整反射阳光的角度，进而实现反射集热，对熔盐均匀加热。该项目中14500面定日镜围绕200多米高的中心集热塔呈环状分布，把阳光反射到塔顶吸热器上，吸热器中的低温熔盐受热变成高温，高温熔盐经过热交换器与水换热，产生高温高压水蒸气，再由水蒸气推动汽轮机发电。

在这套“聚光集热智能系统”的支撑下，中电工程哈密塔式50MW光热发电项目2021年6月18日实现稳定并网发电，2021年9月27日实现全容量发电。

1.3.3 储能技术及产品应用情况

储能技术是解决新能源大规模并网、提高电力系统运行效率、安全性与经济性的迫切需求。根据能量转换性质，储能技术可以分为狭义储能和广义储能：狭义储能是将电能转换成其他形式的能量进行长期存储，必要时再转化为电能；广义储能是将电能转化成其他形式的能量存储后直接利用，不再转化为电能。所以，狭义储能可以在不同时间实现电能的输入与输出控制，有效改善系统运行特征，满足新型发电系统的功率和能量平衡需要。

现有的发电侧狭义储能技术主要分为电化学储能、机械储能。如图3-1-22所示，从新型电力系统多时间尺度的功率-能量平衡需求来看，关注的技术特征/参数有：a.功率和容量：代表储能规模的额定输入/输出功率和额定容量；b.响应时间：从指令开始到达额定功率的时间；c.全容量放电时间：以额定功率放电的持续时间；d.能量循环效率：输出能量与上次输入能量的比值。电化学储能的优势是功率和容量可根据需求配置，不受外界条件限制。机械储能像抽水蓄能和压缩空气储能是大规模长时间放电较成熟的技术，但受地理条件制约。不同储能技术特征差异大，单一技术难以具备快速充放、大容量、持续充放、高可靠、低成本等条件。不同储能技术在发电侧应用不同：响应快、功率密度高的功率型储能（部分电化学储能）用于短时间尺度调节，如提供虚拟惯量、快速调频、抑制低频振荡、短期电压稳定；容量大、放电时间长的能量型储能（抽水蓄能、压缩空气储能）用于长时间尺度调节，如参与调频、削峰填谷、系统备用。

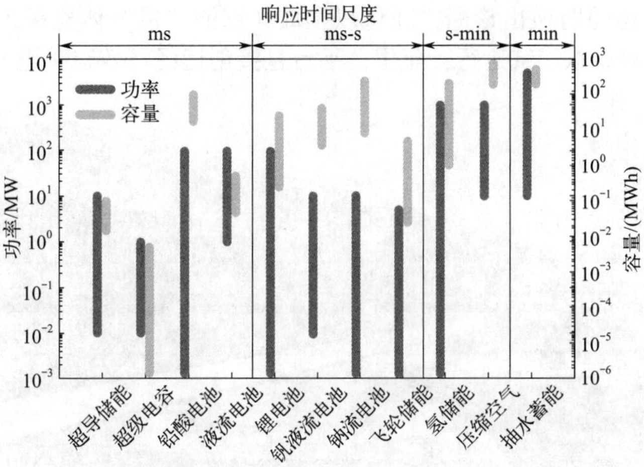

图 3-1-22　各类储能的功率、容量和响应时间

(1) 抽水蓄能及应用

抽水蓄能具有储能容量大、系统效率高、运行寿命长、响应快速、工况灵活、技术成熟等优点，是当前大规模储能的主流技术之一。图3-1-23为抽水储能系统的原理图，在电力充足时，系统将利用电力驱动水泵或调压井，从较低的水库抽取水装填到较高的水库中蓄存。在电力需求高峰时，从高位水库开闸放水，让水流经水轮机发电机组，在水电站发电提供电力，并通过变压器将电力输送至电网。通过水泵、水轮机、发电机的协调控制，可以实现系统的稳定运行。

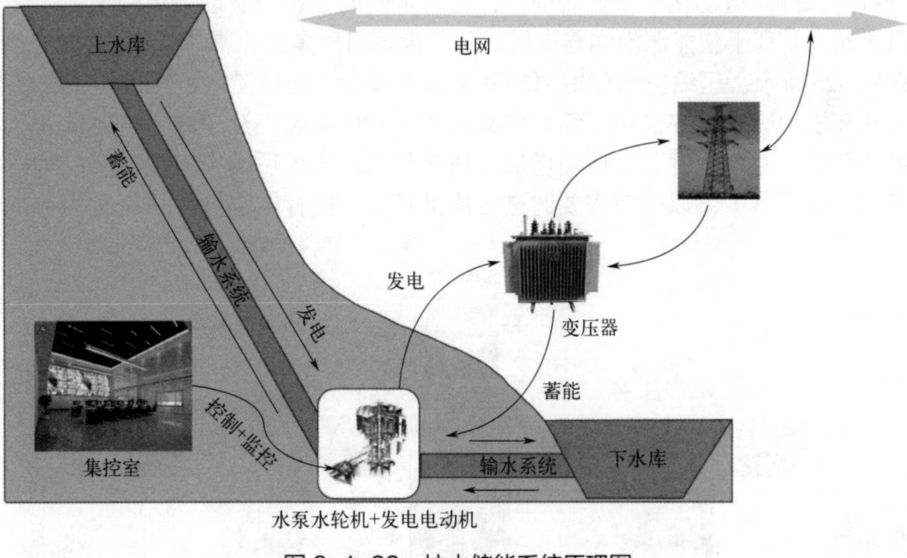

图 3-1-23　抽水储能系统原理图

2023年4月26日，南方电网抽水蓄能人工智能数据分析平台XS-1000D在广州正式投入使用，如图3-1-24所示。该平台成功接入了装机规模为1028万千瓦的7座抽水蓄能电站状态数据。通过30多万个测点的数据实时采集，能够“足不出户”地实时掌握机组的健康状态。以前，1台30万千瓦机组的日常检修项目就多达400余个，需要850个人工作一天才能完成。为了及时、精准地发现问题，这个平台自由组合了近1000个智能分析算法，不但

能对机组的健康状态随时做出诊断，还可以生成详细的“机组体检报告”，既方便了员工检修，也节约了维护成本。试运行一年里，平台直接创造经济效益接近1800万元。

图3-1-24　抽水蓄能人工智能数据分析平台

（2）压缩空气储能及应用

压缩空气储能技术具有储能容量大、储能周期长、系统效率高、运行寿命长、比投资小等优点，被认为是最具有广阔发展前景的大规模储能技术之一。2022年压缩空气储能技术实现重大突破，为产业高质量发展注入强劲动力，技术创新达到新高度。储能密度提高，单机容量不断扩大，系统利用率增长，输出功率提高，运行成本下降，市场竞争优势进一步凸显。关键设备技术指标大幅跃升，产品质量与可靠性显著提高，为系统安全高效运行提供有力保障，自动化水平显著提高，且与电网的协调控制能力大幅增强，进一步提高系统灵活性，有利于新能源消纳与电网调节，满足用户多样化需求。

如图3-1-25所示，压缩空气储能原理基于以下步骤。压缩阶段：电动机或其他驱动装置将空气从环境中吸入，并使用压缩机将其压缩到高压状态。这个过程需要输入一定的电能，压缩空气的压力和温度随着压缩增加。储存阶段：压缩后的空气被存储在储气罐、地下蓄能库或其他容器中，以便在需要时进行能量释放。储存的空气保持高压状态，它的能

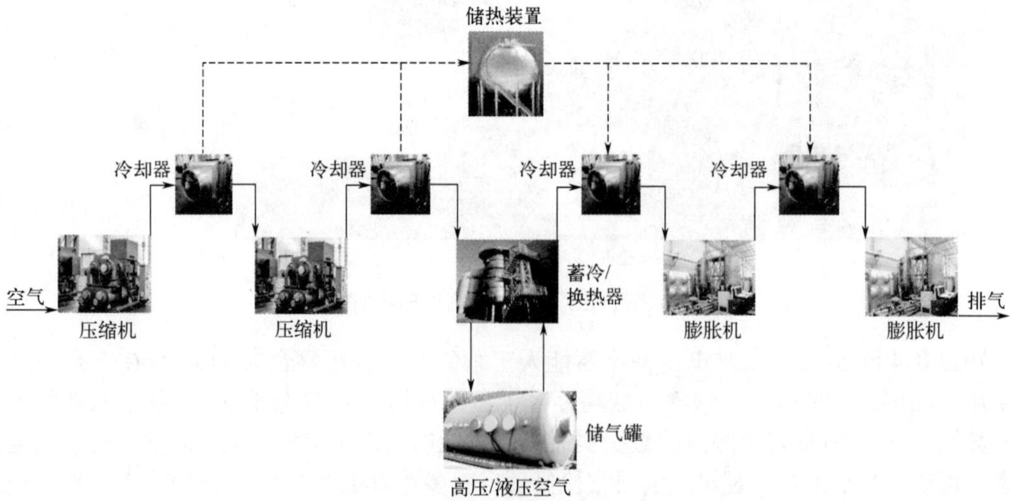

图3-1-25　压缩空气储能系统结构示意图

量被储存起来。能量释放阶段：当需要释放储存的能量时，储存的高压空气通过一个扩张机构（如涡轮机）进入发电机或动力设备。在扩张过程中，空气的压力能被转化为机械能或电能。机械能可以直接用于驱动机械设备，而电能则可以通过发电机产生。在压缩空气储能系统中，换热器和储热装置也常常用于提高系统效率。换热器用于在压缩和膨胀过程之间传递热量，以减少能量损失。储热装置用于存储通过换热器收集到的热能，并在需要时释放给空气，提高能量转化的效率。

2025年4月，黑龙江吉能宝清350MW/1750MWh压缩空气储能示范项目工程开工。项目创新采用熔盐与热水双介质储热技术，通过回收压缩过程产生的高温余热（360℃），实现膨胀发电环节零化石燃料消耗。该项目作为我国首个350兆瓦级采用人工硐室储气库技术的大规模压缩空气储能电站，投运后每年可减少弃风弃光电量8.4亿千瓦时，为东北地区构建“风光火储”一体化新型电力系统提供关键技术支撑，对我国构建新型电力系统、实现“双碳”目标具有重要战略意义。

（3）电化学储能及应用

电化学储能利用电化学原理储存电能，实现能量的平滑输出或备用供应。一个完整的电化学储能系统主要包含三个子系统，即能量管理系统（EMS）、功率转换系统（PCS）和电池管理系统（BMS）。这三个子系统各司其职，相互配合，共同实现储能系统的充放电控制、电力转换与调节、状态监测与保护等功能，确保系统安全高效运行，如图3-1-26所示。

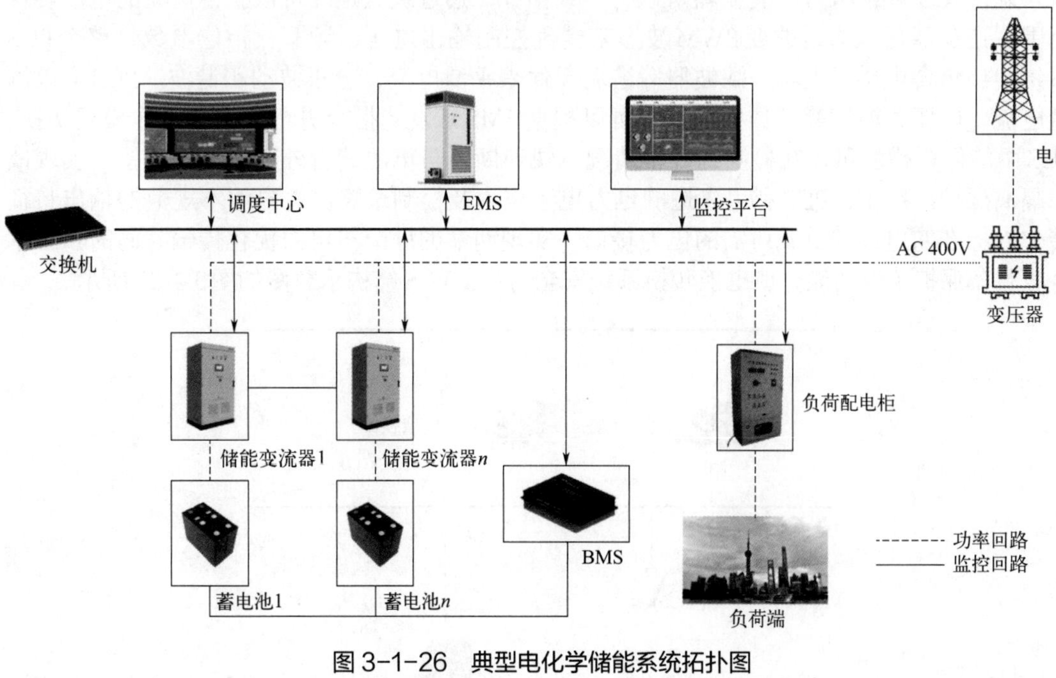

图3-1-26 典型电化学储能系统拓扑图

① 能量管理系统（EMS）。能量管理系统是电化学储能系统的大脑，负责对整个系统进行高层级的监控与策略规划。EMS需要整合考虑电网状态、负载需求、电池状态等多方面信息，从系统全局角度制定优化的管理策略。首先，EMS会根据电网实时的发电状况、负载曲线以及电价信息，决定储能系统是充电存储电能还是放电支撑电网。充电时EMS会考虑电池当前的电量状态、充电功率限制等，避免出现过充过放。放电时EMS会评估电池可输出的功率与能量，并参考电价信息，选择合适的放电时机和放电量，以实现收益最大

化。其次，EMS还会根据用户侧的负载需求模式，预先规划好储能系统的充放电时间，以平滑负载曲线，避免高峰时段的用电量超负荷。这种负载移峰填谷的应用需要EMS持续监测用户用电情况，动态调整充放电计划。最后，EMS还会综合考虑电池的健康状态、电荷状态等，对充放电进行合理调控，防止电池过充、过放、过热等情况发生，以保证电池的使用安全与长期性能。EMS可以根据BMS反馈的电池状态，设置充放电的截止态势保护与约束条件。总之，EMS发挥电化学储能系统的“大脑”作用，不断获取电网、负载、电池多方面状态信息，从整体出发制订优化调度策略，实现系统的高效协调运行。

② 功率转换系统（PCS）。功率转换系统主要实现对电池电能与外部交流电网或负载之间的双向电力转换与控制。其核心部件是各类DC/DC变换器和DC/AC逆变器。PCS承担着平滑电池组输出特性，与外部接口进行匹配的关键功能。电池组的输出电压会随着电量状态而漂移变化，而外部负载或电网对电压、频率均有比较严格的要求，因此需要PCS进行电力电子转换，实现两个接口的匹配与稳定。具体来说，在电池放电给外部负载时，第一级DC/DC变换器可以将电池组不稳定的直流电压升压或降压至相对恒定的直流电压值，同时可以快速调整输出电流实现恒流方式放电控制。第二级DC/AC逆变器则将稳定的直流电转换为标准的交流电输出，控制频率、幅值、相位等参数满足外部负载或电网对交流电的要求。相反在电池充电时，逆变器先将外部交流电转为直流，然后DC/DC变换器将电压降至与电池组匹配的充电压，同时控制充电电流，实现电池的快速恒流充电。进一步来说，PCS中的DC/DC变换器可以有多级拓扑，通过级联连接可以获得更高的电压转换范围。逆变器可以通过改变PWM波形来精确控制输出电压、频率、相位参数。整个PCS系统中还包含电感、电容、滤波器等被动元件来平滑电流、电压波动和谐波。PCS可以测量电流、电压、温度等工作参数，并可以根据EMS下发的指令进行相应的工作模式切换。PCS中的保护模块可以在检测到异常情况下快速断开与电池或者外部负载的连接，实现故障隔离保护。综上，PCS利用先进的电力电子技术及控制策略，将电池不规范的输出特征转化为标准的电网或负载所需的电力接口，实现两端的匹配与电力优化传输。同时PCS本身也具备保护监控功能，使电能转换系统安全可靠。PCS结构示意图如图3-1-27所示。

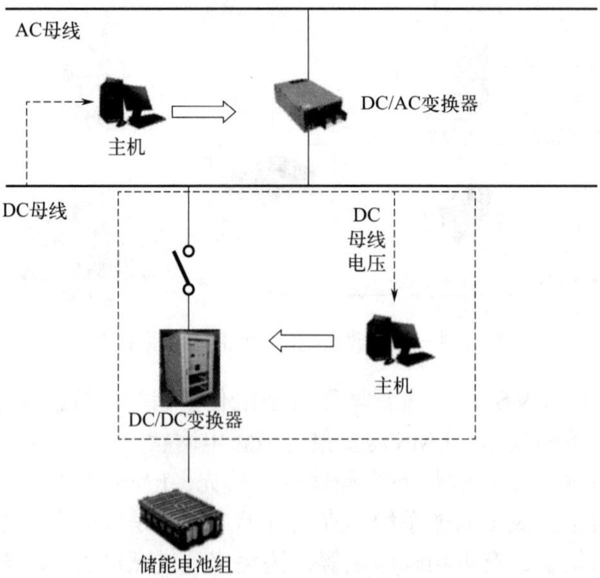

图3-1-27　PCS结构示意图

③ 电池管理系统（BMS）。储能电池组的安全与性能对整个储能系统至关重要。为了实现对大容量电池组的有效监控与管理，需要设计一个完善的电池管理系统（BMS）。这个系统可以通过多个模块及其协同工作来保证电池的最佳状态。首先，数据采集模块会实时监测每个电池单体的电压、电流和温度。丰富的传感器网络可以帮助我们全面了解电池的工作情况。然后，状态估计模块会计算电池的剩余容量、健康度、电荷状态等信息，这些是电池管理的关键数据。同时，热管理设计也是必不可少的，通过热电偶反馈温度，并根据需要启动冷却系统或加热器，将电池温度控制在最合适的范围内。此外，电池管理系统还需要和外部通信接口连接，以传递监控数据并接收控制指令。当系统检测到电池故障时，故障诊断模块可以快速识别故障类型，比如短路或电池损坏。最后也是最重要的，是安全管理模块可以在系统状态异常时快速断开电路连接，避免事故发生。通过这样多方位的监控与控制手段，电池管理系统可以确保大容量储能电池工作在最佳状态下，发挥应有的性能和寿命，安全可靠地为整个储能站提供稳定的电力支撑。BMS结构示意图如图3-1-28所示。

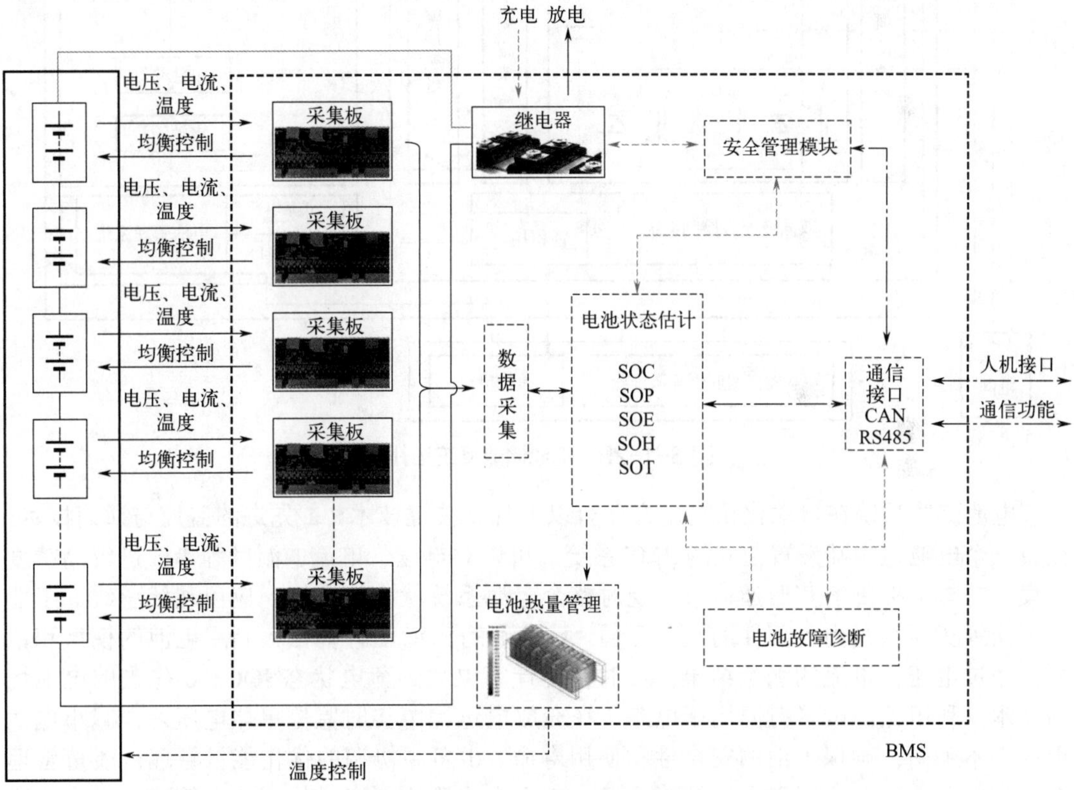

图 3-1-28　BMS 结构示意图

下面介绍常见的两种电化学储能技术：锂离子电池储能和钠离子电池储能。

① 锂离子电池储能

锂离子电池具有储能密度高、充放电效率高、响应速度快、产业链完整等优点，是最近几年发展最快的电化学储能技术。2024年，我国锂离子电池产业延续增长态势。根据锂电池行业规范公告企业信息和行业协会测算，全国锂电池总产量1170GWh，同比增长24%。行业总产值超过1.2万亿元。2024年消费型、储能型和动力型锂电池产量分别为84GWh、260GWh、826GWh。锂电池装机量（含新能源汽车、新型储能）超过645GWh，同比增长48%。图3-1-29所示为电池储能系统的拓扑图，在启动阶段，系统进行自检，确保各部件和保护装置功能正常。完成并网前的同步及保护参数设置后，储能转换系统平顺并网到电力系统。随后，能量管理系统会根据电池SOC状态及电网指令判断系统当前所处模式。根据模式和电池与电网实时状态计算充电或放电的最优功率大小。能量管理系统下发控制指令给储能变流器，执行充放电操作。在收到变流器的功率指令后，电池组进行充电或放电。BMS在充放电过程中实时监控电池状态，进行电池内部的均衡管理。同时，BMS也会与变流器、环境系统一起将运行状态反馈给能量管理系统。

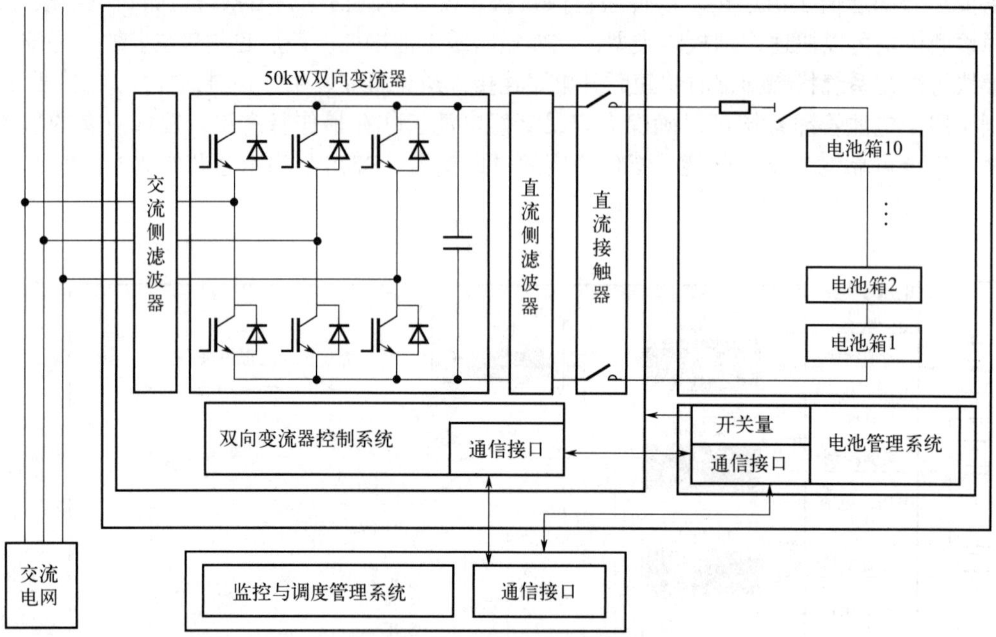

图3-1-29 电池储能系统拓扑图

电池储能系统在自动化和控制方面有以下几个关键技术：a.先进的监控与通信技术：在每一个电池组中都设置独立的BMS系统，可以对电压、电流、温度等参数进行高精度采集，并与主控制器实时通信，实现对整个电池系统状态的监控，应用现场总线、工业以太网等实现系统内各部件的互联互通。b.准确的SOC估计算法：利用电池的模型和数据，通过电压、电流的测量结果，实时精确计算电池的荷电状态SOC。c.先进的电池均衡技术：利用无源或者有源均衡电路，在充放电过程中实时监控单体电压差，减小电池组内部不平衡，确保电池的安全性和使用寿命。d.多源协调的优化能量管理：能量管理系统和电网、电池、可再生能源等信息，应用优化算法制定最佳充放电策略，最大化系统效益。

目前较为成熟的大规模储能产品有宁德时代的EnerC、EnerOne等（如表3-1-5所示）和比亚迪的Cube T28系列、BYD-20ft ESS系列等。EnerOne是宁德时代在2020年基于长寿命电芯技术及液冷CTP电箱技术打造而成的产品，兼备长寿命、高集成和高安全的特点。在具体产品力方面，EnerOne采用280Ah磷酸铁锂电芯，放电速率为1C，循环寿命可达10000次。一体化的变频液冷系统，可将电池簇内温差控制在3℃以内。此外，EnerOne额定容量为372.7kWh，占地面积仅1.69m²，能适配工作电压范围在600V到1500V之间的逆变器。

表 3-1-5 宁德时代 EnerC、EnerOne 产品参数表

项目	EnerC	EnerOne
电芯类型	磷酸铁锂	磷酸铁锂
尺寸（L×W×H）/MM	6058×2462×2896	1300×1300×2280
重量 /kg	35000	3500
系统配置	10P52S×8	1P52S×8
电池容量 /MWh	3.72	0.372
电压 /V	1331.2	1331.2

② 钠离子电池储能

钠离子电池是最接近锂离子电池的电化学储能技术，虽然在储能密度、技术成熟度等方面同锂离子电池还有差距，但由于其资源丰富、低温性能好、充放电速度快等优点，如表3-1-6所示。特别是随着锂资源问题热度的提高，钠离子电池得到了储能领域的高度关注。

表 3-1-6 锂、钠离子电池内部材料对比

材料	钠离子电池	锂离子电池
正极材料	三种主流路线：层状氧化物技术成熟，普鲁士蓝类化合物成本低，聚阴离子型化合物功率密度高	两种主流路线：三元 NCM 性能更优，磷酸铁锂成本低
负极材料	主要分为硬碳和软碳：软碳成本较低性能不足，硬碳技术探索初见成效，生物质前驱体处于研发初期	多采用石墨负极，硅基负极有望实现替代
集流体	正负极集流体均可采用价格较低的铝箔	正极集流体采用铜箔，负极集流体采用铝箔
隔膜	保持锂电原有产品不变	一般采用高强度薄膜化的聚烯烃多孔膜
电解液	六氟磷酸钠，量产难度低	六氟磷酸锂，量产难度低

2024年5月，我国新型储能领域首个10MWh的钠离子电池储能电站在广西南宁正式投入运营（图3-1-30）。该电站是中国首个大容量钠离子电池储能电站，采用全球首款210安时钠离子储能电池，具备12分钟充电至90%的快速充电能力和超过92%的系统能量转换效率。电站预计年发电7300万度，满足3.5万户居民用电需求，减少二氧化碳排放5万吨，标志着钠离子电池大规模储能工程技术取得关键性突破。

此外，大唐湖北200兆瓦时钠离子新型储能电站一期工程于2024年6月正式投运，标

图 3-1-30 广西伏林钠离子电池储能电站

志着钠离子储能技术在全球首次实现大规模商业化应用。项目采用185安时大容量钠离子电芯，配套建设110千伏升压站，一期储能容量达100兆瓦时，由42套储能电池仓和21套升压变流一体机构成。该项目实现关键核心技术装备100%国产化，形成自主知识产权和标准体系。项目投产后每年可充放电300次以上，单次充电能储存10万千瓦时电量，能满足约1.2万户家庭一天的用电需求，年减排二氧化碳1.3万吨，在推动能源绿色转型、保障电网稳定运行等方面作用显著。

1.4 》 推动电力行业自动化发展的作用分析

1.4.1 存在的问题及发展建议

电力行业自动化控制系统是采用各种仪表和装置对各类发电厂的主要生产过程进行自动的监视和控制，使之安全、经济、智能和环保运行的过程。它涉及的学科包括仪器仪表技术、网络通信技术、自动控制技术、计算机科学技术、管理与决策技术等。近十多年来，随着计算机、网络及信息技术的发展和生产管理体制的优化，热工自动化与信息技术、管理技术等已高度融合，如在火电厂中的厂级监控信息系统、数字化煤场、智能电厂等领域的应用。

近十年来，国产DCS快速发展并在发电行业中大量应用，目前国产主力机型如600MW、1000MW等级超临界和超超临界机组已广泛采用国产DCS进行控制，DCS由早期的普遍采用引进产品发展到目前与国产DCS共存的局面，且有国产逐步取代进口产品的趋势。国产DCS在功能和性能方面已超越部分进口DCS，尤其是采用先进智能控制技术提高机组的安全、经济和环保运行，以及提高机组调峰能力方面取得了很大的进步，具有自主可控的全国产DCS和智能控制系统ICS也已研发成功并进行了示范应用。因此，在推动发电行业自动化发展主要有以下几个方面。

（1）提升电力行业控制系统网络与信息安全防护能力

当今世界，受经济、政治和利益等驱使，网络空间已成为某些国家、组织和个人等攻击渗透的主渠道和主战场，网络安全也面临着前所未有的严峻形势，需要防范计算机病毒和Dos等各种各样的安全威胁。因此，电力行业控制系统应严格依据国家和电力行业网络信息安全要求，增加网络信息安全防护装置，如在网络安全隔离基础上，在平台上部署入侵检测、安全审计、恶意代码防范、主机及网络设备加固等系统，提升网络安全防护能力，保障生产监控系统的安全稳定运行。通过强化电力生产监控系统网络安全监测预警体系建设，如采用身份认证、安全接入、数据加密和可信免疫等技术，进一步提升网络安全应急响应和恢复能力，提升网络安全防护能力，确保工业网络信息安全。

早期我国发电厂控制系统大部分采用进口设备，尤其在辅助车间控制系统中，几乎全部采用进口PLC。近几年国产分散控制系统才开始在主、辅机控制系统广泛采用。但目前，国产DCS的桌面和嵌入式操作系统、控制器和关键处理芯片等仍采用国外技术和产品。工控产品的核心技术受制于人，不排除进口的电子设备、工控开发软件等工控产品中留有后门、木马的可能性，潜在风险巨大。因此，开发国产自主可控的软、硬件产品是提高电厂控制系统网络安全的重要方向。

（2）加强全国产化电力行业分散控制系统研发及应用

随着近年来技术的不断进步，我国电力行业国产化分散控制系统DCS已取得了显著的发展，国产DCS在功能和性能等多方面已超越部分进口产品，尤其是采用先进控制技术提高火电机组的安全、经济和环保运行及提高机组调峰能力等方面取得了很大进步，已达到国际先进水平。但是，现有的某些国产DCS系统还未完全掌握嵌入式操作系统、控制器和I/O模件硬件芯片等在内的全国产技术，在软件、硬件方面均不同程度使用国外技术和进口品牌设备，自主性和安全可控性存在较大的提升空间。为解决我国在能源工控领域“卡脖子”技术的短板，依据国情并结合国内技术发展现状，进行相关系统的软、硬件技术攻关，逐步过渡实现DCS系统的全面自主化和安全可控化，对于提高我国电力基础设施自主能力和竞争能力，维护国家能源安全有重要作用。

随着国内发电行业控制系统研发能力的提高和国产芯片、国产软件的逐渐成熟，DCS的全国产化工作已具备技术可行性，众多国产DCS厂家也已深入开展了DCS的逐步全国产化工作。目前，已有多家国内DCS厂家进行了全国产化、自主可控、高安全性能的发电行业分散控制系统研发和示范应用，形成了全国产化分散控制系统的总体解决方案。未来全国产DCS将成为发电行业自动化控制系统的主流，在维护国家能源安全方面发挥不可替代的作用。

（3）充分利用“云大物移智”等技术推动“智慧电厂”建设及发展

随着“云大物移智（云计算、大数据、物联网、移动互联网、人工智能）”等先进技术在发电行业应用研究的深入，在发电领域开始提出了智能发电、智能电厂、智慧电厂等概念。不同专家学者从不同角度对智能发电、智能电厂、智慧电厂的概念、体系结构、关键技术和实现功能等进行了阐述。正如学术界对人工智能没有统一的定义一样，国内对智慧电厂的概念也处于探索和深化研究及应用阶段。一些发电集团也在积极开展智慧电厂规划、建设及树立样板示范工程，一定程度上提升了发电企业的管理水平，促进了生产和经营的一体化融合。但其应用更多是侧重于生产管理的数字化、信息化管理和集成展示等层面，仅在某一个方向或某一些层面上具备了一定的智能化特征，距离真正的“智慧电厂”应该具有的特征尚有较大差距。在电厂智能化、智慧化应用过程中，仅从局部系统进行了智能化升级，各个系统之间缺乏紧密联系，缺乏从整体上对“智慧电厂”进行规划设计，智慧电厂的高级功能还有待于进一步深入研发和应用验证。未来可以充分利用“云大物移智”等技术在智慧电厂关键技术如智能检测技术、智能燃料管理、燃烧优化控制、故障智能预警、智能运行优化、智慧监盘指导、网源互动灵活控制、智能机器人巡检、主动安全防护等方面开展深入研究及示范应用。

1.4.2 “双碳”目标下发电行业自动化发展的作用分析

能源转型是实现碳达峰、碳中和目标的关键任务。在转型过程中，煤电发展形势和定位发生了重大转变，基于我国资源禀赋，在“双碳”目标引导下，煤电将经历增容控量、控容减量和中长期减量降碳三个阶段。要适应新形势下的新定位，煤电应提升新功能、拓展新模式，实现绿色低碳、节能高效、灵活调节、智慧协同发展转型。依据区域资源禀赋，耦合需求差异化发展，可以开展现役机组升级改造、新建支撑保障机组、合理利用关停到役机组、深度挖掘调节能力和综合智慧能源拓展五大方向转型发展。保障煤电发展转型，应完善煤电电价机制，建立起以容量电价、调节性电价、电能量电价组成的三部制煤电电价体系。

近年来，新能源发电迅猛发展，部分地区或部分季节的煤电机组产能过剩、发电利用小时数逐年下降，煤电在新型电力系统中的定位已由提供电力、电量的主体性电源，向提供可靠性容量、调峰调频等辅助服务的基础保障性和系统调节性电源转变。由于风电、光伏发电的随机性、间歇性较强，其大规模入网对电力系统安全稳定运行和电力可靠供应的挑战日益严峻，“双碳”目标下的电力系统调峰压力与日俱增。煤电机组深度调峰无疑是提升新能源消纳水平、保障电网安全运行、助力实现“双碳”目标的重要举措。

深度调峰就是受电网负荷峰谷差较大影响，导致各火电厂降出力，发电机组超过基本调峰范围进行调峰的一种运行方式，即煤电机组的锅炉最低稳燃能力达到的比例。一般深度调峰的负荷率多为40%～30%。若一台600MW的燃煤发电机组进行40%负荷率的深度调峰，功率从600MW变成了240MW，机组负荷下降了360MW，其调峰深度为60%。机组调峰前后数据的变化反映了调峰的“深度”。当然，除了40%负荷调峰，还可以进行30%负荷调峰，甚至20%负荷的深度调峰。调峰的数值越小，深度调峰的难度也就越大。在规定时间内，火电机组能够安全、平稳、高效地升降负荷，且降至的负荷越低，说明机组的深度调峰能力越强。

深度调峰的目的在于平抑新能源随机波动、出力不均的特性。当新能源在电网中的比例逐渐扩大时，电力系统对调峰电源容量的需求增大。与新能源等电源相比，煤电机组可通过改变出力工况来适应负荷变化，尽可能减少出力，承担为高速增长的非化石能源发电深度调峰和备用等功能。

1.5 发电行业自动化发展趋势分析

党的二十大报告强调要积极稳妥推进碳达峰碳中和，深入推进能源革命，加快规划建设新型能源体系。这为新时代我国能源电力高质量跃升式发展指明了前进方向，提出了更高要求。长期来看，我国电力需求仍维持稳步增长趋势，尖峰负荷特征日益凸显。虽然新能源装机比重持续增加，但未能形成电力供应的可靠替代，煤电在未来相当长一段时间内仍是我国电力供应安全的重要支撑，需加快煤电清洁低碳化发展，推动化石能源发电逐步向基础保障性和系统调节性电源并重转型。因此，在碳达峰前电力供应安全形势严峻，需要始终坚持底线思维，全力保障能源安全，化石能源清洁化、清洁能源规模化、多种能源综合化，推动构建适应大规模新能源发展的新型电力系统“源网荷储”多元综合保障体系。

为了构建以新能源为主体的新型电力系统，加快规划建设新型能源体系，助力2030年前实现碳达峰、2060年前实现碳中和，我国亟须大力发展可再生能源和新型储能，构建多能互补、能源梯级利用的智慧能源体系，实现能源转型和结构调整，从而促进新型电力系统清洁低碳、安全可控、灵活高效、智能友好与开放互动的平衡发展。然而，随着分布式新能源渗透率不断提高，智能微电网、虚拟电厂等的出现，系统主体多元化、电网形态复杂化、运行方式多样化的特点愈发明显，系统调控体系需由浅层调控向深层调控逐步转变，调度模式需由源荷单向调度向适应源网荷储多元互动的智能调控转变，对新型电力系统清洁低碳、安全高效和灵活智能等提出了更大挑战。

1.5.1 智慧电厂发展趋势分析

《智能电厂技术发展纲要》指出，智能电厂（smart power plant，SPP）是指在广泛采用现代数字信息处理和通信技术基础上，集成智能的传感与执行、控制和管理等技术，达到更安全、高效、环保运行，与智能电网及需求侧相互协调，与社会和环境相互融合的发电厂。智慧电厂的特征是泛在感知、自适应、智能融合和互动化。

2016年，大唐姜堰作为国内首家智慧燃机电厂，利用物联网、三维可视化、虚拟现实、人工智能、大数据分析、云计算等技术，打破了传统电厂的生产、管理模式，为电力行业带来一抹绿色与新意。大唐姜堰智慧电厂建设内容主要包括基于“互联网+”的安全生产管理系统，基于大数据分析的运行优化系统，基于专家系统的三维可视化远程诊断系统、三维数字化档案、三维可视化智能培训系统等，如图3-1-31所示。

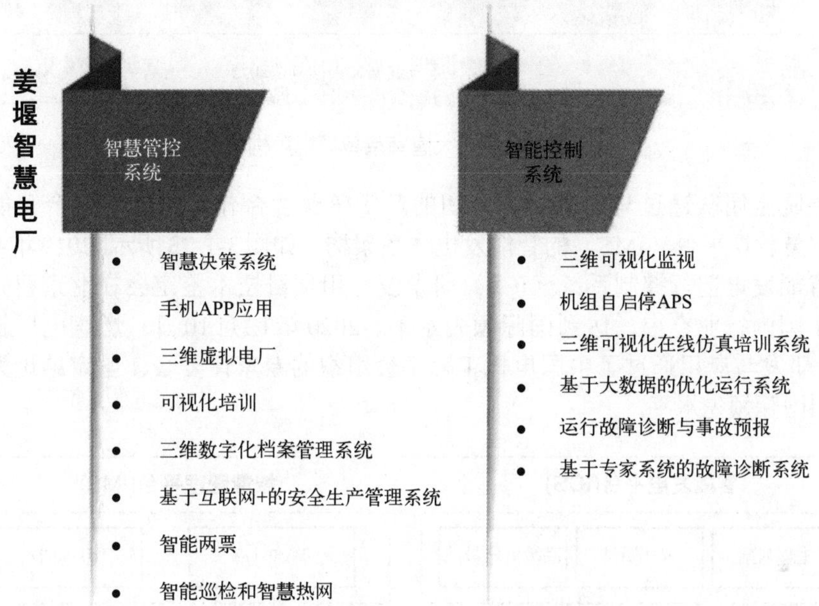

图 3-1-31　大唐姜堰智慧电厂的智慧管控系统和智能控制系统

2016年，大唐南京发电厂作为中国大唐集团公司和南京市首家全面完成“超低排放”的燃煤电厂，为全面提升企业自主创新能力，开始超前谋划智慧化电厂的建设。在数字化电厂的基础上，利用物联网技术和设备监控技术，加强信息管理和服务，清楚掌握生产流程、提高生产过程的可控性、减少人工干预、及时正确地采集生产过程数据，从而科学地制定生产计划，构建高效节能、绿色环保、环境舒适的人性化工厂。在充分调查“智慧电厂”建设需求的基础上，大唐南电不断完善建设总体框架，确立了锅炉CT、锅炉燃烧优化调整及三大项目智能掺配、汽轮机冷端优化、三维数字可视化立体设备模型、远程诊断中心建设、人员定位安全管理系统、智能排放系统、智慧型电厂大平台建设等为技术核心的八个建设模块的版本，如图3-1-32所示。立足现有的技术条件和MIS、燃料三大项目等自动化系统，不断完善建设总体框架，确立了“智慧测量”“智慧燃烧”“智慧掺烧”“智慧安全”“智慧排放”“智慧解剖”“智慧诊断”“智慧驾驶”等八大方面，全面覆盖电厂生产运营的各个方面。据悉，“智慧电厂”系统的子模块“智慧燃烧”系统初步建成后，将运行人员根据经验调整的系统工况存储到数据库中，采集频率可以达到每秒一次。通过海量的数据分析比对，给出优选策略，帮助机组稳定在最佳工况，节省了大量人力物力，更减少了操作失误的概率。

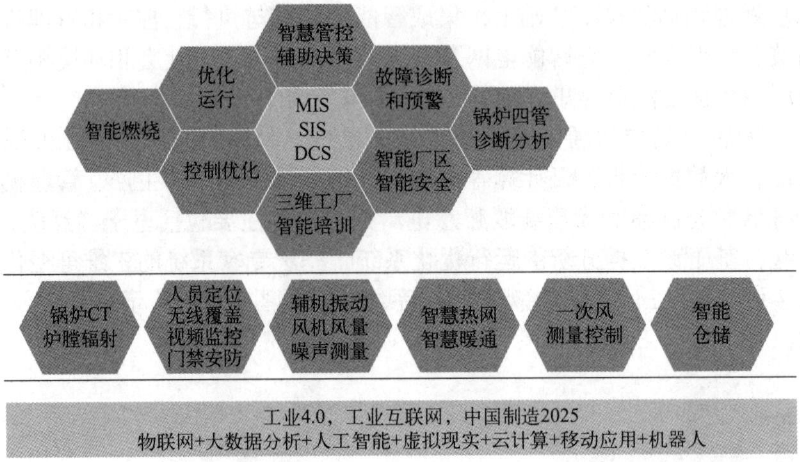

图 3-1-32 大唐南京智慧电厂构成

刘吉臻院士团队通过与国家能源集团的产学研深度合作，构建了融合智能发电平台（ICS）和智慧管理平台（IMS）的智能发电体系架构，如图3-1-33所示。2019年10月29日，中国首套智能发电运行控制系统（ICS）研发及应用项目技术鉴定会在北京召开，鉴定结论为填补了国内行业空白，达到国际领先水平。2020年12月10日，燃煤电厂智慧管控系统（IMS）研发与应用通过了中国电机工程学会组织的专家评委会，鉴定结论为该项目整体技术达到国际领先水平。

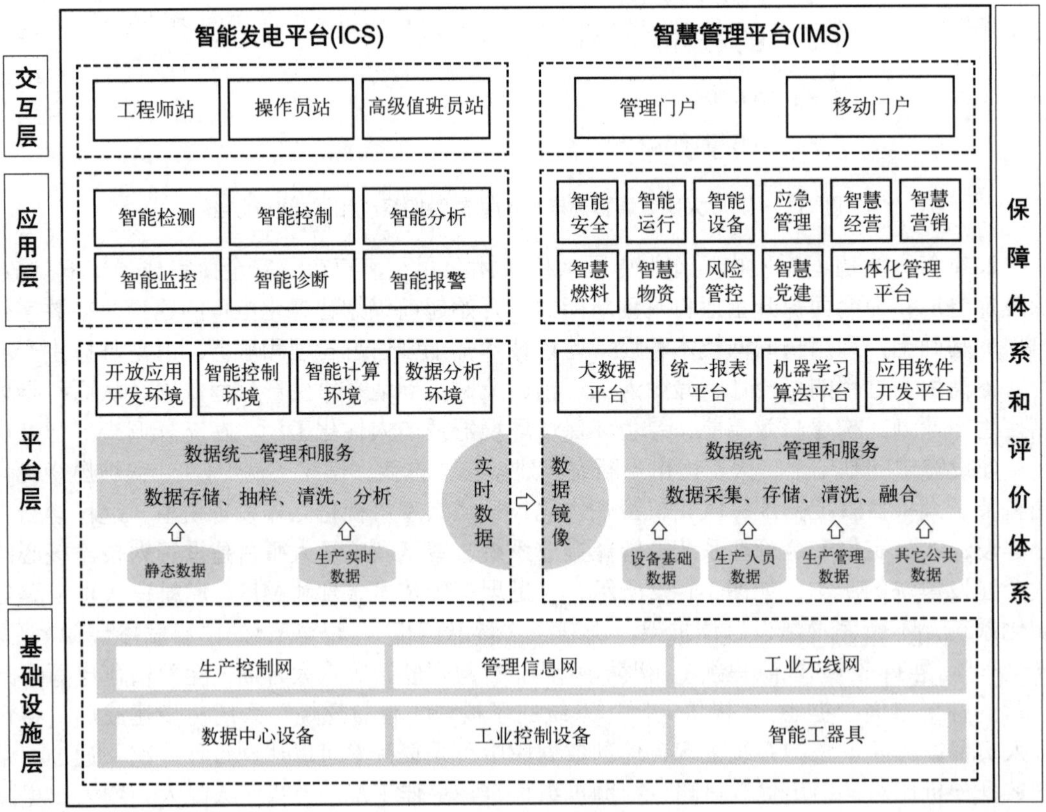

图 3-1-33 智能发电体系架构

《中国电力报》特别关注“数字化、智能化、智慧化，智慧电厂建设将由初级形态迈向高级形态”，指出：规划智慧电厂建设，首先应该是实现数字化，夯实智慧电厂基础。其次是智能化，在数字化基础上，开展各业务专题的智能化升级。第三是全面智慧化，实现自学习、自优化、自诊断的信息物理深度融合系统。

我国电力工业发展在取得瞩目成绩的同时，也面临诸多挑战，如电力设备利用效率不高、火电利用小时数持续下降、新能源发电消纳困难、局部地区电网调峰能力严重不足、环境资源约束不断加强、机组设计煤种难以保证而经常变换、气象环境变化日趋复杂、竞价上网电量逐步增加、人员和设备安全要求愈加严格等。客观上要求必须改善原有的发电模式，加强传统能源和新能源发电协同，增强火电机组运行灵活性，提升其负荷响应性能，提高发电效率和智能化水平。因此使火电机组在各种环境变化的条件下都能提供经济、环保、安全、稳定的电能，并与智能电网高度融合的智慧电厂建设显得尤为迫切。计算机、网络、通信、智能检测技术的发展及数据分析处理、人工智能、自动决策等先进技术的推广应用也为智慧电厂建设提供了技术基础和支持。

当前，国内一些智慧电厂的建设和投运进一步提升了发电企业的管理水平，促进了生产与经营的一体化融合。但其应用更多地侧重于信息集成展示以及生产管理的数字化、信息化等层面，仅在某一个方向或某一层面上具备一定的智能化特征，距离智能电厂和智慧电厂应具有的特征尚有较大距离。在电厂智能化和智慧化探索中，仅从局部系统进行智能化升级，各系统之间缺乏紧密联系，缺乏从整体上对智慧电厂进行规划和设计，智慧电厂的建设还有待于进一步深入探索和提升。

1.5.2 “储能＋发电”发展趋势分析

随着应对全球气候变化对策的深入和新能源技术的快速进步，风能和太阳能发电市场正在高速增长。然而，风电和光伏发电存在时空分布的随机性，使电力系统运营难度加大，电网稳定性下降。储能技术的发展为此提供了有效解决方案。储能系统可以在发电高峰期存储电量，在发电低谷期释放电量，实现电量的平衡和调度，保障电网安全稳定运行，它是新能源发电获得广泛应用的关键技术之一。这也是储能+发电发挥作用的最为重要的方面。随着数字化和智能化技术在电力行业的广泛应用，智能电网建设正在加快推进。智能电网对电源和电网的控制性、灵活性提出了更高要求，而储能+发电系统可以根据电网调度中心的指令，迅速调整充放电功率，起到需求响应的作用，满足智能电网运营的需要。它已成为智能电网中不可或缺的关键组成部分。2018年，中国电动汽车保有量超过200万辆，成为世界第一大电动汽车市场，截至2024年底，全国新能源汽车保有量达3140万辆，巨大规模的电动汽车充电对电网峰负荷形成明显的影响与挑战。因此发展新型电力系统的大型储能设备至关重要。近年来，我国储能集成规模从“数十兆瓦/百兆瓦级”向吉瓦级跨越式发展，部分储能本体技术在国际上形成了技术引领，储能应用模式也呈现出了大规模集中式和多点布局分散式协同发展的趋势。

储能+发电系统可以在谷电时存储能量，在峰电时直接为电动汽车供电，减轻电网压力，实现电气化交通的可持续发展。这也是促进电动汽车产业快速发展的重要技术支撑。在许多国家和地区，电力市场价格存在较大波动，尤其是工作日的高峰时段与低谷时段价格差异较大。储能+发电系统可以利用这一价格差异进行移峰填谷，在低电价时进行充电，在高电价时放电并上网发电，获得较高的收益。这种商业模式也是储能发挥经济效益的一个重要方面。最后，储能+发电系统作为一种高度灵活的电源控制手段，可以根据电力系统的负荷变化及发生的故障事件，快速响应并输出或吸纳功率，增强系统抗扰动能力，提高电网运行的灵活性与安全性。这也体现了储能对电力系统的重要支撑作用。在“双碳”目标下，发展风能和太阳能等清洁能源至关重要。我国能源供应和能源需求呈逆向分布，风能主要集中在华北、西北、东北地区，太阳能主要集中在西部高原地区，而绝大部分的能源需求集中在人口密集、工业集中的中、东部地区。供求关系导致新能源消纳上存在矛盾。根据全国新能源消纳监测预警中心公布的数据，在2024年，我国平均风电利用率为95.9%，平均光伏发电利用率为96.8%，达到了世界一流水平。

综上，储能+发电系统发挥的五个主要意义，即支持可再生能源并网、服务智能电网运行、推进电动汽车产业发展、利用市场机制获得经济效益以及提升电网灵活性，均与当今全球新能源和电力系统转型的大趋势相符。因此，储能+发电产业必将迎来高速增长的发展机遇，成为未来零碳电力系统的关键基础设施，在大量政策和国情背景下，储能+发电必定会朝着更加清洁，储能规模更大方向蓬勃发展。产业投资者应把握时机，积极布局储能+发电未来市场。

总体而言，国内外在政策和市场环境方面为储能产业发展创造了重要机遇。政策引导和市场需求的持续释放将进一步扩大产业规模，推动产业升级转型。预计未来：a.新技术加速推进，提高系统性能和安全性。新型储能技术实现快速商业化，促使体系解决方案和新模式涌现。b.产业标准体系加快构建。统一的产业标准有利于市场规模快速扩大，推动相关产业链条协同发展。c.新商业模式加速涌现。如储能电站直接参与电力交易，为用户提供综合能源解决方案等，将进一步拓展市场空间。d.产业链条加快重构。上下游企业协同度进一步提高，微电网、充电桩运营商等新型企业蓬勃发展。e.城市综合能源体系加快构建。在城市数字化和电动化进程加快的今天，储能将成为实现高比例可再生能源利用的基础，进而推动整个城市能源体系转型。新能源+储能市场空间较大的区域，应是新能源资源较好，但目前消纳空间受限的区域。相应区域的电网公司为了完成减少弃风、弃光的企业政治使命，将会有较大的动力引导地方政府出台相关市场机制、考核机制或者扶持政策，推动新能源电站将储能作为标配。同时，这些区域的地方政府也将有较大的动力通过各种方式支持配套储能系统建设，提高新能源消纳能力，带动新能源产业的持续发展，从而更好地促进地方经济的整体发展。综上，国内外政策环境和市场条件为储能产业发展提供了重要机遇与动力。但产业也面临技术、标准、安全等方面的挑战。未来，随着技术创新与政策效应的逐步显现，新的应用模式和商业模式将加速涌现，市场规模和产业生态将快速壮大，成为实现各行业高比例清洁化的重要基石和引擎。这将进一步推动社会经济的绿色低碳转型。

1.5.3 综合智慧能源发展趋势分析

在我国“双碳”目标和新型电力系统建设背景下，如何深度推进能源系统低碳转型，兼顾经济发展和环境保护，已成为能源电力行业低碳化和可持续发展的重要课题。综合能源系统是指一定区域内的能源系统利用先进的技术和管理模式，以“两高三低”为目标，整合区域内石油、煤炭、天然气和电力等多种能源资源，实现多异质能源子系统之间的协调规划、优化运行、协同管理、交互响应和互补互济，在满足多元化用能需求的同时，有效提升能源利用效率，进而促进能源可持续发展的新型一体化能源系统。综合智慧能源系统是以数字化、智慧化能源生产、储存、供应、消费和管理服务为主线，通过对能源的产生与转换、传输与分配、存储与消费等环节进行有机协调，实现“源-网-荷-储”等各环节互动优化的能源产销一体化系统。作为一种新兴的能源利用形式，综合智慧能源能够加快推进能源供给侧清洁低碳转型，以数字赋能实现智慧化和低碳化发展，并将服务前移，可以更好地贴近用户、服务用户，从而构建和谐共生的生态能源体系，将成为推动能源转型升级、创新发展模式的重要方向。

国内综合智慧能源系统仍处于发展的初步阶段，目前运行的综合智慧能源系统项目基本以电为主，只配合少量的清洁能源，仅仅起到示范作用。在国家层面，我国制定并通过了若干有关综合智慧能源系统的重点研发项目，国内相关能源企业积极布局，同时与国外相关机构开展合作，加快推动综合智慧能源系统在技术、服务等方面的创新，以建设清洁、安全、可持续的综合智慧能源体系。“十三五”规划期间，我国政府陆续批准了首批23个多能互补集成优化示范工程、55个“互联网+”智能能源（能源互联网）示范项目、首批28个新能源微电网示范项目以及共5批483个增量配电网示范工程。此时，综合能源的多种形态得以进入先行先试的升华阶段，即在满足局部能源系统得到一定的优化和自洽时，借助“互联网+”技术实现能源像“商品”一样在不同能源生产者和消费者之间的流通与交换，以打破不同行业和环节能源交换和转换的壁垒。

总体上，综合智慧能源在“源”“网”“储”“荷”以及“智慧化”五个方面的未来发展趋势可概述如下：

（1）“源”——综合能源生产技术发展趋势

分布式冷热电联供（CCHP）系统是以能源梯级利用为基础，能同时实现供冷、供热和发电过程的一体化多联供系统。与传统集中式能源系统相比，CCHP系统的分布位置更接近用户侧，不需要进行远距离高压输送，显著减少线损和运行费用，能达到更高的能源综合利用效率。CCHP系统广泛应用于楼宇式和区域式的能源供应，以天然气作为燃料，主要配套燃气轮机、微型燃气轮机或内燃机进行发电，余热回收后可进行供冷和供热。在双碳背景下，分布式能源将不再单纯以天然气为主，与可再生能源进行耦合将成必然趋势，很多学者提出了多种耦合型CCHP系统，如天然气与热资源耦合、与太阳能资源耦合以及与太阳能和地热资源耦合等。未来有待进一步推动燃气轮机设备的国产化，推动高能效、低排放、耦合可再生能源的CCHP系统的应用，加强系统的匹配和优化，提高系统的可靠性和灵活性。

热泵机组是能效比高的能源利用设备之一，根据逆卡诺循环原理，采用电能、蒸汽等驱动，通过传热工质把自然界的空气、水、土壤或其他低温热（冷）源中无法被利用的低品位热能有效吸收，并将其提升至可用的高品位热（冷）能加以利用。闭式热泵系统可分为蒸汽压缩式、吸收式和吸附式，其中蒸汽压缩式应用最广、技术最成熟。根据供热温度，蒸汽压缩式热泵可分为传统热泵、高温热泵和超高温热泵，常用的热泵包括空气源热泵、水（地）源热泵和土壤源热泵等均为传统热泵，尽管在供冷供热领域中得到广泛应用，但仍存在一些问题，例如空气源热泵在低温环境下会出现结霜、压缩机频繁启停和供热功率不足的问题。未来需进一步解决空气源热泵低温环境下的突出问题，加大制冷剂、压缩机和超临界CO_2等技术及设备的研究，推动高温和超高温热泵在工业领域的应用，实现高效电能替代。

太阳能的利用主要体现在光伏发电、光热、风能、生物质、氢能利用等方面，将在能源转型和低碳发展过程中发挥至关重要的作用。未来需进一步推进光伏和风电技术的升级，提高转换效率，探索化合物半导体和有机体材料的光电转换材料，加大应用场景的研究。合理选择生物质气化技术应用场景，降低超临界水气化成本，探索自然CaO环生物质气化技术。加快推动电解水制氢关键技术和核心设备的国产化，提高可再生能源制氢的比重，实现“绿氢”的高效利用。

（2）“网”——综合能源输运技术发展趋势

传统电网采用交流电的配电方案，随着直流技术的发展，以及直流输电具备较好的稳定性、经济性及低损耗等优点，直流输配电逐渐成为关注焦点。未来需要加强柔性直流输电、LCC-MCC串联型混合直流输电系统和高温超导直流输电等关键技术及换流器等核心设备的研究。

氢气的输送主要有气氢、液氢和固氢输送3种方式。气氢输送分为长管拖车和管道输运2种：我国长管拖车运输设备产业较为成熟，但成本高、效率低；管道运输具有大规模、长距离输送的优点，但纯氢管道的初投资大，因此对掺氢天然气管道输送技术的研究成为热点。未来需进一步推动氢气输送关键设备的国产化，加大掺氢天然气管道输送技术的研究。

（3）“储”——综合能源存储技术发展趋势

当前储电技术主要包括电化学储能和物理储能，电化学储能以锂离子电池、液流电池、铅蓄电池和钠基电池等储能技术为主，水系锂离子电池具有继续发展的可能性，部分液流电池已有示范项目落地，铅蓄电池成本低廉但寿命较短，钠硫电池的安全性仍是待突破的技术点。物理储能以抽水蓄能和压缩空气储能为主，飞轮、超导磁储能以及超级电容器在国内均处于示范阶段，各自的关键技术尚未突破。未来需降低液流电池的成本，提升运行效率，推动压缩空气储能与新能源的耦合。

储热技术主要分为显热储热、相变储热和热化学储热：大规模显热储热应用最广的是分布式能源系统中的水蓄冷/热和太阳能光热发电中的熔盐蓄热系统，但显热储热材料的储能密度低，系统装置庞大；相变潜热具有较高的储热密度，系统装置简单，但储/放热速率较低，主要应用于小型分布式储热领域；热化学储热技术与前两种技术相比具有储热密度大及温度范围更广等优点，但仍处于实验室研究阶段，未来有待进一步推动相变储热和热化学储热材料的研究。

储气技术主要针对氢气的存储，可分为物理储氢、固体储氢和有机液态储氢，其中物理储氢又可分为低温液态储氢和高压气态储氢：高压气态储氢技术成熟、应用广，但体积容量小、存在泄漏和爆炸等隐患；低温液态储氢技术体积储氢密度大、纯度高，但液化过程耗能大、成本高；固体储氢技术体积储氢密度大、操作方便、纯度高，但质量储氢密度低、成本高，该技术仍处于研究阶段；有机液态储氢技术由于纯度不高、催化剂易失活和成本高等影响尚未大规模商业应用。

（4）“荷”——综合能源消费技术发展趋势

综合智慧能源系统目前已应用于建筑、工业和交通等各行各业中，并侧重于节能服务。建筑领域，主要体现在空调系统、照明系统和动力系统的节能优化，采用变频改造、余热回收、自然冷源、电能替代和绿色升级等技术手段实现，并逐渐向“近零能耗”和“零能耗”建筑方向发展。交通领域，随着电动汽车保有量的逐年上升，电能替代的步伐也在加速，分布式光伏、风电、储能和换电等技术也逐渐渗透到绿色交通体系中。未来需进一步加强综合智慧能源系统在建筑、交通及工业等领域的渗透，加快推进热泵、余热回收和换电等技术的应用，实现终端电能替代，推动“零能耗”建筑的示范和应用，实现绿色低碳发展。

（5）综合能源智慧化技术发展趋势

能源的智慧化贯穿于能源产业链全过程。应用物联网、大数据、多目标优化及人工智能等技术对能源的生产、调度、输配、存储、销售和使用等业务数据、性能数据及运维数据进行实时监测、分析和计算，并在此基础上进行能源预测、多参数寻优处理和闭环控制，促进能源与信息深度融合，实现能源生产、输送、消费和管理智慧化。

未来需加大对能源用户行为的捕捉和需求感知力度，提高对用户信息和数据的解析能力。打破不同品种能源数据壁垒，统一能源行业通信协议标准，搭建智慧能源一体化大平台。解决云平台、大数据、物联网、移动互联网、人工智能和区块链等关键技术问题，推动智慧能源系统集成创新与融合应用。可根据用户画像提供有针对性的能源定制化服务，预测用户负荷需求，提前调节能源分配方向和模式，优化能源调度，解决能源平衡问题，并通过智慧能源网及时响应用户需求，实现能源点对点交易。通过智能分析实时的能源产、输、用情况，开展故障判断、预测性维护，提高能源利用效率和安全稳定运行水平。将能源生产、输送和消费协调匹配，通过“虚拟电厂”提供以用户侧为导向的能源服务，整合能源，对全环节进行最优调节和高效管理，实现多种能源的综合利用，达到安全、高效、绿色、低碳的能源使用效果。引入传感技术、云平台技术、区块链技术和物联网技术等，对区域内设备状态、用户特征、用能负荷等进行分析挖掘和智能预测，加强能源全产业链的信息对接和深度交互，加速能源数字化、智慧化进程，通过互联网 + 人工智能模式形成数字化能源托管，建立智慧能源管理中心，实现能源生产到消费的全周期智慧化管理。

参考文献

[1] 中国电力企业联合会. 中电联发布2023年度全国电力供需形势分析预测报告[EB/OL]. (2023-01-19). https: //www. cec. org. cn/detail/index. html?3-317477.

[2] 中国自动化学会发电自动化专业委员会，电力行业热工自动化技术委员会. 智能电厂技术发展纲要[M]. 北京：中国电力出版社，2016.

[3] 中国自动化学会发电自动化专业委员会. 火电厂智能化建设研究与实践[M]. 北京：中国电力出版社，2022.

[4] 刘吉臻，胡勇，曾德良，等. 智能发电厂的架构及特征[J]. 中国电机工程学报，2017, 37(22): 6463-6470.

[5] 刘吉臻，王庆华，房方，等. 数据驱动下的智能发电系统应用架构及关键技术[J]. 中国电机工程学报，2019, 39(12): 3578-3586.

[6] 王梦溪，周迪，刘新建. 核电厂概率安全目标发展概述[J]. 核安全，2016, 15(03): 8-13.

[7] 许勇，蔡云泽，宋林. 基于数据驱动的核电设备状态评估研究综述[J]. 上海交通大学学报，2022, 56(03): 267-278.

[8] 张俊涛，程春田，于申，等. 水电支撑新型电力系统灵活性研究进展、挑战与展望[J]. 中国电机工程学报，2024, 44(10): 3862-3885.

[9] 刘畅，卓建坤，赵东明，等. 利用储能系统实现可再生能源微电网灵活安全运行的研究综述[J]. 中国电机工程学报，2020, 40: 1-18.

[10] 谢小荣，马宁嘉，刘威，等. 新型电力系统中储能应用功能的综述与展望[J]. 中国电机工程学报，2023, 43(1): 158-169.

[11] 陈海生，李泓，马文涛，等. 2021年中国储能技术研究进展[J]. 储能科学与技术，2022, 11(3): 1052-1076.

[12] 郭鸿. 新型储能技术的现状与趋势展望[J]. 集成电路应用，2023, 40(3): 254-255.

[13] 刘英军，刘亚奇，张华良，等. 我国储能政策分析与建议[J]. 储能科学与技术，2021, 10(04): 1463-1473.

[14] 周志超，王成山，郭力，等. 变速变桨距风电机组的全风速限功率优化控制[J]. 中国电机工程学报，2015, 35(08): 1837-1844.

[15] 于洋，徐政，徐谦，等.永磁直驱式风机采用混合直流并网的控制策略[J].中国电机工程学报，2016, 36(11): 2863-2870.
[16] 葛畅，阎洁，刘永前，等.海上风电场运行控制维护关键技术综述[J].中国电机工程学报，2022, 42(12): 4278-4292.
[17] 乔延辉.风电场运维效能评价方法研究与系统开发[D].北京：华北电力大学，2023.
[18] 张波，高远，王磊，等.考虑光伏电源可靠性的配电网无功电压调控策略[J].高电压技术，2023, 49(07): 2775-2784.
[19] 杨婧颖，张明敏，秦照函，等.考虑分布式光伏和储能参与的配电网电压分层控制方法[J/OL].电力科学与技术学报：1-10[2023-05-20].
[20] 杜尔顺，张宁，康重庆，等.太阳能光热发电并网运行及优化规划研究综述与展望[J].中国电机工程学报，2016, 36(21): 5765-5775.
[21] 王金平.槽式太阳能光热电站关键技术及运行特性的研究[D].南京：东南大学，2017.
[22] 王奔，牛洪海，徐卫峰，等.基于PLC的槽式光热太阳能追踪控制系统的研究与应用[J].中国电力，2020, 53(11): 185-194.
[23] 薛福，马晓明，游焰军.储能技术类型及其应用发展综述[J].综合智慧能源，2023, 45 (09): 48-58.
[24] 吴斌，李睿，李季，等.压缩空气储能的定位与发展[J].发电设备，2023, 37 (05): 283-286.
[25] 关新，吴世玮，解雨琪，等.储能技术在新能源电力系统中的应用分析[J].蓄电池，2023, 60(04): 181-185.
[26] 杨闯，朱曙荣，边技超，等.新型物理储能技术路线分析[J].电站辅机，2023, 44 (02): 10-15.
[27] 陈海生，李泓，徐玉杰，等.2022年中国储能技术研究进展[J].储能科学与技术，2023, 12(05): 1516-1552.
[28] 龚一平，王晨晖，修晓青，等.大规模储能技术及多功能应用研究综述[J].供用电，2023, 40(02): 68-77.
[29] 孙浩程，魏厚俊，胡鋆，等.电化学储能技术在火电厂中应用研究综述[J].南方能源建设，2022, 9(04): 63-69.

本章负责人　贾廷纲　上海电气集团股份有限公司

参加编写人员　王庆东　沈玉玲

第2章　冶金自动化

冶金就是从矿石和社会废弃金属物中提取金属或金属化合物，用各种加工方法将金属制成具有一定性能的金属材料的过程和工艺。冶金行业是制造业的重要基础产业之一，是实现制造强国的重要支撑。冶金行业按照产品大类分为钢铁行业和有色金属行业。钢铁主要指生铁、钢和铁合金等黑色金属，有色金属主要包括铜、铝、铅、锌、镍、锡、锑、汞、镁、钛10种常用有色金属（其中最主要的是铜、铝、铅、锌四大品种，合计产量占95%左右），以及钨、钼、锂、黄金、锆、铟、锗、镓、钴等主要稀贵金属。

2.1 钢铁行业自动化

2.1.1　钢铁行业运行情况

（1）2021年钢铁行业运行情况

2021年，钢铁行业积极应对国内外需求形势变化，努力克服原燃材料价格高位运行、环保等成本大幅上升诸多困难，行业总体运行态势良好，符合政策导向与市场预期，为满足下游行业用钢需求和保障国民经济持续恢复作出了突出贡献。

2021年，钢铁行业继续深化供给侧结构性改革，进一步巩固钢铁去产能成果，推动行业绿色低碳转型，积极应对国内外需求形势变化，积极保供稳价，维护产业链供应链安全稳定，行业总体运行态势良好，为行业高质量发展奠定了良好基础。

① 粗钢产量前高后低，累计实现同比下降。上半年，受国内外需求拉动，全国累计粗钢产量563Mt，同比增长11.80%，创同期历史新高。下半年，随着国家调控政策的落实，钢铁产量过快增长得到有效遏制。自7月以来，粗钢产量连续6月保持同比下降。全年累计粗钢产量1033Mt，同比减少约3200万吨，下降3.0%。累计粗钢表观消费量约992Mt，同比下降5.3%。

② 铁矿石价格上半年持续冲高，下半年震荡回落。上半年进口铁矿石价格大幅上涨，5月12日达到历史最高点230.59美元/t，极大偏离了供需基本面，严重影响了钢铁行业稳定运行。下半年随着钢铁产量下降带动铁矿石需求减少，铁矿石价格明显回落。全年累计进口铁矿石1120Mt，同比下降3.9%，均价为164美元/t，同比上涨55.3%。

③ 钢材价格波动上行，四季度开始高位回调。2022年以来，受铁矿石、焦煤等原燃料价格大幅上涨影响，上半年钢材价格一路走高，5月中旬国内钢材综合价格指数达到174.81点，创历史新高。随后钢材价格高位回调，尤其是四季度以来，受需求减少等影响，钢材价格大幅下滑。至2021年末，国内钢材综合价格指数131.70点，较2021年最高点下降24.7%。

（2）2022年钢铁行业运行情况

2022年中国钢铁转型升级不断加速，产业链水平持续提升，绿色发展成果大量涌现，高质量发展之路越走越快，越做越实。

2022年以来，经济下行压力加大，导致钢铁行业需求下降；多项地产利好政策出台，但市场回稳需要一定周期，短期内钢材需求仍呈弱势，供需结构将继续优化。行业内企业兼并重组趋势延续，未来行业集中度将进一步提高。

① 钢铁产量有所下降。2022年，我国粗钢产量10.18亿吨，比上年下降1.7%，连续两年下降，降幅比上年收窄。从分月情况看：1～5月粗钢日产逐月上升，5月达到年内高点，6～7月下降、8～9月上升、10～11月下降，11月降至年内低点，12月略有回升。除8～11月日产水平高于上年同月外，其余各月均同比下降。从各大区情况看：中南地区粗钢产量比上年增长2.4%，华北、东北、华东、西南和西北地区均下降，其中华北、西北和东北地区降幅较大，分别下降5.5%、4.8%和2.3%。华北地区占全国粗钢产量的31.9%，比上年下降1.1个百分点；华东和中南地区占全国粗钢产量的比重分别为31.1%和16.6%，比上年分别上升0.7和0.4个百分点。

② 钢材出口基本持平，进口出现明显下降。2022年，出口钢材6732万吨，比上年增长0.9%，进口钢材1057万吨，下降25.9%。受国际市场价格较高拉动，我国钢材进出口价格均比上年上涨，其中出口均价为1434美元/吨，上涨17.7%，进口均价为1617美元/吨，上涨23.2%。从分月情况看，2022年我国钢材出口增量集中在二季度，5、6月份出口量在750万吨以上，三季度开始，外需下滑对出口的拖累作用明显，出口增速放缓，钢材出口量连续4个月下滑，单月出口量较峰值下降35.8%。钢材单月进口量低位运行，频创历史新低。从出口结构看，我国钢材出口以板材为主。

③ 燃料价格大幅上涨，企业效益大幅下降。受全球通胀压力上升、国际大宗商品价格波动加剧影响，钢铁生产用燃料价格大幅上涨。钢协统计数据显示，2022年，对标钢铁企业炼焦煤采购成本比上年上升24.9%、喷吹煤采购成本上升24.3%，对钢铁企业降本增效形成很大压力。2022年，重点统计会员钢铁企业营业收入比上年下降6.35%，实现利润下降72.27%。

④ 产能利用率有所下降，产业集中度进一步提高。2022年，黑色金属冶炼和压延加工业产能利用率76.3%，比上年下降2.9%，但仍高于工业、制造业平均水平。表明钢铁行业的市场需求虽比上年有所下降、单位产品的固定成本比上年有所上升，但供需平衡状态仍优于大部分制造业行业或大部分工业行业。在新的发展环境下，钢铁企业联合重组是提高产业集中度、化解过剩产能、改善市场秩序、促进行业转型升级的重大基础性政策措施。2022年，钢铁行业联合重组继续推进，我国钢产量排名前10位的企业产量合计占全国钢产量的42.8%，比2021年提高1.4个百分点，排名前20位的企业产量合计占全国钢产量的56.5%，提高1.6个百分点。

⑤ 融资结构明显改善，用工人数有所减少。2022年，尽管钢铁行业经济效益出现大幅下滑，但资产状况仍保持良好状态。钢铁企业努力克服困难，持续优化资产债务结构，努力保持资产负债率处于合理水平。2022年末，会员钢铁企业的资产负债率61.7%，比上年末上升0.5个百分点。在金融机构的大力支持下，积极改善融资结构，长期借款大幅增加，短期借款逐月下降。2022年末，会员钢铁企业长贷比升至55.9%，比上年末上升8.9个百分点。2022年，黑色金属冶炼和压延加工业平均用工人数196.7万人，比上年减少8.9万人，下降4.3%，低于工业平均用工人数降幅2.5个百分点。

⑥ 制造成本小幅下降，钢材价格大幅回落。2022年，在燃料价格大幅上涨的情况下，各钢铁企业大力开展降本增效活动，会员钢铁企业钢铁产品制造成本均小幅下降，其中炼

钢生铁制造成本比上年下降4.6%。主要钢材品种中，三级钢筋和非合金线材制造成本降幅在5%左右，板材产品降幅相对较小，热轧薄宽钢带和冷轧薄宽钢带制造成本降幅在2.5%左右。2022年，由于需求下降，CSPI中国钢材价格综合指数年度平均值为122.78点，比上年下降13.55%。其中，长材价格指数平均值为128.33点，下降12.01%，板材价格指数平均值为121.40点，下降14.18%。国际市场钢材价格受俄乌战争以及美联储加息等因素影响冲高回落。据CRU（英国商品研究所）发布的统计数据，2022年国际钢材价格平均指数为268.8点，比上年下降28.1点，降幅为9.45%。

（3）2023年钢铁行业运行情况

2023年，全国规模以上生铁产量8.71亿吨，粗钢产量10.19亿吨，钢材产量13.63亿吨。生铁、钢材、国产铁矿石、焦炭和铁合金等主要冶金产品产量均比上年增长。

2023年，钢材出口9026万吨，比上年增长36.2%；进口钢材765万吨，下降27.6%；净出口钢材8262万吨，增长45.6%。进口钢坯327万吨，比上年下降48.8%；出口钢坯328万吨，增长219.2%。

2023年末，钢铁协会重点企业钢材库存量较上年末下降5.3%；较2023年1 月上旬下降17.0%。2023年末，钢材社会库存较上年末下降3.1%；较2023年1月上旬下降13.8%。从2023年各旬社会库存情况看，钢材社会库存总体低于上年同期水平。

（4）2024年钢铁行业运行情况

2024年，钢铁产量同比下降，国内消费持续下降。2024年全国累计生产粗钢10.05亿吨，同比下降1.7%；折合粗钢表观消费量8.92亿吨，同比下降5.4%。整体看，钢铁消费降幅明显大于产量降幅，市场供强需弱的态势未改。

2024年，钢材出口数量增长，出口金额下降。据海关总署公布的数据，2024年我国累计出口钢材1.11亿吨，同比增长22.7%；累计进口钢材682万吨，同比下降10.9%；折合粗钢净出口约1.13亿吨，同比增长31.5%，达到历史最高水平。

2024年，经初步统计，重点统计钢铁企业平均销售利润率0.71%。12月末，重点企业资产负债率为62.72%。

2024年，环保指标持续改善，环境绩效进一步提升。重点统计企业吨钢综合能耗549.68千克标煤，同比下降0.61%；废气中SO_2、颗粒物、NO_x排放量同比分别下降12.23%、9.84%、10.22%。

2.1.2 钢铁行业自动化应用现状

2023年，全国规模以上生铁产量871Mt，粗钢产量1019Mt，主要冶金产品产量均比上年增长。钢铁企业积极推进数字化、智能化转型，形成包含智慧生产、质量管控、设备运维、无人库区、安环消防多业务集成的平台管控架构，实现了生产效率提高、能效水平提升、质量稳定性提高、员工劳动强度降低。

随着供给侧结构性改革的推进，钢铁工业去产能、调结构、促升级取得明显成效，产能严重过剩矛盾有效缓解，经营效益大幅回升，两化融合发展水平不断增强，企业市场竞争力明显提高。供给侧结构性改革推动了钢铁工业脱困发展，为转型升级、实现高质量发展打下坚实基础。但钢铁行业依然存在着资源与能源利用率偏低、产品结构和产能有待优化、高端制造能力发展滞后、安全环保水平有待提升等问题，未来发展还面临更为严峻的资源、市场、环保、竞争等重大挑战，亟需通过智能制造先进技术和装备的场景应用，提升行业的绿色环保、安全保障、生产效率。

随着国家大力推进智能制造，钢铁企业纷纷投入大量资金实施数字化、网络化、智能化项目，特别是近10年来，每年都有近百亿的专项投资用于数字化改造升级。通过行业各方共同努力，我国钢铁工业的智能制造发展取得长足进步，整体的生产过程自动化水平明显提升，大型企业基本完成了基础自动化、过程控制、制造执行、企业管理、决策支持五级信息化系统建设；信息化应用全面覆盖各业务领域，已从生产制造环节延伸到服务性环节，从企业内部延伸到下游产业链；优势企业已经初步实现全流程各工序数字化、信息化，正积极推进全面智能化，炉火通明的钢铁制造正向智能制造的“黑灯工厂”迈进。2021—2022年，宝武、鞍钢、首钢、南钢、石钢、唐钢、永锋临港、建龙、中天等公司的18个智能工厂项目、37个典型场景应用，入选了国家智能制造示范工厂揭榜单位名单和优秀场景名单，30余项案例入选工业互联网试点示范、工业互联网平台创新领航应用案例等工信部各类示范项目名单。钢铁行业的信息化、工业化、数字化融合基础基本建立健全，为钢铁行业智能化质的飞跃孕育了新动能。

2.2 》 钢铁行业自动化新技术、新成果

2020年至2023年，冶金自动化技术相关冶金科技进步奖（二等奖以上）有45项，其中特等奖1项，一等奖26项，二等奖18项，详见表3-2-1。

表3-2-1 2020—2023年冶金自动化技术相关冶金科技进步奖（二等奖以上）

年份/年	编号	项目名称	获奖等级
2020	2020216	热连轧超高强钢产业化关键技术研究与应用	1
	2020225	高端装备用双相不锈钢无缝钢管系列关键工艺技术开发及工程应用	1
	2020179	特殊高合金钢品种冶炼及连铸关键技术开发与应用	1
	2020197	超薄宽幅高品质冷轧板带工业化生产关键技术开发	1
	2020257	柔性化45m/s高速棒材关键技术与装备的开发及应用	1
	2020042	面向多品规高精度轧制的CSP过程控制系统关键技术	1
	2020037	基于深度学习的热轧带钢表面在线检测与质量评级	1
	2020224	冶金材料成分定量检测与分布表征的ICP分析仪器开发与推广应用	1
	2020220	钢铁多流耦合分布式能源技术研究与应用	1
	2020163	首钢转炉炼钢高效复吹技术开发与应用	2
	2020033	高精度中厚板关键技术及纵向变厚度轧控模型研发与集成	2
	2020144	新一代钢铁流程智能制造研究与应用	2
	2020005	3500mm炉卷轧机高精度轧制过程控制技术研究及应用	2
	2020187	热轧高强薄带高效稳定生产的设备保障技术	2
2021	2021186	热轧无缝钢管在线组织性能调控关键技术、装备开发及应用	特
	2021233	高效薄带铸轧稳定化生产关键技术创新及应用	1
	2021192	连铸无人浇钢技术开发与应用	1

续表

年份 / 年	编号	项目名称	获奖等级
2021	2021066	高品质冷轧带钢精整核心装备及关键技术开发与应用	1
	2021270	1780mm 冷连轧机组交直交传动系统的研发和应用	1
	2021167	钢 - 轧过程产品质量智能管控技术与平台	1
	2021058	高品质合金钢铸坯表面质量关键控制技术	2
	2021041	基于 CPS 架构的钢铁联合企业电网智能管控平台研究与应用	2
	2021219	大宗散料处理与储配智能化关键技术研究及产业化应用	2
	2021288	基于机器视觉的废钢等级智能识别技术及应用	2
2022	2022095	基于机器视觉的宽厚板轮廓及板形 CPS 智能制造技术研发与应用	1
	2022116	钢铁制造过程能效评估及优化控制关键技术开发与应用	1
	2022284	钢铁行业设备智能运维系统解决方案研究及应用	1
	2022066	长材（棒线材）库区智能化管控关键技术及装备	1
	2022077	大型带钢冷连轧机整辊无线智能板形测控系统的研制与应用	2
	2022248	首钢京唐热轧数字化智能制造系统	2
	2022128	一种融合业务组织与冶金流程的新一代集控中心	2
	2022143	钢铁联合企业数字化网络化能源管控系统开发与应用	2
2023	2023199	中国宝武工业互联网平台研究与开发	1
	2023093	超洁净度高均质化厚板坯的高效制造关键技术开发与应用	1
	2023128	热轧无缝钢管智能工厂关键技术及装备	1
	2023088	高精度冷连轧数字孪生与信息物理系统（CPS）关键技术研发及应用	1
	2023185	智能化高炉关键技术研发与应用	1
	2023225	钢铁流程多工序协同优化和系统能效提升技术	1
	2023207	热连轧智能工厂高效集约生产和精益管控技术创新	1
	2023071	基于 BIM 和 GIS 的数字孪生钢厂建造与安全管控关键技术研究及应用	1
	2023144	高端线材全流程数字化仿真及质量性能控制关键技术	2
	2023049	超高强钢制备过程残余应力控制关键技术及应用	2
	2023220	金属材料数字化研发平台构建及应用	2
	2023190	冷轧“黑灯工厂”高效生产关键技术研究和集成创新	2
	2023009	热轧带钢卷形控制技术的应用	2

以下按生产过程控制、生产管理控制和企业信息化三个层面介绍近年来取得的主要进展。

2.2.1 生产过程控制

将工艺知识、数学模型、专家经验和智能技术结合起来，应用于炼铁、炼钢、连铸和轧钢等典型工位的过程控制和过程优化。

① 面向多品规高精度轧制的CSP过程控制系统在线改造关键技术（2020年冶金科学

技术奖一等奖）。针对以CSP流程为代表的薄板坯连铸连轧产线存在的共性问题，从加热炉智能燃烧系统、高精度轧线过程控制模型、兼顾全幅宽和多目标的板形综合控制技术、新一代过程控制系统集成技术等方面开展了系统的理论和应用研究。项目成果在马钢、涟钢、邯钢、包钢等多家企业实现了示范应用，并推广至多条常规热连轧产线，经济和社会效益显著，打破了国外公司在此领域的长期垄断，标志着我国具备了自主完成薄板坯连铸连轧过程控制系统的研发能力，推动了宽带钢热连轧关键共性技术的持续进步。

② 基于机器视觉的宽厚板轮廓及板形CPS智能制造技术研发与应用（2022年冶金科技进步奖一等奖）。项目聚焦“组板-轧制-剪切”3个关键工序，在行业内首次明确了多工序协调优化机制及其所需要解决的科学问题。应用研制的轮廓和板形检测仪器装置实现了热轧工序关键质量数据在线感知，解决了CPS信息物理系统构建、“数据+机理”模型双驱动外观尺寸控制模型、多工序协调优化决策等多个技术难题，形成了宽厚板制造过程多工序高效协同的原创性技术，宽厚板外观尺寸精准控制能力明显增强，产线多工序协调优化控制水平得到大幅提升。

③ 1780mm冷连轧机组交直交传动系统的研发和应用（2021年冶金科技进步奖一等奖）。本成果针对大型冷连轧机高频率、高精度和高动态响应技术要求的难题，提出基于电压重构状态观测器的同步电机磁场定向控制系统，提高了交直交变频调速系统的稳态和动态性能，满足了冷连轧机传动的技术指标。针对国际上IGCT器件过电流保护困难的难题，国际首创了基于IGCT状态反馈快速检测技术和故障预判断方法，实现了器件失效、变频器短路等故障的有效保护，提高了系统的可靠性。建立了基于IGCT多电平变频装置的机-电-热多物理场耦合模型，研制了兼容多种电路拓扑的功率模组和交直交变频装置，效率高、维护方便，功率密度比达到国际先进水平。研制了基于云计算互联网的信息监测和智能运维系统，提高了大功率变频系统的运行可靠性，降低了企业的运维成本。各项成果已陆续在高线、无缝钢管、热连轧机的主传动上推广应用，并应用于国家重大工程西气东输大型压缩机变频装备，实现了大型冷连轧机组交直交变频调速传动装备国产化，标志着我国在冶金轧钢高端传动装备领域跨入世界先进行列，经济和社会效益显著。

④ 宝钢连铸动态二冷轻压下全自动控制模型在线应用。动态二冷轻压下控制是连铸过程的核心控制模型，有利于解决铸坯表面裂纹、减轻板坯中心偏析等质量问题，是高质量铸坯生产的关键控制技术。国内外关于动态二冷轻压下控制模型的研究应用一直没有间断，通过深入融合产品工艺、质量、装备和控制，以PT为代表的国外动态二冷轻压下控制模型已经发展成为平台性模型技术，引进成本非常高。本项目自主完成了新一代的连铸动态二冷轻压下全自动控制模型，并成功在线稳定应用，实现了连铸准备、插入、保持、铸造、引拔等所有生产过程，以及连铸、中间包更换、滞坯、漏钢降速等特殊场景下的动态二冷轻压下全自动控制。新模型系统实现了过程控制、产品工艺和设备状态的高度融合，包含了材料、工艺配置、控制决策、智能优化等数10个子模型，通过数字化设计，提供开放的框架，在实现生产控制的同时，也为工艺设计、仿真和优化提供了工具软件。新模型系统的投用，显著提高了连铸过程全自动控制能力、提升产品质量并解放操作人员工作强度，促进模型系统可持续优化、连铸制造能力持续提升，经济效益和社会效益显著。

2.2.2 生产管理控制

主要研究生产物流跟踪、计划调度、质量控制、数据模型、设备维护、能源调控、生产安全和能源环保等技术，研发制造执行系统（MES）和能源管理系统（EMS）等生产管控系统，以及智能制造技术在钢铁行业的研究和应用所产生的黑灯工厂、智能工厂等最新尝试，实现高质、高效、绿色低碳生产。

① 基于深度学习的热轧带钢表面在线检测与质量评级（2020年冶金科学技术奖一等奖）。项目突破了特殊光路设计、图像高速采集、海量数据实时处理、复杂背景图像识别等关键技术，采用深度学习算法，缺陷检测指标达到国际领先水平，应用于韩国浦项、太钢、马钢等近20条热轧带钢生产线，部分生产线的应用替代了国外表检系统，为深度学习方法在工业领域的应用提供了重要案例，对提升我国高端板带产品的表面质量和市场竞争力具有重要意义。

② 钢铁制造过程能效评估及优化控制关键技术开发与应用（2022年冶金科技进步奖一等奖）。本技术成果面向钢铁工业深度节能减排的重大需求，将数据分析处理技术、信息软件技术与钢铁工业特点相结合，在分析钢铁生产全流程能效的基础上，重新构建了基于精细化理念的能效评估及诊断技术体系；选择部分典型高耗能过程作为应用场景，开发了相应的能效优化控制技术，并从系统节能的角度出发，开发了全局级能源协同平衡和优化调度技术，不仅为定量化分析钢铁企业能效水平、挖掘节能潜力和改进低能效的生产要素提供了必要理论支撑，也为钢铁企业典型高耗能过程和全局级能效提升提供了实用性技术；攻克了阻碍钢铁能效提升的关键问题，开发了具有自主知识产权的能效评估诊断及优化软件系统。

③ 长材（棒线材）库区智能化管控关键技术及装备（2022年冶金科学技术奖一等奖）。针对难变形金属材料热导率低、热加工范围窄的问题，开发了温度波动范围±50℃内的近恒温轧制方法，以及最短轧制间歇4s和最优速度控制技术和装备，开创难变形金属“一火成材”高效轧制新模式，在笔尖钢、镍基合金、钛合金等领域成功应用，取得了钛合金盘卷单重由70kg到227kg的历史性突破，占领了笔尖钢80%以上的市场份额，实现了难变形金属的高一致性和高稳定性连续生产。通过对不同材料热加工图的研究，合理运用变形程度、变形速度、轧制周期等因素，有效控制变形过程的温度场，开发了成套近恒温轧机技术和装备，实现了$\phi5.5$～16mm线材和$\phi10$～100mm棒材的批量生产。针对大断面坯料铸态组织塑性差，消除铸态组织及晶粒细化难的问题，创新提出大规格难变形金属材料“免锻直轧”的高效轧制生产模式，取得了最大直径900mm圆锭轧出直径85～350mm成品的世界纪录，实现了大规格产品“以轧代锻”的新突破。针对大断面难变形金属材料轧制装备和电控系统落后的问题，开发出世界最大的850横移可逆轧制成套装备，和全流程智能电控系统。为突破传统锻造生产模式、实现难变形金属材料高效生产提供了先进的装备保障，经检验轧制精度优于1/3DIN，达到国际先进水平。

④ 基于大数据一体化管控平台及大规模集控的铁区智能制造技术。该技术首次开发了以高炉高效低耗为中心的铁区一体化智能管控平台，建立了“仿真模拟-过程模型-大数据挖掘-反馈控制”的技术架构，开发了跨工序数据融合、耦合计算、智能联动的一系列数学模型，实现了铁区生产从传统的“原料、烧结、焦化、高炉工序”分散管控向一体化管控的转变，建立了多种数据存储机制、分布式缓存数据库、跨工序跨系统的主题仓库，开发了信息高度融合和扁平化架构的铁区大数据中心，首次实现了35万点以上数据采集，同时支撑上千个计算任务的高效运行，为一体化智能管控平台的稳定运行奠定了基础；首次通过技术创新实现了铁区生产组织的扁平化变革，创新了管控模式。42个中控室合为1个，操作岗位精简40%，作业区数量精减60%，取消分厂6个，推行“厂管作业区”模式，提

高了劳动生产效率，创新了铁区生产组织模式。研发并建立了以智能控制架构、安全控制系统、三电综合保障技术为核心的集控技术，在行业内首次实现远程、跨工序的大规模远距离安全集中操作控制。该成果总体达到“国际领先水平”。

2.2.3 企业信息化

研究企业资源计划（ERP）、客户关系管理（CRM）和供应链管理（SCM）关键技术，优化项目管理，为企业运营管理提供决策支持，实现产供销一体化和上下游供应链协同优化。

① 高精度冷连轧数字孪生与信息物理系统（CPS）关键技术研发及应用（2023年冶金科技进步奖一等奖）。该项目融合冷轧机理与大数据/机器学习等数据科学，针对冷轧生产过程板形、厚度等质量控制的关键难题，建立了冷连轧数字孪生与信息物理系统并工业应用，打破了国外技术垄断，突破了冷连轧高精度控制核心的共性难题。该成套技术的成功研制将大数据、数字孪生、CPS等技术与钢铁行业深度融合，为冷轧生产主流程安装了工业大脑，对高精度冷轧智能制造的落地起到了典型的引领示范作用。

② 可重构互操作冶金机理模型库及集成开发管理平台。以冶金工业机理模型库建设为核心，开展机理模型库的开发、集成和工程化应用，将冶金行业领域的工业原理、技术、工艺、知识等进行数字化、软件化，封装为可重复使用、互操作和跨平台调用的组件，支撑基于工业互联网平台的冶金工业物料配方优化、生产过程管理、设备故障诊断、工艺流程优化、产品质量控制和服务效能提升。建立冶金工业机理模型集成开发环境和开发者社区，降低开发门槛和开发成本，汇聚海量开发者，提高开发、测试效率。建立完整的冶金工业机理模型分类体系、精准搜索引擎和审核评价机制，实现模型库的高效管理。同时将工业机理模型在第三方工业互联网平台和冶金企业进行应用推广。开发完成了钢铁工业机理模型1068个，有色冶金机理模型1146个，所有模型入模型库并按照流程、工序、设备三个层次和功能维度实现了分类。构建了机理模型集成开发环境IDE，提供平台线下开发模型导入、平台线上代码开发和平台线上图形化组态开发三种方式，线下开发支持C、C++、C#、Java、Python等多种语言。构建了开发者社区的生态支撑环境，冶金机理模型库已在10个第三方工业互联网平台实现了模型集成部署和服务调用，同时在31家冶金企业获得了推广应用，夯实了我国冶金工业机理模型和应用软件的开发基础，创造了基于工业互联网平台的冶金工业机理模型开发和部署新业态，实现经济效益达2.8亿元。该项成果整体达到国际先进水平，多语言、低代码、图形化的冶金机理模型集成开发平台和冶金机理模型知识图谱达到了国际领先水平。

③ 钢铁行业智能制造标准试验验证公共服务平台。通过建设基于工业互联网的钢铁行业智能制造标准试验验证公共服务总平台与6个试验验证分平台，形成资源分享、任务协同的服务体系，为钢铁行业智能制造标准全生命周期提供“一站式”公共服务。通过平台实现钢铁行业智能制造相关数据与知识的平台化沉淀。通过平台的生态服务能力以及中国钢铁协会的行业影响力，建设钢铁行业智能制造标准的生态圈，形成技术供给、验证服务、推广应用、供需对接的价值衍生链。以平台提供的公共服务为纽带，培育一批优秀的钢铁行业智能制造系统解决方案供应商，遴选一批优秀的钢铁行业智能制造标准应用实施案例，促进钢铁行业智能制造知识产权的成果转化。通过平台提供的试验证资源协同服务、知识共享服务、宣贯培训服务等，促进智能制造标准研制、检测评定等专业化人才队伍建设。

④ 基于工业互联网的钢铁企业智慧能源管控系统。针对钢铁企业能源管控中心功能单一，管而不控，无法满足能源管理数字化、网络化、智能化发展需要的问题，充分利用大数据、云计算、人工智能、知识图谱、5G等新一代信息技术，基于“精钢”工业互联网平台实现能源生产全站所室远程操控，物质流、能源流、信息流全维度数据融合，能源知识显性化、模型化、图谱化，全系统能耗动态评价优化，多时空尺度能源流预测及耦合优化，生产与能源计划调度一体化优化，全流程碳排放核算与分析等能源全生命周期智能服务，通过云边端协同的方式建立适用于具有自感知、自分析、自决策、自优化控制能力的钢铁企业智能化能源管控系统及工业软件，达到实时全面了解钢铁企业能源全生命周期管理和应用现状，诊断能源应用各环节出现的异常问题，预知能源流产生和消耗的变化趋势，提出能源综合优化方案，进而有效减少能源介质放散损失，提高能源介质的相互转化效率，降低企业能源成本，实现能源价值最大化的目的。

2.2.4 企业智能化

下面着重介绍钢铁行业企业实现智能化的关键技术，如智能监测技术、智能控制技术以及智能决策技术。

2.2.4.1 高炉炼铁过程运行状态智能监测技术

近年来，随着工业4.0和数字化转型的推进，高炉炼铁过程中的数据量迅速增长，这为智能监测技术的应用提供了强有力的支持。高炉炼铁过程具有流程复杂、变量众多、工况多变的特点，其数据特性表现为高维度、非线性、非平稳性以及强相关性。这些特性既为智能监测技术的应用带来了挑战，也蕴藏着巨大的发展潜力。针对这些数据特性，智能监测技术主要采用多元统计分析、传统机器学习、无监督深度学习和有监督深度学习等方法。

（1）高炉炼铁过程多元统计分析的运行状态智能监测技术

高炉炼铁过程的数据变量众多、关联性强，且数据分布特性复杂。多元统计分析以其对小数据集的敏感性和高效性，在早期监测技术中占据重要地位。主成分分析（PCA）通过降维分析提取关键特征，能够有效识别生产中的异常状态，如炉温波动或成分偏差。典型相关分析（CCA）擅长挖掘高炉炼铁过程变量间的关联性。平稳子空间分析（SSA）通过处理非平稳工况数据，能够提取关键特征用于动态高炉炼铁过程监测。

（2）高炉炼铁过程机器学习的运行状态智能监测技术

高炉炼铁过程具有设备多样和操作复杂，且不同工况间边界模糊不清的特点，这为传统机器学习方法提供了应用空间。支持向量机（SVM）在高炉炼铁过程中，尤其是在设备故障监测和生产状态分类中表现出色，可用于区分正常生产状态与异常状态；图模型通过建立变量之间的关系网络，能够在复杂数据场景下进行鲁棒建模，尤其适用于高炉炼铁过程中非高斯分布的变量建模与工况变化分析。

（3）高炉炼铁过程无监督深度学习的运行状态智能监测技术

高炉炼铁过程的数据具有高维度、动态特性和复杂非线性关系，如高炉炼铁过程中的炉温、压力以及成分变化等参数。自编码器（AE）通过编码与解码的网络结构，能够自动提取高炉生产中的非线性特征，用于识别异常工况；门控循环单元（GRU）则凭借其在时间序列数据建模中的优势，可实时监控生产过程中动态变量的趋势变化。

（4）高炉炼铁过程有监督深度学习的运行状态智能监测技术

高炉炼铁过程的运行状态监测和故障诊断常面临故障数据稀缺的问题，而这对高效建模提出了更高要求。生成对抗网络（GAN）通过生成高真实性的伪样本显著扩展了故障数据集，其生成器与鉴别器的对抗机制使得生成样本与真实数据高度相似。迁移学习（TL）则通过知识迁移技术，将已有的高炉炼铁故障监测模型经验快速迁移到新领域，从而实现跨设备、跨工况的故障诊断，使得智能监测模型能够快速适应不同炼铁生产条件。

2.2.4.2 高炉炼铁过程智能控制技术

针对高炉炼铁过程复杂特性，可构建分层协同多级闭环高炉炼铁智能控制方案，结合递推子空间辨识的铁水质量预测控制与深度学习辅助的烧结矿预测控制等技术，实现高炉炼铁过程高性能智能运行控制。

（1）高炉炼铁过程分层协同多级闭环智能控制技术

针对高炉炼铁过程物化反应复杂，长流程多工序耦合，原料动态多变给协同控制带来的难题，相关研究人员提出了分层协同与多级闭环的高炉炼铁过程智能控制策略，包括协调优化层、先进控制层和单元回路控制层。其中，协调优化层包括多工序协同决策层和工序内多参数决策层，多工序协同决策层根据炼铁生产质量、产量、能耗和排放需求，通过多目标智能优化，主要解决烧结和高炉工序之间性能指标的协调决策；工序内多参数决策层主要解决铁矿石烧结与高炉冶炼等工序内部多操作参数系统优化。先进控制层包括烧结终点运行控制、烧结氧化亚铁含量控制、高炉布料矩阵优化控制、铁水质量优化控制等。单元回路控制层包括烧结台车速度、风箱负压、高炉热风温度、热风压力、喷煤量等关键工艺参数的稳定控制。此外，还设计了数字孪生系统进行控制功能完整性校验和控制算法选择优化，实现多目标智能协同控制。

（2）递推子空间辨识在线建模的铁水质量预测控制技术

针对高炉炼铁过程大滞后、强非线性、强耦合、动态时变等特点给铁水质量高精度控制带来的挑战性难题，相关研究人员提出一种模型参数能随工况变化自适应更新的递推子空间辨识（R-SI）方法，建立了基于R-SI在线建模的铁水质量自适应非线性预测控制模型。首先，通过定义扩展输入和系统矩阵，构建推广Hankel矩阵，将原始辨识问题转变为直接求解用于构建数据驱动输入输出模型的子空间参数矩阵，降低了计算复杂度，然后引入遗忘因子的递推算法进行参数矩阵的实时更新，最后，将递推双线性子空间辨识铁水质量预测模型用于预测控制器设计，研发了包括R-SI预测模型、序列二次规划算法、在线反馈校正、模型参数自适应更新等功能模块的铁水质量非线性预测控制器，有效提升了铁水质量的预测精度与控制能力。

（3）深度学习辅助典型变量分析的烧结终点预测控制技术

高炉炼铁的前序烧结过程内在机理复杂多变，操作变量与烧结矿质量间显性关系难以构建。典型变量分析（CVA）是常用的多变量过程建模方法，然而其无法挖掘高维空间中的非线性特征。为此，相关研究人员提出了深度学习辅助CVA的烧结预测控制技术，通过深度学习模型对延迟输出和当前输入的组合进行非线性映射，并将该非线性算子积分到线性状态空间模型中。基于Hankel矩阵并根据广义CVA优化目标，搜索一组具有最大相关性的预测输出和非线性映射算子的投影，最终进行烧结终点的预测和控制。该技术不仅能捕获更复杂的非线性特性，还通过整合历史输出数据，大幅提升预测控制的准确性与稳定性。

2.2.4.3 高炉炼铁过程物质流转智能决策技术

为提高炼铁过程物质流转的效率，可构建从物料配比优化到生产自组织调度的系统化解决方案，为高炉炼铁降本增效提供了技术支撑。

（1）多级物料配比协同优化

针对高炉炼铁过程中各工序（高炉/烧结等）终点优化目标冲突、多级配料间能质流耦合复杂给智能优化精准配料带来的技术难题，相关研究人员提出了数字孪生驱动的物料配方迭代优化方法，建立了融合动态烧损分析的配料性能精确计算模型，设计了数字孪生体和物理生产线时序特征协同的终点目标估计校正方法，发明了面向质量与成本的高炉-烧结联合多级迭代优化技术，实现了炼铁全系统多级协同精准配料与降本增效。

（2）生产自组织运行与调度优化

针对高炉炼铁过程生产与资源状态动态时变给自组织运行与调度优化带来的难题，相关研究人员提出了数字孪生驱动的生产自组织运行调度优化模式，建立了数字孪生体和炼铁系统映射下的炼铁生产能源网络模型，以及生产批次任务、生产设备和资源管理模型，发明了多约束协同框架下的炼铁生产能源、生产计划和铁水运输调度动态混合整数自组织优化技术，解决了当前复杂调度依赖人工经验、生产调度自动化程度低的重大难题。

2.3 钢铁行业自动化发展机会

钢铁工业是国民经济的重要基础产业，是建设现代化强国的重要支撑，是实现绿色低碳发展的重要领域。“十三五”时期，我国钢铁工业深入推进供给侧结构性改革，化解过剩产能取得显著成效，产业结构更加合理，绿色发展、智能制造、国际合作取得积极进展，有力支撑了经济社会健康发展。“十四五”时期，我国钢铁工业仍然存在产能过剩压力大、产业安全保障能力不足、绿色低碳发展水平有待提升、产业集中度偏低等问题。

2.3.1 行业发展规划

工业和信息化部、国家发展改革委和生态环境部关于促进钢铁工业高质量发展的指导意见为钢铁行业的发展指明了方向，主要目标如下所述。

2025年钢铁工业基本形成了布局结构合理、资源供应稳定、技术装备先进、质量品牌突出、智能化水平高、全球竞争力强、绿色低碳可持续的高质量发展格局。

创新能力显著增强。行业研发投入强度力争达到1.5%，氢冶金、低碳冶金、洁净钢冶炼、薄带铸轧、无头轧制等先进工艺技术取得突破进展。关键工序数控化率达到80%左右，生产设备数字化率达到55%，打造30家以上智能工厂。

产业结构不断优化。产业集聚化发展水平明显提升，钢铁产业集中度大幅提高。工艺结构明显优化，电炉钢产量占粗钢总产量比例提升至15%以上。布局结构更趋合理，钢铁市场供需基本达到动态平衡。

绿色低碳深入推进。构建产业间耦合发展的资源循环利用体系，80%以上钢铁产能完成超低排放改造，吨钢综合能耗降低2%以上，水资源消耗强度降低10%以上，确保2030年前碳达峰。

资源保障大幅改善。资源多元化保障能力显著增强，国内铁矿山产能、规模、集约化水平大幅提升，废钢回收加工体系基本健全，利用水平显著提高，钢铁工业利用废钢资源量达到3亿吨以上。

供给质量持续提升。高端钢铁产品供给能力大幅增强，品种和质量提档升级，每年突破5种左右关键钢铁材料，形成一批拥有较大国际影响力的企业品牌和产品品牌。

2.3.2 钢铁自动化发展需求分析

加快推进数字化转型智能化升级。开展钢铁行业数字化转型三年行动，促进钢铁企业数字化、网络化、智能化改造升级，建设一批智能制造示范工厂，打造一批制造业数字化转型标杆，形成一批可复制可推广的典型案例。发布钢铁行业智能制造标准体系建设指南，研制一批钢铁行业智能制造术语、数据治理、智能工厂建设与评价、智慧供应链等重要标准。鼓励有条件的地方建立数字化转型产业联盟，建设钢铁工业互联网平台和大数据中心，加快工业互联网、物联网、大数据、5G、人工智能等新一代信息技术与采矿、制造加工技术深度融合，提高行业数据治理水平，加快钢铁行业智能化升级。

2.3.3 钢铁行业自动化技术发展重点

随着钢铁行业智能制造及两化融合发展进程不断深入，从基础支撑、装备、产线、运营和生态等五个层面，逐步形成了以工业互联网平台为载体，以产线集控中心、一体化运营中心、产业链协同为核心的体系架构，主要聚焦解决行业普遍存在的共性问题。

（1）基础支撑层

需进一步加强信息安全防护。随着信息化与工业化的不断深入融合，智能化相关的终端设备的安全防护总体覆盖率及防护手段有较大提升空间，特别是工控领域信息安全亟待加固。

工业互联网平台价值应用不足。工业互联网在钢铁行业的数字化、网络化、智能化发展中正逐渐发挥出核心支撑作用。数据显示，尽管有80.9%的企业开展了工业互联网平台建设及应用，但从工业互联网的意义和价值角度看，依然在不同程度上存在企业对工业互联网价值认识不到位、应用模式和建设路径不清晰等问题，在“建不建、怎么建、找谁建”等问题上徘徊不前，整体应用水平还处于初级阶段，后续可从资源优化配置、质量追溯与在线优化、设备互联智控、产业链协同等方面进一步深化应用，开发更多智能应用与控制模型。

数据治理总体处于起步阶段。近几年，各大钢企纷纷加快数据资产化进程，在数据治理方面开始布局，数据显示，有80.9%的企业不同程度地开展了数据治理工作，包括建立数据治理组织，组建专门团队，制定数据标准，开展数据资产盘点，逐步推进存量系统数据治理。但对于数据治理的总体架构和实施方法，以及相应的资源保障，仍存在非常多的疑惑和难点。

（2）装备层

结合不同作业场景需求，采用多种智能设备等手段，减少人工作业，提高整体作业效率，促进本质安全。同时提升数据采集和处理能力，强化边缘计算，提升现场作业智能化水平，为产线集控和智慧运营提供更高质量的数据支撑。目前，从钢铁行业全流程来看，还有很多人工作业环节，共性需求比较多，无人化、智能化提升空间较大。

工业机器人应用场景及数量有较大提升空间。数据显示，企业工业机器人应用平均密度达36台（套）/万人，与制造业总体的工业机器人应用密度相比，还有较大差距。企业可在抓取料天车及库管作业、物料标识作业、加料类作业、包装类作业、修磨类作业和理化检验类作业等典型场景，使用工业机器人应用，助力企业整体智能制造水平提升。

智能检测及感知设备应用是智能制造的关键环节。近年来，智能检测及感知设备应用有一定创新突破。这些设备应用为智能制造提供精准的数据采集支撑，弥补数据断点，提高数据质量。从总体应用情况看，检测数据基本都具备采集条件，关键是检测设备的精度和稳定性要能够满足控制和管理需求。

（3）产线层

以生产制造为核心，实现从原料进厂到产品产出发运全流程贯通的物流跟踪可视化、多领域协同、实时异常预警和绩效分析是大部分钢铁企业的迫切需求，因此构建集生产、质量、设备、物流、能源、环保、安全于一体的产线集中控制中心，正逐渐成为钢铁行业智能制造的新趋势。一体化排程调度是智能化生产制造的源头。目前，钢铁行业多数企业通过ERP、MES、计量物流等系统支撑，逐步从全人工排程调度转变为局部自动排程、实时调度。过程质量管控需从“结果性”向“预测性”转变。公司级质量管理系统覆盖80%以上产线的企业占比达89.4%，但建立模型预测生产过程异常应用的企业占比仅40.4%。产线集控制的顶层设计和协同融合待加强。数据显示，有78.7%企业建立了一体化监控与调度的智能集控中心，但仍有部分业务领域尚未纳入集控中心统一管控。

（4）运营层

综合资源计划仍以人工管理为主。综合资源计划是指同时考虑多种有限能力资源的约束条件，依据各种预设规则，通过数学算法，反复模拟、预测、优化、计算，最终给出相对最优的资源计划结果。部分企业实施了如APS高级计划排程等系统，但由于相关资源状态信息获取不及时、不全面，从应用效果看还存在较大差距。

成本精细化管控仍然有较大提升空间。实现成本精细化管控的前提是实现成本自动核算，进一步夯实业务与财务的无缝集成，减少抛账过程的人为干预，全面、真实地反映企业各项成本情况，通过成本分析，有的放矢地制定降本措施。

研发领域的智能化多以单套的研发工具和软件为主，这些工具或软件具有较强的专业性和封闭性，一般不与企业主体生产运营系统集成。而数据管理与应用是智能化研发的核心。

数据驱动的科学决策差距较大。大数据及人工智能技术在钢铁行业已得到初步应用。数据价值挖掘已经发展了很多年，但受限于技术等因素，目前大部分企业还停留在散点的数据统计分析或局部应用工业机理模型和运营分析决策模型，总体尚未充分发挥数据的深层次价值，数据驱动的知识模型应用较匮乏。数据价值开发涉及数据治理体系、数据管理与应用的组织和机制，以及工业机理知识沉淀等诸多方面，将数据价值真正应用于企业运营和生产制造的科学决策。

（5）生态层

面临新形势下的转型升级，企业需要持续开展模式创新、机制创新：构建上下游协同运营管控模式，打通以钢铁企业为核心的上下游企业信息流，进一步降低钢企的原料及备品备件的库存资金占用，实现协同配送；扩大优质供应商和客户群，实现钢企原材料降本；提高以客户为中心的上下游客户协同生产和服务能力，提升客户满意度和市场竞争力。

以客户为中心的产业链协同不断深化。随着企业逐渐从制造型向制造服务型转型，逐渐重视与客户之间的产业链协同发展，积极构建以市场为导向、以客户为中心的产业链协同运营模式，实现设计、生产、物流、服务的协同等，但多数企业仍处于零散的上下游信息对接阶段，尚未形成系统化的产业链紧密协同模式。

供应商协同保障企业高效顺行。原料和辅材优质优价保供，是钢铁行业企业高质量发展的重要前提保障，打造充满机会和机遇的有机生态圈，有利于实现供应商与钢铁行业企业紧密协同，为钢铁企业高效顺行提供最优保障，提升产业链综合竞争力。

2.4 》 有色金属行业自动化

2.4.1 有色金属行业发展概况

有色金属又称非铁金属，是除铁、锰、铬之外所有金属的统称，广泛应用于机械、电子、化工、建材、航天、航空、国防军工等各个行业。有色金属工业开发利用有色金属矿产资源，为我国国民经济和国防军工发展提供基础及关键性材料，在经济建设、社会发展和国家安全中具有不可替代的战略地位。有色金属工业与国民经济的产业关联度高达91%，是国民经济和国防建设的基础性产业，也是国家参与国际竞争的支柱产业，对我国经济发展和综合国力提升具有不可替代的重大支撑作用。

在国家经济建设和国防安全需求的驱动下，我国的有色金属工业实现了快速的发展，涌现出了一批生产经营规模达到世界前列的企业，我国也逐步成长为有色金属大国。图3-2-1展示了从2002年到2022年国家统计年鉴公布的十种主要有色金属产量，可以看到呈现出明显的增长趋势。2002年，我国十种常用有色金属产量达到1012万吨，首次超过美国，成为世界有色金属生产第一大国，之后我国有色金属的产量和消费量一直位居世界第

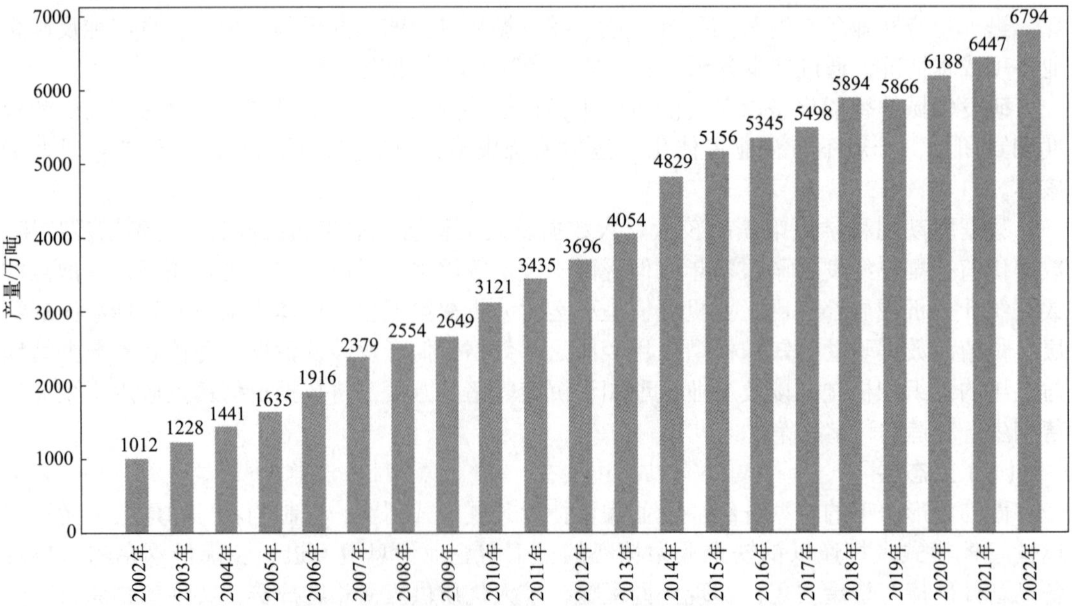

图3-2-1 2002年至2022年我国十种主要有色金属产量

一，占世界有色金属市场的份额逐年稳步上升。2012年，我国十种常用有色金属产量达到3696万吨，同2002年相比增加2684万吨，增长速度全球第一。2022年，我国十种常用有色金属产量达到6794万吨，同2012年相比增加3078万吨，平均增速300万吨每年，达到了新的台阶。按1.2亿吨的全球有色金属产量估算，我国2022年的有色金属产量已占据世界总产量的55%以上，超过其余所有国家的总和。

我国有色金属行业经过了三个发展阶段，分别为快速发展期、产业调整期和控产创新期。快速发展期为2000年至2008年，国内基础设施建设和房地产开发带动了有色金属行业快速发展。产业调整期为2009年至2011年，受金融危机冲击，我国有色金属产业全面亏损。国家因此于2009年颁布《有色金属产业调整和振兴规划》，提出要加快淘汰落后产能，促进增长方式转变，实现产业结构优化升级。控产创新期为2012年至今，2012年颁布的《有色金属工业“十二五”发展规划》指出我国有色金属行业发展存在产业结构不合理、自主创新能力不强、环境污染问题突出、节能减排任务繁重四大突出问题。2016年的《有色金属工业发展规划（2016—2020年）》提出要加快产业转型升级，大力发展高端材料，使我国有色金属工业迈入世界强国行列。2020年的《有色金属行业智能矿山建设指南（试行）》《有色金属行业智能冶炼工厂建设指南（试行）》和《有色金属行业智能加工工厂建设指南（试行）》提出要围绕物联网、人工智能等新一代信息通信技术与先进制造技术深度融合，推动产业智能升级，实现高质量发展。2020年10月，有色金属智能制造联盟正式成立，通过共享最新研究成果，促进我国有色金属智能矿冶加工技术与装备迈上新台阶，标志着有色金属工业智能化发展的进一步提速。2022年，《有色金属行业碳达峰实施方案》提出要优化冶炼产能规模、调整优化产业结构、强化技术节能降碳、推进清洁能源替代、建设绿色制造体系，确保2030年前有色金属行业实现碳达峰。2023年《有色金属行业智能制造标准体系建设指南（2023版）》提出要加快建立涵盖基础综合、装备与系统、智能工厂及评价等方面的智能制造标准体系，不断推进有色金属行业智能化发展。同年的《有色金属行业稳增长工作方案》提出要提升有色金属深加工产品供给质量、实现供需动态平衡、持续优化贸易结构，加快绿色化智能化改造升级。整体而言，在控产创新发展阶段，我国有色金属产业主要围绕着控制产能、智能转型升级和节能减排三个发展目标。

在国家政策的大力推动下，我国有色金属产业逐步由数量和规模扩张向质量和效益提升转变。近年来，十种有色金属产量的增长比例稳定在5%附近，盲目扩张态势得到了有效控制。铜材、铝材等深加工产品产量和质量提升明显，2022年铜材产量2286万吨、铝材产量6221万吨，与2012年相比分别增长96%和102%。铝中厚板等高端产品已初步满足国内需要，电池级铜铝箔市场占有率达到全球第一。在工艺技术装备方面，我国已达到国际一流水平，大型化熔池熔炼、闪速熔炼技术、奥斯迈特（艾萨）熔炼技术等先进工艺的铜冶炼产能已占全部产能的95%以上。新型稳流铝电解槽、铝电解槽智能化等一批先进绿色低碳技术与装备在铝冶炼企业广泛采用，落后产能基本退出。科技创新方面，仅2020年便获得了6项国家科学技术奖，突破了国外技术壁垒，节能降耗减排成效显著。能源利用效率方面，我国有色金属行业主要产品的能耗指标接近或达到世界领先水平。2023年一季度，电解铝综合交流电耗13383kWh/t，比2015年下降1.3%，铜冶炼综合能耗197.4千克标准煤/t，同比下降3.5%，铅冶炼综合能耗306.8千克标准煤/吨，同比下降4.3%。再生金属生产方面，2022年我国再生有色金属总产量1615万吨，同2012年的1039万吨相比增加55%，其中铜375万吨、铝865万吨、铅285万吨、锌90万吨。与原生金属生产相比，2022年我国的再生有色金属产业相当于节能3600万吨标准煤，减少9700万吨二氧化碳排放。

我国的有色金属产业链可概括为上游矿产采选环节、中游冶炼加工环节以及下游产品应用环节。其中，上游采选环节包括勘察、开采、矿山运营以及运营结束后的闭坑环节，中游冶炼加工环节包括熔融、矿物提纯以及产品铸造环节，下游产品应用领域覆盖面广，主要为汽车、军工、医疗、电子以及航空航天等领域。我国有色金属行业矿端与冶炼端一体化程度较高，许多上游公司兼备冶炼业务，中游公司积极布局矿产业务。有色金属行业产业链的主要盈利环节在于中游冶炼，依靠加工产品获取固定加工费，下游应用的开发较少，行业整体盈利能力有待提高。在产业聚集发展方面，共建共享的集群化发展态势已经形成。包头铝铜镁合金产业集群、江西鹰潭铜产业集群、山东滨州铝产业集群、金川镍铜钴新材料产业集群等产业集聚区域分别聚集了五六十家上下游企业，构建了纵向不断延伸、横向不断壮大的强大产业链。企业之间的竞争、专业化协作配套和产品集中生产有效优化了资源配置、降低了生产和交易成本，形成了持续的竞争优势。

总体上，我国有色金属工业实现了跨越式发展，正在加速从有色大国向有色强国迈进，但仍有一些急需解决的问题。一方面，我国有色金属矿原料十分依赖海外进口，其中铜矿对外依存度83%、铝土矿60%、锌精矿44%。在国际形势不明朗的情况下，如何确保产业链安全，推动有色金属工业保持平稳发展是一个有挑战性的问题。另一方面，有色金属行业是环境污染和碳排放大户，2020年有色金属行业二氧化碳总排放量达到6.99亿吨，约占我国二氧化碳总排放的7%。在日益严苛的环保标准和2030年前实现有色金属行业碳达峰的时代背景下，有色金属行业仍需继续加快低效产能退出、大力发展再生金属产业、提高清洁能源使用占比和推动产业数字化转型。

2.4.2 有色金属行业自动化应用现状与进展

有色金属行业的自动化发展过程经历了四个阶段，分别是机械化阶段、电气化阶段、数字化阶段和当前的智能化阶段。机械化阶段主要的变革是使用机械化设备来代替人力，以提高生产效率和生产能力，例如使用蒸汽驱动的锻压机和滚轧机。这些机械化装置改变了生产方式，但仍然需要人工操作和监控。随着电气技术的发展，有色金属工业开始采用电力驱动设备。在电气化时代，分散控制系统（DCS）和可编程逻辑控制器（PLC）等自动化控制技术开始应用于有色金属工业，实现了生产过程的部分自动化。到了20世纪，计算机技术的飞速发展推动冶金行业迈入了数字化时代。计算机在冶金生产中的应用逐渐得到扩展，有色金属企业开始构建过程控制系统（PCS）和制造执行系统（MES），实现了生产过程的数字化和信息化管理。这一时期还见证了工业以太网和现场总线技术的广泛应用，实现了设备之间的互联。如今，智能化和工业互联网时代的浪潮开始涌现，学者和工程师们开始探索将大数据分析、人工智能、工业互联网技术等新兴技术应用于冶金工业的可能性。

由于发展的不平衡性，我国的有色金属企业目前横跨了电气化、数字化和智能化三个发展阶段。头部企业迈入智能化的同时，大部分冶金企业还处于数字化阶段，部分落后产能则处于电气化阶段。有色金属工业的数字化水平相对落后，但也存在以株冶有色为代表的锌冶炼智能工厂，实现了全球最大的焙烧、浸出和净化系统的智能优化控制。

有色金属工业属于典型的流程工业过程，其自动化系统普遍采用PCS（过程控制系统）、MES（制造执行系统）和ERP（企业资源规划系统）所构成的三层体系结构。

ERP是一种集成化的信息管理系统，旨在帮助企业有效管理和协调各种业务流程，包括财务、生产、物流、人力资源等多个方面。它将不同部门和功能的数据整合在一个统一的平台上，提供实时数据和报告，以支持企业的决策制定和资源管理。在智能化时代，人工智能等新兴技术与ERP的结合为企业的生产经营信息开发出了许多新的应用场景，例如：智能优化生产计划，减少生产延迟、降低生产成本；改进供应链协同，实现物料和信息的流畅传递，减少供应链风险，确保产品及时交付；可视化生产过程，帮助操作人员更好地理解生产情况，并及时采取行动；智能监测和预测产品质量，开发预测预警系统，减少次品率；智能学习历史决策，提供高级决策支持。

MES是一种用于监控和管理制造过程的计算机化系统。它通常位于企业的生产层次，处于企业资源规划系统和生产设备之间，充当ERP系统和实际生产设备之间的桥梁。MES系统的主要任务是协调和优化生产过程，以提高生产效率、确保产品质量、降低生产成本，并提供实时数据支持决策制定。目前，制造执行系统在大型有色金属企业基本普及，通过信息化促进生产计划调度、物流跟踪、质量管理控制、设备维护、库存管理水平的提升，在应用过程中涌现出一批例如全流程物流件次动态跟踪、炼铸轧一体化计划编制、高级计划排产、设备在线诊断、质量过程控制、基于大数据的产品质量分析等技术和系统。

PCS系统主要用于监控和管理工业生产过程中的各种参数、设备和操作，以确保生产过程的稳定性、效率和产品质量。这些系统通常包括一系列传感器、仪表、控制器和计算机系统，通过实时数据采集、分析和反馈控制，对生产过程进行监督和调节。目前我国大多有色金属行业PCS系统广泛采用PLC、DCS和工业PC实现数字化自动控制。PLC可用于执行离散的逻辑控制任务，DCS常用于集中控制和监控大型工业过程，两者能够满足一些简单的自动化需求，但其基本结构不支持复杂的过程控制任务。在从数字化到智能化发展的过程中，具有较强计算能力和灵活性的工业PC得到了普及。通过灵活配置各类算法和软件，工业PC能够适用于复杂的自动化系统和需要高级数据处理的任务。同时，工业PC与PLC、DCS之间没有根本性的冲突，可以相互整合，以实现更全面的控制和监控功能。例如工业PC与DCS系统的组合就是当前有色冶金企业最常用的自动化框架。将工业PC视作桥梁，人工智能等技术在冶金过程自动化控制任务中成功落地，涌现出了原料量价实时预警、原料采购优化决策、原料库存智能综合优化控制、锌净化过程智能优化控制系统、离子浓度在线预测模型、锌电解过程能耗模型、锌电解沉积过程电力负荷优化调度算法、铅锌熔炼产量预测模型、铅锌熔炼过程炉况评判及炉况优化系统、铅锌生产过程密闭鼓风炉智能故障诊断算法、铝电解槽优化控制、密闭鼓风炉智能故障诊断系统、精矿干燥水分软测量的智能集成建模、操作平台型高炉专家系统、“一键式”全程自动化转炉炼钢、智能精炼炉控制、加热炉燃烧优化控制、热连轧模型控制、冷连轧模型控制、竖炉和磨机等设备的智能运行反馈控制等一系列的先进控制技术和系统，极大推进了有色金属行业的智能化进程。

有色金属工业的自动化发展面临着诸多问题和挑战。一方面，在从电气化阶段发展到数字化阶段的过程中，设备网、控制网、现场总线、工业以太网和互联网等多种网络形式存在通信协议和标准的冲突；生产数据、质量数据、设备数据、能源数据等多种数据类型，文本、表格、图像、视频等多种编码方式存在数据格式的冲突。不同数据格式和网络互不兼容使数据集成和交互变得复杂，需要额外的中间件和数据转换工具来实现数据的协同使用。数据交互问题限制了不同部门之间、不同企业间的信息共享和协作。另一方面，人工智能技术属于数据科学，其应用过程对数据的数量和质量有较高的要求。有色金属工业是传统的重工业行业，生产环境恶劣，各类传感器难以长期稳定运行，采集到的过程数据存在噪声大的问题。同时，冶金过程涉及的流程众多，反应机理复杂，许多类似离子浓度、物质组分等关键技术指标难以在线测量。检测技术的落后严重制约了智能化技术在冶金工业自动化中的推广应用。目前，新一轮产业革命正在孕育，高新技术与战略性新兴产业迅猛发展，大数据、人工智能、工业互联网、工业云等新技术为冶金工业的发展创造了新动能和新挑战。如何打破数据流通过程的阻碍，如何获取更高质量的生产数据将是冶金工业在智能化浪潮中需要研究的主要问题。

2.5 自动化对有色金属行业发展的推动作用

2.5.1 推动作用概述

我国的有色金属行业存在多元素资源共生、开采环境恶劣、安全管理压力大、冶炼工艺复杂、原料品质波动频繁、稳定控制难、加工产品订单批量小、生产工艺路线长、产品精度要求高、物流调度频繁等特点。开采、冶炼和加工，有色金属行业的每一个环节都面临着众多生产上的挑战。为了促进企业的转型升级和高质量发展，全面提升企业的综合竞争力和可持续发展能力，有色冶金行业需要与自动化技术深度融合。

在矿山开采层面，自动化技术有助于建成集资源数字化管理、面向“矿石流”的智能生产管控、全流程的少人化或无人化生产、集成化的本质安全管理、基于工业大数据的智能决策于一体的本质安全、资源集约、绿色高效的智能开采体系。在矿石冶炼方面，自动化技术有助于实现设备、物料、能源等制造资源要素的数字化汇聚和网络化共享和平台化协同，实现工厂层面的全要素数据可视化在线监控、实时自主联动平衡和优化，建成集全流程自动化生产、综合信息集成管控、实时协同优化、精细化能效管控于一体的清洁环保、优质低耗、安全高效的智能冶炼体系。在产品加工方面，自动化技术有助于实现设备、物料、能源等制造资源要素的数字化汇聚、网络化共享和平台化协同，建成集柔性化组织生产、产品质量全生命周期管控、供应链协同优化运营等于一体的质量稳定、协同高效、响应快捷的智能加工体系。

总体上，自动化对有色金属行业发展的推动作用体现在以下方面：

① 提升生产效率。自动化系统可以按照一定的规则精确执行生产任务，通过自动化设备和智能控制算法的应用减少现场操作人员的参与程度，避免人工干预和操作中可能发生的错误。自动化产线允许生产过程连续进行，减少了停机时间和生产中断，延长了每日的有效生产时间。

② 提高产品质量。自动化系统可构造覆盖生产过程精细化管控、质量全流程跟踪与追溯、工艺过程虚拟仿真的全流程质量管理体系，通过实时采集工艺过程数据和检验设备数据实现事后检验向事前预防转变，提高质量的稳定性一致性。

③ 降低资源消耗。自动化系统可以将针对不同目标的生产过程优化问题抽象为数学问题进行求解，合理设定工艺指标和操作参数，使用尽可能低的生产成本实现高质量产品的稳定高效产出。

④ 确保生产安全。产线的自动化改造和工业机器人的应用可以有效减少现场操作人员。通过建立全区域安健环系统以及覆盖设备、人员、生产等多维度的安全管理体系，可以实现生产安全的实时监控、提前预警和应急响应，确保生产过程安全进行。

⑤ 提高协作效率。数字化管理系统和智能排产系统能够自动处理客户订单，自动安排生产任务执行顺序、生产设备和排产计划，平衡各设备和工人的生产负荷，减少订单等待时间。供应链管理系统和客户关系管理系统能够实现物料供应的快速响应、订单的敏捷反应和外部需求、内部生产能力以及外部配套能力的协同。

我国有色金属行业近年来实现了跨越式进步，生产工艺、装备水平、管理方式等实现显著提升，生产规模迈向新的台阶。这个过程中自动化技术起到了极大的推动作用。但是，与发达国家相比，我国有色金属行业整体上依然处于产业链分工的中低端环节。在产业智能转型升级和节能减排的大背景下，需要在有色企业已有自动化、信息化的建设基础上，进一步推进物联网、大数据、人工智能、5G、边缘计算、虚拟现实等前沿技术在生产过程中的应用。

2.5.2 有色金属行业自动化新技术、新成果

2016—2020年有色金属信息化技术及产业化应用，获得国家科技奖励见表3-2-2。

表 3-2-2 2016—2020 年有色金属信息化技术及产业化应用主要获奖项目列表

（1）国家技术发明奖

年份	序号	项目名称	等级
2016年	1	冶金功能耐火材料关键服役性能协同提升技术及在精炼连铸中的应用	二等奖
2017年	2	高性能金属粉末多孔材料制备技术及应用	二等奖
2018年	3	冶炼多金属废酸资源化治理关键技术	二等奖
2020年	4	平板显示用高性能ITO靶材关键技术及工程化	二等奖
2020年	5	锌冶炼过程智能控制与协同优化关键技术及应用	二等奖
2020年	6	超高纯铝钛铜钽金属溅射靶材制备技术及应用	二等奖

（2）国家自然科学奖

年份	序号	项目名称	等级
2019年	1	特种焊接冶金机理与组织性能调控	二等奖

（3）国家科学技术进步奖

年份	序号	项目名称	等级
2016年	1	高效低耗特大型高炉关键技术及应用	二等奖
2016年	2	底吹熔炼 - 熔融还原 - 富氧挥发连续炼铅新技术及产业化应用	二等奖
2016年	3	红土镍矿生产高品位镍铁关键技术与装备开发及应用	二等奖
2016年	4	有色金属共伴生硫铁矿资源综合利用关键技术及应用	二等奖
2017年	5	高强高导铜合金关键制备加工技术开发及应用	二等奖
2017年	6	球形金属粉末雾化制备技术及产业化	二等奖
2017年	7	高效节能环保烧结技术及装备的研发与应用	二等奖
2018年	8	锌清洁冶炼与高效利用关键技术和装备	二等奖
2019年	9	红土镍矿冶炼镍铁及冶炼渣增值利用关键技术与应用	二等奖
2019年	10	冶金炉窑强化供热关键技术及应用	二等奖
2020年	11	工业烟气多污染物协同深度治理技术及应用	一等奖
2020年	12	大型高质量铝合金铸件控压成型关键技术及应用	二等奖
2020年	13	锌电解典型重金属污染物源头削减关键共性技术与大型成套装备	二等奖

典型项目简介如下：

① 锌冶炼过程智能控制与协同优化关键技术及应用（中南大学、株洲冶炼集团股份有限公司、长沙华时捷环保科技发展股份有限公司）。该项目联合进行突破了复杂资源条件下锌冶炼过程的稳定控制和全流程优化技术瓶颈，发明了锌冶炼过程智能控制与协同优化关键技术，大幅提高了对复杂资源处理的适应能力，有效解决了锌冶炼过程中动态工况下的稳定控制难题，使得锌品质量稳定达到99.996%，吨锌电耗和锌粉消耗分别降低4.1%和20%，优于国际先进指标。

目前，该项目已成功应用于株洲冶炼集团股份有限公司、西部矿业股份有限公司等大型锌冶炼企业，大幅提高了对复杂资源处理的适应能力，节能降耗减排成效显著。株冶集团通过该技术的优化应用，实现了全球最大的焙烧、浸出和净化系统的智能优化控制，为建成世界一流、中国第一锌冶炼智能工厂提供了技术支撑，助推了有色金属工业转型升级与智能化发展。

② 高效低耗特大型高炉关键技术及应用（中冶赛迪集团有限公司、北京科技大学、安阳钢铁股份有限公司、清华大学）。该项目针对特大型高炉体量大、煤气流分布均匀性差、难以实现长期高效低耗的技术难题开展研究，解决了由于基础理论匮乏、设计体系缺失、核心装备及控制技术空白，无法开展特大型高炉自主设计和推广而制约我国钢铁工业高效低耗发展的重大问题。

自1991年起，该项目首先针对理论和设计体系缺失的问题，建立了以炉腹煤气量指数理论为核心的工艺理论，以及高效低耗特大型高炉的设计体系。2000年以后，为打破国外工程公司的长期垄断，进行了核心装备技术攻关。近年来，为响应国家对传统工业“两化融合”的转型要求，开发出实现特大型高炉高效低耗的智能控制技术。经过二十余年努力，已形成一整套覆盖工艺理论、设计体系、核心装备、智能控制的实现特大型高炉高效低耗的关键技术。

③ 红土镍矿生产高品位镍铁关键技术与装备开发及应用［中国有色矿业集团有限公司、中国恩菲工程技术有限公司、太原钢铁（集团）有限公司、中色镍业有限公司、沈阳有色金属研究院、中国有色（沈阳）冶金机械有限公司、四川省自贡运输机械集团股份有限公司］。红土镍矿主要用于生产不锈钢用镍铁，该项目研发团队依托缅甸达贡山镍矿工程，开发了具有自主知识产权的红土镍矿生产高品位镍铁关键技术与大型化成套装备，使我国镍铁冶炼技术及装备跨入世界先进行列。其主要技术创新点有以下几个方面：开发了红土镍矿生产高品位镍铁的熔炼关键技术与装备；开发了红土镍矿回转窑强化焙烧工艺和与之配套的焙烧回转窑；首创了喷吹与化学升温相结合的镍铁精炼技术；自主开发了低热损输送高温焙砂的机电一体化成套装备；开发了管状带式输送高黏性红土镍矿新技术。

该项目成果在国内得到广泛推广应用，真实地改变了我国镍铁生产的格局，引领了中国镍铁行业的发展，为我国镍铁行业的发展提供了可靠的技术支撑，为我国企业开发国外红土镍矿项目奠定了坚实的基础。

④ 红土镍矿冶炼镍铁及冶炼渣增值利用关键技术与应用（中南大学、广东广青金属科技有限公司、宝钢德盛不锈钢有限公司）。该项目发明了全新的红土镍矿制备镍铁工艺，实现了镍铁的高效低耗低成本生产，扩大了可利用的资源范围，开发出还原熔炼渣系优化调控新技术，显著降低了现有工艺的冶炼温度和生产能耗，开发出镍铁渣制备耐火材料新方法，实现了镍铁渣的无害化和高效增值利用，消除了渣堆存带来的环境污染隐患。

该项目从新工艺开发、现有工艺革新、冶炼渣增值利用等方面，对镍铁生产进行了全面技术创新，显著提升了我国和“一带一路”其他国家镍铁工业整体科技水平，为不锈钢工业可持续发展提供了技术支撑。

⑤ 工业烟气多污染物协同深度治理技术及应用［清华大学、中冶长天国际工程有限责任公司、中节能环保装备股份有限公司、中钢集团天澄环保科技股份有限公司、生态环境部华南环境科学研究所、西安西矿环保科技有限公司、中材科技股份有限公司、江苏中创清源科技有限公司、山西新华化工有限责任公司、中建材环保研究院（江苏）有限公司］。该项目在烟气常规、非常规多污染物协同控制理论、核心功能材料、深度治理技术及装备、标准化评价体系等方面取得了重大创新突破，实现了工业炉窑/锅炉烟气多污染物协同深度治理，形成“基础理论-技术方法-产业引领-决策支撑”的完整创新链，在核心材料、关键装备、先进工艺等方面取得了多项创新成果，引领了工业烟气深度治理技术与产业进步。

2.6 有色金属行业自动化发展预测

2.6.1 有色金属行业自动化发展需求

有色金属生产过程包含全流程、单元工序、反应器等不同工艺层级，存在全流程多工序关联、工序内多反应器级联、反应器内多反应共存且工况多变、生产流程长、参数指标众多、反应机理复杂，其全局优化问题难以解析描述和精准求解等问题。我国流程企业原料来源复杂、禀赋偏低，入料成分变化频繁，有时需几天甚至几周的调整才能克服原料波动的影响，导致过程难以长期稳定高效运行，能耗物耗大，质量保障难。尤其是部分从国外引进的生产工艺，在使用国外特定来源的原料、按照特定的工艺指标设定值生产时，可以实现产品的稳定达标产出，但在我国原料来源复杂的条件下难以正常稳定生产，增加了原料自主供给风险和因反复调整导致的额外生产成本。

针对复杂生产流程的层次化和各层级的工艺特点，如何协同优化全流程各工序和单元工序内各反应器的工艺指标，同时精细化调控各反应器的操作参数，是提高资源能源利用效率，降低原料条件波动对产品质量影响的关键。该问题是我国有色冶金行业智能转型的技术瓶颈，也是国际过程控制领域公认的科学难题。

有色金属流程“吃百家矿”，原料组分复杂多变，固定各工序工作点的运行方式难以保障产品质量的长期稳定达标，需要根据原料组分变化自适应调整各工序的工作点（工艺指标设定值），使各工序的工作点和原料组分相匹配，从而维持生产流程的稳定高效运行。由于各工序工艺指标不仅决定其自身生产成本，还影响其下一工序运行效果，不同工序的工艺指标相互关联，综合决定生产全流程的物耗、能耗和最终产品质量。一个工序的优化运行仅能保证其“局部”最优，需从全流程整体出发，综合考虑原料条件、产品质量要求、各工序工艺指标约束，以及各项生产运行评价指标（如能耗、成本、环境影响、产品质量、资源综合利用率等），通过协同优化各工序的生产指标实现生产全流程的“全局”最优。

单元工序由多个反应器级联组成，通过物料在各反应器中的逐级反应完成工序的总体生产/物质转化任务。由于各工序工艺指标的优化设定值和入口条件动态变化，各反应器的物质转化能力和效率存在差异，需综合考虑工序生产成本、稳定性等因素，通过优化分配各反应器的生产任务以适应工序动态变化的总体生产目标，即优化设定各反应器工艺指标，按最优的方式逐级完成工序入料到工序产品的转化。

全流程各工序间的协同优化和单元工序各反应器间的协同优化主要是优化设定各工序/各反应器的工艺指标。为实现工艺指标的闭环控制，还需要对反应器操作参数进行调节。将反应器工艺指标从当前值控制到其设定值是一个动态过程，不同的“迁移”路径将导致不同的生产成本和动静态控制效果，并且迁移过程中需根据控制效果和控制需求优化调整迁移路径。另外，由于反应器入料量、组分和反应条件波动，其内部反应状态多变，工况类型多，不同工况下过程动态特性不同，且操作参数对工艺指标的作用机制不同。由于工艺指标调控范围窄，需优化设计迁移路径，根据工况类别精细化调控操作参数，使得反应器工艺指标以合理、稳定的方式从当前值迁移到其目标值。

2.6.2 有色金属行业自动化发展趋势分析

对于有色冶金过程，如何充分利用数据、信息和知识，持续提高过程动态特性描述的全面性和准确性、工艺指标控制的实时性和精准性、全流程优化的协同性和智能性是在“制造强国”和“双碳”国家战略背景下提高能源和资源利用率，提升流程行业智能制造整体水平的关键途径，需要在动态特性全面描述、智能自主控制、动态分层调控、知识驱动的智能决策等方面继续深入研究，这也是有色金属行业自动化技术的未来发展趋势。

（1）结构化全感知模型

实际过程具有丰富的动态特性，而现有的模型多为指标模型，输出信息比较单一，难以全面准确描述过程动态特性。另外，随着生产过程智能化水平的提高，单元工序/反应器将具有一定的自主决策能力，反应器与反应器之间将通过信息交互和自组织协同适应生产条件的变化。因此，需要对反应器过程动态特性进行全面描述，对过程多源异构数据进行组织，挖掘数据特征，设计机理特征，形成过程特征体系，融合生产数据、过程特征和工艺机理知识，考虑累积效应、多采样率等实际问题建立包括入口条件、过程工况、出口指标、能效状态等从不同角度反映过程动态特性的信息模型，并按照一定的结构、层次和关联关系对这些信息进行组织，构建结构化全感知模型，提高模型的可解释性，实现过程动态特性的全面准确描述，并将其作为反应器之间信息交互的接口，支撑反应器之间的协同操作。

（2）反应器智能自主控制

基本生产单元智能化水平和全流程协同优化能力的提升是智能制造的发展趋势。作为基本生产单元，反应器的智能自主控制是指其能在动态不确定的生产条件下，智能识别当前工况，描述当前过程动态特性，估计物质转化效率，确定不同工况下的控制目标，对不同操作参数下的控制效果进行演化分析，自主设定操作参数。因此，需构建面向全工况的反应器智能自主控制体系，正常工况下考虑经济指标优化设定操作参数，在故障初期和故障工况下以故障自愈为目标自主配置控制回路和调整操作参数，克服工况动态变化和过程不确定性的影响，实现动态生产条件下反应器操作参数的智能自主设定。

（3）多冲突目标动态满意优化

由于原料成分波动、设备故障、检测误差等不确定因素影响，过程会处于非优化、非稳定等工况，导致过程的生产目标、工艺约束存在不确定性，出现无法同时满足或相互冲突的情况。如锌冶炼原料来源复杂多变和供应不稳定导致配料过程存在无法满足所有元素成分约束的问题。因此，需要研究不同工况下问题不确定性的处理，优化问题的转化、约束放宽的优先级和偏好等问题（尤其是无最优解/无可行解的工况），根据当前工况合理动态调整优化目标和约束，基于博弈等方法得到多目标不确定优化问题的满意解。

（4）工况波动下过程时空动态调控机制

复杂生产流程运行优化涉及全流程、工序、反应器等多个工艺层级，需要通过逐级的问题分解和反馈调整完成优化控制任务。但由于工况波动、入料组分大幅变化等过程扰动影响，一方面难以保证在期望的时间内将各类工艺指标控制在其设定值，需要利用工序流程长、反应器级联的特点，研究工序内各反应器物质转化任务滚动优化调整方法，实现基于反应器逐级缓冲的工序工艺指标稳定控制。另一方面，针对在优化设定周期内动态调整各类工艺指标设定值的问题，需要从复杂生产流程具有多工艺层级的特点出发，从控制时序和周期等角度研究跨层级的动态调控机制，实现不同层级工艺指标的闭环反馈优化控制。

（5）知识驱动的智能决策

知识型工作自动化是驱动未来经济发展的颠覆性技术。如何使复杂生产流程的优化控制系统具有掌握和灵活运用相关知识进行智能决策的能力，实现采购、调度和运行优化等知识型工作的自动化是适应动态市场和生产条件变化，进行各项经营和生产决策的核心。因此，需要研究从多源数据、信息到知识的高效获取方法，构建面向运行优化的复杂生产流程知识体系。将知识关联、推理与演化和指标估计、工况识别、协同优化、智能自主控制等方法相融合，形成基于知识的复杂生产流程状态感知和优化控制方法。在知识驱动的智能决策体系中对不同工艺层级的优化控制方法、时空动态调控机制进行一体化集成，实现知识驱动的智能决策，支撑从“全厂-车间-装置”分层级的“金字塔”式的生产管理模式到多域协同的、扁平化的生产管理模式变革。

本章负责人　孙彦广　冶金自动化研究设计院

参加编写人员　王　敏　孙　备

第3章 炼油自动化

3.1 炼油行业发展概况

3.1.1 炼油产业概况介绍

能源是人类赖以生存的基础。从时间维度看，人类在17世纪至19世纪中叶完成了从木柴到煤炭的第一次能源转换，19世纪中叶至20世纪中叶从煤炭到油气为第二次能源转换，20世纪中叶起进入从油气向新能源的第三次转换。炼油行业的发展自然也是能源转换过程中的重要一环，其自身经历了从最初的照明用途向燃料用途，再向化工品用途转变的过程。而全球除中东地区在夏季有部分原油用于直接发电外，其他地区的石油均需要炼制，以形成下游成品油、化工品及化工原料等。

炼油技术起源于欧美。在技术初期，石油经过加热后，提取出来的部分产物可用作照明燃料，早期的炼油技术也是采用釜式蒸馏批量生产照明煤油。1861年美国爆发南北战争，增加了对灯油和润滑油的需求，推动了美国早期石油工业的发展。19世纪60年代相继出现了常压蒸馏和减压蒸馏技术，分别用来生产煤油和军需设备润滑油。20世纪50年代随着世界各国使用石油的演变，将原油加工成燃料（如汽油和航空汽油）对于保障经济运转势在必行，从而导致了炼化行业技术的快速迭代，代表性的炼油技术主要有：热裂解、催化裂化、烷基化、催化重整、加氢裂化、加氢精制、延迟焦化等。

炼油产业所产出的产品，包括汽油、柴油、航空煤油、液化石油气、润滑油、石油焦及各类化工原料，广泛服务于经济领域与日常生活的各个方面。这些产品不仅驱动全球交通运输系统，如汽车、船舶、飞机及重型机械，保障从个人出行到国际物流的顺畅运作，而且作为工业生产的血液，为制造业提供必要的动能与保护，确保机器设备高效运行。在居民生活中，炼油产品以各种形式出现，从家用燃料到塑料制品、合成纤维、橡胶制品等，深入家庭烹饪、包装材料、衣物纺织及个人护理等多个方面。此外，炼油下游产品对农业也有重要影响，例如化肥产品促进作物生长。炼油行业还可以为电力行业提供部分能源，体现了炼油产业在支撑现代社会运行和促进经济发展中的基石作用。

同时，炼油业作为高新技术应用的前沿，起到了不断推进技术创新的作用。如清洁燃料生产和高效能源转化技术，这不仅提高了资源利用效率，还推动了环保技术的革新，带领产业向绿色低碳方向转型。在国际贸易中，炼油产品是重要的出口商品，为国家赚取大量外汇，增强国际竞争力。炼油项目的重大投资对地方经济发展、增加就业机会及提升基础设施建设水平也有显著的拉动效应，尤其是在“一带一路”的发展过程中，炼油基础设施的投资为全球发展贡献了重要的驱动力。因此，炼油产业不仅是国家能源战略的核心环节，也是促进技术革新、保障民生福祉、维护社会稳定的关键力量，其稳健发展对国家经济的健康运行起着根本性的支撑作用。进入21世纪以来，炼油行业面临着新的挑战和机遇，包括环保法规的严格、能源转型的需求以及对更高品质石化产品的需求，促使新的技术在炼油行业开始大规模应用，推动炼油技术向更加清洁、高效和灵活的方向发展。

3.1.2 全球炼油产业分析

（1）全球炼油产业市场简介

全球炼油产业规模庞大。《世界能源统计年鉴2023》显示，全球炼油能力已超过50亿桶/年，但地区分布不均，亚洲和中东地区占据主导地位。近年来，随着国际能源市场波动加剧，炼油产业面临市场需求不确定性增加、产能过剩和环保法规趋严等多重挑战。特别是在欧洲和北美，由于能源转型加速，传统炼油业务进行重组，逐步转向生产更多生物燃料和低碳产品。同时，中东和亚洲新兴市场因汽车保有量增加和工业化进程加速，对成品油需求持续增长，成为推动全球炼油产能扩张的主要力量。

国际大型炼油企业近期展现出对既有产能的持续优化以及对未来能源转型的积极布局。沙特阿美等巨头不仅通过国内外大型炼油项目的投资与建设来增强生产能力，巩固其在全球市场中的领导地位，还着眼于长期发展，探索低碳技术路径，在炼油化工项目中融入更多可持续和环保元素。同时，BP（英国石油公司）、壳牌等企业正逐步调整战略重心，从传统炼油业务扩展到清洁能源和可再生能源项目，提高整体业务的可持续性，减少碳足迹，以适应全球能源需求变化和应对气候变化的挑战。总体而言，这些企业正通过技术创新、资产优化及战略转型，力求在维持能源供应稳定性的同时，引领行业迈向更加绿色、高效、低碳的未来。

（2）全球炼油产能分布及发展

根据BP能源统计数据，2021年全球炼油产能10191万桶/天（折合50.96亿吨/年），同比减少2097万吨/年，为自1988年以来首次出现产能下降。根据意大利ENI（埃尼集团）数据，2021年全球炼厂个数842个，总计产量51.26亿吨，而2020年全球炼厂个数为866个，总计产量51.82亿吨。由于原油品种不同，炼油的加工工艺和对应的下游产品种类不同。因此，通常以炼厂流体催化裂化（FCC）转换率以及尼尔森系数（NCI）来衡量炼厂的加工深度以及复杂程度。

美国是炼油工业的发祥地，截至2022年1月1日，美国有130家可运营的炼油厂。美国的新建大型炼油装置较少，由于装置较老，近年来运行的安全事故也发生较多。较新的配备大型下游的炼油厂是Marathon在路易斯安那州Garyville的工厂，于1977年上线，初始常压蒸馏装置容量为20万桶/天，至2022年1月1日容量为58.5万桶/天。

自2000年以来，全球的炼油向着更专业化的方向发展，全球炼油集中度提升的同时，大型石油公司的炼油业务占比下降，专业性的炼油公司不断并购并扩大规模。以美国为例，自2000年以来，美国炼油能力有所增加，因为产能增加超过了三家主要炼油厂关闭造成的产能损失。然而，炼油厂和公司的数量在同一时期都有所下降，因为炼油能力集中在前五大公司中，它们的占比从2000年的38%增加到2013年的44%。

（3）全球炼油行业面临的问题

全球炼油行业近年来面临诸多挑战，这些问题深刻影响着行业的未来走向，以下是一些主要问题。

① 能源转型压力。随着全球对减少温室气体排放和应对气候变化的关注日益增强，炼油行业面临从传统化石燃料向可再生能源转型的压力。许多国家和地区设定了碳中和目标，这要求炼油厂减少碳足迹，增加清洁能源产品的生产。在这个背景下，国内外的呼声

不断高涨，要求炼油企业采取更加积极的措施以实现绿色低碳发展。国家发展改革委、国家能源局等相关部门联合印发的《国家发展改革委等部门关于促进炼油行业绿色创新高质量发展的指导意见》中，明确提出了到2025年和2030年的绿色发展目标，并强调了科技创新在推动行业转型升级中的重要性。

② 产能优化压力。在产能优化方面，政策指导炼油行业通过淘汰落后产能、控制新增产能和推广先进节能技术，逐步优化产业结构。这不仅是对资源的合理配置，也是提升行业整体竞争力的必由之路。在能效管理方面，指导意见提出到2025年，炼油产能能效原则上达到基准水平、优于标杆水平的超过30%，到2030年能效达到标杆水平的炼油产能比例大幅提升。这一目标的设定，既体现了对当前能效利用效率不足的深刻认识，也展现了对行业升级潜力的充分信心。

③ 市场需求波动。在全球经济增长放缓以及能源消费模式变化的大背景下，成品油市场的需求变得极为不稳定。这些外部因素直接影响了炼油产品的需求量和需求结构，给炼油企业带来了前所未有的挑战。为了有效应对这种市场需求的不确定性，炼油企业必须采取灵活的生产调整策略，以确保能够在多变的市场环境中保持竞争力和盈利能力。市场需求波动对炼油企业的影响是多方面的。需求的不稳定性会增加企业在原料采购、生产计划和库存管理上的困难，例如如果市场需求突然下降，炼油企业可能会面临成品油过剩的风险，这不仅会占用大量的仓储空间，还可能导致产品贬值。相反，如果市场需求快速上升，企业则可能因生产不足而错失市场机会。

④ 技术快速迭代。随着全球对能源效率和环境保护的要求日益严格，炼油行业正在经历前所未有的技术变革。为了提高生产效率、降低成本并最小化对环境的影响，行业内不断推出新的技术和改进措施，包括更高效的催化剂、数字化转型和自动化技术等。这些技术的迭代不仅有助于炼油企业提升竞争力，也使它们能够更好地应对市场需求和环境法规的变化。然而，技术迭代的速度也给炼油企业带来了不小的挑战，尤其是高昂的投资成本和维护成本。新技术的引入往往需要大量的初期投资，而且还需要持续的技术支持和更新，这对于许多企业来说是一个重大的财务负担。此外，新技术的集成和员工的再培训也是企业在技术升级过程中必须面对的问题。

⑤ 环境法规趋严。随着全球对环境保护意识的加深，政府机构纷纷加强对炼油行业的环境监管，推动实施更为严格的排放标准和废物处理规定。这些法规的变化迫使炼油企业必须投入更多的资金用于环保设施的升级和污染治理工作，以确保其运营活动不会对环境造成不可逆转的损害。面对日趋严格的环境法规，炼油企业首要的挑战是资金问题。环保设施的升级和技术改造通常需要巨额投资，这对于许多企业来说是一个不小的财务负担。除了直接的财务压力，企业在适应新环境法规的过程中还可能面临运营效率下降和生产成本增加的问题，例如新的废物处理程序可能会延长生产流程，增加能源消耗和原材料用量，从而影响企业的整体盈利能力。

⑥ 地缘政治风险。炼油行业作为全球能源供应链的关键环节，其运营稳定性极大依赖于国际原油市场的稳定。然而，在当前复杂多变的国际政治环境中，诸如贸易争端、地区冲突等不稳定性因素频发，这些地缘政治风险直接影响到原油供应的稳定性和价格波动，给炼油企业的原料采购策略带来了前所未有的挑战。

⑦ 投资回报率下降。由于能源转型压力、市场需求波动、技术快速迭代、环境法规趋严和地缘政治风险等多重挑战，炼油项目的投资回报周期正在变长。这一现象对炼油企业的投资决策和长期发展规划产生了显著影响。与此同时，可再生能源项目的吸引力增加，

使得传统炼油项目在投资回报率方面的竞争力下降。

⑧ 市场竞争加剧。全球炼油行业面临的产能过剩问题尤其在亚洲地区变得日益突出。随着新兴经济体对能源需求的持续增长，各国政府和私营部门纷纷投资建设新的炼油厂或对现有设施进行扩能改造，以抢占更多的市场份额。然而，由于市场需求的增长无法与产能扩张的速度相匹配，导致了大量的产能过剩，加剧了市场竞争的激烈程度。在这种市场环境下，新建的炼油厂通常拥有更高效、更环保的生产技术，能够以较低的成本生产出符合市场需求的清洁燃料。这些新工厂的加入，使得那些老旧、效率低下的炼油厂面临巨大的竞争压力。它们必须降低价格以保持市场竞争力，而这往往意味着利润空间的大幅压缩。对于已经处于运营成熟期、折旧费用较高的炼油厂来说，这种价格竞争可能导致它们的利润率降至极低水平，甚至出现亏损。

（4）全球炼油行业存在的机遇

当前，全球领先的炼油企业正处于一个深刻转型与策略调整的关键时期，这一过程中，它们不仅维持着对全球能源供应链的强有力支撑，同时也展现出对未来发展路径的深远思考以及在当前背景下存在的发展机遇。

① 产能优化与扩建。以沙特阿美为例，作为石油行业的领军者，它不仅拥有并运营着世界上规模最大的炼油设施，还在持续探索新的增长点，如在中国等新兴市场的投资合作项目，进一步扩大其全球炼油网络。这些跨国合作不仅强化了其在全球能源市场的影响力，也体现了对新兴市场需求增长的敏锐洞察。

② 技术创新与环境责任。面对全球对减少温室气体排放的迫切要求，国际大型炼油企业正加速引入并应用先进技术，以提升炼油效率、减少环境污染，例如碳捕捉与储存（CCS）、氢能源的利用，以及生物燃料的整合等前沿技术，正逐渐成为这些企业投资研发的重点。壳牌、BP等企业已明确表示将减少对化石燃料的投资，转而加大对可再生能源、电动汽车充电网络及碳中和技术的投入，显示了从“传统能源供应商”向“综合性能源解决方案提供商”的转变决心。

③ 战略转型与多元化发展。在确保传统业务稳健运营的同时，各大企业纷纷布局多元化业务，以分散风险并捕捉新兴市场机遇。这包括但不限于新能源汽车电池材料、氢能产业链的构建、风能和太阳能发电项目等，例如森科能源（Suncor Energy）虽以油砂开采和升级为主，但也开始注重提高运营效率、减少碳排放，探索更为可持续的业务模式。

④ 应对不确定性与全球合作。在全球经济波动加剧、地缘政治紧张的背景下，这些企业还必须灵活应对市场变化，确保供应链的稳定性和安全性。此外，面对全球能源转型的共同挑战，国际合作成为了关键途径，无论是技术交流、标准制定，还是共同投资大型项目，都显示出国际大型炼油企业正通过加强国际合作，共同推动全球能源行业的可持续发展。

总之，国际大型炼油企业正处在一个前所未有的变革期，它们在巩固传统优势的同时，积极探索新的增长点，致力于通过科技创新、战略调整和国际合作，推动能源行业的绿色、高效、可持续发展，以适应并引领全球能源格局的深刻变革。

3.1.3 中国炼油产业分析

中国的炼油产业可以追溯到1905年创建并于1935年解放的延长石油厂。从第一个五年计划开始，国家大力发展石油勘探和炼化工业，1953年至1959年，陆续发现了以克拉玛依为代表的31个油田和12个气田，1959年全国石油产量达到373.3万吨，当年中国主要石油产品自给率达40.6%。1960年，党组织了大庆石油会战并取得成功，至1963年，中国石油基本实现自给自足。改革开放后，国家先后成立中国石油化工总公司和中国石油天然气总公司两家大型国有石油石化集团，推动炼油行业快速发展，使中国的炼油行业在国际上享有盛誉。

中国炼油产业是全球炼油版图中的重要组成部分。2023年，中国原油一次加工总能力达到94885万吨/年。炼油业累计实现收入4.96万亿元和利润656亿元，同比分别增长2.1%和192.3%。目前，中国是全球第一产能大国，千万吨及以上炼油厂已增加至36家。尽管产能总量有所下降，但通过淘汰落后产能和整合，2023年国内一次装置平均炼油规模达到641万吨/年，与世界平均水平770万吨/年的差距进一步缩小。

（1）中国炼油产业特点

从产业结构角度来看，中国炼油行业正在持续优化结构调整，世界级的产业基地或园区也在加速形成。在产品结构方面，近年来炼厂“减油增化”的速度放缓，但长期趋势仍在持续，多个结构调整的炼化项目加速推进，并向高端化工产业链进一步延伸。

在经营主体方面，国内竞争格局进一步发展，参与经营的主体多元化，包括中石油、中石化、中海油等主要国有炼化企业，以及民营企业、外资企业和煤基油品企业等。截至2023年，中石油、中石化、中海油、中中化等主要单位合计炼油能力达到6.19亿吨/年，占全国炼油总能力的66.2%，民营企业炼油能力为2.74亿吨/年，占比29.3%，其他经营主体的炼油能力占比为4.5%。

就大型炼厂数量而言，截至2023年，全国千万吨级炼厂数量达到36家，较上年增加1家，合计炼油能力为5.22亿吨/年，占全国总能力的55.8%。其中，民营企业拥有5家千万吨级炼厂，合计炼油能力突破1亿吨/年，达到1.07亿吨/年。从炼厂规模来看，国内炼厂平均规模较上年提高4万吨/年，达到472万吨/年。中国石化和中国石油（包括外资或合资）的炼厂平均规模分别为1050万吨/年和841万吨/年。

（2）中国炼油企业发展情况

随着产品需求的变化和升级，中国炼油企业正在加快配套二次加工和深度精制装置的发展。2023年，国内炼化企业的二次加工装置能力达到11.28亿吨/年，同比增长2280万吨/年，与一次加工能力的比例为120.6%，较上年提高了0.9个百分点。其中，加氢裂化装置作为压减柴油、增产航煤和化工原料的重要方向，当年新增产能达1160万吨/年，总能力已达到2亿吨/年。

此外，建设或改造深度炼化一体化项目成为投资热点：新建的炼厂多为千万吨级的“化主油辅”炼化一体化企业，例如裕龙岛石化；条件优越的千万吨级燃料型炼厂或原先的简单炼化一体化企业正在配套或新增百万吨级乙烯及其下游衍生装置，例如广西石化、镇海炼化、惠州炼化等；中等规模的炼厂通过建设新一代催化裂解系列装置，在不增加原油加工量的情况下，最大程度地减少成品油的产量，增加低碳烯烃和芳烃原料的生产，例如安庆石化、大榭石化等；部分中小型炼厂选择在某些具有一定基础或自有原料的领域进行产品延伸，以发展特色产品来扩大规模和增强竞争力。

我国目前已经形成了以中石油、中石化为主，中海油、中国化学、中国兵器、独立炼厂等为辅的多元化市场竞争格局。从企业布局看，遵循靠近资源地、靠近市场、靠近沿海沿江地区建设原则，形成了以东部为主，中西部为辅的梯次分布，其中华东、东北、华南是中国炼油能力集中地区。中石化和中石油的原炼油能力分别是30850万吨/年和22370万吨/年，仍占据炼油行业龙头地位。2023年中石化和中石油继续对旗下千万吨级炼厂进行全厂优化转型升级，积极布局下游化工产业链条，提升企业的综合竞争力。目前天津南港、海南炼化、九江石化、大庆石化、大庆炼化等炼化转型项目陆续投产，未来岳阳石化、广西石化、四川石化、吉林石化的炼油化工转型升级项目已经完成立项环评，开始施工招标、土建工程、订购设备等环节，待项目投产后国有炼化企业的综合能力将进一步提高。

随着炼化一体化工厂成为当前中国炼油行业的主流生产架构，新型炼化一体化炼厂也在不断崛起。目前，中国独立炼厂的炼油能力达到36195万吨/年。以恒力、浙石化、盛虹、古雷等为代表的新型炼化一体化炼厂正在迅速发展，其总炼化一体化产能已达7600万吨/年。此外，2023年沙特阿美石油公司积极布局中国市场，与华锦、荣盛、盛虹、裕龙石化等炼化企业签署合作协议，提供稳定的原油供应，以支持这些企业未来的经营和发展。

对于独立炼厂来说，未来将有大量资金投入，并获得稳定且长期的原油供应，这将进一步提升它们在市场上的竞争力，拓宽化工产品的营销渠道，使企业能够保持强劲的可持续发展能力。数据显示，中国目前有28家大型炼化一体化企业，总常减压能力达到40510万吨/年，乙烯能力为3029万吨/年。这些炼化一体化企业的总产能占据了全国炼油总产能的57.57%，已建成的炼化一体化产能占比超过40%。

截至2023年9月，炼化一体化企业的常减压开工负荷率达到90.23%，高于炼油企业的开工负荷率。炼化一体化企业通过优化原料成本、实现炼化物料互供、降低生产和运输环节成本，以及提高装置利用率等措施，显著增强了其在行业中的竞争力和市场地位。

（3）中国炼油行业现存的问题

我国炼油产业自本世纪初以来发展迅速，为我国国民经济的发展提供了充盈的能源储备和坚实的物质基础。但是我国炼油行业在新时代也面临着诸多领域的新的挑战。这些困难和挑战来源于产业的不同方面，成为制约行业进步的瓶颈，主要体现在几个关键领域。

首先，在行业发展方面，我国炼油行业面临着如下问题。

资源与成本方面，全球原油市场的不稳定性，特别是高品质原油资源的紧俏，导致中国炼油企业承受着巨大的进口成本压力。同时，国内部分原油品质下滑，增加了提炼的复杂度和成本负担，进一步压缩了利润空间。

产能与结构问题上，中国炼油产能虽庞大，却伴随着产能过剩的隐忧，尤其是小中型炼厂面临严峻挑战，它们占比较高且分布零散，不利于规模化经营。此外，行业产品结构亟待优化，高附加值产品供给不足，限制了整体盈利能力。

技术创新与升级的紧迫性日益凸显。在国际炼油技术日新月异的背景下，中国炼油行业需突破现有技术瓶颈，提升炼制效率，增强装置的灵活性和环保性能，以应对节能减排的严格要求。低效的加热炉和不足的能量管理系统成为技术改造的重点。

环保与可持续发展是另一大挑战。随着环保法规的收紧，炼油企业需大幅度减少污染物排放，提升能源使用效率，但现有不少装置在这方面表现不佳，技术改造升级刻不容缓。

市场竞争与国际化趋势加剧了行业压力。市场开放政策，如放宽“两权”，吸引了更多民营炼厂参与竞争，国际市场波动和贸易环境变化也对企业的国际竞争力提出了更高要求。

最后，政策环境与市场机制的完善性成为关注焦点。炼油行业期待更加灵活的政策支持和市场导向，以适应国内外市场的快速变化，特别是在成品油定价机制的灵活性上，寻求更合理的内外市场对接策略，以保障行业的健康发展与国际竞争力。

此外，由于国内产业发展不均衡，设备更新不及时等问题，在产品组成与质量层面，依然面临着多维度的挑战。首先，行业产品结构呈现明显的不平衡状态，高端石化产品供应相对匮乏，尤其是特种化学品与高性能合成材料的短缺，导致在国际市场的竞争力受限，高端需求依赖进口得以满足。其次，区域发展水平的不均衡也是一个突出的问题，表现为国有大厂与地方炼油厂（地炼）之间在装备能力、产品质量控制上的明显差距，后者常因技术局限和管理不足，出现产品质量波动，影响了整体市场的信誉与健康。

此外，成品油质量的不一致性，即便是大型国企内部也难以避免，这归因于不同的炼制工艺、原料多样性和地域性差异。随着国家环保法规的日趋严格，如从国五标准向国六标准的过渡，炼油企业面临升级技术、减少污染物排放的迫切压力，这对于部分炼油设施来说，是一个亟待克服的技术挑战。

市场需求结构的变化也加剧了问题的复杂性。随着经济持续增长，消费者对高品质、清洁燃油的需求日益增长，市场趋向于对低硫、环保型油品的偏好。然而，部分炼油企业因技术革新滞后或成本考量，未能有效调整产品结构，导致高端油品市场供不应求与低端产品过剩共存，进一步加剧了供需矛盾。因此，优化产品结构、提升质量控制、加强技术创新，以及积极响应环保标准，成为中国炼油行业当前亟待解决的关键议题。

在自动化技术应用方面，中国炼油行业与国际同行之间存在一定差距。主要问题包括技术应用的不均衡、系统集成的困难以及人才技能的短缺。尽管先进的过程控制、实时优化和智能预测维护等技术不断涌现，但在中国炼油行业中，这些前沿技术的实际应用进展不一，特别是在老旧炼厂中，由于控制系统陈旧和信息孤立问题，导致效率提升和成本控制受到限制。

炼油厂作为高度复杂的系统，要求各子系统和设备之间紧密集成和协同操作。然而，现实中设备的多样性和供应商的差异，再加上数据标准化和接口统一化的落后，严重阻碍了全厂自动控制的一体化进程。此外，行业在技术革新的快车道上遭遇到专业人才短缺的挑战，特别是缺乏掌握最新自动控制技术的专业人员。这不仅延缓了新技术的有效应用，还限制了行业创新的步伐。因此，解决这些问题需要行业各方的共同努力，包括加强技术应用的推广与培训、改善系统集成能力、推动数据标准化与接口统一化，以及加大对自动化技术人才的培养和引进力度，从而推动中国炼油行业迈向更高水平的自动化和智能化发展。

（4）中国炼油行业发展预测

据国家能源局及中国石油天然气集团有限公司发展报告，2024年国内石油勘探开发新增探明地质储量8.6864亿吨，落实9个亿吨级规模增储区。全国炼油能力稳步提升至9.55亿吨/年，较上年增长1930万吨/年；成品油产量4.24 亿吨，同比下降4.6%，化工用油产量继续保持快速增长。吉林石化、广西石化等乙烯重点工程有序实施，大连西中岛炼化一体化等项目前期工作稳步推进，航煤产量、炼油特色产品商品量分别增长20.3% 和6.6%，乙烯产量865万吨、增长8.1%，新材料产量突破200 万吨。

2024年中国原油进口量5.53亿吨，同比下降1.9%，石油外采率71.7%，较上年下降0.7个百分点。石油表观消费量为7.56亿吨，消费结构呈现“成品油需求收缩，化工用油扩容”的特点，其中成品油消费总量3.9亿吨，同比下降2.4%。炼油企业平均开工率为75%，同比下降3.9个百分点，“减油增化”战略稳步推进。

在“十五五”期间，电动汽车对交通用油的替代作用加速发展，预计我国成品油需求将进入下行阶段。因此，部分之前规划中的配套千万吨级炼油装置的炼化一体化项目将取消建设。随着目前国内正在进行的以“减油增化”为主题的炼化转型升级项目的建设完成投产，预计我国的炼油能力将在2027年左右达到峰值，预计为9.8亿吨/年。随后，部分落后产能将继续退出，到“十五五”期末，预计国内炼油能力将降至约9.6亿吨/年。

汽车工业作为国民经济的重要支柱产业，在经济和社会发展中发挥着至关重要的作用。在“双碳”大背景下，随着国家对可持续交通的支持和我国新能源汽车的进一步普及，消费替代比例不断提升。近年来，国内新能源汽车和LNG汽车（液化天然气汽车）的发展势头强劲，对国内成品油行业的影响日益增强，其对成品油的替代作用也在逐步加强。

未来，随着炼油能力基本达到峰值及基础工艺技术的成熟及大规模应用，我国炼油行业的发展将主要集中在结构深度调整优化、智能炼厂建设和绿色低碳发展等方面。具体包括：持续推进落后产能的淘汰和清理，加快清洁环保油品技术的研发，积极探索炼油结构转型技术、化工新材料和特色产品生产技术；推动智能炼厂建设，通过人工智能、大数据和物联网等新技术与炼化业务流程深度融合，提升炼油质量；以及加速炼厂绿色降碳、节能减排、生物燃料、碳捕集与利用、多能互补耦合等技术的研发和应用。

尽管未来我国炼油能力过剩的压力有所缓解，但仍需保持警惕。虽然淘汰了许多小型炼厂，但这并未显著减少国内成品油的供应量，因此未来一段时间仍需通过较大的出口量来平衡国内资源。以2030年为例，按照炼厂正常开工率80%、成品油收率55%计算，扣除国内成品油需求，理论上国内仍将有大约5000万吨的成品油过剩供应。此外，还需关注的是，国家能源集团正在新疆哈密开展应用二代直接液化技术的煤制油项目，该项目预计将增加超过400万吨/年的油品供应量。

3.2 关键装置原理与自动化技术

3.2.1 常减压装置

常减压装置是现代炼油工业中的基石，它承担着原油初次加工的重任，通过物理分离的方式，将复杂的原油混合物转化为多种更具价值的馏分油，为后续的精炼过程奠定基础。这一装置综合了常压蒸馏与减压蒸馏两大核心步骤，两者相辅相成，共同构成了原油初步加工的完整流程。

（1）功能

常减压装置的核心功能在于对原油进行初步的分离处理，旨在去除原油中的水分、盐分、硫化物及其他杂质，同时将原油切割成多个不同沸点范围的馏分，如石脑油、柴油、重质燃料油等。这一过程不仅提升了原油的利用价值，也为下游的催化裂化、加氢处理等精炼工艺提供了适宜的原料。

（2）基本原理

常压蒸馏部分利用原油在常温常压下的挥发性差异，将原油加热至沸腾，轻质组分首先蒸发并被冷凝收集，而重质成分则留下。减压蒸馏则是在降低系统压力的条件下进行，使得原油中更重的组分能在较低温度下汽化，从而避免高温对重质油品的热裂解，保护产品质量并提高收率。

（3）主要设备

常压塔：常压塔负责在常压环境下进行原油的首次蒸馏，通过多层塔盘实现不同沸点馏分的有效分离。

减压塔：与常压塔紧密相连，减压塔通过抽真空系统创造低压环境，使重质馏分在相对温和的条件下汽化，确保重油组分的高效回收。

加热炉：为原油提供必要的热量，确保其达到蒸馏所需的温度。

换热器与冷凝系统：用于回收蒸气中的热量并冷凝蒸气为液体馏分。

脱盐脱水设备：位于蒸馏前，用于清除原油中的盐分和水分，保护设备免受腐蚀。

（4）主要产品

常压蒸馏主要产出轻质馏分，如石脑油（用作化工原料或汽油调合组分）、煤油、柴油等，而减压蒸馏则进一步分离出重质馏分，包括重柴油、润滑油原料、减压瓦斯油（VGO）以及残渣燃料油。这些产品不仅是能源市场上的重要组成部分，也是化学工业和制造业不可或缺的原料。

（5）常压塔与减压塔的关系

常压塔与减压塔在流程上形成了连续且互补的关系。常压蒸馏首先对原油进行初步切割，提取较轻的馏分，而剩余的重质油料则直接送入减压塔，在更低的压力下继续蒸馏，以提取更多重质产品。这种设计不仅提高了原油的利用率，也确保了各馏分的质量和产量最大化，体现了炼油工艺中对资源高效利用的追求。

3.2.2 催化裂化装置

催化裂化装置作为现代炼油工业的核心组成部分，承担着将重质原油转化成高价值轻质石油产品的重任。这项技术不仅极大地提高了原油的利用率，还对满足全球日益增长的清洁能源需求起到了关键作用。

（1）功能与重要性

催化裂化装置的核心功能在于将相对重质、长链的烃类分子裂解为较短链的烃分子，这一过程显著增加了汽油、柴油、航空煤油等高附加值燃料的产出比例，同时副产富含烯烃的液化气，为后续的石化原料生产奠定基础。随着能源转型的推进，最新的催化裂化装置设计更加注重能效提升和环境友好性，致力于降低碳排放并提高资源利用效率。

（2）基本原理

催化裂化过程依赖专有的催化剂和高温高压条件。原料油首先与热催化剂颗粒接触，在反应器中发生裂化反应。催化剂表面的活性位点促使长链烃分子断裂，产生一系列较小的碳氢化合物。这一反应不仅需要精准控制的温度（通常在450℃至550℃之间），还需高效的催化剂循环系统以维持连续操作。最新一代的催化裂化技术，如高效再生催化剂技术和低温裂化工艺，通过优化反应条件和催化剂性能，进一步提升了产物的选择性和产率，同时减少了焦炭的生成。

（3）主要设备

反应再生系统：这是催化裂化装置的心脏，包括反应器和再生器。反应器内进行油品的裂化反应，而再生器则负责烧去催化剂上的积碳，恢复其活性，通过风帽或旋风分离器实现催化剂的高效循环。

提升管反应器：采用提升管结构，提高油气与催化剂的接触效率，是现代催化裂化装置普遍采用的设计。提升管内的快速流动确保了良好的热传递和反应速率。

高效分离器与催化剂处理系统：包括旋风分离器、沉降室等，用于从反应后的油气混合物中高效分离出催化剂，同时减少催化剂损耗。

能量回收系统：最新的催化裂化装置集成有先进的余热回收技术，如蒸汽发生器或废热锅炉，将反应过程产生的大量热能转换为蒸汽或电力，供炼油厂内部循环使用，提高整体能源效率。

（4）主要产品

催化裂化装置的主要产品如下所述。

汽油：高质量的汽油，具有良好的辛烷值，满足现代汽车引擎的性能要求。

柴油：低硫、低芳烃含量的环保型柴油，适用于各类交通工具。

航空煤油：符合国际标准的喷气燃料，适配于各类民用及军用飞机。

液化石油气（LPG）：富含丙烷和丁烷，既是家用燃气的优质来源，也是化工原料。

干气：富含甲烷的气体，可作为燃料或原料用于合成氨、甲醇等化工品的生产。

3.2.3 铂重整装置

铂重整装置是炼油工业中至关重要的加工环节，专门用于提升石脑油的质量和价值，通过催化转化过程将低辛烷值的石脑油转化为富含芳烃的高辛烷值汽油及其他高价值化学品。该技术不仅优化了石油资源的利用效率，还直接关联成品油的品质升级。

（1）功能与目标

铂重整装置的核心目标是通过一系列复杂的催化转化步骤，显著提升石脑油的辛烷值，从而产出高品质的汽油组分。这一过程对于满足现代汽车引擎对高性能、低污染燃料的需求至关重要。此外，铂重整还副产大量的芳烃，如苯、甲苯和二甲苯，这些芳烃是合成树脂、塑料、纤维以及溶剂等化工产品的基石。随着环保法规的日益严格，现代铂重整装置在提高产品品质的同时，也注重降低能耗和减少污染物排放。

（2）基本原理

铂重整技术基于贵金属铂的催化作用，在高温高压环境下，使石脑油中的直链和支链烷烃发生脱氢、环化和异构化反应，最终转化为富含芳烃的化合物。这一系列化学反应主要发生在多个连续的催化反应器中，每个反应器内装填有特定功能的催化剂。首先，石脑油原料在预处理单元去除杂质后，进入第一反应器（通常称为重整反应器）进行脱氢反应，生成烯烃，随后，这些烯烃在后续的反应器中经历环化形成环烷烃，最终异构化为芳烃。整个过程中，铂催化剂起着决定性作用，不仅促进反应高效进行，还能保持长时间的活性和选择性。

（3）主要设备

预处理器：用于原料净化，去除硫、氮等杂质，保护昂贵的铂催化剂。

连续重整反应器：一系列串联的反应器，每台装填不同功能的催化剂，以完成脱氢、环化和异构化等多步化学反应。

再生器：用于定期再生催化剂，清除其表面的积炭，恢复催化活性，确保装置的持续高效运行。

分离与精制单元：包括分馏塔、稳定塔等，用于分离出重整产物中的不同组分，如高辛烷值汽油、纯芳烃等。

能量回收系统：集成蒸汽发生器或余热锅炉，有效回收重整过程中释放的大量热能，提高整体能效。

（4）主要产品

铂重整装置的主要产品如下所述。

高辛烷值汽油：直接用于调配高品质汽油，提升汽车燃油经济性并减少排放。

芳烃产品：苯、甲苯、二甲苯等，作为基础化工原料，广泛应用于塑料、合成纤维、染料、医药等行业。

氢气：作为副产品回收，用于炼油厂内部的加氢处理过程，或出售给化工市场。

3.2.4 烷基化装置

烷基化装置是石油炼制行业中一项至关重要的技术，专注于将低分子量的烯烃与异丁烷等短链烷烃在酸性催化剂的作用下反应，生成高质量的烷基化油——一种高辛烷值汽油组分。这项技术对于提升汽油的抗爆性能、满足现代汽车引擎的高标准要求具有重要意义。以下是关于烷基化装置的全面概述，涉及其核心功能、基本工作原理、关键设备配置以及主要产品输出。

（1）功能与目标

烷基化装置的核心任务是通过精确控制的化学反应过程，将烯烃转化为具有高辛烷值特性的烷基化油。这一转换过程不仅极大地提高了最终汽油产品的质量，确保发动机运行更加平稳且排放更低，还优化了炼油厂的整体经济效益，因为烷基化油是市场上价值极高的汽油添加剂。此外，烷基化装置的设计和操作均需严格遵守安全规范，以确保高效且环境友好的生产过程。

（2）基本原理

烷基化反应本质上是一种酸催化下的碳链增长过程，其中短链烯烃（如丁烯、戊烯）与异丁烷反应，生成高度支链化的烷基化油。这一过程通常在低温、高压条件下，使用强酸如硫酸作为催化剂进行。反应产物富含高度分支的烷烃，其结构赋予了油品极高的辛烷值和良好的燃烧特性。值得注意的是，现代烷基化技术正逐渐向使用固体酸催化剂转变，以减少环境风险并提高操作安全性。

（3）主要设备

反应器：烷基化反应的核心设备设计有严密的安全控制系统，确保在极端条件下（如低温、高压）安全进行酸催化反应。现代装置倾向于采用更为安全的固体酸催化剂反应器，替代传统的液体酸系统。

原料处理单元：负责烯烃和烷烃原料的净化与预处理，包括脱硫、脱水等步骤，以保障反应的高效和催化剂的稳定性。

酸再生与回收系统：对于使用液体酸催化剂的装置而言，该系统至关重要，它负责酸的循环利用和再生，同时处理反应产生的副产品和废酸。

分馏塔：用于分离烷基化产物中的多种组分，确保获得纯净、高辛烷值的烷基化油，并回收未反应的原料。

环保设施：包括废气处理、废水处理和废酸处理单元，确保整个生产过程符合严格的环保标准。

（4）主要产品

烷基化装置的主要产品为烷基化油，这是一种清澈、无色、高辛烷值的液体，其研究法辛烷值（RON）通常超过95，远高于常规汽油，是调和优质汽油的理想组分。此外，根据所用原料的不同，装置还可能副产少量的液化石油气（LPG）、丙烷、正丁烷等石化产品，这些同样具有较高的市场价值。

3.2.5 炼油装置中的自动化技术

（1）炼厂自动化发展沿革

① 计算机用于炼厂控制。1959年4月4日，Texaco开始在炼油厂使用第一台直接数控计算机——RW-300计算机，安装在位于得克萨斯州Port Arthur炼油厂的1600桶/天的聚合装置上。通过计算机控制，实现了进气和出气的分析，感知和测量压力、流量和温度，计算催化剂活性。计算机可以权衡所有这些因素，并决定加工单元应该做些什么才能以最低的成本获得最多的产品。

用于加工业的第二台RW-300计算机于1960年安装在孟山都（美国）得克萨斯州Chocolate Bayou的石化厂，随后是B.F.Goodrich位于美国肯塔基州Calvert City的化工厂。

IBM于1961年3月推出了其首个多用途工业控制系统IBM 1710，用于加工制造业的各种采样和数据解释，包括质量控制、工业过程研究和过程优化。该系统于1961年首次安装在印第安纳州American Oil的Whiting炼油厂。从20世纪50年代末到60年代初，化学和石油领域安装了40多个该计算机控制系统，彻底改变了碳氢化合物加工操作，将炼油和化学工业转变为新的计算机时代。

② PLC改变工业自动化。PLC的发明源于汽车行业。1968年，Bedford Associates的创始人Richard（Dick）Morley（被称为PLC之父）推出了世界上第一台PLC，意味着大型中继组可以被单个设备取代。它还包含足够的内存，可以在断电时保留加载的程序，并且在恶劣的条件下运行良好。

PLC的发明开创了自动化技术的新时代。今天，PLC被纳入精炼和石化工厂运营，以帮助监控工厂设备，以及其他生产操作。

③ DCS助力炼化装置发展。1975年，另一项革命性的技术——分布式控制系统（DCS）被推出，以优化炼油和石化工厂的运营。第一批DCS由霍尼韦尔和横河电机推出。Bristol（现为艾默生过程管理公司的一部分）也于1975年推出了UCS3000，这是第一款基于微处理器的通用控制器。通过微计算机和微处理器的发展和大规模可用性，DCS被创建来控制多个行业的制造过程，包括炼油和石化产品生产。20世纪70年代早期到中期，霍尼韦尔在优化自动化技术以及推进过程控制方面进行了广泛的工作，于1975年推出了TDC2000（TDC代表完全分布式控制，total distributed control）系统。该系统提供了工厂内过程的集中视图，并利用了一条高速数据，将各种传感器数据链接到一个中心位置。工厂人员可以在单个系统中监控和修改多个控制回路。TDC2000在全球范围内使用了十年，直到1985年被TDC3000取代，随后在2000年被Experion取代。

其他数字公司在20世纪70和80年代引入了新技术，以优化HPI的过程控制和自动化。先进过程工程系统（ASPEN）项目始于1977年。

ASPEN项目着手开发一种通用模拟系统，供整个过程工业的化学工程师使用。该项目的结果是名为ASPEN的下一代过程模拟器。该技术可以模拟大型复杂过程，涉及高度非理想的化学成分、煤，以及电解质和多相系统。1981年，该软件由新公司AspenTech商业化，于1982年发布了第一款产品Aspen Plus。

20世纪70年代发布了几种直接数字控制技术，其中包括Foxboro（现为施耐德电气的一部分）用于工厂监控和过程控制的FOX 1系统、Fisher Controls（现为艾默生的一部分）DC2系统分别是PROVOX DCS、Taylor Instrument Co.和Baily Controls（两家公司现在都是ABB的一部分）的1010系统和1055系统。

流程自动化在后来几十年中不断发展，包括转向基于以太网的网络、现场总线安装、无线系统和协议、增加的网络防御、远程传输以及许多其他优化工厂运营的进步。

（2）炼厂自动化主要技术介绍

现代化的炼油厂采用了各种智能化和自动化控制设备，如液位、温度、流量等传感器及其配套设备控制设备。这些设备可以实时监测和调节炼油过程中的各项参数，确保操作的准确性和稳定性。根据统计显示，全球炼油行业中应用智能化和自动化控制系统的比例在不断增加，从2018年的30%提升至2022年的45%。这些已经应用的设备使得炼油过程更加精细化、高效化，大幅降低了人为操作带来的风险和成本。

炼油行业作为石油炼化行业的基础和龙头，其自动化技术的应用日益广泛，旨在提高生产效率、优化操作控制、保障安全运行及节能减排。以下是炼油工业中一些关键自动化技术的应用总结。

① 分布式控制系统（DCS）。分布式控制系统（DCS）作为炼化装置的神经中枢，其功能和作用远不止于简单的过程控制和监控。它通过高度集成的技术手段，实现了对整个蒸馏过程的精确管理和优化。DCS通过先进的软件算法，可以预测过程变化，自动调整控制策略，以适应原料性质的变化或产品需求的不同。

DCS的数据采集与分析功能为操作决策提供了强大的支持。系统能够处理大量的实时数据，利用历史数据进行深度学习，从而预测设备的性能趋势，提前发现潜在的故障点，实现预防性维护。这种预测性维护不仅可以减少设备的停机时间，延长设备的使用寿命，还能大幅度提高整个装置的运行效率。

在安全方面，DCS的作用同样不可小觑。它能够实时监测装置中的有害气体泄漏、温度异常等潜在风险，并自动启动紧急应对措施，如切断阀门、启动消防系统等，大大提高了生产环境的安全性。

DCS还为操作人员提供了直观友好的界面，使得复杂的操作变得简单易行，极大地减少了人为操作错误。通过远程监控和操作，DCS使得操作人员可以在控制室内完成所有的操作任务，这不仅提高了工作效率，也改善了工作环境。

② 先进控制与优化软件。先进控制与优化软件在现代工业生产过程中的应用，尤其是在石油化工领域，已经成为不可或缺的一部分。这些软件包括模型预测控制（MPC）、实时优化（RTO）等高新技术，它们的核心在于能够通过复杂的数学模型来精确地控制和优化生产过程。

模型预测控制（MPC）是一种先进的控制策略，它能够同时考虑多个过程变量，并预测它们在未来的行为。这种控制策略通过模拟和优化过程的未来行为，自动调整操作条件，以应对各种扰动和变化，从而使得过程稳定在最优状态。MPC能够在保证产品质量的同时，提高生产效率，减少能源消耗。

实时优化（RTO）技术则更进一步，它不仅考虑当前的操作条件，而是持续地、自动地对整个生产过程进行优化。RTO系统通过收集实时数据，使用先进的算法和数学模型，对生产过程进行实时分析，找出最佳的操作条件，以实现能耗最低化和产量最大化。这种技术可以应用于从单一装置到整个工厂的不同层面，实现整体优化。

例如，石化生产过程中，加热炉的燃烧控制和分馏塔的物料平衡是影响能效的重要环节。通过MPC和RTO技术的应用，可以协调这两个部分的操作。通过对燃烧系统的优化，确保加热炉的燃烧效率最高，同时通过对分馏塔物料平衡的精确控制，保证产品收率和质量。这种协调不仅提高了生产效率，还大幅度降低了能源消耗，实现了整个装置的能效最优化。

总而言之，先进控制与优化软件的应用，极大地提升了炼油行业的自动化和智能化水平，使生产过程更加高效、节能、环保。这些技术的成功应用，不仅基于复杂的数学模型和算法，还依赖于精确的传感器、可靠的数据处理系统和强大的计算能力。随着技术的不断进步和成本的降低，预计未来这些先进技术将在更广泛的领域得到应用，为工业生产带来更多的革命性改进。

③ 状态监测与故障诊断系统。状态监测与故障诊断系统在现代工业中扮演着至关重要的角色，它们通过集成先进的技术手段，如振动分析、热成像、超声波检测、近红外监测等，实现对关键设备运行状态的实时监控和故障预警。这些系统不仅能精确捕捉设备运行中的细微变化，还能通过智能算法分析监测数据，预测潜在的故障发展趋势，从而提前采取预防措施，避免大规模的设备故障和生产中断。

振动分析技术能够检测设备在运行过程中的振动数据，通过对这些数据的细致分析，可以识别出许多常见的机械问题，如轴承损伤、齿轮啮合不良、不平衡等。这种技术可以做到实时监测，及时发出警报，从而在问题初期就进行维护，避免了大规模的设备故障。

热成像技术通过捕捉设备表面的红外辐射，将温度分布转化为可视化的图像。这种技术对于检测设备的过热现象特别有效，比如电机过热、电路接触不良等。热成像可以非接触式地监测设备，使得检查过程不会对设备本身或生产流程造成影响。

超声波检测技术通过发射和接收高频声波来识别设备内部的微小缺陷，如裂纹、气泡等。这种技术适用于内部结构复杂的设备，可以在不解体的情况下进行检测，极大地提高了检测效率和安全性。

近红外技术是一种新兴的监测手段，它通过分析材料对近红外光谱的吸收和反射特性来检测设备状态。这种技术对某些特定材料的检测特别有效，例如可以用于检测绝缘材料的老化程度，从而预防由绝缘损坏引起的故障。近红外技术是非接触式的，可以在一定距离内快速扫描设备，适合用于在线监测。

状态监测与故障诊断系统不仅能实时监测设备状态，还能通过智能算法分析监测数据，预测潜在的故障发展趋势，例如通过持续跟踪振动数据的变化，系统能够预测轴承的剩余寿命，提前安排更换或维修，从而避免突发性设备停机。

随着人工智能和大数据技术的发展，状态监测与故障诊断系统正在向更高的智能化方向发展。系统可以自学习设备运行的正常模式，自动识别异常状态，甚至可以自动调整设备参数，以适应环境变化或生产需求的变动。这种智能维护系统减少了对人工的依赖，提高了设备的适应性和生产效率。

④ 智能仪表与现场总线技术。智能仪表与现场总线技术是现代工业自动化的重要组成部分，它们通过数字化和通信技术的革新，极大地提升了工业系统的性能和效率。数字化仪表能够提供高精度的数据采集和处理，而现场总线通信技术则使得这些数据能够在广阔的工业现场内快速、准确地传输。这些技术的融合，不仅显著减少了传统布线的复杂度，还提高了整个系统的响应速度和可靠性。

智能仪表的引入，配合现场总线技术，彻底改变了这一局面。现场总线是一种数字化的、多点通信系统，它允许多个设备通过同一根电缆或无线网络进行通信。这样，无论是在新建项目还是在升级改造项目中，布线的工作量和成本都得到了大幅度的降低。

更重要的是，现场总线技术提高了数据传输的准确性和速度。在传统的模拟信号传输过程中，信号可能会因为线路的长短、电磁干扰等因素而衰减或失真。而数字信号具有很好的抗干扰性，且在现场总线的传输过程中，可以保持原始数据的完整性，确保了监测和控制的准确性。此外，现场总线的高速数据传输能力，使得控制系统能够实时获取设备状态和过程参数，从而作出更快速的响应和调整。

智能仪表与现场总线技术的结合，还为设备状态和过程参数的监测提供了更多的可能性，例如智能仪表可以对温度、压力、流量等多种参数进行实时监测，并通过现场总线将这些数据实时传送至控制中心。在控制中心，操作人员可以通过先进的监控软件对这些数据进行分析和处理，从而实现更为精确和高效的生产过程控制。这种集中监控和控制的方式，不仅提高了生产效率，还增强了对生产过程的管理能力。

智能仪表与现场总线技术的应用，通过对传统工业控制系统的改进，实现了布线简化、数据传输高效化和生产监控精准化。这些技术为现代工业的自动化和智能化奠定了坚实的基础，使得工业生产更加高效、安全和经济。随着技术的进一步发展，未来工业生产的智能化水平将得到更深层次的提升，为整个工业领域的持续发展注入新的动力。

⑤ 安全仪表系统（SIS）。安全仪表系统是专门为提高工业生产过程的安全性而设计的高级自动化系统。它与紧急停车系统（ESD）有紧密的联系，但功能更为广泛，不仅能够在突发情况下迅速切断进料或停止设备运行，还能在正常运行期间持续监测关键参数，确保生产始终在安全的范围内进行。

SIS的设计核心在于其能够自动检测和响应潜在的危险情况，从而避免事故的发生或减轻事故的影响。它通过一套或多套专门的传感器来实时监控生产过程中的关键变量，如温度、压力、流量等，这些变量的任何异常都可能预示着潜在的安全问题。一旦检测到这些变量超出安全范围，SIS会立即启动预设的应对措施，比如关闭阀门、启动备用系统，或者激活报警和紧急撤离程序。

SIS的响应速度极快，通常在毫秒级，这是因为在工业生产中，许多危险情况的发展速度极快，任何延迟都可能导致灾难性的后果。因此，SIS的设计、测试和维护都遵循严格的工业标准和法规要求，以确保其在关键时刻的可靠性和有效性。

此外，SIS还具有模块化和可扩展的特点，可以根据不同生产线或工厂的具体需求进行定制。它能够与企业的其他自动化系统如分布式控制系统（DCS）和SCADA（监控控制和数据采集）系统协同工作，形成一个综合的安全管理网络。

总的来说，SIS是现代化工企业中不可或缺的安全保障措施之一。它通过先进的自动化技术，为生产过程中的各种潜在风险提供了一道强有力的防线，确保了生产的连续性和企业资产的安全。

⑥ 远程监控与运维。远程监控与运维在现代工业系统中扮演着至关重要的角色，它利用先进的互联网技术，实现了对于远离现场的装置进行实时监控和故障诊断。这种技术的引入极大地提升了工业系统的运维效率和响应速度，使得无论专家身在何处，都能通过远程连接迅速了解装置的运行状况，并进行专业的评估与指导。

借助于远程监控系统，现场装置的各种运行参数和状态信息可以实时传输到远程监控中心。这不仅包括了设备的基本运行数据，如温度、压力、流量等，还可能包含更复杂的数据分析结果，比如振动分析、能效计算以及预测性维护的指标。通过这些详尽的数据，远程的专家可以准确判断设备的运行是否正常，是否存在潜在的故障风险。

当远程监控系统检测到潜在的问题时，它可以立即通知远程的专家团队。这些专家可以利用其专业知识和经验，对异常情况进行深入分析，并提供及时的解决方案。这种快速的反馈循环极大地缩短了故障诊断的时间，并提高了问题解决的效率。此外，远程专家还可以通过远程连接对现场设备进行配置调整或软件更新，以优化系统性能或应对特定的运行挑战。

远程监控与运维技术的一个重要优势在于，它使得知识和资源的分配更加灵活和高效。一位专家可以同时监控多个地点的设备，使得高质量的专业知识得以共享，从而提升了整个工业系统的操作和维护水平。此外，这种技术还支持数据的长期存储和分析，为未来的优化和改进提供了宝贵的数据支持。

总的来说，远程监控与运维技术通过提供实时的、准确的设备状态信息和便捷的专家支持，极大地提高了工业系统的运行效率和安全性。随着互联网技术和数据分析技术的不断进步，这一领域将展现出更广阔的发展前景。

⑦ 实验室信息管理系统（LIMS）。实验室信息管理系统是确保生产流程效率和产品质量的关键技术。炼化工厂的处理过程复杂，涉及从原油到各种石化产品的转化，因此对数据管理和质量控制有着极高的要求。LIMS在这里不仅优化了样品处理流程，还确保了实验数据的准确性和可追溯性，对于保障产品质量和合规性至关重要。

在炼化生产过程中，LIMS需要与各种分析设备接口，如色谱仪、质谱仪和光谱仪等，这些设备用于监测原料、中间体和最终产品中的化学成分。通过自动化的数据收集和处理，LIMS减少了手工输入的错误，加速了数据分析的速度。这对于快速做出生产决策，及时调整工艺参数以维护生产质量尤其重要。

LIMS能够实时监控生产过程中的关键质量控制点，从而及时识别和纠正偏差。此外，当发生质量问题或产品不合格时，LIMS提供的追踪功能可以帮助确定问题的来源，是原材料的问题还是生产过程中的问题，从而快速采取纠正措施。

炼化工厂的LIMS通常还包含安全和合规性管理模块。这些模块帮助炼化厂商遵守严格的环境、健康和安全标准，以及符合行业规范的记录保存要求，例如LIMS可以自动记录排放数据，确保企业遵守环保法规，同时保持对潜在问题的预警。

最后，炼化工厂的LIMS通常支持与企业资源规划（ERP）系统集成，以实现跨部门的数据共享和业务流程协同。这种集成有助于提高资源使用效率，优化供应链管理，同时提升客户服务水平。

综上所述，炼化工厂中的LIMS是一个强大的数据管理和质量控制工具，它通过实现数据的自动化采集、分析和报告，帮助炼化企业提高产品质量，确保合规性，并最终提升市场竞争力。随着信息技术的发展，LIMS在炼化行业的应用将越来越广泛，成为支撑行业现代化和智能化的重要基石。

目前的自动化技术应用覆盖了从基础控制到高级优化、从设备健康管理到安全保护的全方位领域，极大地提升了炼油过程的智能化水平和经济效益。

随着大数据和人工智能的发展，炼油行业越来越重视如何通过数据分析来改善炼油过程。通过收集和分析炼油过程中的大量数据，可以发现优化生产的方式，提高能源利用率和降低环境排放的潜力。全球炼油行业中超过60%的炼油厂在生产过程中应用了数据分析和人工智能技术。这些技术的应用将提高生产效率，减少浪费，为企业带来可观的经济效益。

（3）实施自动化技术的必要性

自动化技术的应用在炼油工业中变得尤为重要，这一点在生产端和市场端都有着明显的体现。自动化技术的引入不仅显著提升了生产效率，还增强了产品质量控制，降低了能耗和成本。通过精确监控生产过程，自动化系统能够确保操作条件保持在最优状态，从而实现更高的生产稳定性和产品质量的一致性。

在安全方面，炼厂自动化的重要性同样不容忽视。炼油过程涉及多种危险化学物质和高温高压条件，手动操作容易带来安全风险。自动化系统通过实时监测和控制，能够及时检测到异常情况并自动采取应急措施，显著提高了炼厂的安全水平。此外，自动化技术还能减少人员在危险环境中的工作，降低了工伤事故的发生率。

环境保护是另一个炼厂自动化技术重要性的体现。自动化系统有助于更精确地控制原料和能源的使用，减少废物产生和有害排放，从而支持炼厂达到更严格的环保标准。随着全球对环境保护意识的增强，自动化技术在帮助炼厂实现环境可持续性方面的贡献愈发凸显。

市场竞争激烈要求炼厂不断提升生产的灵活性和响应速度，自动化技术在此方面发挥着关键作用。它使得炼厂能够快速适应市场需求的变化，调整生产计划和操作条件，优化资源配置，提高经济效益。

因此，炼厂自动化的必要性不仅体现在提升生产效率和质量、保障安全生产、保护环境等方面，还在于其对于提高炼厂竞争力和适应市场变化的关键作用。随着技术的不断进步，未来炼厂自动化和信息化，乃至智能化将成为炼油行业持续优化和发展的必要趋势。

3.3 » 炼油系统运行优化关键技术

炼油生产系统的运行优化面临着双重挑战。一方面，在生产加工原料时，受到原材料产地和批次等因素的影响，原料性质存在显著差异，可能引发生产工况的波动。另一方面，在全球互联时代背景下，市场不确定性显著增加，石油炼化行业的生产需求日益动态化和多样化。这些挑战使得研究复杂生产条件下石油炼化生产系统的过程建模与运行优化问题变得尤为关键。随着以人工智能技术为主导的技术革命的兴起，石油炼化行业也在不断迈向智能化和高效化。本节针对石油炼化行业在生产过程中普遍面临的原料性质变化和生产需求调整等问题，基于工业过程的机理和特性，利用前沿的人工智能技术，研究了一系列混合过程建模与运行优化方法，旨在在复杂的生产条件下提升石油炼化生产系统的经济效益和产品质量。

3.3.1 炼油工业运行优化模型概述

（1）炼油运行优化基本建模方法

过程建模是实现智能制造的基础，也是智能控制和性能优化的先决条件。建立准确的过程模型是炼油工业实现“安、稳、长、满、优”的有力保障。针对炼油工业，研究人员开发了不同类型的模型。根据是否利用机理知识，这些模型可以主要分为三类：机理模型、数据驱动模型、混合模型。

① 机理模型。机理模型即知识驱动模型，在对工业过程工艺机理深刻认识的基础之上，通过对过程中的质量平衡、能量平衡、物料平衡、相平衡方程等机理知识的分析，建立具有确定数学表达式的过程模型。比如，文献[7]利用化学反应机理和动力学原理等，成

功建立了乙烯淤浆共聚过程的机理模型，取得了良好的效果。在文献[8]中，通过对催化裂化装置（fluid catalyst cracking unit，FCCU）中原料油和产品进行虚拟组分划分，为多产异构烷烃工艺建立了十级总反应动力学模型。显然，这样建立出的过程模型工程背景清晰、适用范围广、对噪声不敏感、可解释性强，在过去很长一段时间内都是建立过程模型的首选方案（文献[9,10]）。然而，随着工业过程日益复杂化，建立准确的机理模型变得越来越困难，即使能够建立近似的机理模型，在推导过程中模型也通常是需要多步简化的，这会导致不可避免的建模误差。此外，机理模型复杂的求解步骤和缓慢的收敛速度也是限制其实际应用的另一个因素。因此，近年来关于单一知识驱动模型的研究呈现逐渐减少的趋势，与此同时，这类模型现今往往与数据驱动的过程模型结合使用。例如，在文献[11]中，利用可逆伪反应建立了吸收塔中复杂反应动力学和气液平衡的近似值，以获得紧凑的机理模型，将该机理模型和数据驱动的过程模型组合，成功实现对吸收塔CO_2实时浓度的准确估计。

② 数据驱动模型。数据驱动建模方法不需要对工艺机理有明确的认识，基于历史数据建立变量之间的相关关系模型，因其能够较好地解决过程的非线性、时变性、动态性等问题，在流程工业中具有广泛的应用前景。通常，建立数据驱动过程模型需要遵循几个步骤，如图3-3-1所示。

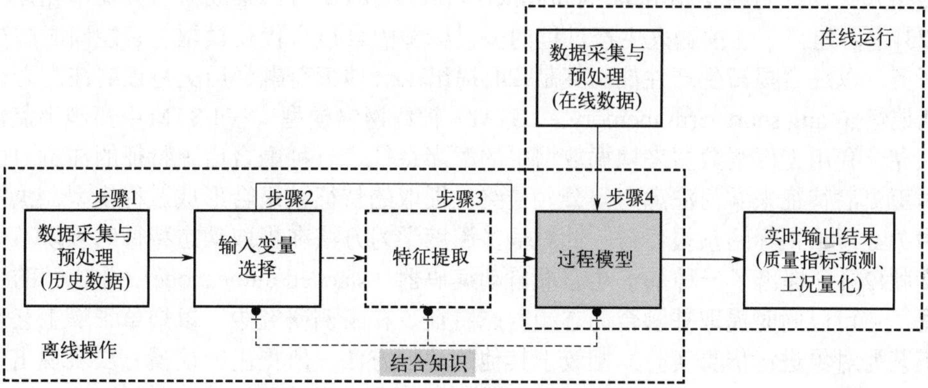

图3-3-1 数据驱动过程模型

首先，采集用于建模的原始测量数据，通常需要对数据中的异常值和缺失值进行处理，该操作被称为数据预处理，一般在数据采集阶段同时进行，然后，选择关键过程变量，根据过程机理，选择与输出变量在机理上强相关的过程变量作为输入变量，再利用所选的过程变量进行特征提取或直接建模。其中，特征提取是一个可选的步骤，在图3-3-1中用虚线表示，特征提取将原始输入变量空间映射到低维度的特征空间，使低维度的特征包含特定的信息。在线操作过程中，将实时数据输入训练好的过程模型，从而完成输出任务，包括关键质量指标的实时预测、生产工况的实时识别与量化等。传统数据驱动过程建模方法主要包括基于统计学习的建模和基于神经网络的建模两类。

a. 基于统计学习的过程模型。在炼油工业建模中常用的统计学习方法有主成分分析（principle component analysis，PCA）、独立成分分析（independent component analysis，ICA）、核主成分分析（kernel principle component analysis，KPCA）、偏最小二乘（partial least square，PLS）、核偏最小二乘（kernel partial least square，KPLS）、支持向量回归（supportvector regression，SVR）等。文献[18]提出了一种多模态的过程监测方法，该方法

利用主成分分析分段对过渡过程之间的差分变量进行相关性分析，提取相对变化的特征，并以实际连续退火机组生产线验证了该方法的有效性。文献[16]提出了一种基于稀疏非线性特征（sparse nonlinear features）的新型局部加权核偏最小二乘方法，用来预报流程工业中的产品质量，该方法在应对过程时变特征的同时又考虑了过程的强非线性。文献[20]提出了一种基于混合高斯核的区间预测模型，并且，该模型的Jacobian矩阵可以很好地用核矩阵表示，这极大地方便了后续的计算，文献中利用钢铁厂的真实数据验证了该模型的准确性和可靠性。然而，炼油工业内部机理复杂，属于典型的复杂非线性过程。传统的统计学习方法通常仅包含线性运算或单个非线性运算，模型复杂度低，对深层非线性特征的提取能力有限，进而限制了模型的学习能力。

b. 基于神经网络的过程模型。炼油工业是一类高度复杂的工业系统，其生产过程涉及物理化学反应，伴随着物质能量转换，气、液、固多相共存，系统参数繁多，关联耦合严重。其过程特征多表现为大范围连续性和不确定性、强耦合性和高度非线性。由于神经网络含有多种非线性激活函数，而且网络结构易于扩展，深层神经网络包含多个非线性运算，在处理非线性数据上具有显著的优势，这使得深度神经网络近年来成为流程工业建模领域中备受青睐的方法。

其中，文献[22]针对常压分馏单元，研究了预报能效指标的软感应模型。OchoaEstopier等人使用人工神经网络（artificial neural network，ANN）为热集成原油分馏单元建模。在文献[23]中，建立了连续退火生产过程的多目标多因素运行优化模型。它能同时解决多个优化任务，以综合提高生产性能。文献[24]提出了一种带有融合历史特征的注意力机制的长短期记忆（long short-term memory，LSTM）神经网络模型。在LSTM中实施半监督学习方法以充分利用无标签数据来挖掘数据中的时序特征。一种融合历史特征的注意力机制可以利用历史潜特征来学习注意力得分。最终，提取的特征被组合形成过程模型，执行流程工业中关键质量指标的预报任务。针对很多深度学习方法在提取动态特征时表现不佳的情况，文献[25]等提出了一种基于动态堆自动编码器（stacked autoencoder，SAE）的过程建模方法，它可以同时提取并融合动态和静态特征。在案例研究中，以烟草干燥工艺和加氢裂化工艺为对象进行仿真实验，相较于其他的建模方法，所提出的建模方法表现出更好的性能。在文献[26]中，利用深度神经网络建立了加氢裂化过程的产量预报模型，该模型具有优秀的泛化能力，对于新的工业数据能够给出可信赖的预报结果。

当然，数据驱动模型并不是万能的，其拥有强大能力的同时也蕴含着诸多风险。最根本的问题在于，数据驱动模型的性能依赖建模所用数据的质量，对于工业过程而言，虽然在数据量上甚至带标签样本的数据量上能够为模型提供足够的支持，但鉴于所用的建模数据通常难以覆盖整个操作范围，因此数据驱动模型往往只能保证在局部范围内的预测精度，由于现今许多复杂工业过程常呈现非线性、多变量和工况范围大等特点，使得数据驱动建模方法在面对复杂工业过程时难以提供满意的预测性能。同时，数据驱动建模是一种端到端的特征学习方法，这增加了工程技术人员理解模型学到了什么以及如何学习的难度，从而导致了缺乏可解释性的问题，致使操作人员难以信任模型的预测结果。为解决上述这些数据驱动模型自身的本质性难题，越来越多的学者开始关注混合驱动的建模方法，即通过引入领域知识，建立数据与知识混合驱动的过程模型，以期解决上述问题。

③ 混合模型。炼油工业中的知识主要有机理知识、经验知识和数据知识，其中，机理知识是能够反映生产过程本质的显性知识，一般以公式、方程式等数学形式呈现。在炼油

工业中，由于生产具有过程连续、机理复杂、物质转换难以数值化等特点，机理知识成为最重要、最核心的知识。经验知识是指工业人员在操作过程中积累和总结出来的经验、技巧等，经验知识虽为隐性知识，但可以由一些方法或专家规则等显化表示。炼油工业的生产数据中包含着大量生产运行的信息，对生产数据分析处理后形成的知识即为数据知识，数据知识通常隐含在数据中，可以形成对知识库的补充和完善，这在现代制造业智能和信息化的环境下尤为重要。

由上述工业过程知识的定义可以看出，知识本身包含丰富而重要的过程信息，事实上，这些知识构成了工业过程运行的基础，并且过程设计通常具有明确的功能以及可靠的机理，这些机理在建模、控制和优化方面发挥着关键作用，利用现有的数据驱动模型完全取代它们是不明智的。虽然数据驱动过程模型能够实现比大多数机理模型更高的建模精度，但知识驱动模型自身也具有极大优势。简单地说，知识驱动模型能更好地描述过程的已知部分，而数据驱动模型更适合用于揭示过程的未知部分。只要能够建立复杂工业过程的知识驱动模型（即使该模型的性能不尽如人意），其作用就不该被忽视，因为知识驱动和数据驱动模型分别对过程的不同特性进行提取并建模，两者结合有望弥补各自的不足，从而实现更优异的建模效果，包括更高的估计/预测精度、增强的外推特性以及更好的可解释性等。传统的混合驱动建模方法主要可以分为三类：串联模型（series model，SM）、并联模型（parallel model，PM）和串-并联模型（series-parallel model，SPM）。

a. 串联模型。串联模型如图3-3-2所示，是将数据驱动模型和机理模型依序串联，其中，数据驱动模型首先预测机理模型中的一部分动力学参数，然后机理模型给出过程输出。除了这类常用的串联结构之外，也有机理模型在前，数据模型在后的建模案例。早在20世纪90年代，Psichogios和Ungar采用串联结构构建了分批补料生物反应器模型，其中机理模型用于反映已知的先验反应知识，ANN模型用于预测未测量的过程参数。文献[28]利用数据驱动模型先预测出母液过饱和度和纯度，然后将这些预测值输入后续的机理模型，以准确预测结晶过程的晶体含量和结晶度分布，从而实现对结晶过程的状态监测和控制。需要指出的是，串联模型要想实现令人满意的建模精度或精度提高，需要建立相对完整的机理模型，同时数据驱动模型需要能够实现较高质量的特征提取，一旦遇到较为复杂的工业过程，这类串联结构依旧难以真正发挥优势。

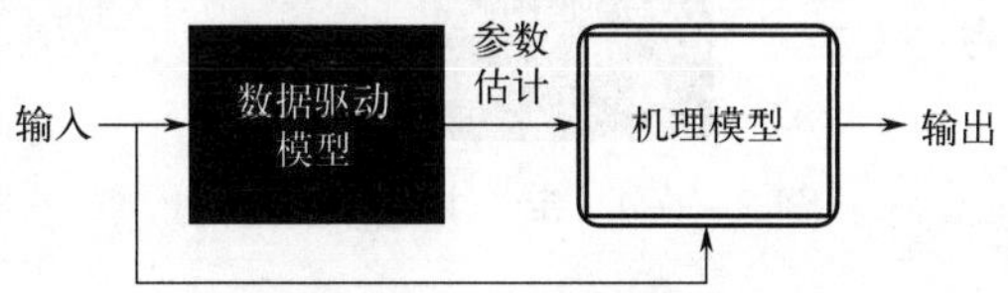

图3-3-2　串联模型结构

b. 并联模型。并联模型如图3-3-3所示，由机理模型预测过程输出，然后利用数据驱动模型预测机理模型输出与实际输出之间的残差，最终的并联模型的输出为两个子模型输出的叠加。除了这种常用的并联模型方案之外，其他类型的并联模型也偶有报道。例如，文献[29]提出了一种基于知识的模块网络（knowledge-based modular network）用于过程建模，不同模块的输出通过一个门系统进行融合，再通过某一化工过程进行建模验证了该方法的优越性。并联结构中，每个子模型在空间上呈现平行关系，知识驱动模型的固有建模误差问题和数据驱动模型缺乏可解释性的问题仍未得到解决。在模型输出精度只能获得有限提升的前提下，当前并联混合驱动模型的建模效果依然无法令人满意。

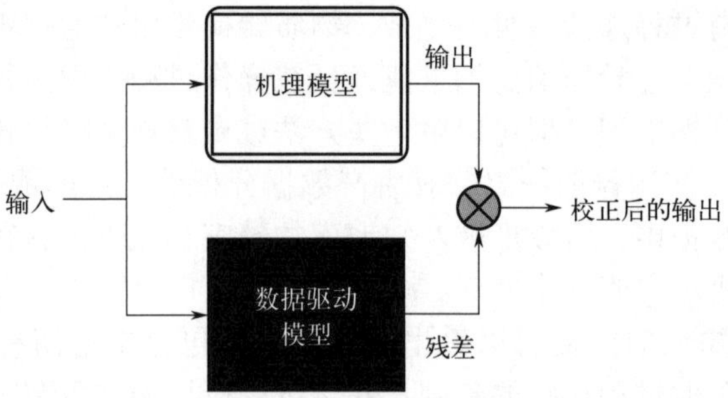

图 3-3-3　并联模型结构

c. 串-并联模型。串-并联模型如图3-3-4所示，串-并联模型可以看作是一类特殊的并联模型，其中的机理模型由一个串联模型替代。为了系统地比较不同模型在过程建模中的效果，Bhutani等人构建了数据驱动模型、串联模型、并联模型和串-并联模型等四种模型。实验结果表明，与串联、串-并联模型相比，并联模型更容易构造和训练，在有限外推的情况下，并联模型的预测性能优于串联模型，而串-并联模型由于包含更多的子模型，是三种混合模型中最复杂的一种，其构建和训练都存在一定难度。现有的混合驱动过程建模方法虽然在部分应用中成功提升了建模效果，但每种混合驱动方法都存在各自的问题需要解决，同时，面对如数据驱动模型的可靠性和可解释性问题，混合驱动方法的潜力仍待发掘。因此，针对炼油生产系统中的关键装置，有必要进一步对混合驱动建模方法进行研究，不能仅局限于研究混合驱动的建模方案，而是要尝试将知识应用于输入变量选择、特征提取和过程建模等数据驱动建模的关键技术环节，以期能够解决模型在复杂工业大数据下面临的各类问题。

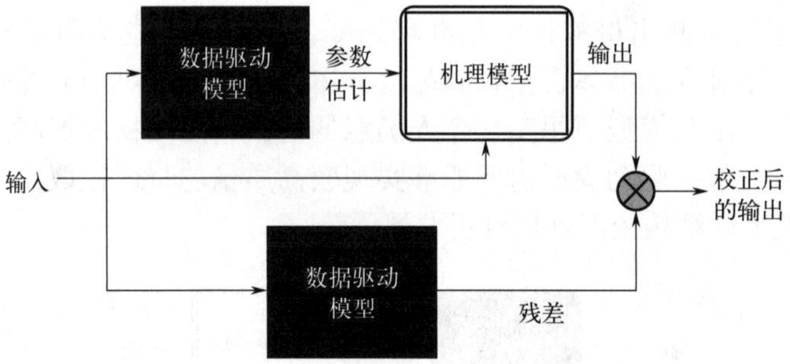

图 3-3-4　串－并联模型结构

（2）面向复杂生产条件的运行优化模型

下面将针对炼油工业系统存在的复杂生产条件，即工况波动、工况迁移等场景，详细介绍关键装置运行优化的混合建模前沿工作。

① 基于原料时序特征的混合模型。原料性质是炼油工业中最难以解决的扰动因素之一。原料性质的波动很容易改变整个工业过程中的动态物理关系，从而导致产品规格发生较大变化。实际上，原料性质的波动情况最直接地体现在产品质量上，而炼油工业中产品质量指标通常无法在线实时获得。这导致原料性质只能通过间歇地分析得到，而不能连续地量化并利用。炼油工业中，在加工工艺的前端往往有原料混合和预处理的流程。来自上游单元的不同股的原料汇聚到一个缓冲罐中。原料在缓冲罐中充分混合后，从缓冲罐中流出，进入后续生产加工装置。一旦进入的原料的性质发生了变化，经过缓冲罐后，流出

的原料的性质在缓冲作用下会有一定的变化规律。这种变化规律与流量和体积等物理变量有关，可以反映出原料在生产加工过程中的性质变化特征。具体来说，难以确定炼油工业中原料性质的确切形式，但它必须符合这种变化规律所定义的动态特性。文献[31]通过分析这一炼油生产的固有特征，推导出原料性质的时序变化模式，提出了定向特征分析（OFA）策略。将可观测的过程数据X映射到潜在特征，即原料性质向量，从而使所得到的向量具有特征值所定义的变化模式。在此基础上，提出了基于关键特征（包括原料性质和生产特征）的建模方法。图3-3-5展示了提出的基于原料性质和生产特征的过程模型（PM-FP-PF）。类似于自动编码器（AE），PM-FP-PF模型有一个编码器（Encoder）和一个解码器（Decoder），除此之外PM-FP-PF模型也包括一个OFA、一个注意力模块和一个估计网络。自动编码器是一种无监督的学习方法，由编码器和解码器两部分构成。编码器将高维空间的输入数据映射到低维空间，解码器将重建输入数据并根据低维空间的高层次特征进行输出。从直观上来看，自动编码器可以用于特征降维，类似PCA，但是相比PCA其性能更强，这是由于神经网络模型可以提取更有效的新特征。除了进行特征降维，自动编码器学习到的新特征可以送入有监督学习模型中，所以自动编码器可以起到特征提取器的作用。在这里，通过OFA模块和编码器模块，可以并行地从过程数据中提取原料性质和生产特征。然后，注意力模块会根据两种特征所携带信息的重要性对其进行融合。最后，将融合后的特征输入解码器以重建原始数据，同时输入估计网络以预测产品质量指标。该模型具有新颖、综合的模型结构，可以从不完善的过程数据中获取最有价值的信息。在该建模策略中，一方面，不同特征的并行提取提高了过程模型的可解释性。另一方面，OFA模块实现了过程数据和先验知识的整合，提高了模型的可靠性。

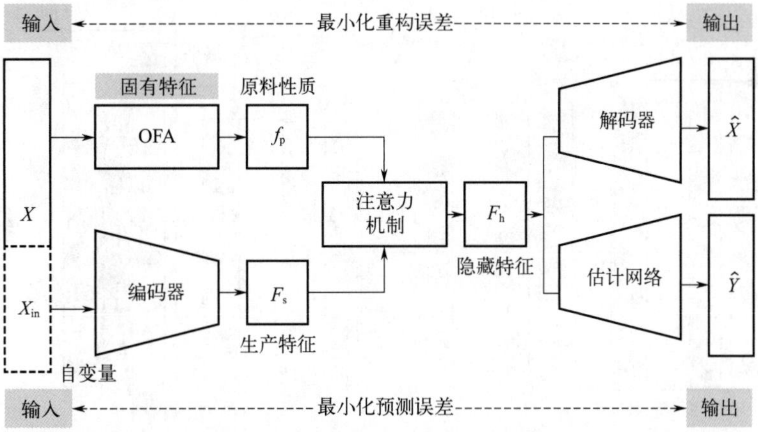

图 3-3-5　基于原料性质和生产特征的过程模型

② 面向工况变化的迁移混合模型。确保优化模型能够准确描述各种工况下系统的动态行为，是运行优化取得成效的关键。传统的机器学习方法基于非常理想的假设，即数据在运行过程中服从相同的分布。而实际上，不同工况下的运行数据不会是同分布的。传统方法建立的模型往往泛化能力较差，无法准确描述不同工况下的系统动态。为了提高模型在某一工况下的性能，往往需要以该工况对应的过程数据来建立模型。当原料性质发生变化后，如何利用少量运行数据快速完成模型的在线更新并投入运行优化是一项重要任务。迁移学习是近年受到学界广泛关注的能够解决这一问题的方法。它利用已有的知识来解决不同但相关的问题。通过转移现有知识，它只需少量样本数据就能胜任学习任务。文献[32]

提出了一种基于参数迁移的卷积神经网络模型（CNN），该模型可通过迁移学习不断在线更新，以适应最新的工况。

在炼油工业中，关键物理变量之间的时间相对变化趋势包含着重要的信息。它们不仅遵循工艺原理，还反映了操作条件。例如，在分馏装置中，塔顶部回流量（RF）的变化不仅会影响分馏塔塔顶温度（TTDC），还会影响塔底温度（BTDC），而精馏塔底部温度又会影响再沸炉的气体流速。因此，将动态相关性纳入特征学习对过程建模具有重要意义。CNN可从复杂的工业数据中提取深度特征，因此被用于过程建模。在这里，每个数据样本都被构造为时滞二维动态矩阵形式。建模过程包括两步：在历史数据集上对模型进行初步训练；在目标工况下的小样本数据集上对部分参数进行在线微调。首先，在历史数据集上训练CNN模型，数据集中包含足够的数据能够反映各种工况下的过程动态。CNN网络有七层，包括两个卷积层、两个池化层、一个扁平层和两个稠密层。基于参数迁移的CNN网络结构如图3-3-6所示。训练好的CNN模型被保存并投入运行优化。在运行过程中，由工况监督策略在线评估，一旦原料性质发生变化，则需要通过在线学习更新模型。新原料性质下的运行数据被在线收集，这个过程的持续时间非常短。然后进行网络微调，冻结卷积层和池化层的参数并训练其他参数。与训练过程类似，根据误差反向传播的原理，通过误差值来调整参数。文献[32]中的实验结果表明，在原料性质变重和变轻的测试数据段上，不带参数迁移的模型的准确性随着原料性质的变化而降低。换句话说，当原料性质变化过大时，模型精度就不尽如人意。通过比较可以看出在原料性质发生变化的情况下，参数迁移方法可以有效提高模型的性能。因此，基于参数迁移的CNN模型能够更好地适应不同原料性质下的系统动态。使用这种模型的运行优化也可以实现更好的生产性能。

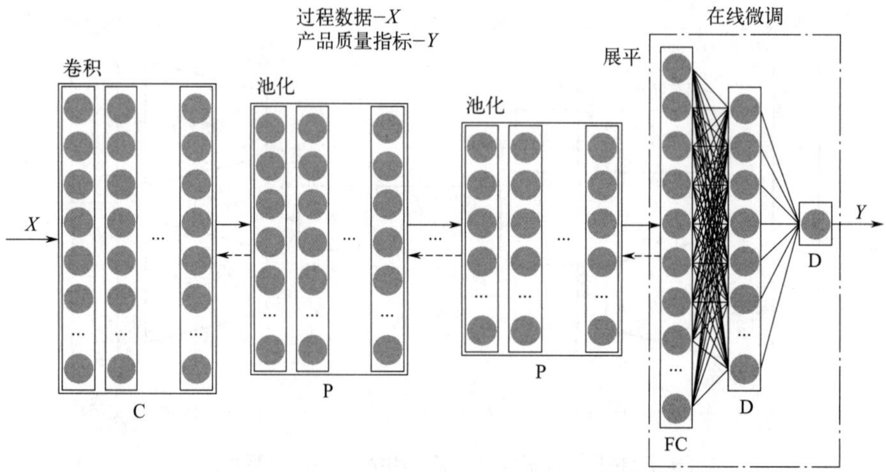

图3-3-6　基于参数迁移的CNN网络结构

③ 基于半监督生成对抗网络的混合模型。针对关键要素建模中低置信度的无标签过程数据导致的半监督学习性能下降的问题，文献[33]建立了保证安全性的半监督生成对抗网络（GCG），该网络通过生成器的协同训练安全地利用未标记的数据。生成器的最优参数和最优组合系数保证了半监督学习算法的安全性，使得GCG的性能优于仅利用有标签样本的生成器。通过基准的化工生产数据和真实的催化裂化装置吸收稳定塔数据，验证了本方法的有效性。所提出的GCG方法可以有效地利用无标签的过程数据，提高关键要素预测模型在测试集上的泛化能力，同时保证了半监督学习算法的安全性。

具体步骤为，首先利用有标签的数据$\{x_l, y\}$训练生成器C_0，损失函数为

$$L_{C_0} = \|y - C_0(x)\|_2^2$$

生成器的总输出初始化为$C(x) = C_0(x)$，生成器C_1的参数初始化为$\theta_{C_1} = \theta_{C_0}$。然后通过判别器$D_1$和$D_2$评估预测的标签：

$$L_{D_1} = -\mathbb{E}_{x_l, y \sim P_{\text{data}}(x_l, y)}[\lg D_1(x_l, y)] - \mathbb{E}_{x_{\text{unl}} \sim P_{\text{data}}(x_{\text{unl}})}[\lg(1 - D_1(x_{\text{unl}}, C(x_{\text{unl}})))]$$

$$L_{D_2} = -\mathbb{E}_{y \sim P_{\text{data}}(y)}[\lg D_2(y)] - \mathbb{E}_{x_{\text{unl}} \sim P_{\text{data}}(x_{\text{unl}})}[\lg(1 - D_2(C(x_{\text{unl}})))]$$

将D_1表示的联合分布信息和D_2表示的先验信息反馈给生成器，考虑生成器之间的差异性，得到生成器的损失函数：

$$L_{C_1 - C_0} = \|y - C_1(x)\|_2^2$$

$$L_{C_2 - C_0} = \|y - C_2(x)\|_1$$

$$L_{C_1} = \beta L_{C_1 - C_0} + \lambda\left[\lg\left(1 - D_1\left(x_{\text{unl}}, C_1(x_{\text{unl}})\right)\right)\right] + (1-\lambda)\left[\lg\left(1 - D_2\left(C_1(x_{\text{unl}})\right)\right)\right]$$

$$L_{C_2} = \beta L_{C_2 - C_0} + \lambda\left[\lg\left(1 - D_1\left(x_{\text{unl}}, C_2(x_{\text{unl}})\right)\right)\right] + (1-\lambda)\left[\lg\left(1 - D_2\left(C_2(x_{\text{unl}})\right)\right)\right]$$

定义预测一致性参数：

$$\delta_u = \left\|\|y' - C_i(x')\|_2^2 - \|y' - C_j(x')\|_2^2\right\|_1$$

该参数越小，无标签样本的置信度越高，可将其预测标签作为增广的标签样本，进行下一轮的训练。有监督训练的生成器的预测输出为y_G，损失函数表示为：

$$L_G = \beta L_{C_0} + \lambda\left[\lg\left(1 - D_1\left(x_l, C_0(x_l)\right)\right)\right] + (1-\lambda)\left[\lg\left(1 - D_2\left(C_0(x_l)\right)\right)\right]$$

令y^*表示真实的标签，y_C表示GCG的预测输出，所提算法的目标是寻找y_C，使得y_C相对于y_G的性能增益最大：

$$\max_{y_c \in \mathbb{H}^b} l(y_G, y^*) - l(y_C, y^*)$$

其中l为平方损失函数，假设真实标签y^*可由多个预测值的凸组合组成，即$y^* = \sum_{i=1}^{c} \alpha_i y_i$，上式可写为

$$\max_{y_c \in \mathbb{H}^b} \min_{\alpha \in \mathbb{M}^c} l\left(y_G, \sum_{i=1}^{c} \alpha_i y_i\right) - l\left(y_C, \sum_{i=1}^{c} \alpha_i y_i\right)$$

上式对y_C求导，得到y_C的解析解：

$$y_C = \sum_{i=1}^{c} \alpha_i y_i$$

极大-极小优化问题可转化为与α相关的极小问题：

$$\min_{\alpha \in \mathbb{M}^c} \left\|y_G - \sum_{i=1}^{c} \alpha_i y_i\right\|_2^2$$

此处$c = 2$，通过上式可得最优的$\hat{\alpha}_1$，$\hat{\alpha}_2$，GCG的最终输出为

$$y_C = \hat{\alpha}_1 y_1 + \hat{\alpha}_2 y_2$$

最终生成器可表示为

$$C(x)=\hat{\alpha}_1 C_1(x)+\hat{\alpha}_2 C_2(x)$$

上述基于半监督生成对抗网络的产品质量预测数据驱动建模的方法如图3-3-7所示。

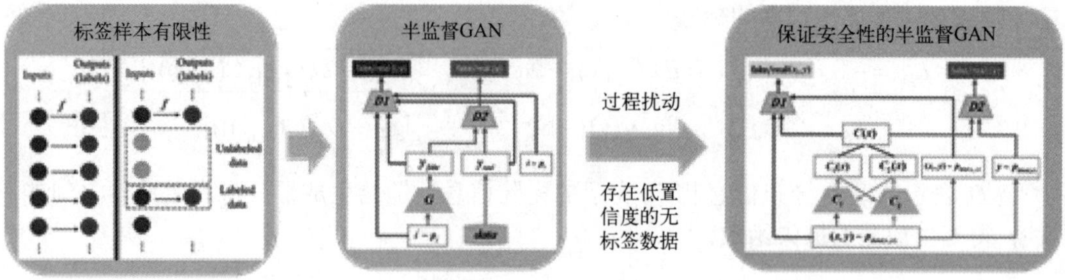

图 3-3-7　基于半监督生成对抗网络的产品质量预测数据驱动建模

该方法在催化裂化装置中的吸收稳定系统开展了验证。所提出的GCG算法通过Python进行编写，程序是在Intel Core CPU i5-8250U的PC上运行。性能评估指标为R^2，均方根误差（root mean square error，RMSE）和安全性系数：

$$R^2=1-\frac{\sum_{i=1}^{n_{\text{test}}}(\tilde{y}_i-y_i)^2}{\sum_{i=1}^{n_{\text{test}}}(\bar{y}_i-y_i)^2}$$

$$RMSE=\sqrt{\frac{1}{n_{\text{test}}}\sum_{i=1}^{n_{\text{test}}}(\tilde{y}_i-y_i)^2}$$

$$Safeness=\frac{n_{\text{s}}}{n_{\text{test}}}\times 100\%=\frac{\text{num}(|\tilde{y}-y|<|y_{\text{sup}}-y|)}{n_{\text{test}}}\times 100\%$$

采用以上方法得到结果如图3-3-8所示，针对基准的化工数据集，所提出的GCG方法在测试集的平均R^2相关系数相对于Multi Layer Perceptron（MLP）、Generative Adversarial Network（GAN）、Co-training的性能增益分别是3.17%、1.76%、1.06%。GAN、Co-training和GCG相对于MLP的平均安全性分别为50%、63%、75%。针对催化裂化装置的吸收稳定系统，所提出的GCG方法在测试集的R^2相关系数上达到0.701，相对于MLP、GAN、Co-training的性能增益分别为10.57%、7.02%、5.41%。GAN、Co-training和GCG相对于MLP的安全性分别为59%、65%、71%。因此，所提出的GCG方法可以有效地利用无标签的过

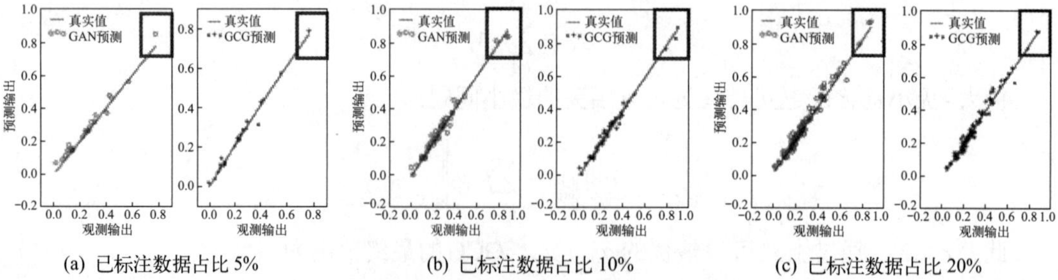

(a) 已标注数据占比 5%　(b) 已标注数据占比 10%　(c) 已标注数据占比 20%

图 3-3-8　基准化工生产数据的测试结果

程数据，提高了饱和蒸气压预测模型在测试集上的泛化能力，同时保证了半监督学习算法的安全性。

3.3.2 炼油工业运行优化方法概述

现阶段，炼油行业的运行优化主要面向催化裂化（FCC）装置和柴油加氢装置等典型装置。催化裂化装置的加工能力居所有石油二次加工工艺前列，在当代炼油和石化企业中占据核心地位，决定了企业效益。如图3-3-9所示的分层结构是一种最为常见的运行优化决策结构。顶端的计划与调度层负责优化产品的生产计划，制定各生产流程的生产任务，其运行周期一般为数天或者数周。实时优化（RTO）层主要是针对具体的生产流程，根据计划与调度层给定的利润目标函数和装置的操作约束进行最优经济稳态操作点的计算，其优化周期一般为数小时。先进控制层（APC）层主要负责实现来自RTO或操作员设定值的跟踪控制，该层的计算周期一般是数分钟。分层结构的最底层是常规控制层，大多采用集散控制系统（DCS），一般由多个PID控制回路组成，负责消除装置运行的高频扰动和维持工艺参数的稳定，其运行周期一般是秒级的。

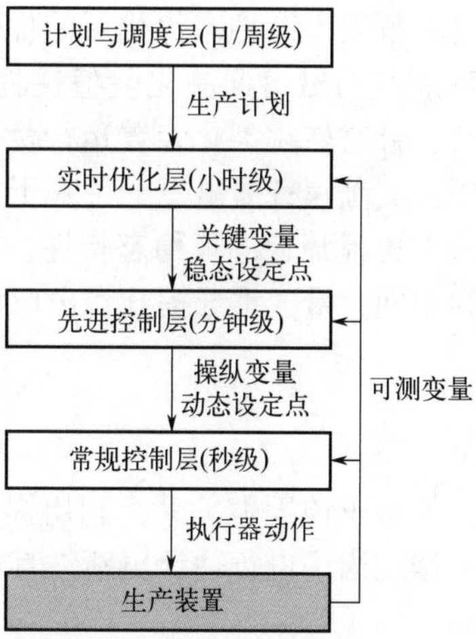

图3-3-9 系统运行优化分层结构

（1）实时优化

作为先进控制层的上层，RTO层负责基于给定的目标函数进行最优经济稳态操作点的计算。稳态操作点的计算一般通过求解一个带有稳态机理模型的多目标优化问题来获得。因此，优化模型的开发、多目标优化问题的求解以及和先进控制层的联动都是实施RTO算法的难点。在优化模型开发这方面，文献[34]针对催化裂化装置特有的部分燃烧模式和全燃烧模式，分别开发了不同的优化模型并讨论了两种运行模式下FCC装置的稳态操作点优化问题。随着催化裂化工艺的改进，研究者们也开发了适用于当时FCC装置的优化模型，并讨论了不同操作点对产品收率优化的影响。除了基于机理的优化模型开发，也有学者提出了基于数据驱动方法的优化模型开发方法，例如文献[40]建立了基于梯度提升决策树的汽油收率回归树模型，在给定的实验条件下取得了较好的预测精度。FCC装置的稳态优化是一个多目标、多约束的非线性优化问题。为获得较好的优化结果，学者们开发了不同的优化算法来求解FCC装置的多目标优化问题，如使用顺序二次规划（SQP）软件来求解带约束的稳态优化问题。使用其他启发式优化算法的研究也有介绍，例如改进多目标量子粒子群算法、带有跳跃基因的模拟退火算法、带精英策略的非支配排序遗传算法等。针对FCC装置运行优化中存在的产量调整和价格变化等不确定因素，文献[45]提出了一种改进差分进化算法来求解FCC装置的多产品收率约束优化问题。文献[46]提出了一种基于快速自适应差分进化算法的FCC装置运行优化策略。该策略使用人工神经网络来描述操作变量和各产品之间的映射关系，并且可以对不可行的优化结果进行快速调整。

下面以催化裂化装置为主要应用场景，重点介绍一类先进的实时优化算法，有效提升了原料组分变化下的轻质油收率。催化裂化装置反应-再生系统的主要经济效益由提升管出口的各类产品油气分布所决定。在生产中，操作员通过调整提升管出口温度和再生器密相温度来影响提升管中的催化裂化反应，进而获得期望的产品分布。对于一个使用分层递阶控制的催化裂化装置反应-再生系统，实时优化层以最大化提升管出口期望产品产率为目标，基于装置稳态机理模型来求取一组经济最优的稳态操作点，并将该最优稳态操作点作为稳态设定点下发给先进控制层。在传统的两阶段实时优化框架下，稳态优化层需要等装置达到稳态后，定时地更新优化模型，再基于更新后的优化模型进行稳态优化计算。在这种框架下，稳态优化层的优化性能取决于模型更新周期的长短。此外，表征装置运行经济效益的出口产品化验值往往也有较长的更新周期，这使得优化模型更新的周期必然较长。针对催化裂化装置运行优化中存在的优化模型和实际生产对象之间存在模型失配的问题，文献[48]提出了一种基于事件触发和自适应修正的催化裂化装置实时优化策略。该方法考虑提升管的拟稳态特性，根据催化裂化提升管反应器的机理模型，以催化剂循环量作为中间变量，推导提升管出口温度和产品分布之间近似的比例关系如下：

$$\frac{Y_{N,p,(h,k)}}{\partial F_{cat,p}} \approx \frac{\partial Y_{N,p,(k)}}{\partial T_{ro,p}} \times \frac{\partial T_{ro,p,(h,k)}}{\partial F_{cat,p}}$$

基于该近似关系，利用提升管的测量数据进行事件触发机制的设计，并对优化问题中的修正因子进行估计更新。其触发条件为

$$e_T = \begin{cases} 0, \text{如果} 0.5\|a\| \geqslant \|b\| \text{或 } a=b \\ 1, \text{如果} 0.5\|a\| < \|b\| \text{且 } a \neq b \end{cases}$$

式中，$a = \partial T_{ro,p(k)} / \partial F_{cat,p}$、$b = \partial T_{ro,p(h,k)} / \partial F_{cat,p}$ 在每次触发时刻，实时优化层通过求解一个带有修正因子的优化问题重新给动态控制层发送设定值。带有修正因子的优化问题可以表示为

$$\begin{aligned} &\min_{\boldsymbol{u}} \Phi_m(\boldsymbol{u}) + \lambda_{(h,k)}^{\phi T}(\boldsymbol{c}(\boldsymbol{u}) - \boldsymbol{c}_k) \\ &\text{s.t.} \\ &\boldsymbol{g}_m \boldsymbol{u} + \lambda_k^{gT}(\boldsymbol{c}(\boldsymbol{u}) - \boldsymbol{c}_k) + o_k^g \leqslant \boldsymbol{0} \end{aligned}$$

修正项估计模块利用提升管的温度测量值来估计当前采样时刻修正优化问题中修正项的数值。触发策略对所获得的修正项数值进行判断，若该修正项能够改善优化问题的结果，则请求重新求解修正优化问题。在修正优化问题中，基于当前时刻的修正项，以最大化提升管出口产品分布为目标，计算对应的提升管出口温度和再生器温度稳态值，并将其计算结果作为稳态设定点传送给MPC层，用于设定点跟踪控制。将该方法应用于给定的催化裂化装置上，通过调节提升管反应器中反应常数该表征原料油变化，结果如图3-3-10所示，验证了该方法在多次触发后，解决了由于模型失配而导致的实时优化结果非经济最优的问题。

（2）动态控制

PID反馈控制因其具有简易性、实用性、可操作性等特点被广泛地应用于催化裂化装置的常规控制。在常规控制层实施PID反馈控制的一个关键步骤是配对合适的操纵变量和被控变量。基于简化的催化裂化装置模型，Hovd等计算了催化裂化装置关键变量的相对增益矩阵（RGA），并详细地研究了该装置PID控制回路结构选择和变量配对问题。在PID控制器的设计上，Alhumaizi等针对工业Ⅳ型催化裂化装置的反应器和再生器的温度控制，设计了六个不同的比例控制回路。进一步考虑PID参数整定在催化裂化装置应用上的难点，Aguilar等设计了一种具有鲁棒性质的时变增益PID控制器来调节提升管出口温度使其能够

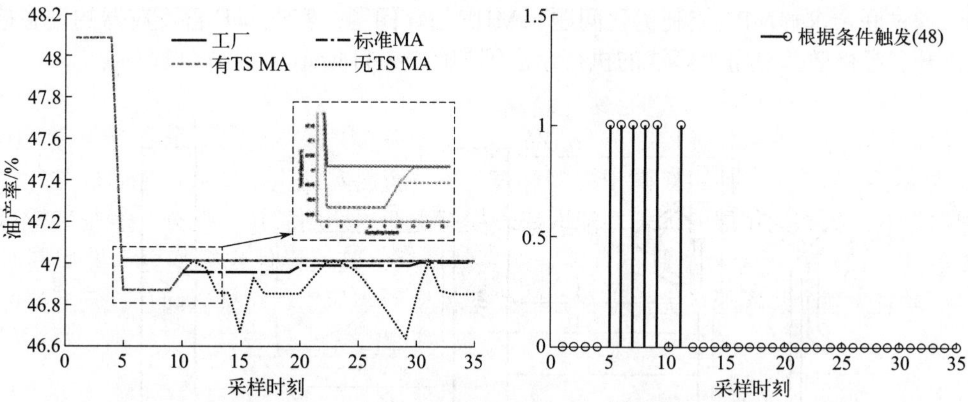

图 3-3-10　基于自适应修正的实时优化算法验证

更好地跟踪设定值。Ramachandran等基于提升管温度的应用统计模型对PID控制器参数进行整定，实现了汽油收率的提升。除了PID的相关算法，其他控制算法也曾应用于催化裂化装置，包括内模控制，基于神经网络的控制、模糊逻辑控制等。

（3）模型预测控制算法

虽然PID反馈控制能够实现FCC装置的单变量控制，但在面对更为复杂的生产要求时，以模型预测控制（MPC）为代表的先进控制策略能够实现更好的控制效果。模型预测控制是一种基于预测模型的多变量控制算法。该算法的基本特征可以体现为模型预测、滚动优化和反馈校正。经过几十年的发展，模型预测控制已经被工业界广泛使用，成为最具有代表性的先进控制算法。

早在20世纪90年代，我国就有关于在FCC装置上应用MPC控制软件的报道。在国外，这方面的研究要更早一些。早期的FCC装置MPC控制器设计主要讨论的是线性MPC的设计方法。其核心思想是使用几个典型的线性化模型来近似装置运行的非线性特性，例如Kalra等针对FCC装置的几个特定稳态工作点所设计的线性MPC控制器。经典的动态矩阵控制（DMC）也在FCC装置上取得成功应用。进一步考虑线性预测模型在FCC装置运行过程中可能出现的模型预测偏差，Ansari等在FCC的预测模型中引入了动态参数更新算法。随着MPC方法在FCC装置上应用的日益成熟，有研究者开始在设计MPC控制器时就考虑装置的非线性特性并开发了相应的非线性MPC控制算法。Khandalekar等将基于非线性过程模型的通用模型控制应用于Ⅵ型FCC装置动态模拟器，并将其控制性能与传统的PI控制进行了比较。针对FCC装置在非稳定附近的控制问题，Ali等提出了一种带有修正状态估计的非线性MPC控制策略用于最大化装置的汽油收率。

下面将以催化裂化装置为例，详细介绍原料油组分变化等波动工况下的MPC算法设计及应用。反应热是一个和催化裂化反应程度密切相关的物理变量。由于提升管工艺设计的固有特点，提升管入口和出口的温度差异主要取决于提升管内催化裂化反应的反应深度。因此，从能量守恒的角度出发，设计一个能够更好表征管内反应深度的热能指标有助于提升装置在动态工况下的经济效益。基于以上考虑，文献[63]从能量守恒的角度出发设计了相应的热能指标，提出了基于能量平衡的多目标模型预测控制算法。通过分析提升管反应器内部的热能变化，设计了依赖于提升管的进出口温度差异的热能指标，并将其加入到MPC控制优化问题的目标函数中。为了充分利用现有测点的温度信息进而获得更为准确的提升管出口温度预测值，设计了滚动时域状态估计器（MHE）来估计提升管内的温度分布。通过联合求解MPC控制优化问题和MHE估计问题，实现提升管反应器的动态控制，有效提升了经济效益。整个算法的执行示意图如图3-3-11所示。

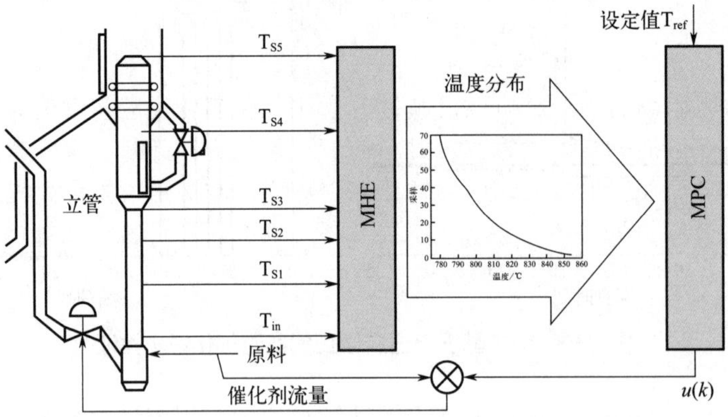

图 3-3-11 带有能量修正的模型预测控制方法

在每个采样时刻，滚动时域估计器通过求解以下优化问题获得所需的估计变量。

$$\min_{\hat{T}(k-M|k)} \sum_{t=k-M}^{k-1} \left\| \hat{T}_m(t|k) - \tilde{T}_m(t) \right\|_W^2 + \Theta(\bar{T}_m(k-M), k-M)$$

$$\text{s.t. } \hat{T}_m(t|k) = A^{t-k+M}\hat{T}_m(k-M|k) + \sum_{j=k-M}^{t-1} A^{t-j-1}(\bar{B}(j|k)u(j) + GT_{in}(j))|$$

$$0 = f(\bar{B}(j|k), \hat{T}(j|k-1), u(j), \bar{B}_{z+1}(j|k))$$

$$\bar{T}_m(t|k) = L'\hat{T}(t|k)$$

$$\hat{T}(t|k) \in \mathcal{T}$$

式中，$\hat{T}_m$是估计器估计的温度；$\bar{T}_m$是实测温度；A、G均为系统参数；$\bar{B}(j|k)$是给定的调优参数；u是模型的输入。基于以上估计器，该方法针对生产制造过程中未知工况变化导致原设定点经济性下降的问题，融合生产装置的机理知识，设计了一个能量指标用于间接表征物理过程经济性。并将该指标纳入到模型预测控制器求解的目标函数中，得到新的控制优化问题：

$$\min_{u(k \cdot k+M_c-1|k)} J(k) = \sum_{j=k+1}^{j=k+P} [\| \hat{y}(j|k) - r(k) \|_{H_j}^2 + \| \hat{Q}(j|k) - Q_{ref} \|_{S_j}^2] + \sum_{i=k+1}^{i=k+M_c} \| u(i-1|k) \|_{R_i}^2$$

$$\text{s.t. } \hat{T}(j|k) = A\hat{T}(j-1|k) + \bar{B}(j|k)u(j-1|k) + GT_{in}(k)$$

$$\hat{T}(k|k) = \bar{T}(k|k)$$

$$\hat{y}(j|k) = \hat{T}_N(j|k)$$

$$0 = f(\bar{B}(j|k), \hat{T}(j|k), u(j), \bar{B}_{z+1}(j|k)$$

$$\hat{Q}(j|k) = C_a F_{oil}(1+u(k))(\hat{y}(j|k) - T_0(k))$$

$$y^L \leqslant \hat{y}(j|k) \leqslant y^U, j = 1, 2, \cdots, P$$

$$u^L \leqslant u(i-1|k) \leqslant u^U, i = 1, 2, \cdots, M$$

$$V(\hat{T}(k+1|k)) < V(\bar{T}(k|k)), \text{if } V(\bar{T}(k|k)) \geqslant \Omega(\rho_E)$$

$$V(\hat{T}(k+1|k)) < \Omega(\rho_E), \text{if } V(\bar{T}(k|k)) < \Omega(\rho_E)$$

式中，Q为能量指标；A、G均为系统参数，G为设计的Lyapunov函数；$\Omega(\rho_E)$为设计的Lyapunov函数的安全域。

基于温差的热能$Q(k)$是一个可以反映提升管中催化裂化反应程度的关键变量，与提升管中混合油气和催化剂的平均比热容、进料流量、催化剂循环量、提升管入口和出口的温差相关联，反映了提升管出口的轻质油转化率。该方法的数值模拟结果显示：在原料油温度变化和原料油组分变化两种场景下，所提方法能抑制原料油转化率的劣化，从而提升经济性能，而传统方法受工况波动影响较大，如图3-3-12所示。

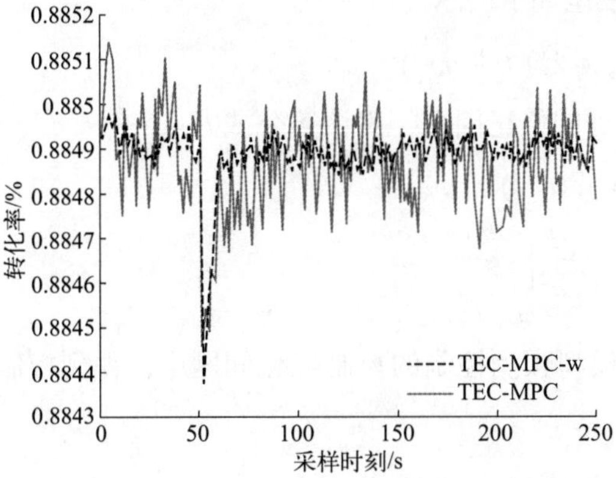

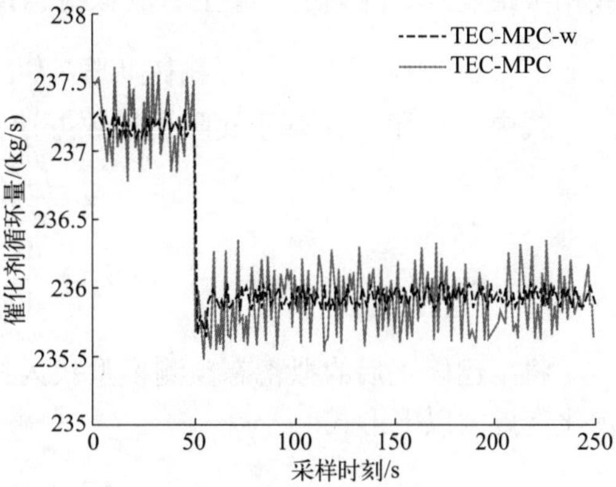

图3-3-12 原料油转化率变化曲线和催化剂循环量变化曲线（原料油组分波动）

进一步，考虑到催化裂化装置中反应器和再生器存在典型的快慢动态特性，文献[64]拓展了文献[63]所提的运行优化方法，提出了一种基于拟稳态修正的自适应经济预测控制策略。对于系统的拟稳态部分（在催化裂化装置中为提升管反应器模型），计算输出修正项因子来补偿由于不可测扰动所导致的优化-预测模型失配。针对动态部分，设计带有Lyapunov约束的经济模型预测控制算法来实现安全的动态控制。同样采用多模型的框架设计辅助控制器来保证Lyapunov约束的满足。其算法框架示意图如图3-3-13所示。

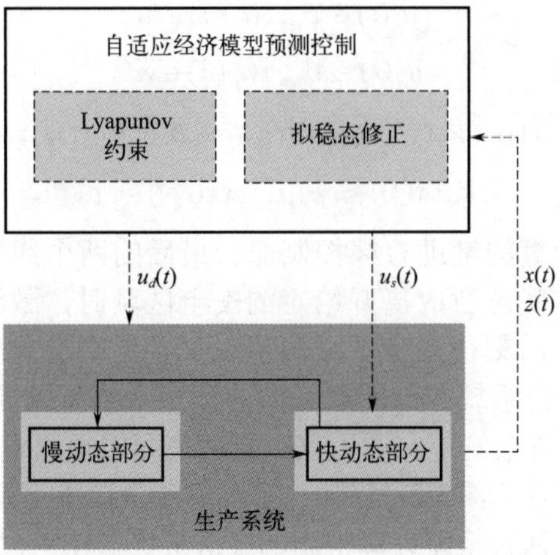

图3-3-13 基于拟稳态修正的自适应经济预测控制方法

对于一个存在快慢动态时标分离的生产系统，其系统的动态方程可以表示为

$$x(k+1)=f(x(k),u_d(k),v_d(k))$$
$$z(k+1)=g(u_s(k),v_s(k),w_s(k))$$
$$y(k)=Cz(k)$$

式中，下标d和s分别表示系统的慢动态和快动态部分；x表示系统慢动态部分的状态变量；z表示系统快动态部分的状态变量；w_s表示由于工况波动等因素造成的不可知扰动；y表示和经济指标相关的变量；$v_d=[\boldsymbol{H}_d z,u_s]$和$v_s=\boldsymbol{H}_s x$分别表示快动态系统和慢动态系统之间的耦合状态，其中矩阵$\boldsymbol{H}_d$和$\boldsymbol{H}_s$根据机理模型给定。

对于存在模型失配的快动态部分，使用输出修正项自适应直接对预测模型进行一阶导数和截距偏差上的修正。修正后的拟稳态预测模型如下所示：

$$z_m(u_z):=\hat{z}_k(u_z)+\varepsilon_k^{\mathrm{T}}+\lambda_k^{\mathrm{T}}(u_z-u_{z,k})$$

式中，$\varepsilon_k^{\mathrm{T}}$和$\lambda_k^{\mathrm{T}}$是基于实际测量数据计算得到的修正因子，其计算公式为

$$\varepsilon_k^{\mathrm{T}}:=z_p(u_{z,k})-\hat{z}(u_{z,k})$$
$$\lambda_k^{\mathrm{T}}:=\left.\frac{\mathrm{d}z_p}{\mathrm{d}u_z}\right|_{u_{z,k}}-\left.\frac{\mathrm{d}\hat{z}}{\mathrm{d}u_z}\right|_{u_{z,k}}$$

将上述修正后的拟稳态预测模型代入经济模型预测控制的控制优化问题中，得到控制优化问题为以下形式：

$$\min_{u_s(t),u_d(t)}\sum_{t=0}^{N-1}\left\{l_{RE}[x(t),u_d(t)]+P_{RI}\cdot y(t)\right\}$$

s.t.

$$\hat{x}(0)=x(t_k),\hat{z}(0)=z(t_k)$$
$$\hat{x}(t+1)=f[\hat{x}(t),u_d(t),v_d(t)]$$
$$\hat{z}(t+1)=g_z[u_z(t),0]+\varepsilon_k^{\mathrm{T}}+\lambda_k^{\mathrm{T}}[u_z(t)-u_z(t_k)]$$
$$y(t)=C_{RI}\hat{z}(t)$$
$$v_d(t)=[H_d\hat{z}(t),u_s(t)]$$
$$u_s(t)\in\mathbb{U}_s,\hat{z}(t+1)\in\mathbb{Z}$$
$$u_d(t)\in\mathbb{U}_d,\hat{x}(t+1)\in\mathbb{X}$$
$$V_d(\hat{x}(1))-V_d(x(t_k),u_d^{0,(r)}(t_k))\leqslant 0,\text{if }V(x(t_k))\geqslant\rho_r$$
$$V_d(\hat{x}(t))\leqslant\rho_r,\text{if }V(x(t_k))\leqslant\rho_r$$

式中，$u_d^{0,(r)}$是离线计算的辅助鲁棒控制律，最后的两个约束是额外加入的安全性约束。其作用是当系统当前状态暂时离开给定的安全区域时，激活倒数第二个约束从而使得系统关键状态能在下一时刻往安全区域内移动，若系统当前状态在安全区域内，则激活倒数第一个约束从而使得系统在预测时域内的预测状态可以保持在安全预测之内。

在催化裂化系统的仿真案例中，选用存在模型失配的预测模型和对象模型来模拟工况波动对系统动态特性的影响。图3-3-14（a）给出了两个模型下系统关键状态的输出曲线，图3-3-14（b）给出了基于两种模型计算得到的经济最优操作点，从图中可以看出，失配的预测模型在关键状态的趋势预测上具有较好的一致性，但是在经济最优的操作点上存在偏

差。图3-3-14（c）比较了三种模型预测控制算法在系统初始条件和经济目标函数下的运行效果。其中，使用对象模型作为预测模型的EMPC算法将被作为比较的基准，同存在失配预测模型的EMPC（EMPC-Miss）和本章所提出的MA-EMPC将进行比较。从图3-3-14中可以看出，由于模型不匹配的影响，EMPC-Miss和MA-EMPC的经济性能比基准EMPC要差。此外，由于仿真的初始状态并非系统运行的经济最优操作点，因此三种控制算法都会将系统状态控制到各自认为的最优操作点处。由于预测模型的不准确，EMPC-Miss计算出了一个“错误”的经济最优操作点，从而使得系统的经济性能比初始状态时还要差，并且最终将系统控制在存在较大经济损失的稳态操作点。相比之下，MA-EMPC由于在动态过程中不断使用MA方法对提升管反应器预测模型进行修正，从而使得其最终能控制系统收敛至真正的最优稳态操作点。

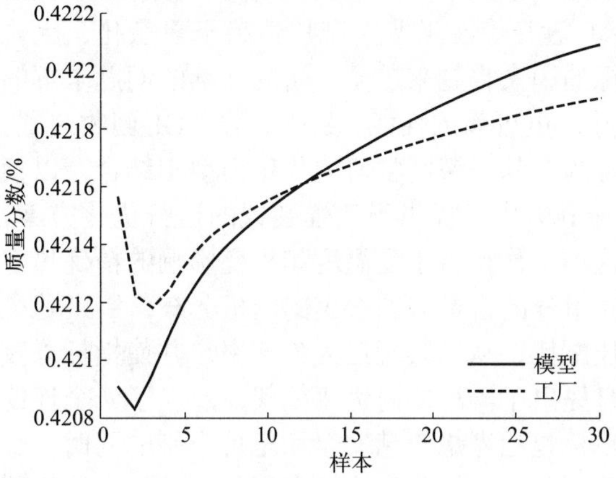

（a）系统关键状态输出对比图

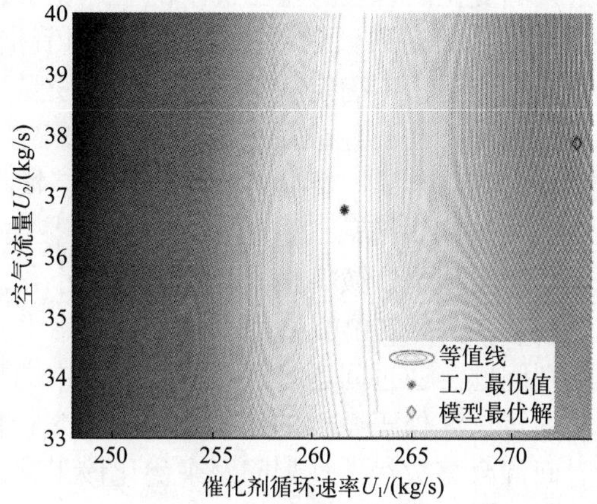

（b）装置经济收益等高线图

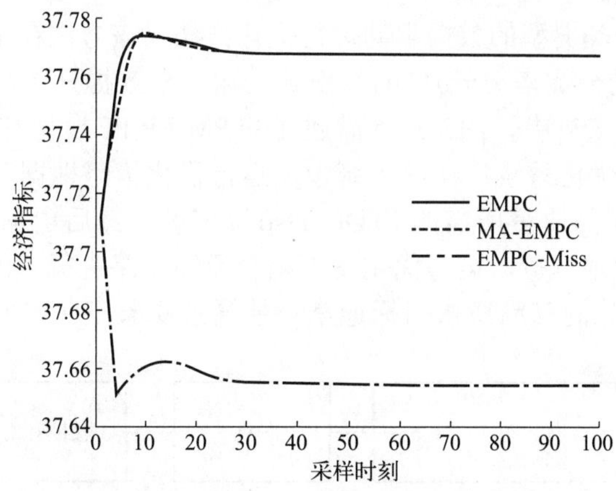

（c） 不同 MPC 策略下的经济收益对比图

图 3-3-14　模型失配对催化裂化系统动态特性与经济性能的影响及模型修正策略验证

（4）数据驱动运行优化与智能决策

目前主流的数据驱动运行优化方法包括两部分。基于模糊规则的运行优化算法和基于问题求解的运行优化策略。模糊规则作为一种已经发展成熟的技术，具有开发周期短、非线性以及不需建立数学模型等特点。它作为最简单易行的实现人工经验参与优化决策的方法，近年来在炼油工业的运行优化领域得到了广泛的应用。针对原油蒸馏系统，文献[64]

构建了专家系统，用于在所需油品质量条件下最大限度提高油品产率。专家系统的输入变量是原油属性和操作参数；而输出变量则定义为油品质量。实验分析表明，所构建的专家系统可根据原油性质的变化，为操作员和工程师在线提供分馏塔的关键操作信息。文献[65]提出了一种基于模糊关联规则的设定点自适应优化和控制策略，适用于难以建立第一原理模型的锑浮选工艺，利用模糊关联规则挖掘给矿品位与试剂用量和最佳设定点之间的隐含关系。通过从数据库中挖掘数据，模糊推理系统可生成最佳设定点。通过模拟和实验证明了所提策略的有效性。与浮选工艺中广泛使用的人工操作相比，所提策略实现了更好的控制性能，精矿品位也更符合工艺要求。虽然基于模糊规则的运行优化可解释性强、安全性高，但随着炼油工业规模越来越大，面对日益复杂的生产工况，模糊规则作为一种基于经验知识的优化策略难以实现对全工况的调节。基于模糊规则的优化策略适用于工况发生大的变化时以及典型工况下的生产调节，在这些情况下，基于模糊规则的优化策略更能发挥其优势，果断地给出可信赖的调节指令。随着炼油工业生产特性趋于复杂化、大规模、多样化、不确定性等，影响生产质量指标的因素也越来越多，研究连续的问题求解的运行优化方法已经成为主流方向，以产生更好、更可靠的性能。针对低温NGL回收装置，文献[68]设计了一个框架，将动态工艺模拟与两个基于深度学习的代用模型相结合，以预测工艺利润。随后，进行了运行优化。在文献[69]中，提出了乙烯装置的运行优化方案，以同时实现生产效率最大化和能耗最小化。这项工作得益于受温度和相变影响的精确热容量模型。文献[70]假设生产过程各个罐中不同组分的含量遵循一定的随机分布，制定随机规划问题。通过问题求解获得各个罐中的最佳配比，从而实现最大生产率，并使指标以较高的置信度处于各自的期望区间内。文献[71]提出了一种协同优化框架，建立了一个连续时间混合整数线性规划问题来优化该工艺，目标是在考虑工艺安全和电价限制的同时，最大限度地降低能源经济指数。进行了工业实验，与人工操作相比，所提出的优化方法显著地改进了能耗情况并提高了生产效率。

下面，具体介绍一类典型的数据驱动运行优化方法。该方法在中石化九江石化分公司中柴油加氢精制过程的分馏塔单元（DU）正式投用，有效提升了轻质油收率。相关成果发表在了文献[31,32,72,73]中。图3-3-15描述了由PM-FP-PF模型、优化策略、模型预测控制和DU组成的运行优化系统。在该系统中，运行优化策略根据工艺模型评估的当前工况，计算出实现最佳产品质量所需的TTDC Ttsp设定值。然后由MPC跟踪该设定值，以促进工业过程稳定高效地运行。运行优化基于两个反馈回路进行，即产品指标反馈和输出反馈（过程变量）。实际的产品质量指标通常只能通过实验室化验间断地获得，只能作为

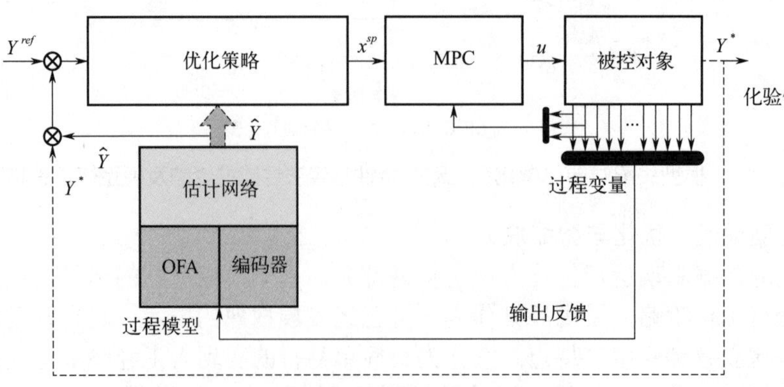

图3-3-15 运行优化系统框图

阶段性反馈。因此，输出反馈是必要的，依靠它可以不断地将当前的工艺信息反馈给优化模型/优化系统。之后，过程模型可以再次提取当前的原料性质，以便进行下一次操作优化。

运行优化的目的是根据当前的工况，即原料性质，决定达到最佳产品质量所需的TTDC Tspt设定值。根据上文介绍的PM-FP-PF模型，运行优化问题的数学表达式如下：

$$\begin{gathered}\min_{\mathbf{x}^{sp}}\left\|Y^{ref}-Y\right\|^2\\ \text{s.t.}\quad Y=g_M(\boldsymbol{X};\theta)\\ \boldsymbol{X}_{\min}\leqslant\tilde{\boldsymbol{X}}\leqslant\boldsymbol{X}_{\max}\end{gathered}$$

在这里，目标值Y^{ref}由相关部门根据当前的生产需求进行设定和更新。g_M是PMFP-PF模型的函数形式，在这里PM-FP-PF模型只保留了OFA、编码器和估计网络模块作为优化模型来实现运行优化。解码器在网络中用于提取特征，在训练后被丢弃。优化问题可以用自适应矩估计（adam）等优化算法来解决。与分馏塔顶部生产状态相关的14个关键过程变量被选为PM-FP-PF模型的输入变量。经过分析，TTDC和OTRF是DU的重要被控变量，对最终产品质量起着决定性作用。经空冷器和后冷器冷却后，分馏塔顶部的油气作为回流返回塔或作为石脑油产品被提取出来。空冷器和后冷器的出口温度与回流温度和石脑油温度直接相关，被列为模型的输入变量。进料温度和进料流速被纳入输入变量，以反映原料端的情况。压力是DU的关键变量，会影响整个系统的运行状况。该研究将上述七个工艺变量视为自变量。回流温度、MSIT、BTDC、RF、石脑油流量、油气总量和柴油流量为因变量，随上述七个自变量的变化而变化。原料性质会影响系统中自变量和因变量之间的动态关系。通过将自变量和因变量作为输入，PM-FP-PF模型中的OFA模块对原料性质具有一定的监测作用。而编码器模块的输入仅为自变量，因为生产特征仅反映工艺本身的特性。这些过程变量由传感器直接从DU实时采集。然后对其进行清理，以消除测量或传输中可能存在的异常值。

进一步，为该DU设计并开发了工业运行优化平台，其中提出的PM-FP-PF模型和优化策略被嵌入工业优化运行软件中。工业运行优化平台由Python和Microsoft Visual C++编程实现，PM-FP-PF模型和运行优化策略在Python环境中构建，而底层数据传输则通过Microsoft VisualC++实现。在DU中，APC系统通过OPC服务器实现与分布式控制系统（DCS）的数据传输。由于从DCS系统仅能读取过程变量的当前值，通过将过程变量的当前值实时写入实时数据库，在实时数据库中保留了各变量的历史数据。工业运行优化平台通过OPC技术和Aspen InfoPlus.21分别从DCS数据库和实时数据库中读取数据。工业运行优化平台将计算得到的TTDC变量的设定值实时写入DCS系统相应的位号（T2502_TOP_TEMSET），由下层APC跟踪。

为保证实验结果的科学性，将该工作提出的运行优化策略（OOS）与目前九江石化使用的商用OOS进行对比实验。商用OOS策略由国内某著名的商业公司开发，该公司开发的OOS策略是先进且成熟的，在国内炼油工业领域得到广泛应用，与它进行比较足以说明所提策略的性能。所提出的OOS和商用OOS策略分别在DU中运行了15天，运行期间都经历了原料性质的波动。由于所研究的DU的稳定时间约为1小时，实验中两种OOS策略每小时工作一次，并给出TTDC的设定值。实验期间，每天8:00和20:00对石脑油产品进行采样并化验分析。

图3-3-16（a）和图3-3-16（b）分别展示了提出的OOS和商用OOS策略的运行结果。所提出的运行优化系统实现了更灵活、更精确的生产操作。在所提出的运行优化系统下，系统可以对原料性质变化做出快速反应并密切跟踪。PM-FP-PF模型中的OFA模块可以评估生产过程当前的原料性质。这是当前干点预测和操作指令决策的决定性指标。这样，系统就能快速平稳地完成不同原料性质之间的过渡过程。通过关注原料性质的重大变动，提出的OOS策略能够恰当地处理不同的工况。提出方法的机理准确性有助于提高生产稳定性。在为期15天的实验中，采用提出的OOS策略的石脑油产品符合相应的产品质量要求。在每种工况下，干点都在期望范围内轻微波动，这是一种非常理想的生产状态。

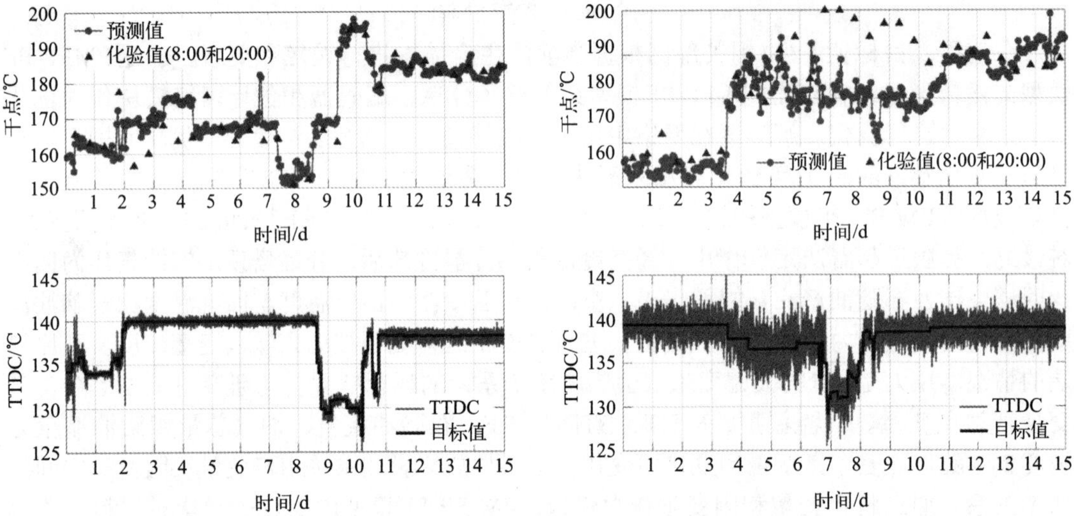

(a) 提出的 OOS 运行结果　　(b) 商用 OOS 运行结果

图3-3-16　运行结果

在商用OOS策略下，系统经常处于极端生产状态，尤其是当原料性质发生变化时。此时，产品质量会受到严重危害。例如，在商用OOS策略实验的第4天到第8天期间，原料性质发生了巨大变化，从轻变重。在商用OOS策略提供的操作指导下，TTDC在前两天保持不变，后期略有下降。经分析，此时仍有很大的调节余量，但商用OOS策略没有进一步提供更合适的操作指令。这导致石脑油产品的实际干点在实验的第7天达到了200℃，属于高危生产情况。商用OOS策略对原料性质变动的适应性较差，这也是它给出保守操作指令的原因。由于缺乏对原料性质的关注和处理，商用OOS策略在不同操作条件下没有操作指令决策的依据。不恰当的操作指令使得在不同原料性质之间的过渡过程中很难保持满意的产品合格率。由此可见，由商业公司最初开发的OOS策略无法很好地应对工业过程中不规则变化的原料性质。

回流比、石脑油产品的产量和合格率是证明生产性能的重要指标，表3-3-1列出了实验过程中上述指标的统计结果。相比商用OOS策略，所提出的OOS策略明显改善了生产性能，降低回流比的同时提高了产品产量，并且产品合格率也从90%提高到93.3%。在这里，产品合格率是产品质量指标化验值中化验合格的次数与总化验次数之比，它能够反映在变工况下生产的稳定性和对工况变化的处理能力。得益于基于过程自身特性的原料性质表征，提出的PM-FP-PF模型和OOS策略能很好地应对工况的变化并提供最佳的操作指令。这些实验表明，所提的策略具有更广阔的应用前景。

表 3-3-1　统计结果

优化策略	回流比 /%	产量 /t	合格率 /%
商用方法	11.9	92755	90
提出方法	10.13	105212	93.3

原料温度、原料流速和压力是描述DU生产状态的关键物理量，在所提出的OOS策略下，上述三个物理变量的波动相对较大。特别是在实验的第9天，伴随着原料温度的突然升高，原料性质发生了扰动，而提出的策略仍然表现良好。此外，两次实验的入口条件和压力水平相似，因此操作难度相当。两次实验之间的时间间隔很短。对结果的比较和分析是在公平的基础上进行的。实验过程中的操作条件具有普遍性和典型性，因此实验结果和数据具有科学性。

3.3.3　炼油生产系统运行优化面临的挑战及展望

从上述的介绍可以看出，针对典型炼油生产系统，如催化裂化反应-再生系统的运行优化和动态控制，学术界和工业界已经开展了较为广泛的研究。然而，现有的研究成果更多是关注装置稳态运行的经济问题，而且较少考虑原料波动等生产工况的变化。随着市场竞争日益激烈，生产需求的逐渐灵活，如何在复杂生产条件下提升炼油生产系统的经济效益变得越来越重要。由于我国原油进口依存度高，原油油品差异大，研究运行优化方法还存在例如原料组分波动、催化剂活性变化、产品需求调整等诸多问题和挑战。具体来说，对于炼油典型装置的运行优化还存在以下值得探究的问题。

① 系统反应机理复杂，现有建模方法均为生产对象的一种简化。这种现象使得优化问题中的优化模型和实际对象之间存在模型的结构和参数失配。优化模型失配可能会导致基于该模型的优化问题不能求解到真实对象的最优操作条件，甚至难以得到局部最优解，从而导致装置稳态运行的经济效益降低。

② 原料组分波动、催化剂活性变化等不可测扰动，使得基于模型的优化结果偏离真实最优解。现在普遍采用的长周期模型更新策略使得控制系统在更新时刻前难以从提升经济效益的角度去优化装置的运行操作。如何在动态控制的过程中以最大化经济效益为目标实施修正优化偏差，从而提升生产装置的动态经济效益，是一个有待解决的问题。

③ 典型装置，如催化裂化反应-再生系统的机理特性并没有在运行优化算法的设计中得到充分的重视。例如催化裂化反应热、反应温度和产品高度耦合等典型特性并没有体现在相关优化、控制方法的设计过程中，这使得现有的研究成果难以在此类装置上得到更好的效果，损失了部分性能和效益。

④ 动态协同经济优化在炼油典型装置上应用较少。现有控制器设计主要是遵循集中式设计的思路。当要对该系统进行非线性模型预测控制设计时，其复杂的模型结构使得系统的实时运行遇到很大挑战。如何设计动态协同经济优化控制算法来提升装置在经济指标变化下的动态经济效益是一个有待研究的问题。

⑤ 考虑多个生产装置的横向协同优化。现有方法主要是针对单一生产装置的纵向集成优化，通过协调分层结构中的实时优化层和先进控制层来提升生产装置的经济效益。在实际的生产过程中，产品的加工往往需要多个生产装置协同完成，其中任何一个环节的失误

操作都会使得产品最终的效益下降。因此，如何以产品生产为导向，协调各生产装置的运行状态，实现终端产品价值的提升和生产成本的下降对流程工业的高效生产和绿色制造具有重要意义。

⑥ 考虑机器学习、数据驱动算法和基于模型的运行优化相融合。对于流程工业的运行优化来说，基于模型的优化和控制方法已经取得了丰硕的成果和广泛的应用。然而，由于计算复杂度和建模难度的限制，现有的优化模型总是对实际对象的一种近似。而这种近似程度的取舍也很大程度上取决于算法设计人员的专家经验。随着工业数据受到越来越多的关注，如何利用现有的海量生产运行数据实现更高效工艺已经是流程工业智能优化制造的一个研究热点。考虑到工业生产的安全性需求，将数据驱动和模型驱动的优化算法相融合值得进一步研究。

⑦ 基于虚实融合的生产装置运行优化方法。流程工业的数字孪生技术在近年来得到了蓬勃的发展。与模型驱动的运行优化方法相似，数字孪生为进行虚实融合的生产装置运行优化提供了可能。然而，数字孪生模型由于其模型结构维度高，模型变量种类多等特点，难以直接作为优化模型使用。如何借助数字孪生系统，在虚拟空间探索生产装置的经济潜能并在现实世界进行安全投用是一个具有挑战的问题。

3.4 炼油智慧工厂现状与展望

3.4.1 炼油智慧工厂

炼油智慧工厂是指利用信息技术、大数据、云计算、物联网、人工智能等先进技术，实现炼油生产过程的智能化管理和控制，提高生产效率、降低能耗、减少环境污染、提升产品质量和安全性的现代化工厂。随着科技的快速发展，炼油智慧工厂的现状及发展呈现出以下特点。

① 自动化与信息化融合：传统的炼油工厂主要依赖自动化技术来提高生产效率，而智慧工厂则将自动化技术与信息化技术深度融合，实现生产全过程的动态优化和智能决策。

② 数据驱动的智能优化：炼油智慧工厂通过实时数据采集和分析，对生产过程进行监控和优化。利用大数据分析，可以预测设备故障、优化生产计划、提高能源利用效率等。

③ 环境友好与可持续发展：智慧工厂强调环境保护和资源节约，通过智能优化生产过程减少能源消耗和废弃物排放，实现绿色生产。

④ 安全与风险管理：利用传感器、监控系统和智能算法，炼油智慧工厂能够实时监测生产过程中的潜在风险，并采取预防措施，确保生产安全。

⑤ 人机协作与人才培养：在智慧工厂中，人和机器的协作更加紧密。工人的角色逐渐从操作者转变为管理者和决策者，这对工人的技能和知识提出了新的要求。

⑥ 标准化与模块化：智慧工厂的建设趋向于采用标准化和模块化的设计，以便于快速部署和灵活调整生产线。

⑦ 数字孪生技术的应用：通过创建炼油工厂的数字孪生模型，可以在虚拟环境中模拟和分析生产过程，从而优化实际操作。

⑧ 互联共享的生态系统：炼油智慧工厂不再是一个孤立的生产过程，而是与供应链、客户需求、环境监测等多个系统相互连接，形成一个共享的生态系统。

随着技术的不断进步，炼油智慧工厂将更加注重智能化、网络化、数字化和绿色化的发展方向。工厂的运营将更加依赖于数据和智能算法，而人工干预将逐渐减少。同时，5G、物联网等新技术的应用，炼油智慧工厂的连接性和智能化水平将进一步提升，为炼油行业的可持续发展注入新的动力。

3.4.2 中国炼油智慧工厂展望

近年来，中国的炼化企业在科技创新方面取得了显著进展，加速推动石化全产业链面向智能化、高端化、绿色化的创新发展，以下是几个关键方面的具体进展。

① 连续重整技术应用：应用中国石化逆流连续重整成套技术的中海油惠州石化130万吨/年连续重整装置和中国石化海南炼化260万吨/年逆流连续重整装置相继成功投产。目前已经推广应用了7套，这标志着炼油基础工艺技术国产化的最后一块拼图被攻克。

② 催化剂技术：中国石油自主研发的PHK-102航煤加氢催化剂在劣质煤油加氢精制领域实现了重要突破。此外，中国石油催化裂化汽油加氢GARDES系列催化剂首次成功应用于海外，在欧洲某炼厂的百万吨汽油加氢装置上一次开车成功，展示了中国石油催化剂技术的国际水平。

③ 炼油结构转型技术：中国石化成功建设了300万吨/年重油催化裂解装置，这是自有最新RTC技术首次大规模工业化应用的案例，为炼油结构转型技术的推广和应用提供了重要经验和实践基础。

④ 下游化工技术创新：在下游化工领域，茂金属聚烯烃生产取得了重大突破，中国石化茂名分公司研发生产出了国内首个超高黏度指数合成润滑油基础油新产品mPAO150。此外，茂名石化还成功实现了高频覆铜板用液体橡胶的国产化，并且东明石化建设的原油催化裂解制烯烃（UPC）科技试验项目也取得了进展。

⑤ 特种化工项目：海南贝欧亿科技有限公司成功建成投产了3万吨/年特种聚烯烃及配套项目，成为国内首套聚烯烃弹性体（POE）工业化装置，进一步丰富了国内特种化工产品的供给能力。

这些技术创新的实施不仅提升了炼化企业的生产效率和产品质量，也推动了整个行业向高端、智能、绿色化发展，为中国石化行业的可持续发展奠定了坚实的基础。2023年11月23日，工业和信息化部印发了《“5G+工业互联网”融合应用先导区试点工作规则（暂行）》和《“5G+工业互联网”融合应用先导区试点建设指南》，旨在推动“5G+工业互联网”在全国范围内规模化发展，打造具有全国和区域引领效应的产业集群。这些措施推动了国内炼化企业与企业如华为等的合作，利用包括5G、云计算、大数据、人工智能等技术，以实现安全生产、优化环境、应急供应链管理以及提升生产效率等目标。当前，中国石化已经建成了五家国家智能制造试点示范工厂，其中天津石化智能工厂依托5G网络、UPF、北斗、NB-IoT等ICT基础设施，结合BIM、VR、GIS等多种技术，构建了一个集监控、管理、展示和交互功能于一体的“5G+北斗”智慧园区。中国石油广东石化利用云计算、物联网、智能算法、数字孪生、5G和北斗通信等新一代信息技术，建立了同类企业中规模最大的公网专网融合5G工厂无线网，实现了全业务域数据的集成共享，成功构建了中国石油炼化企业中首个采用工业互联网技术打造的云原生智能工厂。

此外，多种基于大数据、人工智能等技术的生产运营优化手段在各大央企和民企的炼厂中进行了成功的试点应用，并取得了显著的经济效益。例如，在大连长兴岛的恒力石化产业园，MTBE装置采用了中化蓝星智云公司提供的模式化监控解决方案，引入可视化的模式化监控和优化方案，有效推动了生产的优化。这些先进技术的引入和应用，不仅提升了炼化企业的生产效率和管理水平，还为行业在智能化、数字化转型方面树立了良好的示范和标杆。

参考文献

[1] 费华伟，刘旭明，王婧，等. 2023年中国炼油工业发展状况及展望[J].国际石油经济，2024，32（04）：43-48+103.

[2] GUO R, LIU H. A hybrid mechanism-and data-driven soft sensor based on the generative adversarial network and gated recurrent unit[J]. IEEE Sensors Journal, 2021,21(22): 25901-25911.

[3] 郑耸，顾雪萍，王嘉骏，等. 基于反应机理的乙烯淤浆共聚过程建模[J]. 化学工程, 2013, 41(11): 69-73.

[4] 段良伟，孙鹏，翁惠新. 新型催化裂化 MIP 集总反应动力学模型[J]. 华东理工大学学报（自然科学版）, 2012, 38(01): 17-22.

[5] ARAÚZO-BRAVO M J, CANO-IZQUIERDO J M, GÓMEZ-SÁNCHEZ E, et al. Automatization of a penicillin production process with soft sensors and an adaptive controller based on neuro fuzzy systems[J]. Control Engineering Practice, 2004, 12(9): 1073-1090.

[6] MCAVOY T J. Contemplative stance for chemical process control[J]. Automatica, 1992, 28(2): 441-442.

[7] ITO E H, SECCHI A R, GOMES M V, et al. Development of a gas composition soft sensor for distillation columns: A simplified model based and robust approach [J]. Computer Aided Chemical Engineering, 2018, 44: 661-666..

[8] JIANG Q C, YAN X F. Monitoring multi-mode plant-wide processes by using mutual information-based multi-block PCA, joint probability, and Bayesian inference[J]. Chemometrics and Intelligent Laboratory Systems, 2014, 136: 121-137.

[9] JIANG Q C, YAN X F, LI J. PCA-ICA integrated with bayesian method for non-gaussian fault diagnosis[J]. Industrial & Engineering Chemistry Research, 2016, 55(17): 4979-4986.

[10] YUAN X, GE Z, SONG Z. Locally weighted kernel principal component regression model for soft sensing of nonlinear time-variant processes[J]. Industrial & Engineering Chemistry Research, 2014, 53(35): 13736-13749.

[11] GE Z Q, SONG Z H, GAO F R, et al. Information-Transfer PLS model for quality prediction in transition periods of batch processes[J]. Industrial & Engineering Chemistry Research, 2013, 52(15): 5507-5511.

[12] ZHANG X M, KANO M, LI Y. Locally weighted kernel partial least squares regression based on sparse nonlinear features for virtual sensing of nonlinear time-varying processes[J]. Computers and Chemical Engineering, 2017, 104: 164-171.

[13] ZHOU P, LV Y B, WANG H, et al. Data-Driven robust RVFLNs modeling of a blast furnace iron-making process using cauchy distribution weighted M-estimation[J]. IEEE Transactions on Industrial Electronics, 2017, 64(9): 7141-7151.

[14] 谭帅，王福利，常玉清，等. 基于差分分段 PCA 的多模态过程故障监测[J]. 自动化学报, 2010, 36(11): 1626-1636.

[15] 孔维健，柴天佑，丁进良，等. 镁砂熔炼过程全厂电能分配实时多目标优化方法研究[J]. 自动化学报, 2014, 40(1): 51-61.

[16] ZHAO J, SHENG C, WANG W, et al. Data-Based predictive optimization for byproduct gas system in steel industry[J]. IEEE Transactions on Automation Science and Engineering, 2017, 14(4): 1761-1770.

[17] 张雷. 基于数据驱动的复杂工业过程软测量方法研究与应用[D]. 长沙：湖南大学, 2019.

[18] WANG Z, SHAO C, ZHU L. Soft-sensing modeling and intelligent optimal control strategy for distillation yield rate of atmospheric distillation oil refining process[J]. Chinese Journal of Chemical Engineering, 2019, 27(5): 1113-1124.

[19] WANG Z, WANG X. Multiobjective multifactorial operation optimization for continuous annealing production process[J]. Industrial & Engineering Chemistry Research, 2019, 58(41): 19166-19178. DOI: 10.1021/acs.iecr.9b03399.

[20] TANG Y, WANG Y, LIU C, et al. Semi-supervised LSTM with historical feature fusion attention for temporal sequence dynamic modeling in industrial processes[J]. Engineering Applications of Artificial Intelligence, 2023, 117: 105547.

[21] PENG X, WANG Y, LIU C, et al. Dynamic-static collaborative strategy for industrial data modeling based on hierarchical deep networks[J]. Measurement Science and Technology, 2022, 33(12): 125010.

[22] ZHENG Q Q, FAN Y Y, ZHOU Z, et al. Research on product yield prediction and benefit of tuning diesel hydrogenation conversion device based on data-driven system[J]. Energies, 2023, 16(14).

[23] PSICHOGIOS D C, UNGAR L H. A hybrid neural network-first principles approach to process modeling[J]. AIChE Journal, 1992, 38(10): 1499-1511.

[24] MENG Y, YU S, ZHANG J, et al. Hybrid modeling based on mechanistic and datadriven approaches for cane sugar crystallization[J]. Journal of Food Engineering, 2019, 257: 44-55.

[25] PERES J, OLIVEIRA R, FEYO DE AZEVEDO S. Knowledge based modular networks for process modelling and control[J]. Computers & Chemical Engineering, 2001, 25(4): 783-791.

[26] BHUTANI N, RANGAIAH G P, RAY A K. First-Principles, data-based, and hybrid modeling and optimization of an industrial hydrocracking unit[J]. Industrial & Engineering Chemistry Research, 2006, 45(23): 7807-7816.

[27] LI S, ZHENG Y, Li S, et al. Knowledge-based operation optimization of a distillation unit integrating feedstock property considerations[J]. Engineering Applications of Artificial Intelligence, 2022, 107:104496.

[28] Li S, ZHENG Y, Li S. Condition-wide multi-model ensemble with mechanism consistency for process modeling[C], IFAC-PapersOnLine, 2023, 56(2):6900-6905.

[29] DARBY M L, NIKOLAOU M, JONES J, et al. RTO: An Overview and Assessment of Current Practice[J]. Journal of Process Control, 2011, 21(6): 874-884.

[30] HAN I S, RIGGS J B, CHUNG C B. Modeling and Optimization of a Fluidized Catalytic Cracking Process under Full and Partial Combustion Modes[J].Chemical Engineering and Processing: Process Intensification, 2004, 43(8):1063-1084. DOI: 10.1016/j.cep.2003.10.007.

[31] SILDIR H, ARKUN Y, CANAN U, et al. Dynamic Modeling and Optimization of an Industrial Fluid Catalytic Cracker[J]. Journal of Process Control, 2015, 31: 30-44.

[32] JIANG H, HUANG S. Eight-Lump Reaction Kinetic Model for the Maximizing Isoparaffn Process for Cleaning Gasoline and Enhancing Propylene Yield[J]. Energy and Fuels, 2016, 30(12): 10770-10776.

[33] JARULLAH A T, AWAD N A, MUJTABA I M. Optimal Design and Operation of an Industrial Fluidized Catalytic Cracking Reactor[J]. Fuel, 2017, 206: 657-674.

[34] JOHN Y M, PATEL R, MUJTABA I M. Maximization of Gasoline in an Industrial Fluidized Catalytic Cracking Unit[J]. Energy and Fuels, 2017, 31(5): 5645-5661.

[35] JOHN Y M, PATEL R, MUJTABA I M. Maximization of Propylene in an Industrial FCC Unit[J]. Applied Petrochemical Research, 2018, 8(2): 79-95.

[36] 王伟, 汪坤, 杨帆, 等. 基于 GBDT 和新型 P-GBDT 算法的催化裂化装置汽油收率寻优模型的构建与应用[J]. 石油学报 (石油加工), 2020, 36(1): 179-187.

[37] ELLIS R C, LI X, RIGGS J B. Modeling and Optimization of a Model Ⅳ Fluidized Catalytic Cracking Unit[J]. AIChE Journal, 1998, 44(9): 2068-2079.

[38] 白竣仁, 易军, 李倩, 等. 面向反应再生过程的量子粒子群多目标优化[J]. 化工学报, 2019, 70(2): 750-756.

[39] SANKARARAO B, GUPTA S K. Multi-Objective Optimization of an Industrial Fluidized-Bed Catalytic Cracking Unit (FCCU) Using Two Jumping Gene Adaptations of Simulated Annealing[J]. Computers and Chemical Engineering, 2007, 31(11): 1496-1515.

[40] KASAT R B, KUNZRU D, SARAF D N, et al. Multiobjective Optimization of Industrial FCC Units Using Elitist Nondominated Sorting Genetic Algorithm[J]. Industrial and Engineering Chemistry Research, 2002, 41(19): 4765-4776.

[41] 曹蓓, 陈庆达, 丁进良. 多收率约束的催化裂化反再系统改进差分进化操作优化[J]. 控制理论与应用, 2019, 36(8): 1207-1216.

[42] CHEN Q, DING J, CHAI T, et al. Evolutionary Optimization Under Uncertainty: The Strategies to Handle Varied Constraints for Fluid Catalytic Cracking Operation[J]. IEEE Transactions on Cybernetics, 2022, 52(4): 2249-2262.

[43] LID T, STRAND S. Real-Time Optimization of a Cat Cracker Unit[J]. Computers and Chemical Engineering, 1997, 21: S887-S892.

[44] HUANG M, ZHENG Y, LI S Y, et al. Enhancing Transient Event Trigger Real-Time Optimization for Fluid Catalytic Cracking Unit Operation with Varying Feedstock[J]. Industrial & Engineering Chemistry Research, 2019, 58(44): 20340-

20356.
[45] HOVD M, SKOGESTAD S. Procedure for Regulatory Control Structure Selection with Application to the FCC Process[J]. AIChE Journal, 1993, 39(12): 1938-1953.
[46] ALHUMAIZI K, ELNASHAIE S. Effect of Control Loop Configuration on the Bifurcation Behavior and Gasoline Yield of Industrial Fluid Catalytic Cracking (FCC) Units[J]. Mathematical and Computer Modelling, 1997, 25(3): 37-56.
[47] AGUILAR R, POZNYAK A, MARTÍNEZ-GUERRA R, et al. Temperature Control in Catalytic Cracking Reactors via a Robust PID Controller[J]. Journal of Process Control, 2002, 12(6): 695-705.
[48] RAMACHANDRAN R, RANGAIAH G, LAKSHMINARAYANAN S. Data Analysis, Modeling and Control Performance Enhancement of an Industrial Fluid Catalytic Cracking Unit[J]. Chemical Engineering Science, 2007, 62(7): 1958-1973.
[49] ZANIN A, TVRZSKÁ DE GOUVÊA M, ODLOAK D. Integrating Real-Time Optimization into the Model Predictive Controller of the FCC System[J]. Control Engineering Practice, 2002, 10(8): 819-831.
[50] QIN S, BADGWELL T A. A Survey of Industrial Model Predictive Control Technology[J]. Control Engineering Practice, 2003, 11(7): 733-764.
[51] 席裕庚. 预测控制[M]. 2 版. 北京: 国防工业出版社, 2013.
[52] 褚健, 苏宏业, 王景成, 等. 预测控制工程软件 AdvanTrol-Hiecon 在 FCCU 反再系统中的应用研究[J]. 自动化仪表, 1998(8): 7-11.
[53] KALRA L, GEORGAKIS C. Effect of Process Nonlinearity on the Performance of Linear Model Predictive Controllers for the Environmentally Safe Operation of a Fluid Catalytic Cracking Unit[J]. Industrial and Engineering Chemistry Research, 1994, 33(12): 3063-3069.
[54] KALRA L, GEORGAKIS C. The Effects of Operational Characteristics of Catalytic Cracking Reactors on the Closed-Loop Performance of Linear Model Predictive Controllers[J]. Computers and Chemical Engineering, 1996, 20(4): 401-415.
[55] YANG S, WANG X, MCGREAVY C. A Multivariable Coordinated Control System Based on Predictive Control Strategy for FCC Reactor-Regenerator System[J]. Chemical Engineering Science, 1996, 51(11): 2977-2982.
[56] ANSARI R, TADÉ M. Constrained Nonlinear Multivariable Control of a Fluid Catalytic Cracking Process[J]. Journal of Process Control, 2000, 10(6): 539-555.
[57] KHANDALEKAR P, RIGGS J. Nonlinear Process Model Based Control and Optimization of a Model Ⅳ FCC Unit[J]. Computers and Chemical Engineering, 1995, 19(11): 1153-1168.
[58] ALI E E, ELNASHAIE S S E H. Nonlinear Model Predictive Control of Industrial Type Ⅳ Fluid Catalytic Cracking (FCC) Units for Maximum Gasoline Yield[J]. Industrial and Engineering Chemistry Research, 1997, 36(2): 389-398.
[59] HUANG M, ZHENG Y, LI S Y, et al. Thermal Energy Correction Based Model Predictive Control for Fluid Catalytic Cracking Riser[J]. Industrial & Engineering Chemistry Research, 2020, 59(49): 21476-21487.
[60] MOTLAGHI S, JALALI F, AHMADABADI M N. An expert system design for a crude oil distillation column with the neural networks model and the process optimization using genetic algorithm framework[J]. Expert Systems with Applications, 2008, 35(4): 1540-1545.
[61] AI M, XIE Y F, XIE S W, et al. Fuzzy association rule-based set-point adaptive optimization and control for the flotation process[J]. Neural Computing and Applications, 2020, 32: 14019-14029.
[62] ZHOU P, CHAI T, WANG H. Intelligent optimal-setting control for grinding circuits of mineral processing process[J]. IEEE Transactions on Automation Science and Engineering, 2009, 6(4): 730-743.
[63] CHAI T, DING J, YU G, et al. Integrated optimization for the automation systems of mineral processing[J]. IEEE Transactions on Automation Science and Engineering, 2014, 11(4): 965-982.
[64] ZHU W, CHEBEIR J, ROMAGNOLI J A. Operation optimization of a cryogenic NGL recovery unit using deep learning based surrogate modeling[J]. Computers & Chemical Engineering, 2020, 137: 106815.
[65] WANG J, HE Y L, ZHU Q X. Energy and production efficiency optimization of an ethylene plant considering process operation and structure[J]. Industrial & Engineering Chemistry Research, 2020, 59(3): 1202-1217.
[66] YIN Y, KONG L, YANG C, et al. Optimal operation of alumina proportioning and mixing process based on stochastic optimization approach[J]. Control Engineering Practice, 2021, 113: 104855.
[67] ZHANG S, JIA R, PAN H, et al. Collaborative optimization framework for the industrial thickening–dewatering process based on mixed integer linear programming [J]. IEEE Transactions on Instrumentation and Measurement, 2023, 72: 1-14.

[68] LI S, ZHENG Y, LI S, et al. Data-driven modeling and operation optimization with inherent feature extraction for complex industrial processes[J]. IEEE Transactions on Automation Science and Engineering, 2023, 1-15.（SCI, IF: 5.6）

[69] LI S, ZHENG Y, LI S, et al. Mechanism-embedded neural network modeling and operation optimization of a distillation unit with varying production performance[J]. Chemical Engineering Research and Design, 2022, 183: 221-234.（SCI, IF: 3.9）

本章负责人　**邹媛媛　上海交通大学**

参加编写人员　**杨亚茹　黄　猛　李思宏**

第4章　石油化工自动化

4.1 》 石油化工行业发展概况

4.1.1　石油化工产业分析

石油化工产业是国民经济发展中的关键组成部分，也是我国主要的支柱产业。石油化工产业提供了包括合成材料和化工原料在内的一系列重要物资，对国民经济和社会发展起到了举足轻重的作用。

（1）基础化学原料

石油化工行业可以使用石油气作为原料，通过原油的裂解、重整和分离过程，产生多种基础化学原料，包括乙烯（C_2H_4）、丙烯（C_3H_6）、丁烯（C_4H_8）、丁二烯（C_4H_6）、苯（C_6H_6）、甲苯（C_7H_8）以及二甲苯（C_8H_{10}）等。

（2）基本有机化合物

上述基础原料又可以进一步加工成多种基本有机化合物，例如甲醇（CH_4O）、甲醛（CH_2O）、乙醇（C_2H_6O）、乙醛（C_2H_4O）、醋酸（$C_2H_4O_2$）、异丙醇（C_3H_8O）、乙二醇（$C_2H_6O_2$）、苯酚（C_6H_5OH）、环氧乙烷（C_2H_4O）、对苯二甲酸（$C_8H_6O_4$）和聚乙烯（C_2H_4）$_n$等。

（3）主要能源

石油化工行业，包括石油炼制产生的汽油、天然气、柴油等，是当今国民经济生产和生活的主要能源。

① 汽油：汽油是石油炼制过程中的主要产品之一，是主要由碳和氢组成的烃类混合物。汽油主要用作汽车、摩托车、轮船等内燃机燃料，是交通运输领域的重要能源。

② 天然气：虽然天然气不是石油炼制的直接产物，但它与石油资源密切相关，常常与石油一同开采。天然气主要由甲烷组成，是一种清洁、高效的能源，广泛用于民用、工业、电力等领域。目前，全世界石油和天然气消费量约占总能耗量的60%，显示出其在能源结构中的重要地位。

③ 柴油：柴油是石油炼制过程中的另一种重要产品，也是由碳和氢组成的烃类混合物。柴油主要用于柴油发动机，如重型卡车、火车、船舶等，是交通运输和工业领域的重要能源。农、林、牧、渔业主要以消费柴油为主，其柴油消费量占柴油总消费量约1/5。

（4）农业支撑

石油化工行业推动了农业的进步，而农业是支撑我国国民经济的根本产业。石油化工行业提供的氮肥占到化肥总量的80%，农用塑料薄膜的广泛应用，加上农药的恰当使用和大量农业机械所需的各类燃料，共同构成了石油化工行业对农业支持的中坚力量。

（5）全行业促进

石油化工产品对各工业部门至关重要，现代交通工业的进步与燃料供应紧密相连，可以说，没有燃料，现代交通工业就无法存在。此外，金属加工和各种机械行业需要各种润滑油和其他辅助材料，这些材料同样消耗了大量的石油化工产品。轻工和纺织工业是石油化工产品的传统消费者，建材工业是石化产品应用的新兴领域，新材料的开发、新工艺的应用和新产品的推广都离不开石油化工产品。与传统材料相比，石油化工产品因其出色的高强度、抗腐蚀、绝缘、耐高温和耐低温等特性，物理和化学稳定性更高，更易于质量控制，并能根据特定要求进行生产。目前，快速发展的电子工业和许多高科技产业对石油化工产品，特别是以石化产品为原料的精细化工产品需求不断增长，对石油化工产品的发展起到了巨大的推动作用。

石油化工产品凭借其卓越的物理和化学性能，为各个领域的发展提供了重要支持，促进了社会的进步和经济发展。

4.1.1.1 全球石油化工产业分析

(1) 乙烯和聚乙烯

乙烯是世界上产量最高的化学产品之一，其产量成为衡量一个国家石油化工发展水平的重要指标。2022年，全球乙烯的生产能力已经达到了2.18亿吨/年，比20世纪初增长了一倍。在过去20年中，乙烯产能的平均年增长率达到了3.5%，乙烯被誉为石化产业的基石，其产品趋向于精细化。作为一种关键的有机化工原料，乙烯的下游产品种类繁多，其产品规模占到全球石化产品总量的75%以上，广泛应用于包装、农业、建筑、纺织、电子电器、汽车等领域，是现代生产和生活的重要组成部分。

全球聚乙烯的生产能力正处在增长阶段，产能的扩张主要集中在亚洲。根据中商产业研究院发布的《2024—2029年中国聚乙烯行业市场分析及发展趋势预测报告》，2023年全球新增聚乙烯产能为503万吨/年，总产能约为2730万吨/年，同比增长了10.08%。

(2) 丙烯和聚丙烯

丙烯是全球仅次于乙烯的第二大石化产品，自2015年起，全球丙烯市场逐年增长。2019年，全球丙烯的消费量达到了1.1亿吨，同比增长了5%。2020年，全球丙烯的产能约为1.41亿吨/年，需求约为1.11亿吨，中国的产能为4600万吨/年，占全球产能的32%。传统的丙烯生产方法包括蒸汽裂解、炼厂催化裂化FCC分离、重度催化裂解DCC等，还有专门生产丙烯的工艺，如丙烷脱氢PDH、烯烃歧化、MTP等。与乙烯类似，丙烯的主要下游应用是聚烯烃（聚丙烯），但丙烯的其他下游产品更为多样，且更适合用于精细化工领域。

根据2020年全球聚丙烯的产能和产量分布，全球聚丙烯的供应主要集中在东北亚地区，其产能为4152.5万吨/年，占全球总产能的45.3%，产量为3503.2万吨，占全球总产量的44.6%。其次是西欧地区，产能占比10.5%，产量占比11.0%。

(3) 环氧乙烷

近年来，全球环氧乙烷的生产能力持续上升，特别是中国对环氧乙烷的需求和产能增长成为全球增长的主要动力。从2007年的1925万吨增加到2016年的约3450万吨，到2023年，全球环氧乙烷的总产能达到了大约3770万吨/年。主要生产国包括美国（约600万吨/年）、欧盟（约400万吨/年）和日本（约200万吨/年）。

(4) 乙二醇

全球聚酯产品市场的消费激增，推动了乙二醇生产的快速发展。2003年，全球乙二醇的总产能仅为1651万吨/年，到2006年，产能显著增长到2162万吨/年，同比增长19.84%。后续几年，增长速度有所减缓，2009年甚至出现了零增长。随后，随着中国和中东地区多套新建或扩建的乙二醇生产装置投入使用，产能得到了显著提升。截至2015年底，全球乙二醇的产能达到了3288.5万吨/年，同比增长10.7%。在之后的几年里，乙二醇的产能持续稳定增长。尽管如此，国际市场上传统的石化路线的乙二醇产能投资明显减缓，而中国的煤制乙二醇产能投放相对集中。截至2024年底，全球乙二醇总产能约为6190万吨/年，中国以3014.2万吨/年的产能位居全球首位，占全球总产能的49.24%。

未来，国外新投产的乙二醇装置相对较少。根据统计，2021～2025年，只有462万吨的新装置投入市场，主要分布在马来西亚、美国、沙特和印度等国。

4.1.1.2 中国石油化工产业分析

（1）乙烯和聚乙烯

我国乙烯单体的对外依存度从2002年的1%上升到2017年的11%。2019年，我国乙烯单体的进口量为250.97万吨。虽然看上去我国乙烯单体的对外依存度并不高，但如果加上乙烯下游产品的进口量，那么整个乙烯产业链的对外依存度，即中国乙烯的当量对外依存度就很高了。中国石油和化学工业联合会提供的数据显示，2019年我国乙烯的当量自给率是49%，也就是说，当量对外依存度是51%。2021年全球乙烯总产能达到2.1亿吨/年，消费量约为1.97亿吨，我国乙烯新增产能超800万吨/年，达到4168万吨/年，是我国乙烯工业史上新增产能最多的一年。依据中国石油和化学工业联合会数据来看，截止到2022年年底，我国的乙烯年产能已增长至4675万吨/年，产量首次超越美国，成为全球乙烯产能最高的国家。不仅如此，我国乙烯产能仍在快速扩展，预计到“十四五”规划结束，我国乙烯年产能将增至约7000万吨/年，这将进一步巩固我国作为世界最大乙烯生产和消费国的地位。

2009年至2015年，我国的聚乙烯进口总量始终维持在740万吨左右，2016年上涨到了800万吨，同比增长了8.11%。在此发展阶段，聚乙烯的出口量仅为30.2万吨，同比下降了12.5%左右。同时，在近几年的发展中，我国聚乙烯产业发展受到回收料减少的显著影响，进口环节大幅度增长，进口量大幅度攀升，已经超过了880万吨。2018年我国的聚乙烯进口总量达到了986万吨。2019年，我国聚乙烯的产能为1932.5万吨/年，其中低密度聚乙烯的产能为342.5万吨/年，高密度聚乙烯的生产能力为793万吨/年。

（2）丙烯和聚丙烯

2014年的丙烯产能达到了2548万吨/年。且从2014年起，我国的丙烯产能和产量便持续上升，“十三五”期间，在中国丙烯及下游市场高需求增速的驱动下，众多企业竞相投资丙烯产业，中国丙烯新增产能规模达到1559万吨/年。截至2020年年末，我国的丙烯产能上升至4407万吨/年，同比增长了14.12%，而到了2021年，丙烯产能更是达到了产量5000万吨/年的里程碑。与此同时，受到全球经济周期和产业周期的影响，丙烯的产量也得到了显著提高，在2014至2020年间我国丙烯的年产量平均增长率为11.67%。根据当前的发展趋势，预计在未来几年内，丙烯的产能和产量仍会持续上升。

自2000年起，我国的聚丙烯生产设施规模迅速扩张，生产发展势头强劲。到2018年，中国聚丙烯的年产能达1355万吨/年，产量达1122万吨/年，比去年增长14.7%。鉴于我国聚丙烯供需之间仍然存在较大的差距，近年来许多新建的大型炼油、乙烯联产项目和煤制烯烃项目都配备了聚丙烯生产装置，预计未来中国聚丙烯产能将会显著增长，我国聚丙烯的生产能力将达到新的高度。随着中国经济的快速增长，对化工原料的需求不断增加，聚丙烯的消费量也逐年提高：2003年，中国聚丙烯的消费量已达到532万吨；2007年突破

1000万吨大关；2008年受金融危机影响，略有下降至1079万吨；到了2018年，在基础设施投资和国内需求的推动下，消费量增至1232万吨。

（3）环氧乙烷

2019～2023年，我国环氧乙烷产能保持增长态势，由供应平衡向供应过剩态势发展。“十三五”期间，我国城市基础设施投入力度持续加大，大大促进了环氧乙烷下游聚羧酸减水剂行业的发展，后期随着行业竞争加剧，需求收缩，供需矛盾凸显。2023年环氧乙烷总产能达883万吨/年，年内新增产能达170万吨/年，但开工负荷率降至近5年最低水平。环氧乙烷下游发展结构出现明显瓶颈，在一定程度上抑制了环氧乙烷产能释放的步伐。2024～2025年环氧乙烷新增产能将达128万吨/年，环氧乙烷供应仍然面临着不小的挑战。

（4）乙二醇

2015年，全国乙二醇产能、产量、进口量分别为750万吨/年、444万吨、877万吨，到2019年分别增长到1304万吨、768万吨、995万吨。数据分析表明，2015～2019年全国乙二醇产能和产量平均增速为14.8%、14.4%，高于进口量，但进口依存度仍在66.5%～54.9%的高位区间，且进口量持续大于国内产量。近几年我国乙二醇行业进入产能扩张周期，产能和产量持续快速增长，2015年乙二醇产能仅745万吨/年，到2023年已达到2877.2万吨/年，年均复合增长率达到18.40%。从工艺路线上看，2023年一体化（石脑油/乙烯法）工艺总产能达1560.2万吨/年，占比54.23%，合成气工艺总产能达1065万吨/年，占比37.02%，乙烷裂解工艺总产能达160万吨/年，占比5.56%，MTO工艺总产能达92万吨/年，占比3.20%。

4.1.1.3 中国石油化工产业面临的挑战

中国石油化工产业面临的挑战主要包括以下几个方面：

① 原始创新能力和科技成果转化能力较弱。行业研发投入占营业收入的比重偏低，基础理论研究和前沿技术研发能力有待提高，部分产品的生产技术、配套装备或关键部件依赖进口。

② 国际竞争力有待提升。具备国际竞争力的一流企业较少，大型石化企业利润率不高，中小企业全球化经营能力普遍缺乏。与欧美企业相比，国内企业销售利润率存在差距。

③ 自主品牌影响力不足。缺少系统的品牌营销战略、全球化的品牌营销网络以及国际化的品牌营销人才。企业对产品应用研究和创新的重视不足，尚未形成以市场需求为导向的品牌服务模式。

④ 高端产品保障能力欠缺。化工新材料等高端产品占比较低，与发达国家存在较大差距。

⑤ 经济发展新常态的挑战。世界经济仍处于深度调整期，增长存在不确定性。中国经济增速、结构和驱动力发生变化，从高速增长转为中高速增长，经济结构不断优化升级，从要素驱动、投资驱动转向创新驱动，导致石化产品需求增速逐步放缓。

⑥ 低油价的挑战。国际油价持续走低，大幅压缩了石化产品毛利空间，而且促使资源国加快由原油生产向成品油等产品生产出口转变，加剧了国内石油化工产品市场竞争。

⑦ 环保法规日益严格。中国政府重视生态文明建设，出台了更严格的环保法规和行动计划，对环保的标准和要求越来越高，这对产业发展带来重大影响和挑战，企业需要投入

更多资源来满足环保要求。

面对这些挑战，中国石油化工产业需要通过加强技术创新、优化资源配置、提升企业竞争力、推动绿色发展等措施来实现产业的转型升级和可持续发展。

4.1.2 石油化工行业发展预测

石油化工行业作为全球经济的重要支柱之一，其未来发展不仅关系到能源领域，还涉及诸多下游产业的兴旺与否。随着全球经济的复苏和新兴市场的快速发展，石油化工产品的需求预计将保持稳定增长。尤其在亚洲地区，工业化和城市化进程推动了对塑料、合成橡胶、纤维和化肥等石化产品的需求。

首先，环境可持续性是当前和未来石油化工发展的核心议题。随着全球关注气候变化和环境保护的加剧，石油化工企业面临着减少碳排放、降低环境影响的压力。因此，企业需要采取创新的技术和策略，推动向更清洁、低碳的生产模式转型，例如生物可降解塑料、再生能源的应用以及碳捕集与储存技术的研发与应用，都是行业关注的焦点。

其次，技术创新和数字化转型是提升石油化工行业竞争力的关键因素。随着人工智能、大数据分析和物联网技术的快速发展，石油化工企业能够通过先进技术和数据驱动的优化，提高生产效率、降低生产成本，同时减少资源消耗。这不仅有助于行业在全球市场中保持竞争优势，还能促进行业内部的创新和发展。

再次，地缘政治和市场动态的不确定性对石油化工行业的影响不可忽视。国际贸易政策的变化、地缘政治紧张局势以及全球原油价格的波动，都可能直接影响到石油化工产品的市场供应和需求格局。在这种情况下，多元化的市场策略和灵活的供应链管理显得尤为重要，能够帮助企业有效应对外部环境的变化，降低市场风险。

最后，社会责任和可持续发展成为现代企业不可或缺的重要课题。石油化工企业需要积极履行社会责任，推动公平贸易、社区发展和员工福利，以增强企业的可持续发展能力和社会影响力。通过与政府、非政府组织和社会各界的合作，共同推动石油化工行业朝着更加可持续的方向发展，不仅有助于改善企业形象，还能推动全球经济的整体发展。

综上所述，石油化工行业在全球经济中扮演着不可或缺的角色，其发展面临着诸多挑战和机遇。通过环境可持续性的推动、技术创新的应用、对地缘政治和市场动态的敏锐应对以及社会责任的践行，石油化工企业可以实现经济效益与社会责任的有机统一，为全球经济的稳定和可持续发展贡献力量。下面将详细阐述影响石油化工行业的可持续发展的因素。

（1）基础设施建设和消费升级将为石油化工产品带来新的需求增长点

随着经济的快速发展，全球的基础设施建设和制造业扩张也将带动石油化工产品消费的增长。尤其在新兴市场国家，工业化和城市化进程正迅速推进，对塑料、合成橡胶、纤维和化肥等石化产品的需求不断增加，例如中东国家凭借丰富的石油资源，正逐步向下游石化产业延伸，目标是提升产品附加值，减少对原油出口的依赖。沙特阿拉伯的“2030愿景”就是一个典型案例，该计划旨在通过多元化经济结构，减少对石油收入的依赖，推动包括石化产业在内的多领域发展。同样，阿联酋的工业战略也是为促进本国经济多样化，提高制造业和高附加值产业的比重。这些政策不仅有助于提升地区经济的稳定性，还能为全球石油化工市场带来新的增长动力。非洲和拉美地区的工业化进程虽然相对缓慢，但同样蕴含着巨大的市场潜力。非洲大陆拥有丰富的自然资源和年轻的人口结构，这为未来的经济增长提供了坚实的基础。随着基础设施的逐步完善和投资环境的改善，非洲国家将在石油化工领域迎来新的发展机遇。拉美地区则具有广阔的市场空间和日益增长的消费需求，通过加强区域合作和技术引进，可以显著提升其石化产业的竞争力。在此背景下，我国石油化工企业需要紧跟全球经济发展的脉搏，抓住新兴市场和政策导向带来的机遇，不断提升自身的技术创新能力和市场响应速度。通过积极参与国际交流与合作，石油化工企业可以借鉴全球先进的技术和管理经验，从而全面提升行业的整体竞争力和可持续发展能力。

与此同时，我国的“十四五”规划强调高质量发展和绿色转型，这将进一步推动高附加值石化产品的需求。中国作为全球最大的制造业基地之一，正在积极推进产业升级和结构调整，向更加环保、高效的生产模式转变。在这一过程中，高性能材料、生物基材料和环保型化学品的需求将显著增加。此外，绿色能源和可再生资源的开发利用，也将推动相关石化产品的市场需求。

① 基础设施建设在现代社会发展中扮演着至关重要的角色，它涵盖了从道路、桥梁、隧道到供水、排水系统等多种建筑和市政工程项目。这些项目的大规模展开，不仅推动了经济的增长和社会的进步，同时也对石油化工产品的需求提出了高标准的要求。首先，考虑到道路交通的发展，高速公路的建设和扩展是基础设施建设的重中之重。塑料管道，特别是PVC管和PE管，在路基排水系统中起着至关重要的作用。这些管道具有优异的耐用性和耐腐蚀性，能够有效地疏导雨水和污水，保持道路的结构完整和稳定。其次，桥梁和隧道建设也是基础设施建设的重要组成部分。大量的沥青和各种防水材料，如沥青混凝土和高性能防水涂料，广泛应用于桥面铺装和隧道内壁的保护。这些材料不仅提供了良好的耐久性和抗风化能力，还能有效地防止水分和化学物质的侵蚀，延长结构的使用寿命。在水利工程方面，石油化工产品的应用也不可或缺。例如，水利设施中常用的聚乙烯和聚氯乙烯管道，用于输送和分配水资源。这些管道具有优异的耐压性和抗老化性能，能够安全可靠地运输大量的自来水和灌溉水源，支持农业和城市的可持续发展。除了基础设施建设中直接使用的材料外，石油化工产品还在建筑物和公共设施的多个方面发挥着关键作用。例如，建筑物的外墙涂料和屋顶防水涂料，常采用基于环氧树脂和聚氨酯的材料制成，保证了建筑结构的耐久性和美观性。而在公共设施如地铁站、机场等的建设中，合成橡胶和高性能塑料被广泛应用于地面铺装、隔音材料和管道接口，以确保设施的安全性和运行效率。总之，石油化工产品不仅仅是基础设施建设的支柱，更是现代城市化进程中不可或缺的重要组成部分。它们通过提供高性能的材料和技术解决方案，支持着城市基础设施的安全、可靠和持续运行，为经济的增长和社会的发展奠定了坚实的基础。随着科技的不断进步和环境意识的提升，石油化工行业将继续在未来的基础设施建设中发挥关键作用，并向更加可持续和环保的方向迈进。

② 消费升级进一步推动了对石油化工产品的需求。

a. 随着人们生活水平的提高，汽车保有量显著增加，对高质量燃料和润滑油的需求也随之上升。现代汽车的设计和制造越来越注重环境友好和能效优化，因此对于高性能的燃料和润滑油的需求愈发迫切。与此同时，现代汽车中大量使用轻质、高强度的塑料和复合材料，这些材料多数来自石油化工。这些先进材料不仅能有效减轻汽车重量，提升燃油效率，还能提高车辆的安全性和乘坐舒适性，使得驾驶体验更为愉悦和安全。汽车工业的这些技术进步不仅提高了个人出行的便利性，也对环境保护起到积极作用，因为更高效的燃料利用和减少的排放成为了现代汽车设计的重要目标。

b. 家用电器和电子产品市场的扩展也是石油化工产品需求的一个重要驱动力。现代生活中，各种消费电子产品如手机、平板电脑以及大型家电，如冰箱、洗衣机等，它们的外壳、内部组件以及电线电缆等部件大量使用各类塑料材料，而这些塑料多数来自石油化工产品。随着家庭电气化程度的提高，对高性能电线电缆的需求也日益增加，这些产品的绝缘层和护套材料多来源于石油化工产品，这些材料能够提供优良的绝缘性能和耐用性，保障电器设备的安全和稳定运行。随着科技的进步和消费者需求的不断演变，家用电器和电子产品的市场不断扩展，促进了石油化工产品的多样化应用和需求增长。不仅提升了人们生活的便利性和舒适度，同时也推动了石油化工行业的发展。未来随着智能化技术的普及和新材料的应用，家电产品的功能和性能将继续提升，从而进一步推动石油化工产品在消费电子领域的创新和应用。

c. 消费品市场对包装材料的需求也在增加，特别是塑料包装材料。这些材料被广泛应用于食品包装、化妆品包装等领域，以满足消费者对便捷、美观、耐用包装的不断增长的需求。塑料的轻便性和形状多样性使其成为各种消费品包装的理想选择，同时也有助于保护产品免受环境和物理损害。纺织行业同样依赖于石油化工产品，如合成纤维涤纶、尼龙等。这些材料被广泛应用于制造服装、家居用品和工业用布等，满足消费者对舒适性、功能性和时尚性的高要求。合成纤维由于其柔软、耐用和易于护理等特性，越来越受到消费者的青睐，尤其是在快时尚和高性能服装领域。随着全球消费品市场的扩展和多样化，对石油化工产品的需求不断增加。新兴市场国家中的中产阶级扩大和消费习惯的变化，进一步推动了对包装材料和纺织原料的需求增长。这些市场趋势为石油化工企业提供了广阔的发展机遇，尤其是那些能够灵活应对市场需求变化并积极推动可持续发展的企业。通过技术创新和产品效益的提升，石油化工行业能够在全球市场中保持竞争优势，并为消费者提供更高质量的产品和服务。

（2）技术创新和生产智能化将为石油化工行业可持续发展提供核心动力

未来，高性能材料、智能制造技术和环保技术的进步革新将显著影响石油化工行业的发展格局：高性能材料方面、高性能聚合物和工程塑料的研发和应用将不断扩大，这些材料在汽车、电子、电器、医疗和航空航天等领域具有广泛的应用前景，例如轻量化材料可以有效降低能耗和排放。智能制造方面、物联网、大数据和人工智能等数字化技术的应用，将实现生产过程的智能化和自动化，提高生产效率，降低运营成本。智能工厂和智慧供应链的建设将成为行业发展的新趋势。环保技术方面，随着环保法规的日益严格，企业必须采用更加清洁的生产工艺和废弃物处理技术。催化剂技术、生物基材料和绿色化学工艺的发展，将有助于减少污染物排放，实现绿色生产，如中国石化（Sinopec）在其多个炼油厂中实施了“智能工厂”项目，使用大数据和人工智能技术来优化生产过程。这些技术帮助中国石化提高了生产效率，减少了能源消耗，并显著降低了运营成本。

（3）绿色生产与资源回收再利用将为石油化工行业可持续发展指明方向

石油化工行业面临的环境压力空前严峻。随着全球对气候变化和环境影响的关注不断增加，石油化工企业正面临着采取更加积极的环保措施的迫切需求。环保问题不仅是企业合规的要求，更是其社会责任的重要体现。企业必须努力减少对环境的负面影响，采取可持续发展的经营策略。未来，环保将成为石油化工行业发展的重要方向。全球范围内，各国加快了应对气候变化的行动步伐，碳减排成为共同努力的目标。石油化工企业需要加大在节能减排、资源循环利用、清洁生产技术等方面的投入，通过技术创新和管理优化，降低生产过程中的能耗和排放，实现资源的有效利用和循环利用，以减少对环境的负面影响。此外，石油化工行业还需积极响应全球环保标准和法规的要求，推动行业向更加环保、可持续的方向转型。投资于研发和应用环保技术，开发低碳、清洁生产的新技术和新材料，将是行业发展的重要策略之一。通过这些举措，石油化工企业不仅能够提升自身的竞争力，还能为全球环境保护事业作出积极贡献，推动全球经济可持续发展的进程。

首先是绿色生产，绿色生产要求在整个生产过程中尽可能减少对环境的负面影响，采用无毒无害的原材料，改进工艺流程，减少废弃物生成，并通过资源循环利用实现生产的可持续性。通过开发高效低毒的催化剂，优化生产工艺，提高反应效率，减少副产物生成和能源消耗。例如应用先进催化技术进行烯烃聚合，能够显著降低能耗和碳排放。或者在生产过程中应用先进的水处理技术，实现废水的循环利用，减少新鲜水的消耗和废水排放，使用天然气、氢气等低碳燃料替代传统化石燃料，减少二氧化碳和其他污染物的排放。

其次是资源回收和再利用，例如废塑料的回收和再生利用，不仅可以减少环境污染，还能节约资源，降低生产成本，在生产过程中产生的副产品（如二氧化碳、硫磺等）经过回收和处理，可以作为原料用于其他工业生产，减少资源浪费和环境污染。在生产过程中使用余热回收系统，将废热转化为有用能量，降低整体能耗，例如在裂解炉中安装余热锅炉，将产生的废热用于发电或供热。石油化工企业可以通过引入智能制造和数字化技术，实现生产过程的精准控制和优化，提高能源利用效率，降低能耗和排放。同时，亦可以充分利用可再生能源，在生产过程中积极利用太阳能、风能等可再生能源，减少对石油化工能源的依赖。在化工园区内安装光伏发电系统，为生产设备提供电力，制定相应的减排和资源节约措施，推动产品的绿色设计和生产。

石油化工企业需要通过技术升级和管理优化，实现生产过程中的碳减排目标，如开发和应用碳捕捉与储存技术、提高能效、使用低碳或零碳的原材料等。巴斯夫（BASF）作为全球领先的化工公司，已经采取了一系列措施来应对环保法规的挑战，如开发了环保产品——生物降解塑料（Ecovio），并投资改进生产工艺，以减少二氧化碳和其他污染物的排放。

（4）全球能源结构转型给传统石油化工行业带来新的机遇与挑战

全球能源结构的转型，对石油化工行业既是挑战也是机遇。随着可再生能源和新能源的快速发展，传统石油化工行业需要抓住机遇，探索新的发展路径：

① 随着电动汽车、光伏发电、风电等新能源产业的发展，对先进材料如锂电池电解液、光伏材料、风电叶片材料等的需求将大幅增加。石油化工企业可以通过研发和生产这些高附加值的材料，开拓新的市场。

② 氢能作为清洁能源的代表，正在受到全球的关注。石油化工企业可以利用已有的技术和基础设施，涉足氢能的生产和应用领域，实现业务的多元化。

③ 生物基材料是以生物质为原料，通过化学或生物技术合成的新型材料，其具有可再生、环保的特性，可以部分替代传统的石油基材料。未来，石油化工企业的重要方向之一即是生物基材料的开发和应用。

埃克森美孚（ExxonMobil）和壳牌（Shell）等大型石油公司已经开始大规模投资可再生能源项目。壳牌在荷兰建设了一个大型的风力发电场，并计划在未来几年内进一步扩大其可再生能源业务。同时，各国政府为了应对气候变化，纷纷出台更加严格的环保法规和减排目标。这些法规要求石油化工企业减少温室气体排放，提高生产工艺的环保标准。遵守这些法规需要大量的技术改造和资本投入，增加了企业的运营成本，故石油化工企业如果能够在如此高标准严要求情况下，抓住发展机遇，探索出一条崭新绿色环保的道路，那必然未来可期。

石油化工行业的发展亦面临诸多挑战，包括来自可再生能源的竞争、严格的环保法规、新兴技术的应用、新兴市场的需求增长以及气候变化带来的不确定性，具体来说：

① 如何通过技术创新和战略调整，石油化工企业在新的市场环境中实现可持续发展。例如积极投资研发可再生能源项目和环保技术，降低对传统化石燃料的依赖，探索新的增长点。

② 如何通过技术革新和工艺优化提高能效、减少排放、降低生产成本。

③ 如何开发环保材料，推广绿色产品，以满足市场对可持续产品的需求。

④ 如何针对供应链和市场波动风险，建立健全健康的风险管理体系，确保企业运营的连续性和稳定性。

⑤ 如何才能提升企业在资本市场中的形象和信誉，吸引更多绿色投资。

石油化工行业的未来不仅在于应对挑战，更在于抓住机遇。无论是通过投资可再生能源、开发环保产品，还是应用新技术提升效率，石油化工企业都需要积极适应变化，才能在全球经济转型中保持竞争力。

4.2 》 石油化工行业自动化应用现状

4.2.1 关键自动化技术应用

随着科技的飞速发展，石油化工行业正面临着前所未有的机遇和挑战。为了适应这一变革，石油化工企业正积极推动自动化控制技术的创新和应用。在当前的石油化工领域，自动化技术的应用已经取得了显著的成果，不仅提升了自动化控制水平和生产效率，还保障了生产的安全和稳定，实现了可持续发展的目标。

自动化控制技术在石油化工行业的应用，不仅体现在生产过程的自动化控制上，还包括对生产设备的监控和维护、对产品质量的检测和分析、对生产环境的监测和管理等多个方面。采用自动化技术石油化工企业可以实现对生产过程的精确控制和优化，提高生产效率和产品质量，降低生产成本和能耗，减少环境污染和资源浪费。同时，自动化技术的应用还可以提高生产过程的安全性和可靠性。通过自动化控制系统，企业可以对生产过程中的各种参数进行实时监测和控制，及时发现和解决生产中的问题和故障，避免事故的发生。此外，自动化技术的应用还可以减少人工操作的环节，降低工人的劳动强度和风险，提高生产过程的安全性和可靠性。其次，自动化技术将进一步保障生产的安全和稳定。通过更加先进和智能化的监控系统，企业可以更加精确地监测生产过程中的各种参数和状态，及时发现和解决生产中的问题和故障，避免事故的发生，保障生产的安全和稳定。最后，自动化技术将进一步推动石油化工行业的可持续发展。通过更加环保和节能的自动化控制系统，企业可以降低生产过程中的能耗和排放，减少环境污染和资源浪费，实现更加可持续的发展模式。

4.2.1.1 存在的问题

（1）工业自动化水平较低

石油化工行业作为国家经济的支柱产业，其自动化水平的高低直接关系到生产效率和经济效益。然而，当前石油化工行业在自动化方面存在一些普遍问题，这些问题限制了生产效率和智能化水平的提升。首先，自动化技术的覆盖面相对有限。在石油化工行业，自动化技术主要集中在一些关键的生产环节和大型设备上，如催化裂化、加氢裂化等，而对于整个生产流程的自动化程度，尤其是中小型企业，仍然有很大的提升空间。中小型企业在自动化技术的应用上受限于资金、技术和人才等因素，导致生产效率相对较低，难以满足现代工业生产的需求。其次，技术基础相对薄弱。许多企业的生产设备和控制系统尚未更新换代，导致难以整合和应用先进的自动化技术。这不仅阻碍了自动化技术的推广，也影响了生产过程的现代化和数字化。一些企业仍然采用传统的手工操作和人工监控，生产过程中的数据采集、分析和处理能力不足，使得生产过程的管理和优化受到很大限制。再者，企业内部的数据孤岛现象严重。不同系统之间的信息孤立，缺乏有效的联通和数据共享，这不仅影响了自动化系统的整体效能，也削弱了决策支持能力。在石油化工行业，生产过程中的数据量大、类型复杂，涉及生产、质量、安全、环保等多个方面。如果企业不能有效地整合和管理这些数据，就无法实现对生产过程的实时监控和优化，从而影响生产效率和产品质量。

针对以上问题，石油化工行业亟需通过技术升级、系统集成和数据管理等方面的改进来提高自动化水平。首先，企业应加大投入，扩大自动化技术的应用范围，实现生产过程的全面自动化。其次，企业需要更新生产设备和控制系统，引入先进的自动化技术和智能化设备，提高生产过程的现代化和数字化水平。此外，企业还需建立统一的数据管理和分析平台，实现不同系统之间的信息共享和联通，提升自动化系统的整体效能和决策支持能力。通过拓展自动化技术的应用范围、夯实基础设施、促进数据互通和共享，保障生产过程的安全和环保，该行业将有效提升自动化水平，迈向更加智能、高效和可持续的未来。

(2)数据管理和分析不足

在当今这个信息化时代，数据已经成为企业的重要资产。对于石油化工行业来说，产生的数据量巨大，类型多样，涵盖了生产数据、设备状态数据、质量控制数据等多个方面。这些数据中蕴含着丰富的信息，对于优化生产流程、提高产品质量、降低成本具有重要意义。然而，面对这些海量且复杂的数据，企业在数据管理方面可能面临诸多挑战。首先，数据标准化不足是一个普遍问题。由于缺乏统一的数据标准和格式，不同系统之间的数据难以融合和共享，从而影响了数据的利用效率。其次，数据存储成本高昂也是一个棘手的问题。随着数据量的不断增长，企业需要投入更多的资源来存储和管理这些数据，这对于企业来说是一个不小的负担。此外，数据安全和隐私保护也是企业必须面对的问题。在数据的收集、存储和使用过程中，如何确保数据的安全性和用户的隐私不被泄露，是企业需要重视的问题。

在数据分析方面，企业需要具备高级的数据挖掘和分析能力，以从海量数据中提取有价值的信息，支持决策制定。这就要求企业不仅要掌握数据分析的基本方法和工具，还要深入了解业务场景，将数据分析与实际业务相结合，从而为决策提供有力支持。同时，实时处理和分析数据在响应生产过程中的动态变化方面具有至关重要的作用。通过实时监控和分析数据，企业可以及时发现生产过程中的问题和风险，并采取相应的措施进行优化和调整。

为了有效利用数据资源，企业需依托深度学习、数据挖掘等先进方法，提升基于数据驱动的决策能力。深度学习作为一种人工智能技术，可以帮助企业从海量数据中自动识别和学习规律和模式，从而为决策提供更加准确和高效的依据。数据挖掘则可以帮助企业挖掘出潜在的数据价值，通过分析历史数据和实时数据，预测未来的趋势和变化，为企业的发展提供决策支持。

石油化工行业在数据管理和数据分析方面面临着诸多挑战，但同时也存在着巨大的机遇。通过加强数据管理、提高数据分析能力、利用先进的技术和方法，企业可以有效利用数据资源，提升基于数据驱动的决策能力，从而优化生产流程、提高产品质量、降低成本，实现可持续发展。

（3）安全问题严峻

在石油化工行业中，安全问题的重要性愈发凸显，这不仅是因为其生产过程复杂、操作环境恶劣，更因为其涉及的风险极高，一旦发生事故可能对人员、设施、环境乃至整个社会造成巨大影响。首先，易燃易爆物质的管理在自动化系统中尤为重要，一旦传感器监测失误或控制系统出现故障，导致对易燃易爆物质的管理不当，则可能引发火灾和爆炸事故。其次，化学品的泄漏风险在自动化过程中同样不容忽视，如果自动化系统中的阀门、泵等关键设备出现故障或操作不当，可能导致有毒有害化学品的泄漏，对环境和人员健康造成巨大威胁。再者，自动化系统中的设备长期运行后可能出现老化、磨损等问题，加之可能存在的设备设计缺陷或制造缺陷，都将导致设备故障风险增加。这不仅可能影响生产连续性，还可能带来安全隐患。此外，操作人员在自动化生产环境中也面临挑战，一方面，操作人员可能对自动化系统缺乏足够的理解和操作技能，导致误操作，另一方面，自动化系统本身的设计逻辑也可能存在问题，引发误操作，进一步加剧安全风险。最后，环境因素如自然灾害和极端气候等同样对石油化工自动化生产构成威胁，如果自动化系统未能有效应对这些环境变化，可能导致设施受损、生产中断，甚至引发安全事故。

（4）生产效率低下

在当今激烈的市场竞争环境下，石油化工行业的生产效率问题愈发突出，已成为企业发展的瓶颈。自动化设备和系统的应用程度不高，导致许多关键生产环节仍依赖人工操作，不仅效率低下，而且生产周期延长，难以满足市场对快速响应的需求。此外，自动化技术的更新迭代速度缓慢，使得现有系统难以适应市场的快速变化，进一步加剧了生产效率的低下。

在生产过程中，自动化流程中存在多处瓶颈和断点，导致生产过程不连续，信息流通不畅。这些问题使得企业在生产过程中无法实现资源的优化配置，导致了资源的浪费和成本的增加。同时，由于自动化程度低下，企业在生产过程中难以实现精细化管理，导致产品质量不稳定，客户满意度降低，进一步影响了企业的市场竞争力。此外，由于自动化技术的应用程度不高，企业在生产过程中无法充分利用大数据和人工智能等先进技术，无法实现对生产过程的实时监控和优化，使得生产过程中的问题和故障无法及时发现和处理，进一步影响了生产效率和产品质量。

这些问题不仅制约了企业的盈利能力和市场竞争力，也影响了行业的可持续发展。因此，提高自动化水平，实现生产过程的智能化和高效化，已成为石油化工行业亟待解决的问题。企业应加大对自动化设备和系统的投入，提升自动化程度，减少人工操作，提高生产效率。同时，企业还应加强对自动化技术的研发和创新，提高自动化技术的更新迭代速度，使其能够快速适应市场的变化。此外，企业还需优化生产流程，消除自动化流程中的瓶颈和断点，实现生产过程的连续性和信息流通的高效性，从而减少资源的浪费和成本的增加。

石油化工行业生产效率低下的问题亟待解决。通过提高自动化水平、加强自动化技术的研发和创新、优化生产流程等措施，企业可以有效提升生产效率，降低成本，提高产品质量，增强市场竞争力，实现可持续发展。

4.2.1.2 发展建议

（1）采用先进控制策略

针对石油化工企业自动化水平低的问题，我们必须积极寻求并实施先进的控制策略，以推动自动化水平的显著提升。预测控制作为一种基于系统未来状态预测的控制方法，具有前瞻性和预判性，能够提前预判并应对生产过程中的不确定性，从而确保系统的稳定性和高效性。通过预测控制，企业可以实现对生产过程的实时调整和优化，提高生产效率和产品质量。鲁棒控制则是一种强大的控制策略，在面对原料性质、操作条件等波动时，能够保持系统的稳定性，保障生产过程的连续性和安全性。鲁棒控制通过预先设定合理的控制参数和调整范围，能够有效应对各种不确定因素，确保生产过程的稳定进行。自适应控制则能够根据系统实时状态的变化，自动调整控制策略，以适应复杂多变的石油化工生产环境。自适应控制通过实时监测和评估系统的性能和状态，根据实际情况调整控制参数和策略，从而实现对生产过程的精确控制和优化。通过集成分布式控制系统（DCS）和过程自动化系统（PAS），企业可以实现对生产过程的集中监控和管理，提高生产效率和产品质量。智能化水平的提升可以通过引入人工智能和机器学习等技术，实现对生产过程的智能优化和决策支持。

通过先进优化控制方法，企业可以精细调节控制参数，实现产品质量、产量以及经济效益的最优化。优化控制方法可以通过数学建模和算法优化，找到最佳的控制策略和操作条件，从而提高生产效率和产品质量，降低成本，提升企业的竞争优势。

针对石油化工企业自动化水平低的问题，我们可以通过实施先进的控制策略，如预测控制、鲁棒控制和自适应控制，提升自动化水平。同时，加强DCS和PAS的集成度和智能化水平，实现生产过程的实时监控和精准控制。通过先进优化控制方法，精细调节控制参数，实现产品质量、产量以及经济效益的最优化，为企业带来更大的竞争优势。这些措施将推动石油化工行业的自动化水平提升，实现行业的可持续发展。

（2）加强大数据分析技术应用

在石油化工行业中，加强大数据分析技术并融入自动化元素，是提升生产效率、优化资源配置和降低运营成本的关键。首先，构建一个高度集成化、智能化的数据管理平台，该平台能够自动收集、整合和预处理来自不同生产环节的数据。通过自动化的数据清洗和校验机制，确保数据的准确性和一致性，为大数据分析提供可靠的基础。其次，引入先进的数据分析工具和算法，结合自动化系统的实时数据，进行自动化的数据分析和挖掘。这些工具能够自动识别数据中的模式和趋势，为生产决策提供科学、准确的数据支持。同时，可以通过自动化的模型训练和调优，不断提升数据分析的准确性和效率。除此之外，还可以加强与自动化设备和系统的集成，通过API接口或中间件技术，实现数据管理平台与自动化系统的无缝对接，此时，数据分析的结果可以自动触发自动化系统的操作和调整，实现生产流程的自动化优化。最后，要注重数据安全和隐私保护。在构建数据管理平台时，应采用先进的数据加密和访问控制技术，确保数据的安全性和合规性。对于与自动化系统交换的数据，也应采取相应的安全措施，防止数据泄露和滥用。

（3）提升安全环保水平

石油化工行业作为一个复杂且高风险的行业，面临着许多安全挑战。为了全面提升行业安全和环保水平，石油化工企业应充分利用自动化技术，实现生产过程的智能化和自动化控制。企业可以引入先进的人机界面和数字孪生、虚拟现实技术，以增强操作员对生产流程的理解和控制。通过这些技术，操作员可以更加直观地了解生产过程中的各项参数和设备状态，从而降低人为操作错误，提高生产效率和安全性。数字孪生和VR技术还可以用于模拟和预测生产过程中的各种情况，帮助操作员作出更加准确和安全的决策。开发自动化监测系统是提高石油化工行业安全性的重要手段。通过实时监控生产过程中的各项参数，如温度、压力、流量等，自动化监测系统可以及时发现并处理设备故障和潜在的安全隐患。这些系统可以自动报警并采取应急措施，减少事故的发生，并提高生产过程的连续性和稳定性。采用全流程生产优化策略也是提高环保水平的重要途径。通过优化生产流程、降低能耗和减少废物排放，企业可以实现更加环保和可持续的生产方式。全流程生产优化策略可以包括使用高效设备和工艺、优化能源利用、回收和再利用废物等措施，推动石油化工行业的可持续发展。建立智能预警系统也是提高安全性的重要手段。通过对生产过程中的数据进行分析和预测，智能预警系统可以对可能出现的泄漏、火灾等事故进行预测和预警。这样，企业可以迅速采取应对措施，减少事故损失，并保障员工的生命安全和企业的财产安全。

综上所述，石油化工行业应充分结合自动化技术来全面提升行业安全和环保水平。通过引入先进的人机界面和数字孪生、虚拟现实技术，开发自动化监测系统，采用全流程生产优化策略，以及建立智能预警系统，企业可以实现生产过程的智能化和自动化控制，降低安全风险，提高环保水平，促进行业的健康发展。这些措施将有助于提高石油化工行业的安全和环保水平，实现可持续发展目标。

（4）提升生产效率

石油化工企业应积极采用智能优化控制策略，提升生产效率。通过优化生产流程并结合先进的优化控制策略，实现对生产过程的精确控制和监测，有效避免人为因素的干扰，从而提高生产的稳定性和可靠性。自动化技术的引入不仅使得生产流程更加高效，还能确保产品质量的一致性和稳定性，例如通过优化控制系统，企业可以实时监控和调整反应器的温度、压力和流速等关键参数，确保产品质量的稳定性和合格率。此外，自动化设备还能减少人为错误和疏忽，降低生产事故的风险，提高生产安全性。因此，结合生产流程的优化和自动化技术的应用，石油化工行业能够显著提升生产效率，降低生产成本，并为企业赢得更多的市场竞争优势。

自动化技术在石油化工行业的应用，极大地推动了生产流程的优化和企业运营效率的提升。通过实时监控和精确控制，自动化技术不仅提升了生产过程的稳定性和产品质量的一致性，还降低了能源和原材料的消耗，提高了环保水平。此外，自动化系统的集成应用，如分布式控制系统和先进过程控制，使得生产管理更加智能化和自动化，提高了对复杂工艺的适应能力和对市场变化的响应速度。智能传感器和无线传感网络的部署，加强了对生产环境和设备状态的实时监控，为预测性维护提供了数据支持，有效预防了设备故障，延长了设备寿命。大数据分析和人工智能技术的融合应用，进一步挖掘了生产数据的深层价值，为企业决策提供了科学依据，增强了企业的市场竞争力。同时，自动化技术的应用还有助于提高工作环境的安全性，减少职业健康风险，促进了石油化工行业的可持续发展。总之，自动化技术的深入应用为石油化工行业带来了全面的效益提升和战略转型的机遇。

4.2.2 石油化工自动化装备

4.2.2.1 石油化工自动化装备分类

① 石油化工生产设备。包括原油蒸馏装置、催化裂化装置、加氢精制装置、裂解装置、重整装置、烷基化装置等，这些装置能够将原油或重质石油原料经过一系列物理和化学处理，转化为各种轻质油品、化学品和芳烃，以满足不同领域的能源和化工需求。

② 石油化工辅助设备。包括换热器、泵和压缩机、反应器、塔器、储罐、过滤器、冷却器等，这些设备在石油化工中起着至关重要的作用。它们分别用于传递热量、输送流体、进行化学反应、分离混合物、储存原料和产品、去除杂质和降低温度等，共同构成了化工生产过程中的核心设备。

③ 石油化工控制管理系统。包括优化调度系统、传感器、分析仪器和安全系统，它们在石油化工中共同构成了一个精密的监控网络，其作用是确保生产过程的连续性、稳定性和安全性，通过对工艺参数的实时监测和分析，以及对潜在风险的及时响应，来优化生产效率和预防事故发生。优化调度系统通过实时调整生产计划，自动优化生产策略，监控关键参数，合理分配资源，并提供数据分析和预测，从而提高生产效率，降低成本，确保产品质量，增强企业竞争力。

④ 石油化工监控与数据采集设备。包括监控、数据采集与监控系统、远程终端单元、数据记录仪、工业视频监控系统等。它们的作用是实时监控生产过程、采集关键数据、记录历史信息，并通过远程传输和可视化技术，提供实时决策支持和安全保障，确保生产过程的连续性、安全性和高效性。

⑤ 石油化工环保设备。包括废气处理设备、废水处理设备、固体废物处理设备、热能回收设备等。废气处理设备用于净化生产过程中产生的有害气体，减少环境污染。废水处理设备用于处理和净化生产过程中产生的废水，保护水资源和生态环境。固体废物处理设备用于处理和处置生产过程中产生的固体废物，防止环境污染和资源浪费。热能回收设备用于回收和再利用生产过程中产生的热能，提高能源利用效率，降低生产成本。这些设备在石油化工行业中发挥着重要作用，有助于实现清洁生产和可持续发展。

⑥ 石油化工装卸与物流设备。包括自动化仓库、码垛机器人、自动化输送系统、自动化包装线等，可提高物料存储、搬运、运输和包装的效率和准确性，减少人工操作，确保生产流程的连续性和稳定性。

⑦ 石油化工安全设备。包括爆炸防护设备、有毒气体检测仪、粉尘检测仪等。爆炸防护设备用于防止和控制爆炸事故，保护人员和设备安全。有毒气体检测仪用于监测和预警有毒气体的泄漏，保护人员免受中毒风险。粉尘检测仪用于检测和控制工作环境中的粉尘浓度，防止粉尘爆炸和职业健康问题。这些安全设备共同构成了石油化工行业的重要安全保障体系，确保生产过程中的安全与健康。

4.2.2.2 自动化仪器仪表发展趋势及其在石油化工领域的作用

（1）自动化仪器仪表

自动化仪器仪表是指在石油化工生产过程中用于监测、控制和优化各种工艺参数的设备和技术。这些仪器仪表包括传感器、控制器、执行器、分析仪器以及相关的软件和通信系统，它们共同构成了一个自动化控制系统，旨在提高生产效率、确保产品质量、保障生产安全以及实现环保目标。在石油化工生产中，自动化仪器仪表的作用至关重要。它们可以实时监测诸如温度、压力、流量、液位、成分等关键工艺参数，并将这些数据传输到中央控制系统或直接用于本地控制。自动化仪器仪表还包括各种控制器和执行器，它们根据监测到的数据自动调节阀门、泵、压缩机等设备的运行状态，以维持生产过程的稳定。此外，随着信息技术的发展，自动化仪器仪表也越来越多地与计算机系统、网络通信技术相结合，形成更加智能和集成的自动化控制系统。这些系统可以实现远程监控、数据分析、故障诊断和预测维护，大大提高了生产管理的效率和水平。

（2）自动化仪器仪表发展趋势

石油化工行业作为全球经济的重要支柱，其生产过程的自动化水平直接影响着行业的效率、安全和可持续发展。近年来，自动化仪器仪表的发展趋势主要集中在智能化、集成化、数字化、安全性和环保能效方面。这些趋势不仅提升了石油化工行业的整体竞争力，也为行业带来了新的机遇和挑战。

首先，智能化是自动化仪器仪表发展的重要方向之一。随着人工智能、机器学习和大数据分析技术的不断进步，石油化工企业能够更好地应对复杂的生产环境。智能传感器和控制系统能够实时收集和分析生产数据，预测设备故障，优化生产参数，从而提高生产效率和减少停机时间，例如通过智能分析系统，可以实时监控炼油过程中的催化剂活性，及时调整操作条件，延长催化剂的使用寿命，降低生产成本。此外，智能化的仪器仪表还能够自适应地调整生产参数，以确保产品质量的稳定性和一致性。

其次，集成化和数字化是自动化仪器仪表发展的另一个重要方向。随着现场总线技术、工业以太网和无线通信技术的普及，不同设备和系统之间的数据交换变得更加高效和可靠。数字化转型使得生产过程的监控和管理变得更加透明和便捷，企业可以实现远程监控和数据分析，从而作出更加科学的生产决策。在石油化工领域，集成化和数字化的仪器仪表有助于实现生产过程的全面监控，提高对复杂化工反应过程的控制能力。同时，数字化技术还能够帮助企业构建虚拟工厂模型，通过模拟和优化生产工艺，提高生产效率和资源利用率。

最后，安全性和环保能效是石油化工行业关注的重点。自动化仪器仪表在这方面的进步体现在对生产过程中潜在风险的实时监测和快速响应，例如泄漏检测系统、火灾报警系统和紧急停车系统等都是自动化仪器仪表在提高生产安全方面的重要应用。同时，自动化仪器仪表在能耗和排放监测方面的功能也在不断增强，帮助企业实现节能减排，符合日益严格的环保法规要求，例如通过自动化监测系统，可以实时监控废气排放，确保其符合环保标准，同时通过能耗分析，优化能源使用，降低生产成本。此外，自动化仪器仪表还能够帮助企业实现循环经济，通过监测和优化资源的循环利用，减少资源浪费和环境污染。

（3）自动化仪器仪表的作用

自动化仪表在石油化工行业中扮演着至关重要的角色，它们是确保生产过程高效、安全和环保的关键技术，具有以下作用。

① 提高生产效率。自动化仪表通过实时监测和控制生产过程中的关键参数，如温度、压力、流量和成分，确保生产过程在最佳状态下运行。不仅提高了生产效率，还减少了能源和原材料的浪费，降低了生产成本。

② 确保生产安全。石油化工生产过程中存在许多潜在的安全风险，如火灾、爆炸、泄漏等。自动化仪表通过实时监测这些风险因素，并及时发出警报或自动采取措施，有效预防和减少了安全事故的发生。

③ 实现环保合规。自动化仪表通过实时监测废气、废水的排放情况，以及生产过程中

的有害物质含量，帮助企业及时调整生产工艺，减少环境污染，确保符合环保法规要求。

④ 优化能源管理。能源是石油化工生产中的重要成本因素。自动化仪表通过监测和控制能源的使用，帮助企业实现节能减排，降低生产成本。

⑤ 提升产品质量。自动化仪表通过精确控制生产过程中的各种参数，确保产品质量的稳定性和一致性。

⑥ 支持数据分析与决策。自动化仪表收集的大量实时数据为企业的数据分析和决策提供了重要支持。通过数据分析，企业可以优化生产工艺，提高生产效率和产品质量。通过故障诊断，可以及时发现和修复设备故障，减少停机时间，提高生产效率和产品质量。

4.2.2.3 石油化工领域对仪器仪表设备国产化的需求

在国际竞争日趋紧张的背景之下，推动石油化工行业自动化仪表国产化替代，具有十分重要的现实意义。

（1）国家相关政策导向

近年来，我国政府高度重视产业结构优化和自主创新能力的提升，特别是在《推动大规模设备更新和消费品以旧换新行动方案》等政策的指导下，石油化工行业面临着转型升级和绿色发展的双重压力，对国产化仪器仪表设备的需求愈发迫切。

一方面，国产化是提升我国石油化工行业国际竞争力的关键。过去，我国石油化工领域在高端仪器仪表设备方面依赖进口，不仅成本高昂，而且受制于国际市场波动和技术封锁。随着国家加大对国产化研发的支持力度，石油化工企业对国产仪器仪表设备的认可度逐渐提高，这些设备不仅性价比高，而且在性能、稳定性、售后服务等方面也取得了显著进步。国产化设备的应用有助于降低成本、提高生产效率，同时提升了我国石油化工行业的整体竞争力。

另一方面，国产化是推动行业绿色发展和节能减排的重要手段。石油化工行业是我国能源和化工产品的主要来源，但其生产过程中产生的污染物较多，对环境造成较大压力。国产化仪器仪表设备在节能降碳、超低排放、安全生产等方面具有明显优势，能够帮助石油化工企业实现生产过程的绿色化、智能化和高效化。此外，国产化设备的研发和应用有助于推动数字化转型和智能化升级，为行业提供更精准、更智能的数据支持，从而提高安全生产水平，保障国家能源安全和人民生命财产安全。

（2）控制系统

控制系统是石油化工生产过程中的核心部分，对生产安全和效率有着直接影响。国产化控制系统有助于提升我国在这一领域的自主可控能力，减少对外国技术的依赖，保障国家战略安全，降低成本，适应本土需求。DCS控制系统是石油化工生产中的关键部分，根据相关报告，全球DCS市场规模在2021年已超过百亿美元。与此同时，中国DCS市场近年来也呈现出快速增长态势。2021年，中国DCS市场规模达到111.2亿元，同比增长24.6%。随着中国制造业的不断发展和升级，DCS产品的市场需求和发展前景将会越来越广阔。随着国产品牌在技术上的不断研发和创新，DCS产品的价格大幅度下降，国产化替代进程加速，进一步推动了市场规模的扩大。

（3）在线分析仪表

气相色谱分析仪、红外分析仪、氧分析仪、热导分析仪、质谱分析仪、激光分析仪等在线分析仪表近年来取得显著进展，市场占有率增加，但在技术创新、产业链完整性、高端产品研发等方面还有待进一步提高，以更好地满足国内市场需求。

(4) 流量计

电磁流量计、超声波流量计、热式流量计、涡街流量计、质量流量计等类型的国产流量计在常规的流量测量领域表现优异，但与进口流量计相比，国产流量计在精度、核心技术掌握、寿命和可靠性等方面仍有一定差距，尤其是在能源工业领域，高温、高压、易腐蚀等极端工况对流量测量设备的要求极为严格的情况下，国产流量计的表现并不尽如人意，但这些复杂工况下的流量计市场却拥有巨大的发展潜力和需求空间。

(5) 高端控制阀

控制阀产品作为工业过程控制中的一种“消耗品”，其每年的新增需求及维修、更换用量都将随我国工业的发展而逐年增加，尤其在天然气、石油化工、电力、煤化工、医药、冶金、造纸等产业中需求较大，市场空间广阔。随着我国科技发展水平的不断进步，国产控制阀可靠性、控制精度逐渐提升，已经能够满足大部分市场需求，但在核电、大型煤化工、大型工业装置和高端科研等对于仪器仪表和控制系统的可靠性和安全性具有特别严苛要求的特殊领域应用率偏低，市场需求仍较大。

4.2.2.4 促进仪表设备国产化的战略意义

① 保障国家经济安全。仪表设备在工业生产中扮演着重要角色，国产化意味着关键技术和零部件不再依赖进口，这有助于减少外部因素对国家经济安全的影响，避免因国际政治、经济波动导致供应链中断。

② 增强产业自主可控能力。国产化有助于提升我国仪表行业的自主创新能力，减少对外部技术的依赖，使我国能够在关键时刻掌握核心技术和关键零部件的供应，增强产业体系的自主可控能力。

③ 提升国际竞争力。国产仪表设备在性价比、性能和技术创新上不断提升，有助于提高我国在国际市场上的竞争力，为我国产品赢得更多国际市场份额创造条件。

④ 促进产业链优化升级。国产化有助于推动我国仪表产业链向高端化、智能化发展，通过技术突破和产业链整合，促进产业结构的优化和升级。

⑤ 保障信息安全。在信息安全领域，国产化的仪表设备可以避免因使用外国产品而可能带来的安全风险，确保关键数据和信息的安全。

⑥ 提高国产化率，降低成本。随着国产化率的提高，可以降低对进口产品的依赖，减少进口成本，同时也有利于降低国内企业的生产成本，提高整体经济效益。

⑦ 响应国家战略需求。国产化是响应国家关于制造业升级、科技创新、产业链自主可控等战略需求的重要举措，有助于实现国家长远发展战略目标。

⑧ 推动科研院所与企业的合作。国产化进程需要产学研相结合，这有助于推动科研院所与企业的深度合作，加快科技成果转化，提升整体科技创新能力。

仪器仪表国产化是我国科技发展战略中的重要一环，对于提高国家科技竞争力、降低产业成本、保障国家安全具有重要意义。然而，当前我国在仪器设备领域仍存在诸多问题和挑战。因此，政府、企业、高校和社会各界应共同努力，加大对仪器研发和国产化的支持力度，提高我国在仪器设备领域的自主创新能力和市场竞争力，为实现我国科技发展和产业升级作出积极贡献。

4.2.2.5 石油化工企业仪表设备存在的主要问题

石油化工企业仪表自动化设备在工业生产中起着至关重要的作用。它们用于监测和控制工艺过程中的各种参数，确保生产过程的稳定运行和产品质量的合格。然而，由于设备使用时间长、工作环境恶劣以及运行条件复杂等因素，仪表自动化设备故障率较高，会严重影响生产效率和安全性。

（1）石油化工企业仪表控制阀存在的主要问题

a. 阀芯磨损和损坏：长期使用过程中，由于介质冲刷、腐蚀等因素，阀芯会出现磨损和损坏，导致阀门无法准确控制流量或完全关闭，从而影响石油工化流程的稳定性和产品质量。

b. 阀座损坏：阀座是与阀芯配合的关键部件，其损坏通常是由于高温、高压或腐蚀性介质造成的。阀座损坏会导致阀门泄漏，降低控制精度。

c. 阀门内漏：阀门内漏是指阀门在关闭状态下仍有介质泄漏。这可能由于阀芯与阀座的密封面损坏、磨损或异物嵌入造成的。

d. 阀门动作不灵活：控制阀在长时间使用后，由于介质中的固体颗粒、锈蚀、油脂等杂质的影响，可能导致阀门动作不灵活，甚至卡死。

e. 执行机构故障：执行机构是控制阀的动力源，包括气动执行器、电动执行器等。执行机构故障可能包括电气故障、气源故障、机械故障等，这些故障会导致阀门无法按照控制信号正常工作。

f. 反馈信号不准确：控制阀通常配备有位置反馈装置，用于监测阀门的开度。若反馈装置出现故障或信号传输线路出现故障，会导致反馈信号不准确，从而影响控制系统的工作。

g. 腐蚀问题：石油化工介质中可能含有腐蚀性物质，长期作用下会导致阀体、阀芯等部件的腐蚀，影响阀门的正常使用。

h. 结垢和堵塞：在高温、高压或含有固体颗粒的介质中，阀门内部可能会发生结垢和堵塞现象，导致阀门无法正常工作。

i. 密封材料老化：控制阀的密封材料在长期使用过程中可能会老化、磨损，导致密封效果下降，从而引起泄漏。

（2）石油化工企业流量、液位、温度等仪表存在的主要问题

由于原油的成分复杂，含有油、水、气和其他杂质，属于多相复杂流体，这使得一般的流量计很难精确测量，例如电磁流量计无法测量不导电的介质，如石油产品。其次，原油中含有的固体颗粒（如沙子）和气体成分会对流量计的测量造成干扰，例如传统的涡轮式或电磁式流量计在含有固体颗粒的介质中容易发生故障。此外，原油的黏度大，不导电，且在井下等特殊环境下，传统的流量计（如涡轮式、电磁式）存在局限性，无法适应这些环境的要求。

石油中含有固体颗粒或氧化物杂质，长期使用会导致液位计内部的连通管、浮球等部件堵塞，影响测量精度甚至导致设备无法正常工作。同时，液位计需要定期清理和维护，但拆卸过程较为复杂，例如磁翻板液位计在拆卸前需要排放炉水，防止炉水外流，并且在清洗和安装过程中容易引入空气，导致炉体内产生正压。除此之外，连通管直径较小，容易出现流通不顺，影响液位测量的准确性。

石化行业中使用的温度仪表在确保工艺流程正常运行和产品质量方面发挥着关键作用。然而，在实际应用过程中，温度仪表可能会遇到以下一些常见问题：

a. 测量精度问题：温度仪表可能因为长时间使用、环境因素影响或维护不当导致测量精度下降，传感器部分的损坏或老化也可能导致测量结果不准确。

b. 环境适应性差：石化行业存在高温、高压、腐蚀性介质等条件，温度仪表在这些环境下可能无法长时间稳定工作，且部分仪表对环境温度变化敏感，容易造成测量误差。

c. 耐腐蚀性不足：石油介质中可能含有腐蚀性物质，如硫化氢、二氧化碳等，这些物质会腐蚀温度仪表的保护套管和传感器，影响其正常工作。

d. 结构件老化问题：长期在高温、高压等恶劣环境下工作，温度仪表的结构件会出现老化现象，导致仪表性能下降。

e. 电磁干扰问题：石化行业中的电磁干扰较为严重，影响温度仪表的信号传输和显示，导致测量结果不稳定。

f. 传感器的响应速度问题：在快速变化的温度环境下，部分温度仪表的传感器响应速度较慢，无法及时反映出温度的变化。

g. 测量范围受限：部分温度仪表的测量范围有限，无法满足石化行业中的特殊要求。

4.3 石油化工行业智能制造

石油化工行业作为国家重要的能源和基础原材料产业，近年来正面临着转型升级的压力与机遇。随着科技的飞速发展，智能制造成为了推动石油化工行业向高质量发展的重要驱动力。智能制造通过将先进的信息技术、自动化技术、网络通信技术与传统生产工艺相结合，不仅能够提高生产效率，降低成本，还能显著提升产品质量和生产安全性。

在石油化工行业智能制造领域，国产与进口设备及技术各自展现出不同的特点和优势，同时也存在一定的不足之处。国产智能制造设备和技术强调自主创新，通过研发具有自主知识产权的核心技术，逐步实现了国产化替代，而且，它的生产成本相对较低，降低了企业的总体投资成本。此外，国产智能制造设备供应商往往更加注重为客户提供定制化服务，以满足不同行业和企业的特定需求。近年来，国产智能制造设备和技术发展迅速，部分技术和产品已达到或接近国际先进水平。进口的智能制造设备及技术，以其成熟的技术研发背景，展现出稳定的性能表现。这些设备多来自如德国、日本等国际知名品牌，不仅拥有高端的品牌影响力和市场认可，还遵循着更为严格的质量标准和认证流程，从而确保了其卓越的性能和可靠性。此外，这些进口设备在先进技术领域，如高端传感器和控制系统等方面，往往占据领先地位，为智能制造领域带来了前沿的技术支持。

在石油化工行业中，智能制造的应用主要体现在以下几个方面。首先，三维激光扫描技术的运用，可以帮助企业构建高精度的数字孪生模型，实现对生产环境的虚拟现实融合，从而提升决策的科学性和效率。其次，网络通信技术的应用，如东土科技的网络通信产品，在智能电网、核电、风电等领域得到了广泛应用，为石油化工行业提供了稳定可靠的数据传输和交换平台，确保了生产过程中信息的实时性和准确性。此外，智能制造装备的发展，如博实股份与浙江石油化工签订的智能制造装备领域产品销售合同，涉及包装码垛成套装备和装车机等，这些设备能够提高生产自动化水平，减少人力成本，并提升生产效率。同时，中控技术的高可靠性PLC产品，以其高密度、分布式特性和信息安全等优点，被广泛应用于石油化工行业，为行业提供了强大的自动化控制解决方案。

综上所述，智能制造在石油化工行业中的应用，不仅优化了生产流程，提高了资源利用率，还促进了产业结构的优化升级。随着技术的不断进步，智能制造将更加深入地渗透到石油化工行业的各个环节，推动行业实现高效、安全、环保的生产模式，为我国石油化工行业的可持续发展注入新的活力。

4.3.1 石油化工行业仪器仪表国产化可替代技术

石油化工行业的仪器仪表国产化是一个持续发展的过程，旨在提高自主创新能力，降低对外依赖，增强供应链的稳定性和安全性。通过不断的技术创新和产品升级，国产仪器仪表在石油化工行业中的应用越来越广泛，不仅提高了国产化的比例，也为行业的发展提供了更多选择和可能性。随着技术的成熟和市场的认可，国产仪器仪表将继续在石油化工行业中发挥重要作用。

4.3.1.1 温度仪表国产化可替代性技术

（1）国产/进口温度仪表应用

国产和进口温度仪表在石油化工行业中广泛应用于各个环节，从原料处理到成品输出，确保整个生产过程的温度控制精确、可靠和安全。在原料处理阶段，温度仪表用于监测和控制原料的预热和反应温度，确保原料的质量和反应的效率，例如国产热电偶和热电阻被广泛用于反应器和加热炉中，实时监测温度变化，保证反应过程的稳定性和安全性。在生产加工阶段，温度仪表用于监测和控制各种工艺设备的温度，如换热器、蒸馏塔和反应釜。进口高精度温度控制器和变送器在这一阶段尤为重要，它们能够提供更精确的温度控制和数据传输，确保产品质量和生产效率。在成品输出阶段，温度仪表用于监测成品的储存和运输温度，防止产品因温度波动而变质。国产数字温度显示仪和进口红外温度计在这一阶段发挥着重要作用，它们能够快速准确地测量温度，确保成品的质量和安全。

（2）国产温度仪表可替代性技术

国产温度仪表在石油化工行业中的可替代性技术正逐步增强，通过持续的技术创新和产品升级，国产温度仪表已经能够满足大多数工业应用的需求，在某些方面甚至超越了进口产品。

国产热电偶和热电阻在材料和制造工艺上不断改进，已经能够提供与进口产品相当的测量精度和稳定性。这些国产产品不仅在传统的工业温度监测中表现出色，还在高温、腐蚀性环境等特殊条件下展现出优异的性能。国产数字温度显示仪在功能和性能上与进口产品相当，且价格更具竞争力，使得国产产品在成本敏感的市场中更具吸引力。国产温度变送器在精度和稳定性上不断提升，已经能够替代进口产品，提供更可靠的温度信号转换和远程传输。这些变送器不仅能够适应各种复杂的工业环境，还能够与现代化的控制系统无缝集成，提高了整个生产过程的自动化水平。国产温度控制器在自动调节和控制功能上与进口产品相当，确保了生产过程的温度控制精确性和重复性。此外，国产红外温度计和无线温度传感器在非接触式测量和远程监测技术上与进口产品相当，适用于高温、危险或难以接近的场合。这些先进的测量技术不仅提高了操作的安全性，还大大提高了监测的效率和准确性。国产在线温度分析仪在实时监测和数据处理功能上与进口产品相差不大，提供了更智能的温度监测和控制。通过这些国产化可替代技术的应用，石油化工行业不仅提高了自主创新能力，降低了对外依赖，还增强了供应链的稳定性和安全性。

随着技术的成熟和市场的认可，国产温度仪表将继续在石油化工行业中发挥重要作用，为行业的发展提供更多选择和可能性。国产温度仪表的这些进步不仅体现在硬件的性能提升上，还体现在软件的智能化和网络化上。国产温度仪表的软件系统能够提供更强大的数据分析和故障诊断功能，帮助企业实现更精细化的管理和更高效的运营。此外，国产温度仪表的网络化能力也得到了显著提升，能够实现远程监控和数据共享，进一步提高了生产效率和响应速度。

（3）温度仪表发展方向

随着自动化和计算机技术的飞速发展，温度仪表也在不断朝着智能化、网络化、集成化等方向发展，从而更好地满足企业的生产需求。

① 智能化。通过集成微处理器和高级算法，智能温度仪表能够自我校准、自动诊断并提供高质量的测量数据。这些设备可以进行复杂的数据分析，可以预测和报告潜在的问题，从而提前进行维护和修复。

② 网络化和远程监控。随着物联网技术的发展，温度仪表正在更多地集成到网络中。这使得设备可以实时传输数据到远程控制中心，支持远程监控和控制。这不仅可以降低现场操作人员的工作强度，也为设备的维护和管理提供了新的可能。

③ 无线和无接触测量。无线温度传感器和无接触测量技术，如红外温度计等越来越多地应用在各个领域，尤其在高温、危险或难以接近的场合，这些技术提供了安全和有效的解决方案。

④ 小型化和集成化。随着微电子技术的发展，温度仪表的尺寸变得越来越小，同时集成度也在提高。这使得其可以更容易地安装在各种设备和系统中，为各种特殊应用提供方便。

⑤ 能源效率和环保。未来的温度仪表需要有更高的能源效率、更低的能耗，同时在生产和使用过程中减少对环境的影响。总之，未来的温度仪表将更加智能化、精确、环保和易于使用，以满足各种复杂和严苛的工业应用需求。

4.3.1.2 压力/差压仪表国产化可替代性技术

（1）国产/进口压力/差压仪表应用

在化工、石油和天然气行业，压力/差压仪表用于实时监控反应器、管道和储罐的压力，以及测量流体的流量，从而保障生产安全和效率。

国产仪表因其成本效益和适应国内市场的特性，在许多中小型企业和特定应用中受到青睐。而进口仪表，尤其是来自欧美等技术先进国家的品牌，因其高精度、稳定性和先进技术，在高端市场和特殊环境中占据优势。选择国产或进口仪表时，需综合考虑精度要求、成本、技术支持、环境适应性和法规标准等因素，以满足特定应用的需求。

（2）国产压力/差压仪表可替代性技术

随着国内制造业的发展和创新能力的提升，压力/差压国产仪表在精度、可靠性和功能性方面与进口产品逐渐缩小差距，甚至在某些特定领域展现出独特的优势。在精度方面，国产仪表通过采用先进的传感器技术和数字信号处理算法，能够实现高精度的压力测量，满足精密工业过程控制的需求，例如一些国产差压变送器采用了微机电系统（MEMS）技术，提供了更小的测量误差和更快的响应时间。在可靠性方面，国产仪表通过严格的质量控制和测试流程，确保了产品在恶劣环境下的稳定运行，例如一些国产压力仪表采用了耐腐蚀材料和密封技术，能够在腐蚀性介质和高温高压环境下长期工作。在功能性方面，国产仪表提供了多样化的功能和接口选项，以适应不同的应用场景，例如一些国产差压仪表集成了无线通信模块和智能诊断功能，可以实现远程监控和故障预警，提高了系统的智能化水平。此外，国产仪表在成本效益方面具有明显优势。由于减少了进口关税和运输成本，国产仪表的价格通常更具竞争力，这对于预算有限的中小型企业尤其重要。同时，国产仪表的本地化生产和服务也缩短了交货时间并提供了更快捷的技术支持。

尽管国产仪表在技术上已经具备了替代进口产品的能力，但在某些高端市场和特殊应用中，进口仪表仍然占据一定的市场份额。这主要是因为进口仪表在品牌影响力、长期市场验证和某些特定技术指标上仍具有优势。

（3）压力/差压仪表发展方向

压力/差压仪表的发展方向主要受到以下几个因素的影响：科技进步、工业自动化和智能化需求增长、环保和安全规定的严格化。根据这些趋势，压力/差压仪表的发展方向可以概括为以下几个方面。

① 智能化和数字化。随着物联网（IoT）、大数据和人工智能技术的发展，未来的压力/差压仪表将更加智能化，例如仪表可以自动进行故障诊断、预测维护需求，甚至自我校准。此外，通过无线通信技术，仪表可以实现远程监控和数据分析，提高生产效率和设备运行的可预测性。

② 迷你化和集成化。为了适应各种复杂和紧凑的工作环境，压力和差压仪表需要更小、更轻便。同时，通过集成多种功能和传感器，一台仪表可以测量和控制多个参数，简化系统配置和安装。

③ 高精度和高稳定性。随着生产过程控制精度需求不断提高，仪表的精度和稳定性要求也更高。这需要通过研发更先进的传感器技术、改进信号处理算法和优化仪表设计来实现。

④ 环保和安全。随着环保和安全规定的严格化，压力和差压仪表需要适应更严苛的工作环境，如腐蚀性介质、高温高压条件、爆炸危险区域等。此外，仪表也需要具备更好的耐老化性能和更低的能耗，以满足环保要求。

⑤ 个性化和定制化。不同的用户和应用场景对仪表的需求差异较大，因此，提供个性化和定制化的产品和服务将成为仪表制造商的重要竞争力。如根据用户的特定需求，提供特殊材料、特殊规格或特殊功能的仪表。

4.3.1.3 液位仪表国产化可替代性技术

（1）国产/进口液位仪表应用

目前，国产差压液位计、磁翻板液位计、超声波液位计、浮球液位计、电接点液位计、开关类液位计在技术上不断进步和创新，已经能够代替一部分进口产品，在石油化工领域应用广泛。随着国内工业自动化水平的提升，液位仪表技术也在不断进步，尤其是在智能化和数据处理方面。国内企业通过自主研发和引进国外先进技术，提高了产品的精度和可靠性，同时加强了与国际标准的接轨，使得国产液位仪表在国际市场上逐渐获得认可。当然，进口仪表在高端市场和技术创新方面仍然具有明显优势，雷达液位仪表因其非接触式测量、高精度和适应性强等特点，在国外石油化工行业中得到了广泛应用。此外，国外企业还注重液位仪表的智能化和网络化发展，通过集成先进的传感器技术、数据通信技术和人工智能算法，实现了液位的远程监控和智能分析，极大地提高了生产效率和安全性。

（2）国产液位仪表可替代性技术

随着我国科技发展水平的不断创新，测量技术也在不断更新，促进了我国仪表行业的迅速发展。国产雷达液位计如万讯自控的120G太赫兹毫米波雷达液位计，具有明显的聚焦性优势，能够适应更多的应用场景，尤其在水和废水处理领域，成为超声波技术的有效替代品。国产差压液位计采用了高精度的传感器和先进的信号处理技术，能够精确测量液位。与进口产品相比，国产差压液位计在成本上具有优势，且在测量范围、工作压力和介质兼容性等方面均有较好的表现。此外，国产差压液位计在智能化、数字化方面的发展迅速，可提供远程传输和集中控制功能。磁翻板液位计在显示技术、材料选择和结构设计上均有突破，如采用优质进口磁控管和智能化芯片，提高了测量灵敏度和远传信号的可靠性。与进口产品相比，国产磁翻板液位计在价格上更具竞争力，同时能够满足不同工况下的测量需求，如高温、高压或腐蚀性介质。总体而言，国产液位仪表在成本控制上具有明显优势，能够提供更具性价比的解决方案，适应更多的工况和介质，满足不同行业的需求，尤其是在售后服务和技术支持方面具有本地化优势，能够提供更快速和便捷的服务。

（3）液位测量仪表发展方向

液位测量仪表行业正处在一个重要的发展阶段，其市场规模随着工业领域的持续繁荣而不断壮大。鉴于工业生产过程中液位监测与控制的关键性，液位测量仪表的需求呈现出增长的态势。未来，随着各行业自动化、智能化水平的进一步提升，液位测量仪表的市场规模有望进一步扩大。

技术创新是推动液位测量仪表行业升级的核心动力。当前，物联网、大数据和人工智能等前沿技术的蓬勃发展，为液位测量仪表行业注入了新的活力。通过运用这些先进技术，液位测量仪表可以实现更高的测量精度、更快的响应速度和更强的数据处理能力，从而满足用户日益增长的需求。技术创新也促进了液位测量仪表的智能化发展，使得其能够更好地适应工业生产的复杂环境和多变需求。

环保意识的提高使得绿色环保成为液位测量仪表行业发展的重要趋势。越来越多的企业开始注重产品的环保性能和节能效果，推动液位测量仪表行业向绿色制造和可持续发展方向转型。通过采用环保材料和节能技术，液位测量仪表可以在保证性能的同时降低能耗和排放，为行业的可持续发展作出贡献。

面对激烈的市场竞争和不断变化的市场需求，液位测量仪表行业应设定明确的发展目标。这包括不断提升产品质量、降低生产成本、拓展应用领域等方面。通过持续的创新和优化，液位测量仪表行业将能够在激烈的市场竞争中保持领先地位，为工业领域的持续发展和进步提供有力支持。

4.3.1.4 流量仪表国产化可替代性技术

（1）国产/进口流量仪表应用

随着工业自动化水平的不断提高，流量计作为一种重要的工业测量仪表，被广泛应用于各个行业。流量计的作用是测量液体，气体的流动速度和体积，为生产过程中的流量监测和控制提供准确的数据支持。根据工作原理和测量介质的不同，流量计主要可以分为机械流量计、电磁流量计、涡街流量计、超声波流量计、差压式流量计、涡轮式流量计等多种类型。其中，差压式流量计、涡街流量计、电磁流量计、超声波流量计、涡轮流量计、转子流量计和部分质量流量计等类型的国产流量仪表在技术上不断进步，能够满足大部分工业应用的需求，尤其在成本控制和适应性方面表现良好。然而，对于某些高端或特殊应用的流量仪表，如高精度科里奥利质量流量计、特殊材料制成的容积式流量计，以及某些特殊环境下的靶式流量计等，国内产品的技术水平和性能可能还无法完全满足需求，因此仍需要从国外进口。这些进口流量仪表通常在精度、稳定性、耐腐蚀性、耐高温高压等方面具有更高的性能，适用于对测量要求极为严格的场合。

（2）国产流量仪表可替代性技术

超声波流量计、电磁流量计、科里奥利质量流量计等新技术流量计发展迅猛，精确度提高，功能增强，适用范围进一步扩大，市场占有率也逐年提升。其中，科里奥利质量流量计用来测气体时，原来只能测量工况条件下密度大于一定限值的气体。经过多年研究，现有技术已经消除了这一限值，只要质量流量在可测范围之内就能测量。

与此同时，传统流量计也并非无所作为，例如已有一百多年历史的标准差压流量计，从1991年发布ISO 5167:1991（E）以来，得到了进一步的研究。2003年发布的ISO 5167:2022（E），只要雷诺数≥5000，就能使流量系数不确定度达到0.5%，而且可膨胀性系数模型精确度也进一步提高。而差压装置与多变量变送器结合，更使差压式流量计技术水平得到了提升。

总之，我国流量仪表行业在多个关键技术领域开始向国际水平靠拢，特别是在电磁流量计、超声波流量计、科里奥利质量流量计、热式流量计、涡街流量计和智能流量计等方面。国产流量仪表在测量精度、稳定性和环境适应性上已经达到了国际先进水平，广泛应用于水处理、化工、石油等行业，有效替代了进口产品。此外，我国在物联网技术应用和特殊环境适应性方面的创新，也使得国产流量仪表在智能化和极端工况下的性能上能够与国外产品相媲美，甚至超越，为我国工业自动化和智能化提供了有力支持。

（3）流量仪表发展方向

流量仪表作为测量流体流量的关键设备，其精确度和可靠性对工业生产具有重要意义。随着科技的发展和工业需求的不断提升，流量仪表的发展方向正面临着深刻的变革。未来，流量仪表的发展将主要聚焦以下几个方面。

首先，智能化和数字化将成为流量仪表的核心趋势。传统的流量仪表在测量精度和数据处理方面存在一定的局限性，而智能流量仪表通过引入先进的传感器技术和数据处理算法，能够实现更精确的流量测量和实时数据监控。这些仪表不仅能够自动校准和诊断故障，还能与工业互联网平台无缝对接，实现远程监控和大数据分析，从而提高生产效率和安全性。

其次，流量仪表将更加注重多功能和集成化。随着工业自动化程度的提高，单一功能的流量仪表已无法满足复杂的生产需求。新型流量仪表将集成多种测量功能，如温度、压力、密度等，实现一机多能。此外，通过与控制系统、数据采集系统等其他设备的集成，流量仪表将更好地融入整体自动化解决方案，为用户提供更加便捷的操作体验。

再者，流量仪表的发展将更加注重环保和节能。随着环保法规的日益严格，流量仪表在设计和制造过程中更加注重节能减排。新型流量仪表将采用低功耗技术，减少能源消耗，同时，通过优化测量原理和结构设计，降低流体阻力，减少压力损失，从而提高能源利用效率。

最后，流量仪表的微型化和便携化也将成为未来发展的一个重要方向。随着物联网和移动应用的普及，用户对流量仪表的便携性和易用性提出了更高的要求。微型化流量仪表不仅便于安装和维护，还能在有限的空间内实现精确测量。此外，便携式流量仪表的普及将使现场测量更加灵活，为用户提供更大的便利。

4.3.1.5 分析仪表国产化可替代性技术

（1）国产/进口分析仪表应用

在石油化工行业中，分析仪表发挥着至关重要的作用，它们能够精确监测工艺流程中的各种参数，如温度、压力、流量等，确保生产过程的稳定性和安全性。通过实时数据分析，分析仪表有助于优化生产效率、提高产品质量，同时及时发现潜在隐患，预防事故发生，保障人员安全和环境保护。化工产业中使用的分析仪表种类繁多，主要用于监测和控制系统中的各种参数，以确保生产过程的安全、稳定和高效，以下是一些常见的分析仪表种类：

a. 过程分析仪表：主要包括气相色谱仪、液相色谱仪、质谱仪、原子吸收光谱仪、傅里叶变换红外光谱仪（FTIR）等。

b. 物性分析仪表：主要包括密度计、折射率仪、黏度计、温度计、压力计等。

c. 化学分析仪表：主要包括pH计、电导率仪、溶氧仪、氯分析仪等。

d. 气体分析仪表：主要包括氧分析仪、二氧化硫分析仪、氮氧化物分析仪、烟气分析仪等。

e. 光学分析仪表：主要包括光度计、荧光光度计等。

通过应用在线分析仪表，石油化工企业只需应用简单设备，就可以自动化判断，全面发挥出检测效果。具体实例如下所示。

石化产品中硫化物的含量是石化生产的关键质量标准。硫化物含量，会直接影响石化产品耐氧化性能、稳固性、抗腐蚀能力。因此，石化企业硫含量检测与分析作用显著。通常情况下，石化产品分析中，注重硫化物含有量、分布情况，使用气相色谱分析的热力学性能，加强在线分析检测效率与效果，提升检测结果准确度。

在线分析仪表，多应用到介质酸碱值监测的生产装置中。介质pH酸碱值高低，对生产管控系统影响大，应当确保其处于安全环境中。合理控制pH值，可以保证生产设备运转安全性。在线pH计数据信息处理速度快、精确度高、使用性能良好，因此被广泛应用于石化企业的运行过程中。除此之外，在线pH计还具有自动报警功能，当被测物质酸碱值超过既定范围内就会触发警报，并将数据信息主动传送至相关负责人手中，以便于工作人员及时作出判断。在线pH计可以根据管理人员的需求设置固定的时间对pH值进行检测，并将检测数据自动保存。另外，工作人员还可以手动对在线pH计进行操作和使用，在线pH计会将操作时间以及操作数据进行自动记录，以便于后期浏览与查询。

在线氧分析仪表被广泛应用于石油化工、半导体、冶金、环保等领域。其主要功能是实时监测气体中的氧气含量，为生产过程提供精确的数据支持。在线氧分析仪表具有灵敏度高、响应速度快、可靠性高等特点，能够适应复杂多变的工作环境。通过采用先进的检测技术，如氧化锆、电化学等方法，实现对氧含量的准确测量。此外，在线氧分析仪表还具有智能化、数字化、网络化等优点，便于与上位机或其他设备进行数据交互。在实际应用中，在线氧分析仪表可实时监测工业生产过程中的氧含量，为氧化反应、燃烧控制等环节提供关键参数，从而提高生产效率、降低能耗、减少污染物排放。同时，在线氧分析仪表还可用于环境监测，对大气、水体中的氧气含量进行实时跟踪，为环保部门提供科学依据。

（2）国产分析仪表可替代性技术

经过多年发展，国内众多仪表厂家在加工方面、产品设计方面通过市场验证不断更新，产品稳定性和精度、寿命等方面已经逐渐接近，甚至某些指标已超越进口品牌，例如我国所研制的国内首台紧凑型串列加速器质谱仪（AMS）。这种质谱仪在加速器紧凑化、高压馈入、气体输入等方面取得创新成果，体积仅为传统同类设备的三分之一，但功能更加强大，相关技术指标达到国际领先水平。

此外，我国液相色谱仪行业也取得了显著的进步，逐渐打破了国际垄断局面。国内企业通过自主研发和技术创新，实现了液相色谱仪的国产化，提高了产品性价比。珂睿科技、科诺美科技和依利特科技等国内领军企业，推出了具有自主知识产权的超高效液相色谱仪产品，性能与国际一流品牌相当。这些企业在液相色谱仪器及相关耗材领域拥有丰富的研发和生产经验，成功实现了国产液相色谱仪的市场化推广。目前，国产液相色谱仪在国内市场占有率逐渐提高，尤其在食品、环境监测等低端市场已占据主导地位。然而，在中高端市场，国产液相色谱仪仍面临一定的挑战，与国际品牌在技术水平和品牌影响力方面存在差距。随着国内企业加大研发投入，不断提高产品性能和稳定性，预计未来国产液相色谱仪将在中高端市场实现更大突破。

电导率仪和氯分析仪在技术上也取得了较大的进展，国内电导率仪覆盖了从小型便携式到大型工业在线监测的多种型号，可以满足不同用户的需求。同时具备多种功能，如自动校准、数据存储和输出等，能够满足用户多样化需求。氯分析仪具备多种测量模式，如余氯、总氯等，满足不同用户需求，且价格相对较低，具有较好的市场竞争力。二者在测量精度上都已经接近甚至达到国外先进水平，显现出竞争优势。随着国内技术的不断进步，未来在高端领域和市场占有率上，国内产品有望进一步替代国外产品。

国内分析仪表行业在技术研发和创新方面取得了显著进展，逐渐具备了替代国外高端产品的能力。国产分析仪表在性能、精度和稳定性上已接近或达到国际水平，特别是在传感器技术、数据处理能力以及智能化程度方面取得了重要突破。通过国家政策的扶持和企业的自主研发，国内分析仪表在石油、化工、环保等关键领域的应用越来越广泛，替代进口产品的趋势日益明显。这些技术的进步不仅推动了我国工业自动化进程，还有效提升了我国工业生产的自主可控能力，保障了国家工业安全。

（3）分析仪表发展方向

随着科技的不断发展，分析仪表也在不断进步和完善。未来，分析仪表将会呈现出更加精简化、自动化、功能多样化、智能化和数字化的发展趋势。

首先，结构精简化成为分析仪表发展的主流方向。传统的分析仪表往往结构复杂，随着新材料和新技术的应用，如超声技术、电磁技术的融合，现代分析仪表逐渐向结构更为精简、体积更小、重量更轻的方向发展。通过计算机软件替代部分硬件功能，减少了硬件设备的负担，提升了系统的整体效率和便捷性。

其次，自动化也将是分析仪表的重要发展趋势。随着工业互联网的不断发展，企业对于生产过程中数据的采集和分析要求越来越高。分析仪表将会通过自动化技术实现对于数据的快速、准确采集和分析，从而减少人工干预和错误率。

再者，功能多样化是分析仪表适应不同场景需求的必然选择。随着计算机技术、自动化技术及其他信息技术的不断融合，分析仪表的功能也在不断丰富，能够满足更多元化的应用需求，例如在环保领域的应用，对水质、大气污染的检测等，都需要功能更加丰富和适应性更强的仪表。

最后，智能化和数字化是自动化仪表发展的未来趋势。随着物联网、人工智能等技术的发展，自动化仪表将更加智能化、集成化。数字化仪表与控制系统技术的应用，使得测量精度和效率得到了全面提升，同时，智能化的故障诊断和远程管理功能也大大提高了系统的可靠性和维护效率。

总之，随着科技的不断发展，分析仪表将呈现精简化、自动化、功能多样化、智能化和数字化的发展趋势，为企业提供更加准确、及时的分析结果，帮助企业提高生产效率和降低成本。同时，分析仪表也将会面临更加严格的安全和可靠性要求，需要不断提高设备的性能和质量，以适应市场的不断变化。

4.3.2 石油化工生产智能控制

在石油化工产品制造领域，智能控制技术不仅是提高生产效率和产品质量的工具，更是一种能显著降低生产成本、提升安全性和环保性的关键手段。通过应用智能控制技术，企业可以更好地适应不断变化的市场需求和日益激烈的竞争压力，确保在激烈的市场环境中保持竞争优势。现代石油化工行业的快速发展和复杂性要求企业在生产过程中采用更加先进和精细的控制手段，而智能控制技术正是满足这些需求的核心驱动力。企业在生产过程中应积极采用智能控制技术，这不仅有助于提高生产效率和产品质量，还能通过优化资源利用和减少能源消耗，实现显著的成本节约。智能控制技术还通过实时监测和调节生产参数，有效防止潜在的安全隐患和环境污染事故，从而大幅提升生产过程的安全性和环保性。这些技术通过对数据的深度分析和精准控制，确保每个生产环节都处于最佳状态，从而实现全面的优化和提升。

例如，DCS在石油化工行业中得到广泛应用，它通过分散各个控制单元，使得整个系统更加灵活和高效。每个控制单元可以独立操作，同时又能协同工作，从而提升了生产过程的响应速度和灵活性。模型预测控制（MPC）则依赖于动态过程模型和实时数据进行预测和优化控制。这种方法能够在复杂多变的工艺条件下，准确预测未来系统行为并进行优化调整，确保生产过程始终在最优状态下运行。多变量控制（MVC）技术通过处理多个输入和输出变量之间的相互关系，优化整个生产过程的稳定性和效率。MVC技术能够在处理复杂工艺流程时，提高控制精度，减少生产波动，确保产品质量的一致性。

此外，智能控制技术还促进了生产管理的智能化转型，例如通过集成先进的数据分析和人工智能技术，企业可以实现生产过程的全面监控和预测性维护，提前发现和解决潜在问题，避免生产中断和设备故障，从而进一步提高生产效率和经济效益。通过大数据分析和机器学习算法，智能控制系统能够识别出生产过程中的潜在瓶颈和效率低下之处，提出优化方案并自动调整操作参数，实现全过程的智能优化。智能控制技术在环境保护方面的贡献也不容忽视。通过精准控制生产过程中的各项参数，可以有效减少废气、废水和固体废弃物的排放，降低对环境的影响。同时，智能控制技术还可以优化能源利用，提高能源效率，减少碳足迹，为企业的绿色生产和可持续发展作出重要贡献。

总体而言，智能控制技术的应用不仅仅是技术上的创新，更是推动石油化工行业实现可持续发展的重要力量。随着技术的不断进步和应用经验的积累，智能化生产管理将在未来发挥越来越重要的作用，推动整个行业向更高效、更智能、更绿色的方向发展。企业应积极利用这些先进技术，不断优化生产流程，提升综合竞争力，实现长期可持续发展。通过持续的技术创新和智能化升级，石油化工企业不仅可以应对当前的挑战，还能够在未来的市场中占据有利地位，推动整个行业迈向新的高度。

（1）分布式控制系统在石油化工中的战略应用

分布式控制是一种先进的控制系统架构，其核心思想是将控制任务和逻辑分散到多个控制单元或分布式控制器中。这些控制单元可以分布在不同的位置，并通过通信网络相互连接和协调工作。分布式控制系统的设计旨在将复杂的控制任务分解成多个更小、更可管理的子任务，然后由各个控制单元分别执行这些子任务，最终协同工作以达成整个系统的控制目标。分布式控制系统具有几个显著特点，包括分散性、即时性、协同性、容错性和可扩展性。首先，分散性使得系统更具灵活性和鲁棒性，因为每个控制单元可以独立运作，不会因为单一故障而导致整个系统崩溃。其次，即时性是指系统能够实时响应变化和控制指令，保证生产过程的稳定性和可预测性。此外，分布式控制系统的协同性允许不同单元之间有效地协作，共同实现复杂的控制任务，从而提升系统整体效率和性能。容错性是指系统能够在部分组件或连接出现问题时继续运行，并尽可能减少对整体系统性能的影响。最后，可扩展性使得分布式控制系统能够根据需要灵活地扩展和增强其功能，适应生产环境和市场需求的变化。

分布式控制系统不仅仅是技术上的创新，更是现代工业自动化的重要组成部分。其在提高生产效率、优化资源利用和确保产品质量方面发挥着关键作用，为各类工业生产提供了可靠的控制解决方案。随着技术的进一步演进和应用经验的积累，分布式控制系统将继续推动工业自动化向更高效、更智能的方向发展。分布式控制系统需要实时地收集和处理各个控制单元的数据，并及时进行决策和控制，以实现系统的稳定性和高效性。系统设计中通常考虑到某个控制单元发生故障的情况，系统能够通过备用控制单元或其他策略来保证系统的正常运行。此外，分布式控制系统设计灵活，可以根据系统规模和需求的变化，方便地增加或减少控制单元，以适应不同的应用场景。

在石油化工行业中，分布式控制系统被广泛应用于化工生产过程和管道输送系统等关键领域。这种先进的控制系统架构通过将复杂的控制任务和逻辑分散到多个控制单元中，实现了生产过程的智能化控制和优化。分布式控制系统的核心优势在于能够同时处理和协调多个任务，从而显著提升生产效率，并精确控制各个环节以保证产品质量。此外，这种系统设计还能够有效提高生产安全性，通过即时响应和自动化调节来降低事故风险。在化工生产过程中，分布式控制系统不仅仅是简单地将控制功能分散到不同的控制单元，更是通过优化资源利用、精确调节工艺参数以及快速响应生产需求来实现生产过程的高效运行，例如它可以实时监测和调节温度、压力、流量等关键参数，以确保在复杂的化学反应中达到所需的产品规格和质量标准。在管道输送系统方面，分布式控制系统的应用则更多集中在安全性和稳定性的保障上。通过分散的控制单元和高效的数据通信网络，系统能够快速检测管道状态、泄漏或异常情况，并采取及时的措施以避免可能的事故发生，从而保障输送过程的安全性和可靠性。

综上所述，分布式控制系统在石油化工行业中的广泛应用不仅显著提升了生产效率和产品质量，同时也在保障生产安全方面发挥着重要作用。随着技术的不断进步和应用经验的积累，这种先进的控制系统将继续为行业带来更多创新和发展机会。在乙烯生产过程中，分布式控制系统扮演着多重角色，从原料准备到最终产品的制备过程中，无处不在地优化和监控生产。在原料制备阶段，系统不仅仅监测和调控原料的流量、温度和压力等参数，更重要的是通过精准的调节，确保原料在进入裂解反应之前已达到最佳状态。这种精细控制不仅保证了生产过程的稳定性，还极大地提高了原料的利用效率，降低了生产成本。裂解反应阶段是乙烯生产过程中的核心环节，分布式控制系统在此处发挥着关键作用。系统能够精确地控制裂解炉的温度、压力和催化剂的投放量，以最大化产出乙烯的效率，并保证产品的质量稳定。同时，系统实时监测裂解反应区域的各项参数，自动调整操作策略，以避免不必要的能源浪费和原料损耗，从而优化生产效率。后续的制氢处理、分离和净化、蒸馏和纯化，以及气体压缩等阶段，分布式控制系统继续发挥作用。系统通过持续的实时监测和智能调节，确保这些复杂的工艺环节稳定运行，保持高效率和低成本。这不仅有助于降低整体能源消耗，还能最大化生产设施的利用率，进一步提升生产线的经济效益和可持续性。总体而言，乙烯生产中的分布式控制系统通过其高度智能化和精准的操作，不仅实现了生产过程的优化和稳定，还在提升产品质量和降低生产成本方面发挥了关键作用。这种先进技术的应用不仅对企业的竞争力有显著提升，也为行业的可持续发展奠定了坚实基础。

（2）模型预测控制在石油化工中的前沿应用

模型预测控制（MPC）作为石油化工行业的先进控制策略，其应用范围涵盖了从原料处理到最终产品制备的各个关键环节。这种控制策略利用系统的动态数学模型，通过预测未来的系统行为来优化控制策略，从而实现系统的最优化运行。在石油化工生产的每个阶段，MPC都能发挥重要作用。在原料处理阶段，MPC通过实时监测和动态调节，确保原料在进入反应器前达到最佳状态，以提高利用效率并降低能耗，例如对于裂解反应器，MPC能够精确控制温度、压力和催化剂投放，以最大化乙烯的产出，并保证产品质量稳定。在生产过程中，MPC还能在多变量和非线性系统中有效地进行协调控制。它不仅考虑当前时刻的系统状态，还通过预测未来几个周期的响应，优化选择控制输入，以实现长远的性能最大化。这种综合考虑未来变化的能力，使得MPC在面对复杂的生产变化和外部扰动时表现出色，保持生产的高效率和稳定性。此外，MPC还支持对系统约束条件的有效管理。在石油化工生产中，由于设备运行限制、安全标准和环境法规等因素，系统操作往往受到多重限制。MPC能够在优化控制策略时，考虑这些约束条件，确保在所有操作参数内达到最佳运行状态，同时避免超过设定的限制值。

总体来看，MPC通过其高级的预测和优化能力，显著提升了石油化工生产的自动化水平和经济效益。它不仅在操作过程中降低了能源消耗和原料损耗，还提升了产品质量和生产线的整体效率。因此，作为一种先进的控制技术，MPC在石油化工行业的应用前景广阔，为实现智能、可持续的工业生产迈出了重要一步。MPC的实施通常包括以下几个关键步骤。首先，需要建立系统的动态数学模型。这一模型是基于系统的物理原理和运行数据，通过深入分析系统的物理特性和操作规律，建立起精确描述系统动态过程和响应特性的数学方程。这个数学模型是整个MPC系统的基础，它决定了预测的准确性和控制策略的有效性。其次，利用建立的数学模型，预测未来一段时间内系统的响应情况。这包括对系统输出变量和状态变量变化的预测。这种预测功能使得控制器能够提前了解系统在未来一段时间内的行为趋势，从而在制定控制策略时考虑到即将发生的变化。预测通常涵盖多个时间步长，使控制器能够对短期和中期的系统行为进行评估。

在每个控制周期内，MPC使用数学优化方法（通常是最优控制算法）来处理预测结果和系统的控制目标。这个优化过程涉及解决一个动态优化问题，目标是生成一组最优的控制输入，使系统在未来一段时间内达到最佳性能。具体来说，这些控制输入被设计为能够最大化系统的性能指标，如生产效率、产品质量，或者最小化能耗和操作成本。最后，根据优化得到的控制输入，实施实际的控制方案来调节系统的操作。这个阶段是将理论计算转化为实际操作的关键步骤，通过执行优化后的控制输入，系统能够在实际运行中达到预期的优化效果。此过程还包括实时监测系统的反馈，以确保控制策略的有效执行，并及时调整控制输入以应对突发情况或意外扰动。整个过程中，MPC不断迭代更新预测模型和优化算法，以适应系统动态变化和外部干扰。这种基于模型的预测和优化控制策略，使得MPC能够在复杂和多变的工业环境中发挥出色，提升系统的稳定性、效率和经济性。通过这种连续的优化和调整，MPC不仅能应对生产过程中的变化，还能预见并应对潜在的挑战和机会，确保系统始终运行在最佳状态。

总的来说，MPC以其强大的预测和优化能力，成为现代工业控制领域的一个重要工具。它不仅提高了生产过程的自动化程度，还显著提升了整体经济效益，为实现智能制造和工业奠定了坚实基础。

在乙烯聚乙烯的制作过程中，MPC可以优化工艺控制、提高操作稳定性和产品质量。通过建立精确的动态过程模型，MPC可以预测系统未来的状态和行为，从而优化控制器的调节策略，实现对生产过程的精细化控制。MPC可以实时调整操作参数，以最大程度地提高生产效率、降低能耗、优化产品质量，并减少生产成本。此外，MPC可以通过预测未来系统状态来减少操作误差，保持生产过程的稳定性和可靠性，帮助系统有效应对外部扰动和变化，确保生产过程平稳进行，避免设备故障和生产质量问题。通过动态模型的预测，MPC可以帮助监控和调节生产过程中的关键参数，以确保产品质量的稳定性和一致性，及时响应生产变化，调整生产参数，提高产品的均一性、稳定性和纯度，满足市场需求和客户要求。

（3）多变量控制在石油化工中的集成应用

多变量控制指在一个控制系统中同时控制多个相关联的变量，以提高系统的稳定性、性能并优化控制。在石油化工行业中，由于生产过程通常涉及多个相互影响的参数和变量，多变量控制在该领域中具有重要的应用价值。石油化工过程中的温度、压力、流量、浓度等多个参数之间存在复杂的相互关系和依赖性，单一变量控制无法有效处理这些交互作用，而多变量控制则能够通过综合考虑所有相关变量，实现更为精确和高效的控制。

多变量控制的基本原理是利用系统的多个输入和输出之间的关系，通过同时调节多个控制变量实现对多个输出变量的协同控制。具体而言，多变量控制器会同时考虑多个输入变量（如不同的阀门开度、泵速等）对多个输出变量（如反应器温度、产品浓度等）的影响。通过构建一个多输入多输出（MIMO）系统模型，多变量控制器能够在全局范围内优化系统性能，确保各个变量之间的协调和平衡。多变量控制的优点包括协同优化、减少交互作用和综合优化。首先，协同优化是指多变量控制能够同时优化多个变量的控制效果，而不是孤立地调节单一变量。这样，系统的整体性能能够得到显著提升，例如在一个石油精炼过程中，同时控制温度和压力可以显著提高产品质量和产量。其次，多变量控制能够减少系统中不同变量之间的相互影响和干扰。传统的单变量控制容易引发变量之间的相互干扰，而多变量控制则通过协调控制，降低了这种干扰的影响，提升了系统的稳定性和控制精度。最后，多变量控制能够综合考虑系统中各个变量之间的关联，实现全局的优化控制。这意味着控制策略不仅仅是针对单个变量的优化，而是基于整体系统的最佳性能来制定和调整控制方案。

在石油化工行业的实际应用中，多变量控制系统通过实时监测和反馈调整，实现对复杂工艺过程的高效管理，例如：在裂解炉操作中，通过同时控制燃料流量和空气流量，可以实现最佳的燃烧效率和产物分布；在蒸馏塔操作中，通过同时调节进料流量和回流比，可以确保目标产品的高纯度和高回收率。总之，多变量控制在石油化工行业中发挥着至关重要的作用。它通过协同调节多个相关变量，优化系统性能和控制效果，减少变量之间的相互干扰，提升系统的稳定性和控制精度，实现全局的优化控制。随着石油化工工艺的不断发展和复杂化，多变量控制技术的应用将越来越广泛，为行业的技术进步和生产效率的提升提供强有力的支持。在丙烯聚丙烯等石油化工产品的生产过程中，多变量控制发挥着重要作用。它可以优化生产过程，综合考虑影响生产的多个变量，如温度、压力、流量等，实现整个生产过程的优化，协调调节不同变量之间的关系，使生产过程更加稳定、高效，提高生产能力和产品质量。此外，多变量控制系统能够实时监测生产过程中的异常情况，进行故障检测与诊断，及时发现设备故障、工艺异常等问题，减少生产中断，提高生产可靠性。多变量控制系统还可以根据市场需求和产品要求进行调整，快速响应变化的市场需求，生产符合客户需求的产品，提高生产的适应性和灵活性。通过优化生产过程中能源利用，提高能源利用效率，减少能源浪费，降低生产成本，合理调节各个变量，优化整个生产过程，可以减少碳排放和其他环境影响，实现绿色、可持续生产。

（4）智能控制技术的整体战略优势

智能控制技术在石油化工产品的生产过程中扮演着至关重要的角色，其能够显著提高生产效率、降低生产成本、提高安全性、实现智能化管理并保证产品质量，成为现代化工生产中不可或缺的关键技术。通过采用智能控制技术，企业可以更有效地管理和优化复杂的生产过程，最大限度地提升生产力和经济效益。DCS是智能控制技术的核心之一。它通过将控制任务分散到不同的控制单元，实现智能化生产管理。这种分布式架构能够更灵活地应对生产中的各种变化和突发情况，提升生产过程的稳定性和经济效益。DCS不仅提高了系统的响应速度和可靠性，还降低了维护和运营成本，为企业提供了一个高效、稳定和安全的生产环境。MPC是另一项关键智能控制技术。MPC通过动态预测和优化控制，在生产过程中不断调整操作参数，以达到最佳的生产状态。通过利用数学模型预测未来系统行为，MPC能够提前预见潜在问题并采取相应措施，从而提高生产效率和产品质量，保持生产过程的稳定性和可靠性。MPC的应用，使得石油化工企业能够在复杂的生产环境中实现精细化管理和优化控制。多变量控制（MVC）技术则通过同时调节多个相关变量，实现全局优化。它能够有效减少系统中不同变量之间的交互作用，提高系统的稳定性和控制精度。在石油化工生产中，多个工艺参数相互影响，单一变量控制难以满足复杂生产要求，而MVC通过综合考虑这些参数之间的关系，实现全局优化控制，确保生产过程高效稳定。随着技术的不断发展，智能控制技术在石油化工行业中的应用将越来越广泛，推动行业向着更高效、更环保和更智能化的方向发展。智能控制技术不仅有助于企业提高竞争力，还能满足市场需求，适应不断变化的市场环境，实现可持续发展，例如通过优化能源利用和减少废物排放，智能控制技术能够显著降低生产对环境的影响，助力企业实现绿色生产目标。企业应积极利用这些先进技术，持续进行技术创新和升级，不断优化生产过程。通过引入智能控制技术，企业可以显著提升整体生产水平，确保在激烈的市场竞争中立于不败之地。未来，随着智能控制技术的进一步发展和普及，石油化工行业将迎来更加智能、高效和可持续的发展新时代。企业需要不断学习和应用最新的智能控制技术，充分发挥其潜力，推动自身发展，实现长期稳定的增长和成功。

4.3.3 生产执行系统驱动的优化与调度

4.3.3.1 石油化工生产运行优化

石化装置在实际生产运行中会受到大量可测或不可测扰动的影响，如生产负荷的变化、进料组成的变化、原料产品价格的波动等，因而及时响应各类扰动持续或间歇性的影响，维持装置的最优操作运行成为石化装置经济效益、环境效益最大化的关键。运行优化的目标是在保证安全运行的条件下，将运行指标的实际值控制在目标范围内，提高产品质量与效率相关的运行指标并降低生产能耗的运行指标。根据工业过程特点，运行优化方法可分为基于模型的运行优化方法、基于数据驱动的运行优化方法、基于规则的运行优化方法等。

（1）基于模型的运行优化

基于模型的运行优化方法是利用数学模型和计算机仿真技术，通过对系统进行建模和分析，优化生产过程的方法。基于模型的运行优化方法在石油化工过程中被广泛采用，能够促使石油化工生产实现更为精确的操作控制和优化。其中，代表性方法有自优化控制（SOC）、基于实时优化（RTO）/调节控制两层结构的优化控制等。自优化控制的思想是：以取得过程的稳态最大经济效益为目标，在满足过程的各种约束条件的情况下，寻找一组合适的被控变量，并将该组被控变量的设定值加以合适选择，当过程受到一定范围内的不确定干扰因素影响时，不需要改变被控变量的设定值，实际工况仍然可以处在近似最优操作点上，即工业过程的实际目标函数值与最优目标函数值的偏差在合理的、可以接受的范围内。自优化控制的关键是根据目标函数和约束条件，如何选择一组合适的被控变量，并将其设定值固定为一组合适的常数。工业过程的运行优化通常由RTO和MPC两层组成。动态实时优化（DRTO）和非线性模型预测控制（NMPC）相结合的运行优化方法被广泛研究，以及其他模型预测控制方法、实时优化控制方法和模糊控制方法等。

（2）基于数据驱动的运行优化

基于数据驱动的运行优化是指利用大数据和先进的数据分析技术，通过分析实时生产数据和历史数据，发现潜在的优化机会并实施改进措施。通过数据驱动的运行优化方法，石油化工企业能够更精确地监控和控制生产过程，快速响应市场变化和内部需求，同时降低成本、提高效率，实现持续的竞争优势和可持续发展。近年来，针对石油化工过程难以建立工业过程的数学模型，提出了数据驱动的运行优化方法。该方法由控制回路预设定模型、前馈补偿与反馈补偿器、工艺指标预报模型、故障工况诊断和容错控制器组成。通过基于预测的前馈补偿器和基于实际值的反馈补偿器实时调整控制回路设定值，控制系统跟踪调整后的设定值，使得过程运行指标控制在目标值范围内。数据分析和建模是基于数据驱动运行优化方法中最为关键的步骤，主要借助统计分析、机器学习和数据挖掘、预测分析等技术进行运营决策的优化。

（3）基于规则的运行优化

基于规则的运行优化方法是一种利用预定义规则或算法来优化系统性能、资源使用和效率的方法。借助灵活性和透明性使其成为一种有效的优化工具，被广泛应用在各种领域。在石油化工领域，基于规则的运行优化方法可以显著提升生产效率、降低成本并确保安全合规。在石油化工生产流程控制、监控、设备维护、生产调度优化中，利用规则引擎设定温度、压力、流量等参数的上下限，自动调整设备运行状态，结合预定义的规则监控关键参数，当参数超出设定范围时，自动触发报警。通过规则引擎根据设备运行时间、负荷情况、历史故障数据等触发预防性维护操作，减少设备故障和停机时间，利用传感器数据和规则，实时评估设备健康状况，提前发现潜在问题。基于规则系统优化生产计划和调度，确保最大化生产效率和资源利用。根据库存水平、市场需求和生产计划，自动调整生产速度和原材料采购计划。

4.3.3.2　石油化工生产计划与调度

计划调度是生产经营活动的主要依据，对企业的效益起着十分重要的作用。生产计划是在一定时期内，根据产品的市场需求、原料供应、生产能力、装置运行与检修计划，综合考虑企业的管理成本以及生产过程中成品、半成品的成本等，以企业的生产、管理和营销状况等获取最大经济效益为目标，决策出一段时期内的需求量。生产调度则是根据计划的决策确定生产加工方案，使总的费用最小、或浪费最小、或产品偏差值最小、或时间最短等。石油化工生产计划与调度是指在石油化工企业中，对原材料采购、生产过程和产品交付等环节进行合理安排和优化，以确保生产过程高效、连续和经济的过程。

（1）高效生产计划系统的开发

在石油化工行业，高效的生产计划系统是确保生产过程顺利进行的核心。传统的生产计划往往依赖于经验和简单的算法，难以应对现代化石油化工生产的复杂性和动态变化。为了提升生产计划的科学性和灵活性，开发基于大数据分析和优化算法的生产计划系统至关重要。该系统通过集成企业资源规划（ERP）和制造执行系统（MES），实时获取生产线、库存、物流等多方面数据，进行全局优化。利用先进的优化算法如线性规划、混合整数规划和遗传算法等，系统可以在多目标、多约束条件下快速生成最优的生产计划方案。此外，系统具备动态调整能力，能够根据市场需求、原材料供应和设备状态的变化，实时调整生产计划，确保资源的最优配置和生产效率的最大化。通过这种高效生产计划系统，石油化工企业可以显著提高生产灵活性和响应速度，降低生产成本，提高市场竞争力。

高效的生产计划系统不仅可以提高生产效率和质量、降低成本，还能够增强企业的市场竞争力和可持续发展的能力，是确保生产过程顺利进行的核心。在石油化工行业，高效的生产计划系统显得尤为重要，直接影响生产效率的提升和生产成本的降低，甚至直接影响生产过程的平稳运行以及复杂生产流程和资源的高效利用。

（2）智能调度与实时优化技术

石油化工生产中的调度过程涉及复杂的工艺流程、多种设备和多样化的产品，传统的调度方法难以满足现代化生产的需求。智能调度与实时优化技术的引入，为解决这一难题提供了有效途径。该技术依托于人工智能和机器学习算法，通过对历史数据和实时生产数据的深度学习，构建出能够自适应调整的调度模型。系统实时监控生产过程中的各类参数，如设备运行状态、生产进度和环境条件等，利用强化学习算法动态调整调度策略，确保生产过程的最优化。智能调度系统还集成了先进的预测维护功能，通过分析设备运行数据和历史故障记录，提前识别设备潜在故障并进行预防性维护，减少因设备故障导致的生产中断和损失。通过智能调度与实时优化技术，石油化工企业可以实现生产过程的智能化管理，提高生产效率，降低运营风险和成本。

通过优化生产运行，企业能够实现资源的高效配置和利用，减少生产过程中的浪费和非增值活动，从而降低生产成本和提高利润率。高效的调度系统可以根据市场需求、设备状态和原材料供应情况，动态调整生产计划，确保生产过程的连续性和灵活性，提高生产效率和产品质量。其次，在市场需求波动频繁的环境下，灵活的生产调度可以快速响应市场变化，缩短交货周期，满足客户多样化和个性化的需求，增强客户满意度和忠诚度。通过精准的生产计划，企业可以避免原材料和成品的过剩或短缺，降低库存成本，提升资本利用率。此外，通过科学的调度和优化，企业可以最大限度地减少能源消耗和污染排放，推动绿色生产和可持续发展。预防性维护和智能调度系统的应用，可以提前识别和处理潜在的设备故障，减少因设备停机导致的环境风险和生产中断。

总之，石油化工生产运行优化与调度是一个复杂而系统的过程，需要结合企业的实际情况，综合运用数学建模、优化算法、机器学习和人工智能等技术，实现生产过程的高效、稳定和经济运行。通过合理的优化和调度，石油化工生产运行优化与调度不仅能够提高生产效率和经济效益，还能提升企业的市场竞争力、客户满意度和环境保护水平，推动企业的可持续发展，从而实现经济效益和社会效益的双赢。

4.3.3.3 生产全流程一体化控制

由于单一层次的优化决策没有考虑层与层之间的相互影响，难以保证整条生产线的全局最优。各个工序/装置的运行指标、全流程生产指标以及综合产指标三者之间的动态特性具有月、日和小时三个时间尺度，且具有在线测量困难，原材料成分、种类、设备能力等频繁变化的特征，采用基于机理分析的方法难以建立数学模型解决指标之间相互联系、相互冲突的问题。全流程一体化集成优化决策与控制系统的总体结构由综合生产指标目标值优化、全流程生产指标目标值优化、运行指标目标值多目标优化和过程自动化系统组成。对不同时间尺度的综合生产指标、全流程生产指标和运行指标优化按月、日和小时不同的周期分层优化。

上层的综合生产指标目标值优化采用基于梯度驱动的多目标进化优化方法产生月综合生产指标优化目标值。该方法以多目标约束优化模型为基础，针对外部环境变化，如原材料性质变化，市场价格变化和设备能力的变化等，周期性地对多目标约束优化模型和约束的参数进行自适应修正，以获得适应当前生产环境和工况的修正模型。中间层全流程生产指标目标值优化采用基于周期滚动的两层分解策略来产生日全流程生产指标优化目标值。该策略考虑多目标、两时间尺度和不同原料组合，将一个复杂的优化模型分解为两层模型，并以相应时间尺度对生产环境和工况的变化进行模型修正，按照不同的时间周期进行滚动优化求解。

下层运行指标的优化决策产生各个工序/装置的运行指标目标值。复杂工业生产过程是一个由多装置组成的物质流、能量流和信息流相互耦合的非线性复杂系统。运行指标优化决策是以上层确定的日全流程生产指标为目标，在空间上进行分解获得各个工序/装置的运行指标。运行指标反映装置产生中间产品的质量、效率与消耗等相关变量。运行指标优化决策的目的是通过优化协调运行指标实现全流程生产指标的优化。

4.3.3.4 智能优化决策系统的发展目标及愿景

工业生产过程是人机物高度融合的复杂系统，其决策问题既涉及企业内部的生产，又涉及企业外部的环境条件以及动态变化的市场环境。工业生产全流程智能优化决策的发展目标是研发复杂工业过程智能优化决策系统，能够在外部市场动态需求、内部企业生产动态状况（设备能力、工艺参数）、外部资源消耗与环保等约束条件下，以尽可能提高包含产品产量、质量、能耗、排放、成本等指标在内的生产全流程综合生产指标为目标，采用虚拟制造流程实现基于虚拟仿真的前馈决策校正，通过工业大数据实现工况识别与反馈自优化决策，人机交互动态优化决策反映质量、效率、成本、消耗、安环等方面的企业全局综合生产指标、不同时间尺度的生产指标等，使计划、生产、资源三者密切配合，在生产过程的内外部条件变化时，在最短的时间内感知生产过程的各种变化，对各级生产指标和控制指令做出准确的调整，保证生产全流程的整体优化运行。

复杂工业过程智能优化决策系统由智能优化决策系统、生产全流程智能协同优化控制系统和智能自主运行优化控制系统组成。智能优化决策系统的愿景功能是能够实时感知市场信息、生产条件和生产全流程运行工况，以企业高效化和绿色化为目标，实现企业目标、计划调度、运行指标、生产指令与控制指令一体化优化决策，实现远程与移动可视化监控决策过程动态性能，自学习与自优化决策。将人与智能优化决策系统协同，使决策者在动态变化环境下精准优化决策。

生产全流程智能协同优化控制系统需要协同底层各个工序的智能体，即智能自主控制系统，来实现生产全流程生产指标的优化。生产全流程智能协同控制系统的功能是自动获取生产线生产指标和生产过程动态变化因素、资源属性等方面的数据和信息，智能感知物质、能源和信息三流的相关状况，能够自主地学习和主动响应，从而自适应地进行优化决策、优化配置资源和合理配置与循环利用能源，并给出以生产全流程生产指标优化为目标的优化运行指标目标值。

智能自主运行优化控制系统由高性能智能控制器、智能运行优化、工况识别与自优化控制三部分组成。智能优化制造要求生产制造过程控制系统成为一个智能体，即智能自主控制系统使生产制造过程和其控制系统深度融合并成为智能体，要集智能感知、控制、监控、优化、故障诊断、自愈控制于一体，具有自适应、自学习、自动调整控制结构和控制参数的功能，能够适应工业过程的动态变化。其功能是智能感知生产条件的变化，以优化运行指标为目标，自适应决策控制系统的设定值。高动态性能的智能控制系统跟踪控制系统设定值的改变，将实际运行指标控制在目标值范围内。实时远程与移动监控与预测异常工况，自优化控制，排除异常工况，使系统安全优化运行。与其他智能自主控制系统相互协同，实现制造流程全局优化。

4.3.4 数据驱动的安全监控

石油化工生产过程复杂，涉及高温高压、有毒有害物质和易燃易爆物品，一旦发生事故，可能导致严重的人员伤亡、环境污染和经济损失。因此，建立完善的安全环境监控和风险管理体系，实时监测生产过程中的各类参数，及时识别和预警潜在风险，是保障安全生产环境的关键。随着广泛应用ERP、MES等融合技术，我国石化企业积累了丰富的大数据资源。然而，大数据的重要性不仅在于其规模之大，更在于如何从中提取信息、创造价值。石油化工行业正在越来越多地采用数据驱动的方法来监控生产过程。这包括利用传感器和监测设备收集大量数据，然后通过数据分析和机器学习算法来识别潜在问题、预测设备故障，优化资源配置。

（1）实时数据采集与智能监控系统开发

石油化工生产数据收集和处理是一个复杂但极其重要的过程，包含数据收集、数据传输、数据存储、数据处理、数据可视化、实时优化与反馈等环节。开发一个高效的实时数据采集与智能监控系统，整合传感器网络、物联网和边缘计算技术，可实现对石油化工生产全过程的精确监控。通过部署覆盖整个生产区域的多种传感器网络，包括气体检测传感器、温度传感器、压力传感器和振动传感器等，实现对生产设备和周边环境的实时数据采集、关键参数的全面监控。利用IoT和边缘计算技术，确保数据能够以低延迟、高可靠性的方式进行传输和处理。传感器数据通过无线传感网络（WSN）传输到中央监控系统，进行实时的分析和处理。基于大数据技术和人工智能算法，中央监控平台对数据进行深度分析，实时监控生产过程中的各类参数变化，识别出潜在的安全隐患和异常情况，并通过智能分析提供预警和自动化应对方案。通过监控生产过程中的各类参数，对异常情况进行智能化分析和处置，提升生产过程的自动化和智能化水平，确保生产过程的安全性和环境保护。

（2）风险评估与预警模型构建

在石油化工生产过程中，构建基于数据驱动的风险评估与预警模型是提升安全管理水平的关键。通过收集和分析大量历史数据和实时监控数据，建立综合性的风险评估模型，涵盖从原材料输入到成品输出的各个环节。利用统计分析、机器学习和深度学习技术，对数据进行深入挖掘，识别出潜在的安全隐患和高风险区域，并通过动态风险评估工具实时更新风险评估结果。这一过程包括对异常数据的检测、故障诊断与预测等多方面内容。基于这些分析结果，系统能够提前预警潜在的安全事件，提供实时的风险信息支持管理决策。为了确保预警信息的有效传递，设计优化的预警信息传达和处理流程，确保预警信息能够快速传达到相关部门和人员，帮助他们在安全事件发生前采取预防性措施，从而降低事故的发生率和影响范围。

（3）数据驱动的应急响应与决策支持系统

开发数据驱动的应急响应与决策支持系统是提高石油化工企业应对突发事件能力的重要举措。通过多源数据融合技术，将传感器数据、历史生产数据、环境监测数据和外部数据进行整合分析，提供全面的应急响应信息。通过数据融合技术进行综合分析，形成全面的应急响应信息平台。利用模拟仿真技术和决策分析工具，系统能够生成不同情景下的应急预案和资源调配方案，支持应急响应的实时决策。在突发事件发生时，系统快速评估事件的风险和影响范围，并通过优化的资源调配模型，动态调整应急方案，确保响应措施的高效性和科学性。系统设计还包括一个直观的决策支持界面和自动化应急响应流程，帮助决策者在紧急情况下迅速作出合理决策。同时，系统可以不断学习和改进，通过对历史应急响应数据的分析，优化和完善应急预案，提高整体应急处理能力。这种数据驱动的应急响应系统不仅能够显著提高应对突发事件的效率，还能最大限度地减少事故对生产和环境的影响。

（4）安全监管与持续性改进机制

利用数据驱动技术设计安全监管与持续性改进机制是提高石油化工企业安全、高效、合规生产的关键举措。通过实时数据监测和记录，确保企业的排放符合环保法规和标准，避免因违规而带来的法律风险。通过数据分析，识别和评估潜在的安全风险，加强安全管理措施，保障员工和设施的安全。建立数据驱动的持续改进机制，通过数据分析结果反馈到生产和管理实践中。利用数据分析结果评估安全环保措施的有效性和效果，指导制订下一步的改进计划，结合数据分析结果，进行针对性的安全环保培训，提高员工的安全意识和环保意识。对石油化工企业而言，建立全面的数据监控系统，能够实现对生产过程中关键参数的实时监测和分析，实现成功预测，进而能够避免设备故障和环境事故，在提升企业的安全生产和环境保护水平、减少生产成本和法律风险等方面具有重要的作用。

将大数据应用于价值创造的目标下，可以全面提升石化企业的感知、预测、协同、分析、控制和优化能力，这是解决我国石化行业“大而不强”问题的有效途径。基于数据驱动的实时监测与预警功能使得生产环境能够被及时监控，异常情况能够及时发现并警示，从而能够避免潜在的生产事故，并降低生产损失。故障诊断与预测技术的应用使得生产过程中的潜在故障能够被更准确地检测出来，甚至能够预测可能发生的故障，进而采取相应的预防性维护措施，有效降低了维修成本和停机时间。通过生产过程数据的分析和优化，生产流程能够得到更有效的优化，进而提高了生产效率和产品质量。数据驱动的智能运维结合安全管理功能，能够实时监测和处理生产环境中的安全隐患，确保了生产过程的安全性，减少了生产事故的发生，维护了生产人员和设备的安全。

4.3.5 数字孪生技术驱动的智能化卓越运营

数字孪生技术在石油化工行业中具有广泛的应用前景，特别是在过程仿真优化和故障预测维护方面。通过构建物理工厂、生产线和设备的虚拟模型，石油化工企业能够实现对生产过程的实时监控、仿真分析、优化决策和故障预测，从而提高生产效率、减少停机时间并降低安全风险。在实际应用中，数字孪生技术已广泛用于基础化学原料生产和基本有机化合物生产等多个领域。通过精确的模拟和实时数据采集，企业可以实现生产过程的优化调整，提高产品质量和生产效率。

（1）数字孪生技术在高效基础化学品生产中的创新应用

以乙烯生产过程为例，乙烯生产通常采用蒸汽裂解法，将石脑油或乙烷等原料在高温下裂解生成乙烯和其他副产品。数字孪生技术通过对乙烯生产装置的虚拟建模和实时数据采集，实现了生产过程的仿真优化。在乙烯生产过程中，关键操作参数如裂解温度、压力和进料流量对产品产量和质量具有重要影响。通过数字孪生技术，企业可以实时监控和调整这些参数，模拟不同操作条件下的生产情况，例如通过调整裂解温度和压力参数，可以提高乙烯的收率和纯度，减少副产品的生成。仿真分析帮助企业找到最优操作条件，提高生产效率和产品质量。此外，乙烯生产是一个高能耗过程，数字孪生技术还能用于优化能源使用，通过模拟和评估不同操作方案，识别出高能耗步骤并进行相应调整，实现节能减排。乙烯生产过程中涉及大量的能源消耗，主要用于加热裂解炉。数字孪生技术可以通过建立精确的能源消耗模型，模拟不同的操作条件和工艺参数，找出能源利用效率最高的生产方案，例如通过优化裂解炉的操作参数，减少燃料的消耗，提高能源的利用效率。同时，数字孪生技术还能帮助企业识别出高能耗的设备和工艺步骤，通过优化设备运行和工艺流程，进一步降低能耗，实现节能减排的目标。

（2）虚拟仿真技术在有机化合物生产中的优化策略

聚丙烯是一种重要的热塑性塑料，广泛应用于包装、纺织、医疗器械等领域。聚丙烯的生产过程包括丙烯的聚合反应和后处理等环节。数字孪生技术在聚丙烯生产中的应用，可以实现生产过程的仿真优化和动态调整。在聚丙烯生产过程中，聚合反应的温度、压力和催化剂用量等操作参数对产品的分子量分布和物理性能具有重要影响。通过数字孪生技术，企业可以建立聚合反应的虚拟模型，模拟不同操作条件下的生产情况，找到最佳操作参数组合，确保产品质量的稳定和一致。通过实时数据采集和分析，企业可以动态调整操作参数，以应对原材料质量波动和生产条件变化，保持生产过程的稳定性和高效性，例如当原材料的质量发生波动时，数字孪生系统可以实时分析其对生产过程的影响，并及时调整操作参数，确保产品质量不受影响。此外，数字孪生技术还能用于优化聚丙烯生产中的能源使用和物料平衡，通过模拟和分析不同的反应路径和工艺参数，找到最优反应条件，减少能耗和副产品生成，提高生产效率和资源利用率。

（3）设备故障预测与安全生产管理

设备长期运行容易出现磨损和故障。数字孪生技术通过对设备状态的实时监测和分析，可以提前识别潜在的故障风险，例如通过对反应器的温度、压力和振动等参数的监测，系统可以检测到设备的异常波动和磨损情况，提前发出警报，企业可以进行预防性维护，避免设备故障导致的停机损失。在石油化工生产中，安全生产管理至关重要。数字孪生技术通过智能监测设备和自动化控制系统，能够实现对生产过程的实时监测和预警，例如在生产过程中经常涉及可燃或有毒气体，数字孪生系统可以集成GDS系统（可燃气体和有毒气体检测报警系统），实时监测泄漏源状况，并在出现泄漏危险时主动发出警报，确保生产安全。在安全生产管理方面，数字孪生技术还可以通过模拟不同的事故场景，进行应急预案的演练和优化，例如通过模拟设备故障、泄漏事故等突发情况，企业可以提前制订应急预案，并通过虚拟仿真演练，提高员工的应急响应能力。此外，数字孪生技术还可以用于评估生产过程中的安全风险，识别潜在的安全隐患，帮助企业制定针对性的安全管理措施，进一步提高生产安全性。

（4）数字孪生技术的应用案例

目前，国内外许多石油化工企业已经开始积极探索和应用数字孪生技术，例如中国石化在其乙烯生产装置中引入了数字孪生技术，通过对生产过程的仿真和优化，实现了乙烯收率的提高和能耗的降低。此外，国外的石油化工巨头如埃克森美孚、壳牌等公司也在积极应用数字孪生技术，通过实时数据采集和分析，提高生产过程的智能化和自动化水平，增强企业的竞争力。

① 数字孪生技术在供应链管理中的应用。数字孪生技术不仅可以优化单个生产环节，还能将整个供应链流程数字化，从而提高供应链的效率和响应能力。在石油化工行业，供应链管理涉及从原材料采购、生产计划、库存管理到产品分销的多个环节。通过构建供应链的数字孪生系统，企业可以实时监控和分析供应链各环节的运行状态，及时发现和解决问题，例如通过实时监控原材料的供应情况，企业可以及时调整采购计划，避免因原材料短缺而影响生产。此外，通过对库存的实时监控和预测，企业可以优化库存管理，减少库存成本，提高资金利用效率。供应链的高效运作离不开各环节的协同与配合。数字孪生技术可以通过建立供应链各环节的虚拟模型，实现对各环节的仿真和优化，提升供应链的整体协同效率，例如通过对生产计划和物流配送的仿真优化，企业可以实现生产与物流的无缝对接，减少库存积压和物流成本。数字孪生系统还可以基于实时数据进行供应链风险评估和预警，帮助企业提前识别和应对供应链中可能出现的风险，确保供应链的稳定和高效运行。

② 数字孪生技术在环境保护与可持续发展中的应用。随着环保要求的日益严格，石油化工企业需要在生产过程中严格控制污染物的排放。数字孪生技术可以通过对生产过程的精确模拟和实时监测，帮助企业优化生产工艺，减少污染物的生成和排放，例如通过优化反应条件和工艺参数，企业可以减少废气、废水和固体废弃物的排放，降低对环境的影响。此外，数字孪生技术还能用于环境监测，通过对排放数据的实时监测和分析，及时发现和处理环境污染问题，确保企业符合环保法规的要求。数字孪生技术在推动企业实现可持续发展目标方面也发挥着重要作用，例如通过对能源使用的精确模拟和优化，企业可以提高能源利用效率，减少碳排放，实现节能减排的目标。此外，数字孪生技术还可以帮助企业评估和优化生产过程中的资源利用效率，减少资源浪费，提高资源利用率，例如通过优化生产工艺和流程，企业可以减少原材料的消耗，提高产品的单位资源产出率。数字孪生技术还可以用于评估企业在生产过程中的环境足迹，帮助企业制定更加科学和有效的环保措施，推动企业实现绿色生产和可持续发展。

③ 数字孪生技术在产品设计与开发中的应用。在产品设计和开发过程中，数字孪生技术可以通过虚拟仿真提高设计的精确性和效率。石油化工产品的设计和开发涉及复杂的化学反应和物理过程，通过数字孪生技术，企业可以在虚拟环境中对产品的设计方案进行仿真和优化，减少试验成本和时间，例如通过对催化剂的设计和优化，企业可以开发出性能更优的催化剂，提高生产效率和产品质量。此外，数字孪生技术还可以用于新产品的性能评估和验证，通过虚拟仿真提前发现和解决设计中的问题，缩短产品开发周期，提高市场竞争力。数字孪生技术还可以用于产品生命周期管理，从产品设计、生产、使用到回收的全过程进行监控和优化。通过对产品生命周期的数字化管理，企业可以提高产品的质量和可靠性，延长产品的使用寿命，例如通过对产品使用过程中的数据进行实时监测和分析，

企业可以及时发现产品的性能问题，进行预防性维护，减少故障率和停机时间。此外，数字孪生技术还可以用于产品的回收和再利用，通过对废弃产品的虚拟建模和优化，提高资源的回收利用率，实现循环经济和可持续发展。

④ 数字孪生技术在智能制造中的应用。数字孪生技术可以通过对生产线的虚拟建模和仿真，帮助企业建设智能生产线，实现生产过程的自动化和智能化，例如通过对生产线的实时监控和优化，企业可以提高生产效率和产品质量，减少生产过程中的人工干预和误差。此外，数字孪生技术还可以用于生产线的故障预测和维护，通过对设备状态的实时监测和分析，提前识别和处理潜在的故障，减少停机时间和维护成本，提高生产线的可靠性和稳定性。在智能制造过程中，数字孪生技术可以通过对生产过程的实时数据采集和分析，实现生产过程的智能优化，例如通过对生产过程中的关键参数进行实时监测和调整，企业可以提高生产过程的稳定性和一致性，减少生产过程中的波动和变异。此外，数字孪生技术还可以用于生产过程的能耗优化，通过对能耗数据的实时监测和分析，找出高能耗的环节和步骤，制定针对性的节能措施，提高能源利用效率，实现绿色生产和可持续发展。

综上所述，数字孪生技术在石油化工行业中具有广泛的应用前景，通过过程仿真优化和故障预测维护，企业可以实现生产过程的实时监控和优化调整，提高生产效率和产品质量，降低成本和能耗。未来，随着技术的不断进步和应用的深入，数字孪生技术将为石油化工行业带来更多的创新和变革，推动行业向更加智能化和可持续化的方向发展。通过全面的数据采集和分析，数字孪生技术不仅可以优化单个生产环节，还能提升整个供应链和产品生命周期的管理水平，为企业带来全方位的竞争优势和可持续发展能力。

（5）数字孪生技术的挑战与未来展望

尽管数字孪生技术在石油化工行业中展现出了巨大的应用前景，但在实际应用中仍面临一些挑战，例如数据采集和处理的准确性和实时性要求较高，需要先进的传感器技术和数据处理能力。此外，虚拟模型的建立和优化需要大量的专业知识和经验，需要多学科的协同合作。为了解决这些问题，企业需要加大技术研发投入，推动传感器技术、数据处理技术和仿真技术的发展，同时加强与科研机构和高校的合作，提升技术创新能力和应用水平。

随着技术的不断进步和应用的深入，数字孪生技术在石油化工行业的市场前景将越来越广阔。未来，随着人工智能、大数据、5G通信等技术的进一步发展，数字孪生技术将更加智能化和自动化，推动石油化工行业向更加高效、绿色和智能的方向发展。同时，随着环保意识的增强和政策法规的严格，数字孪生技术在提高生产效率和降低能耗方面的优势将更加显著，推动企业实现可持续发展和环境保护目标。人工智能和大数据技术的进一步成熟，将使数字孪生技术在石油化工行业的应用更加广泛和深入。引入更多的人工智能算法，数字孪生技术将能够进行更复杂的预测和优化，提高生产决策的精确性和实时性。此外，数字孪生技术还将进一步与其他先进技术融合，如5G通信技术、增强现实和虚拟现实技术等。这些技术的结合将为石油化工企业提供更加丰富和直观的生产监控和管理手段，例如通过增强现实技术，操作人员可以通过AR眼镜实时查看生产设备的运行状态和维护建议，提高操作效率和安全性。

数字孪生技术将进一步与大数据和人工智能技术相结合，实现更加智能化和精确化的生产管理。通过对大量生产数据的采集和分析，数字孪生系统可以深入挖掘数据背后的规律和趋势，为企业提供科学的决策支持，例如通过对历史生产数据的分析，企业可以识别出影响生产效率和产品质量的关键因素，制定针对性的优化措施。此外，人工智能技术还可以用于设备故障的预测和诊断，提高设备维护的精准性和及时性，降低生产停机时间和维护成本。未来，数字孪生技术的应用将不仅限于生产过程的优化和设备维护，还将扩展到更多领域，例如在供应链管理方面，数字孪生技术可以用于模拟和优化供应链的各个环节，提高供应链的整体效率和可靠性。在产品设计和开发方面，数字孪生技术可以用于产品的虚拟测试和优化，缩短产品的开发周期，降低开发成本。此外，数字孪生技术还可以用于环境保护和可持续发展，通过模拟和分析生产过程中的环境影响，制定更加科学和有效的环保措施，推动企业实现绿色生产和可持续发展。

参考文献

[1] 徐海丰. 全球乙烯产业格局变化及发展前景分析[J]. 国际石油经济, 2023, 31(01): 65-70.

[2] 严婉. 丙烯精馏塔的模拟优化及塔板效率研究[D]. 北京: 中国石油大学(北京), 2021.

[3] 王永乐. 我国聚乙烯进口贸易影响因素分析[D]. 北京: 首都经济贸易大学, 2020.

[4] 唐青松. 国内聚丙烯行业发展现状与市场分析[J]. 现代经济信息, 2018, 18: 360-361.

[5] 陈清华. 基于全球供需格局的我国乙二醇产业发展对策分析[J]. 能源与环保, 2020, 42(07): 134-137.

[6] 吴凌鹤. 能源转型背景下炼化企业转型升级策略研究[J]. 中外能源, 2024, 29(05): 68-74.

[7] 王子宗, 高立兵, 索寒生. 未来石化智能工厂顶层设计: 现状、对比及展望[J]. 化工进展, 2022, 41(07): 3387-3401.

[8] 宋志强, 刘静华, 刘艳龙, 等. 自动化控制在石油化工安全生产中的应用研究[J]. 现代职业安全, 2023, 4: 34-35.

[9] 唐仁花. 先进过程控制技术在乙烯装置上的应用[J]. 石油化工技术与经济, 2010, 26(04): 58-62.

[10] 贺婷. 基于WSN石油化工监测系统的H2S节点设计[J]. 信息技术与信息化, 2015, 8: 26-29.

[11] 夏华林, 魏海平, 石元博, 等. 基于物联网的石油化工环境安全监测系统的设计与研究[J]. 数字技术与应用, 2015, 11: 57-58.

[12] 纪红霞, 张永辉. 仪表自动化在石油化工行业的应用[J]. 石油化工建设, 2022, 44(01): 124-126.

[13] 鲁霄. 论石油化工企业仪表自动化设备的故障维护[J]. 石化技术, 2023, 30(11): 258-260.

[14] 陈连和. 化工自动化仪表及控制系统智能化分析[J]. 云南化工, 2023, 50(01): 116-118.

[15] 杨存三. 在线分析仪表在石化生产中的应用研究[J]. 山东化工, 2022, 51(08): 159-160.

[16] 侯龙飞. 石油化工仪表分布式控制系统应用分析[J]. 装备及自动化, 2025, 4: 56-58.

[17] 李俊玲. 预测控制、无模型控制若干问题的研究[D]. 长春: 吉林大学, 2008.

[18] 谢晓. 基于WebGL的石油化工模型渲染和优化[J]. 化工管理, 2022, 5: 154-156.

[19] 吴丽芳. 基于数据驱动的石化过程建模与优化平台设计与开发[D]. 北京: 北京化工大学, 2010.

[20] 刁俊武, 田壮, 论国柱. 数字孪生技术在石油化工行业的应用研究[J]. 石化技术, 2022, 29(07): 79-82.

[21] Zhang J, Qu Q, Chen X B. Assessing the sustainable safety practices based on human behavior factors: an application to Chinese petrochemical industry[J]. Environmental Science and Pollution Research, 2022, 29(29): 44618-44637.

本章负责人　**尹晓红　青岛科技大学**

参加编写人员　**尹凯丽　林　雪　步　妮　胡艳梅　周英芮　李思宏**

第5章 煤化工自动化

5.1 煤化工行业发展状况

5.1.1 煤化工产业分析

煤化工是指以煤为主要原料，经化学加工使煤转化为气体、液体和固体产品或半成品，而后进一步加工成化工、能源产品的过程，主要包括煤的气化、液化、干馏，以及焦油加工和电石乙炔化工等过程。随着世界石油资源不断减少，煤化工有着广阔的前景。中国煤炭工业协会2022年3月30日公布的数据显示，2021年，现代煤化工四大主要产业［煤制油、煤（甲醇）制烯烃、煤制气、煤（合成气）制乙二醇］的产能，分别达到931万吨/年、1672万吨/年、61.25亿立方米/年、675万吨/年。

煤化工是煤炭深加工的重要领域，涉及煤炭的气化、液化、焦化等技术，是实现煤炭清洁高效利用的重要途径。煤化工产品包括：①燃料类产品：焦炭、煤气、汽油、柴油、天然气等；②基础化工原料：电石、合成氨、甲醇、醋酸、煤焦油、粗苯等；③化学原料：乙烯、丙烯、乙二醇等；④其他化学品：二甲醚、合成气等。这些产品在工业生产和日常生活中发挥着重要作用。煤化工的主要技术包括煤干馏、煤气化、煤液化、电石乙炔及其他化学加工技术等。煤干馏是将煤在隔绝空气的条件下加热分解的过程，按温度不同可分为低温干馏、中温干馏和高温干馏。高温干馏（即炼焦）是主要方式，可生产焦炭、焦炉煤气和煤焦油等产品，广泛用于钢铁冶炼等领域。煤气化是通过气化炉将煤炭在高温和高压下与氧气、蒸汽等反应生成合成气，合成气可以进一步转化为化学产品。煤液化是将煤炭转化为液体燃料和化学品的过程，分为直接液化和间接液化。电石乙炔技术是以煤和石灰石为原料，先将石灰石煅烧生成生石灰，再将生石灰与煤在电石炉中高温反应生成电石（碳化钙），电石与水反应生成乙炔，进而用于生产聚氯乙烯等化工产品。其他化学加工包括煤焦油加工（从中提取苯、甲苯、萘等芳香族化合物）、粗苯精制、甲醇下游加工（如甲醇制烯烃、甲醇制醋酸）等，用于生产各类精细化工产品。煤化工具有资源丰富、能源安全、经济效益高、产业带动作用强、技术创新推动、环境友好和产品多样性等优点。与石油化工相比，其原料来源广泛，可以为国家提供能源安全保障，并且可以通过深加工提高产品的附加值。同时，煤化工的技术进步也推动了相关领域的发展，为实现可持续发展提供了重要支撑。作为世界上最大的煤炭生产和消费国，我国煤化工产业在保障国家能源安全、促进工业发展中发挥着重要作用。

煤化工产业涵盖了多种技术和产品，包括传统的焦炭生产和新型煤化工产品如乙二醇、乙醇等。这些产品在化工、能源、材料等多个领域有着广泛的应用。在能源领域，煤化工通过生产合成油、甲醇、二甲醚等替代石油产品，为能源安全提供保障。甲醇可以作为燃料直接使用或制成甲醇汽油。合成油可以替代传统石油产品应用于交通运输、工业生产等领域。在化工领域，煤化工生产的合成氨、甲醇、乙烯、丙烯、苯等化工产品是现代化工产业的重要原料。合成氨是氮肥生产的重要原料，甲醇是有机化工的重要原料，乙烯和丙烯是生产塑料、合成橡胶和合成纤维的基础。

随着全球能源结构的转型和环保要求的提高，煤化工面临新的机遇和挑战。现代煤化工正在向高端化、多元化、低碳化方向发展，产业化、园区化、基地化发展格局已初步形成。未来煤化工将向高效、清洁、集约化方向发展。通过技术创新和产业升级，提高煤化工的资源利用效率和环保水平，是实现煤炭清洁高效利用的关键。与此同时，政策支持、市场需求和技术进步将推动煤化工产业的持续发展。

5.1.1.1 全球煤化工产业分析

2022年，全球煤炭需求增长了1.2%，达到创纪录的80亿吨。2023年，全球煤炭总产量约为80亿吨，其中，中国煤炭产量约为4.5亿吨，印度煤炭产量约为9亿吨，印尼煤炭产量约为7亿吨。2023年全球煤制烯烃产量约为3500万吨，其中中国占主要部分，约为3200万吨。全球煤制甲醇产量约为8000万吨，中国约占7000万吨。全球煤制油产量约为3000万吨，中国约占2500万吨。尽管面临严格的环保政策和经济放缓，但煤炭需求保持稳定。煤化工产业正在向高效、清洁和集约化方向发展，通过技术创新和产业升级，提高资源利用效率和环保水平，例如煤制烯烃和煤制甲醇技术的进步在推动产业升级方面发挥了重要作用。政策支持和市场需求也是推动煤化工产业发展的重要因素。各国政府在能源结构转型和减少碳排放方面的政策，对煤化工技术创新和清洁生产提出了更高要求。

（1）煤制烯烃

煤制烯烃（coal to olefins，CTO）是将煤炭经过气化、合成气转化等步骤生产乙烯、丙烯等基础化工产品的过程。其生产工艺主要有两大类：煤基甲醇制烯烃的工艺为煤先通过合成气得到甲醇，再由甲醇合成进一步得到烯烃；煤基费托合成烯烃是煤经气化得到合成气，直接在催化剂作用下合成烯烃。2019年，全球乙烯和丙烯的年产量分别达到了1.85亿吨和1.3亿吨。2023年，全球煤制烯烃的总生产能力达到了约3500万吨/年。从全球范围来看，煤制烯烃的需求量也在不断上升，主要集中在亚洲市场。2023年，中国煤制烯烃的产量约为3200万吨，较2022年增长了5.2%。而在其他国家，煤制烯烃的产量相对较少，但也显示出逐步增加的趋势。

（2）煤制甲醇

煤制甲醇（coal to methanol，CTM）是通过煤炭气化和合成气转化制得甲醇的重要途径。2021年，全球甲醇产量估计超过了111百万吨，比前一年增长了将近4%。2022年，全球甲醇产能达到了170.30百万吨/年，预计从2023年到2028年，年均增长率将超过9%。

（3）煤制油

煤制油（coal to liquids，CTL）技术通过煤炭气化生成合成气，然后通过费托合成或直接液化等工艺生产液体燃料。2020年，全球煤炭探明储量达到了1074亿吨，并且主要集中在少数几个国家：美国（23%）、俄罗斯（15%）、澳大利亚（14%）和中国（13%）。这些储量中的大部分是烟煤和无烟煤（70%）。全球储量生产比（R/P）显示，2020年的煤炭储量相当于139年的当前生产水平，其中北美洲（484年）和独联体国家（367年）的R/P较高。2022年，全球煤炭需求达到了历史最高水平，煤炭消费量增长了3.3%，达到83亿吨，创下新纪录。

5.1.1.2 中国煤化工产业分析

（1）传统煤化工产业分析

传统煤化工产业生产的三条主线是“煤制合成氨”（进一步生产尿素肥料）、“煤制甲醇”和“煤制电石”（进一步加工为PVC等化工产品），此外，煤的焦化也是传统煤化工产业的重要组成，生产的焦炭、合成氨、甲醇和电石等产品，为我国农业、建筑、钢铁生产等提供原材料。现如今，我国已然是世界上最大的传统煤化工产品生产国。2015年以来，随着我国供给侧结构性改革的不断推进，产业结构调整初显成效，传统煤化工产品在新增产能方面均有大幅下滑，淘汰落后产能，促使传统煤化工产业进行结构调整，为传统化工产业的稳步持续发展奠定基础。

焦炭是钢铁生产的主要原材料之一，处于钢铁产业链的上游环节，对于大型钢铁企业而言，需要配置焦炭生产线，但由于大型钢铁企业一般地处中大型城市，这些城市由于人口密集度较高，环境承载的污染容量十分有限，因此，独立焦化厂的存在成为必然，传统煤化工行业为这些钢铁企业提供所需的焦炭。根据中经数据关于我国焦炭产量及增长情况报告，2010年至2014年我国焦炭产量一直大幅增加并在2013年和2014年突破45000万吨，产量的大幅增加一方面造成了产能过剩，另一方面也给环境带来了较大压力。2015年，由于政府供给侧改革政策的出台，“三去一降一补”成为整顿和调整产业结构的主要方针，我国焦炭产量大幅回落，并经历了连续两年的下滑。经过政府和行业的共同努力，淘汰落后产能取得了一定成效。随后，由于前期去产能政策带来了一定的产能缺口，在市场需求的带动下，2018年焦炭产量开始回升，2019年，我国焦炭产量达到47126.16万吨，同比增长5.11%，2023年，我国焦炭产量达到新高49260万吨。

而对于我国传统煤化工产品产量变化情况如下所述。

① 合成氨。合成氨的产量呈现先上升后下降再上升的趋势，2019年合成氨的产量达到5757.9万吨，打破了产量连降三年的局面，2021年中国合成氨产量为5909万吨，同比增长15.5%，合成氨表观需求量为5989.64万吨，同比增长14.5%。

② 甲醇。我国甲醇产量呈现逐年上升态势，主要原因在于甲醇产业链条的不断扩张，上下游产品的不断增加而对甲醇需求不断提升。据中国氮肥工业协会统计，2023年我国甲醇产能达到10618.6万吨/年，同比增加5.8%，增速上涨了2.7个百分点，实际新增645.5万吨/年。其中，采用新型先进煤气化技术的单醇装置产能7583万吨/年，占总产能的71.4%，同比提高了4.9%。与近五年相比，新增产能仍属于较高水平，但规模分布和原料结构分布有明显变化。目前，我国由焦炉气等原料制造甲醇的产能出现富余，开发甲醇替代石油燃料具有充足的产量和产能保障。

③ 电石。电石是高耗能高排放的产业，受到环保限产、能耗双控、落后产能出清等政策影响，电石产能增长将放缓。2023年电石新增产能在230万吨/年左右。据统计2023年电石产能为4325万吨/年，产量在2750万吨。当前在建、拟建电石项目产能约900万吨/年。

综上，可以看出，我国传统煤化工产业的发展已经进入成熟阶段。由于传统煤化工产业生产过程对环境带来较负面的影响，与此同时，随着国内对传统煤化工产品需求的逐步下降，为了积极响应政府供给侧改革的政策方针，传统煤化工行业的新增产能有所减缓。

（2）新型煤化工产业分析

新型煤化工产业发展始于20世纪90年代中后期，经过了短短二十多年的发展，当前已取得一定成绩。“十三五”时期，以煤制油、煤制烯烃、煤制乙二醇等为主要产品的新型煤化工项目运用了先进的生产工艺，产业规模得到了稳步提升。截至2023年，我国原煤产量已达到47.1亿吨，相比于去年增长3.4%，煤矿数量4300处左右，平均单井生产规模达120万吨/年以上。我国在工业生产方面大力发展，在工业生产国家中名列前茅，但在矿产资源方面具有不平衡的特点，基本国情为富煤、贫油、少气，煤炭产量巨大，但石油、天然气依赖大量进口，对外依存度分别为63.16%、34.44%。为了减轻这种状况，降低对国外的依赖程度，对煤化工产业多元化发展提出了更高要求。

① 煤制烯烃。以石油为原料炼制烯烃是一直以来的主流，但是由于我国富煤、贫油、少气的基本国情，以石油为原料炼制烯烃注定无法满足国内的烯烃生产需求，所以我国科学家另辟蹊径，以煤为原料制烯烃。2006年5月，我国完成甲醇制烯烃的工业制备，为建设大型装置制备烯烃做好基础。2010年，神华包头甲醇制烯烃工业装置完成试车，煤制烯烃顺利实现工业化，开创历史先河。2015年和2020年，我国分别实现了甲醇制烯烃第二代和第三代工业烯烃制备，煤制烯烃产业逐步扩大。截止到2024年，全国煤制烯烃产能1872万吨/年，煤制烯烃产量1725万吨/年。

② 煤制甲醇。我国的煤制甲醇产业不断发展，技术得到长足的进步，市场占有率不断提高，但生产规模小，难以形成基地化、规模化产业。国家对于煤制甲醇出台了不少政策：2011年禁止百万吨以下的甲醇项目审批；2012年禁止以天然气为原料生产甲醇；2013年将年产百万吨以上的煤制甲醇项目的审批权收归国务院投资主管部门等。到2019年，我国甲醇产能约8992万吨/年，其中煤制甲醇产能6779万吨/年，约占国内总产能的75.4%。

③ 煤制油。“十三五”期间，我国煤制油产能与产量均得到了提升。2016年，我国煤制油产量达到198万吨，对应实际产能达到738万吨/年。到2017年，煤制油产能突破800万吨/年，达到884万吨/年。到2018年，产量617.5万吨，产能突破900万吨/年达到913万吨/年。到2019年，煤制油总产量为745.6万吨，产能921万吨/年，比上一年增长颇多，且能源利用率大幅提高（达到80.96%）。

（3）我国煤化工产业不足

尽管我国现代煤化工产业的发展上取得了一项又一项的突破，但比起发展较为成熟的石油化工，煤化工在规模化、基地化方面并不具备优势，产业链较短，产品附加值不高，同质化现象比较明显；能量利用率和稳定性方面还有所不足；仍需加强固碳、减碳工作。

现代煤化工被视为高耗能产业，缺乏扶持政策。部分地方政府因为能耗度方面的要求，新建煤化工项目受到发展限制。同样因为能耗指标的建设要求，部分已建成投产的项目运行也受到影响，无法正常建设。由于煤化工产业被视为高耗能产业，相比于新能源等领域，对煤化工领域的产业支持力度存在明显不足。

国家层面顶层设计和规划亟待进一步明晰。虽然我国在能源消耗和生产排放方面对煤制甲醇、煤制烯烃和煤制乙二醇领域有明确的指标要求，但对现代煤化工发展只是停留在宏观角度，在细节方面没有明确指标。

产品结构和能源转化效率有待优化。截止到现在，我国现代煤化工产业链较短，其附属产品的开发与推进没有达到预期水平：以煤炭为原料进行生产，但并未发挥其专属优势，更由于生产产品结构较为单一，产品同质化严重，使得行业竞争不断加强。因为建造现代煤化工项目缺乏明确布局要求，没有形成规模化建造，布局分散，所以在油化联产方面难以形成优势。现代煤化工项目的能源利用率方面存在不足，转换率未达预期。

5.1.2 煤化工行业发展预测

5.1.2.1 煤化工行业可持续发展前景

煤化工作为我国主要的高碳排放行业之一，其高能耗和CO_2排放问题尤为突出。根据统计数据，2020年我国煤化工行业的CO_2排放总量约为6.77亿吨，占全国碳排放的6.04%。这些数据显示出煤化工行业在我国碳排放结构中的重要地位和影响。为了实现碳中和和可持续发展目标，我国必须加大对煤化工行业的技术创新和政策支持力度，推动煤化工行业向低碳、高效的方向转型，不仅能够显著减少其能耗和CO_2排放，还能够提升行业整体的竞争力和可持续发展能力，例如通过采用先进的碳捕集和储存技术，可以有效减少煤化工生产过程中的CO_2排放。同时，政策层面上应该加大对清洁能源替代技术的支持力度，鼓励煤化工企业加快更新换代，推动技术进步和行业结构优化。未来几年，随着全球碳排放约束政策的加强和技术进步的推动，煤化工行业将面临转型升级的重要机遇期，通过有效的政策引导和技术创新，我国可以实现煤化工行业从高碳向低碳转型的目标，为可持续发展作出积极贡献，同时在全球碳减排的进程中扮演重要角色。下面将详细说明影响煤化工行业可持续发展的因素。

（1）清洁能源的需求刺激煤化工行业的可持续发展

随着全球对清洁能源的需求不断增长，煤化工行业正在迎来新的发展机遇。以我国为例，作为世界上最大的煤炭生产和消费国，我国政府已经提出了加快煤炭清洁高效利用和煤化工产业发展的战略部署，以应对能源结构调整和环境保护的双重挑战。具体而言，我国正通过一系列政策和技术创新来推动煤化工行业的转型升级，具体包括：

① 国家出台了一系列支持措施，包括财政补贴、税收优惠和科技研发资金支持，鼓励企业进行技术改造和创新。

② 积极推进煤制油、煤制天然气、煤制烯烃等现代煤化工项目，以提高煤炭资源的综合利用效率和附加值，不断探索和突破煤化工领域的前沿技术，如煤气化、煤液化、煤制甲醇、低压甲醇技术等，力求在降低污染排放和能源消耗方面取得显著进展。

③ 随着碳达峰和碳中和目标的提出，煤化工行业也在积极探索二氧化碳捕集、利用与封存（CCUS）技术，以减少碳排放，实现绿色可持续发展。

④ 加强与其他能源大国和国际组织的合作，通过引进先进技术和经验，共同应对全球能源和环境挑战。这种开放合作的姿态，不仅有助于提升我国煤化工产业的国际竞争力，也为全球能源供应安全和环境保护贡献了中国智慧和力量。

总的来说，我国煤化工行业正处于快速发展的关键时期。在政策支持、技术创新和国际合作的多重推动下，煤化工产业有望实现从传统高污染行业向现代清洁高效产业的转型，为全球清洁能源的发展注入新的动力。

（2）替代能源的出现促进煤化工行业的可持续发展

替代能源在当前全球能源转型中扮演着至关重要的角色，其推动作用不仅限于能源供应链的多元化，还深刻影响着煤化工行业的发展。随着全球对化石能源依赖的减少和对环境友好能源的迫切需求增加，替代能源正成为推动煤化工行业创新和增长的关键动力，主要表现在：

① 替代能源的普及与发展直接促进了煤化工技术的进步和应用。传统的煤化工过程主要集中在煤炭转化为化学品和煤炭燃料的生产，其中包括煤炭气化、煤制甲醇、煤制油等重要技术路线。随着替代能源如风能、太阳能和核能的发展，这些能源的电力产出大大增加，为煤化工提供了更为稳定和廉价的电力来源。这种电力的供应稳定性和成本优势，为煤化工过程中的高温高压反应提供了坚实的能源基础，有助于提高生产效率和降低成本。

② 替代能源的推广推动了煤化工行业向更加环保和可持续的方向发展。煤炭的传统利

用往往伴随着高碳排放和环境污染问题，这不利于当今社会对可持续发展的要求。替代能源的应用使煤化工行业有机会采用更加清洁的生产技术和工艺路线，例如：利用清洁能源驱动煤炭气化反应，可以减少二氧化碳和其他有害气体的排放，完成“双碳”目标；利用可再生能源提供的电力进行煤制油过程，可以有效降低生产中的环境负荷。这些技术进步不仅有助于满足环保法规的要求，还能提升企业形象和市场竞争力，推动整个煤化工行业向高效低碳方向迈进。

③ 替代能源的发展还带动了煤化工产品的多样化和附加值的提升。随着能源结构的多元化，煤化工行业不再仅局限于传统的燃料和化学品生产，而是开始探索更广泛的产品应用和市场需求，例如：利用替代能源提供的电力，煤制甲醇可以用于制造复合材料和清洁能源载体；利用可再生能源进行煤制油反应，则可以生产出符合环保标准的燃料产品，满足市场对清洁能源的需求。这种产品多样化和附加值提升不仅有助于企业拓展市场份额，还能够增强企业的抗风险能力和长期竞争力。

④ 替代能源的广泛应用不仅推动了煤化工技术的进步和应用，还促进了行业向环保、可持续发展的方向转型。通过提供稳定的电力供应、推动清洁生产技术的应用和促进产品多样化，替代能源为煤化工行业的发展注入了新的动力和活力。未来，随着全球替代能源技术的不断进步和应用范围的扩展，煤化工行业有望在能源转型中发挥更加重要的作用，为全球可持续发展贡献力量。

（3）政策的扶持和技术的推动在煤化工行业的发展中起到了至关重要的作用

① 政府通过制定严格的环境法规和排放标准，迫使煤化工企业采用更加环保和高效的生产技术，以减少污染物的排放，不仅提高了环境质量，而且提升了企业的社会责任感。碳交易和税收政策的实施，引导企业降低碳排放，推动了低碳技术的发展。政府提供的补贴和税收优惠政策大大降低了企业的运营成本，激励它们进行技术创新和设施升级，例如对环保设备和清洁技术的投资提供税收减免，可以促进更多企业进行环保改造，提升整个行业的环保水平。政府设立的专项研发基金或提供的低息贷款支持，也为煤化工企业的技术研发和创新项目提供了有力的资金保障，加速了新技术的产业化应用。

② 在战略规划和政策指引方面，政府制定的长期产业规划和发展战略为煤化工行业提供了明确的发展方向，例如明确提出支持煤制油、煤制气等清洁煤技术的发展目标，可以引导企业和资本向这些领域集中，促进相关技术的快速发展和应用推广。同时，政府通过国际合作协议和技术引进政策，促进国内企业与国际先进企业和科研机构的合作，引进先进技术和管理经验，从而提升行业整体技术水平。这些政策措施不仅为煤化工行业的发展创造了良好的政策环境，还为企业提供了明确的发展路径和目标。

③ 在技术推动方面，清洁煤技术的创新和应用是煤化工行业发展的关键，例如：先进的煤炭气化技术可以显著降低二氧化碳和其他有害气体的排放，提高能源利用效率；煤制油、煤制甲醇等技术的进步，使得煤化工过程更加高效和环保。此外，碳捕集与封存（CCS）技术的发展和应用，为煤化工行业提供了一种有效的减排途径，通过捕集和封存二氧化碳减少温室气体排放，符合全球气候变化应对的要求。数字化和智能化也是技术推动的重要方面，利用工业互联网和大数据技术，煤化工企业可以实现生产过程的实时监控和优化，提升生产效率和资源利用率，降低运营成本。通过自动化和智能化设备的应用，企业可以实现生产过程的自动化控制和智能化管理，提高生产精度和安全性，减少人为操作失误。同时，新能源的融合也为煤化工行业的发展提供了新的机遇。结合风能、太阳能等可再生能源来提供生产所需电力，可以减少对传统化石能源的依赖，降低碳排放，提升企

业的绿色竞争力。先进的储能技术可以帮助企业平衡能源供应，优化能源利用，确保生产过程的稳定运行。这些技术创新不仅提高了煤化工企业的生产效率和环保性能，还为行业的发展带来了新的增长点和竞争优势。

（4）国际环境和竞争力对煤化工行业的可持续发展有深远影响

① 各国政府和国际组织普遍设立了碳减排目标和时间表，响应全球气候变化挑战，直接推动煤化工行业在全球范围内加速向低碳化转型。企业面临着适应全球性环保标准和碳市场机制的压力，以避免因碳排放过高而面临的经济惩罚和市场排斥。随着技术进步和社会需求的变化，煤化工企业必须积极采纳清洁技术和碳捕集方案，以减少环境足迹并提高资源利用效率。同时，国际市场竞争的加剧也迫使企业创新产品和提高质量，以维持竞争力。跨国合作和行业标准的趋同进一步促使企业参与全球碳市场，并在可持续发展框架内展现其领导力。综上所述，煤化工行业在适应全球环保和市场变革的同时，也在推动行业向更加可持续的未来迈进。

② 国际市场竞争的加剧对煤化工企业构成了双重压力：它们不仅需提升产品质量和降低生产成本，还必须达到严格的环保和可持续发展标准。随着全球对环境友好产品的需求增加，企业必须采用清洁生产技术和有效的资源利用策略，以减少碳排放和环境影响，并遵守国际环保法规，不及时调整战略可能导致企业在全球市场上失去竞争力和市场份额。因此，为了在竞争激烈的环境中生存和成长，煤化工企业需持续创新，推动技术升级和工艺优化，以提高生产效率和降低环境足迹。同时，跨国合作和行业标准的趋同也促使企业加强国际合作，共同应对全球性环保挑战，进一步推动行业向更加可持续的未来转型。

③ 为了满足日益严格的国际环保标准和应对激烈的市场竞争，煤化工行业正在加大对技术创新和转移的投入。企业积极引入先进的清洁生产技术和碳捕集技术，以显著减少生产过程中的碳排放，同时提升资源利用效率。这些技术包括高效燃烧技术、脱硫设备以及碳捕集和封存技术，不仅有助于企业遵守环保法规，还能增强其在全球市场上的竞争力和可持续发展能力。此外，通过开发环保和高效的产品，煤化工企业不仅能够满足消费者对环境友好产品日益增长的需求，还能在国际市场上扩展市场份额。因此，技术创新不仅是煤化工行业应对环保和市场挑战的核心策略，也是推动整个行业朝向更加可持续未来发展的关键驱动力。

④ 随着全球化进程的不断加深，煤化工企业面临着越来越频繁的跨国合作与竞争。在这种全球化背景下，企业不仅需要遵循国际通用的环保标准和行业规范，还必须积极推动这些标准的执行和进步，以确保在国际市场上的接轨性和可持续发展的信誉。通过采用先进的清洁生产技术和碳捕集技术，企业能够有效减少碳排放和资源浪费，同时提升生产效率和产品质量。这些举措不仅有助于企业遵守当地和国际环保法规，还能增强其在全球市场竞争中的地位。此外，煤化工企业还需在产品创新和市场营销策略上持续投入，以满足消费者对环保产品日益增长的需求，从而扩大市场份额并提升品牌价值。综上所述，通过遵循国际标准、推动技术创新和积极参与全球竞争，煤化工企业能够在全球化的经济格局中找到持续发展和竞争优势的路径。

5.1.2.2 煤化工行业可持续发展技术预测

（1）智能检测、传感和信息集成

① 随着物联网（IoT）和工业互联网技术的快速发展，煤化工产业正逐步实现更加精细化和智能化的生产管理。在生产现场，智能传感器的广泛应用将成为常态，这些传感器

能够实时收集温度、压力、流量、成分等关键参数的数据。通过物联网技术，这些数据可以远程传输并实时分析，从而帮助企业实现生产过程的实时监控和精确调节，提高生产效率和质量稳定性。此外，工业互联网的应用还能够支持企业进行设备的远程诊断和预测性维护，有效降低停机时间和维护成本。这些技术的应用不仅有助于企业在全球市场上保持竞争优势，还能够推动煤化工产业向更加智能和可持续的方向发展。因此，煤化工企业在利用物联网和工业互联网技术的同时，还应加强数据安全和隐私保护措施，确保信息的安全传输和合规性，以实现可持续发展目标并满足市场的多样化需求。

② 信息集成技术在煤化工产业中的广泛应用将推动不同系统间数据的无缝共享和协同工作，形成全面的信息集成平台。这一平台不仅实现了生产过程的高度透明化管理和远程监控，还通过整合生产数据、设备状态和环境参数等多源数据，为企业提供实时、全面的运营视图。通过集成生产计划与实际数据，企业可以及时调整生产策略，优化资源配置，提升生产效率和响应速度。此外，信息集成技术支持智能决策和预测分析，利用大数据和人工智能技术分析历史数据，及时发现并解决潜在问题，从而降低生产风险和成本。对于环保监测和合规性报告，信息集成平台也能自动化地进行数据收集和报告生成，提升企业的环保管理水平和公众形象。综上所述，信息集成技术不仅是煤化工产业实现智能化、高效化生产的关键工具，还能帮助企业在竞争激烈的市场环境中保持领先地位，迎接未来的挑战并实现可持续发展。

③ 通过智能检测和信息集成，煤化工企业能够更准确地掌握生产状况，实现实时监控和远程管理。智能检测技术利用先进的传感器和数据采集系统，实时收集并分析生产现场的温度、压力、流量等关键参数数据，从而帮助企业及时发现设备异常或生产过程中的潜在问题。这种及时响应不仅能够减少生产中断和设备损坏的风险，还能提高生产效率和安全性。信息集成则通过整合各类生产数据和运营指标，形成全面的运营视图，帮助管理层作出更为精准的决策和调整生产计划，具体来说：

a. 智能检测技术是通过运用人工智能、机器学习等技术手段，对煤化工生产过程中的关键参数进行自动化监测和评估的一种新型技术。如煤炭质量智能检测技术可以利用光谱分析、红外光谱分析、X射线衍射等手段，对煤炭的各种元素成分、物理性质等进行定量和定性的测定，实现对煤炭质量的精准评价。煤矿安全智能监测技术则可以通过视频监控、传感器监测、预警系统等多种手段，实时监测矿井内的人员活动、机械设备运行状态等，及时发现并处理安全隐患等。

b. 传感技术是智能检测的基础，它通过各类传感器收集生产过程中的实时数据，为智能分析和决策提供支持。在煤化工行业中，传感技术的应用范围广泛，如光纤传感器的运用可以从地面深入到几百米的煤矿矿井之下，监测瓦斯浓度、温度、微震、矿压等关键数据的变化。

c. 信息集成技术是将来自不同系统、不同来源的数据进行整合、分析和处理，形成对生产过程的全面理解和把握。如信息系统集成是在煤化工企业中，通过集成生产计划管理、库存管理、设备维护管理等多个管理系统，形成智能化的生产调度管理系统，提高生产效率并降低能耗。数据分析和挖掘则是利用大数据技术对生产数据进行深度分析和挖掘，发现生产过程中的规律和趋势，为企业的决策提供科学依据。

（2）过程机理与数据融合的全流程建模和分析

① 利用先进的仿真技术和数据分析方法，煤化工企业将建立更加准确和全面的全流程模型，这些模型能够精确模拟生产过程中的各种变化和反应。通过仿真模型，企业可以预

测不同操作条件下的生产结果，并优化生产流程以提高效率和产品质量。仿真技术不仅能够在虚拟环境中测试新的生产方案和工艺优化措施，还能帮助企业减少试错成本和生产中断的风险。

② 通过数据融合技术，煤化工企业能够将实时数据与历史数据、实验数据等进行综合分析和比较，从而深入揭示生产过程中的规律和趋势。实时数据的及时收集和处理使企业能够快速响应生产环境的变化，实现生产过程的实时监控和管理。同时，通过与历史数据和实验数据的对比分析，企业可以发现生产过程中的潜在模式和异常情况，有针对性地优化生产流程和资源配置。

③ 全流程建模和分析是煤化工企业优化生产过程的关键工具，通过建立精确的生产模型和细致的数据分析，企业能够更深入地理解每个生产阶段的运行机制和影响因素。这些模型不仅能够模拟生产过程中的各种操作和条件变化，还能帮助企业优化工艺参数，提高产品质量并降低生产成本。

（3）全流程控制与决策一体化

① 借助先进的控制系统和自动化技术，煤化工企业将实现全流程的自动化控制和优化。这些先进技术能够实时监测和调整生产过程中的关键参数和设备运行状态，从而确保生产的稳定性和高效性。通过自动化控制系统，企业能够快速响应市场需求变化和生产环境的动态调整，实现生产过程的精确控制和最佳化。

② 决策支持系统（DSS）在煤化工企业中的应用将结合实时数据和模型分析结果，为管理层提供科学的决策依据。这些系统能够通过对生产过程中各项数据的深度分析，预测和识别潜在的优化机会和风险，从而帮助管理层制定精准的决策。通过DSS，企业可以优化资源的配置和生产计划，以实现整体效益的最大化。

③ 全流程控制与决策一体化是提升煤化工企业生产效率的关键，通过将生产过程中的控制系统与决策支持系统紧密结合，企业能够实现更高的生产灵活性和响应速度。这种一体化的管理方式使得企业能够快速调整生产策略和资源配置，以更好地适应市场需求的快速变化。

（4）知识自动化驱动的企业经营决策优化

① 知识自动化技术将促进煤化工企业内部的知识共享和创新。通过建立知识库和专家系统，将专家的经验和智慧转化为可重用的知识资源。

② 企业经营决策将更多地依赖于数据分析和知识推理，而不是单纯的经验判断。通过知识自动化技术，企业可以更加准确地评估市场趋势、竞争对手动态和内部资源状况，制定更加科学的经营策略。

③ 知识自动化驱动的企业经营决策优化，将提高煤化工企业的决策质量和效率，降低经营风险，增强企业的竞争力和可持续发展能力。

煤化工行业在面临诸多挑战的同时，也蕴藏着巨大的发展潜力，需要政府、企业和社会各界的共同努力，推动其朝着清洁、高效、可持续的方向发展。首先，政府的政策支持和引导是至关重要的。政府应当制定并落实更多有利于煤化工行业发展的政策措施，例如提供研发资金支持、减免税收、鼓励技术创新和环保改造等。此外，政府还需加强环境监管，确保企业严格遵守相关环保法规，推动行业健康发展。其次，企业作为市场主体，应当积极承担起自身的责任，加大对新技术的研发投入，提高技术创新能力，尤其是在清洁煤技术、碳捕集与封存技术、数字化和智能化管理等方面的进步。同时，企业应注重生产过程的绿色转型，减少污染物排放，通过优化资源利用效率，实现可持续发展目标。再次，社会各界的参与和支持也是不可或缺的。科研机构和高校可以通过产学研结合模式，为煤化工企业提供技术支持和智力支撑。金融机构可以通过绿色金融产品，为企业环保项目提供融资服务。公众和媒体则可以通过宣传教育，提高社会对煤化工行业清洁生产和环保转型的认识，共同营造良好的舆论氛围。

总体而言，煤化工行业的发展不仅关系着能源安全和经济效益，更关乎着环境保护和社会责任。只有政府、企业和社会等各界形成合力，共同推动行业朝着清洁、高效、可持续的方向发展，才能实现经济发展与环境保护的双赢，促进社会的长远繁荣与进步。

5.2 煤化工行业自动化应用现状

5.2.1 关键自动化技术应用

煤化工行业正经历着自动化技术的深刻转型，这一变革正加速推进行业的现代化步伐。自动化技术的融入，不仅极大优化了生产流程，提升了操作的精确度和效率，还通过减少人为干预，显著降低了生产风险，保障了作业安全。自动化技术在煤化工生产中的应用，如计算机控制、智能监测和远程操作，实现了生产过程的精细化管理。这提高了生产效率，降低了成本，减少了能源消耗和废弃物排放，实现了绿色环保生产。同时，自动化技术通过实时监测和预警系统，及时发现并处理生产过程中的异常情况，提升了煤化工行业的安全性和稳定性。随着科技的不断创新，自动化技术在煤化工领域的应用将更广泛。未来，我们将看到更多智能化设备和系统应用于煤化工生产，如智能机器人、大数据分析等。这些技术的应用将进一步优化煤化工行业的生产效率，降低成本，提高产品质量，推动行业向自动化、信息化和智能化的方向发展。

总的来说，自动化技术的应用为煤化工行业的转型升级提供了强大的技术支持，为行业的可持续发展注入了新的活力。随着自动化技术的不断创新和应用，煤化工行业将迎来一个新的发展高峰，为我国的经济发展和能源安全作出更大的贡献。

5.2.1.1 存在的问题

（1）信息集成与分析的挑战

煤化工自动化系统的数据管理和分析面临的挑战是多方面的，其中最突出的是数据量的庞大和类型的多样性。自动化系统需要处理包括温度、压力、流量在内的实时监测数据，同时还要收集设备状态、生产日志等信息。这些数据对于监控生产状态、优化生产流程、预测设备维护需求至关重要。然而，煤化工企业普遍存在的设备老旧问题，限制了这些数据收集的效率和准确性。老旧设备往往无法与现代智能检测和传感技术兼容，导致数据收集不全面，无法充分利用自动化系统的潜力。此外，煤化工生产过程中不同环节和设备之间的数据共享和通信存在障碍。缺乏有效的数据共享机制，使得各个生产环节产生的数据无法实现整合，形成了信息孤岛。这种情况严重影响了对生产过程的全面理解和综合分析，限制了生产优化的可能性。数据融合技术的缺乏也是一个重要问题。在多种不同类别的数据源中，如何实现数据的集成、无缝对接和统一管理，是一个技术挑战。没有有效的数据融合技术，就难以将不同来源和类型的数据整合在一起，形成统一的数据视图。数据处理算法的不足同样限制了自动化系统的性能。从海量数据中快速准确地提取有价值的信息，需要高效的数据处理算法。现有的算法可能无法满足对数据处理速度和准确性的要求，特别是在数据量巨大的情况下。数据分析的深度和广度也是亟需解决的问题。尽管收集了大量数据，但如何利用这些数据进行深入的数据分析，发现生产过程中的模式和趋势，是实现智能化生产的关键。现有的数据分析方法可能无法充分挖掘数据的潜力，无法为生产决策提供足够的支持。最后，煤化工自动化系统的数据质量控制也是一个问题。数据的准确性、完整性和时效性直接影响分析结果和生产决策。在数据收集、传输和存储过程中可能出现的错误和异常，需要通过严格的数据质量管理来控制。

综上所述，煤化工自动化系统在数据集成、数据共享、数据融合、数据处理算法、数据分析以及数据质量控制等方面面临着一系列挑战。这些问题的存在，限制了自动化系统在提高生产效率、降低运营成本、优化生产流程等方面的潜力。

(2) 建模难度大

煤化工过程的建模是一个极具挑战性的任务，因为它不仅涉及复杂的化学反应网络、多相流动、传热传质等过程，而且还必须考虑设备老化、原料波动等外部因素。这些因素相互作用，形成了一个高度非线性和动态变化的系统，其内在机理的精确描述对于建模至关重要。然而，由于系统的复杂性，传统的建模方法往往难以全面捕捉所有的物理化学现象，导致模型的准确性和预测能力受限。此外，煤化工过程的动态特性要求模型能够实时更新以适应过程的变化，这进一步增加了建模的难度。例如，煤化工系统中的化学反应往往是强非线性的，涉及众多反应物和生成物，其反应速率受温度、压力、催化剂等因素的影响，这些因素的微小变化都可能导致反应行为的显著不同。同时，煤化工过程中的多相流动问题，如固体颗粒与气体或液体的相互作用，增加了建模的复杂性，因为需要同时考虑流体力学和颗粒动力学。传热传质过程的建模同样复杂，涉及不同相之间的热量和质量交换，这些过程通常伴随着复杂的耦合效应。设备老化问题在煤化工过程中也不容忽视，随着设备使用时间的增长，其性能会逐渐下降，影响整个系统的操作效率和稳定性。原料波动则给过程带来不确定性，因为煤质的不均匀性会影响反应的选择性和产率。所有这些因素都要求煤化工过程的模型能够具有高度的灵活性和适应性，以准确预测在不同操作条件下的过程行为。此外，煤化工过程的建模还面临着数据获取和处理的难题，因为需要大量的实验数据或在线监测数据来建立和验证模型，而这些数据的获取往往成本高昂且具有不确定性。因此，煤化工过程建模的挑战在于如何综合考虑这些复杂的物理化学过程和外部因素，建立一个既准确又可靠的模型，以支持生产过程的优化和控制。

(3) 过程控制策略滞后

煤化工过程控制的挑战在于确保实时性和可靠性，这需要对众多关键变量如温度、压力、流量等进行精确控制，以确保化学反应的连续性和产品质量的一致性。煤化工过程的复杂性，体现在其涉及的化学反应网络、多相流动、传热传质等过程中，这些过程的动态特性要求控制策略能够及时响应生产环境的快速变化。然而，现有的控制技术常常难以捕捉这些变化，导致控制决策的滞后，这不仅影响了生产效率，也可能对安全性构成威胁。煤化工过程通常由多个子系统组成，包括原料准备、化学反应、产品分离和提纯等环节，这些子系统需要高度协同工作，以实现整个生产过程的优化和效益最大化。但是，子系统间的协调并不总是顺畅，这可能是由于缺乏有效的通信机制、不一致的操作参数或不兼容的控制系统。这种协调不足可能导致资源配置的不合理，增加能源消耗、降低生产效率，甚至可能因为局部的效率问题影响到整个系统的稳定性和可靠性，增加了生产风险。此外，煤化工过程中的设备老化和原料波动等外部因素，也给控制策略带来了额外的不确定性，使得控制更加困难。控制策略需要能够适应这些不确定性，实时调整以维持过程的稳定和产品质量。因此，煤化工过程控制面临的是如何设计出能够适应快速变化、高度协同、同时能够处理不确定性的先进控制策略，以实现过程的实时、可靠和高效控制。

（4）优化和调度策略缺失

煤化工生产过程中，优化和调度策略的不足引发了一系列问题，严重影响了生产效率和安全性。实时性在煤化工生产中极为关键，它确保生产过程能够迅速适应环境变化或内部波动，但现有技术常常反应迟缓，无法满足这一需求，导致生产调度不够灵活，无法及时调整以应对突发状况。同时，优化算法在处理大规模生产数据时面临巨大的计算挑战，高计算复杂度不仅减慢了数据处理速度，也影响了决策的时效性和准确性，使得在快速变化的生产环境中难以作出最优决策。此外，煤化工生产涉及多个环节和系统，包括原料处理、化学反应、产品分离和提纯等，这些环节之间缺乏有效的集成和协调，导致全局优化和协调调度难以实现。缺乏集成的生产系统无法实现资源共享和流程同步，从而限制了整体生产效率和资源利用率的提升。更复杂的是，不同子系统和部门间可能存在利益和目标的不一致，这种利益冲突和目标分散导致了整体优化效果的削弱，使得生产过程难以达到全局最优状态，甚至可能因为局部优化而损害整体效益。这些问题的存在，不仅增加了生产成本，还可能导致产品质量不稳定、设备运行效率低下，甚至可能引发安全事故。因此，煤化工生产中的优化和调度问题是一个多维度、跨学科的复杂问题，它要求我们不仅要从技术层面进行创新，开发出能够处理大规模数据、具有低延迟和高效率的优化算法，还要从管理层面进行流程改进，实现不同生产环节和系统的有效集成，以及从组织层面协调各子系统和部门间的利益，确保整体目标的一致性和优化效果的最大化。通过技术创新和流程改进，可以提高煤化工生产的灵活性和适应性，降低生产成本，提升产品质量和安全性，实现可持续发展。

（5）安全问题

煤化工行业的安全生产和环境保护正面临着一系列挑战，其中监测体系的不完善尤为突出。监测点分布的不合理性导致了对关键环境和安全指标的监控存在盲区，这些盲区削弱了对潜在风险的早期识别和预警能力，使得企业无法在第一时间发现并响应可能的安全隐患或环境问题。此外，应急响应机制的不健全以及缺乏系统化、规范化的应急预案，进一步加剧了问题。在安全事故或环境事件发生时，企业难以迅速有效地采取应对措施，这种迟缓的应急反应不仅增加了事故扩大的风险，也可能导致更严重的后果。同时，事故发生后的溯源能力不足，使得企业难以迅速定位问题根源，这不仅影响了事故处理的效率，也影响了后续防范措施的针对性和有效性。溯源能力的不足可能导致企业在事故发生后无法及时采取措施，防止同类事故的再次发生。这些问题的存在，不仅威胁到员工的安全和健康，也对环境造成潜在的威胁，增加了环境污染和生态破坏的风险。此外，监测体系的不完善还可能导致自动化控制系统的决策支持不足，影响自动化系统的优化调度和智能决策。自动化控制系统需要依赖准确的监测数据来实现对生产过程的实时监控和优化控制，如果监测数据的实时性和准确性不足，自动化系统可能无法作出正确的决策，影响生产效率和产品质量。因此，煤化工行业亟须加强监测体系建设，优化监测点布局，提高监测数据的实时性和准确性，增强对潜在风险的早期识别和预警能力。同时，需要完善应急预案，建立系统化、规范化的应急响应机制，提高企业应对安全事故和环境事件的能力。此外，还需要提高溯源能力，加强事故原因调查和责任追究，提高事故处理的效率和针对性。通过这些措施，可以有效降低煤化工行业的安全风险和环境风险，保障员工的安全和健康，保护生态环境，促进行业的可持续发展。

5.2.1.2 发展建议

（1）加强数据信息处理与分析能力

煤化工企业若要充分利用自动化系统产生的大数据，提升生产效率和产品质量，实现智能化生产，首先必须对现有设备进行升级，引入现代智能检测和传感技术，这不仅能提高数据采集的质量和效率，还能确保实时监控的精确性，为后续的数据分析和决策提供坚实的基础。升级后的设备能够提供更高精度的监测数据，使得对生产过程中的温度、压力、流量等关键参数的控制更为精确，从而提高生产过程的稳定性和产品质量。其次，建立统一的数据集成平台至关重要，这有助于实现不同生产环节和设备之间的数据共享，打破信息孤岛，促进数据的综合分析。通过这样的平台，企业能够实现数据的集中存储、管理和分析，提高数据的透明度和可访问性，为跨部门、跨环节的协同工作提供支持。再次，应用数据融合技术，整合来自不同数据源的信息，实现数据的无缝对接和统一管理。数据融合技术能够处理和协调不同类型、不同格式的数据，确保数据的一致性和准确性，为数据分析提供高质量的输入。此外，开发高效的数据处理算法，利用数据挖掘和机器学习技术，从海量数据中提取有价值的信息。这些算法能够识别数据中的模式和趋势，预测潜在的生产问题，为企业决策提供科学依据。通过机器学习模型，企业可以对生产过程进行持续的优化，实现更加智能化和自动化的生产调度。最后，加强数据分析能力，通过深入分析生产数据，发现生产过程中的瓶颈和改进点，为生产决策提供科学依据，优化生产过程。数据分析不仅能够帮助企业提高资源利用率、降低能耗和成本，还能够提高生产的灵活性和适应性，以快速响应市场变化。通过这些措施，煤化工企业可以更好地利用自动化系统的优势，实现生产过程的智能化管理，提高生产效率和产品质量，降低运营成本，增强企业的市场竞争力。同时，这也有助于提高生产的安全性和环境的可持续性，为企业的长期发展奠定坚实的基础。

（2）提升过程建模准确性与实用性

煤化工过程建模的准确性和实用性对于行业的可持续发展至关重要，为此，可以采取一系列措施来提升建模的质量和效果。首先，采用先进的数据处理和分析技术（如机器学习和人工智能）至关重要。这些技术能够处理和分析海量的过程数据，识别复杂的模式和趋势，从而显著提高模型的预测准确性和可靠性。通过机器学习算法，可以从历史数据中学习并预测过程变量的未来行为，而人工智能技术则能够模拟人类的决策过程，提供更加智能的决策支持。其次，开发多尺度建模方法，将宏观过程与微观机理相结合，以更全面地理解和描述煤化工过程。这种多层次的建模方法能够从不同维度捕捉过程特性，实现对过程的全面把握。宏观模型能够描述过程的整体行为，而微观模型则深入到分子或原子层面，揭示过程的内在机制。通过这种结合，可以更精确地预测过程的宏观表现，并为过程优化提供更深层次的建议。此外，加强过程机理研究，深入理解煤化工过程中的化学反应和物理过程，为模型提供坚实的理论基础。深入的过程机理研究，能够帮助我们更好地理解过程变量之间的相互作用，识别影响过程性能的关键因素，从而为模型的构建和验证提供科学依据。最后，建立动态模型，实时更新和调整以适应煤化工过程的动态变化。煤化工过程具有高度的动态性，过程条件和操作参数可能会随时间而变化。因此，动态模型能够根据实时数据进行自我调整，以适应这些变化，提高模型的适应性和灵活性。这种模型能够实时监控过程状态，预测过程趋势，并在必要时提供调整建议，从而实现对过程的闭环控制。通过这些措施，煤化工过程建模的准确性和实用性将得到显著提升。这不仅能够提高生产效率和产品质量，降低生产成本，还能够增强生产的安全性和环境的可持续性。此外，准确的模型还能够为新工艺的开发和现有工艺的改进提供有力的支持，推动煤化工行业的技术进步和产业升级。总之，这些措施将为煤化工行业的可持续发展提供坚实的技术支撑，助力行业迈向更高效、更智能、更环保的未来。

（3）优化自动控制策略

首先，构建一个高度集成的自动化控制系统，以确保从原料处理到产品输出的每个环节都能实现精准的实时监控和控制。其次，利用大数据分析和机器学习技术对生产数据进行深入分析，实现故障预测和预防性维护，从而降低停机时间并延长设备寿命。此外，引入智能优化算法，如遗传算法和粒子群优化，以提高资源配置的效率和生产过程的能源利用率。同时，开发自适应控制策略，使系统能够自动调整以适应环境变化，保持最优运行状态。强化人机交互界面，确保操作人员能够直观地理解系统状态并作出快速反应。最后，随着技术的不断进步，持续对控制系统进行升级和优化，确保企业的技术始终处于行业前沿。通过这些综合性措施，可以显著提高煤化工过程的自动化水平，增强系统的实时性、协同性和控制策略的先进性，为煤化工行业的高效、安全和可持续发展提供坚实的技术支撑。

（4）改进生产优化与调度策略

为提升煤化工生产的效率和效益，实现可持续发展，首先需要开发高效的优化算法，这些算法要能够降低计算复杂度，提升实时优化效率，以应对大规模数据处理和快速决策的需求。通过采用并行计算、算法优化和高性能计算技术，可以显著提高优化算法的运行速度和处理能力，确保在煤化工过程中迅速作出最优决策。其次，强化系统集成至关重要，通过建立统一信息平台实现数据共享和流程协同，这有助于打破信息孤岛，促进全局优化。统一平台能够集成不同来源和格式的数据，为生产调度和资源分配提供全面视角，实现生产过程的透明化和最优化。再次，部署先进的实时监控系统，确保能够快速响应生产过程中的变化。实时监控系统通过高精度传感器和自动化仪表，实时收集生产数据，及时检测和预测潜在的生产问题，从而实现对生产过程的精确控制和动态调整。同时，建立利益协调机制，确保各子系统和部门的目标与整体优化效果一致。通过明确各方责任、利益共享和目标对齐，可以促进不同部门之间的协作，避免资源浪费和目标冲突，实现整体优化。此外，利用人工智能和机器学习技术开发智能决策支持系统，提高决策质量。这些技术能够分析历史数据、识别模式、预测趋势，并提供基于数据的决策建议，从而帮助决策者作出更加精准和具有前瞻性的决策。

（5）强化安全与环境监测体系

为显著提升煤化工行业的安全管理水平，首先必须对监测体系进行完善，合理规划监测点布局，确保监测网络能够全面覆盖关键区域和风险点。采用高精度传感器和自动化监测技术，不仅能够提高数据采集的效率，更能保证监测数据的实时性和准确性，为风险评估和过程控制提供坚实的数据支撑。这样的监测体系能够实现对生产环境和设备状态的连续监控，及时发现异常情况，为早期预警和快速响应奠定基础。其次，建立健全的应急预案体系至关重要。通过制定系统化、规范化的应急响应流程，确保在面对各种安全事故和紧急情况时，企业能够迅速、有序地采取行动。定期的培训和演练能够提高员工的应急处置能力，确保每位员工都能熟悉应急预案，掌握必要的应急技能，提高整体的应急反应速度和效率。再次，加强溯源能力建设，运用数据分析和信息技术，对事故发生的原因进行深入分析，快速定位问题根源。这种能力对于事故处理至关重要，它不仅能够帮助企业迅速采取措施，控制和缓解事故影响，更能够为预防同类事故的再次发生提供科学依据，从而提高安全管理的针对性和有效性。此外，强化安全文化建设，提高全员安全意识，确保安全责任落实到每个环节和个人。通过教育和培训，提升员工对安全生产重要性的认识，培养良好的安全习惯，营造人人关注安全、人人参与安全的良好氛围。同时，明确各级人员的安全责任，建立安全责任制，确保安全管理的各项措施能够得到有效执行。通过这些措施，煤化工行业可以建立起一套完善的安全管理体系，有效预防和减少安全事故的发生，保障员工的健康和生命安全，同时也保护环境免受污染，实现安全生产和可持续发展的目标。这不仅有助于提高企业的经济效益和社会形象，更是对社会负责、对员工负责的体现。

煤化工行业通过采用自动化技术，实现了生产流程的高效化和精细化管理，极大地提升了生产效率和产品质量。自动化技术的应用使得生产过程更加稳定可控，减少了人为操作的不确定性和错误率，同时也降低了劳动强度和生产成本。通过实时监控和数据分析，自动化系统能够及时响应生产过程中的任何异常，快速作出调整，从而减少了原料浪费和能源消耗，提高了资源的利用效率。此外，自动化技术还增强了煤化工生产的安全性，通过远程监控和自动控制减少了人员在危险环境中的暴露时间，有效预防了生产事故的发生。在环境保护方面，自动化技术通过精确控制生产条件，减少了污染物的排放，助力企业实现绿色生产和可持续发展。随着智能化水平的提高，煤化工自动化技术还能实现预测性维护，通过分析设备运行数据预测潜在故障，减少意外停机时间，延长设备使用寿命。自动化技术的集成应用，进一步优化了生产计划和物料管理，提高了企业的响应速度和市场竞争力。在当前工业4.0和智能制造的大背景下，煤化工自动化技术正逐步向智能化、网络化方向发展，通过物联网、大数据和人工智能等技术的应用，实现更高层次的自动化和智能化，推动整个行业向更高效、更安全、更环保的方向发展。总之，自动化技术为煤化工行业带来了革命性的变革，是实现现代化、提高竞争力的关键因素。

5.2.2 煤化工自动化装备

5.2.2.1 煤化工自动化装备分类

① 煤化工检测设备。包括传感器（如温度、压力、流量、液位传感器等）、分析仪器（如气相色谱仪、质谱仪等）、可燃/有毒气体检测器等。传感器和分析仪器用于实时监测工艺参数和成分分析，而可燃/有毒气体检测器则用于确保工作环境的安全，防止泄漏和中毒事故。

② 煤化工执行设备。包括电动控制阀、气动控制阀、电液控制阀、电磁阀等。它们的作用是根据控制系统的指令，调节或开关各种阀门和机械设备，以实现工艺参数（如流量、压力、温度等）的精确控制，确保生产过程的正常运行和产品质量。

③ 煤化工控制系统。包括集散控制系统（DCS）、安全仪表系统（SIS）、可燃有毒气体检测报警系统（GDS）、大机组综合控制系统（CCS）、可编程控制器（PLC）、监控和数据采集系统（SCADA）。它们共同构成了一个综合控制系统，用于实现生产过程的自动化、安全监控、设备控制和实时数据监控，以确保生产的高效和安全运行。

④ 煤化工信息管理和优化系统。包括生产执行系统、企业资源规划系统、优化调度系

统、实时数据库和历史数据库。它们共同构成了企业信息化管理体系，其作用是优化生产流程、提高生产效率和资源利用率、增强决策质量和确保生产安全。

⑤ 其他监控系统。包括工业电视监控系统（CCTV）、火灾自动报警系统等。它们共同构成了安全防范体系，用于实时监控现场情况、及时探测初期火灾并发出报警信号，确保生产安全和人员生命安全。

5.2.2.2 煤化工领域对仪器仪表设备国产化的需求

（1）国家相关政策导向

《中国制造2025》指出，加快发展智能制造装备和产品，突破新型传感器、智能测量仪表、工业控制系统等智能核心装置，推进工程化和产业化。国家层面重点提出提高装备自主化水平和发展技术，通过多种形式支持仪表设备的国产化，特别是在国家示范工程上也加大了鼓励力度。

（2）控制系统

在国家重点能源行业层面，为保障国家重点能源安全、产业安全，DCS控制系统国产化已引起业内关注并形成共识，DCS控制系统在重点工业领域的国产化既有政策支持又有较大的需求。国内DCS控制系统主要应用于石化、电力、化工等流程工业，目前国产DCS、SIS、CCS、PLC等系统在技术上已经可以和相应的进口控制系统品牌相媲美，在石油、石化、煤化工等流程工业已有一定数量的成功应用业绩，但还有一些企业一直在选用进口控制系统，甚至还有一些新建项目也选用了进口控制系统品牌，所以，流程工业领域控制系统国产化替代工作还有很大的空间。工业控制系统交换机、网络安全设备等配套设备国产品牌少，国产化需求量较大。

（3）在线分析仪表

色谱分析仪、红外分析仪、热导分析仪、氨氮分析仪、微量氧分析仪、余氯分析仪、COD分析仪、TOC分析仪等分析仪表国产化应用业绩偏低，国产市场发展前景较大。

（4）状态监测系统

机组状态监测系统在电力、化工等领域虽实现了部分国产化，但在大型压缩机组方面的国产化覆盖率偏低。国产化TSI系统主要着力点偏重状态参数测量的基本层面，在机组整体化状态监测、故障分析扩展功能的开发方面，有较大拓展空间。

（5）高端流量计

国产电磁、质量流量计在普通工况有较好的应用业绩，但在高温高压、浆液介质、介质组分波动大等工况的高端整体流量计，尤其是质量流量计国产化业绩偏低，该类高端国产流量计在能源工业领域有较大的市场需求空间。

（6）远传液位测量仪表

一般国产液位测量仪表在石油化工、煤化工等领域市场占有率较高，国外液位测量仪表在高端应用场合占主导地位，如伺服液位计、核料位计等仪表目前对进口品牌依赖度较高，国产化替代需求较大。

5.2.2.3 促进仪表设备国产化的战略意义

① 促进国产仪表行业的健康有序发展。推进仪表设备国产化工作，在新一轮科技革命和产业变革中，有助于加快我国仪器仪表行业提档升级、突破国外技术壁垒和行业垄断现状。

② 保障国家能源工业安全。加大煤化工工业领域仪表设备国产化力度，提升国产仪表设备在重点工业领域的占比，是保障我国基础工业转型升级、完善产业链条、形成自主发展能力和保障工业安全、能源安全的现实需要。

③ 节约投资成本。煤化工工业领域仪表设备的国产化，是降低各类企业工程项目整体投资、降低生产运维成本、提升资产性价比、提升备件资金流转速率、规避进口设备捆绑式升级换代的被动性支出等问题的有效策略。

5.2.2.4 中西部地区煤化工企业的仪表设备选型情况

为了调查煤化工行业仪表国产化设备选用的情况，我们以内蒙古、山西、陕西、宁夏等地的18家煤化工企业为对象，对各企业控制系统、控制阀、流量计、液位计以及分析仪表等设备的国产化情况进行了调研。

（1）控制系统

① DCS。在18家煤化工企业的各个装置中被选用的品牌有7种，其中国外品牌4种（主要是Honeywell），国内品牌3种（浙江中控、和利时、国能智深）；18家企业中有12家企业选用了浙江中控的DCS，5家企业选用了和利时的DCS。国产DCS在国能宁煤、宁夏宝丰、中天合创、榆林化学、榆能化学等企业的主要化工装置上得到了成功应用。

② SIS。在18家煤化工企业中有16家选用的是进口品牌，其中有10家选用TRICON。有2家企业在项目建设期选用了国产的中控SIS系统，分别是宝丰能源和建元煤化科技，另外还有4家企业在后续的技术改造中，使用了国产的SIS系统。

③ GDS。在18家煤化工企业中有9种品牌的GDS产品，其中进口品牌5种，国产品牌4种（分别是中控、康吉森、梅思安、和利时）；在国产品牌中有7家企业选用了中控的GDS系统。

④ CCS。在18家煤化工企业中有17家选用的进口品牌，建元煤化科技在项目中有的装置选用了浙江中控CCS系统，国能神木化工和伊泰化工的后期改造中，选用了和利时的CCS系统。

⑤ PLC。在18家煤化工企业中有17家选用的进口品牌，中天合创公司项目期间选用了浙江中控PLC系统，国能神木化工公司后期改造，选用了一套和利时的PLC系统。

（2）状态监测系统

18家煤化工企业在项目建设期选用的都是进口品牌，目前有2家进行了国产化改造（包括鄂尔多斯煤制油、国能宁煤），目前使用情况良好，各种探头、延伸电缆、前置器、振动变送器、电源卡件都可以无条件替代进口垄断品牌。

（3）控制阀

① 氧气调节阀。以进口品牌为主，18家中有4家选用了国产品牌，据了解使用情况较好，国产品牌已逐渐获得大家的认可。主要国产品牌包括艾坦姆、航天万源等。

② 氧切阀。选用进口品牌氧切阀的煤化工企业较多，尤其是项目建设期间，只有4家企业选用了国产的氧切阀，经过一段时间使用后，有1家企业把国产氧切阀改为进口品牌；有2家企业把进口氧切阀改为国产品牌。

③ 锁渣。多家煤化工企业对锁渣、锁斗硬密封球阀开展了国产化尝试，有15家企业选用了国产阀门，而且有8家企业是项目建设期间就选用了国产阀门，从目前使用情况看，国内很多家阀门生产企业生产的硬密封球阀在类似工况上使用情况都很好。

④ 三偏心蝶阀。有8家企业选用了国产阀门，而且有的企业在项目建设期间就全部选

用了国产阀门（伊泰煤制油、未来能源）。从目前使用情况看，几个被业内认可的国产品牌使用情况良好（斯考尔、工装等）。

⑤ 黑灰水角阀。调研的18家企业中有17家企业有黑灰水角阀，均使用了国产品牌，而且有14家企业是项目建设期间就选用了国产阀门。从目前应用业绩看，国产黑灰水角阀使用情况较好。

⑥ 高压差气体放空阀。除未来能源、建元煤化科技在项目期间就选用国产品牌外，其他煤化工企业选用的都是进口品牌（CCI、MASONEILAN、FLOWSERVE、SAMSON），目前已有6家企业进行了国产化改造，使用最长时间约4年，使用情况良好。

（4）流量计

① 测量煤浆流量的电磁流量计。14家有水煤浆气化炉的煤化工企业中，12家在项目建设期间选用了进口品牌、2家选用的是国产品牌。后期进行国产化改造的有4家。KROHNE、上海横河品牌使用情况较好。

② 超声波流量计。用于测量气体的超声波流量计都是进口品牌（GE），用于测量水的超声波流量计有3家企业选用的是国产品牌（大连海峰）。

③ 涡街流量计。各企业项目期间基本上选用的都是进口品牌，目前有2家企业进行了国产化改造（川仪），使用情况良好。

④ 质量流量计。18家企业选用的质量流量计都是进口品牌，有一家企业在某非关键应用场合进行了国产化改造。

⑤ 楔形流量计。针对用于测量气化黑水、灰水流量的楔形流量计，项目期间选用进口品牌的有9家企业，选用国产品牌的有8家企业，运行一段时间进行国产化改造的有4家企业，从使用情况看，国产的融神威、菲时博特、万通品牌使用情况良好。

（5）液位计

① 超声波液位计。18家企业项目期间选用的都为进口品牌（E+H、Siemens），有3家企业进行了国产化改造，包头公司把超声波液位计改成国产磁致伸缩液位计，使用效果良好。

② 电容式液位计。选用该类液位计的企业不多，已选此类液位计的企业，使用的基本上是E+H产品，有2家企业进行了国产化改造，其中国能包头公司选用科普斯特的产品，使用情况良好。

③ 伺服液位计。各企业选用的都是进口品牌，到目前为止没有进行国产化改造。

④ 浮筒液位计。各企业项目期间选用的既有进口品牌也有国产品牌，国产浮筒液位计也完全可以替代进口产品。

（6）分析仪表

① 色谱分析仪。各企业项目建设期间选用的都是进口品牌，到目前为止只有1家企业进行了国产化改造，但使用情况不好。

② 红外分析仪。各企业项目建设期间选用的都是进口品牌，到目前为止没有企业进行国产化改造。

③ 水分析仪。种类很多，各家企业项目建设期间选用的COD、NH3-N、硅表、钠表、pH、电导等水分析仪表都是进口品牌，有部分企业已经对硅表进行了国产化改造，使用情况良好。

5.2.2.5 煤化工企业仪表设备存在的主要问题

区别于传统石油化工，煤化工装置严苛工况多、介质组分稳定性差、固液混合物流程长等原因对仪表设备的安全性、稳定性、耐用性提出了较严格的挑战。

（1）煤化工企业仪表控制阀主要故障情况

① 仪表阀门冲刷、腐蚀、气蚀、结垢问题突出，锁渣、锁斗阀球面碳化钨硬化涂层腐蚀、冲刷严重，球面频繁出现麻点，且深度较深（超过了硬化涂层），部分阀门冲刷、腐蚀点深度已经达到球体基材，阀门内漏故障偏高，锁渣阀硬化涂层剥落、阀体腐蚀严重。（阀体、阀内件材质：WCB、316+碳化钨）。

② 锁渣阀阀座冲刷严重，损坏频繁。

③ 锁渣阀碟簧、复合弹性系统损坏频繁。

④ 锁渣阀流道耐磨衬套冲刷严重，维修成本高。

⑤ 锁斗阀阀杆耐磨轴套（机械碳）损坏频繁。

⑥ 黑灰水系统角阀冲刷严重，阀芯、阀座、阀座基座、扩散段寿命短，平均寿命约6个月，部分国产角阀因阀座基座过长导致阀门易卡涩。（阀芯、阀座、阀座基座材质为整体碳化钨，扩散段材质为双向钢+碳化钨）。

⑦ 黑灰水系统偏心旋转阀冲刷严重，尤其是沉降槽流量调节阀使用平均寿命不到1个月。

⑧ 中心氧阀阀位波动问题突出，导致氧煤比控制难度大。

⑨ 合成气系统调节阀存在积液、腐蚀严重的问题，阀门维修成本高。

（2）煤化工企业流量、液位、温度等仪表存在的主要问题

① 煤浆流量计对工况适应能力差、对负荷变化反应滞后、煤浆流量波动大，存在联锁误动、氧煤比超标的风险。

② 洗涤塔出口黑水流量、锁斗循环泵出口循环水流量楔形流量计冲刷问题突出。

③ 研磨水系统、沉降槽黑水系统电磁流量计衬里损坏。

④ 气化炉液位、洗涤塔液位、黑水系统流量等仪表变送器膜片腐蚀、变形、裂纹问题突出，某企业变送器膜片更换量每年超过40余台次。

5.3 》 煤化工行业智能制造

煤化工行业智能制造是指通过引入先进的信息技术，如物联网、人工智能等，提升煤化工生产过程中仪器设备的自动化、智能化水平，从而提高生产效率、降低能耗、提高产品质量和安全性。这种技术的应用可以帮助企业更好地应对市场竞争，实现可持续发展目标。在煤化工行业智能制造领域，国产和进口设备及技术各有其优缺点。国产智能制造设备及技术：价格通常更为经济实惠，可以降低企业的投资成本；更贴近国内大环境，更容易根据国内市场需求进行定制和调整，适应力较强；在服务支持方面，国内供应商通常能够提供更及时和本地化的售后服务支持，减少因故障而导致的生产中断时间；但是，部分国产设备的技术水平和稳定性可能不如国外先进设备；在一些关键技术领域，国产设备的品牌认知度和市场口碑可能相对较低，影响采购决策。进口智能制造设备及技术：通常具有更先进的技术和工艺，能够提供更高的生产效率和质量控制水平；经过严格的质量控制和测试，稳定性和可靠性较高；可能会带来新的创新解决方案，提升企业技术竞争力；但是，进口设备通常价格昂贵，可能会增加企业的资本投入和运营成本；对进口设备的依赖性较强，可能会受到国际贸易政策和汇率波动的影响；在售后服务方面，由于地理距离和文化差异，进口设备的售后服务可能不如本地设备及时和有效。

综上所述，对进口仪器仪表的依赖性较强，可能会受到国际贸易政策和汇率波动的影响，进而影响国家和社会经济的稳定。因此，开发一种仪器仪表国产化可替代技术是非常有必要的。

5.3.1 煤化工行业仪器仪表国产化可替代技术

5.3.1.1 气化炉温度仪表国产化可替代性技术

（1）国产/进口温度仪表应用

目前，国产常规的热电偶、热电阻、双金属温度计这几类温度仪表已经广泛替代进口产品，在石化、电力等行业有较长时间的成功应用案例。

一些特殊工况，如LNG低温储罐多点热电阻、大型储罐多点平均温度计、高压反应器多点热电偶、采油深井超长热电偶（＞2000m）、等温度仪表依然有较高的进口占有率。该类仪表进口率偏高，主要原因为项目工艺包中对仪表厂商的限制和技术封锁，导致业主方不敢轻易尝试国产化替代。因为工艺包专利商不会将仪表相关参数细节进行公布，包括工艺条件、仪表的参数指标等细节参数。还有就是存在部分接口专利情况，导致要想进行替换必须要用到相应的专利接口，但是国内厂家无法买到这类专利接口，致使产品无法安装。

（2）国产温度仪表可替代性技术

国产常规的热电偶、热电阻、双金属温度计这几类温度仪表已经广泛替代进口产品。在煤化工、石化、电力等行业有较长时间的成功应用业绩。在温度仪表材质方面，除特殊高温、耐腐蚀、耐磨损的材料以外，绝大部分材料国内都能够生产制造，所以这部分产品已经广泛取代进口产品。在温度仪表加工方面，温度仪表产品本身的结构较简单，加工难度并不大，国内主流生产商的加工精度都能够满足要求。在测量精度方面，目前国内主流生产商采用的温度仪表产品全部采用国际统一的标准规范，其测量精度均能够满足标准的要求。在稳定性方面，目前热电偶、热电阻的稳定性主要源于产品的制造质量，绝大部分产品只要选型没有问题，在稳定性方面都不会出现大的问题。一体化温度变送器方面，国产温度变送器的产品稳定性与进口产品还存在一定的差距，国产温度变送器在大型项目应用偏少。在使用寿命方面，温度仪表在自动化仪表里面属于易耗产品，其使用寿命除了本身的质量以外，更多地受现场测温环境的影响较大。但是现在温度仪表产品与进口产品使用寿命进行比对并没有太大的差异，常规工况的国产温度仪表基本能满足连续使用几个大修周期的要求。

（3）煤化工行业气化炉温度仪表国产化可替代性技术

气化炉严苛工况温度仪表主要包括高温热偶（气化炉炉膛温度检测）、表面热偶（气化炉壳体温度检测），其工况特点及要求如下：

① 高温热偶。气化炉高温热偶测点温度高（1100～1350℃）、测量端保护套管易磨损（高流速灰渣）、密封性能要求高（防止高压合成气泄漏），目前已全面使用国产产品。

② 表面热偶。气化炉表面热偶又叫测温电缆，可实时检测其沿线上的最高受热温度，是监测气化炉壳体温度、及时发现壳体局部超温的重要监测仪表，进口的测温电缆在20世纪90年代随德士古水煤浆工艺包一同进入我国。气化炉温度仪表目前已经有较多的国产化应用，其中测温电缆目前国产化率已达80%以上。国产的以重庆材料研究院的测温电缆为

代表，凭借优良的性能和性价比逐步在市场上取代进口产品，近几年国内浙江伦特等厂家相继加入。

（4）温度仪表发展方向

温度仪表产品，特别是流程工业使用的温度仪表产品，多年来一直没有根本性的变化，主要原因是其测温原理一直没有发生改变。

近几年来市场上出现了一些新的测温仪表研究方向，如光纤测温、数字温度传感器（输出数字量信号）、线性测温（热电阻、热电偶全分度范围的线性测量及数据处理）等，另外在测温数据的传输上也要立足于向无线传输、5G网络、物联网络、大数据等方向发展。这就需要温度仪表厂商在自身传感器的基础上，要更多地结合现在一些通信技术的研究和应用，让传感器和变送器以及信号处理单元都能够有机地结合起来。

5.3.1.2 压力/差压仪表国产化可替代性技术

（1）国产/进口压力/差压仪表应用

目前，国产常规的压力/差压变送器已经广泛替代进口产品在化工、冶金、电力等行业有较长时间的成功应用业绩。远传压力变送器、多变量变送器（检测同步工作的多个传感器装置，以现场总线通信协议同时输出多个测量结果）在化工领域进口产品占有率依然较高。

（2）国产压力/差压仪表可替代性技术

① 压力变送器部件。隔离膜片、充油、膜盒基体、毛细管等材质、加工基本一致，测量精度均达到≤2±0.04%FS，稳定性≤0.1%/10年。

② 压力/差压仪表的发展方向。现场总线技术迅速崛起，工业过程控制系统逐渐向具有双向通信和智能仪表控制的FCS（现场总线控制系统）方向发展。从而产生了新一代的智能压力变送器。它们的主要特点如下：

a. 自补偿功能如非线性、温度误差、响应时间、噪声和交叉感应等；

b. 自诊断功能如在接通电源时进行自检，在工作中实现运行检查；

c. 微处理器和基本传感器之间具有双向通信的功能，构成闭环工作系统；

d. 信息存储和记忆功能。

基于上述功能，智能压力变送器的精度、稳定性、重复性和可靠性都得到提高和改善。其双向通信能力实现了计算机软件控制及远程设定量程等状态。

（3）压力/差压仪表发展方向

压力和差压仪表作为工业自动化中重要的测量和控制设备，其发展方向主要集中在以下几个方面：

① 智能化和数字化。随着工业4.0的推进，压力和差压仪表趋向于智能化和数字化。这包括集成更先进的传感器和处理器，以及支持远程监控和数据通信的能力。智能化仪表能够实现自动校准、远程故障诊断和预测性维护，提高设备的可靠性和运行效率。

② 精确度和稳定性提升。新一代压力和差压仪表在测量精度、长期稳定性和温度补偿等方面都有显著的改进。这对于需要高精度控制的应用，如精密制造和实验室的环境，尤为重要。

③ 多参数测量能力。现代压力和差压仪表不仅可以测量压力和差压，还能同时测量温度、流量和液位等多种参数。这种多功能一体化设计简化了系统集成和维护，提高了系统的整体效率。

④ 环境适应能力。越来越多的应用场景要求仪表能够在极端环境条件下稳定工作，如

高温、低温、高压和腐蚀性环境。因此，新一代压力和差压仪表通常具备更好的环境适应能力和耐久性。

⑤ 能源效率和环保要求。压力和差压仪表的设计趋向于提高能源效率和减少能耗。通过优化传感器设计和低功耗电子元件，降低设备运行成本和环境影响。

⑥ 安全性和合规性。在工业安全和环境法规越来越严格的背景下，新型压力和差压仪表设计注重安全性和合规性，确保设备操作安全并符合各类标准和规定。

总体来说，压力/差压仪表的发展方向是向着智能化、精确化、多功能化和环境适应性强的方向发展，以满足工业自动化日益复杂和高效的需求。

5.3.1.3 料位计国产化可替代性技术

(1) 国产/进口料位计应用

目前，国产差压类料位计、磁翻板、超声波、浮球、电接点、开关类产品已经广泛替代进口产品，在石油、化工、电力等行业有较长时间的成功应用业绩。雷达、射频导纳、磁致伸缩等类型的料位计已经大部分在化工领域实现国产化替代。核料位计、伺服料位计在化工领域依然以进口仪表为主导地位。

(2) 国产料位计可替代性技术

国产差压类料位计、磁翻板、超声波、浮筒、浮球、电接点、开关类产品与进口产品比较，其材质、加工手段相当，测量精度相当，适用的环境条件基本相同，国产产品稳定性稍差、寿命比进口较短，但基本满足化工领域一般性工况的使用需求。国内的80GHz调频雷达物位计、26G脉冲雷达物位计和导波雷达物位计皆可完全替代进口产品。国产有120GHz调频雷达物位计，进口品牌目前还没有该类产品。在脉冲雷达和导波雷达上，精度实际已经达到了国外的水平，调频雷达已取得领先水平，现在国际主流的调频雷达的调频范围还是4～5GHz的带宽，而国产的120G雷达的带宽甚至达到了10GHz，调频雷达的带宽与测量精度是有关系的，带宽越大，测量精度越高。

(3) 料位计发展方向

差压类料位计在防堵塞、防腐蚀、防小分子渗透（如氢表）方面需加强仪表结构、材质方面的攻关。磁翻板、浮筒类料位计应在防卡塞方面提高部件加工精度。120GHz调频雷达物位计、26G脉冲雷达物位计和导波雷达物位计，已经成为雷达料位计发展的主流，目前国内该类仪表研发制造企业偏少，还未形成规模性产业优势。在毫米波雷达芯片、特殊工况的软件算法方面还需加大研发力度。核料位计、伺服料位计的研发能力、制造能力、产品的安全性和适用性依然是国内仪表企业需攻克的课题，尤其在豁免同位素的应用方面还有较大的开发空间。

5.3.1.4 流量仪表国产化可替代性技术

(1) 国产/进口流量仪表应用

差压式流量计、涡街流量计、金属转子流量计、涡轮流量计、单一介质电磁流量计、液体超声波流量计这六类流量计在国内市场已经经过了二十多年的验证，基本替代进口产品。国产测量浆液工况的电磁流量计在精度和稳定性方面有了较大的提升，近些年开始在严苛工况有了较成功的应用，其中上海横河、融神威等近几年市场扩张较快，但应用数量占比与进口仪表相差较大。科里奥利质量流量计、气体超声波流量计、热值式质量流量计还需依赖进口。国产品牌虽然在这三类流量计中有一些产品已经推向市场，但目前产品测量精度、稳定性和市场接纳程度还处于低位。

（2）国产流量仪表可替代性技术

经过多年发展，国内众多仪表厂家在加工方面、产品设计方面通过市场验证不断更新，产品稳定性和精度、寿命等方面已经逐渐接近，甚至某些指标已超越进口品牌。例如：一般工况的电磁流量计在精度方面，国产品牌和进口品牌的精度都可以达到0.5级，还有些国产品牌可达0.2级。产品寿命设计基本都在10年以上，大多数关键技术参数与进口品牌相比不相上下。

涡街流量计由于其产品特性，抗震性和量程比一直是产品的一个重要指标。进口品牌的抗震性一般只能到1g（g为重力加速度），而有些国产品牌的抗震性可达3g。进口品牌的量程比通常为20：1，而国产品牌均可达到此指标，有的品牌可达50：1。所以在一些关键指标上已经超越进口品牌。

粉煤流量测量系统是气化炉安全、稳定运行的核心仪表，用于实时测量气化炉入炉管线的粉煤运动速度、粉煤悬浮密度以及粉煤实时流量，工艺上依据这些测量值进行实时氧煤比计算控制以及气化炉安全联锁。如果粉煤流量计选择不合适，轻则引起气化炉频繁跳车，重则安全联锁失效，引发安全事故。粉煤流量测量技术到目前为止，主要有“电容式速度测量+放射源密度测量”“静电式速度测量+放射源密度测量”“电容式速度测量+电容式密度测量”以及“电磁波透射式速度”“密度一体测量”这五种技术。

目前国内外生产粉煤流量计厂家有美国热电、德国伯托、德国SWR、天津孚洛泰科技有限公司等厂家。通过对比国产品牌与进口品牌的原理、抗干扰能力、抗高温烧裂特性、实时流量误差、测量管破裂失效风险等方面，看到国产品牌有了突破。

（3）国产流量仪表发展方向

科里奥利质量流量计、热值式质量流量计和气体超声波流量计一直在特殊领域有大量的应用，且代表着流量仪表的最高水平。虽然国产品牌也在大量发展这几类仪表，但产品的稳定性还有所欠缺。所以国产流量仪表在今后需对这三类仪表继续发展和创新，在传感器的加工方面和转换器的设计信号处理算法等方面还需不断完善。应大量投入市场，在市场上应用中不断收集经验，不断改进设计和制造能力。

5.3.1.5 机组状态监测仪表国产化可替代性技术

（1）国产机组状态监测仪表应用

国产机组状态监测仪表在中国工业和能源领域的应用日益广泛，主要体现在以下几个方面：

① 电力行业应用。在电力行业，国产机组状态监测仪表被广泛应用于火力发电厂、水电站和风电场等场所。这些仪表可以监测发电机组的电压、电流、频率、功率因数等关键参数，实时监测设备的运行状态，帮助电力公司预测和预防可能的设备故障，提高电网稳定性和可靠性。

② 工业制造应用。在制造业中，国产机组状态监测仪表被用于监测各种工业设备的运行状态，如泵、压缩机、风机等。这些仪表通过实时监测设备的振动、温度、压力、流量等参数，帮助企业实现设备的预防性维护，减少生产停机时间和维护成本。

③ 交通运输应用。在交通运输领域，国产机组状态监测仪表被用于监测铁路、城市轨道交通和公路运输中的车辆和设备状态。这些仪表可以实时监测车辆的速度、加速度、温度、压力等参数，帮助保障交通运输的安全和效率。

④ 航空航天应用。在航空航天领域，国产机组状态监测仪表被用于监测飞行器和发动机的运行状态。这些仪表可以监测飞行器的高度、速度、加速度等参数，以及发动机的转速、温度、压力等，帮助提升飞行安全和航空器件的可靠性。

⑤ 环境监测应用。在环境监测领域，国产机组状态监测仪表被用于监测大气污染、水质和土壤污染等环境参数。这些仪表通过实时监测和数据分析，帮助政府和环保部门监测和评估环境质量，制定有效的环保措施和政策。

国产机组状态监测仪表的应用不仅帮助企业和机构实现设备的安全可靠运行，提高生产效率，还有助于推动中国自主技术的发展和创新能力的提升。随着技术的进步和市场需求的不断增长，国产机组状态监测仪表在各个行业中的应用前景将继续扩展和深化。

（2）机组状态监测仪表制约因素

机组状态监测仪表为大机组主保护联锁仪表，对仪表测量精度、稳定性、可靠性要求高，前些年该产品主流品牌为BENTLY、PREDICTECH，系统备件价格高、供货周期长。制约仪表性能的主要因素包括：a.稳定性及漂移；b.电磁干扰；c.备件与其他系统的兼容性。

（3）国产机组状态监测仪表可替代技术

国产机组状态监测仪表在技术上已经具备了一定的成熟度和竞争力，可以替代或与国外技术竞争。具体表现如下：

① 传感器技术。国产机组状态监测仪表使用先进的传感器技术，如压力传感器、温度传感器、加速度传感器等，能够实现高精度的数据采集和监测。这些传感器通常能够达到国际标准，并具备良好的稳定性和可靠性。

② 数据采集和处理。国产机组状态监测仪表具备先进的数据采集和处理能力，能够实时获取设备运行数据，并通过内置的处理器进行实时分析和故障诊断。这些仪表通常支持多种通信协议和数据接口，便于与其他设备和系统集成。

③ 智能算法和预测性维护。国产机组状态监测仪表已经在算法优化和预测性维护方面取得了一定进展。通过机器学习和数据挖掘技术，这些仪表能够分析大量的历史数据，预测设备可能出现的故障，并提供及时的维护建议，帮助减少设备停机时间和维护成本。

④ 成本效益。国产机组状态监测仪表通常具有较高的性价比，相比于进口设备，其价格更为优惠。这使得国内企业在技术更新和设备替换时，可以选择国产产品来降低成本并提升设备管理效率。

⑤ 本地化服务和支持。国产机组状态监测仪表提供本地化的售后服务和技术支持，能够更快速地响应用户需求和解决问题。这种本地化服务可以大大缩短故障处理时间，保证设备的可靠运行。

综上所述，国产机组状态监测仪表在技术和性能上已经具备了与国外产品竞争的能力，并且在成本效益、本地化服务支持等方面具有一定优势。随着国内科技水平的提升和市场需求的不断增长，国产机组状态监测仪表有望在各个行业中广泛应用和推广。

（4）机组状态监测仪表发展方向

机组状态监测仪表的发展方向主要集中在以下几个方面，以满足工业自动化和设备管理的需求，并提升生产效率、降低维护成本：

① 智能化与自动化。未来机组状态监测仪表将更加智能化，具备自动化数据采集、处理和分析能力。这包括使用先进的传感器技术和数据处理算法，实现实时监测、故障诊断

和预测性维护。智能化仪表能够自动识别设备异常行为，并发出预警或建议维护措施，从而降低停机时间和提高设备可靠性。

② 数据整合与云平台。未来的机组状态监测仪表将更加注重数据的整合与云平台的支持。通过云计算技术，仪表可以实现远程监控和数据存储，使得用户可以随时随地访问设备运行数据和分析报告。云平台还能够支持大数据分析和机器学习算法，进一步提升设备故障预测的准确性和效率。

③ 多参数综合监测。未来的机组状态监测仪表不仅限于单一参数的监测，还会发展为能够同时监测多种参数的综合监测系统，例如除了基本的振动、温度、压力等参数外，还可以集成能源消耗、工艺参数等信息，帮助企业全面了解设备的运行状态和性能。

④ 可穿戴技术与远程操作。随着物联网的发展，机组状态监测仪表可能会发展为可穿戴设备或与人员身体连接，实现实时健康监测和工作环境评估。同时，仪表还可能支持远程操作功能，使得操作人员可以通过远程控制设备、设置参数或进行维护操作，提高工作效率和安全性。

⑤ 可靠性与安全性提升。未来的发展方向还包括提升机组状态监测仪表的可靠性和安全性。这包括采用更耐高温、高压和腐蚀的传感器材料、设计更稳定和长寿命的电子元件，以及加强设备通信和数据传输的安全性保护措施。

总体而言，机组状态监测仪表的未来发展将朝着智能化、数据化、多功能化和安全可靠性提升的方向发展，以应对复杂工业环境和日益增长的设备管理需求。这些发展趋势将不断推动技术创新和产品优化，为工业自动化和智能制造提供更强大的支持。

（5）某国产品牌状态监测仪表关键技术问题解决方案

① 稳定性及漂移：真空注塑成型、惰性合金。电涡流传感器探头采用注塑机高温高压真空三次注塑（PPS材料）一体成型技术（发明专利），经历10余年成熟应用。该技术能保证探头线圈材质长时间工作不受氧化、不受腐蚀，能保证长时间可靠、稳定工作。这项技术也是BENTLY公司垄断60余年技术。

电涡流传感器探头线圈材料为几种稀有惰性合金元素组成（发明专利，普通线圈为铜质材料线圈阻抗特性受温度影响较大，会导致探头的温度漂移较大，稳定性较差），材料特性受温度影响极小，即为超低温度漂移，该技术经历15年成熟应用。

线圈引线与电缆的连接采用可靠的压接连接技术，解决了传统锡焊接方法在高温环境下致使焊接点易松动，造成传感器探头工作不稳定的弊病，从而有效保证探头长时间工作的稳定性、可靠性。

② 电磁干扰：数字化技术、陶瓷材质。电涡流传感器探头采用数字化技术，抗现场干扰能力强，这项（专有）技术能保证前置器长时间灵敏度不变，前置器内部阻容器件全部采用陶瓷材质，长时间工作更稳定可靠。

③ 备件与其他系统的兼容性。探头、延伸电缆线、前置器可以直接替代进口品牌产品。

a. 5mm、8mm、11mm、25mm电涡流振动/位移探头、延伸电缆线、前置器零部件能完全与BENTLY产品互换兼容。

b. 电涡流探头线圈材料采用几种稀有惰性合金材料熔炼制成，与BENTLY探头线圈材料完全一致，能有效保证探头的超低温度漂移。

c. 5mm、8mm、11mm、25mm电涡流振动/位移探头采用高温、高压、真空三次注塑工艺成型生产，能有效保证探头长时间工作的稳定性和可靠性。

“国产化”与“自主可控”成为了我国科技行业发展的主旋律。高端科学仪器作为科技创新的基础和重要成果，其国产化受到广泛关注。

5.3.2 煤化工行业的智能检测、传感与信息集成前沿技术

煤化工行业因其独特的生产工艺和高风险特点，对反应炉内介质的温度、压力、流量和液位等参数的稳定性要求极高，以防止任何状态失常导致严重事故。因此，在煤化工生产过程中，应用先进的检测和传感系统是至关重要的。这些系统能够获取大量准确、实时的信息，从而优化生产过程，避免重大事故的发生。智能自动化仪表的引入便是一个典型例子。智能自动化仪表集成了内部微型计算机，能够进行精确的数据统计和分析，为生产过程提供科学依据，并实现无人操作和自动化控制。这些仪表通过整合六个功能模块，能够对设备进行数据检测、过流保护和报警控制。其高精度特点使得微处理器和传感器能够精准检测温度、压力等关键参数，提供更准确的数据支持。此外，智能自动化仪表具有灵活的检测形式切换能力，无需人为反复设定，通过网络化控制实现自主检验和测量数据，有效降低人工劳动力成本，提高生产效率。当智能自动化仪表与生产系统相连接后，仪表会自动获取设备产生的数据并进行存储，方便工作人员查看和调用，极大简化了操作流程。这不仅提升了操作效率，还改善了煤化工行业的竞争机制，为相关行业创造了新的经济增长点。智能自动化仪表在煤化工行业的应用，不仅提升了生产的安全性和效率，也为企业的可持续发展奠定了坚实基础。

信息集成系统是基于信息集成技术所建立的系统，在煤化工行业实现高效管理和生产优化方面起到关键的作用。信息集成系统通常分为三层：过程控制层PCS（process control system，过程控制系统）、运行管理层MES（manufacturing execution system，生产执行系统）和经营管理层ERP（enterprise resource planning，企业资源规划）。这三个层面的系统是相互关联的，通过集成和协同工作来实现企业生产和经营活动的有效管理和优化。PCS主要用于监控和控制生产过程中的实时数据和参数，MES则更关注生产计划和执行情况的管理，而ERP则涉及更广泛的企业资源管理和决策支持。

（1）过程控制层（PCS）

对于过程控制层，信息集成系统通过自动获取该层的数据，建立大型实时数据库和关系数据库。针对煤化工工程的复杂性和多变性，信息集成系统不仅需要研究和开发适用的软件应用，还需实现高度的自动化和信息化集成，以便将生产和管理过程的数据集中统一管理。信息集成系统的目标是通过集中管理和整合数据源，实现调度管理、生产管理、绩效考核、事故分析和操作优化等功能的整合和优化。该系统能够实现远程网络访问，提供安全可靠的信息化支撑平台，帮助煤化工企业更加高效地监控和管理生产过程，提高运营效率，降低成本，并加快决策速度。信息集成系统不仅为煤化工企业提供了全面的信息化解决方案，还在竞争激烈的市场中保持了企业的竞争优势。系统的组成部分包括：

① 综合管理系统。为确保网络的整体安全性，煤化工生产装置、公用工程及辅助设施被设置为各自独立的局域网（LAN），通过中心控制室内的骨干交换机将这些独立的局域网连接起来。综合管理系统能够自动采集每个局域网内的操作数据，并配置公共的仪表工程师站、工艺工程师站和全厂调度站，作为系统维护、操作管理和生产调度等工厂级管理平台。这种设置不仅提高了系统的效率和安全性，还为煤化工企业的整体管理提供了强有力的支持。

② 操作数据管理系统（ODS）。该系统能够自动从分布式控制系统（DCS）中收集实

时数据，并将其存储在实时数据库中。ODS系统提供物料质量平衡和能量平衡计算功能、产品质量数据（包括在线和离线分析数据）、工艺流程显示、实时数据和历史数据分析、标准化报表和用户定制报表等功能。通过高效收集和分析生产数据，ODS系统帮助煤化工企业优化操作、提高生产稳定性、调整生产计划、改进经营管理、节约能源、降低成本并保护环境，从而实现可持续经营和环保目标。

③ 智能设备管理系统（AMS）。AMS专门用于现场智能仪表（如智能变送器和智能阀门定位器等）的维护、校验和故障诊断。AMS包括智能仪表设备组态、状态监测和诊断、校验管理和自动文档记录管理等功能，通过自动建立应用和维护档案，对智能仪表进行预测性维护管理，确保其可靠运行，减少维护工作量，提高设备管理效率。AMS的使用使煤化工企业能够更有效地管理和维护智能仪表设备，确保生产过程的顺畅进行，最大限度地提高生产效率和设备可靠性。

④ 先进报警管理系统（AAS）。煤化工企业生产装置和公用工程中，报警设施繁多，报警信息频繁且量大，给操作人员带来巨大压力，也可能导致严重的报警疏漏，从而引发不必要的生产损失，降低生产安全性。AAS旨在对工艺过程和控制系统的报警信息进行采集、分析、管理和优化，帮助操作人员及时发现问题并作出响应。通过报警信息的事件记录、事故分析、管理和优化，AAS有效提高了生产操作的安全性。报警分组、优先级设定、基于工况的报警、报警过滤、报警抑制以及上位报警信息诊断分析功能等手段，使得AAS系统实现了生命周期的报警管理，有助于提升生产操作的安全性，减少生产损失，确保煤化工企业的顺利生产。

⑤ 先进过程控制（APC）。APC技术在提高控制品质、优化生产操作、提升生产能力、提高产品质量和产品收率、降低能耗等方面取得了显著成效，极大地提升了装置的经济效益。通过应用APC技术，煤化工企业的生产流程自动化水平显著提升，生产效率和资源利用率得到提高，同时成本降低、产品质量提高，从而增强了企业在市场竞争中的优势。持续优化APC技术的应用，使煤化工企业能够更好地适应市场需求，不断提升自身竞争力，实现持续稳定的发展。

（2）运行管理层（MES）

对于运行管理层，信息集成系统建设应该以工厂制造链、资产链和管理控制链整体增值为核心目标，旨在实现生产优化、本质安全和环保以及运行管理效益和效率的最大化。在这一过程中，生产过程控制的最佳化应被视为首要前提，工厂业务管理控制链应成为主导，而工厂生产制造链和工厂资产链则构成基础支撑。此外，通过开展PDCA循环的管理控制，系统可以不断完善和优化。在推进生产过程自动化、运行管理信息化以及网络化的基础上，应强调对大数据分析、生产工艺机理模型、生产优化控制以及管理控制数学模型等智能技术的重视。这些智能技术的应用可以有效提升运行管理系统的全面感知能力、预测预警能力、协同决策能力和精准执行能力。通过整合智能技术，信息集成系统能够实现更高水平的运行管理，从而为企业创造更多的价值并提升竞争力。这种整体性和智能化的管理模式将有助于企业更好地应对市场需求的变化，提高生产效率，降低成本，最终实现可持续发展和长期应用。根据TOGAF等企业架构设计技术，信息集成系统中的运行管理层架构应当综合整合智能工厂战略、运行管理业务和技术，以支持并服务生产过程的自动化、运行管理的数字化、网络化以及智能化的深度融合。这种全面的架构设计有助于确保系统能够高效地运作并满足煤化工企业对于智能化运行管理的需求。整个系统架构包括业务架构、数据架构、应用架构和技术架构这四个方面。

① 业务架构。在运行管理系统的业务架构设计中，应该包括业务架构的愿景和目标、业务组织与管理结构、生产设备和设施、业务活动功能集、运行性能管理、信息流和信息管理以及业务集成等关键内容。这些方面的考虑将有助于确保系统在设计和实施过程中能够充分满足企业的需求，以实现高效的运行管理和业务运作。

② 数据架构。在数据架构设计中，需要考虑包括数据架构的愿景和目标、工厂运行的概念、逻辑和物理数据模型、运行管理主数据和指标数据字典、生产过程和运行管理数据库系统、现场数据采集要求以及数据集成等关键内容。这些方面的数据架构设计将有助于确保系统能够有效地存储、管理和利用数据，从而支持企业的运行管理需求和决策制定。

③ 应用架构。在应用架构设计中，需要考虑包括应用架构的愿景和目标，包括运行指挥、生产计划管理、生产执行管理与监控、设备管理与监控、能源管理、质量管理与监控、HSE管理与监控以及生产过程控制等应用组件。此外，还包括智能化应用组件如计划优化、精准执行、能源优化、设备预测、质量预测、安全与环保预测及控制以及生产过程优化等组件，还包括运行管理系统应用集成等关键内容。这些内容的设计有助于确保系统能够满足企业的运行管理需求，并提供智能化的应用支持。

④ 技术架构。技术架构设计内容应该包括技术架构的愿景和目标、运行管理系统IaaS、PaaS、SaaS等云平台服务、运行管理系统的网络逻辑架构和物理架构、信息安全要求以及信息安全技术和管理、运行管理系统的集成技术和方法等关键内容。这些方面的技术架构设计将有助于确保系统在实施和运行过程中能够满足企业的技术需求，提供安全可靠的运行管理解决方案。

（3）经营管理层（ERP）

对于经营管理层，信息集成系统应充分利用现代先进的计算机技术、信息技术以及企业管理学知识，实现企业资源的全面集成。通过有效、合理地配置资源，该系统可以为煤化工企业经营提供强大的计划、决策和控制支持，帮助煤化工企业在市场竞争中脱颖而出，达到成本最低化和利润最大化的目标。因此，信息集成系统应包含生产运行管理模块、生产计划管理模块、销售管理模块、系统管理模块等，以满足经营管理层在企业运营和管理方面的需求。通过这些模块的协同工作，信息集成系统可以更好地监控和管理企业各项活动，从而提高经营效率和推动企业发展。

① 生产运行管理模块。煤化工企业的产量取决于企业的统筹安排和管理。因此该模块的主要职责是接收来自煤化工企业的煤化工技术信息，并严格执行制定的生产计划。通过生产运行管理模块煤化工企业可以确保生产过程的顺利进行，提高产量并保证产品质量，从而实现企业的生产目标。

② 生产计划管理模块。生产计划管理模块在煤化工企业中的主要功能是生产计划的制定、考核和调整。当煤化工企业制定好生产计划时，必须确保运行生产设备的生产能力能够满足煤化工企业产量安排。同时，生产供销部门的工作人员需要及时制定相应的生产计划，并严格执行。确保煤化工企业的实际煤化工产量能够满足市场需求，确保生产方案的顺利实施，提高煤化工企业的生产效率和竞争力。通过生产计划管理模块，煤化工企业可以更好地应对市场变化，实现生产目标并取得持续发展。

③ 操作管理模块。操作管理模块在煤化工企业中的主要功能是负责规范煤化工生产过程中的操作规章，并严格把关质量。根据煤化工企业的操作票管理标准、交接班管理标准、值班管理标准以及统计报表标准，要求不同岗位的工作人员均需严格执行相应的规章制度。确保各岗位的规范化操作流程，提高产品质量和生产效率。通过操作管理模块煤化

工企业可以监督和管理各岗位工作人员的操作行为，有助于确保煤化工生产过程的顺利进行，提高企业的竞争力和市场竞争力。

④ 系统管理模块。系统管理模块在煤化工企业中的主要功能是辅助完成各项功能，包括系统权限设置、用户添加等操作。通过系统管理模块，煤化工企业可以有效管理和控制系统中的各项功能和信息，确保系统运行的稳定性和安全性。系统管理模块提供了各种功能和工具，帮助企业管理人员对系统进行管理和维护，从而实现系统的高效运行和优化。通过系统管理模块的使用，煤化工企业可以更好地管理生产供销信息系统，提高工作效率，优化资源利用，进一步推动企业发展，提升竞争力。

智能检测、传感与信息集成系统的应用，标志着煤化工行业迈向高效、安全和智能化生产的新阶段。这些先进技术不仅提升了生产效率和安全性，还为煤化工企业创造了新的经济增长点，推动了行业的可持续发展。在未来，随着技术的不断进步，这些系统将进一步优化煤化工生产过程，提高企业的市场竞争力，实现长久稳定的发展。

5.3.3 数字孪生技术引领煤化工行业变革

随着现代工业的不断发展，煤化工行业面临着前所未有的挑战。这些挑战包括生产过程的复杂性、能耗高以及环境压力的不断增加。传统的煤化工生产方式在应对这些问题时显得力不从心，难以满足当今社会对高效、安全和环保的迫切需求。为此，煤化工行业迫切需要一种革新性的技术来应对这些难题，实现生产方式的转型升级。

数字孪生技术的出现为煤化工行业注入了新的希望。数字孪生技术通过虚拟与现实的双向互动，能够全面实现生产过程的实时监控、仿真分析、优化决策和故障预测。这种技术不仅显著提高了生产效率，减少了因设备故障导致的停机时间，还大大降低了安全风险和环境污染，推动了煤化工行业向智能化、绿色化的方向发展。具体而言，数字孪生技术是通过物理实体的虚拟映射来实现对其全生命周期的管理。这一技术的核心在于物理世界和数字世界的双向互动，通过实时的数据采集和反馈，实现对物理实体的精准控制和优化。数字孪生技术主要包括三个部分：物理实体、数字模型和数据传输网络。物理实体是指实际存在的设备、生产线或工厂。数字模型则是通过数学模型和仿真软件构建的对物理实体的虚拟映射。数据传输网络负责在物理实体与数字模型之间进行数据传输和同步。

未来，随着技术的不断进步，数字孪生技术在煤化工行业的应用将更加广泛和深入。特别是随着人工智能和大数据技术的进一步成熟，数字孪生技术将变得更加智能化和自动化。通过引入更多的人工智能算法，数字孪生技术将能够进行更复杂的预测和优化，提高生产决策的精确性和实时性。此外，数字孪生技术将进一步与5G通信技术、增强现实（AR）和虚拟现实（VR）技术等先进技术融合，为操作人员提供更加直观和交互的生产监控和管理手段。数字孪生技术通过虚拟与现实的结合，为煤化工行业提供了一种全新的生产模式。这一技术不仅能够提高生产效率和产品质量，降低能耗和环境污染，还能够显著提高企业的竞争力和可持续发展能力。随着数字孪生技术的不断发展和应用，煤化工行业将迎来更加智能化和绿色化的未来。

（1）数字孪生技术在高效基础化学品生产中的创新应用

在煤化工中，基础化学品的生产过程涉及多个复杂的步骤和操作参数，这些参数对产品的质量和生产效率有着至关重要的影响。以煤制甲醇为例，甲醇是一种重要的基础化学品，其生产过程包括煤气化、合成气净化、甲醇合成等多个环节。数字孪生技术通过虚拟建模和实时数据采集，为企业提供了优化这些复杂生产过程的强大工具。

① 煤气化过程优化。煤气化是煤制甲醇的第一步，其主要目的是将煤炭转化为合成气。气化过程的温度、压力和进料流量等参数对合成气的产量和质量有着直接影响。数字孪生技术通过实时监控这些关键参数，并利用仿真分析模拟不同操作条件下的生产情况，使企业能够更精准地调控气化过程。通过对气化温度和压力参数的调整，数字孪生技术可以帮助提高合成气的收率和纯度，减少副产品的生成，从而实现生产过程的优化，例如在气化温度的控制上，通过数字孪生模型的实时反馈，可以迅速调整温度，避免过高或过低的温度影响合成气的质量。同时，通过对进料流量的精确控制，企业可以确保合成气的稳定供应，从而提高整个生产线的效率和稳定性。

② 合成气净化和甲醇合成。在合成气净化和甲醇合成过程中，催化剂的选择、反应温度和压力等操作参数对最终产品的质量和收率至关重要。数字孪生技术在这一环节的应用，可以通过建立详细的反应器虚拟模型，实时监控反应器内部的温度、压力和气体成分，模拟不同操作条件下的反应情况，优化生产过程。具体来说，通过数字孪生技术，企业可以找到最优的操作参数组合，确保甲醇的高收率和高纯度。例如在催化剂的选择上，数字孪生模型可以模拟不同催化剂在不同反应条件下的表现，帮助企业选择最适合的催化剂。此外，在反应温度和压力的控制上，数字孪生技术能够实时反馈反应器内部的状态，帮助操作人员快速调整参数，以维持最佳的反应条件。

此外，数字孪生技术还能用于优化能源使用。通过模拟和评估不同的操作方案，企业可以识别出高能耗的步骤，并进行相应的调整，实现节能减排。例如通过模拟不同的反应路径和工艺参数，数字孪生技术可以找到最优的反应条件，减少能耗和副产品的生成，提高生产效率和资源利用率。这不仅降低了生产成本，还减少了对环境的负面影响，实现了绿色生产的目标。

（2）设备故障预测与安全生产管理

设备的长期运行容易出现磨损和故障，这在煤化工生产中尤为突出。数字孪生技术通过对设备状态的实时监测和分析，可以提前识别潜在的故障风险，进行预防性维护，避免设备故障导致的停机损失。

① 设备运行状况智能感知与识别。通过工业互联网实时采集设备温度、声音、振动、油液等状态数据，设备履历的文本记录，以及人员操控行为记录与视频等多源异构信息，设备使用者能够智能感知与识别设备运行状况，实现数据驱动的全流程设备远程集中实时监控和设备健康状态识别，掌控设备的运转率、完好率，减少设备连锁损坏、空转与非计划停机。设备生产厂家对售后设备运行状况智能感知与识别，进行远程运维服务。

② 设备运行工况数字孪生、可视化分析与识别、预测与回溯。汇聚运行工况相关的设备历史运行和操作数据，建立设备运行工况数字孪生模型以及运行工况识别的信息物理系统，实现数字孪生驱动的设备运行工况可视化分析与识别和预测与回溯（正常优工况、正常非优工况和异常工况）。

③ 设备在线与远程智能运维管理与决策。以设备安全和优化运行为目标，在设备运行状况智能感知与识别和设备运行工况数字孪生、可视化分析与识别、预测与回溯的基础上，生产企业实现人机合作的智能巡检、设备停机、消耗性备件更换决策等。具体包括：利用移动终端、地理信息和设备履历信息，自动推送待检设备；建立移动终端自录入的巡检业务系统，运用移动终端来减少设备诊断流程及现场设备运行管理；基于增强现实技术

的智能点检与保养。设备生产厂商通过跨企业工业互联网实现远程智能运维管理与决策，根据设备运行工况或负荷等量化部件劣化程度，预测剩余寿命，实现视情维护，利用设备剩余寿命信息，设备运维管理部门与采购部门联动来实现以保障生产和库存最小为目标的离线检修计划决策和备件管理智能决策。

（3）展望未来：智能化与数字孪生的融合发展

未来，随着人工智能和大数据技术的进一步成熟，数字孪生技术将变得更加智能化和自动化，为煤化工行业带来更多的创新和变革。

① 智能预测与优化。通过引入更多的人工智能算法，数字孪生技术将能够进行更复杂的预测和优化，例如机器学习算法可以帮助识别生产过程中的潜在问题和优化机会，自动调整生产参数，提高生产决策的精确性和实时性。这种智能预测与优化不仅可以在短期内提高生产效率，还可以在长期规划中发挥关键作用。通过分析历史数据，人工智能可以预测未来的生产趋势和需求变化，帮助企业制定长期的生产规划和策略，例如基于对历史生产数据的分析，人工智能可以预测未来某段时间的产品需求量，进而调整生产计划，确保在需求高峰期能够满足市场需求，而在需求低谷期减少资源浪费。此外，智能预测与优化还可以在故障预测和维护方面发挥重要作用。通过对设备运行数据的实时分析，人工智能算法可以提前识别设备的潜在故障风险，并建议预防性维护措施，从而减少非计划停机时间，提高设备的利用率和生产线的稳定性。

② 智能工厂的构建。未来，煤化工企业可以通过数字孪生技术和其他先进技术的融合，构建智能工厂，实现生产过程的全面数字化和智能化。智能工厂不仅可以提高生产效率和产品质量，减少能耗和环境污染，还可以增强企业的竞争力和可持续发展能力。智能工厂的建设涉及多个方面的技术创新和集成。首先是生产过程的自动化和智能化，通过引入先进的自动化设备和机器人，实现生产线的无人化操作，提高生产效率和精度。其次是生产管理的数字化，通过数字孪生技术和大数据分析，对生产过程中的各个环节进行实时监控和优化，确保生产的高效性和稳定性。此外，智能工厂还包括供应链和物流的智能化管理。通过物联网技术和大数据分析，对供应链各个环节进行实时监控和优化，提高供应链的反应速度和效率，确保原材料的及时供应和产品的快速交付。在智能工厂的构建中，数字孪生技术将发挥核心作用。通过对物理工厂的全面数字化映射，企业可以在虚拟环境中对生产过程进行仿真和优化，提前识别和解决潜在问题，提高生产计划的准确性和可行性。同时，数字孪生技术还可以与其他智能化技术相结合，构建一个全面集成的智能生产系统，推动煤化工行业向更加智能化和可持续化的方向发展。

数字孪生技术通过过程仿真优化和故障预测维护，为煤化工企业提供了强大的支持。通过对生产过程的全面数据采集和分析，企业可以实现对生产过程的精确监控和仿真优化，提高生产效率和产品质量，降低成本和能耗。未来，随着技术的不断进步，数字孪生技术将为煤化工行业带来更多的创新和变革，推动行业向更加智能化和可持续化的方向发展。通过引入数字孪生技术，煤化工企业不仅可以解决当前面临的生产复杂、能耗高和环境压力大等问题，还可以提升生产的智能化水平，实现高效、安全、环保的生产目标。这一技术的应用将为煤化工行业的发展带来新的机遇和挑战，促进行业的持续创新和进步。

5.3.4 智能控制技术驱动的煤化工生产优化

在煤化工产品生产领域，智能控制技术的监测优化除了显著提升生产效率和产品质量外，还能有效降低生产成本、增强安全性和环保性，同时帮助企业更好地适应市场需求和竞争压力。因此，积极采用智能控制技术，并持续优化监测系统，在煤化工生产过程中显得尤为重要。分布式控制系统（DCS）是智能控制技术的一个关键应用。通过将控制任务分散到多个控制单元，DCS能够实现全面的智能化生产管理。这种方法不仅提高了生产过程的稳定性和灵活性，还能够快速响应生产中的变化和异常情况，从而显著提升生产效率和降低运营成本。模型预测控制（MPC）在煤化工行业中也具有重要的应用价值。通过建立动态数学模型并结合实时数据进行预测，MPC能够优化控制策略，保持生产过程的稳定性和可靠性，同时提高产品的一致性和质量。这种方法能够帮助企业在快速变化的市场环境中保持竞争优势。此外，多变量控制（MVC）技术在煤化工产品生产中也发挥着关键作用。通过同时调节多个相关的生产参数，MVC能够协同优化系统各部分，减少交互作用，提高系统的稳定性和控制精度。这种综合考虑各变量之间复杂关系的方法，有效地提升了生产过程的效率和质量。

综上所述，煤化工行业在采用智能控制技术方面有着广泛的应用前景。通过实施分布式控制系统、模型预测控制和多变量控制等先进技术，企业不仅能够实现生产过程的智能化管理，还能够在提高生产效率、优化资源利用、提升产品质量和符合环保要求等方面取得显著成效。随着技术的不断进步和应用的扩展，智能控制技术将继续为煤化工企业带来更多的发展机遇和竞争优势。

（1）分布式控制系统在煤化工生产中的核心应用

分布式控制系统由多个分布在不同位置的控制单元（节点）组成，这些节点通过通信网络进行协调和数据交换。每个节点能够独立运行，执行特定的控制任务，但它们共同协作以实现整体系统的控制目标。分布式控制系统的设计旨在将复杂的控制任务分解为多个子任务，每个子任务由各个控制单元独立执行，通过协同工作来实现整体系统的控制目标。控制任务和逻辑分散在多个控制单元中，每个控制单元负责执行特定的控制任务，各控制单元之间相互独立，但通过通信网络进行数据交换和协调。各个控制单元通过通信网络实现信息交换和协调工作，共同实现整个系统的控制目标，从而提高系统的协调性。分布式控制系统需要实时收集和处理各个控制单元的数据，并及时进行决策和控制，以确保系统的稳定性和高效性。系统设计通常考虑到某个控制单元发生故障的情况，能够通过备用控制单元或其他策略来保证系统的正常运行。

在煤化工生产过程中采用分布式控制系统可以带来多重优势。首先，它提高了系统的可靠性，通过分布式设计避免了单点故障，增强了系统的容错能力。其次，分布式控制系统设计灵活，可以根据系统规模和需求的变化，方便地增加或减少控制单元，从而提升系统的灵活性和可扩展性。此外，每个节点可以独立处理局部信息，使系统具有更高的响应速度和实时性能。最后，模块化的设计使得系统易于维护和升级，能够有效管理系统的复杂性并保持其高效运行。

分布式控制系统在煤化工生产中的应用不仅能够提升系统的整体控制能力和运行效率，还能够为企业在面对不断变化的生产环境中提供可靠的技术支持和保障。在煤化工行业中，分布式控制系统是化工生产过程中至关重要的技术支持。DCS通过将控制任务和逻辑分散在多个控制单元中，实现对生产过程的智能化控制和优化。这种系统不仅提高了生产效率和产品质量，还显著增强了生产过程的安全性和智能化水平，从而提升了整体生产系统的可靠性和灵活性。在原料处理方面，DCS监控和控制着煤炭的破碎、磨粉和输送过程，确保原料处理的稳定性和效率。同时，它精确控制气化炉的温度、压力和流量，以优化合成气的生成过程。在合成工艺优化方面，DCS被用于监控和调节反应器的操作条件，如温度、压力和流量，以提高产量和产品质量。此外，DCS还应用于控制分离塔、吸附器等设备的操作，以确保产品的纯度和回收率。

安全与应急控制系统是DCS的另一个重要应用领域。它通过实时监控关键设备和管道，预防潜在的故障和事故发生。在突发事件发生时，DCS能够迅速响应并采取措施，保障生产系统的安全性。此外，DCS还在反应器控制、装置运行控制和能源管理分配等方面发挥着关键作用。通过实时监测和精确控制，DCS优化了能源利用效率，降低了能源成本，并提高了装置的整体运行效率。最后，DCS通过直观的人机界面，提供给操作者实时监控装置运行状态、参数变化和异常情况的能力。这种界面设计使操作人员能够迅速响应生产过程中的变化，及时调整生产策略，确保生产的顺利进行。

总体而言，分布式控制系统在煤化工行业的广泛应用，不仅提升了生产效率、产品质量和安全性，还推动了行业的智能化水平和技术进步。DCS的精确控制和智能优化为煤化工企业带来了显著的经济效益和竞争优势，为可持续发展和创新提供了强大支持。

（2）模型预测控制在煤化工中的高级别应用

模型预测控制（model predictive control，MPC）是一种先进的控制策略，因其卓越的性能和灵活性，已在煤化工行业中得到了广泛应用。MPC的核心理念是利用系统的动态数学模型来预测未来的系统行为，并基于这些预测结果生成最优的控制策略，以实现系统的优化控制目标。在实际应用中，MPC通过实时获取系统的当前状态和操作数据，将这些信息输入到系统的数学模型中，以预测未来一段时间内系统的行为。这种预测不仅考虑了系统的内部动态特性，还综合了外部干扰和操作约束等因素。通过对未来行为的预判，MPC能够提前识别潜在的问题和风险，并采取预防性措施，确保系统的稳定和安全运行。此外，MPC在生成控制策略时，还考虑了多个优化目标，如提高生产效率、降低能耗、提高产品质量等。它通过求解一个优化问题，找到使得系统性能最优的控制输入。在煤化工行业，MPC常用于反应器控制、分离过程优化、能源管理等关键环节，比如：在反应器控制中，MPC可以根据反应器的动态模型和实时数据，优化反应条件，最大化产物的收率和质量；在分离过程中，MPC则能优化操作参数，提高分离效率和纯度；在能源管理中，MPC通过优化能源分配和使用，降低能源消耗和成本。MPC还具备良好的鲁棒性和适应性，能够在复杂和多变的工业环境中保持优异的控制性能。它不仅适用于传统的煤化工过程控制，还在新兴的智能制造和工业背景下展现出巨大潜力。通过与大数据分析、机器学习等技术的结合，MPC未来有望实现更高层次的智能控制和优化，为煤化工行业的可持续发展提供强有力的技术支撑。

总的来说，预测控制作为一种先进的控制策略，通过其精确的预测能力和优化算法，在煤化工行业中发挥了重要作用。它不仅提高了生产过程的自动化水平和运行效率，还显著提高了产品质量和能源利用效率，推动了行业技术的不断进步和创新。MPC的基本思想是在每个控制周期内，利用系统的数学模型预测未来一段时间内的系统响应，并在控制输入范围内搜索最优的控制方案，从而使系统在未来的几个时钟周期内达到最佳性能。具体来说，MPC首先获取系统的当前状态，然后通过数学模型预测未来一段时间内系统的动态行为。在此基础上，MPC采用优化算法搜索控制输入的最佳组合，使系统性能在未来的多个时钟周期内达到预期的最优状态。这样一来，MPC能够在每个控制周期内对系统进行前瞻性调整，有效减少操作误差和系统波动，确保生产过程的稳定性和高效性。

MPC具有多个显著优点，使其在复杂的工业环境中表现出色。首先，MPC具备多变量控制能力，能够同时处理多个输入和输出变量，协调多个控制回路的操作。这意味着在一个复杂的生产系统中，MPC可以综合考虑各个环节的相互影响，优化整个系统的整体性能，而不仅仅是单个环节的表现。其次，MPC具有前瞻性调整的优点。通过预测未来一段时间内系统的行为，MPC可以提前采取措施，减少操作误差和系统波动。这种前瞻性的调整能力使得系统能够更快地响应变化，提高了生产过程的稳定性和可靠性。处理约束能力是MPC的另一大优势。MPC能够有效处理系统中的各种硬约束和软约束，例如设备容量限制、安全操作范围等。通过在优化过程中纳入这些约束条件，MPC能够确保系统始终在安全和合理的范围内运行，避免因超出操作限制而导致的设备损坏或安全事故。MPC对非线性系统和时变系统有良好的适应性。它可以在复杂工况下保持高效稳定的控制性能，即使系统动态特性发生变化，MPC依然能够通过实时调整控制策略，确保系统的稳定运行。在优化性能方面，MPC通过优化算法选择最优的操作策略，最大化经济效益，例如在煤化工行业中，MPC可以通过优化反应条件和操作参数，提高产量、降低能耗、减少原料浪费，从而显著提高经济效益。

最后，MPC还具备故障容忍性。通过预测并处理系统中的潜在故障和异常情况，MPC能够增强系统的鲁棒性和可靠性。这种故障预测和处理能力使得系统在面对突发情况时能够快速响应和调整，减少故障对生产过程的影响，确保系统的持续稳定运行。综上所述，MPC作为一种先进的控制策略，通过其多变量控制能力，以及前瞻性调整、处理约束、适应性强、优化性能和故障容忍性等优点，在煤化工行业中发挥了重要作用。MPC的特点是在每个控制周期内，利用当前状态和模型预测未来的系统行为，滚动进行优化和决策，实时更新控制策略；使用较长的预测时域和控制时域，考虑未来较长时间内的系统行为和控制效果，提高控制的前瞻性和稳定性；能根据实时数据和系统变化，动态调整模型参数和控制策略，保持控制系统的灵活性和适应性。MPC通常集成在先进的过程控制系统中，与其他控制算法和系统模块（如DCS、SCADA）协同工作，实现全面的自动化控制。

MPC通常包括几个步骤。首先，需要建立系统的动态数学模型，通常是基于系统的物理原理和运行数据，这个数学模型描述系统的动态过程和响应特性。然后，利用建立的数学模型，预测未来一段时间内系统的响应情况，包括输出变量和状态变量的变化。这种预测能够帮助控制器了解系统在未来时间内的行为。在每个控制周期内，通过数学优化方法（通常是最优控制算法），基于未来的预测结果和系统的控制目标，生成最优的控制输入，以最大化系统的性能指标或实现其他控制目标。最后，根据优化得到的控制输入，实施实际的控制方案来调节系统的操作，以实现系统的优化控制目标。

预测控制在煤化工产品生产中可被应用于预测参数控制环节中：在煤化工生产中，许多反应过程需要对温度、压力、浓度等参数进行控制。预测控制可以通过建立反应过程的数学模型，预测未来反应物的动态行为，并实时调节控制参数来优化反应过程的性能。

应用在煤化工生产环节中的热能系统提前预测控制中：煤化工生产中通常涉及高温、高压的热能系统，如锅炉、加热炉等。预测控制可以用于预测热能系统的热负荷需求，优化燃料供给和热能输出，提高热能利用效率。

应用在流程优化环节中：预测控制也可以应用于煤化工生产流程的优化。通过对整个生产流程的建模和预测，可以实时调整生产参数，使得生产过程更加高效、稳定和可控。

模型预测控制还可以应用在质量控制和能源管理等环节上：对于煤化工产品的质量控制，预测控制可以通过对产品质量的预测与调控，实现对产品质量的有效控制和优化。预测控制可以用于优化能源的使用和管理，在煤化工生产中实现能源消耗的预测与调节，降低能源成本，提高能源利用效率。

此外，MPC通过预测未来系统状态，能够显著减少操作误差，确保生产过程的稳定性和可靠性，有效应对外部扰动和系统变化。MPC通过动态模型预测，能够监控和调节生产过程中的关键参数，确保产品质量的稳定性和一致性，及时响应生产变化，调整生产参数，提升产品的均匀性、稳定性和纯度，从而满足市场需求和客户要求，避免设备故障和生产质量问题。MPC在煤化工中的应用，不仅有助于提高生产过程的效率和产品质量，还能有效应对复杂工艺中的多变因素和不确定性，是现代煤化工行业提升自动化水平的重要手段。

（3）多变量控制在煤化工中的集成综合应用

多变量控制是一种在控制系统中同时控制多个相关联变量的技术，旨在实现系统的整体稳定性、优化性能和最佳控制效果。这种方法的目标不仅是优化单个变量的性能，而且是通过协调多个变量的操作，达到整个系统的最佳性能。在煤化工行业中，由于生产过程涉及许多相互影响的参数和变量，多变量控制在该领域中具有特别重要的应用价值。多变量控制的基本原理是利用系统中多个输入和输出变量之间的相互关系，通过同时调节多个控制变量，实现对多个输出变量的协同控制。这种方法可以有效地应对复杂的工业过程，其中单一变量的控制无法满足系统整体的优化需求。多变量控制系统通过综合考虑各个变量的相互依赖性和动态特性，进行统一的控制策略设计，从而确保系统在不同操作条件下都能保持最优的运行状态。

在煤化工行业，生产过程通常包括反应、分离、精馏等多个环节，每个环节涉及的参数和变量都相互影响。例如，反应温度、压力、流量等参数不仅影响反应器的性能，还会对后续的分离过程产生影响。通过多变量控制，可以同时优化这些关键参数，使得各个环节的操作条件达到最佳，从而提高整体生产效率和产品质量。多变量控制系统通常采用先进的控制算法和优化技术，如线性矩阵不等式（LMI）、模型预测控制（MPC）、自适应控制等。这些算法能够处理复杂的非线性系统和时变系统，具备强大的计算能力和实时优化能力。在实际应用中，多变量控制系统还可以结合大数据分析和机器学习技术，进一步提升控制策略的精准度和适应性。

多变量控制的另一个显著优势是其对系统约束条件的处理能力。在工业过程中，设备容量、安全操作范围等各种硬约束和软约束都需要严格遵守。多变量控制系统可以在优化过程中同时考虑这些约束条件，确保系统运行在安全和合理的范围内，避免因超出操作限制而导致的设备损坏或安全事故。通过多变量控制技术，煤化工企业可以实现生产过程的自动化和智能化，显著提高生产效率，降低能耗和成本，提高产品质量。此外，多变量控制还可以增强系统的鲁棒性和可靠性，减少故障和停机时间，提高生产过程的稳定性和连续性。

多变量控制通过其强大的协调能力和优化性能，在煤化工行业中发挥了关键作用。它不仅能够实现系统的整体优化，提高生产效率和经济效益，还能确保系统在复杂工况下的安全稳定运行，推动煤化工行业向着更加高效、环保和智能化的方向发展。多变量控制的优点在于其协同优化、减少交互作用和综合优化能力。通过多变量控制，能够协同调节多个相关变量，以达到优化系统性能和实现更精确的控制效果。这种方法能有效减少系统中不同变量之间的相互影响和干扰，从而显著提高系统的稳定性和控制精度。多变量控制不仅能够单独优化各个变量的表现，还能综合考虑它们之间的关联，制定全局的优化控制策略，确保系统在各种工作条件下都能保持最佳状态。这种综合优化的方法特别适用于煤化工等复杂工业过程，能够有效提升生产效率、降低能耗成本，并提高产品质量和生产过程的稳定性。多变量控制在煤化工产品生产过程中具有广泛应用，涵盖了多个关键环节。

首先，在多变量反应控制环节，煤化工生产中的反应过程通常是一个复杂的多变量系统，涉及多种反应物和产物之间的相互作用。通过应用多变量控制，可以优化反应条件，确保反应过程在最优状态下运行，从而提高产品的产率和质量。例如，在甲醇合成过程中，通过精确控制温度、压力和原料配比，可以最大化甲醇的产量，并减少副产品的生成。

其次，在实时数据分析与预测功能方面，多变量控制依赖于对系统进行实时数据采集、分析和建模预测，以便实现对多个变量的协同控制。这不仅能够及时调整生产参数，提高生产过程的稳定性和效率，还能预防可能出现的问题。例如，通过实时监测反应器内的温度和压力变化，可以预测并防止潜在的爆炸风险，提高生产安全性。此外，多变量控制在优化煤化工生产的能源系统方面也具有重要作用。在煤化工生产中，能源系统通常包括多个热能单元和传热单元，需要协调多个变量进行控制。多变量控制可以实现能源系统的优化调节，提高能源利用效率。例如，通过协调锅炉、热交换器和蒸汽管网的运行，可以最大限度地利用余热，降低能源消耗，从而节省生产成本。整个煤化工生产过程涉及多个环节和单元之间的相互作用，需要综合考虑多个变量的影响。多变量控制可以协调不同环节之间的关系，实现整个生产流程的优化控制。例如，在煤气化过程中，通过调节气化炉的运行参数和合成气的处理条件，可以确保下游工艺的稳定运行，提高整个系统的效率。

在产品质量管理方面，煤化工产品的质量通常受到多个生产参数的影响，需要在多变量条件下进行控制。多变量控制可以帮助实现对产品质量的精确控制和调节。例如，在生产合成氨时，通过控制氢气和氮气的比例、反应温度和压力，可以确保最终产品的纯度和一致性。多变量控制系统还可以根据市场需求和产品要求进行调整，快速响应变化的市场需求，灵活生产符合客户需求的产品。例如，通过调整生产工艺，可以在不同时间段内生产不同规格的甲醇、乙烯等产品，以满足市场的多样化需求。通过优化生产过程中的能源利用，提高能源利用效率，减少能源浪费，降低生产成本，合理调节各个变量，优化整个生产过程，可以减少碳排放和其他环境影响，实现绿色、可持续的生产模式。例如，通过引入碳捕集与利用（CCU）技术，可以将生产过程中产生的二氧化碳转化为有价值的化工产品，减少环境污染。总之，通过在这些环节应用多变量控制，可以显著提升煤化工生产的整体效率和效益，确保产品质量的一致性和可靠性，同时降低生产成本和环境影响，实现可持续发展目标。

（4）智能控制技术的整体战略优势

智能控制技术在煤化工产品的生产过程中具有显著的优势，能够大幅度提升生产效率、降低生产成本、提高安全性、实现智能化管理，并确保煤化工产品的质量。作为现代化工生产中不可或缺的关键技术，智能控制技术在优化生产操作、提升生产能力、提高产品质量和增加产品收率、减少能耗及实现装置经济效益最大化等方面取得了令人满意的成果。随着技术的发展，智能控制技术展现出以下几个主要优势。

首先，智能控制技术具有高度的自动化程度。它能够实现设备和系统的自动化控制，大幅减少人工干预，从而提高生产效率。自动化控制不仅降低了人为操作的误差，还减少了劳动力成本，提升了整个生产过程的可靠性和稳定性。其次，智能控制技术的精准度非常高。它能够实现对生产过程的精确控制，从而提高产品质量的稳定性和一致性。例如，通过精确控制温度、压力和流量等关键参数，可以确保每一批产品都符合严格的质量标准，减少废品率和返工率。智能控制技术还大幅提高了生产效率。通过实时监测生产数据并快速作出反应和调整，智能控制系统可以及时发现并解决生产中的问题，避免停工和延误。例如，当检测到设备运行异常时，系统可以迅速调整运行参数或触发维护程序，确保生产过程连续稳定进行。在节能环保方面，智能控制技术表现突出。它能够优化能源利用和资源分配，降低能耗并减少碳排放。例如，通过智能调节设备运行模式，可以最大程度地减少能源浪费，实现绿色生产目标。智能控制系统还可以优化原料的使用效率，减少废弃物的产生，从而进一步降低环境影响。智能控制技术还具备强大的数据分析能力，能够实时采集和分析大量生产数据，为管理决策提供科学依据。例如，通过分析历史数据和实时监测数据，系统可以识别生产过程中的瓶颈和优化机会，从而不断改进生产流程，提升整体效率。最后，智能控制技术具有高可靠性，它能够增强设备和系统的稳定性和可靠性，减少故障发生率，降低维护成本。例如，通过预测性维护技术，系统可以在设备出现故障之前进行预防性维护，避免生产中断和设备损坏，延长设备的使用寿命。

综上所述，智能控制技术在煤化工产品生产过程中发挥着至关重要的作用。它不仅显著提升了生产效率和产品质量，还实现了节能环保和高效管理，确保了生产过程的安全性和可靠性。在现代化工生产中，智能控制技术无疑是推动行业进步和可持续发展的关键动力。分布式控制系统通过分散控制任务，实现了煤化工生产管理的智能化，显著提升了生产过程的稳定性和经济效益。模型预测控制则通过动态预测和优化控制，有效提高了生产效率和产品质量，同时保持了生产过程的稳定性和可靠性。多变量控制技术在煤化工行业中，通过协同调节多个变量，实现了全局优化，减少了各种变量之间的交互作用，从而提升了系统的稳定性和控制精度。

随着技术的不断发展，智能控制技术在煤化工行业中的应用前景广泛，推动行业向更高效、更环保和更智能化的方向迈进。这种技术不仅有助于企业提升竞争力，还能够满足市场需求，适应不断变化的市场环境，从而实现可持续发展目标。企业应当积极采纳这些先进技术，不断优化生产过程，提升整体生产水平，确保在激烈的市场竞争中处于领先地位。智能控制技术在煤化工领域的优点显而易见，不仅可以提升生产效率和产品质量，还能显著降低运营成本和环境影响，同时增强安全性和经济效益，为煤化工行业的可持续发展提供了强有力的支持。

5.3.5 知识自动化驱动的企业经营决策优化

（1）知识自动化驱动是煤化工企业经营发展的必然趋势

中国面临着依托智能化、信息化手段从工业大国发展为智造强国的重大战略课题。目前，尽管中国已经是一个工业大国，但工业发展在资源、能源和环境方面受到严重制约，面临着巨大的生产转型升级压力。古典经济理论认为劳动力、土地和资本是经济发展的关键驱动力，而现代经济理论则更加重视人类知识的积累对经济增长的推动作用。知识型工作在工业生产中起核心作用，在现代大型工业生产起关键作用，例如决策、规划、调度、管理和操作等，都是知识型工作。知识型工作自动化是指用计算机来自动执行以前只有人类可以完成的知识型任务，这将成为工业自动化的重要变革。

在煤化工企业的生产过程中，通过生产分工和自动化技术，体力型工作基本上已经被自动化系统和机器替代，但复杂工业生产过程中涉及分析、评估和决策的工作大部分还是要依靠人来完成。未来，随着计算技术、机器学习、自然用户接口和自动化技术的迅速发展，越来越多的知识型工作也可以通过自动化技术由机器来完成，为知识型工作自动化提供了机会。从自动化发展的历程来看，煤化工自动化经历了机械自动化、电气、仪表自动化和信息化等几个阶段。知识在煤化工企业生产中的重要性日益凸显。知识自动化是工业自动化发展的新阶段，反映了知识经济时代的特征和智能化趋势在工业自动化领域中的应用，是复杂生产过程中工业化与信息化深度融合的必然结果，将对煤化工行业带来深远的变革。

（2）知识决策优化系统的设计与实现

知识决策是一种特殊的知识自动化驱动技术，将机器能够处理的决策任务交由自动化系统完成，解放决策工作者繁重的脑力工作，使其能够集中精力完成只有人类能够完成的工作，将使运用知识自动化技术协助决策者完成决策成为现实。目前，煤化工产业的知识决策已达到一定程度的自动化。但是，面对快速变化的市场需求、资源供应、环保排放等诸多因素的综合挑战，现代煤化工生产工况变化更加复杂，其知识决策技术的复杂性也在逐步提升。因此，在复杂生产过程中，需要深入研究知识的完整性推理和生成，进而对其进行优化。

基于人工的知识决策方式严重依赖个别高水平知识型工作者，而个别高水平知识型工作者的决策制定具有严重的依赖性、主观性和不一致性，在决策反应灵敏性和知识积累成本上也存在一定的缺陷。因此，基于知识自动化驱动的决策优化系统是煤化工企业经营决策优化的关键技术。利用海量数据的处理与监控获取最新生产动态和市场需求，结合预测分析、描述性分析、诊断分析等手段准确预测生产设备的维护需求、市场价格趋势以及生产过程中的瓶颈问题，从而有效提高运营效率和决策的准确性，进而通过决策模拟和个性化推荐帮助煤化工企业选择最优方案，提升生产效率和产品质量。同时，通过监控和评估生产过程中的安全风险和市场波动风险进行风险管理，提供预警和应对措施，帮助企业规避潜在风险，确保决策的安全性和可行性。最终，自动化执行和持续优化机制确保决策被有效实施，并通过反馈不断改进。

（3）现代技术与设施环境为煤化工生产提供高效、智能的优化决策手段

随着我国政策的大力支持和数字化转型的加速，煤化工产业将广泛应用知识自动化技术来提高决策效率和竞争力。生产过程中的知识型工作正面临新的挑战，只依赖知识型工作是无法实现工业跨越式发展的，未来必须逐步摆脱对知识型工作的传统依赖，探索大数据和人工智能等知识自动化以及知识自动化决策系统的解决之道。现代技术的迅猛发展将使智能决策和自动化程度不断提升，而产业互联网和AIoT（人工智能与物联网）技术的融合将推动传统煤化工产业的智能化升级，实现全方位的智能决策优化。新型基础设施建设，如5G网络和数据中心，为知识自动化提供了坚实的技术基础，支持大规模数据处理和实时决策。同时，企业和教育机构将加强相关技术培训，培养具备数据分析和智能决策能力的人才，并进行组织结构调整以适应新的智能化管理模式。与此同时，数据安全与隐私保护将成为关键问题，政府将完善相关法规，企业将采用先进的技术手段确保数据的安全性和隐私性。在这些因素的共同作用下，我国煤化工产业将在未来实现更高效、更智能的经营决策优化，提升整体竞争力和市场应变能力。

5.3.6 安环指标溯源和应急响应

（1）工艺设计合理性与园区选址科学性是提升煤化工企业行业竞争力的重要因素

随着工业化和城市化进程的加快，企业在生产过程中面临的安全和环境风险日益增加。有效的安环（安全与环境）管理成为保障企业可持续发展的重要组成部分。近年来，我国的煤化工行业受到了更为严格的把控，但是煤化工企业生产过程中仍然面临着许多安环问题。在这样的背景下，现代煤化工行业为了安全、清洁、高效发展，发挥在经济增长过程中的重要作用，必须要对其工艺设计、园区选址和生产运行的各个方面进行综合考虑，涉及公共安全、自动控制、系统工程、化学工程、环境工程等多个学科。加强工艺设计的合理性，提高园区选址的科学性，对于提升煤化工企业行业竞争力和可持续发展能力具有重要的意义。

加强工艺设计的合理性，需要优化工艺流程与参数、加强安全设计、注重环保设计以及持续改进与创新。工艺设计必须严格遵守国家及地方的相关法律法规，确保设计符合安全、环保、资源利用等方面的标准。选择先进、成熟的技术路线，避免使用已经过时或存在重大安全隐患的技术。通过优化工艺流程，减少不必要的生产环节，降低操作难度和能耗。同时，对生产过程中的关键参数进行精确控制，确保产品质量和生产安全，通过实时监测和调整参数，可以及时发现并解决问题，避免生产事故的发生。此外，企业要选择符合安全标准的设备，并进行合理的布局，确保设备之间的间距、通风、防火等要求得到满足，降低安全风险。还应重点关注行业动态和新技术发展，及时引入新技术、新工艺和新设备，提升工艺设计的合理性和先进性。通过以上措施的实施，可以加强工艺设计的合理性，提高煤化工行业的安全生产、环保生产和高效生产水平。

提高园区选址的科学性，需要综合考虑多个方面，包括宏观经济环境、地块详情、政策研究、市场供需、交通物流、劳动力资源以及生态环境和社会氛围等。由于煤化工行业性质的特殊性，在进行园区选址时要着重考虑以下几方面因素：企业因素，考虑所选园区是否能够提供足够的土地面积和基础设施以满足生产需求，并评估企业对周边环境和安全的影响；政府因素，评估当地政府对煤化工产业的支持程度，确保所选园区符合国家和地方关于环保、安全等方面的法律法规要求；环保因素，选择环境相对干净的地区，考虑园区的废水、废气、废渣处理能力；交通因素，评估园区的交通条件和物流成本，选择交通便捷、运输成本低的地区以降低企业运营成本；区位因素，选择接近原材料供应地和产品销售市场的地区，以降低运输成本并满足市场需求；安全与风险因素，确保所选园区远离人口密集地、火灾及地震等灾害多发地、水源保护区等地方，评估园区的应急措施和救援能力，确保在紧急情况下能够及时应对；规划与可持续发展因素，选择具有未来发展潜力的地区，关注园区的可持续发展能力，包括环境保护、资源节约等方面。通过考虑以上因素，选出最适合企业发展的园区地址。

（2）应急响应能力是检测煤化工企业安全管理水平的重要指标

安全指标是确保煤化工企业生产过程安全可控的基础，环保指标溯源是确保煤化工企业符合环保要求的重要手段。煤化工企业的生产过程往往涉及许多危险因素和突发紧急状态，因此，在保证安全与环保基础上，设置相应的事故应急响应措施也是必不可少的，应急响应是煤化工企业在发生安全事故或环保问题时能够迅速、有效地采取措施的关键环节。

在事故应急响应中，尤其是涉及大气和水体污染的应急处置过程中，建立机理-数据相结合的、具有一定普适性定量后果的评估模型是非常重要的。机理模型是通过深入研究煤化工事故的成因、发展规律和影响因素，建立基于物理、化学和工程原理的模型，能够准确地描述事故发生的内在机制和过程。数据分析是通过收集和分析大量的事故数据，包括历史事故案例、实时监测数据等，以揭示事故的统计规律和特征，通过数据挖掘和机器学习技术，提取有价值的信息和模式，为后果评估提供数据支持。在未来评估模型的研究中，要在确保建模鲁棒性、精确性的前提下，结合机理建模和数据建模的优点，将机理模型和数据分析结果相结合，形成机理-数据相结合的定量后果评估模型。该模型能够综合考虑事故的机理特征和统计数据，提高评估的准确性和可靠性。一个具有广泛适用性的定量后果评估模型能够快速应用于各种事故场景，减少重复开发和验证的工作量。广泛适用性的定量后果评估模型有助于推动煤化工企业应急响应的标准化和规范化，通过采用统一的评估标准和流程，不同企业之间的交流和合作将更加便捷，提高了整个行业的应急响应水平。

事故发生后的应急响应速度关系着人员伤亡和财产损失的程度，以及对再生事故的预防，进而要求定量后果评估模型具有一定的计算速度和可靠性。首先通过采用高性能计算、并行计算等先进算法和技术手段，提高定量后果评估模型的计算速度，能够在事故发生后迅速进行评估和决策，减少损失和影响。其次通过实际案例和实验数据对定量后果评估模型进行验证和校准，确保其准确性和可靠性。同时，不断收集新的数据和经验，对模型进行持续的改进和优化。

（3）科学合理的园区布局是提高煤化工企业应急响应能力的重要因素

园区布局在很大程度上影响企业的应急响应能力。科学合理的园区布局不仅能提高日常运营效率，还能在突发事件中有效提升应急响应速度和效果。为提高企业的应急响应速度，在煤化工企业园区布局时，应综合考虑安全、经济和工程伦理等因素：引入故障树分析（FTA）、事件树分析（ETA）等先进的过程安全分析方法，识别并控制潜在的危害和风险因素；借助定量评估手段，对潜在事故的后果进行预测和评估；考虑安全距离、疏散通道、消防设施等因素，确保在事故发生时能够迅速疏散人员、控制火势和减少损失；充分考虑资源的优化配置，包括原料、能源、水等资源的供应和分配；优化生产流程，减少物料和能源的浪费，注重节能减排和环境保护，严格遵守国家和地方法律法规，确保园区的合法性和合规性。

由于行业特殊性，煤化工企业应积极履行社会责任，关注环境保护、社会公益等方面的问题，通过科技创新和产业升级，推动绿色、低碳、循环发展，加强与社会的沟通和互动，树立企业良好的社会形象，尝试采用模块化布局、柔性化布局等新的布局模式，利用三维建模技术，对煤化工企业园区进行碰撞检测、优化布局等操作，提高园区的安全性和经济性，提升事故应急处置的辅助能力。

参考文献

[1] Xie K C, Li W Y, Zhao W. Coal chemical industry and its sustainable development in China[J]. Energy, 2010, 35(11): 4349-

4355.
[2] 司训练，李鑫. 煤化工产业研究综述[J]. 科技经济市场，2011, (09): 41-43.
[3] Li C H, Bai H T, Lu Y Y, et al. Life-cycle assessment for coal-based methanol production in China[J]. Journal of Cleaner Production, 2018, 188: 1004-1017.
[4] Chang S Y, Zhuo J K, Meng S, et al. Clean coal technologies in China: current status and future perspectives[J]. Engineering, 2016, 2(4): 447-459.
[5] Dai J, Li Z. An equilibrium approach towards sustainable operation of a modern coal chemical industrial park[J]. Omega, 2023, 120: 102914.
[6] Zhao Z T, Jiang J Y, Wang F. An economic analysis of twenty light olefin production pathways[J]. Journal of Energy Chemistry, 2021, 56: 193-202.
[7] 滕吉文，王玉辰，司芗，等. 煤炭、煤层气多元转型是中国化石能源勘探开发与供需之本[J]. 科学技术与工程，2021, 21(22): 9169-9193.
[8] Dale, Spencer. BP statistical review of world energy. BP Plc: London, UK (2021): 14-16.
[9] 司传煜. 环境规制、政府扶持与工业企业发展——以中国煤化工行业为例[D]. 北京：中国社会科学院大学（研究生院），2021.
[10] 数说煤炭2023[N]. 中国煤炭报，2024-04-04(04).
[11] 孙丹宁. 煤制烯烃工业化：从“零”的突破迈向新兴战略产业[N]. 中国科学报，2024-04-29(04).
[12] 岳宗欣. 煤制甲醇工艺现状及发展趋势[J]. 化工设计通讯，2018, 44(11): 21.
[13] 刘凌云. 中国煤制油产业发展遭遇生存危机及未来发展建议[J]. 化工管理，2022, (19): 12-14.
[14] 闫国春，温亮，薛飞. 现代煤化工产业发展现状、问题与建议[J]. 中国煤炭，2022, 48(08): 1-6.
[15] 戴盈，余碧莹，杨星义，等. 中国煤化工行业低碳转型路径优化研究[J]. 煤炭经济研究，2024, 44(01): 129-140.
[16] 卜凡. 煤化工生产废水零排放技术路径及关键技术研究[J]. 清洗世界，2024, 40(05): 99-101.
[17] 李智，刘涛，张志伟，等. 煤化工低碳技术及其与新能源耦合发展的研究进展[J]. 中国煤炭，2022, 48(8): 66-81.
[18] 李民，吕丰，孙保全，等. 双碳目标约束下现代煤化工企业绿色低碳发展路径浅析[J]. 中外能源，2024, 29(01): 17-21.
[19] 刘慧霞. 机械自动化技术在煤化工安全生产中的应用[J]. 化工管理，2022(06): 50-52.
[20] 马军忙，张安平，史晶. 煤化工智能工厂建设的实践与研究[J]. 自动化应用，2023, 64(18): 10-14+17.
[21] 陈良超，宋策，方舟，等. 典型煤化工装置设备风险评级与管理系统[J]. 炼油与化工，2024, 35(01): 63-66.
[22] 韩忠明，潘勇延. 现代煤化工企业的废水处理技术及应用分析[J]. 化学工业与工程技术，2013, 34(06): 28-32.
[23] 杨洋，乔威龙，陈松林. 陕西省煤盐化工产业计量测试中心重点建设任务[J]. 中国计量，2022(10): 26-27+29.
[24] 张裕振. 煤化工行业中自动化仪表实践技术探析[J]. 山东工业技术，2017, (10): 83.
[25] 候东升. 智能自动化仪表在煤化工行业的应用[J]. 山西化工，2018, 38(03): 143-144+147.
[26] 范宗海. 大型石油（煤）化工工程自动化和信息化集成系统与企业精益管理[J]. 石油化工自动化，2015, 51(04): 1-6.
[27] 吕毅，郭建钊，梁绥，等. 煤化工智能工厂运行管理系统标准研制[J]. 信息技术与标准化，2019(03): 52-55.
[28] 白林虎. 兖矿集团煤化公司ERP统一供销系统的设计与实现[D]. 成都：电子科技大学，2016.
[29] Gao D W, Wang Q, Zhang F, et al. Application of AI techniques in monitoring and operation of power systems[J]. Fronties of Energy, 2019, 13(01): 71-85.
[30] 赵春晖，余万科，高福荣. 非平稳间歇过程数据解析与状态监控——回顾与展望[J]. 自动化学报，2020, 46(10): 2072-2091.
[31] Yuan Y, Ma G J, Cheng C, et al. A general end-to-end diagnosis framework for manufacturing systems[J]. National Science Review, 2020, 7(02): 418-429.
[32] 柴天佑，刘强，丁进良，等. 工业互联网驱动的流程工业智能优化制造新模式研究展望[J]. 中国科学：技术科学，2022, 52(01): 14-25.
[33] 陈晓方，吴仁超，桂卫华. 工业生产中的知识自动化决策系统[J]. 中兴通信技术，2016, 22(05): 42-46.
[34] 杨曦宇. 知识自动化相关概念辨析及应用展望[J]. 现代工业经济和信息化，2018, 8(04): 9-11.
[35] 李凌，袁德成，郭小萍，等. 传统自动化专业升级新工科的改革探索[C]// 中国自动化学会信息物理系统控制与决策专业委员会第35届中国控制与决策会议论文集，2023.
[36] Fish A N. 决策知识自动化：大数据时代的商业决策分析方法[M]. 王飞跃，王晓，郑心湖，等译. 北京：人民邮电出版社，2016.

[37] 陈杨．现代煤化工行业的安全环保风险预控管理体系探讨[J]. 科技资讯, 2021, 19(3): 115-117.
[38] 王秀江．石油和化工行业安全环保提升专项行动之煤化工行业[J]. 中国石油和化工经济分析, 2019, (7): 37-39.
[39] 钱锋, 杜文莉, 钟伟民, 等．石油和化工行业智能优化制造若干问题及挑战[J]. 自动化学报, 2017, 43(6): 893-901.
[40] Tidriri K, Chatti N, Verron S, et al. Bridging data-driven and model-based approaches for process fault diagnosis and health monitoring: a review of researches and future challenges[J]. Annual Reviews in Control, 2016, 42: 63 − 81.
[41] Jung S. Facility siting and plant layout optimization for chemical process safety[J]. Korean Journal of Chemical Engineering, 2016, 33(1): 1 − 7.

本章负责人　　杨绍军　国能包头煤化工有限责任公司

参加编写人员　王志明　张军录

第6章　合成橡胶自动化

6.1 》 合成橡胶行业发展概况

6.1.1　合成橡胶产业分析

合成橡胶是一种通过化学合成生产的橡胶，又称为合成弹性体，是以煤、石油、天然气为主要原料，人工合成的高弹性聚合物，是三大合成材料之一。合成橡胶大致可分为通用合成橡胶和高性能合成橡胶两大类。通用合成橡胶指用于生产轮胎等大宗产品的原料橡胶，包括丁苯橡胶（SBR）、聚丁二烯橡胶（BR）、丁基/卤化丁基橡胶（IIR/HIIR）、乙丙橡胶（EPDM）、丁腈橡胶（NBR）、异戊橡胶（IR）、氯丁橡胶（CR）和苯乙烯类嵌段共聚物（SBCs）。高性能合成橡胶是指通用合成橡胶的高端牌号和功能化品种及特种合成橡胶，是新时代发展所必需的关键化工基础材料。合成橡胶具有高弹性、绝缘性、气密性、耐油、耐高温或低温等性能，与天然橡胶相比，其物理性质和化学性质稳定，质量易控制，并且可以根据不同需求进行定制。合成橡胶既是与人们生产生活息息相关的石化产品，也是重要的国家战略资源，广泛应用于工业、国防、交通及人民日常生活的各个方面，是现代工业中不可或缺的材料之一。

汽车行业是合成橡胶最大的应用领域之一。由于合成橡胶具有优异的耐磨、抗老化和抗刺穿性能，能够提供稳定的行驶和舒适的乘坐体验，合成橡胶被广泛用于汽车轮胎的制造。此外，合成橡胶还用于汽车密封件、悬挂系统和减震器等部件的制造，提高了汽车的性能和安全性。

合成橡胶在电子领域的应用也非常广泛。合成橡胶具有优异的绝缘性能和耐高温性能，能够保护电子设备不受外界环境的干扰，提高电子设备的稳定性和可靠性。

合成橡胶在化工领域也有重要的应用。合成橡胶具有优异的耐腐蚀性能和耐高压性能，能够有效地防止化学物质的泄漏和腐蚀，保护工业设备的安全和可靠性。常被用于制造管道、阀门和泵的密封件，以及化工容器的衬里材料。

合成橡胶凭借其优异的物理和化学性能，为各个领域的发展提供了重要支持，促进了社会的进步和经济发展。

6.1.1.1　全球合成橡胶产业分析

（1）全球合成橡胶市场规模持续增长

全球合成橡胶2022年总产量约为2089万吨，主要分布在亚洲（55%）、欧洲（25%）和北美洲（15%）等地区。2022年全球合成橡胶总产能达2235万吨/年，其中：产能占比最大的是丁苯橡胶，约占总产能的32%；其次是丁二烯橡胶，约占总产能的21%；第三是热塑性弹性体，约占总产能的17%。2023年，全球合成橡胶市场规模达到2.6亿吨，同比增长5.1%。预计到2028年，全球合成橡胶市场规模将达到3.2亿吨，年均复合增长率为

4.2%。全球合成橡胶市场的增长主要受到以下因素的驱动:

① 汽车工业的发展。汽车工业是合成橡胶的最大消费领域，约占全球总消费量的70%。随着全球汽车产销量的恢复和增长，以及新能源汽车和智能汽车的快速发展，对高性能轮胎和其他汽车零部件的需求将持续增加，从而推动合成橡胶市场的扩张。

② 新材料技术的创新。随着科技水平的提高和消费者需求的多样化，合成橡胶行业不断推出新品种、新工艺和新应用领域，以满足不同行业和领域的特殊需求，例如生物基合成橡胶、可降解合成橡胶、导电合成橡胶等新型合成橡胶在医疗器械、电子信息、环保工程等领域具有广阔的应用前景。

③ 发展中国家的市场潜力。发展中国家的经济增长、人口增加、城市化进程、基础设施建设等因素，都为合成橡胶的消费提供了巨大的空间。尤其是中国、印度以及东南亚地区，合成橡胶的需求增速高于全球平均水平，成为合成橡胶市场的增长引擎。

(2)全球合成橡胶产能分布不均，亚洲地区占主导地位

合成橡胶的生产过程涉及复杂的化学反应和精密的设备，需要较高的技术水平和资金投入。因此，全球合成橡胶的产能分布并不均衡，主要集中在一些发达国家和地区，以及一些资源丰富或市场需求大的国家和地区。

根据国际合成橡胶生产商协会（IISRP）数据，2022年，全球合成橡胶产能超过2千万吨/年，其中50%以上来自亚洲，其次是EMEA（欧洲、中东和非洲的合称）地区，占全球产能的15%以上，北美地区占比15%左右，俄罗斯和拉丁美洲占比均在10%以下（以上区域划分来自全球橡胶统计数据，与传统区域划分方式有所差异）。

在亚洲地区，2023年，中国的产能在亚洲地区的比重超过55%，占全球产能三分之一强，中国是全球最大的合成橡胶生产国。此外，日本、韩国、泰国、印度等国家也是亚洲地区重要的合成橡胶生产国。在欧洲、中东和非洲地区，2023年，德国、法国、意大利、荷兰等欧洲国家是主要的合成橡胶生产国，中东地区以沙特阿拉伯为代表，非洲地区以南非为代表。在北美地区，2023年，美国是绝对的合成橡胶生产大国，加拿大和墨西哥的产能规模相对较小。在俄罗斯和拉丁美洲地区，2023年，俄罗斯是该地区最大的合成橡胶生产国，巴西、阿根廷等南美国家也有一定的产能规模。

(3)全球合成橡胶竞争格局呈现寡头垄断特征

合成橡胶行业具有较高的技术壁垒和资本壁垒，导致行业内竞争者数量有限，市场集中度较高。2023年，全球TOP10合成橡胶生产商的总产能占全球总产能的60%以上。

中国石油化工集团有限公司（中石化）和中国石油天然气集团有限公司（中石油）是中国最大的两家合成橡胶生产商，也是全球重要的合成橡胶生产商。中石化和中石油主要生产丁二烯橡胶、乳聚丁苯橡胶、乙丙橡胶等产品，主要服务于国内市场，也出口到亚洲其他国家、欧洲等地。

6.1.1.2 中国合成橡胶产业分析

(1)产业发展现状

我国合成橡胶行业兴起于1950年，历经70余年发展，我国合成橡胶工业走过了一段国内自主研发和引进国外先进技术相结合的道路。目前，我国已经形成较为完整的合成橡胶工业体系。2009年我国合成橡胶装置生产能力为250万吨/年，2019年增加到604万吨/年，10年间增长了140%。与此同时，2009年我国合成橡胶年产量为182万吨、表观消费量为332万吨，2019年年产量增加到392万吨、表观消费量达到482.6万吨，10年间分别增长115%、45.3%。据我国合成橡胶工业协会统计，2020年我国合成橡胶行业产量、消费量、利润率等相关经济指标较2019年同期均逆势上扬。2020年国内合成橡胶产能增加到608万吨/年，产量达到440万吨，进口量也增加到135.7万吨，比2019年同期增幅达11.2%，出口量20万吨，比2019年同期增加25%，表观消费量达到556万吨。

近几年，随着我国轮胎工业以及基础建设步伐加快，包括丁苯橡胶、聚丁二烯橡胶、氯丁橡胶、丁腈橡胶、丁基橡胶、聚异戊二烯橡胶、乙丙橡胶和热塑丁苯橡胶在内的8大合成橡胶品种均实现工业化生产，中国成为世界上最大的合成橡胶生产国家。2022年我国合成橡胶总产能达678万吨/年，总产量约为484万吨。

目前，我国合成橡胶行业拥有世界上“四个第一”：一是表观消费量第一，随着近年来我国经济的高速发展，橡胶消费量迅速攀升，目前我国橡胶消费量约占世界总消费量的30%；二是合成橡胶产能第一，我国合成橡胶的产能接近世界产能的30%；三是进口量第一，受纬度地域限制，我国天然橡胶种植区域有限，产量远不能满足需求，同时，合成橡胶产需结构不匹配，天然橡胶和合成橡胶进口量大，占世界总产量的20%；四是橡胶下游产品轮胎的产量第一。据统计，2019年，世界年产轮胎量为22亿条，我国产量为8.4亿条，约占世界总产量的40%。

基于汽车行业的推动，世界合成橡胶工业发展至今已经形成了以丁苯橡胶、顺丁橡胶为主，而丁基橡胶作为汽车内胎不可或缺的原材料也占有一定的产能。热塑性弹性体广泛用于汽车及制鞋领域，也占有较大的比例。总的来看，国内合成橡胶产能按胶种分布情况与国外同行业的分布情况基本相似，产业结构基本合理。

中国的合成橡胶产业分布广泛，主要生产基地包括山东、江苏、广东、安徽、河北等省份。这些地区拥有雄厚的化工产业基础和成熟的橡胶制造技术，形成了完整的合成橡胶产业链。特别是山东和江苏地区，拥有较大的合成橡胶生产规模，并且是全国乃至全球合成橡胶产业的重要集聚区。

多年来，通过自主创新、技术引进等方式，我国合成橡胶行业已拥有独立研究开发合成橡胶新产品和新技术的能力，我国合成橡胶生产技术的发展取得了较大进步，产量已经跃居世界第一，橡胶产品品质和生产装置规模进入世界先进行列。与此同时，一些问题也日益显露。特别是企业创新能力不强，产业结构不合理，资源短缺与环境压力凸显，有的企业盲目投资，产能过剩，导致经营效益大幅衰退等因素，严重制约了行业的进一步发展和产品品质的提升。

（2）存在的问题

与发达国家相比，我国合成橡胶行业还存在不少瓶颈，面临诸多问题和挑战。一是行业存在大而不强、企业竞争力弱的现象。随着国民经济的高速发展，国内合成橡胶产业快速发展，国内产能出现井喷式增长。然而从2008年开始出现了产能过剩现象，2012年后过剩态势逐步扩大。受市场价格和生产成本的影响，加之进口产品的冲击，有效产能利用率逐步低于世界合成橡胶装置平均产能利用率。调整产品结构、提高市场竞争力，已成为合成橡胶工业面临的首要问题。二是中高端牌号产品供应不足，中高端产品短缺与结构性产能过剩现象并存。历经七十多年发展，我国已经有能力生产所有的通用合成橡胶品种，产能、产量、消费量也跃居世界首位，但也存在产品同质化严重等现象，高附加值产品占比依然较低，很多特种高性能产品长期依赖进口。仅有异戊橡胶工业装置突破了传统技术模式，采用稀土催化体系，通过全新的技术路线，实现了异戊橡胶的产业化，但也存在产品质量不稳定等问题。高端的溶聚丁苯橡胶、溴化丁基橡胶主要以进口为主，我国目前还不能生产高门尼黏度乙丙橡胶的牌号。丁腈橡胶仅有20多个牌号，其中超高腈丁腈橡胶、羧基丁腈、氢化丁腈、粉末丁腈等牌号产品还主要依靠进口。三是创新能力不强，新技术开发能力差距明显。面向未来，国际上合成橡胶领域不断加强技术创新，新技术开发主要集中在产品创新、工艺创新和环境友好三个方面。在产品创新方面，主要依托可控自由基聚合、可控正离子聚合等基础研究成果，开发具有全新结构和性能的合成橡胶新产品，我国合成橡胶企业在此领域的研究才刚刚起步。在工艺创新方面，主要围绕生产工艺的优化、设备的更新、产品应用配方的开发等方面开展创新研究，以提升装置的综合技术水平，我国合成橡胶企业在此方面的原创性不够。在环境友好方面：一是围绕生产绿色轮胎的高性能合成橡胶新牌号进行创新开发，以期改善轮胎的抗湿滑性、滚动阻力性能；二是围绕环保要求，开发符合环保法规要求的新型助剂；三是围绕原料绿色化，开发以生物质为原料的合成橡胶。目前，在绿色轮胎用高性能溶聚丁苯、稀土异戊等新牌号产品开发方面，还缺乏面向市场的专业化技术服务支持。

6.1.2 合成橡胶行业发展预测

世界合成橡胶技术发展日益成熟，各大胶种的工业生产模式趋于固化，原料供应、产品应用渠道日臻完善，合成橡胶作为汽车轮胎的主要耗材，其需求量稳中有增。合成橡胶的主要下游应用领域有汽车轮胎、建筑、电子等。汽车产业的发展直接推动了汽车轮胎市场的增长，进而带动了合成橡胶需求的增加。新兴领域如电动汽车、可穿戴设备等也为合成橡胶提供了新的增长点。受益于下游行业的发展和政策支持，预计未来几年国内合成橡胶产业将继续保持增长态势。

技术创新方面。未来，随着科技创新的加速，合成橡胶产业将更加注重环保、节能和高效的生产方式。目前，除了已普遍采用环保型的生产装置外，更注重物料的环保。丁苯橡胶从聚合助剂到填充油均已改为无毒无害的物质，并且力求减少废气污水的排量。同时，设法降低能耗，提高橡胶转化率，克服工艺堵塞和设备腐蚀，延长装置使用运转周期。不仅如此，近年还开发出一系列环保型的合成橡胶类产品，如SBR1500E、SBR1502E等。预计不久的将来，环保型合成橡胶即将成为橡胶的主流。

新兴应用领域的增长方面，随着电动汽车、可穿戴设备等新兴领域的快速发展，对高性能、高附加值的合成橡胶需求将不断增加。随着高性能和超高性能轮胎的出现和发展，工业橡胶制品的多功能化，对合成橡胶也提出了各种高性能化的要求，促使合成橡胶以聚合催化体系为中心，展开一系列高性能化的研究，出现了大量新型的高性能合成橡胶。异戊橡胶正由Ti-IR、Li-IR向稀土催化的Nd-IR方向发展，茂金属催化体系更是发展方向。顺丁橡胶由Ni-BR、Co-BR、Ti-BR、Li-BR更多地转向稀土催化的Nd-BR。

产业升级与整合方面，未来国内合成橡胶产业将进一步升级和整合，通过提高产品质量、降低成本、拓展市场等手段，增强产业竞争力。随着原材料、能源和劳动工资、企业管理等费用的不断上涨，以及市场产品竞争的不断加剧，橡胶生产成本和销售价格已成为关乎企业生存的一大问题。现在，企业均已将其列为生产的第一要项，开展低成本化的活动。除节能降耗、提高设备运转率、聚合转化率等传统的措施之外，对橡胶进行充油，发展充油胶已是重要的产品发展方向。另外还有加有炭黑、白炭黑等填料的母胶。现在越来越多的合成橡胶企业甚至自办炭黑母炼胶（carbon master batch，CMB）工厂，把橡胶进一步加工成各种混炼胶供应给非轮胎橡胶制品等零散企业，以方便用户使用。合成橡胶市场的竞争将随着产能产量的增加而日趋激烈，传统橡胶工装设备日益不能满足橡胶企业对生产的需要，橡胶企业对设备自动化的需求愈加强烈。伴随着5G和智能制造4.0的到来，橡胶行业转型往自动化生产势在必行，一方面由于现在企业用工成本越来越高，人工成本已经占据了总成本很重要的比例，另一方面，自动化生产在材料批次稳定性上的控制力、产能上都有很优秀的表现。在此背景下，高效率、全自动生产线大受追捧。利用自动投粉装置、自动计量系统、中央控制系统、在线检测监控系统、全自动灌装调色系统、装箱机、封箱机等形成一整套完整的、自动化程度非常高的生产拉线式的现代化新型橡胶生产组合设备，从而达到保证始终如一的高稳定性品质产品，降低成本，改善车间生产环境以及减少用人、降低工人劳动强度的目的。

以橡胶混炼为例，传统的混炼胶生产至少配备5名劳动工人（配料2人、密炼1人、开炼1人、冷却和包装1人）。材料基本靠体力搬运，不同岗位之间信息传递靠人传递，如果批次频繁，很容易出现不同批次交叉现象，导致生产不稳定（且很难发现不稳定的原因）。但如果采用全自动生产线、在人工上最多需要3名工人即可（密炼1人、开炼1人、包装1人），并且通过机械和程序的配合，工人几乎不用多少体力劳动，更多的是监督配合机器。炼胶包含物料仓储、粉料处理、胶料处理、油料处理、气力输送、小料处理、自动炼胶、除尘除味等过程。配料由上辅机、全自动小料称量系统精准地投入密炼设备中，控制误差在较小范围内，大大节约劳动体力，提高生产效率，同时提高相同产品不同批次之间的稳定性。配料全自动称量时，输入配方即可自动配好打包，并包装套袋投料。全自动炭黑下料系统，解决人工配料、搬运、污染问题。全自动冷喂料B炼（单独加硫化剂）过滤机，可以避免A炼（硫化剂未加，其他助剂全加）过滤后再重新回开炼机加硫加促（防污染、效率高）。全自动生产线能够高效率生产，生产稳定性好，进而减少人工投入，增大产能。另外，在成型方面，着重解决减少工序和精密加工问题。研究实施压延、压出精密化、材料复合化，进而做到成型简易化和一体化，例如轿车轮胎、编织高压胶管、钢绳运输带的成型自动生产线。硫化方面的研究方向是，设法与成型联动结合，实施成型、硫化上下工序一体化、连续化，现已实现的有胶管、胶带、手套自动生产线。

此外，精益化管理也成为企业降本增效的必由之路。重点优化生产流程，提升员工效率，多措并举，多方面协同降低生产成本。随着市场对产品的多样化、高端化需求不断提升，新产品开发将逐渐成为提高装置创效能力的新出路和新方法。国内成品油消费市场逐渐饱和，但原油一次加工能力还在不断增加，减油增效将成为各炼化企业转型升级的必由之路，橡胶作为重要石化产品成为关注焦点。但合成橡胶行业的技术壁垒较高，技术垄断也较严重，应引进国际先进橡胶生产工艺技术，加快转型速度，通过提供质量可靠的产品提升企业竞争力。

6.2 合成橡胶行业自动化应用现状

6.2.1 关键自动化技术应用

在中国制造2025和工业4.0时代的背景下，中国制造业正处于转型升级时期，中国合成橡胶产业也面临着产业转型升级和供给侧改革。橡胶工业是典型的劳动密集型传统工业，目前面临诸多因素的制约，亟待转型升级，从而形成完整的橡胶工业智能制造体系，实现生产过程自动化、智能化、精密化、绿色化，带动橡胶工业整体技术水平的提升。

6.2.1.1 存在的问题

（1）缺乏深入的理论研究与应用研究

合成机理的研究不够深入，原创性的发明少，产品开发总是在国外同类技术基础上开展工作。产品品质与质量总是与国外高端产品有一定差距。我国合成橡胶生产企业加工应用研究力量薄弱，无法为用户提供相应的技术服务，做不到引导市场消费。合成橡胶应用领域太依赖于轮胎工业，近50%合成橡胶依赖轮胎消化，非轮胎领域应用有待进一步开发。受天然橡胶、合成橡胶价格低迷影响，再生胶技术开发、废旧橡胶回收利用技术陷入停滞。

（2）生产装备与数字自动化水平落后

生产装备及工艺流程几十年来变化不大：聚合釜放大、提质撤热改进少，单体浓度提不上去；凝聚能耗物耗高、废气废水量降不下来；后处理经常不能稳定生产并影响产品质量，超高分子量、超低分子量产品无法生产；数字自动化控制水平严重滞后，产品质量稳定性不能保证；单线生产能力和产量偏低、成本高。

6.2.1.2 发展建议

将先进的信息技术（ERP/MES/PCS等）、物联网技术、大数据技术、人工智能技术（RFID/TPMS）、机器人技术等融入橡胶制造的全生命周期，实现原材料、半成品、成型、检测、码垛、仓储全过程的自动化、透明化、可视化、柔性化，人员、设备、物料、质量等关键要素有效协调和控制。

（1）信息技术

信息管理。信息技术是橡胶企业实施信息化的重要基础。采用ERP、CRM等信息化系统，建立一个完整可靠的基础设施，将企业的资源统一管理，实现企业各环节的深度信息化。与物联网中心结合，将上下游模块用互联网连接起来，实现供货信息的现代化、智能化信息管理，有效提高企业运营效率。

（2）物联网技术

① 智能生产。物联网技术可以实现对橡胶生产过程中的各个环节进行实时监测和控制。通过传感器和互联网连接的设备，可以收集和分析各种数据，如温度、压力、湿度等，以优化生产过程。物联网技术也可以实现设备之间的智能化互联，提高生产效率和产品质量。

② 智能物流。物联网技术可以实现对橡胶原材料和成品的物流过程进行智能化管理。通过在货物上安装传感器和标签，可以实时追踪货物的位置和状态，并提供预警和报警功能，确保货物在运输过程中的安全性和完整性。

③ 智能售后。物联网技术可以实现对橡胶产品的售后服务过程进行智能化管理。通过与产品连接的传感器和设备，可以实时监测产品的使用状态和故障情况，并提供远程诊断和维修支持。这不仅可以提高售后服务的效率和质量，还可以帮助企业更好地了解用户需求并及时推出新产品。

（3）大数据技术

质量监控。在生产过程中涉及大量的计算工作，并且这些计算需要高度精确和实时处理。通过利用大数据技术集成与协调生产环节，优化产品组合、精细调节设备参数等手段对生产过程进行优化，从而提升生产效率和降低能耗。利用大数据技术对质检及原材料成分等进行全面监控和全方位记录，帮助企业对生产过程实现更加实时精准的控制。这不仅可以保证产品合格率，并且也有助于快速识别出潜在的问题和漏洞，进一步提高产品的品质可靠性。

（4）人工智能技术

① 生产调度。通过人工智能技术，结合IoT（物联网）技术和大数据分析，实现生产过程的自动化监测和调度。通过预测和识别生产线上的故障，智能化地调度设备运转和完成任务，并且自适应地优化生产流程。

② 质量检测。将计算机视觉技术应用于橡胶制品行业中，借助深度学习模型，实现对橡胶制品（如轮胎、密封圈等）的外观、尺寸及内部缺陷等进行快速、准确的检测。从而保证每个产品的质量。

③ 质量管理。通过利用人工智能技术，建立基于数据分析和模型预测的质量管理系统。在每个生产阶段，通过数据分析做出决策和改进，从而优化整个生产流程并提高质量水平。

④ 供应链管理。利用人工智能技术，实现高精准度的供需匹配、自动化物流规划、及时订单跟踪等功能。同时，借助数据分析和预测模型对市场需求进行预测，从而优化生产线、减少库存、提高生产效率和降低成本。

（5）机器人技术

① 生产自动化。机器人可以代替人工完成一些重复性、烦琐的工作，如橡胶制品的搬运、分拣、包装等。这些工作对于人工来说，不仅需要大量的人力物力，而且还容易出现疲劳和错误。而机器人可以24小时不间断地工作，不会出现疲劳和错误。

② 生产安全性。合成橡胶的生产过程中涉及一些危险的环节，如高温、高压、有毒有害物质等，如果使用人工操作，不仅容易出现安全事故，而且还会对工人的身体健康造成影响。而机器人可以代替人工完成这些危险的工作，保证了生产线的安全性。

合成橡胶行业的自动化技术主要应用在生产线自动化、质量检测等方面。

在合成橡胶工业中，生产线自动化是一项重要的技术应用。通过将传感器、仪表和机器人等设备与计算机系统相连接，可以实现合成橡胶的自动生产。生产线自动化可以将各个生产环节的工作有机地连接起来，提高生产效率并降低操作风险，例如在合成橡胶生产过程中通过自动化技术来控制原料的配比、橡胶混炼的温度和时间，从而实现产品的稳定制造。

自动化技术的广泛应用能够提高生产效率，减少生产周期，增加产量，降低能耗和原材料浪费；降低生产成本，提高生产线的利用率，降低维护成本，并且可以更精确地控制原料用量和生产过程；提升产品质量稳定性，并减少人为操作对环境和安全的影响，降低事故发生的风险，提升生产安全性，确保产品质量的稳定性和标准化。

6.2.2 合成橡胶智能化装备

合成橡胶的智能化装备主要包括以下几类：

① 智能化橡胶生产设备。包括智能橡胶混炼机、智能橡胶挤出机、智能橡胶成型机等，这些设备能够通过传感器实时监测生产参数，并根据监测数据进行智能控制，提高生产效率和产品质量。

② 智能化物料处理设备。包括智能化橡胶输送系统、智能化原料称量和配料系统等，这些设备可以实现自动化物料处理和配料，减少人工操作，降低物料浪费。

③ 智能化质量检测设备。包括智能化橡胶产品在线检测系统、智能化质量分析仪器等，这些设备能够实现橡胶产品的自动化质量检测和分析，确保产品符合标准。

④ 智能化能源管理设备。包括智能化橡胶生产能源监测系统、智能化节能设备等，这些设备可以通过监测和控制实现生产能源的优化利用，降低能耗成本。

⑤ 智能化生产管理系统。包括智能化生产计划调度系统、智能化数据采集系统、智能化生产监控系统等，这些系统能够实现生产过程的全面监控和管理，提高生产效率和响应速度。

6.2.3 合成橡胶智能车间（工厂）

合成橡胶智能车间（工厂）是指应用智能化技术和装备，在合成橡胶生产过程中实现自动化、数字化和智能化管理的生产场所。随着工业化和信息化的不断推进，合成橡胶行业的智能化装备和智能车间的建设正迅速发展。

6.2.3.1 智能车间（工厂）的产生背景

传统的合成橡胶生产往往依赖于人工操作，生产设备和生产过程相对落后，生产效率低下，质量波动大，资源消耗较大，环境污染严重。而现代合成橡胶生产则具有高效、精确、自动化和清洁生产的特点，需要借助智能化装备和智能车间来实现。

现今，工业智能化技术的不断发展，包括物联网、大数据分析、人工智能等，为合成橡胶生产提供了丰富的智能化解决方案。智能化装备和智能车间能够实现生产流程的自动化和精细化管理，提高了生产效率，降低了生产成本。智能化装备能够提供更加精准的生产控制，有效提高产品的一致性和稳定性，以及质量的可追溯性，满足产品质量的要求。智能化装备和智能车间可以减少人工操作对生产过程和产品质量的影响，降低了人为错误的概率。智能化装备和智能车间能够通过精准地控制和管理，减少资源消耗和废物排放，符合现代社会对环保可持续发展的要求。技术进步、生产效率提高、产品质量得到保障、人为错误减少、环保可持续为车间（工厂）的智能化转型提供了强大的驱动力。

6.2.3.2 智能车间（工厂）的组成

（1）智能化生产管理系统

智能化生产管理系统是合成橡胶智能车间的核心之一。通过数字化、自动化和智能化技术，实现对合成橡胶生产过程的全面管理和控制，包括生产过程监控、质量管理、生产计划分析和生产环境监测等功能。这些系统能够大大提高生产计划的准确性和管理的便捷性，降低了人为管理错误。很多合成橡胶企业已经采用了智能化生产管理系统，并在人工智能技术的应用上不断进行升级优化。

（2）自动化生产线

智能化车间采用自动化生产线，能够高效、精准、可控地完成合成橡胶的制备过程，提高了生产效率，降低了生产成本。自动化生产线在生产过程中能够自动完成物料搬运、混合、卸料等操作，提高了生产效率，降低了人力成本。不仅如此，智能化车间还能够通过联网控制系统，实现生产线的自动化调配和运营调度，提高了生产效率。

（3）智能质量检测设备

智能车间还广泛应用智能质量检测设备，能够自动化地完成产品质量的检测，并通过精确的数据采集和分析，实时提醒相关人员及时调整生产流程和产品质量，减少人为误差。这些设备包括黏度计、硫含量测定仪、拉伸试验机等，在合成橡胶生产的各个环节都发挥着重要作用。

（4）智能化设备维护系统

智能化车间同时采用智能化设备维护系统，实现了对生产设备的高效管理和维修。这些系统可以自动识别特定设备的维护保养周期，提供精确的维修保养计划，保证设备的安全和高效运转，减少了设备维护过程中的人为误差。同时，这些系统还能够通过数据分析，实现预防性维护，提高了生产设备的利用率和可靠性。

6.2.3.3 智能车间（工厂）的建设意义

智能化装备和智能车间的应用，实现了生产过程的自动化和精细化管理，提高了合成橡胶生产的效率。生产计划的制定和执行更加精准，减少了生产过程中的浪费和停机时间，提高了产能利用率。

智能化装备的应用能够实现产品质量的实时监测和调整，提高产品的一致性和稳定性，降低产品质量的波动性，大大提高产品的合格率。

智能化装备和智能车间的应用能够降低人力成本和物料浪费，通过数据分析和优化，降低生产成本，提高企业的竞争力，可以使合成橡胶企业加速数字化转型的步伐，让企业生产管理更加高效、快捷，提高企业的管理水平和信息化程度。

总体来看，智能化装备和智能车间的发展带来了工艺流程更加智能化、生产效率更高、产品质量更稳定、生产成本更低等一系列积极变化。未来，随着智能化技术的不断推进和合成橡胶产业的深度融合，合成橡胶智能车间必将迎来更加广阔的发展前景。

6.3 合成橡胶行业智能制造

6.3.1 智能检测技术

智能检测技术包含测量、检测、信息处理、故障诊断等相关内容，检测过程中采用了先进的传感器、识别算法、数据分析等技术，针对检测设备模仿人类智能结果，整合人工智能及数字化技术等，提高检测效率、准确性和可靠性。合成橡胶行业智能检测技术则是指在合成橡胶生产和检测过程中，结合了现代化的仪器设备、传感器、分析算法等技术，通过智能检测系统及精准化机械设备的运用，有效代替人工操作，建立智能检测程序，融入各个环节，实现对合成橡胶原料、成品和生产过程的快速和准确检测，提高产品质量、生产效率并降低成本。

目前，在合成橡胶行业中，智能检测技术主要包括红外光谱技术、近红外光谱技术、X射线技术和核磁共振成像技术等。这些技术的主要应用包括原料分析、成品质量检测和生产过程监控。

其中，红外光谱技术是一种通过分析样品与红外辐射相互作用，从而获取样品内部结构信息的分析方法。红外光谱技术被广泛应用于原料和成品检测，可以通过对原料样品进行红外光谱分析，快速准确地判断原料中各种成分的含量和结构，从而保证原料的质量和稳定性。

近红外光谱技术是一种利用近红外光的吸收、散射、反射等特性，对样品的成分和性质进行分析的技术。近红外光谱技术可用于原料的快速分析，包括橡胶粉末、添加剂、填料等原料成分的含量和性质分析，帮助生产过程中的原料配比和调整。

X射线衍射技术是一种通过样品对X射线的散射、衍射来确定样品晶体结构和衍射图谱的技术。X射线衍射技术可以用于分析合成橡胶原料中各种组分的结晶结构和相互作用，判断产品的结晶形态和结构是否符合要求。

核磁共振成像技术是一种利用样品中核磁共振信号来获得样品内部图像的技术。核磁共振成像技术主要应用于生产过程中的样品分布和结构成像。

这些技术在合成橡胶原料和成品的检测、生产过程的监测和调整以及结构分析等方面发挥着重要作用，为合成橡胶行业的质量控制和生产管理提供了重要手段和技术支持。随着智能化技术的不断发展和应用，合成橡胶行业的智能检测技术也将不断进步和完善，为行业的可持续发展和提高生产效率提供更多可能。

6.3.2 工业安全生产

橡胶行业安全生产管理，可利用数字化平台开展安全工作，对橡胶生产过程可全面实现数字化现场巡检，主要包含风险事件及管控措施管理、安全风险清单及隐患排查内容管理、风险空间分布管理。利用数字化平台系统根据风险分级管控及隐患排查清单自动生成隐患排查任务，管理人员按照不同层级、不同岗位、不同周期对排查任务进行配置，系统将配置好的任务推送至相关岗位及负责人。对风险分析清单、排查任务及隐患治理情况进行管控，实现风险分级动态管控与隐患排查治理的“全员、全方位、全过程”一体化闭环管理。

结合企业现状，基于日常监管，以资源整合共享为基础，以信息化为手段，以智能化为载体，以需求为导向，重点建设完善安全监管，突出安全基础管理、重大危险源安全管理、安全风险分级管控和隐患排查治理双重预防机制、特殊作业许可与作业过程管理、智能巡检、人员定位等基本功能，为实现危险化学品企业安全风险管控数字化转型智能化升级注入新动能。

在橡胶生产、储运过程中，经常会涉及各类可燃（有毒）气体。气体检测系统（gas detection system，GDS）的功能就是实时监测各泄漏源状况，当出现泄漏危险时主动提醒，以达到消除隐患保证安全生产的作用。基于开放的系统结构，系统可以和其他系统设备（平台）通过工业标准通信、平台和协议实现集成和信息交换，协议包括MODBUS、TCP/IP和OPC。系统由安装在现场的可燃/有毒气体探测器和安装在控制室内的控制单元、数据采集模块、工作站等组成。通过数据采集模块对现场检测器实施数据采集，并通过通信模件完成与操作员站或第三方系统（设备）之间的通信，接收相关信息并传递实时数据。可燃/有毒气体探测器负责对生产现场的各种气体的检测，并将采集的气体浓度转换成模拟信号。数据采集模块将采集到的信号以串行通信的方式传送至GDS控制单元上，GDS

控制单元根据检测值分别与各自的报警上/下限进行比较，当某个探测器检测到的浓度超过上限或低于下限时，GDS控制单元通过DO模块输出报警信号，开启声光报警器并开启或关闭相关设备。操作人员可以通过工控机的触摸屏、操作员站和工程师站等人机交互界面，实时监视厂区内所有检测点的情况，主要有气体浓度值、报警上限、实时曲线和历史数据等。当发生报警时也可以通过工控机进行消音和报警响应。为橡胶工业化安全生产提供了科学严谨、智能高效的保障。

合成橡胶生产中的自动化控制系统、智能监测设备、预测性维护技术等也可以确保合成橡胶生产过程中的安全性、可靠性和高效性。自动化控制系统能够实现生产线的自动化操作，提高生产效率的同时减少人为操作对安全生产的影响。智能监测设备可以对生产过程中的关键参数进行实时监测和预警，确保生产过程的稳定性和安全性。预测性维护技术则可以通过对设备状态的实时监测和分析，提前发现潜在的故障和问题，降低生产事故的风险。

此外，智能制造技术还可以通过数据分析和预测模型来优化生产流程，减少能源消耗，降低废物排放，从而降低了生产过程中的安全风险。

6.3.3 数据驱动的工艺流程优化

合成橡胶作为一种基础材料广泛应用于各个领域，如轮胎、输送带、管道等。而合成橡胶行业对于能源、环境等因素也有很高的要求，尤其是近年来，越来越多的公司希望通过数据驱动工艺流程优化来提高生产效率、降低能耗以及减少对环境的污染。

数据驱动合成橡胶工艺流程优化，是指利用大数据分析和机器学习等技术，以数据为基础，对橡胶合成的各个环节进行优化，从而提高橡胶合成的效率和质量。合成橡胶的生产工艺通常包括单体的合成和精制、聚合过程以及橡胶后处理。在这些过程中，通过收集、处理和分析大量的数据，可以对生产工艺进行优化。

单体的合成是指将原材料通过一系列的化学反应合成橡胶单体。在这个过程中，通过收集反应条件、催化剂使用量、反应温度等数据，并结合机器学习算法进行分析，确定最佳的反应条件和催化剂使用量，以提高橡胶单体的合成效率和产量。同时，通过优化精制过程，如脱色、脱臭等步骤，可以提高橡胶单体的纯度和品质。

聚合过程是将橡胶单体进行聚合反应，形成橡胶聚合物的过程。在这个过程中，通过收集反应条件、催化剂类型、反应时间等数据，并利用机器学习算法分析数据，找到合适的聚合反应条件和催化剂型号，以提高橡胶聚合的效率和得到所需的聚合体特性。此外，还可以通过分析聚合过程中的温度、压力、搅拌速度等数据，优化反应控制策略，以减少能耗、提高产品质量。

橡胶后处理是指对聚合得到的橡胶进行加工和改性的过程。通过收集加工条件、改性剂用量、后处理温度等数据，并将数据输入机器学习算法中，确定最佳的加工条件和改性剂使用量，以提高橡胶的加工性能和性能。此外，还可以通过分析橡胶加工过程中的能耗、生产效率等数据，优化生产工艺和设备配置，以提高生产效率和降低能耗。

在数据驱动合成橡胶工艺流程优化中，数据的收集和处理是至关重要的。通过传感器、监控系统等设备，实时采集工艺过程中的温度、压力、浓度等关键参数数据。同时，还可以收集生产历史数据、实验数据等，建立数据模型，进行数据分析和建模。通过对这些数据的深度挖掘和分析，发现生产工艺中存在的问题，确定优化方向，并依据模型结果对生产过程进行实时监控和调节。

与此同时，机器学习算法的应用也是非常重要的。通过对大量的数据进行训练和学习，机器学习算法可以提取出数据中的模式和规律，预测和优化橡胶合成的各个环节。这些算法包括回归分析、聚类分析、神经网络等，可以用于建立各个环节的模型，并通过模型结果指导实际生产。

近年来，随着工业自动化及DCS系统（分散控制系统）的发展，合成橡胶工业基本已经实现生产自动化并在运行中收集了大量的数据，现阶段橡胶工艺优化研究方向主要在利用大数据驱动建模的模型构建方法、模型测试评估及系统部署等。

针对合成橡胶生产工艺，对采集到多年积累的历史数据进行数据挖掘，分析各个生产控制节点变量之间存在的耦合关系，以寻找变化规律，并将这些学习得到的规律用于橡胶生产系统的控制当中，以提升在保证输出质量、能耗较小和满足设备约束条件的系统效率及系统能耗。

在满足约束条件的前提下，不断调整工作点，以克服这些影响因素，保证过程始终能得到最佳的经济效益，优化过程是自动进行的，从数据采集、模型修正到优化计算。实时优化技术的实施必须有可靠的测量变送仪表、可靠的常规控制系统、可靠的先进控制技术和可靠的实时优化模型及优化算法，整个系统是一个高度集成的软硬件体系。可以简单描述为当过程处于稳态时，对来自集散系统的现场数据进行数据调和，并以此为基础对稳态模型进行修正，在满足一定约束条件的前提下用该模型进行优化计算，优化得到的最优设定值送到下层的调节控制系统。当过程处于新的稳态工作点时，开始进行下一轮的数据调和、模型修正、优化，如此循环往复。最终达到增产增效、降低消耗、延长设备稳定周期的效果。

6.3.4 知识驱动的智能运维

传统的运维工作经过不断发展，经历了人工、工具和自动化、平台化和智能运维几个阶段，智能运维是一个长期的推演系统，利用物联网、大数据、云计算等技术，进行海量的数据储存、分析、处理，在监控、服务台、自动化之上，利用大数据和机器学习持续优化，用机器智能辅助扩展人类的能力极限，实现设备的远程监控、故障诊断、预防性维护等功能。

合成橡胶生产的智能运维是根据橡胶生产中大数据建立起“学件”模型，利用计算机庞大的计算能力实现在日常生产中对各项过程参数进行采集、变换、处理、显示、储存及预报警，并能对现场测量的信号进行计算，求出设定值与测量值的偏差，并对偏差进行控制运算，最后求出新的控制量，并将此控制量转换成相应的电流送至执行器驱动被控对象。

在合成橡胶行业中，智能运维可以帮助监控设备运行状态，及时发现问题并采取措施，从而提高设备的可靠性和运行效率。

随着工业大数据的急剧增长，时域信号和振动信号等多形式数据的出现，利用传统的数据分析方法难以挖掘出数据属性间内在关系和隐藏信息，以致剩余寿命预测和故障诊断等任务的精度不足。

知识图谱作为一个新兴的研究领域，在人工智能领域内逐渐取得重要的地位。传统意义上的人工智能大多以数据驱动为核心，但离智能化还有一定的差距。知识图谱作为以知识为驱动的核心，将促使人工智能应用以知识赋能，促使计算机更具有推理力和解释性。

知识图谱作为知识驱动的基础，可以实现从经验到知识的转换，支持自智网络的演进。技术人员通过抽取数据内部机理关系，转化为领域知识，从而构建知识图谱。知识驱动方法基于知识工程的角度，通过对设备故障诊断来进行知识化表达和分析，为大数据背景下的预测性维护提供了全新思路。

在合成橡胶生产领域，知识驱动通常指的是通过对大量数据的分析和运用专业知识来优化生产过程和技术。这意味着利用先进的数据分析、人工智能和机器学习技术，以及专业的橡胶生产知识，来预测和识别橡胶生产中可能出现的问题，并提出相应的优化方案。

将知识驱动和智能运维相结合，可以使合成橡胶生产实现更高的自动化程度和更好的质量控制。利用先进技术和专业知识，生产过程中的问题可以更快地被发现和解决，从而降低生产成本、提高生产效率，同时也能够更好地适应市场需求的变化。

6.3.5 数字孪生驱动的智能决策

橡胶企业在生产运营过程中，管理决策层利用ERP（企业资源计划系统）进行资源调配、制定方案、组织生产，并优化生产管理、经营决策等，做出企业经营的整体策略，制定出企业要生产橡胶的种类、质量以及有关这些橡胶的生产计划等企业整体战略决定，并将这些优化调整后的信息通过ERP系统传递给MES（制造执行系统）。MES系统根据ERP下发的指令，结合企业的生产设备、原材料等情况，由生产调度模块编制生产调度指令，对企业内各生产设备、人力进行资源优化计算、配置，做出最优生产方案，并把据此制定的操作指令、控制参数、加工方法等传递给PCS（过程控制系统）。PCS根据MES下发的指令，按照优化的配方或生产方案对底层生产过程进行实时操作与控制。同时，PCS采集生产过程中产生的生产状态、测量数据、质量数据、设备状态等信息传递给生产调度模块，作为生产调度模块进行生产绩效分析、资源状况分析、质量分析的基础数据，也为调整生产经营计划提供依据。这样实际上是完成了计划指令下达和生产执行情况反馈的闭环过程。

MES系统以大型关系数据库、实时数据库为基础，集成B/S、C/S、智能客户端为一体的体系架构，采用面向对象技术，在统一平台上集成诸如生产调度、产品跟踪、质量控制、设备故障分析、网络报表等管理功能。使用统一的数据库，通过网络连接可以同时为生产、质检、工艺、物流等部门提供车间管理信息服务。该系统结合国际ISA-95标准和多年的项目开发实施经验，采用自动控制技术、条形码技术、RFID设备技术和车间生产管理理念，可以覆盖橡胶加工企业生产的全工序，实现橡胶全生命周期的信息化管理。系统通过强调制造过程的整体优化来帮助企业实施完整的闭环生产，协助企业建立一体化和实时化的ERP、MES、PCS信息体系。

数字孪生驱动的智能决策在合成橡胶行业正在成为越来越重要的趋势。通过数字孪生技术，合成橡胶生产企业可以将现实世界的工厂、生产线和设备数字化成虚拟模型，实现对生产过程的准确监控和仿真分析。这种虚拟模型可以实时收集生产数据，并利用先进的数据分析和机器学习算法进行预测和优化决策。

通过模拟整个合成橡胶生产过程，从原材料采购到生产流程再到产品质量控制，实现对合成橡胶行业的智能决策支持。通过实时监测生产设备状态，预测潜在故障，并进行优化生产调度，以提高生产效率和降低能耗。通过模拟和优化原材料配方和生产工艺，以提高橡胶产品的质量和性能。通过数字孪生技术的智能决策，橡胶行业可以实现更高效、更可持续的生产。

参考文献

[1] 郑国军. 我国合成橡胶行业发展现状及瓶颈分析[J]. 中国石化, 2022, (08):35-36.

[2] 皮静轩, 刘立新. 自控闭环控制在化工设备中的应用[J]. 应用能源技术, 2013, (12):36-38.

[3] 尚普咨询集团. 行业大揭秘! 2023年合成橡胶行业市场集中度分析与提升策略[EB/OL]. [2023-07-26]. https://baijiahao. baidu. com/s?id=1772487691802502422&wfr=spider&for=pc.

[4] 曹湘洪. 创新驱动结构调整做强中国合成橡胶工业(下)[J]. 中国橡胶, 2014, 30(21):18-21.

[5] 于清溪. 合成橡胶发展现状与未来趋势(下)[J]. 橡塑技术与装备, 2009, 35(06):6-13.

[6] 肖军. 橡胶制品工业高新技术发展的新趋势[J]. 化学工业, 2014, 32(12):18-21.

[7] 王健, 宗海生, 刘文利, 等. 中国主要合成橡胶产需现状与发展策略[J]. 石油知识, 2020, (06):54-55.

[8] 范仁德. 机器换人, 推动橡胶工业智能制造发展[J]. 橡塑技术与装备, 2016, 42(09):14-24.

[9] 许毅, 叶强, 王丽丽, 等. "十四五" 合成橡胶行业应加快结构调整[J]. 中国石化, 2021, (04):31-35.

[10] 李昱, 方俊伟. 化工行业基于大数据驱动的工艺操作优化技术研究[J]. 自动化博览, 2019, (02):44-48.

[11] 牛冲丽, 刘宇鑫. 工业互联网环境下数据驱动与知识驱动的预测性维护研究[J]. 华东科技, 2022, (09):116-118.

[12] 张栋豪, 刘振宇, 郏维强, 等. 知识图谱在智能制造领域的研究现状及其应用前景综述[J]. 机械工程学报, 2021, 57(05):90-113.

[13] 刘道春. 橡胶加工行业 "智造" 解析[J]. 上海信息化, 2016, (02):68-70.

本章负责人　杨慧丽　软控股份有限公司

参加编写人员　官炳政

第7章 水泥自动化

7.1 水泥行业发展现状

7.1.1 全国水泥生产供应情况

水泥是基础设施建设中最常用的建筑材料之一，对于基础设施的建设和发展起着至关重要的作用，水泥生产也是经济发展的基础产业之一，对于国民经济的增长和发展具有重要影响。水泥行业的发展与基础设施建设密切相关，随着城市化进程的加速和基础设施建设的不断扩大，水泥的需求量也不断增加，特别是在一些大型基础设施建设项目中，如高速公路、铁路、桥梁、隧道等，水泥的需求量较大。此外，水泥行业的发展还与房地产行业密切相关，房地产行业是水泥消费的重要领域之一，随着房地产市场的繁荣和发展，水泥的需求量也不断增加。水泥还被广泛应用于其他领域，如农业、工业等领域。在农业领域，水泥被用于修建农田水利工程、建造温室等，在工业领域，水泥被用于修建工厂、矿井等。

我国水泥制造行业的企业数量众多，其中大型企业如中国建材、海螺水泥、冀东水泥等是中国的水泥制造巨头，这些企业拥有先进的技术和设备，以及庞大的销售网络，占据较大的市场份额，其中，中国建材和海螺水泥是全球最大的水泥生产商之一。除了大型企业外，中国还有许多中型水泥制造企业，这些企业通常具有一定的生产规模和技术实力，但在市场份额和销售网络方面不如大型企业。此外，小型水泥制造企业通常在本地或周边地区提供一些补充供应，这些企业的生产规模较小，技术水平相对较低，但它们在满足当地市场需求方面具有一定的优势。

除了企业规模外，我国水泥制造业地区差异较大，主要受到地区经济发展水平、基础设施建设需求、原材料供应等因素的影响。从地区分布来看，华东地区是我国水泥制造业最为发达的地区之一，其中山东、江苏、浙江、安徽等省份的水泥制造业较为集中。这些地区经济发达，基础设施建设需求量大，能源和原材料供应充足，为水泥制造业的发展提供了良好的条件。华北地区的水泥制造业也较为发达，其中北京、天津、河北等地的水泥企业较多。这些地区的水泥企业一般规模较大，技术水平较高，但同时也面临着环保压力和原材料供应紧张等问题。华南地区的水泥制造业发展也较快，其中广东、广西、海南等省份的水泥企业较多。这些地区的气候条件适宜，水泥市场需求量大，但同时也面临着能源和原材料供应紧张等问题。总体来说，全国水泥制造业的地区差异较大，但随着国家基础设施建设和房地产市场的不断发展，各地水泥制造业的发展前景都较为广阔。

7.1.2 全国水泥消费需求情况

我国水泥消费需求情况受到多种因素的影响，包括宏观经济环境、政策法规、市场需求等。我国水泥消费量在近年来呈现波动增长的趋势，从2011年至2020年，年产量分别为20.6

亿吨、21.8亿吨、24.1亿吨、24.76亿吨、23.5亿吨、24.03亿吨、23.2亿吨、21.77亿吨、23.3亿吨、23.77亿吨，十年平均水泥消费量为23.08亿吨，年人均消费1.65吨。我国水泥消费需求结构受到基础设施建设、房地产行业和其他领域的影响，基础设施建设是水泥消费的主要领域之一，特别是高速公路、铁路、桥梁、隧道等大型基础设施建设项目对水泥需求量较大，房地产行业是水泥消费的重要领域之一，但受到政策调控的影响，水泥需求量呈现波动下降的趋势。我国水泥消费需求地区差异较大，一般来说，经济发达地区的水泥消费量较大，如华东地区、华南地区等，同时，一些新兴经济区域的水泥消费量也呈现增长趋势，如中西部地区、东北地区等。

近年来，水泥价格走势受到多种因素的影响，包括原材料成本、运输费用、供需关系等，总体上呈现波动趋势，但不同地区的水泥价格走势存在差异。2014—2016年，水泥产量在高位运行，全年平均价格308元/吨，淡旺季价格差别不大。2017—2019年，水泥产量低于前期，全国错峰区域逐步增加，旺季供需关系改变，价格上调至407元/吨。2020—2022年，产量持平，煤价大幅上调，水泥价格升至435元/吨。2023年，7个月累计水泥产量较2017—2022年同期平均产量下降10.0%，水泥价格旺季不涨反跌，一路下行，2023年8月价格316元/吨，跌至2017年同期水平。在水泥需求、库容比变化的背景下，2023年水泥价格走出了不一样的轨迹。2014—2016年，产量处于高位，价格处于低位。2017—2022年，价格持续走高。2023年，需求走低，价格走低。

7.1.3 水泥自动化发展现状概述

（1）国外水泥自动化研究与发展现状

国外对水泥企业自动化和智能化生产也处于起步阶段。为了解决水泥生产制造的自动化难题，许多企业技术人员和学者进行了大量相关研究。传统水泥先进控制与优化以基于操作员模型的模糊控制和专家系统为主，其结果是自动化优秀操作工和水泥工艺专家的经验，本身并不具有优化功能。目前国外水泥自动化正在由专家系统向基于模型的控制方向发展，不仅要实现操作自动化，更希望实现操作的优化。目前世界上比较知名的水泥窑优化系统如表3-7-1所示。

表3-7-1　典型水泥窑优化系统

优化系统	供应商	模型	控制方法	提供商类型
ECS/ProcessExpert	FL Smidth	模糊模型	模糊控制	设备制造商
CEMAT/KCS	Siemens	—	专家系统	DCS提供商
LinkMan	ABB	—	专家系统	DCS提供商
Pavilion8	Pavilion	机理模型结合神经网络	模型预测控制	先进控制软件提供商

国外水泥优化系统一方面价格昂贵，价格达十万到数十万美元，国内水泥企业难以接受。另一方面，它们也难以适应我国设备不稳定、测点不足、燃料与原材料质量和成分波动大的实际情况，应用效果不佳。

（2）国内水泥自动化研究与发展现状

中国工业和信息化部针对石化、建材、钢铁、有色、稀土等行业生产工厂的不同特点，分行业制定智能工厂标准。国内在水泥智能化生产方面尚处于起步阶段，对于水泥工业生产，考虑各种原燃材料以及各工序的工况波动是难以避免的，各项生产控制参数的稳定，以及过程产品和成品性能指标的稳定，都需要通过及时的操作调整才能得以实现。目前，在整个水泥的生产控制中，从原料开采直到水泥出厂，基本实现了自动化生产。我国水泥工业在几十年的产业升级过程中，几乎全部采用了新型干法生产工艺，实现了中央控制室的DCS集散系统操控、生产线全程流水生产作业，相比于其他很多行业，自动化水平在工业领域居于前列。虽然我们装备了几十个自动调节回路，努力提高自动化水平，但实际生产中仍大多依靠人工经验。在国内的上千条生产线上，每条线的几十个控制回路仍无法做到智能化控制和生产。

7.2 》 水泥自动化技术、产品应用现状

水泥行业是一个传统的行业，其生产过程涉及复杂的工艺流程和大量的机械设备。随着科技的不断进步，自动化技术逐渐渗透到水泥行业的各个环节，为生产过程的优化和提升提供了强有力的支持。下面以水泥智能工厂为例，介绍水泥自动化技术及产品应用现状。

7.2.1 水泥自动化工厂系统架构

水泥自动化工厂围绕水泥生产核心业务，利用工厂长期生产经营过程中积累的生产制造、设备运维和经营管理知识，基于移动通信网络、数据传感监测、信息交互集成及自适应控制等关键技术，通过创新应用数字化矿山管理系统、专家智能控制系统、设备管理系统、能源管理系统、先进生产装备、智能质量控制系统、仓储物流包装系统、清洁能源发电系统、设备智能监测系统和危废处置设备等涵盖水泥生产全过程的智能化控制及管理系统，实现了工厂运行自动化、管理可视化、故障预控化、全要素协同化和决策智慧化，形成了“以智能生产为核心”“以运行维护做保障”“以智慧管理促经营”的水泥生产智能化模式。水泥全流程数字化智能工厂业务模块如图3-7-1所示，水泥智能工厂架构如图3-7-2所示，水泥生产智能化架构如图3-7-3所示。

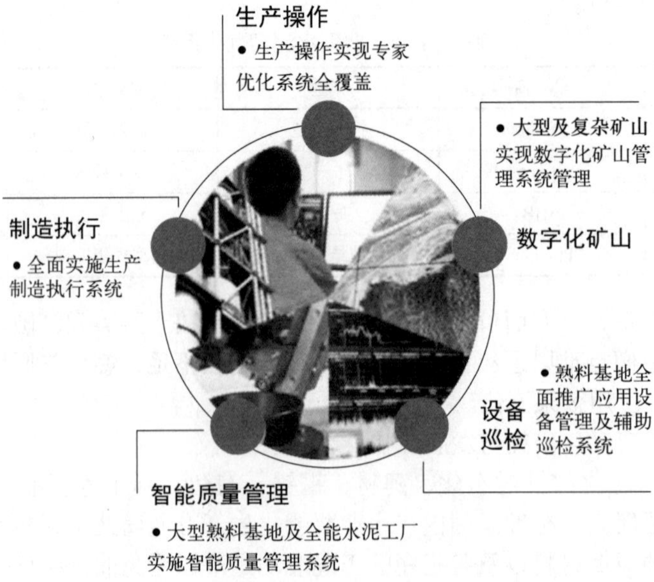

图3-7-1 水泥全流程数字化智能工厂业务模块图

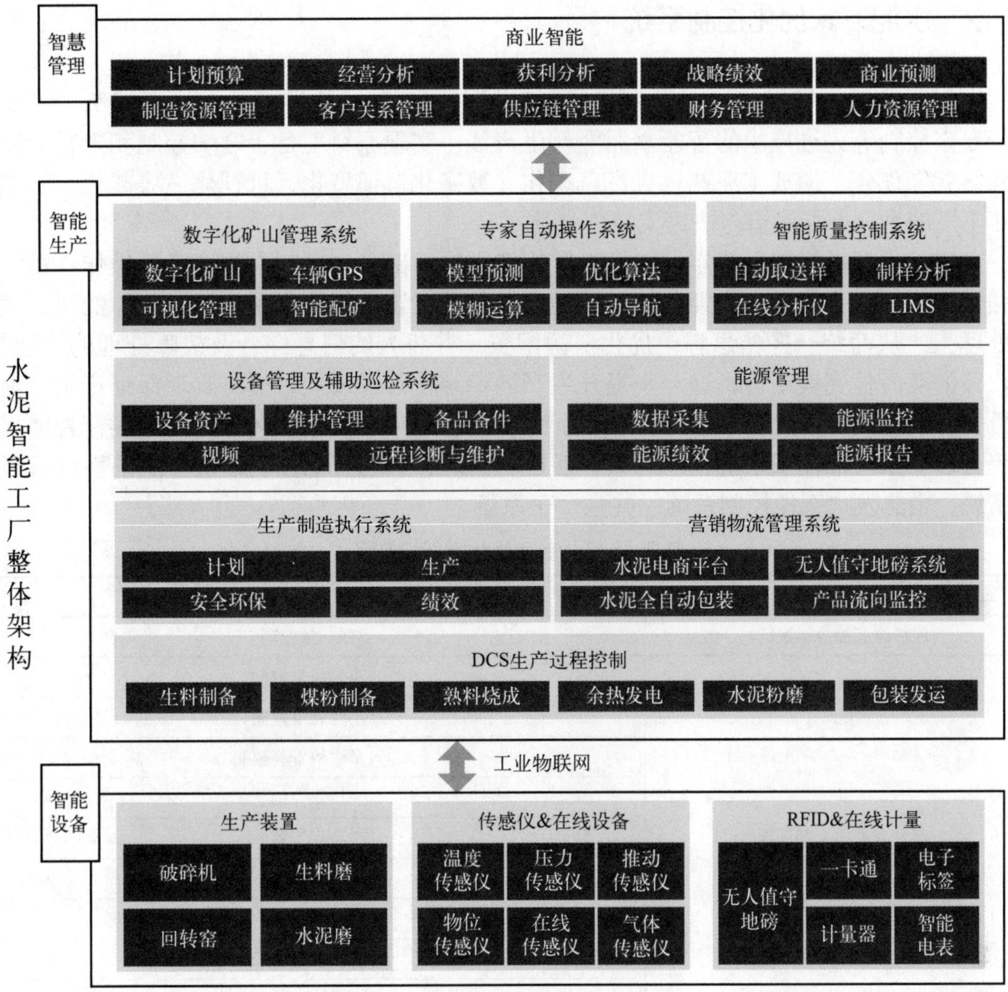

图 3-7-2　水泥智能工厂架构

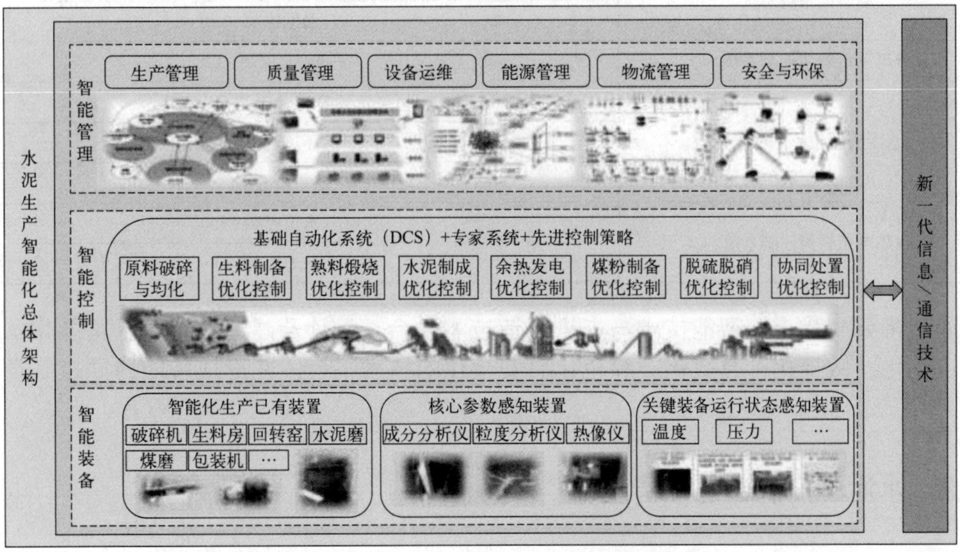

图 3-7-3　水泥生产智能化架构

7.2.2 水泥专家优化控制系统

水泥智能工厂智能化运行围绕智能制造的主要环节，建设基于自适应控制、模糊控制、专家控制等先进技术的智能水泥熟料生产线，实现原料配备、窑炉控制和熟料粉磨的全系统智能优化，形成水泥熟料生产自动化、数字化、模型化、可视化、集成化，智能化生产工厂的生产智能制造与决策支持信息化平台。

专家优化智能控制系统作为智能工厂的控制执行部分，旨在大幅度降低操作人员的工作强度，使其把工作重心由繁杂的过程操作转移到工艺指标的优化、设备故障的及时预防与处理上，从而统一操作思想，优化资源配置。并将人的信息综合及故障处理的快速性，与软件的实时性完美结合，进一步提升生产的稳定性与连续性。最终实现保证产量、提升质量、降低能耗的目的。专家优化智能控制系统如表3-7-2所示，可以分为原料磨智能控制系统、窑专家智能控制系统、水泥磨智能控制系统、煤磨智能控制系统、脱硝系统智能控制系统、余热发电智能控制系统，共六个子系统。

表 3-7-2　专家优化智能控制系统

子系统	控制分项
原料磨智能控制系统	喂料量控制
窑专家智能控制系统	高温风机控制
	小仓仓重控制
	入窑生料下料控制
	尾煤控制
	头煤控制
	窑转速控制
	篦冷机控制
	篦冷机风机控制
	窑头排风机控制
煤磨智能控制系统	喂料控制
	温度控制
脱硝系统智能控制系统	NOX 控制
水泥磨智能控制系统	喂料量控制
	循环风机控制
	选粉机控制
余热发电智能控制系统	水位控制
	压力控制

通过将新一代人工智能技术与先进制造技术融合，设计及建造数字化、智能化、网络化、自动化、敏捷化、高效化、绿色化、安全化的技术平台，并形成智能协同控制及优化方案。

7.2.3 水泥生产制造过程智能化

水泥智能工厂内自动化、数字化、智能化设备联网数约占自动化、数字化、智能化设备总数的比例达到95.3%。

（1）智慧绿色矿山平台

智慧绿色矿山平台涵盖了矿山三维模型、中长期采矿计划、爆破管理、取样化验、采矿日计划、精细化配矿、GPS车辆调度、卡车装载量监控、混矿品位在线分析、配矿自动调整、生产管理、司机考核等矿山管理的各个领域，实现三维采矿的智能设计、配矿质量在线分析、矿车调度优化管理、矿山生产立体化管控，解决水泥智能工厂在矿山生产方面存在的配矿、监督和管理问题，提高矿山生产效率、资源利用率和安全保障水平。矿山自动化集中管控平台建设基础设施，在矿山办公区建设控制室，安装矿山自动化集中管控平台大型LED电子屏，配备信息储存处理计算机，预留智能系统接入的信息传输接口。

（2）石灰石管状带输送系统

石灰石管状带输送系统配置有输送机智能巡检系统，主要由输送机、巡检机器人、充电桩、除尘装置、无线通信系统、轨道、运营平台和手机APP组成，可实时采集状态信息与音视频信息，通过无线传输至管理后台，运营平台可实时显示输送机与巡检机器人状态信息。该系统能够代替人工巡检工作，通过对数据进行分析，可进行实时故障报警和潜在故障预警。采用红外线和电子束技术，在输送机正常工作状态下，不与胶带接触，全方位地实时探伤和监测，对输送带的内部钢丝绳锈蚀、断绳、接头抽动和输送带表面划伤、掉胶、纵撕实时监测，杜绝输送带的横断和纵撕事故，杜绝管状输送机在运行中的反包、扭曲、胀管、塌管造成的恶性事故。

（3）设备运维TPM综合管理系统

水泥智能工厂设备运维TPM综合管理系统是以“建设设备运维管理体系，提升企业竞争力”为核心，围绕“细化-量化-流程化-标准化-协作化”的管理思想，结合企业设备运维管理的主要工作：运维标准、计划、任务、实施、实绩考核、数据分析告警、消缺流程管理、验收、动态归档，构建体系化的、灵活集成的、软硬件配合和动态响应的设备运维智能协同应用平台，从而提升和完善企业运维管理体系建设。

设备运维TPM管理项目的应用立足于企业设备运维作业流程管理和体系建设，提供设备运行、检修和企管等部门的设备运维管理协同，实现企业现有信息化管理系统［如统一企业资源计划（ERP）、安全仪表系统（SIS）、分布式控制（DCS）等系统］的设备管理功能在企业设备现场有效落实和闭环管控，使企业“精细化管理”和“两化融合”工作得到切实落实和设备运行维护质量与效率的提升。

（4）设备智能在线监测系统

① 设备智能在线监测系统。采用在线检测系统，运用振动频谱分析、应力波等探伤、诊断技术，对减速机、辊压机等重要大型设备进行实时动态监测，可提前1～2个月发现故障隐患，提前做好配件供应和维修准备。

② 油品在线检测分析系统。水泥行业的特点可能导致油品劣化和污染等问题，进而引发配件和设备的故障。为了让到期更换模式改变为提前预防模式，设备油液在线监测技术得到广泛应用，油品在线状态检测的首要目的是对油品劣化、污染和机械磨损的早期发现和预警，因此需要研制开发润滑油在线分析系统。全面优化的油品管理系统可以实现全面上云，搭建设备健康管理平台，实现企业对润滑油品、润滑设备、润滑维护等相关工作过程信息集成与智能化管控，核心优势是现场油品检测与在线油品净化技术，实现了企业油品管理与企业设备管理的全面对接，极大提升了润滑管理在设备管理过程中的价值。

③ 电机健康管理系统。电机健康管理系统是一款通过设备对电机进行检测，并依据预设的数据模型来分析电机健康状态的软件系统。该系统具备强大的分析能力，能够实时监测交直流电机、变压器、发电机、伺服电机、步进电机等设备的运转状态。通过软件与设备的连接，可以将设备的运行数据实时上传到软件中，经过深入的数据分析后，生成电机的健康测试报告。

（5）生产管理平台

生产管理平台主要功能包括生产计划与实绩、生产调度、物料平衡、生产分析、绩效评价以及生产数据开发利用等功能。生产计划包括两方面内容：产品生产计划和设备利用计划。实绩是对生产计划的反馈，通过与计划的比较，可掌握当前生产的状态，有利于及时做出调整，更好地完成计划。生产调度包括交接班日志、排班计划编辑、工作安排、数据补录。根据公司内部所有原燃材料进厂、成品出厂数据、生产消耗、库存三方数据的自动统计，实现物料平衡。生产分析主要针对生产过程中的数据进行纵比分析或者横比分析：纵比分析是指不同的生产数据按照时间的先后绘制成趋势图，通过分析趋势图分析生产过程中的经验和找出问题的所在；横比分析是指不同的生产数据在同一时刻进行横向比较，通过分析柱状图，总结经验或者找出问题。针对某项指标，系统根据用户选择的统计时间区间，检索各运行班组台时产量、运转率、故障停机次数、关键工序电耗、关键工序煤耗等主要生产及能耗指标，用以分析各班组每天的日绩效。

（6）产品质量信息追溯系统

质量管理系统收集企业的原材料质量信息、产品质量信息等，实现全方位水泥质量信息管理和分析。原材料、半成品、产品质量数据可以从系统中获得。对于熟料生产线，这些参数主要包括原材料（石灰石、页岩、砂岩、铁粉、原煤等）的化学成分、物理特性和热值，半成品（生料、煤粉）化学成分、物理特性和热值，产品（熟料）的化学成分和物理特性，等等。对于粉磨站，参数主要包括原材料（熟料、石膏、混合材、添加剂等）和产品（水泥）的化学成分和物理特性等。通过对化验室系统中已有质量数据和DCS系统中与产品质量相关的参数进行集成，形成从原材料进厂到产品出厂全过程全方位的质量信息数据库，实现质量管理的信息化、精细化和智能化。

（7）无人值守地磅系统

水泥智能工厂建设有无人值守地磅系统，包含水泥、熟料、骨料营销业务的派车、司机自助办理进厂业务、车辆过磅自动称重、发货控制等。随着聊天软件微信的普及，财务软件实现了从微信小程序下单、查询和管理功能。产品提货使用一卡通提货方式，代替人工开单记账方式。提货司机进门前凭提货单号在自动柜员机获得一张内置提货信息的磁卡，进门后磁卡进入地磅，自动获取磁卡信息，自动计量，司机进入发货现场，通过磁卡刷卡，获得提货产品发货资格。货物装满后，进入地磅，完成自动计量，在门口将卡放回自动柜员机，获得出厂资格。

（8）自动装车系统

物料自动装车系统采用自动装车装置及红外、雷达、激光等感应系统，对敞口车辆进行自动测量和装车控制，实现物料的自动化装车，减少装车用工。根据核心功能模块划分，系统主要包括门禁系统管理、自动充装、自动下料管理、客商管理、智能称重管理、视频监控、异常告警、数据采集及统计分析、数据可视化等功能。

（9）能源管理平台

通过能源管理平台将智能工厂现有的能源集中进行调配、平衡、考核、管理和优化，最终实现能源系统一体化运作和集中管理，并将能源管理过程精细化。将分散的生产和运行管理体制转变为相对集中的、高效经济的生产和运行管理体制。

（10）数字化采购管理平台

智能工厂通过项目建设，打造具有竞争力的采购平台，构建工厂采购管理体系，构建专业、高效采购管理团队及优质的供应商团队，实现采购管理的标准化、流程化、数据化、规范化和体系化，改善采购过程中的集采管控能力、成本控制能力、精益采购能力、供应关系管理能力和战略采购能力。建立持续提升的供应商管理体系，由传统管理向建立持续供应协作关系转化。通过体系化、策略化方法流程，建立持续降本的采购能力。持续改善采购专业能力，建立动态优化的专家队伍。提供及时、真实数据分析，加强决策支持。建立交易平台所需的基础业务结构环境，打造开放整合的系统，整合供应链资源。为采购向供应链整合服务发展、实现“互联网+水泥产业供应链”模式，奠定平台基础。

（11）仓储库存优化管理系统

智能工厂通过搭建原料堆取料机无人值守系统，对原料堆取料机进行自动控制改造，实现自动布料、取料，减少岗位工作人员。取料机通过以下方式实现自动控制：增加无线控制，用于传输中控及取料机之间的控制信号；增加无线视频传输装置，用于传输无线视频信号；增加摄像机，监控大车左、大车右、下料口、大臂与料堆高度、悬臂皮带、驾驶室；增加堆位接近开关，用于料堆分区及防撞；增加大臂角度传感器，用于测量大臂角度；增加大臂防撞光电开关。用于防撞；增加行走编码器，测量行走距离；增加触摸屏，更换原按钮控制面板，控制取料机运行；增加电流传感器，用于刮板电流。仓储库存优化管理系统通过实时采集生产线原燃料消耗信息，并与企业资源计划（ERP）建立通信，实现仓储的网络化管理。管理人员在办公室即可实时掌握原材料与成品的库存情况，便于下达生产指令。

7.3 》 推动水泥自动化发展的作用分析

7.3.1 水泥自动化发展建议

水泥工业智能生产系统主要针对水泥生产的特点，围绕生产管控、设备管理、安全环保、能源管理、辅助决策等方面开展智能化应用研究，建设信息物理融合系统，综合利用智能传感技术、计算机网络技术、自动控制技术、人工智能技术、现代管理技术，实现工厂生产自动化、网络化、数字化和智能化，实现企业生产运营的自动化、数字化、模型化、可视化、集成化，提高企业劳动生产率、安全运行能力、应急响应能力、风险防范能力和科学决策能力，建成生产装备智能、生产过程智能、生产经营智能的智能化工厂。水泥自动化具体发展建议包括以下几个方面。

（1）研究水泥生产过程的知识获取方法及实现技术，实现信息可视化

根据水泥工业生产特点，综合利用智能传感技术、计算机网络技术、物联网技术、人工智能技术，研究参数智能检测方法，实现企业的各类信息的获取、处理及整合，研究知识抽取方法，抽取水泥智能制造所需的知识，得到一种结构化的数据，构建知识模型，实现知识转换。为了保证知识库中知识的一致性、完整性进行知识检测，进行知识的维护与知识的组织，以及重组知识库、管理系统运行和知识库的发展、知识库安全，保证智能化生产所需的数据、知识。

（2）原料制备智能化生产与生料质量控制

水泥生料制备主要有原料配料、粉磨等过程。影响生料质量和易烧性的因素很多，如生料矿物组成、化学成分、生料细度等。如何保证原料成分的稳定、原料细度和粉磨效率是生料制备智能化生产重要的研究内容。原料制备工艺流程及质量检测装置如图3-7-4所示。

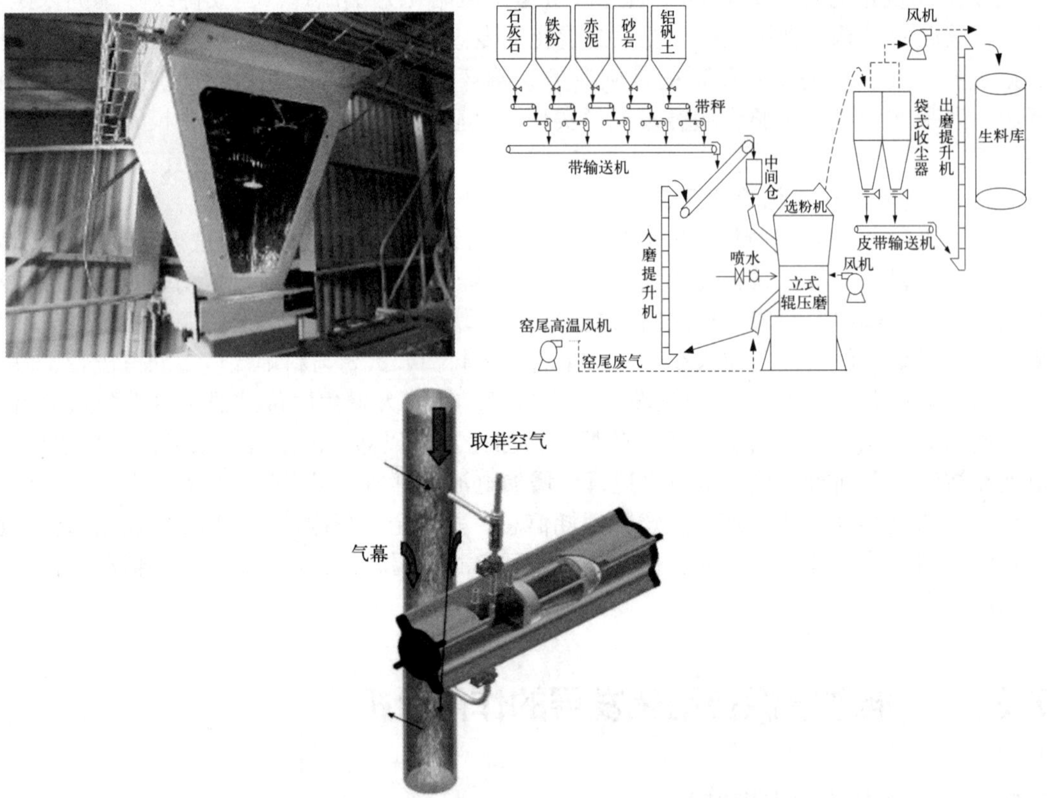

图 3-7-4　原料制备工艺流程及质量检测装置

① 生料质量智能控制。率值对易烧性影响最大，当 Fe_2O_3 含量及铝率控制适当时可提高熟料的KH值和硅率控制值，从而提高熟料的产质量。基于光谱检测技术的成分检测，实现对钢渣、砂岩、石灰石、粉煤灰以及硅、铝、铁、钙的配料控制，因系统检测成分和喂料点有15分钟以上的纯滞后，每种物料含有多种成分，系统是大滞后、强耦合、非线性系统，必须研究数据驱动技术、统计控制、广义预测控制技术，组成组合控制器，根据当前的石灰石饱和度、硅率、铁率以及预测约束、组件限制，计算获得最优的配料比，在线即时地调整控制，实现生料质量控制，为水泥的烧成过程打好基础，能源消耗减少3%～5%。

② 生料细度智能控制。控制生料合适的细度，能给窑的熟料生产带来增产降耗的好处，生料的细度主要取决于原料的易烧性、工艺流程、窑型、烧成温度及水泥品种等因素。过粗会降低生料易烧性，影响熟料质量，容易使熟料f-CaO含量偏高。生料过细对熟料质量提高有限，但却会降低生料产量和大幅增加生料粉磨系统电耗。在水泥生产中，生

料细度一般用80μm筛余来表示，其目标控制值一般为16%～18%。基于激光粒度检测技术，实时监测生料粒度分布曲线，建立粒度分布趋势和选粉机转速、风机转速的数学模型，采用自适应模糊控制算法，实现生料粒度分布控制。

③ 粉磨效率智能控制。粉磨效率的高低和粉磨质量的好坏直接影响水泥生料生产的成本和品质。立磨作为生料粉磨生产过程的核心设备，集细碎、粉磨、提升、烘干、选粉等一系列工序于一体，是一个多变量、强耦合、时变、非线性系统。通过分析立磨的工作机理，结合实际生料粉磨生产工艺特点，以保证水泥生料比表面积合格、稳定矿渣立磨料层、降低立磨振动值的优化控制目标，选取矿渣喂料量和入磨冷风调节阀开度作为控制量，立磨料层厚度和磨机进出口压差作为被控量，采用专家规则的立磨料层设定、基于量化因子自校正模糊控制算法的料层控制和磨机进出风口压差模糊控制。

（3）回转窑智能煅烧和熟料质量控制

在水泥熟料生产过程中，主要由生料喂料、预热分解、熟料煅烧和熟料冷却组成。水泥熟料质量主要由游离氧化钙（f-CaO）含量和烧失量来间接衡量。水泥煅烧过程伴随物理化学反应，水泥生产系统非常复杂，且有时变和不确定性，难以（甚至不可能）用已有的数学解析方法描述被控对象，即使能用数学描述的，也非常复杂。实现分解率、煅烧带温度以及篦冷机的稳定控制，实现风、料、煤、窑转速合理匹配，对生产过程进行不断优化，实现全自动智能煅烧，保证全窑系统的最佳且稳定的热工制度，才能保证生产合格的水泥熟料。

水泥烧成智能化控制主要包括分解炉温度预测控制、烧成带温度预测控制，进而实现窑头、窑尾两个热力学系统的协调优化，以及两个燃烧系统的风煤比优化。其中，风煤比优化技术将显著降低熟料烧成热耗。熟料煅烧工艺流程如图3-7-5所示。

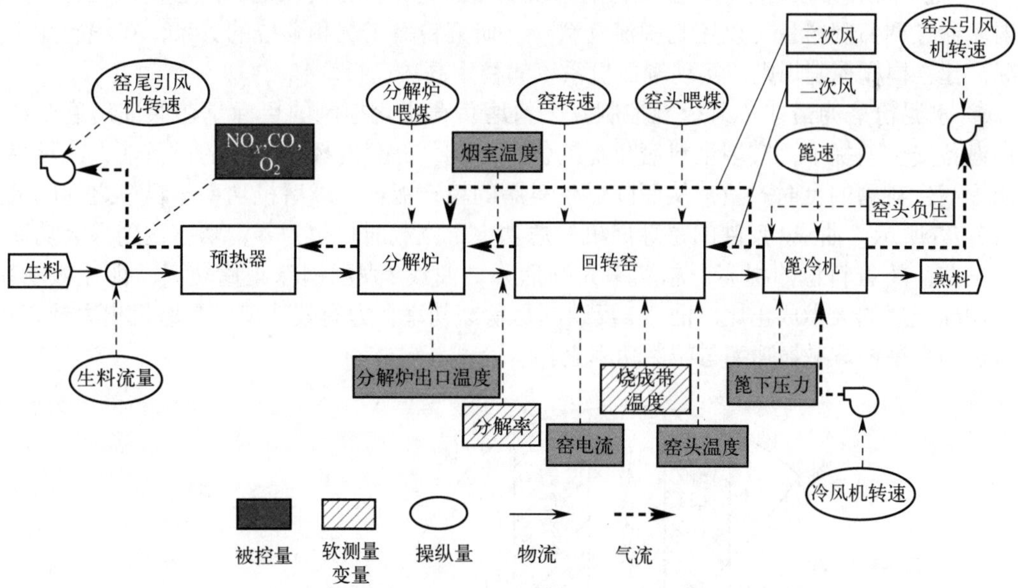

图3-7-5 熟料煅烧工艺流程

利用软测量技术获取分解率参数，利用热像仪技术获取煅烧温度，根据水泥煅烧机理、传热理论，通过与专家不同形式的交互来抽取水泥智能制造所需的煅烧知识，构建知识模型，实现烧成系统的工况在线感知。利用模糊神经控制技术、预测控制技术、优化控制技术，构建组合智能决策与控制器，实现分解炉温度、煅烧温度、篦速、风量和窑转速等参数的控制，实现窑系统的智能煅烧。

（4）水泥制备智能化生产与水泥质量控制

水泥制备主要由辊压机、球磨机、收尘器等组成，水泥联合粉磨工艺如图3-7-6所示。

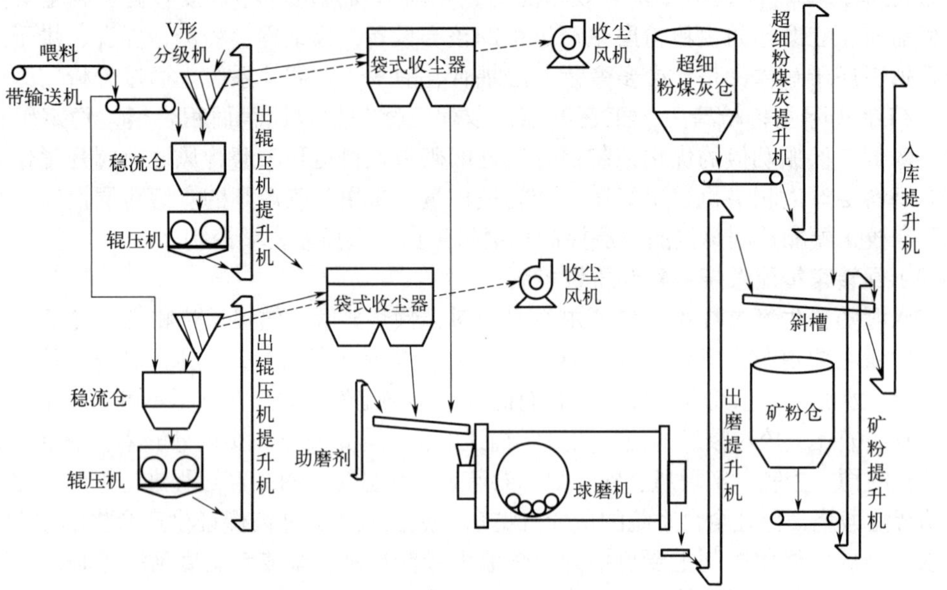

图3-7-6　水泥联合粉磨工艺流程

① 辊压机系统智能控制。要使粉磨系统稳定运行，首先要保证稳流仓料位在合理的范围内，通过调节喂料量可以控制稳流仓料位。研究粉磨工况和仓位的关系，在线感知运行工况，建立模糊控制规则，实现辊压机系统的稳定高效运行。

② 水泥粉磨的最佳负荷智能控制。生料磨负荷优化控制的目标是在保证出磨生料质量和设备安全前提下，实现生料磨负荷的优化控制，充分发挥生料磨的设备能力，尽最大可能提高生料磨的台时产量，从而降低生料磨的单产能耗。球磨机功率与料位之间的关系如图3-7-7所示：曲线1反映的是球磨机的总功率，空载时料位为零，功率达到最大功率的90%左右，随着料位的提高，总功率先升后降；曲线2表示钢球碰撞功率，即无效功率，它与钢球损耗的大小成正比；曲线3反映的是粉磨功率，为有效功率，与磨机出力成正比；球磨机功率是钢球碰撞功率与粉磨功率之和。

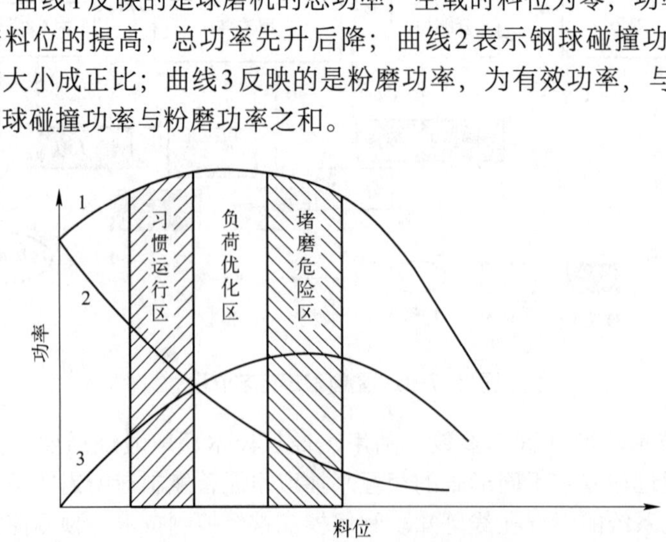

图3-7-7　球磨机功率与料位关系

负荷优化控制的目标是通过料位测量或估计，控制喂料量，保持料位为优化值，则此时粉磨功率比习惯运行区大，钢球碰撞比习惯运行区小，可以大大提高球磨机台时产量，降低粉磨系统的单位粉磨电耗，实现运行的经济性。

生料磨负荷优化控制一般采用增量寻优的方法，此时寻优变量是喂料量，目标函数是单位产量磨机电耗最小，此时磨机电流的增量为零。随着各种因素的变化，最优负荷点会变化，可定期重新寻优，或根据需要不定期地重新寻优。

③ 水泥粒度智能控制（细度、比表面积）。水泥细度直接影响着水泥的凝结、水化、硬化和强度等一系列物理性能。可以在线获得水泥细度分布参数，定义关键质量属性和关键控制参数。建立一个预测产品属性的知识模型，预测产品质量属性或工艺结束点。建立一个有效的控制工艺的模型，研究智能决策控制器，通过调节选粉机级转速和风机转速，实时调整颗粒级配，实现水泥质量控制。

（5）建立水泥智能化生产软件平台

完善水泥工业过程智能化生产理论体系，建立水泥智能化生产软件平台，实现增效和节能降耗。水泥生产属流程行业，建立以统一数据模型为基础的核心生产数据库，基于实时数据库、应用数据模型、静态数据模型、动态数据模型，根据获取的水泥生产知识，应用数据融合技术、数据挖掘技术、数据驱动技术，完善水泥智能化生产理论体系，建立水泥生产自动化、数字化、模型化、可视化、集成化、智能化生产工厂的生产智能制造与决策支持信息化平台，实现水泥生产的生产管理监控、专家优化控制、能源管理及能效分析、设备监控与故障诊断，形成从原料配备、窑炉控制到熟料粉磨的水泥智能化生产工厂。水泥智能化生产软件平台结构见图3-7-8。

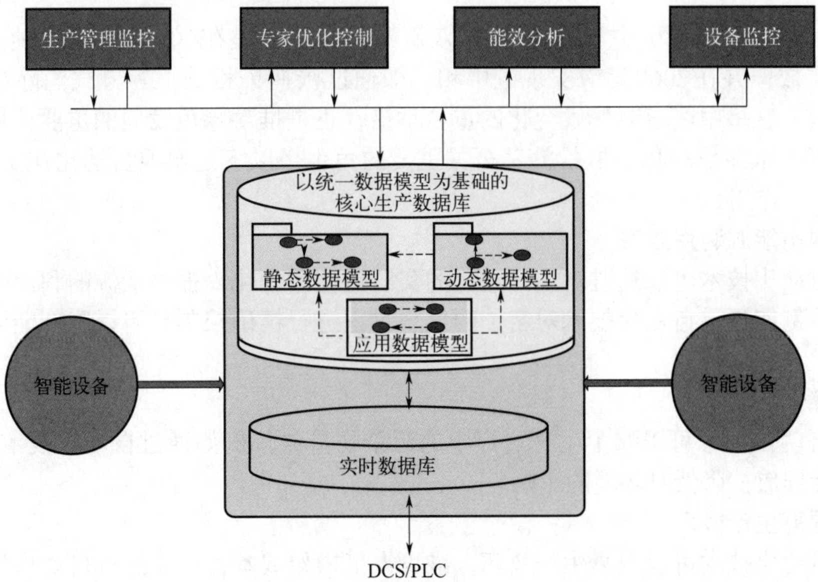

图3-7-8　水泥智能化生产软件平台结构

新一代信息技术与制造业的深度融合，为制造业发展带来了巨大变革，推动新一代信息技术融入水泥生产制造的各环节，是水泥行业全新发展和智能化转型的重要机遇。近年来，国家各部门不断加大对智能制造的扶持力度，企业对智能化建设和改造的积极性日益提高，智能制造数字转型的生态氛围日益浓厚，大量智能部件、智能控制系统、智能装备应用于企业的关键生产环节，智能化应用领域不断拓宽，智能实验室、智能工厂建设投入不断加大，水泥行业智能制造技术水平不断提升，建材企业竞争优势进一步提高。为了积极推动我国水泥行业向智能化制造的转型，提出以下建议。

① 发挥政策引领作用。积极争取工业转型升级资金、智能制造专项、工业互联网基金等资金渠道，加大对水泥行业智能制造发展的支持。完善政府指导，行业组织、相关联盟、生产企业、系统解决方案供应商等共同推进机制，统筹资源，组织开展行业智能制造标准体系建设、行业关键技术研发，等等，加快水泥领域信息化智能制造系统解决方案供应商的培育。将企业智能制造水平作为行业规范条件的考核指标，提高行业准入门槛。

② 强化试点示范。选择有代表性且处于不同发展阶段的水泥企业或产业园区，以产品设计信息化、生产管理信息化、信息化集成、市场营销网络化、大数据平台建设、智能工厂建设等新一代信息化技术应用为重点，培育试点示范，总结推广创新能力强、经济效益好的两化融合示范标杆企业的适用案例和典型经验，通过开展现场交流、培训等专题活动，以点带面，促进水泥行业智能制造的推广普及。

③ 加强人才培养。鼓励水泥企业加大内部智能制造相关人才培养的力度，建立人才实训基地，组织开展各项培训课程，制定相关激励措施，全面培养企业智能制造管理人才、技术人才，等等。同时加大复合型高层次人才的引进力度，积极引进领军人才和紧缺人才。完善企业制度，建立人才激励机制，设立向智能制造优秀人才和关键岗位倾斜的分配激励机制，确保各项人才政策落实到位。

7.3.2 “双碳”目标下水泥自动化发展的作用分析

双碳，即碳达峰与碳中和的简称。“双碳”目标指的是在2030年前实现碳排放达峰，即减少碳排放，并在2060年前实现碳中和，即通过碳捕集和碳汇等方式消除或中和排放的二氧化碳。这是中国应对气候变化的重要举措，也是推动绿色发展的重要体现。在“双碳”目标下，水泥自动化发展扮演着至关重要的角色。以下是水泥自动化在实现“双碳”目标中的主要作用。

（1）提高能源利用效率

水泥自动化技术可以通过对生产过程的实时监控和优化，提高能源的利用效率，减少能源浪费，例如通过自动化技术对窑炉的燃烧过程进行精确控制，可以降低能源消耗，减少碳排放。

（2）降低环境污染

水泥自动化技术可以减少生产过程中的污染物排放，例如通过自动化技术实现废气、废水的达标排放，降低对环境的影响。

（3）提高生产效率

水泥自动化技术可以提高生产效率，减少人工操作成本，例如通过自动化生产线实现生产过程的连续化和自动化，可以提高生产效率，减少生产成本。

（4）促进节能降耗

水泥自动化技术可以促进节能降耗，通过优化生产过程和能源管理，减少能源消耗和浪费，例如通过自动化技术对能源设备进行智能控制，实现能源的合理分配和利用。

（5）推动绿色发展

水泥自动化技术可以推动水泥行业的绿色发展。通过自动化技术实现生产过程的清洁、高效、节能，可以促进水泥行业的可持续发展。

在“双碳”目标下，水泥自动化发展对于提高能源利用效率、降低环境污染、提高生产效率、促进节能降耗以及推动绿色发展都具有重要作用。通过不断推进水泥自动化技术的发展和应用，可以助力“双碳”目标的实现，促进水泥行业的可持续发展。

7.4 水泥自动化发展趋势分析

7.4.1 水泥生产智能制造前沿技术

水泥产业智能制造是基于新一代信息通信技术与先进制造技术深度融合，贯穿于设计、生产、管理、服务等制造活动的各个环节，具有自感知、自学习、自控制、自决策、自执行等功能的新型生产方式。水泥产业智能制造具有以智能化水泥工厂为载体、以关键制造环节智能化为核心、以端到端数据流为基础、以网络互联为支撑等特征。水泥产业智能制造的核心技术、管理要求、主要功能和经济目标，体现了水泥产业智能制造对于我国水泥产业转型升级和持续发展的重要作用。

数字化、自动化、信息化、网络化、智能化是水泥产业智能制造的核心技术，随着物联网技术、信息技术、智能感知技术、装备技术及先进制造技术等前沿技术的快速发展，在国家智能制造战略和建材工业数字化转型的双重驱动之下，水泥产业智能制造技术的广度和深度也在不断提升，攻克工业现场感知与互联集成、应急大数据支持、安全运行监控预警等智能制造方面关键技术，研发智能化高端装备，旨在提高水泥生产运转率、安全运行能力、应急响应能力、风险防范能力和科学决策能力，实现水泥生产的网络化、数字化、模型化、可视化、智能化，在走向智能化方面快速布局和推广应用，争相打造智能制造行业标杆。

7.4.1.1 智能感知技术

人工智能感知技术主要包括三个方面：传感器技术、无线传感网络技术和被动无线感知技术。

（1）传感器技术

传感器技术是现代发展的十大技术之一，大致分为三代：第一代是一种结构传感器，它使用结构参数变化来检测和转换信号，例如热敏电阻；第二代是固态传感器，这种传感器由半导体、磁性材料等固体元件组成，利用材料某些特性制成的，如霍尔、超声波传感器等；第三代是智能传感器，它是微电脑技术和检测技术的结合，对外界信息具有一定检测、自诊断、数据处理以及自适应能力。此外，该传感器还与生物仿生学相结合，可生产各种生物传感器。

（2）无线传感网络技术

无线传感网络是将大量的无线传感网络节点随机放在被测区域中，构成自组织网络，这些节点按功能可分为感知节点、汇聚节点及管理节点。其工作过程是：在监测区域内将各节点传感器采集到的环境信息自组网的形式，以多种方式传送到汇聚节点，最后再通过网络将传感信息传送到管理节点。无线传感器网络应用前景广泛，未来将充满我们的生活，无处不在。

（3）被动无线感知技术

被动无线感知技术利用生物体在无线网络中对无线信号的反射、折射、遮蔽等影响，构建无线信号和生物体状态间的函数关系，感知其被测环境中的状态，包括对位置、手势、行为和运动轨迹等。被动无线感知技术不要求用户携带任何设备，无光照要求，具有穿透性，从而将用户从物理设备的束缚中解放出来，减少硬件设备开支，同时它覆盖面广，还能够保护用户的隐私，是非常有前景的一门智能感知技术。

通过以上这三种感知技术的分工合作，从而达到真实感知被测环境参数的目的，为人工智能的认知智能提供可靠依据，将人工智能转变成实际的生产力。

7.4.1.2 工业人工智能技术

人工智能的最终目标，主要是实现人的智能行为的自动化和复制。从这个意义上来讲，人工智能不是单一的技术，而是用于特定任务的技术集合。工业人工智能目前在制造流程中主要完成三项工作：运行工况多元信息的感知和认知，工作经营层、生产层、运行层的协同决策，以企业综合生产指标优化为目标自动协同控制装备的控制系统。这三件事目前都是知识工作者在做，如何实现自动化和智能化将是工业人工智能的重要方向。

这里有几个关键技术要解决：第一是复杂工业环境下运行工况多尺度、多元信息的智能感知和识别技术；第二是复杂工业环境下基于5G多元信息的快速可靠的传输技术；第三是系统辨识与深度学习相结合的智能建模、动态仿真和可视化的技术；第四是关键工艺参数和生产指标的预测和追溯技术；第五是人机合作的智能优化决策技术，特别是结果端、边、云协同实现智能算法的技术。只有攻克了这些技术，才有可能使工业发生革命性的改变。

7.4.1.3 工业大数据技术

新一代信息通信技术的发展驱动制造业迈向转型升级的新阶段—工业大数据驱动的新阶段，这是在新技术条件下制造业生产全流程、全产业链、产品全生命周期数据可获取、可分析、可执行的必然结果。

（1）工业大数据背景

工业大数据是工业互联网的核心要素。《中国制造2025》规划中明确指出，工业大数据是我国制造业转型升级的重要战略资源，需要针对我国工业自身的特点有效利用工业大数据推动工业升级。一方面，我国是世界工厂，实体制造比重大，但技术含量低、劳动密集、高资源消耗制造的比重也大，实体工厂和实体制造升级迫在眉睫。另一方面，我国互联网产业发展具有领先优势，过去十多年消费互联网的高速发展使互联网技术得到长足发展，互联网思维深入人心，需要充分发挥这一优势，并将其与制造业紧密结合，促进制造业升级和生产性服务业的发展。

（2）工业大数据的内涵

工业大数据即工业数据的总和，其来源主要包括企业信息化数据、工业物联网数据、“跨界”数据。企业信息系统存储了高价值密度的核心业务数据，积累的产品研发数据、生产制造数据、供应链数据以及客户服务数据存在于企业或产业链内部，是工业领域传统数据资产。人和机器是产生工业大数据的主体。人产生的数据是指由人输入计算机中的数据，例如设计数据、业务数据等。机器数据是指由传感器、仪器仪表和智能终端等采集的数据。近年来，由人产生的数据规模的比重正逐步降低，企业信息化和工业物联网中机器产生的海量时序数据是工业数据规模变大的主要来源，机器数据所占据的比重将越来越大。

（3）工业大数据的特征

工业大数据具有大规模、速度快、类型杂、低质量的特征。相对于其他类型大数据，工业大数据还具有反映工业逻辑的多模态、强关联、高通量等新特征。

多模态是指工业大数据必须反映工业系统的系统化特征及其各方面要素，包括工业领域中光、机、电、液、气等多学科、多专业信息化软件产生的不同种类的非结构化数据。

强关联反映的是工业的系统性及其复杂动态关系，不是数据字段的关联，本质是指物理对象之间和过程的语义关联。包括产品部件之间的关联关系，生产过程的数据关联，产品生命周期设计、制造、服务等不同环节数据之间的关联，以及在产品生命周期的同一阶段涉及的不同学科不同专业的数据关联。

高通量即工业传感器要求瞬时写入超大规模数据。嵌入了传感器的智能互联产品已成为工业互联网时代的重要标志，用机器产生的数据代替人产生的数据，实现实时的感知。从工业大数据的组成体量上来看，物联网数据已成为工业大数据的主体。

（4）工业大数据与工业互联网

工业互联网可以从网络、数据和安全3个方面理解，其中：网络是基础，即通过工业全系统的互联互通，促进工业数据的无缝集成；数据是核心，即通过工业数据全周期的应用，实现机器弹性生产、运营管理优化、生产协同组织与商业模式创新，推动工业智能化发展；安全是保障，即通过构建涵盖工业全系统的安全防护体系，保障工业智能化的实现。工业互联网的发展体现了多个产业生态系统的融合，是构建工业生态系统、实现工业智能化发展的必由之路。

工业大数据是智能制造与工业互联网的核心，其本质是通过促进数据的自动流动解决控制和业务问题，减少决策过程带来的不确定性，并尽量克服人工决策的缺点。随着互联网与工业的深度融合，机器数据的传输方式由局域网络走向广域网络，从管理企业内部的机器拓展到管理企业外部的机器，支撑人类和机器边界的重构、企业和社会边界的重构，释放工业互联网的价值。

工业大数据在工业互联网中的应用可分为4个层次，即监视、控制、优化、自主：监视就是要能远程实时监测装备的运行状态；控制就是要实现操作者对机器的远程遥控，让机器能够执行操作者远程下达的操作指令；优化就是要基于海量工业大数据发现知识，提供在线运行调度、健康监测、故障诊断预警等装备在线运维服务；自主就是要实现装备的自主决策和装备集群的自主协同，通过"机器换人"实现生产运维的少人化和无人化。

工业大数据创造价值的过程才刚刚开始，工业大数据的价值不仅在于对现有业务的优化，更在于支撑企业、行业乃至全社会的创新、转型和发展。伴随着工业互联网的不断普及，工业大数据应用价值将逐步释放，智能制造也将得到长足发展。当前，工业大数据仍处在高速发展的历史阶段，其概念内涵、技术方法、价值创造模式还在不断创新演化之中，需要努力和大胆地创新实践。应该针对智能制造和工业互联网的创新需求，把工业大数据的应用与工业自身提高质量、降低成本、提升管理水平的需求结合起来，特别要与中国工业的发展阶段和结构特点结合起来，走出有中国特色的工业大数据技术与产业创新路线，助力中国工业弯道取直与加速腾飞。

7.4.2 水泥生产智能制造展望

（1）水泥生产智能制造发展愿景

水泥工业中的以高效化、绿色化和智能化为主题的智能制造，就是要在工程技术层面实现数字化、自动化、智能化、网络化，在企业生产制造运行层面也要实现敏捷化、高效化、绿色化、安全化。水泥工业智能制造特征如图3-7-9所示。

图3-7-9 水泥工业智能制造特征

近年来，我国水泥工业在工艺装备、运行技术与管理决策方面都取得了长足的进步，但在全流程和全生命周期的数据感知、多系统协同优化控制、供应链敏捷管理、安全环保监控与溯源诊断等方面还存在很多亟待解决的难题。鉴于此，在“智能+”时代，水泥工业智能制造的愿景目标是：在已有的物理制造系统基础上，充分融合人的知识，应用互联网、大数据、云计算、人工智能及虚拟制造等新一代信息通信技术，从生产、管理以及营销全过程优化出发，推进以高效化、绿色化和智能化为目标的水泥工业智能制造，不仅要实现制造过程的装备智能化，而且要实现制造流程、操作方式、管理模式的自适应智能优化，使得企业经济效益和社会效益最大化。为实现水泥工业生产、管理和营销模式的变革，提升发展动能，应重视水泥工业的基础科学和关键工程技术研究，研发一批具有重大影响的智能感知、信息集成、知识型工作自动化、生产过程优化运行等核心技术，为水泥工业抢占国际先进制造领域技术的制高点提供技术支撑。水泥行业智能制造愿景如图3-7-10所示。

（2）水泥生产智能制造面临的挑战

实现水泥工业智能制造的高效化和绿色化的关键是生产工艺优化和生产全流程的整体优化。通过信息化和工业化深度融合，实现水泥工业智能制造仍存在着一些亟需解决的重大基础理论与工程科技问题。例如：我国水泥工业原料变化频繁，工况波动剧烈；生产过程涉及物理化学反应，机理复杂；生产过程连续，不能停顿，任何一道工序出现问题必然会影响整个生产线和最终的产品质量；原料成分、设备状态、工艺参数和产品质量等无法实时或全面检测。此外，水泥工业系统的优化决策涉及多目标冲突、多冲突约束和多尺度动态优化的世界性科学难题。

因此，上述生产经营计划与管理、生产过程的运行操作与管理系统的决策分析、资源

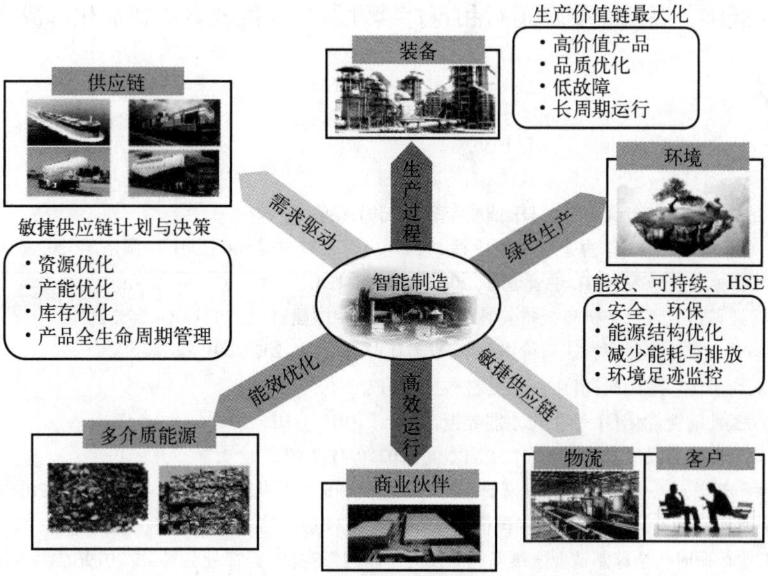

图 3-7-10　水泥行业智能制造愿景

与能源的结构配置，以及生产计划调度与优化控制系统指令，仍然依靠知识型工作者凭知识和经验来完成，远远没有实现生产全过程整体运行行为的优化。将工业大数据、人工智能驱动的知识型工作自动化、计算机和通信技术与流程工业的物理资源紧密融合与协同，攻克下面四项关键共性技术，才有可能实现水泥工业的智能化发展。

① 攻克具有综合复杂性的水泥工业过程智能优化控制技术，实现以综合生产指标优化控制为目标的生产全流程智能协同优化控制，研制水泥生产过程智能自主控制系统。

② 攻克人参与的CPS的物理机制建模、动态性能分析、关键工艺参数与生产指标的预测和多目标动态优化决策技术，研制水泥智能优化决策系统。

③ 攻克以信息实时感知手段为核心的生产全流程运行工况感知与认知技术，研制运行工况识别与自优化控制系统。

④ 攻克大数据与物理系统知识共同驱动的生产过程信息流、物质流、能源流交互作用的动态智能建模、仿真与可视化技术，研制用于水泥工业控制、决策和工艺研究实验的虚拟制造系统。

（3）水泥工业发展智能制造的建议

① 突出水泥工业的战略地位，提升水泥企业创新能力。在政策制定、国家发展战略制定中确立水泥工业在我国经济发展中的基础性、战略性地位和作用。加大研发投入力度，建立健全研发和服务体系。加快实施重点流程工业行业智能制造专项行动，切实构建企业主导的产业技术研发体系，着力促进政产学研组成的创新主体的协同创新，提高企业原始创新能力。

② 推进水泥工业智能制造标准制定。建立健全两化融合标准支撑体系，加快水泥行业智能制造标准体系的研究制定，通过研究水泥工业智能制造关键共性技术，加快水泥行业智能工厂评价体系、智能制造技术标准体系的研制。

③ 水泥工业智能制造关键技术研发。促进水泥工业智能化的发展，建立产学研用协同机制，进一步开展智慧工厂的研究工作，形成水泥工业智能制造的理论体系和系统框架，

为水泥工业的低碳、高效、安全运行和可持续发展，提供成套的智能化解决方案。

参考文献

[1] 戴安立. 简析混凝土组成、分类与发展[J]. 建材与装饰, 2019(33): 55-56.
[2] 中国建材、海螺、金隅、冀东、华新、华润上榜2023年《财富》中国500强[J]. 中国水泥, 2023(08): 77.
[3] 陈元顺. 浅析中国水泥行业发展[J]. 中国建材, 2021(09): 122-124.
[4] 丁美荣. 水泥行业碳排放现状分析与减排关键路径探讨[N]. 中国建材报, 2021-06-15(03).
[5] 刘作毅. 水泥季节产量、熟料库容比与价格关系分析[J]. 中国建材, 2023(09): 84-88.
[6] 修瑞. 水泥工业智慧工厂建设研究[J]. 中国建材科技, 2017, 26(05): 38-40.
[7] 贾华平. 论水泥工业的智能化[J]. 新世纪水泥导报, 2021, 27(01): 1-10.
[8] 闫力. 水泥行业智能制造发展现状浅析[J]. 中国水泥, 2021(04): 70-72.
[9] 孙晓峰, 李建军, 刘虎, 等. 基于工业互联网的水泥行业智能制造数字化转型[J]. 水泥工程, 2022(03): 51-54.
[10] 刘强. 智能制造理论体系架构研究[J]. 中国机械工程, 2020, 31(01): 24-36.
[11] 余东华. 新工业革命时代全球制造业发展新趋势及对中国的影响[J]. 天津社会科学, 2019(02): 88-100.
[12] 张巍巍. 水泥工业深耕智能制造变革路[J]. 江西建材, 2023, (09): 357.
[13] 力争2030年前实现碳达峰，2060年前实现碳中和——打赢低碳转型硬仗[J]. 广西节能, 2021(02): 24-25.
[14] 智能制造发展规划(2016-2020年)[J]. 中国仪器仪表, 2017(01): 32-38.
[15] 穆加会, 喻长虹, 雍登明，等. 智能化水泥工厂实施方案简介[J]. 水泥工程, 2019(01): 81-84.
[16] 柴天佑, 丁进良. 流程工业智能优化制造[J]. 中国工程科学, 2018, 20(04): 51-58.
[17] 王建民. 工业大数据技术综述[J]. 大数据, 2017, 3(06): 3-14.
[18] 李珊珊. 智能制造在水泥工厂数字化转型过程中的应用价值分析[J]. 新型工业化, 2022, 12(12): 277-279.

本章负责人　王孝红　济南大学

参加编写人员　孟庆金　景绍洪　袁铸钢　于宏亮　张　强　刘　钊
路士增　黄　冰　张荣丰

第8章 环保自动化

8.1 》 环保行业发展概况

8.1.1 环保行业运行情况

2021年，中国环保行业的营业收入约为2.18万亿元，比2020年增长约11.8%，同比增长率提高了4.5个百分点。其中，环保服务的营业收入约为1.42万亿元，同比增长约18.3%，同比增长率提高了8.6个百分点。从2017年到2021年，环保行业营业收入的复合年增长率为12.8%。由于原材料、运输、劳动力和生产损失等成本和费用的增加，统计数据中的17943家企业在2021年的总营业利润为1808.5亿元，仅同比增长了0.02%，比营业收入增长率低了近13.8个百分点。2021年，中国环保行业的营业收入继续保持增长势头，达到了约2.18万亿元，比2020年增长了约11.8%。这一增长率较去年提高了4.5个百分点，显示出环保行业持续发展、市场需求不断扩大。特别值得注意的是，环保服务的营业收入约为1.42万亿元，同比增长了约18.3%，同比增长率提高了8.6个百分点，这表明环保服务领域的市场需求不断增加，企业在提供环保解决方案和服务方面取得了显著进展。未来几年，中国环保行业预计将延续快速增长态势。在全球环境问题日益严峻的背景下，政府与企业对环境保护的重视程度将持续提升，为行业带来更广阔的发展空间与更高要求。为应对环境挑战，我国政府已出台一系列有力举措，包括加大环保投资力度、强化环境监管体系及深入推进绿色发展转型。这些政策不仅为行业创造了更有利的发展环境，也将进一步驱动技术创新与产业升级。与此同时，随着环保技术的持续突破与广泛应用，行业将迎来新的发展机遇。智能监测、优化调控等新兴技术的推广，将显著提升环境治理的精准性与效率，为企业和社会创造更大的经济与环境双重效益。

（1）行业规模

从企业规模来看，17943家企业中共有大型企业557家、中型企业4241家、小型企业5965家、微型企业7180家。其中，污水处理领域7048家，固废处理处置与资源化领域3036家，大气污染防治领域2091家。根据住房城乡建设部统计，2021年全国污水年处理量61.20立方千米，污水处理率为97.89%，城市固废年清运量约2.49亿吨。

（2）营收规模

如表3-8-1所示，2021年，17943家环保企业营业收入总额为23637.3亿元，营业收入与国内生产总值（GDP）的比值为1.9%，与2020年持平。环保产业的直接贡献率为1.8%，较2020年下降了2.7个百分点。环保产业对GDP增长的拉动作用为0.15个百分点，较2020年增长了0.05个百分点。其中，固体废物处理处置与资源化、污水处理、大气污染防治3个领域的企业营业收入及环保业务营业收入分别位列前3位，这3个领域的企业营业收入总计为20846.7亿元，占比为88.2%。

与2020年相比，污水处理、大气污染防治、固体废物处理处置与资源化的营业收入以及环保业务营业收入均有不同程度的增长。就营业收入而言，固体废物处理处置与资源化领域同比增长了18.8%，而环保业务营业收入方面，固体废物处理处置与资源化领域同比增长了19.5%。此外，固体废物处理处置与资源化领域的企业平均营业收入最高，达到36015.7万元/企业。同时，这一领域的企业平均营业收入也是最高的，这是由于随着国家环保政策的不断加强，越来越多的企业开始投入到固体废物处理处置与资源化领域，导致市场竞争加剧，但同时也带来了更多的商机。可以预见，未来几年，固体废物处理处置与资源化领域将迎来加速发展期，这也将为环保产业的整体发展注入新的动力。

表 3-8-1　2021 年列入统计的各领域企业营收规模

领域	企业数量 / 个	营业收入 / 亿元	环保业务营业收入 / 亿元
污水处理	4973	7278.1	4108.2
大气污染防治	2091	2634.3	1643.1
固体废物处理处置与资源化	3036	10934.4	5955.2
土壤与地下水修复	289	474.0	227.2
环境监测与检测	6265	1830.1	809.6
噪声与振动控制	66	51.3	40.6
其他	1223	435.3	359.3
总计	17943	23637.3	13143.2

（3）盈利能力

2021年，17943家环保企业营业利润总额为1808.5亿元，平均利润率为7.7%，平均净资产收益率为7.7%。其中，固体废物处理处置与资源化、污水处理、大气污染防治3个领域企业的营业利润分别位列1、2、3位，3个领域企业营业收入合计为1688.6亿元、占比为93.4%。污水处理、固废处置与资源化领域企业的利润率均高于该平均值，分别为9.1%、8.1%，获利水平相对突出。

8.1.2　环保行业投资情况

本小节将分别对环保行业三个重要领域（大气污染处理行业、污水处理行业、固废处理行业）的投资情况进行分析。

8.1.2.1　大气污染处理行业投资情况

近年来，国家和各级政府相继出台各项政策，鼓励和扶持废气治理行业的发展。2022年1月，国务院发布了《“十四五”节能减排综合工作方案》，明确提出持续推进大气污染防治重点区域秋冬攻坚行动，加大重点行业结构调整和污染治理力度，以大气污染防治重点区域及珠三角地区、成渝地区等为重点，推进挥发性有机物和氮氧化物协同减排。

财政部数据显示，2012—2021年，全国节能环保财政支出规模年均增长率达8.8%。从波动趋势来看，2012—2019年，我国节能环保财政支出规模整体呈扩大趋势，2020—2021年有所下降。2021年，全国节能环保财政支出规模达6305亿元。

根据国家统计年鉴数据可得我国2010—2021年工业治理污染投资情况，如图3-8-1所示。

在建立健全绿色环保、低碳循环发展经济体系的发展理念带动下，废气治理行业发展

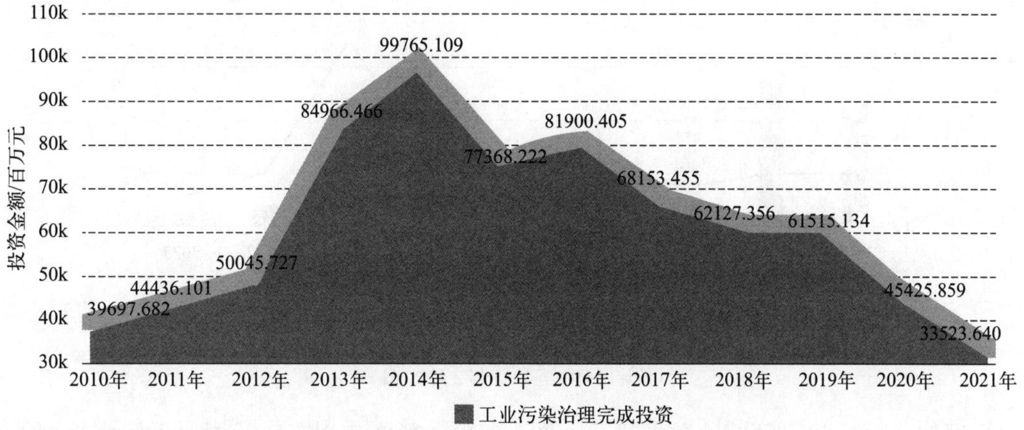

图 3-8-1　2010—2021 年工业治理污染投资情况

提速，国家和各级政府持续加大对废气排放物的治理工作并出台了各项政策，以此来鼓励和扶持治理工作的高效开展。

随着环保政策持续加码和公众环保意识不断提升，废气处理行业迎来快速增长。在污染物排放标准日趋严格的背景下，我国废气治理招投标市场活跃度显著提高。数据显示，2019年至2022年间，废气治理招标项目数量持续攀升，2022年已达1869项，凸显出强劲的市场需求。

工业废气-锅炉改造迎来投资高峰，“十四五”期间，挥发性有机物（VOCs）替代二氧化硫列入大气环境质量的约束性指标，VOCs污染防治成为大气污染控制的关键与重点。为进一步抢占市场份额，各企业积极布局VOCs减排领域，加大技术投入和市场推广，拓展VOCs业务的市场空间。按照新版《锅炉大气污染物排放标准》要求大部分在役工业锅炉需要进行污染治理设施新投入，相关改造总投资约为1800亿、年运行费用约为40亿。此外，随着VOCs被纳入总量控制体系以及排放标准体系的完善，VOCs治理将在未来三年迎来快速增长，撬动近千亿的治理工程市场。

脱硫脱硝在环保中起到关键的作用，在市场上也具有广泛应用价值。市场调查数据显示，目前我国的大型火电厂、钢铁厂等大型工厂已经进行了大规模的脱硫脱硝改造。在《大气污染防治行动计划》等环保政策的强力推动下，脱硫脱硝等环境治理技术被列为全国重点推广工作，为行业发展提供了坚实的政策保障，有力促进了整个产业的转型升级。

8.1.2.2　污水处理行业投资情况

2021 ～ 2023年，我国污水处理行业保持稳健发展态势。在环保意识提升和水资源管理需求增强的双重驱动下，行业关注度与资本投入持续走高。根据规划，我国将投入逾1.5万亿元人民币用于水环境质量提升工程，其中污水处理设施新建及改造升级占据重要比重。值得注意的是，《长江保护法》的颁布实施为长江经济带污水处理设施建设提供了强有力的制度保障，相关专项投资力度显著加大。

根据IT桔子数据库，2015—2023年，我国污水处理行业投融资事件均发生在传统制造和先进制造行业，行业集中度较高。2021年我国污水处理行业融资达到顶峰，发生融资事件共6起，融资金额达到12.2亿元。2021年以来，经济下行压力进一步加大，受防控政策影响部分污水处理项目建设进度停滞，融资事件、融资金额均有所下降。2022年我国污水处理行业发生融资事件2起，融资金额为3.5亿元。如图3-8-2所示。

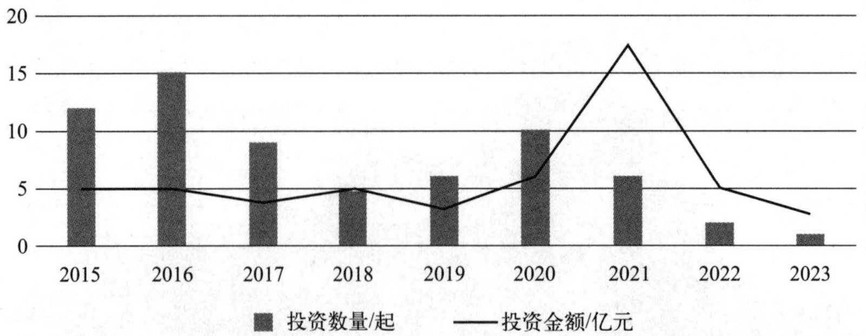

图 3-8-2　2015～2023 年中国污水处理行业投融资整体情况

（统计时间截至 2023 年 2 月 27 日）

根据住房城乡建设部统计数据显示（图3-8-3），2016年以来，我国对于污水处理的建设投资额呈现快速上行趋势。2020年，我国污水处理建设投资额达2108亿元，同比增长约为35%。2021年，我国污水处理建设投入约为1913亿元，同比下降9.3%，其中，农村污水处理建设投入增长速度最快，2016—2021年，农村污水处理建设国家财政投入CAGR（复合增长率）达到25.3%。

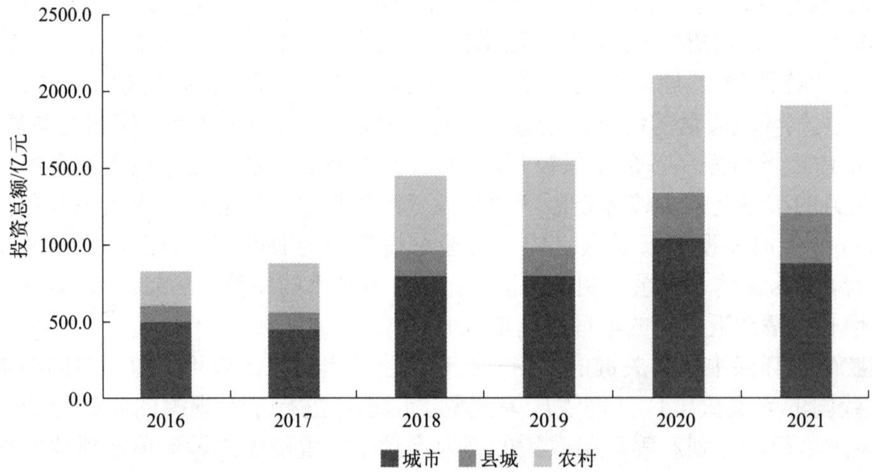

图 3-8-3　2016—2021 年中国污水处理建设投资总额（单位：亿元）

据财政部政府和社会资本合作中心披露项目统计数据（图3-8-4），2020年以来，我国农村污水处理PPP建设项目投资总额呈现下降趋势。2020年，全国农村污水处理项目建设集中爆发，全年农村污水处理PPP项目数量超过100个，建设投资额达570.8亿元。2021年，农村污水处理PPP建设项目投资总额同比降低56.3%。截至2022年12月6日，农村污水处理PPP项目建设项目已有13个，投资总额为150.8亿元。具体到项目平均投资额来看（图3-8-5），我国农村污水处理PPP项目平均投资额在2022年大幅增加，截至2022年12月，我国农村污水处理PPP建设项目平均投资额约为11.6亿元/项，其中当年项目最高投资额达25.22亿元，近一半项目投资金额在12亿元以上。

从投融资轮次分析（图3-8-6），目前污水处理行业的融资轮次仍然处于早期阶段，2016年至2023年，污水处理行业的融资事件主要以战略投资及早期投资为主，其中A轮融资、天使轮融资事件占比超过近年来总融资事件的一半。2021年，污水处理行业的融资金

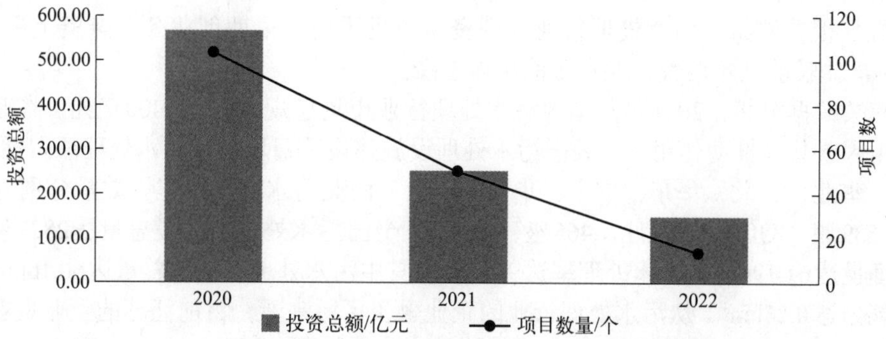

图 3-8-4 2020—2022 年中国农村污水处理 PPP 项目数量及投资总额

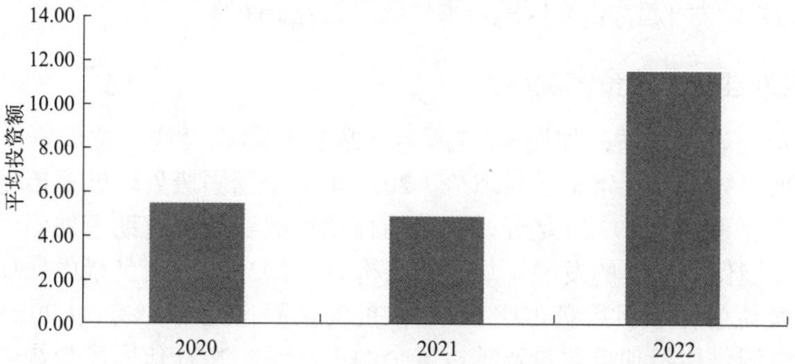

图 3-8-5 2020—2022 年中国农村污水处理 PPP 项目平均投资额

（数据统计截至 2022 年 12 月 6 日，单位：亿元 / 项）

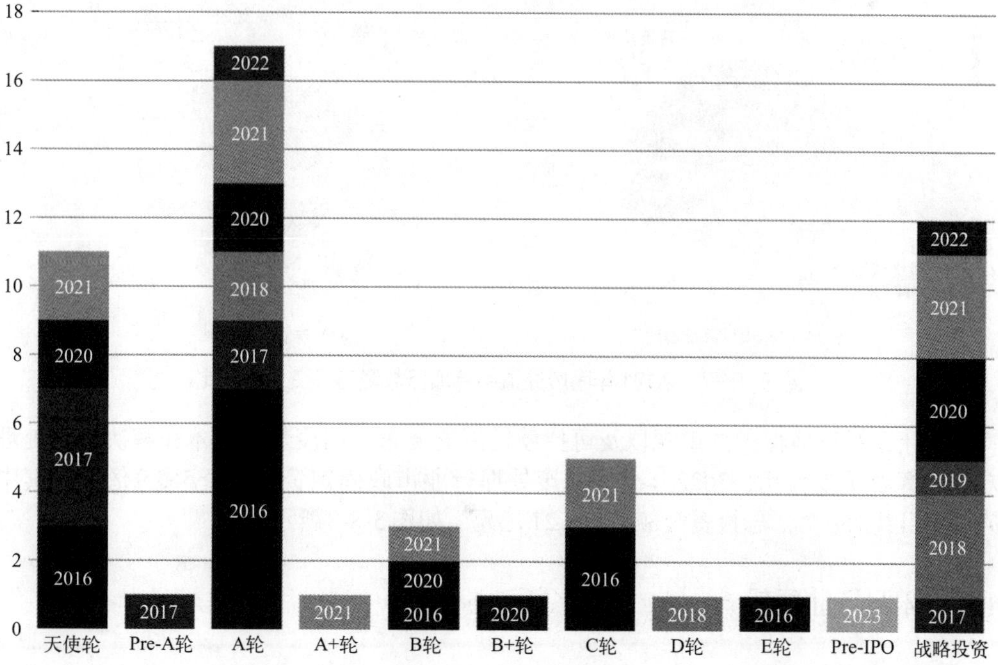

图 3-8-6 2016—2023 年中国污水处理行业投融资轮次情况 – 按事件数量（单位：起）

额大幅增长，结合轮次分析来看，主要由于2021年国家发布系列污水处理“十四五”发展目标及规划相关政策，污水处理行业受到资本市场重视，早期创业公司融资上涨的情况，C轮融资事件较前几年增长，融资金额总体上涨。

据有关数据分析，2021年，国内污水处理行业市场总规模超过1400亿元。在政策、社会等多重因素共同推动作用下，我国污水处理设施建设项目增加，污水处理能力逐年提升。2021年，华北、东北、华东、华中、华南、西南、西北污水处理厂建设数量分别为304座、261座、839座、330座、443座、465座、185座，全国污水处理厂建设总量达2827座，城市污水处理量达61.19km^3，污水处理率达97.89%，其中污水处理厂处理总量达60.16km^3，污水日处理能力达0.21km^3。从污水处理行业的企业融资区域来看，目前江苏的企业投融资事件最多，2016—2023年累计达到12起，占近年来行业融资事件比重的22.2%，其中2022年行业两起融资事件均发生在江苏，分别为江苏南京的乐透思及江苏苏州的苏瑞膜。上海、北京投融资事件数量均累计为9起，占全国融资事件数量比重16.67%。

8.1.2.3 固废处理行业投资情况

从项目投资建设情况看，如图3-8-7所示，2021年固废焚烧、垃圾填埋领域政府招标项目累计中标项目数量较上年呈增长态势。2021年，全国固废处理处置市场中标项目合计1699项，总投资金额合计892.51亿元。这些招标项目的实施将有助于加强固废的处理和处置工作，推动环境保护事业的发展。从市场结构看，2021年固废焚烧中标项目投资金额相对最高，固废焚烧中标项目数量占比11.7%，投资金额占比49.5%。从2020年、2021年固废处理处置与资源化中标项目数量及其投资金额占比看，2021年固废焚烧中标项目数量占比较2020年提高1.6个百分点。这表明在未来，固废焚烧行业将继续受到关注，投资额有望进一步增加，以满足不断增长的需求。

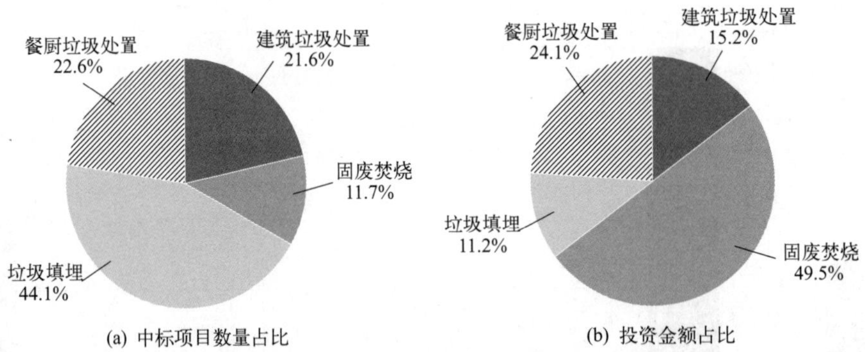

图3-8-7 2021年固废处置中标项目数量与投资金额占比

随着社会对环境保护的重视以及可持续发展的要求，固废焚烧技术在解决垃圾处理问题方面发挥着重要作用，2022年全国固废处理行业市政固定资产投资565.9亿元。其中固废焚烧项目共158个，总投资金额达299.21亿元，如图3-8-8所示。

8.1.3 环保行业展望

2023年，生态环境部部署的重要目标是“大力推动生态环保产业的发展”。为实现这一目标，生态环境部拟通过将生态环境技术与生物、新材料和信息化等高新技术相结合，

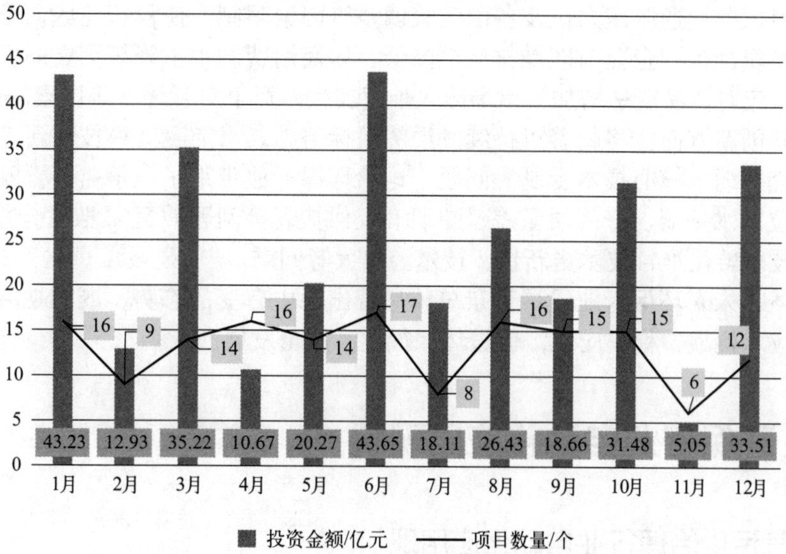

图 3-8-8　2022 年固废焚烧市场投资情况

不断进行创新，加大节能、降低资源消耗的力度，实现低碳技术的研发和应用，以满足资源的再利用与协同发展的要求。这一举措将有助于推动生态环保产业的技术创新与升级发展，为推进可持续发展战略提供更多支持。同时，一些企业正在加速转型升级，开拓新的业务领域，进军新能源和其他绿色低碳市场。这种转型升级将有助于推动生态环保产业的多元化发展，为企业拓展新兴业务领域创造更多发展机遇。这也将有助于推动绿色低碳产业的发展，为经济可持续发展注入新的动力。展望未来，环保行业面临着内外部环境的复杂变化，既有机遇也有挑战，主要有以下几个方面。

一是国家加快构建新发展格局，为环保行业提供了广阔的发展空间。党的二十大提出以国内大循环为主体、国内国际双循环相互促进的新发展格局的战略构想，并强调要坚持以人民为中心的发展思想，坚持绿色发展理念，推动经济社会发展与人民健康和生态环境保护协调统一。这为环保行业提供了广阔的发展空间，既需要在国内市场上满足人民日益增长的优美生态环境需求，又需要在国际市场上抓住全球绿色转型的机遇，提升环保产品和服务的竞争力和影响力。

二是国家深入推进生态文明建设，为环保行业提供了强有力的政策支持。党的二十大明确提出了“十四五”时期生态文明建设的主要目标任务，并强调要坚持走中国特色生态文明道路，落实最严格的生态环境保护制度，加快建设美丽中国。这为环保行业提供了强有力的政策支持，既需要在法律法规和标准体系方面不断完善和强化，又需要在财政金融和税收优惠方面不断增加和优化，为环保行业营造良好的发展环境。

三是国家加强国际合作，为环保行业提供了广阔的合作前景。党的二十大强调要坚持和平发展道路，坚持开放合作，坚持共建人类命运共同体，积极参与全球生态环境治理和国际绿色发展合作。这为环保行业提供了广阔的合作前景，既需要在“一带一路”倡议框架下，加强与共建国家和地区的环保领域的交流与合作，又需要在联合国、二十国集团等多边机制下，积极参与全球气候变化、生物多样性等重大议题的协商与对话，为推动构建人类命运共同体贡献中国智慧和中国方案。

四是经济增速放缓，给环保行业带来了需求压力。环保行业易受到全球贸易紧张局势、地缘政治风险、通胀压力以及各国政策调整等因素限制，使得行业既需要在国内市场上应对政府投资减少、企业节能减排意愿降低、居民消费水平下降等因素的影响，又需要在国际市场上应对贸易壁垒增加、市场准入难度加大、竞争对手增多等因素的影响。

五是模式创新方面，将朝着可持续发展的目标努力。目前我国科技创新仍面临人才短缺、基础研究薄弱、核心技术受制等问题。这给环保行业带来了竞争劣势，既需要在自主创新上应对技术水平低、产品质量差、知识产权保护弱等问题，又需要在引进消化吸收再创新上应对技术转让难、技术更新快、技术溢出大等问题。

综上所述，未来环保行业发展前景总体呈现出稳中有变的态势，既要把握机遇、积极进取，又要应对挑战、稳妥应变，促进环保行业高质量发展。

8.2 环保行业自动化应用现状

8.2.1 大气污染治理行业自动化应用现状

近年来，在建立健全绿色环保、低碳循环发展经济体系的发展理念带动下，大气污染治理行业发展提速，国家和各级政府持续加大对废气排放物的治理工作，并出台了各项政策，以此来鼓励和扶持治理工作的高效开展。2022年4月，工信部、发展改革委等六部门联合出台了《关于“十四五”推动石化化工行业高质量发展的指导意见》，提出在“十四五”期间，推动化工园区规范化发展，依法依规利用综合标准倒逼园区防范化解安全环境风险，加快化工园区污染防治等基础设施的建设工作，提升本质安全和清洁生产水平。随着国家对废气治理行业的持续监管和扶持，大气污染治理体系也得到进一步健全和优化，各企业持续加大对废气治理工作的产品研发，废气治理技术不断提升，国家对废气治理行业的政策扶持，推动行业高质量发展进程。

工业生产行业作为大气污染源的重点关注对象，主要是针对工业场所产生的工业废气诸如粉尘颗粒物、烟气烟尘、异味气体、有毒有害气体等，这些有害气体常对环境和人体健康产生有害影响，在排入大气前应采取净化措施处理，使之符合废气排放标准的要求。以下总结了代表性污染源头行业及工艺自动化处理技术。

（1）石油化工行业大气污染自动化处理技术

在所有的工业生产大气污染源中，化工企业和钢铁公司所占有的污染物比重最大。以硫化物为例，化工企业中，国内外用于含硫尾气的处理工艺主要有还原吸收工艺、氧化吸收工艺、生物脱硫工艺、液相氧化还原工艺、制酸工艺、碱法SO_2吸收工艺等。目前国内天然气行业尾气排放指标控制较好的净化厂有中国石油遂宁天然气净化有限公司及中石化普光天然气净化厂等。工厂硫磺回收装置工作原理见图3-8-9，该系统采用二级Claus工艺，经过主燃烧炉、硫磺回收Claus第1、2级反应器反应后，含有未完全反应的H_2S、SO_2及未完全冷凝的硫雾的过程气进入尾气单元。尾气单元通过造气炉制氢，过程气进入SCOT反应器，将过程气中未反应完全的SO_2、COS、CS_2、硫磺等经SCOT加氢催化剂加氢还原生成H_2S，过程气进入SCOT吸收塔，吸收后废气进入尾气焚烧炉经烟囱排放进大气。

（2）电力行业大气污染自动化处理技术

在锅炉燃烧过程中产生的烟气，经除尘设施和脱硫装置后由烟仓排入大气，需要进行烟气脱硝的流程，烟气中的主要污染成分包括SO_2、NO_x、颗粒物等，在烟气脱硝过程中

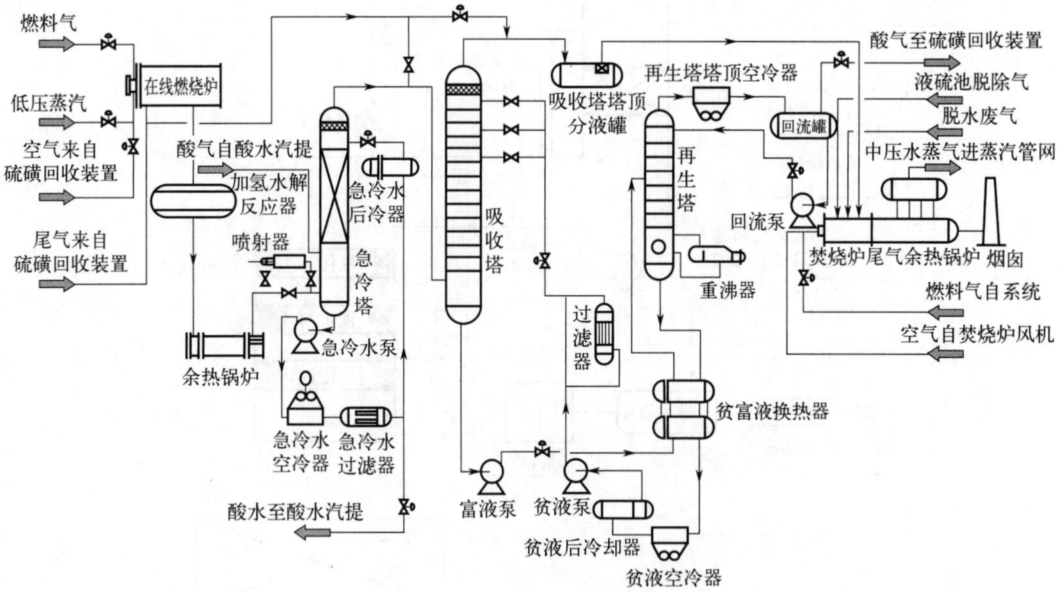

图 3-8-9　硫磺回收装置工作原理图

还存在NH_3的逃逸问题。推动对脱硫、脱硝以及除尘等末端控制技术进行超低排放改造，实现大气污染物排放的进一步下降，在国家引导下的我国燃煤电厂4个阶段的大气污染物控制相关政策与排放标准如图3-8-10所示。为有效控制煤电行业大气污染物排放，提高环境空气质量，中国逐步更新和加严燃煤电厂大气污染物的排放标准，并采取了一系列措施提高能源利用效率和污染物去除水平。如利用纯凝汽式高效大型煤粉锅炉，以及烟气脱硫（FGD）、选择性催化还原（SCR）（如图3-8-11所示）或选择性非催化还原（SNCR）烟气脱硝和静电/布袋除尘等先进末端控制技术等应用于燃煤机组。

在过去的二十年间，我国煤电装机容量和发电量占比显著下降，但与欧美等发达国家相比仍相对较高。未来应在提高非化石能源利用占比的同时，进一步加强煤炭清洁利用，充分发挥其在电力安全和供应保障中的基础性作用，并持续降低大气污染物和温室气体排

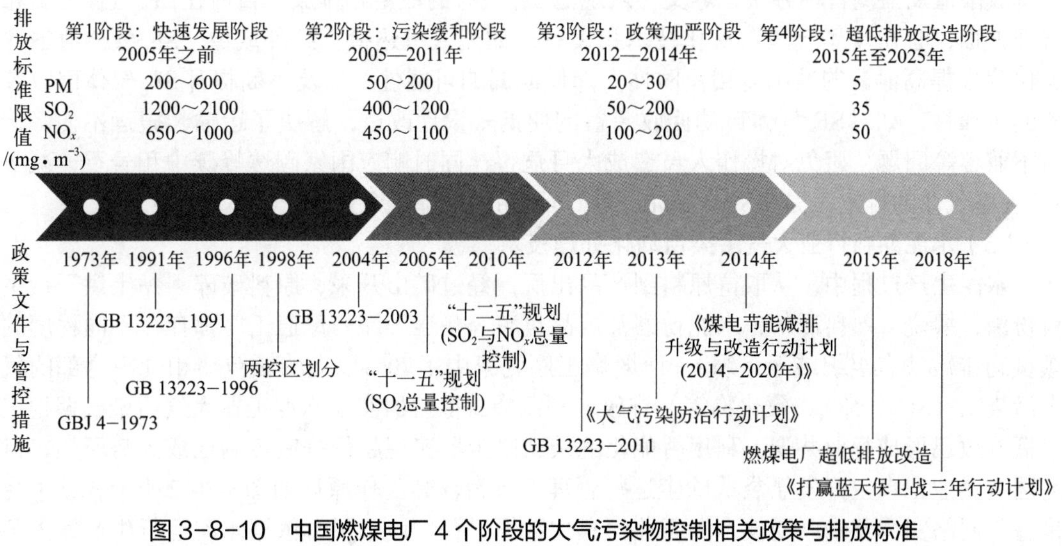

图 3-8-10　中国燃煤电厂 4 个阶段的大气污染物控制相关政策与排放标准

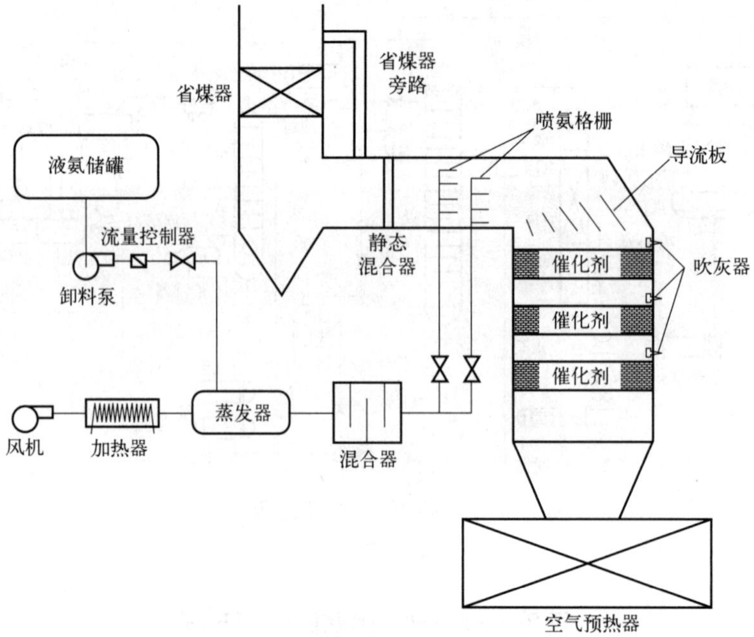

图 3-8-11　选择性催化还原（SCR）脱硝工作原理

放强度，实现减污降碳、协同增效的目标。

此外，六氟化硫（SF_6）气体作为一种具有高绝缘性和稳定性的气体，在电力行业设备，特别是在高压电器中被广泛使用。但该气体作为一种强效的温室气体，其温室效应比二氧化碳高数倍，能在大气中停留达3000年以上，这对全球变暖产生显著的影响。且SF_6气体的分解产物包括一些臭氧层破坏物质，如氟化氢等，这些物质能破坏臭氧层，对生物和环境造成危害并可能污染水资源，国际上已经采取了一系列的措施来控制和减少其排放。各国政府和行业组织已经开始推广替代气体，如氮气、空气等其他环保气体，以降低SF_6气体的使用量。而且各国政府也在出台相关的法规和标准，规范SF_6气体的使用和排放，如欧盟制定了针对SF_6气体的排放的限制法规，我国也出台了《电力设备六氟化硫气体排放限值及监测管理办法》等文件来规范SF_6气体的使用和排放。目前在SF_6气体泄漏和管理方面，也出现了一些自动化技术和设备，如无人机巡检、红外成像、SF_6气体泄漏探测仪等来提高泄漏的准确度和及时性，降低泄漏的可能性，以及不断提升SF_6气体回收装置的可靠性，如对SF_6气体自动回收装置的便携式设计改造，解决了运输、搬运不便、接口不兼容等问题，避免对操作人员造成人身危害，同时响应国家碳达峰碳中和号召，减少SF_6温室气体的排放，提高SF_6气体的资源再利用率并降低企业生产成本。

（3）水泥熟料行业大气污染自动化处理技术

水泥生产过程中，从取得原料到产品出厂，经过矿山开采、原料破碎、黏土烘干、生料粉磨、煅烧、熟料冷却、水泥粉磨及成品包装等多道工序，每道工序都存在不同程度的颗粒物排放（有组织或无组织），而煅烧工序则集中了70%以上的颗粒物和几乎全部的气态污染物（SO_2、NO_x、氟化物等）排放，利用袋式除尘器实现水泥工业大气污染长期稳定超低排放已形成行业共识，利用智能化的袋式除尘器实现超低排放控制已成大势所趋。目前国内企业已自主开发了袋式除尘运行管理云平台，其工作原理如图3-8-12所示。该平台是基于网络实体及物联网技术的工业信息化数据平台，该云平台依据水泥运行生产线上各台除尘装备的运行数据构建精准、实时、高效的数据采集互联体系，将数据通信至云端服务器进行存储、清洗、分析和处理，并将最终状态在各类终端设备如中央控制室、管理人员的手机上显示。袋式除尘装备作为复杂的智能系统，已经成为水泥行业中实现超低排放的关键设备。

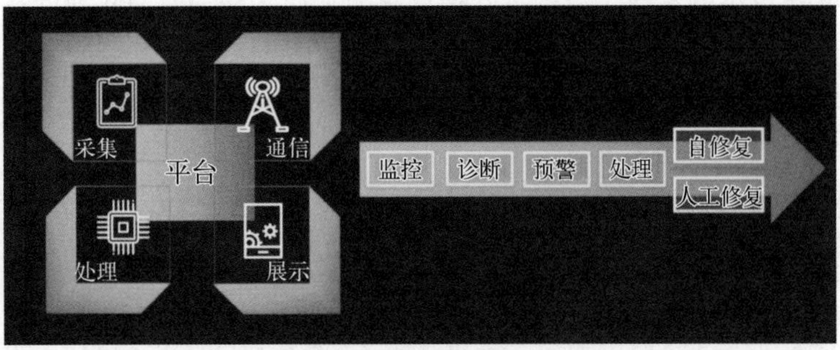

图 3-8-12　智能袋式除尘器运行管理云平台工作原理图

目前，多数水泥企业颗粒物排放浓度控制在8～15mg/m^{3}左右，NO_x控制在260～320mg/m^3，SO_2控制在15～40mg/m^3。而部分省份接连发布的水泥工业地方排放标准，远远严于现行标准，甚至部分省份提出NO_x需控制在50mg/m^{3}以下，这将给当地水泥企业生产带来一定的负面影响，同时给企业经营成本带来较大影响。从长远角度来看，NO_x虽然有一定的减排潜力，但考虑到企业生产经营成本、SCR脱硝技术成熟性、氨水用量的增加以及失效催化剂的处理等因素，NO_x超低排放标准宜制定为150mg/m^3。同时希望行业内能达成共识，从熟料生产阶段有效控制NO_x的产生，才能更好地解决NO_x末端治理带来的其他环境问题。

综合来看，国家统计局数据显示，随着我国不断加大对工业污染的治理力度，国内工业污染治理也得到显著效果，2016年以来，我国工业废气污染物的排放量呈现出持续下降的态势，三类主要废气污染物的排放量保持逐年下降的趋势。2021年我国SO_2排放量为275万吨，较2020年下降了13.65%，全国NO_x排放量共计973万吨，同比下降了4.61%，颗粒物排放量共计538万吨，较2020年下降了12.07%。

同时，我国在工业污染治理和废气治理上的投资金额呈现出不断减少的态势，2021年我国工业污染治理完成投资的金额共计335亿元，较2020年下降了26.2%，其中治理废气项目完成投资共计222亿元，同比下降了8.36%。废气治理作为工业污染治理中重要的一部分，国家对于废气治理始终保持高度重视，2016年以来，废气治理的投资金额占工业污染治理投资金额的比值保持在50%以上，2021年占比达到66.25%。

当前，各行业在大气污染治理技术领域正朝着高效化、智能化和可持续化方向快速发展。针对不同行业的污染特性，需匹配差异化的治理技术路线，通过持续创新优化技术装备，推动形成绿色低碳的生态环境治理新格局

8.2.2　水污染治理行业自动化应用现状

污水行业工业化和信息化相互促进，融合程度不断加深。以智能感知、系统协同、智慧管理、服务优质为理想特征，以设备智能化、网络可视化、管理信息化为发展方向，以智能化和绿色化为主题，在设备设施、流程控制、水质保证和节能减排等方面的自动化、

信息化水平大幅提升，逐步形成了多层次、多角度的信息化整体技术解决方案。推动污水处理行业向高质量、高水平发展。

“十四五”以来，在国家发展重大方略的指导下，国家及地方政府围绕“减污、降碳、协同增效”的总体要求，将自动化技术深度融合在污水处理过程的各个环节。随着工业互联网技术与物联网技术的发展，对污水处理设施的全面感知与智慧化监控管理提供了技术支持。加快现有设施智慧化改造，建设全覆盖、高安全的智慧感知与传输网络，并在此基础上构建基于云计算环境和具备大规模数据分析处理能力的信息技术应用平台，为污水处理行业网络平台建设创造了良好的基础。

8.2.2.1 污水处理过程水质检测自动化技术

污水处理过程水质检测自动化技术通过利用先进的检测仪器仪表设备和软测量检测技术，对污水处理过程中的水质参数进行实时监测，使污水处理过程向自动化、信息化转化，提高处理效率和稳定性，减少人工干预，降低运营成本，并确保处理后的水质符合排放标准。

（1）水质检测仪器仪表自动化技术

水质检测仪器仪表主要分为监测型仪表和过程型仪表两类。监测型仪表主要应用于水质合规性检测和环境预警监测，其核心价值在于确保出水水质达到法规要求，对测量精度要求较高。过程型仪表主要用于污水处理工艺的过程监测与控制，通过实时测量水质参数参与工艺调节，以优化处理效率和保证出水质量。过程型在线水质监测仪对于仪器的可靠性和稳定性要求更高，它要求仪器能够可靠地反映水质变化趋势，为水处理过程控制提供依据。另外，对过程型分析仪器响应时间的要求也明显高于监测型仪器。

① 监测型仪表。监测型仪表在数据采集和传输方面具备准确、稳定的优势，能够采集水质参数的数据，并将其传输给监测系统进行处理和分析。通过智能化的监测型仪表，数据采集和传输可以实现自动化，从而实现数据的实时监测和远程传输，提高数据的准确性和及时性。此外，监测型仪表还能对采集到的数据进行分析和处理，以判断水质是否达到法规要求或预警阈值。通过使用数据分析算法和模型，智能化的监测型仪表能够实时分析数据并进行趋势预测，同时能够自动产生报警信号或报警信息，提醒操作人员采取相应的措施。为了使操作人员能够直观地了解水质参数的变化趋势，智能监测型仪表可以将采集到的数据通过图表、曲线等形式进行可视化展示。此外，监测型仪表还可以通过远程监控技术，实现对水质数据的远程监测和操作，提高操作的便捷性和效率。

② 过程型仪表。过程型仪表能够实时监测水质参数，并参与处理过程的控制和优化。智能化的过程型仪表可以通过自动控制技术和算法，实现对处理过程中的水质参数进行自动调节和控制，以实现优化水处理工艺，提高水处理效率。此外，过程型仪表对于水质参数的响应时间要求较高，需要能够快速、准确地反映水质变化趋势。智能化的过程型仪表可以通过优化传感器和控制系统的设计，提高仪表的响应速度和稳定性，以满足处理过程中的实时监测和控制需求。同时，智能化的过程型仪表可以通过故障诊断算法和模型，实现对仪表的故障检测和诊断，并提供相应的维护建议。这可以帮助操作人员及时发现和解决仪表故障，减少停机时间和维护成本。

（2）水质软测量检测技术

软测量检测技术具有成本低、响应迅速、易于保养和维护等优点，近年来已成为污水处理过程关键水质参数在线预测的主要方法。面向水污染治理领域，软测量技术在实时水质监测、智能数据分析、污染源追踪、水质预警系统等方面持续应用深化，取得了显著成绩。

① 实时水质监测。软测量技术采用间接测量的思路，通过构建数学模型，对难测变量或不可测变量进行实时预测，有效克服了传统检测方法响应速度慢、寿命短、维护困难、测量范围窄、准确性低等技术瓶颈。目前，我国已成功将软测量技术应用于实时水质监测，即使面对运行复杂、水质波动大的系统，也可以对水质进行在线监测，显著提高了系统运行效率及稳定性。

② 智能数据分析。软测量技术结合智能数据分析，对海量复杂的水质数据进行高精密处理及模式识别。通过长期对水质数据进行分析，识别水质的季节性和长期趋势，进而帮助决策者更全面地了解水质污染情况，并能够有针对性地制定策略。此外，智能数据分析技术具备自适应机制，可以根据历史数据和实时观测结果进行模型优化和参数调整，以适应水质监测系统的动态变化。

③ 污染源追踪。软测量技术通过分析不同位置和时间点的水质数据，能够确定污染物的来源和传播路径。通过将多源数据进行综合分析，软测量技术建立水体污染物的传输模型，明确各个潜在污染源的贡献程度。进而帮助相关人员迅速定位污染源，制定针对性的污染治理策略及评估污染治理措施的效果。实时性的监测和反馈机制，有助于对治理策略进行调整和优化，以适应不断变化的环境条件。

④ 水质智能预警。软测量技术广泛应用于水质智能预警系统，以确保水体的质量和安全。软测量技术允许实时监测水质参数，不需要传统方法中的离线分析，从而降低了响应时间。其对数据的实时处理和分析显著提高了水污染治理效率。此外，软测量技术基于历史数据和实时监测数据来预测未来的水质变化趋势，进一步提高了系统的预测能力和准确性。

8.2.2.2 污水处理过程控制和优化

污水处理过程是一个包含众多复杂生化反应的高度非线性的工业控制过程，该过程涉及的变量繁多，具有一定的时变性、时滞性以及耦合性的特点。目前在大中型污水处理企业中，工艺装备通过引进已经达到或者接近国际先进水平，现场关键工艺环节的自动化仪表和集散控制系统也已经配置到位。工艺知识、数学模型、专家经验和智能技术相结合，广泛应用于污水提升过程、曝气过程和加药过程等典型工艺的过程控制和过程优化，如污水提升泵控制与优化、污水曝气过程鼓风机智能控制系统、加药过程加药泵智能控制等，都取得了明显的节能减排效果。

污水处理过中的进水提升泵控制、鼓风机曝气控制和加药控制是三个主要的控制过程。下面分别介绍各生产过程自动化技术应用现状。

（1）进水提升泵自动控制技术

污水泵站是污水处理系统的重要组成部分，是城镇污水处理系统中用以提升和输送污水的工程设施。当污水不能依靠重力自流输送或排放、或因管道埋设过深导致施工困难、需对污水进行提升后才能进入污水处理厂时，均须设置污水泵站。城市污水泵站优化运行旨在根据污水泵站入流量，在保证安全、可靠输送污水的情况下，通过灵活调整水泵机组的运行方式降低成本，实现经济与社会效益的最大化。进水提升泵的自动控制以提升泵“低耗、长寿、节能”为目标，以“安全、稳定、均衡”为操作方针。基于PLC的简单自动控制通过比较集水井中液位计测量的液位与设定的液位偏差，采用PID算法产生控制信号控制水泵的运行，目前大多结合变频器调节水泵转速，从而避免了水泵频繁启停的问题。针对系统的大滞后、时变等控制难题，将进水提升泵的控制过程进行模型化处理，采用自适应模糊PID控制器，其模糊控制规则融合了专家系统、现场仪表测量数据等知识信息，实现进水提升泵的智能控制。经过改造后的泵站运行，能节约污水处理厂的电量，实现水泵低能耗运行。

（2）鼓风机曝气自动化控制技术

活性污泥法是污水处理工艺中最常用的方法之一，它能高效地去除出水中的污染物。A^2/O工艺是一种活性污泥法处理工艺，该工艺的特点是在去除有机污染物的同时能够实现生物脱氮与生物除磷功能。A^2/O工艺生物反应池一般由厌氧段、缺氧段、好氧段组成。污水在厌氧段及缺氧段通过搅拌、推流与池体内活性污泥充分混合后进入好氧段。好氧段又称曝气反应段，在该阶段溶解氧（DO）浓度是影响微生物代谢和废水处理效果的关键因素。为保证曝气池中的生化反应能够充分地进行，需要鼓风机不断向曝气池中提供氧气。通过曝气池中安装的溶解氧测定器，测得当前曝气池中的溶解氧含量，再根据设定的溶解氧浓度，调节鼓风机风叶片角度以及鼓风机转速。目前污水厂控制方法主要为PID控制和前馈控制，通过调节鼓风机的运行频率使得曝气池中的溶解氧溶度接近设定值。

然而，由于污水处理厂的非线性和动态性，一直以来对溶解氧浓度进行精准控制是污水处理过程中面临的难题。目前常见的溶解氧智能控制方法包括模糊控制，预测控制、人工神经网络控制、专家控制等。针对污水处理具有多变量、随机性、非线性、时变性等特点，采用模糊控制方法可以有效解决上述问题，从而提高污水处理的运行效率、节约运行费用。预测控制是一种针对复杂工业过程控制需求而提出的先进算法，其突破性地摆脱了传统控制方法对精确数学模型的依赖，具有建模简便、鲁棒性强等显著特点，成为解决大滞后对象控制问题的有效方法。由于预测控制的这些特点，近年来在污水处理过程溶解氧控制方面得到了广泛应用，预测控制根据进水水量、好氧池水质参数，实时计算曝气所需氧量和内回流流量，将这两项数值作为给定值分别传递给好氧池溶解氧PID控制器和内回流流量PID控制器。再通过变频器控制鼓风机运行频率和内回流水泵转速，达到精确控制曝气池内总氮含量的效果，以实现节能的目的。将专家智能控制系统应用于污水处理过程能够使控制系统具有强适应性，推理规则相对简单等特点，满足各控制指标的要求。人工神经网络控制是通过模拟人脑神经元网络的结构机理，结合专家知识和经验数据构建的智能控制系统。通常神经网络控制系统的智能性、鲁棒性均较好，它能处理高维、非线性、强耦合和不确定性的污水处理过程的控制问题，显示了神经网络在解决具有高度非线性和严重不确定性的曝气系统控制上的巨大潜力。

（3）加药控制技术

在污水处理系统中，药剂投加是提高污水处理出水水质的重要措施，加药系统的可靠性、智能化程度以及控制精度直接影响着污水处理厂的运营成本和出水水质。污水处理中加药过程包括加絮凝剂、催化剂沉淀浮选除污、化学除磷除氮、臭氧除臭去色和加氯消毒等过程。

药剂投放的比例直接影响出水水质,最优的投药量值同污水中流量、浊度、有机物、磷、氮、pH值等诸多因素有关，加药控制策略多依据pH值、浊度值、进出水流量、溶解氧（DO）等反应过程中的监测参数制定。加药工艺过程始终是动态的，国内污水处理厂的实际运行中加药系统大多都是处于基础自动化级，相关加药控制算法多与厂区现有PLC设备相结合，一部分小型污水处理厂加药靠人工控制。大部分污水处理企业加药控制过程采用PID控制技术，传统PID控制方法的优点是技术成熟、方便实用，将传统PID控制技术与PLC设备相结合能得到较好的控制效果，被广泛地应用于污水处理企业的加药过程控制。随着人工智能技术的快速发展，智能化控制技术也被广泛应用于加药过程控制，例如：将模糊技术与传统PID控制技术结合实现了化学除磷智能复合控制系统，可节约除磷药剂量40%～50%；应用BP神经网络建立加药系统的加药量预设定模型和出水水质的预测模型，实现对加药量的智能调节，在保证出水水质的同时有效降低药耗和运行成本。随着人工智能、工业互联网和大数据等技术的发展，智能控制技术在污水处理加药领域的应用将不断深化和拓展。

8.2.2.3 污水处理过程企业级信息化技术

当前污水处理企业更倾向于建设综合性平台，致力于解决污水处理公司的无纸化办公、提高办事效率，针对已经建立的业务系统，通过对功能模块的完善来提升系统实用性和可操作性，满足管理单位实现精细化管理的需求，如徐州分阶段实施城市智慧水务综合运营管理平台，完成数据中心建设和智慧水务客户关系管理应用体系的构建，实现了减少一线人员5%、能耗降低10%、产销差降低3%的效果。对智慧水务项目建设内容分析发现，2017—2020年建立的智慧水务项目主要分为六大类，分别是硬件、软件、工程、服务、硬件+软件、硬件+工程。其中，软件类项目个数逐年增多，占了所有项目的80%以上，2020年时突破了50个，这反映出自来水公司及用水单位对系统运营管理的需求最高，越来越多的自来水公司借助互联网手段实现了从水源到水龙头的全程实时监管，并推出智能化缴费、线上用户反馈等程序，大大提高了公众参与感。

随着互联网新技术的应用逐渐成熟、数据价值逐渐增长，其在水务领域也得到了更多的应用，越来越多的政府机构和自来水公司意识到水务数据的重要性，通过对水务数据的治理和分析可以更深层次、更高效率地发现、诊断、处理供水问题，实现更进一步的智慧水务，达到信息共享最大化。

8.2.3 固废污染治理行业自动化应用现状

固废污染治理关系到居民日常生活，随着经济发展，固废量不断攀升，以及国内外环保政策的推出和固废处理需求的增加，固废污染治理相关企业应运而生。固废污染治理方法多样化，主要包括固废焚烧、固废填埋、固废堆肥等方法，其中固废焚烧方法近年来已一跃成为国内乃至全球最主要的固废污染治理方法之一，其通过焚烧过程实现固废有毒有害物质灭杀，固废质量和体积减小并利用产生的热能进行发电，具有无害化、减量化、资源化等优势。

随着国家对环境治理的不断深化和落实，固废污染治理行业不断向智能化探索。固废焚烧企业广泛应用自动化技术协助生产工作过程，提高生产效率的同时实现设备运行安全、节能减排等。此外，以通信、网络、数据库为基础的信息化技术迅速发展，在固废调度、焚烧处理过程、污染物排放监管、企业管理等方面开展应用，逐步形成多层次、全覆盖的整体技术解决方案，达到降本增效的目标。

8.2.3.1 固废焚烧过程自动化技术

固废焚烧发电机组的主要组成部分有固废存储池、焚烧炉、余热锅炉、烟气处理及排放装置等。区别于常规火力发电，固废的热值波动较大，固废成分中非可控因素较多。因而，传统的火电燃烧系统的机理和控制方法并不完全适用于固废焚烧过程。

固废焚烧过程的自动化技术主要是实现基本的运行过程检测和控制，其中包括固废储运自动化系统、固废焚烧自动化系统、余热发电自动化系统、烟气处理自动化系统、烟气排放自动化系统，以及全流程自动化系统等。固废储运自动化系统主要任务为自动抓料投料和渗滤液处理。固废焚烧自动化系统主要采用自动燃烧控制（auto combustion control，ACC）系统，其基本任务是保证固废充分燃烧，产生尽可能多热量的同时降低烟气内污染物的产生量。余热发电自动化系统主要任务是控制主蒸汽流量，实现较高且稳定的发电效率。烟气排放自动化系统主要为排放连续监测系统（continuous emission monitoring systems，CEMS），实现颗粒物以及气态污染物排放监测。全流程自动化系统主要采用分布式控制系统（distribution control system，DCS），保证固废焚烧过程各控制单元之间的自主性和协调性，使操作人员在主控室内实现固废焚烧过程统一监视和控制，确保系统安全稳定运行。将固废焚烧过程机理知识、专家经验、数据驱动技术等智能化方法结合，应用于过程控制，如自动燃烧控制、余热发电控制、烟气处理控制等，实现明显的控制效果提升。

（1）固废储运区自动化技术

固废储运区主要包括固废抓料投料和渗滤液处理等工艺过程。固废在入炉焚烧前需要在存储池内堆放发酵，以减少水分提高热值，之后将固废投入焚烧炉进料口，由推料器送入燃烧炉排。发酵过程产生的渗滤液进行无害化处理后再生利用。固废储运区自动化技术应用主要任务是提高固废抓料投料运行设备的安全性和渗滤液处理效果，包括自动化抓料投料系统、渗滤液处理控制系统等。

① 抓料投料。通过人工观察和自动化检测手段，提升固废混合、堆放以及送料的合理规划。行车抓斗采用半自动化模式运行，由抓斗司机在有密闭、安全防护的观察窗内控制，行车抓斗的移动范围由安全限位限定，保证安全运行。抓斗配备有自动称重系统，实现固废进料量的准确控制。此外，抓斗升降传动装置带有可报警的过温保护系统，提供过热保护。进料斗为垂直半喇叭形，料斗具有一定的固废容量，为防止在停炉和启动时空气漏入炉内，料斗设置了自动液压开关门，以保证炉内负压。为解决固废堆积造成的架桥堵塞，进料斗内设置了架桥解除装置，由人工观察按钮启动或自动检测运行。

② 渗滤液处理。通过机理分析、智能特征分析等方法对渗滤液处理过程进行模型化处理，实现渗滤液处理过程智能控制。对于可生化性好［BOD/COD（生化需氧量/化学需氧量）＞0.4］且总氮、氨氮含量较低的渗滤液，通常直接采用厌氧好氧处理、膜处理工艺，对于可生化性差（BOD/COD＜0.3）且总氮、氨氮含量较高的渗滤液，需要先通过厌氧处理将难降解的大分子有机物降解为中小分子有机物，降低后续处理的有机负荷。先进的过程控制方法能够实现渗滤液出水水质实时稳定达标。PID控制方法在渗滤液处理过程中具有广泛应用，但难以解决渗滤液处理过程大滞后、多耦合、前干扰等问题。采用模型预测控制结合滚动优化、反馈校正等策略，实现更好的控制效果。此外，神经网络、模糊系统、专家知识等被加入控制系统设计，以解决渗滤液处理过程非线性、时变性和不确定性等技术难题。

（2）炉膛燃烧区自动化技术

炉膛燃烧区是将固废在炉排和燃烧室燃烧，转化为炉渣和烟气。通过自动控制技术，调整固废燃烧过程的布风布料，实现固废充分燃烧，产生足够的热量用于发电过程，并使燃烧产生的有害物质分解，降低污染物产生量。

炉膛温度与烟气氧含量是固废焚烧过程的最主要影响因素，是ACC系统的主要被控变量，通过调整进料量、送风量等，使炉膛温度、烟气氧含量维持在设定值范围内。ACC系统主要可分为风量自动控制子系统与给料自动控制子系统，其中风量自动控制子系统包括一次风自动控制、二次风自动控制与氧含量自动控制，给料自动控制子系统包括推料器自动控制、炉排自动控制以及料层自动控制等。在ACC系统控制逻辑中，炉膛温度、烟气氧含量等被控变量的设定值作为给定值送到ACC系统中，求解相应的控制规律，PID输出结果作为操作量调整依据。在被控量设定值给定后，系统逻辑按照实际测量值与设定值之间的误差，求解相应的控制率，获得对应的理论总风量，进而求解一次风量与二次风量。给料自动控制中，同样根据相应被控量设定偏差值，求解对应给料速度，其为计算推料器速度和炉排速度的基础值。固废焚烧过程是一个多输入多输出对象，且操作量与被控量之间具有耦合关系，采用智能化控制技术，通过数据驱动方法建立多输入多输出被控对象模型，利用模糊系统和神经网络技术建立自组织模糊神经网络控制器，同步控制炉膛温度和烟气氧含量，实现固废燃烧过程布风布料精确控制。

(3) 余热锅炉区自动化技术

余热锅炉区的主要功能是利用固废焚烧产生的余热进行蒸汽发电。固废焚烧发电以汽包锅炉为主，给水流量是控制汽包水位、进而影响主蒸汽流量的重要因素，通过自动控制技术维持系统内汽包产生的蒸汽量与给水流量平衡，实现较高且稳定的发电效率。

汽包水位对余热锅炉安全运行至关重要，水位过高易破坏汽水分离装置的正常工况，严重情况可能导致管壁结垢增加及蒸汽质量下降，水位过低易使水循环被破坏，导致水冷壁破裂，情况严重时造成干锅，破坏汽包。汽包水位自动控制系统的主要任务是通过自动控制技术维持汽包产生的蒸汽量与给水流量平衡。固废焚烧过程余热锅炉热负荷随焚烧过程发生波动，且变化幅值较大，汽包水位相应发生波动。以汽包水位作为水量平衡控制指标，并通过调整给水流量达到汽包进出水量平衡，维持汽包水位在中位线左右，保证生产安全。根据汽包水位的测量值与设定值之间的偏差，采用PID控制求解给水流量的控制率，通过执行器控制给水调节阀改变给水流量，使汽包水位保持稳定和允许范围内，从而实现主蒸汽流量稳定。还可引入主蒸汽流量和给水流量的反馈信号，构建多回路PID控制器，提升系统抗干扰能力，保证余热锅炉热负荷波动时主蒸汽流量和给水流量之间的动态平衡。此外，智能化控制技术可以解决系统时滞、时变等技术难题，通过机理分析与数据驱动方法，建立被控对象模型，采用滑模控制、鲁棒控制等方案提升热负荷波动情况下系统的控制效果。

(4) 烟气处理区自动化技术

烟气处理区的主要任务是将固废焚烧过程产生烟气内的污染物控制在一定范围内，使烟气符合排放标准。烟气过程控制包括除尘控制子系统，脱硝控制子系统以及脱酸控制子系统，分别针对烟气内的粉尘颗粒、氮氧化合物（NO_x）、酸性气体（SO_2、HCl、HF等）的排放控制。

① 除尘控制子系统。固废焚烧过程主要采用布袋除尘技术，布袋除尘自动控制系统主要包括脉冲清灰、飞灰输送、箱体电伴热、预循环热风等。脉冲清灰是布袋除尘器的重要系统，各脉冲阀的控制为矩阵式设计。自动脉冲清灰分为在线清灰和离线清灰，在线清灰分为定时清灰和定阻清灰。定时清灰主要是预先设定清灰时间、清灰间隔时间、清灰循环时间，之后即可自动进行周期性循环清灰工作。定阻清灰通过除尘器进出口的压差变送器控制，当压差变送器的检测值大于预先设定值时，则执行自动清灰。当定时或定阻中任一

条件满足时则进行自动清灰。

② 脱硝控制子系统。通过调节氨水或尿素等脱硝剂的喷入量等实现烟气内NO_x的去除，主要包括选择性非催化还原法（selective non-catalytic reduction，SNCR）脱硝技术和选择性催化还原法（selective catalytic reduction，SCR）脱硝技术。SNCR脱硝自动控制系统中，采用双层PID控制出口NO_x浓度。通过CEMS系统监测的出口NO_x浓度值与设定值对比，计算上层PID输出的脱硝剂流量，作为下层PID的设定值，与实际脱硝剂流量对比，下层PID输出结果作为脱硝剂调节阀开度的调整依据。脱硝剂与稀释水采用稳流量控制，根据脱硝剂流量自动调节稀释水调节阀开度，以维持总流量不变。

③ 脱酸控制子系统。主要采用自动喷浆控制技术，通过调节石灰浆液等中和剂的喷入量实现烟气内酸性气体的去除。此外，活性炭等辅助添加剂常作为吸附剂，使酸性气体被吸附在中和剂表面，提升脱酸率。自动喷浆控制的被控量为出口SO_2、HF及HCl的排放浓度，由于固废焚烧烟气的HCl浓度含量较高，一般采用出口HCl浓度作为上层PID的设定值，与CEMS系统监测的出口HCl浓度对比，获得石灰浆流量值，并作为下层PID的设定值，与实际石灰浆流量对比，下层PID输出结果为石灰浆调节阀开度的控制依据。

（5）烟气排放区自动化技术

烟气排放区的主要功能是将经过处理后的烟气排放至大气。固废焚烧过程的烟气排放区包含的自动化技术主要有烟气内污染物和有害物排放的在线监测与报警。

CEMS系统是工艺流程中检验环保排放的监测手段。CEMS系统的气体取样及预处理由PLC自动完成，实现气体采样测量、探头自动反吹维护、冷凝液自动排放的连续自动工作。可通过触发相应操作键，实现自动测量状态下手动反吹或排水。CEMS系统主要测量的参数有：气态污染物排放监测（SO_2、NO_x、CO、CO_2、NH_3、HCl、HF等以及干氧量分析，最多可监测200多种气体浓度）、颗粒物（烟尘浓度）排放监测、烟气参数（温度、压力、流量、湿度等）测量。为满足环保部门监管要求，设置了数据处理系统，通过PLC采集处理烟气数据，传输至工控机进行排放量计算和换算，依据生态环境局的要求，通过通信数采仪上传至监控中心平台。此外，系统预留有多余的数据传输接口，可将所需的烟气监测数据传输至厂内DCS系统。基于数据驱动技术的软测量方案在工业过程中实现应用，通过专家系统、神经网络等方法，建立测量物的预测模型，实现在线监测，解决CEMS系统维护成本高，有延时等问题。

（6）全流程自动化技术

全流程自动化技术是针对固废焚烧过程中各处理单元之间的协同控制。DCS系统综合了计算机、通信、显示和控制等技术，是一种控制功能分散、操作管理集中，采用分级结构的先进自动控制系统，主要由现场控制站、通信网络、操作员站、工程师站等组成。

现场控制站实现对固废焚烧过程的主要单元设备，如炉膛燃烧、余热锅炉、烟气处理等的控制。通信网络包括直接I/O模式的现场总线和工业以太网技术，实现各现场控制站以及管理网络的通信。操作员站是运行人员与控制系统的主要交互平台，对机组实时监控，通过操作指令处理各系统及设备异常工况与故障等突发事故。工程师站主要用于控制策略的组态和修改及参数重新整定，具有权限管理、系统维护、用户程序开发、报表生成和备份、数据库维护等功能。DCS系统的自动控制技术主要集中在现场控制站，各单元设备的控制规律由被控对象特性、控制系统设备部件（包括检测元件、变送器、控制仪表、执行器等）的特性、干扰形式以及要求的控制品质等因素决定。固废焚烧厂DCS系统的现场控制以传统的PID控制器为主，包括单回路PID控制、串级PID控制、前馈控制等基本控制模式。采用智能控制技术，如模糊逻辑、神经网络、专家系统等理论的自适应、自组织、自学习控制方法在固废焚烧过程中各现场单元得到应用，提升控制效果。DCS系统的分散控制功能避免了运行过程中的局部突发故障危及整个系统，且对过程参数和设备运行状态的集中监控也提高了控制的可靠性和准确性。

8.2.3.2 固废焚烧企业级信息化技术

近年来，以物联网、大数据、云计算等新兴技术为代表的信息处理技术已经渗透到固废收集及运输、固废处理、企业监管等各个方面，建立了固废焚烧处理信息化平台。运用信息化手段辅助人工监管，实时掌控设施运行状态、环保排放等情况，针对污染物超标、固废超量、三废产率异常、耗材用量异常等状况实现预警预报。固废焚烧信息化技术已取得成功应用范例，在生产过程监管、信息共享、企业运营等方面发挥重要作用。

南京信业能源科技有限公司开发了生产管理、运营实时监控、专业技术管理、物资管理、监管考核、移动应用、合同管理、建设期及运营期监管等一系列信息化平台，并在多个固废焚烧监管项目实施应用，达到了优化运行效果、提高管理效能的目的，年收益提升上百万元。深圳能源开发的固废焚烧厂信息化系统已在下属3家固废焚烧厂开展应用，可实现固废焚烧厂运行全过程管理，该系统以成熟的火力发电厂MIS（管理信息系统）为基础，采集设备点检系统数据、在线接收电厂厂级监控信息，通过搭建多厂信息数据库，加强信息共享，减少重复劳动，提升工作效率，提高固废焚烧企业总体技术能力和管理水平。苏州环卫处运用物联网技术，围绕提升安全与环保系数、智能监控处置过程并实时预警、持续跟踪及追溯后期处置情况等方面，对焚烧厂的固废进厂、焚烧、烟气排放等核心节点实现了信息化监管，探索了人力与信息化结合监管的新模式。天津滨海新区在建设运营的两座固废焚烧发电厂中引入生产管理信息化模块，建设了设备动态数据管理、设备缺陷管理、检修管理、运行管理、维护保养管理、物资采购管理、报表平台等功能模块，实现了全面的安全管理和重要的生产过程管理，提高了固废焚烧厂的管理水平和经济效益。江苏省金思维信息技术有限公司针对固废焚烧厂开发了信息管理系统，主要对固废储运及沼气、固废、渗滤液产生等环节进行管理，该系统已在苏州光大固废焚烧厂、中节能成都固废焚烧厂、常州浦发固废焚烧厂验证使用，可持续对“三废”进行过程监管。通过使用信息化技术建立企业运营监管平台、过程决策支持系统等，提高生产过程效率，创造显著的经济效益。

8.3 》环保行业自动化新技术、新成果

8.3.1 大气污染治理行业自动化新技术、新成果

近年来，中国大气污染治理行业在迅猛发展的浪潮中迎来了自动化新技术和新成果的蓬勃涌现。随着我国科学技术水平的不断进步，自动化技术在环保领域的应用愈发广泛，为大气污染治理注入了强大的动力。纵观近年来的大气环保自动化技术发展，可以将其划分为三个主要类型：工业源头工艺新技术新成果、大气污染检测监控新技术新成果、工业系统智能控制优化新技术新成果。

自动化新技术和新成果的大规模应用，为中国大气污染治理带来了显著的进步。未

来，随着科技的不断创新，自动化技术将继续发挥重要作用，推动大气污染治理行业朝着更智能、更高效的方向迈进。现列举近年来国家层面科技进步奖项提名，并对部分代表性项目进行分析介绍。2018—2023年大气污染治理行业自动化技术及产业化应用获得国家科学技术进步奖20项（二等奖及以上），环境技术进步奖13项（一等奖及以上），环境保护科学技术奖12项。此外，15项大气污染治理领域自动化先进技术被收录至《国家绿色低碳先进技术成果目录》。具体见表3-8-2。

表3-8-2　2018—2023年大气污染治理行业自动化技术及产业化应用主要获奖项目及先进技术列表

（1）国家科学技术进步奖

年份	序号	项目名称	等级
2018年	1	清洁高效炼焦技术与装备的开发及应用	一等
	2	膜法高效回收与减排化工行业挥发性有机气体	二等
	3	稀乙烯增值转化高效催化剂及成套技术	二等
	4	大型乙烯及煤制烯烃装置成套工艺关键助剂技术与应用	二等
	5	区域环境污染人群暴露风险防控技术及其应用	二等
2019年	6	湿法磷酸高值化和清洁生产的微化工技术及应用	二等
	7	乙烯装置效益最大化的优化控制技术	二等
	8	燃煤电站硫氮污染物超低排放全流程协同控制技术及工程应用	二等
	9	跨临界 CO_2 热泵的并行复合循环关键技术及其应用	二等
	10	新型多温区SCR脱硝催化剂与低能耗脱硝技术及应用	二等
	11	工业园区有毒有害气体光学检测技术及应用	二等
	12	废弃物焚烧与钢铁冶炼二噁英污染控制技术与对策	二等
	13	炼化含硫废气超低硫排放及资源化利用成套技术开发与应用	二等
2020年	14	工业烟气多污染物协同深度治理技术及应用	一等
	15	复杂原料百万吨级乙烯成套技术研发及工业应用	一等
	16	催化裂化汽油超深度加氢脱硫-烯烃分段调控转化成套技术	二等
	17	钢铁行业多工序多污染物超低排放控制技术与应用	二等
	18	锌电解典型重金属污染物源头削减关键共性技术与大型成套装备	二等
	19	区域/全球一体化数值天气预报业务系统	二等
	20	煤与油型气共生矿区安全智能开采关键技术与工程示范	二等

（2）环境技术进步奖

年份	序号	项目名称	等级
2019年	1	工业烟气多污染物高效协同控制关键技术与应用	特等
	2	烧结（球团）烟气多污染物干式协同净化技术及装置	一等
	3	PM2.5高效控制及颗粒物超低排放关键技术与装备	一等
	4	钢铁行业典型二序烟气半干法超低排放治理技术体系与应用	一等
	5	用于挥发性有机化合物（VOCs）净化的分子筛吸附浓缩转轮及应用	一等
2020年	6	烧结烟气循环减量耦合逆流式活性炭超低排放控制技术与应用	一等
	7	燃煤工业锅炉/炉窑烟气多污染物超低排放控制关键技术研发	一等
	8	包装印刷行业挥发性有机污染物全过程减排控制技术与应用	一等

续表

年份	序号	项目名称	等级
2021年	9	冶金化工废气高值资源化利用关键技术及应用	一等
	10	溶剂型涂层VOCs排放源头替代技术与规模应用	一等
	11	PM2.5和O_3在线检测量值溯源传递关键技术研发与业务化应用	一等
2022年	12	车载飞行时间质谱VOCs走航检测系统关键技术与应用	一等
	13	国家环境空气质量预测预报平台与关键技术研究	一等

（3）环境保护科学技术奖

年份	序号	项目名称	等级
2019年	1	火电厂污染防治关键技术与集成规范应用	一等
2020年	2	钢铁烟气超低排放多功能耦合关键技术与应用	一等
	3	工业VOCs深度净化与安全脱毒的光催化集成技术及其工程应用	一等
2021年	4	京津冀及周边地区大气重污染成因与治理攻关	一等
	5	挥发性有机物（VOCs）综合管控关键技术及应用研究	一等
	6	钢铁烧结工序烟气污染物控制耦合能治增效技术与应用	一等
2022年	7	工业有机废气净化吸附催化的研究与应用	一等
	8	工业污染规律辨识与产排污量化关键技术及应用	一等
	9	多尺度大气物理过程对我国臭氧污染影响研究与应用	一等
2023年	10	国家蓝天保卫战（PM2.5）关键管控技术与应用研究	一等
	11	城市和区域机动车排放控制智慧决策关键技术及应用	一等
	12	有色金属采选冶废渣场污染源头综合防控与生态修复关键技术及应用	一等

（4）国家绿色低碳先进技术成果目录

年份	序号	技术名称
2023年	1	钢铁行业链篦机—回转窑球团烟气超低排放技术
	2	双级错流活性炭法烟气净化系统及装备
	3	臭氧氧化协同液相吸收脱硫脱硝关键技术与装备
	4	烧结机头烟气低温选择性催化还原法脱硝技术
	5	水泥窑烟气中低温选择性催化还原法脱硝技术
	6	工业烟气脱硫除尘深度净化及水回收技术
	7	水泥炉窑富氧燃烧节能减排技术
	8	基于特种金属膜干法冶炼炉高温荒煤气净化及资源化技术
	9	合成氨液氮洗尾气净化及资源化利用技术
	10	火化机烟气多种污染物高效协同脱除超低排放技术与装备
	11	地下污水处理厂恶臭生物治理技术
	12	低浓度复杂有机废气生物净化过程强化技术
	13	用于挥发性有机废气高效治理的疏水分子筛吸附剂
	14	减排型药芯复合钉料
	15	满足国Ⅵ排放标准的机动车尾气治理催化剂制备技术

接下来将从工业源头工艺新技术新成果、大气污染检测监控新技术新成果、工业系统智能控制优化新技术新成果三个层面，选取具有代表性的项目进行主要介绍。

8.3.1.1 工业源头工艺

工业源头工艺的新技术开发与改进有助于进一步促进我国工业的清洁生产。通过各行业各领域不断改进设计、使用清洁能源原料、升级工艺技术与设备、改善管理、强化资源能源综合利用等方式从源头削减污染，提高资源能源利用效率，减少或者避免生产、服务和产品使用过程中污染物和温室气体的产生和排放，是当前形势下减污降碳协同增效的有力抓手。近年来我国在污染源头工艺技术方面已经取得了丰硕的技术成果。

（1）复杂原料百万吨级乙烯成套技术研发及工业应用

该项目由中国石油化工集团牵头，为开发乙烯成套技术，创建了涵盖乙烯工艺研究、催化剂研究、重大装备研制及关键技术验证的15个实验装置/研发平台和8个数据库，自主开发了覆盖乙烯全流程的20个模型并得到工业验证，为乙烯成套技术开发奠定了坚实的技术基础。科研人员还成功开发了既能高效裂解乙烷、轻烃和石脑油等轻质原料，又能高效裂解柴油和加氢尾油等重质原料，还能高效裂解高含烯烃非常规原料等复杂原料的百万吨级乙烯成套技术，成功帮助我国率先成为全面掌握复杂原料乙烯成套技术的国家。

（2）工业烟气多污染物协同深度治理技术及应用

由教育部及清华大学牵头的科研团队将实际污染问题转换成科学问题，在多污染物协同控制理论、核心功能材料、深度治理技术及装备、标准化体系建设等方面取得重大突破，形成了系列针对不同行业烟气特征的多污染物深度治理先进工艺，并在钢铁烧结、水泥炉窑、玻璃熔窑和工业锅炉等行业进行了多个首台（套）工程示范及国内外推广应用，支撑了我国重点区域工业烟气污染物率先实施全球最严格的超低排放限值，形成了“基础理论-技术方法-产业引领-决策支撑”全链条的完整创新体系，取得了多项原创性成果。帮助我国在钢铁烧结、水泥、玻璃行业率先实现全球最严的排放限值，并进一步在陶瓷、耐火材料、焦炭、碳素、有色、石化等行业建成多个深度治理首台（套）示范工程，推广应用于重点行业企业1600多条工业炉窑烟气深度治理，遍及全国32个省、自治区、直辖市。

（3）清洁高效炼焦技术与装备的开发及应用

炼焦是煤炭利用领域中能源转化效率最高的流程工业，是钢铁、有色等行业的支柱产业。我国是世界焦炭生产、消费和供应中心。以解决行业清洁高效生产关键问题为导向，北京科技大学、中冶焦耐工程技术有限公司、鞍山钢铁集团有限公司等多家单位合作开发了符合中国炼焦煤资源特征的高效清洁炼焦关键技术，突破了资源瓶颈，实现了大气污染物减量排放及清洁高效智能化生产。该技术已在鞍钢、宝钢、台塑越南等103个海内外项目中实现系列化应用，国内大型焦炉市场占有率96%。在该技术引领下，我国大型焦炉占比提高37%，产业集中度提升3.8倍，吨焦污染物排放强度下降12%，每年节约优质炼焦煤2300万吨以上，解决了我国优质炼焦煤资源占比少、炼焦行业“三低一小”等关键难题，对国家战略能源安全、资源高效利用和可持续发展、钢铁及有色工业绿色升级、大气环境保护具有重大战略意义。

以上工业工艺制造方面的新技术与新成果不仅为环保难题的解决提供了有力支持，更在攻克技术难题的过程中展现了强大的创新能力。这为我国的可持续发展和环境保护事业奠定了坚实基础，为未来构建绿色、清洁、高效的工业体系指明了方向。

8.3.1.2 污染物检测监控

空气污染源包括固定污染源和流动污染源。固定污染源又分为有组织排放源和无组织排放源。目前我国普遍基于两类技术进行污染物的检测监控：一类为接触式物理化学反应检测；一类为非接触式检测，如图像检测、神经网络建模预测等。得益于我国人工智能技术与自动化技术的蓬勃发展，目前大部分工业场景已普遍开始使用非接触式污染物检测方法，减少了检测设备材料损耗、保证了检测人员人身安全、大大提升了检测耗时、有效降低了污染物控制时滞。其中具有代表性的获奖项目简介如下所述。

（1）工业园区有毒有害气体光学检测技术及应用

该项目创建了工业园区有毒有害气体高温光谱数据库和排放通量解析算法。利用专门设计的高温气体光谱参数测量装置实验测量了60余种有毒有害气体在100～1500℃高温的吸收光谱，建立和完善了包含300余种有机和无机成分的光谱吸收数据库，提出并验证了测量整层大气太阳红外吸光谱来定量反演VOCs垂直柱浓度的方法。与此同时，项目组创新发展了系列恶劣工业环境下光谱分析应用技术。设计了一种高温取样探头和高温气体在线红外分析系统，实现对工业回转炉和燃烧炉VOCs、CO、CO_2等有毒有害气体的在线监测；设计了一种收发一体式激光吸收光谱测量光学和机械结构，实现在高温高粉尘环境下氨气（NH_3）、氯化氢（HCl）、氟化氢（HF）、氰化氢（HCN）等有毒有害气体排放的连续自动监测。科研团队所获得的相关成果突破了工业园区有毒有害气体卫星遥感反演技术。通过模拟标定卫星在轨特性，以及对地基大气垂直廓线同步观测结果的同化，实现算法优化，在精确反演二氧化硫（SO_2）和二氧化氮（NO_2）的基础上，首次实现了对我国工业园区甲醛（HCHO）、乙二醛（CHOCHO）等VOCs对流层柱浓度的卫星遥感监测和区域输送观测。

（2）区域环境污染人群暴露风险防控技术及其应用

该项目成功研发了符合我国国情的区域环境污染人群暴露调查技术、适合我国环境污染和人群暴露特征的环境污染物暴露评估技术、区域环境污染人群健康风险评估技术、典型区域环境污染人群暴露风险防控成套技术。完善了区域环境污染人群暴露评估的理论方法，攻克了评估模型筛选、暴露参数选择、暴露数据质量控制和不确定性分析等关键技术难题。并且制定了《国家污染物环境健康风险名录》，使环境与健康信息有机结合，更具系统性、完整性和实用性。开发涵盖“环境调查-监测-健康风险评估-修复”的区域环境污染人群暴露风险防控成套技术，在我国经济高度发达、人口密集地区的典型区域得到应用。

（3）PM2.5和O_3在线检测量值溯源传递关键技术研发与业务化应用

该项目由中国环境监测总站、中国计量科学研究院联合完成。项目组对PM2.5与O_3监测量值溯源所需的计量标准器具、标准物质、校准比对方法等开展了系统研究，突破标准空气动力学直径标准粒子制备和定值、切割效率测试系统研制与测试、颗粒物浓度可控发生等技术瓶颈，建成了国家PM2.5与O_3监测量值溯源技术体系，并实现了国际等效互认。项目研究成果已为70余家环境监测中心和环境监测企业提供量值溯源传递服务5000余次，为包括1734个国家环境空气自动监测站点在内的6000余个各级环境空气自动监测站点与国内监测仪器制造/运维企业提供了准确、可比的标准量值，在服务PM2.5与O_3协同控制、保障国家监测数据准确可比的同时，直接推动了国产监测仪器质量提升和监测仪器制造/运维产业的高质量发展。依托项目成果提供的标准量值和量值服务所获销售、运维合同累计额度已达4.6亿元。项目成果的社会效益主要有三方面：一是为PM2.5与O_3监测奠定了坚实的计量法规和标准规范基础，为政府大气考核、排名提供真实、准确的数据支撑；二是解决监测数据与群众感受“两张皮”问题，提升了政府公信力和监测数据国际公信力；三是促进企业提升仪器和运维质量，推动产业高质量发展，实现了国际互认，助力国产监测仪器“走出去”。

通过以上项目为代表的大气污染物检测、监控、预测技术，我国建立了先进的污染监测体系，实现了对空气质量的高精度监测，提升了治理的科学性和精准性。各类污染源的智能监控系统也得以建立，有效降低了工业和交通等领域的排放水平。这些成果为我国大气污染防治提供了坚实的数据基础和技术支持，有助于推动环境治理工作的深入展开，实现了大气质量的稳步提高，进一步提升了公众的生态环境意识。

8.3.1.3 全流程控制优化

目前我国正处于数字化转型驱动生产方式变革时期，采用工业互联网、大数据、5G等新一代信息技术提升能源、资源、环境管理水平，深化生产制造过程的数字化应用，赋能绿色制造。如今我国已经逐步建立了绿色低碳基础数据平台，加快制定涵盖能源、资源、碳排放、污染物排放等数据信息的绿色低碳基础数据标准，并有效推动了数字化智能化绿色化融合发展，提高绿色转型发展效率和效益。与此同时，不断推动制造过程的关键工艺装备智能感知和控制系统、过程多目标优化、经营决策优化等，实现“工业互联网+绿色制造”。鼓励企业、园区开展能源资源信息化管控、污染物排放在线监测、地下管网漏水检测等系统建设，实现动态监测、精准控制和优化管理。工业系统智能控制优化代表性技术成果如下所述。

（1）钢铁行业多工序多污染物超低排放控制技术与应用

该项目针对钢铁行业烧结、焦化、球团、高炉、铁合金多工序污染排放特征及控制技术需求，解决了非常规污染物协同控制效果差、催化/吸附材料易中毒失活、装备难以匹配等难题，实现了“基于高炉炉料结构优化的变革性减排技术”“契合工序特征的末端超低排放关键技术”“钢铁行业超低排放系统性解决方案”等重要科技创新，为生态环境部等五部委联合印发的《关于推进实施钢铁行业超低排放的意见》的全面实施提供了可靠的技术途径。此外，团队还建立了5套示范工程，其中包括80%高比例球团高炉冶炼示范工程、球团烟气多污染物超低排放示范工程2个首台（套）工程，在河钢、宝钢、鞍钢、济钢等大型钢铁企业推广应用20余台（套）。项目为污染物高效减排、改善生态环境、促进钢铁行业绿色发展做出显著贡献。基于高炉炉料结构优化的变革性减排技术，针对中高硅铁精粉在生产熔剂性球团时成球率差、抗压强度低的技术难题，提出将镁质熔剂引入球团体系调控冶金性能的球团生产新工艺，研发出多参数耦合调控成球、镁质熔剂性球团焙烧耦合硫硝污染物减排等关键核心技术，在唐钢200万吨/年的链箅机-回转窑的熔剂性球团生产线工业应用，率先实现了低排放中高硅镁质熔剂性球团的规模化生产。

（2）乙烯装置效益最大化的优化控制技术

该项目重点研发实施了以下技术：首次提出并实现了乙烯裂解炉炉膛内流动、燃烧、辐射传热与炉管内自由基裂解反应过程的逐点耦合建模技术，获得了不同炉型裂解炉炉膛内详细的烟气温度、速度、浓度和热通量分布，以及炉管外壁温度、炉管内油气温度、速度、压力和产物收率分布的详细信息，实现了裂解炉全周期运行特性的表征和预测；首次提出并实施了乙烯装置裂解炉炉群多种原料及其负荷的优化配置技术，达到国际领先水平。建立了不同裂解炉在不同裂解原料、不同操作条件下的各关键产品收率模型、燃料气消耗模型以及以废锅出口温度表征的运行周期模型，实现了裂解炉运行效率的在线评测；以高附加值产品最大化为目标，实现了对裂解炉炉群原料和负荷配置的MINLP（混合整数非线性规划）问题在线求解与优化操作。在有效提高双烯收率的同时，降低了燃料气消耗，首次创造性地研发了裂解炉裂解深度实时优化控制技术，并在中国石化推广应用。采用油品属性聚类分析和神经网络技术，建立了不同油品属性的裂解产物全组分收率在线预测模型，利用滚动优化实现了裂解深度的实时优化，同时研发并实施了裂解深度智能控制技术，有效提高了高附加值产品产量。

（3）工业污染规律辨识与产排污量化关键技术及应用

该项目主要技术成果为：基于行业分类体系重构，开发了最小产污基准模块提取技术；基于最小产污基准模块，建立了多维核算量化模型，研发了减排评估预测技术，开发了行业重金属全过程减排优化技术；面向数字孪生，构建了最小产污基准模块关键参数编码体系，建立了工业污染源管理平台。项目组提出了最小产污基准模块的概念，对于多点散发的污染物，开发了逆向基准模块规律解析技术，构建了半定量分析判定方法和产污水平显著性影响因素定量辨识技术。基于最小产污基准模块，建立了多维核算量化模型，研发了减排评估预测技术，开发了行业重金属全过程减排优化技术、以最小产污基准模块为单元的模块化产排污核算模型（PGDMA模型）及其模型参数量化技术。并且最终基于数字孪生，构建了最小产污基准模块关键参数编码体系，开发了工业污染源管理平台和在线辅助工具APP，为企业、行业、区域、流域等场景下进行实证研究等提供了直观便捷的手段，实现了大量核算参数线上的查询、使用和计算。

包括上述代表性的工业污染优化控制新技术与新成果为中国大气污染防治提供了技术支持，实现了生产方式的转型升级。这不仅有助于提高环境质量、保护人民健康，也为可持续发展目标的实现奠定了基础，推动了中国工业向更加清洁、高效、可持续的方向迈进。

8.3.2 水污染治理行业自动化新技术、新成果

目前围绕水污染治理自动化技术体系建设，面向水污染减排的环境保护目标，已产出一大批标志性成果，重点突破了一批工业源头工艺、水环境检测监控和污水处理全流程控制优化的对策和技术途径，研发了一批关键设备和成套装备，综合集成多项关键技术，为水质改善提供了有力技术支撑。

2018—2023年水污染治理行业自动化技术及产业化应用获得国家科学技术进步奖15项，国家科学技术发明奖3项，环境技术进步奖15项，环境保护科学技术奖14项，省部级奖项9项（二等奖及以上）。此外，22项水污染治理领域自动化先进技术被收录至《国家先进污染防治技术目录（水污染防治领域）》《绿色技术推广目录》《国家绿色低碳先进技术成果目录》。具体见表3-8-3。

表3-8-3 2018—2023年水污染治理行业自动化技术及产业化应用主要获奖项目及先进技术列表

（1）国家科学技术进步奖

年份	序号	项目名称	等级
2018年	1	城市污水处理过程控制关键技术及应用	二等
	2	城市集中式再生水系统水质安全协同保障技术及应用	二等
	3	畜禽粪便污染监测核算方法和减排增效关键技术研发与应用	二等
	4	系列海洋监测浮标研制及在国家海洋环境监测中的应用	二等
	5	全过程优化的焦化废水高效处理与资源化技术及应用	二等

续表

年份	序号	项目名称	等级
2019年	6	制浆造纸清洁生产与水污染全过程控制关键技术及产业化	一等
	7	面向制浆废水零排放的膜制备、集成技术与应用	二等
	8	长三角地区城市河网水环境提升技术与应用	二等
	9	大型污水厂污水污泥臭气高效处理工程技术体系与应用	二等
	10	淮河流域闸坝型河流废水治理与生态安全利用关键技术	二等
2020年	11	城镇污水处理厂智能监控和优化运行	二等
	12	城市供水管网水质安全保障关键技术及应用	二等
	13	大型泵站水力系统高效运行与安全保障关键技术及应用	二等
	14	海洋窄带环境复杂目标探测识别技术与装备	二等
	15	广域协同的高端大规模可编程自动化系统及应用	二等

（2）国家科学技术发明奖

年份	序号	项目名称	等级
2019年	1	农田农村退水系统有机污染物降解去除关键技术及应用	二等
2020年	2	污水深度生物脱氮技术及应用	二等
	3	强化废水生化处理的电子调控技术与应用	二等

（3）环境技术进步奖

年份	序号	项目名称	等级
2019年	1	多段多级AO除磷脱氮工艺在污水处理中的研究与应用	二等
	2	基于功能分区、空间耦合的一体化节能降耗污水处理技术研究及应用	二等
	3	市政污水处理厂MagCS磁介质集约化提标技术	二等
	4	城市污水预处理区高效过滤节能技术与装备开发	二等
	5	水面移动环境监测综合无人平台	二等
2020年	6	国家地表水环境质量自动监管关键技术与工程应用	一等
	7	高排放标准下重点流域污水处理厂节能降耗关键技术及应用	二等
	8	水质在线重金属监测系统的研究及应用	二等
2021年	9	水质自动监测成套仪器装备开发与应用	一等
	10	城市黑臭水体水质净化与生态修复关键技术研究及应用	一等
	11	城市生态水系构建与低碳保质关键技术及应用	二等
2022年	12	生化需氧量快速检测及对有机废水处理过程的精准调控	一等
	13	下沉式城市再生水厂关键核心技术研究与工程应用	一等
	14	土壤-地下水污染监控预警与处置关键技术研发及集成应用	二等
	15	地表水环境监测、预警关键技术装备研发与应用	二等

（4）环境保护科学技术奖

年份	序号	项目名称	等级
2018年	1	淮河流域闸坝型河流废水再生利用与风险控制关键技术研发与应用	一等
	2	地下水污染风险监控与应急处置关键技术及应用	二等
	3	历史遗留冶金废渣堆场地下水污染系统防控与修复技术及应用	二等

续表

年份	序号	项目名称	等级
2020年	4	流域地表水-地下水污染防控技术与应用	二等
	5	河流水生态健康“监测评价-系统管控-修复示范”成套技术及应用	二等
2021年	6	工业废水自养脱氮降碳资源回收协同增效关键技术创新与应用	一等
	7	污酸/污水中重金属资源化与深度处理技术及其应用	二等
	8	城市黑臭水体全过程监管关键技术及应用	二等
2022年	9	污废水处理过程提质增效关键技术研发与应用	二等
	10	河湖地下水回补污染风险识别与防控技术开发及应用	二等
2023年	11	典型行业废水特征无机物转化控制关键技术及应用	一等
	12	面源污染物入水过程精准评估与靶向防控技术	二等
	13	典型行业废水深度处理及毒性削减关键技术与应用	二等
	14	工业园区水污染防治系统管控关键技术研究与应用	二等

（5）省部级奖项

年份	序号	项目名称	奖项名称	等级
2018年	1	巢湖流域污水处理厂达到地表类Ⅳ类水标准关键技术及应用	安徽省科学技术奖	二等
	2	农村地区分级分类污水处理成套技术研究与应用	辽宁省科学进步奖	二等
2019年	3	城市排水系统溢流排放污染控制关键技术及应用	教育部科学技术进步奖	一等
	4	管网高覆盖率城市河流污染治理关键技术研究与示范应用	上海市科学技术奖进步奖	一等
2021年	5	废水中污染物监测、降碳及高值回收的创新技术与规模应用	江苏省科学技术奖	二等
	6	废水毒性削减与深度净化关键技术及应用	江苏省科学技术奖	一等
	7	城市排水系统厂网联合运行与优化控制关键技术与应用	北京市科学技术进步奖	一等
2022年	8	变化环境下高原湖泊脆弱性评价及水量水质协同配置关键技术	长江科学技术奖科技进步奖	二等
2023年	9	城镇污水处理厂动态精准节能降耗关键技术及智能控制系统	广东省环境保护科学技术奖	一等

（6）国家先进污染防治技术目录

年份	序号	技术名称	技术类别
2019年	1	城市污水生物膜强化脱氮多级A/O工艺	示范技术
	2	城镇污水序批式活性污泥法脱氮与优化调控技术	示范技术
	3	污水处理厂精确曝气与智能加药节能降耗控制技术	推广技术
	4	污水生物处理精细化运行管理技术	推广技术
	5	排口污染通量动态移动监测及扩散预估技术	推广技术
	6	流域面源氮污染物补排识别及综合管控技术	示范技术
2022年	7	高效节地复合生物膜污水处理技术	推广技术
	8	乡镇污水处理智慧化运维管控系统	推广技术
	9	垃圾渗滤液处理大数据分析及生产优化控制工业互联网平台	推广技术
	10	工业污染源-污水管网-污水集中处理设施综合管理技术	示范技术

续表

(7) 绿色技术推广目录		
年份	序号	技术名称
2020 年	1	基于废弃物再生的自养、异养水处理高效脱氮技术
	2	双膜法污水深度处理技术
	3	基于功能分区、空间耦合的一体化节能降耗污水生化处理技术
	4	难降解有机废水深度处理臭氧催化氧化技术
	5	生态型下沉式再生水厂集约构建与资源化利用技术
	6	适用于高排放标准的低能耗、低成本膜生物反应器城镇污水深度处理技术
(8) 国家绿色低碳先进技术成果目录		
年份	序号	技术名称
2023 年	1	高效节能模块装配式污水处理集成系统
	2	全流程节能降耗精准运行控制技术
	3	耐污染平板膜生物反应器
	4	纳米平板陶瓷膜污水处理技术及一体化装备
	5	基于污染源解析及点面源治理的小流域综合整治集成技术
	6	雨污合流及地表径流水污染处理系统

接下来按照工业源头工艺、水环境检测监控和污水处理全流程控制优化三个层面，选取典型项目介绍。

8.3.2.1 工业源头工艺

水污染治理行业着力通过采用清洁生产工艺、改进设备、优化污水预处理方案、污染源解析、优化排水系统、工业企业废水分质再生利用等方式从源头削减污染，突出精准治污，打破末端治理的传统单一模式，严格控制并削减行业水污染物排放总量，促进水环境质量持续提高。近年，我国已在污水工业源头工艺技术层面取得丰硕成果。

(1) 城市污水预处理区高效过滤节能技术与装备开发

该项目由北京北排装备产业有限公司完成，针对再生水厂的预处理区对“渣”的拦截效率较低，不能满足先进水处理工艺［如MBR（膜生物反应器）等］的进水要求，对后续设备使用寿命和水处理效率、出水水质造成严重不利影响，研究和推广应用了一种适用于国内条件的高效预处理过滤技术，实现预处理系统对污水中渣物的有效拦截过滤，尤其是对纤维性污物的高效拦截，防止渣物进入后续工艺，并具备稳定的过水能力，解决水厂运行中“渣”的困扰。通过使用计算机CFD（计算流体动力学）模拟、结构创新和新材料应用、系统自动化控制调试等多方面的研究，成功实现内流式非金属孔板格栅过水量的精确计算，使该产品较同类设备具有高效过滤、性能可靠、节能降耗等优势。该成果已成功应用于全国各地的城市再生水厂，反映良好，三年内销售额超过4700万元，具有很大的经济和社会效益，显著提高了我国污水过滤装备技术水平，为我国水污染治理提供了技术保障。

(2) 工业污染源－污水管网－污水集中处理设施综合管理技术

该技术作为国家先进污染防治示范技术，通过外来水接入管网位置快速确定、管网漏损智能探测、外来水接入水质水量优化分析、污染源排放异常快速预警和溯源追踪等系统性措施，提高了溯源预警和管网调度的科学性。基于工业污染源基础信息，在管网节点布设在线监测传感器，实现管网中水质异常时污染排放快速溯源定位和下游实时预警。基于工业污染源、污水管网GIS（地理信息系统）、管网运行监测数据及污水处理厂运行数据，建立污染源-污水管网-污水集中处理设施耦合的联合调控模型，实现多目标优化的水质水量实时预测、自动校正和反馈控制。基于光纤测温、VR智能探测、管网GIS分析等实现管网系统输送效能（管道破损、地下水入渗）的诊断。

（3）雨污合流及地表径流水污染处理系统

雨水调蓄技术及装备有效避免了初期雨水直接排放，同时中后期雨水经过调蓄系统在线处理后排放，有效控制了城市排水系统中的径流污染。该技术开发了一套雨污合流及地表径流水污染处理系统，包括智能雨水调蓄系统、市政排水管道封堵装置、水环境可视化自动在线监测装备及系统。雨水调蓄系统关键设备包括旋转格栅除污机、智能射流搅拌冲洗器、雨污终端分流自控装置等，实现了对旱流污水、初期雨水与中后期雨水的智能化分类收集、调蓄和处理。市政排水管道封堵装置可针对水下盲区任意水深和任意管径的管道口实施封堵。水环境可视化自动在线监测装备及系统以浮标为载体，集成遥测终端、水质监测传感器、太阳能供电系统和锚泊系统等实现连续在线监测，并可预警、触发响应流程。目前，已有5项工程应用，如马鞍山中心城区水环境综合治理PPP项目，整治河道总长98千米，水域面积180万平方米。

以上工业源头工艺方向新技术、新成果，通过源头减量方式，坚持创新发展，加强推行绿色设计、绿色生产、绿色建设，深化高效、绿色、低碳、安全的可持续发展模式，在实现生态环境高水平保护和助力实现碳达峰、碳中和目标中发挥重要作用。

8.3.2.2 水环境检测监控

水环境检测监控是实现污水处理过程的正确决策、评估污染治理和生态保护成效的基本依据。当前我国水质检测方法主要分为两类：一类为接触式检测，如传感器检测、实验室检测等；一类为非接触式检测，如遥感检测、软测量建模检测等。由于接触式检测方法造价高、寿命短、测量范围窄、稳定性差、维护困难，得益于非接触式检测方法具有成本低、响应迅速、易于保养和维护等优势，近年来已成为污水处理过程关键水质参数在线预测的主要方法。水环境检测监控代表性技术成果如下所述。

（1）水质在线重金属监测系统的研究及应用

该项目为解决当前水环境介质样品分析过于依赖人力、集成度低、单台仪器可检测指标少、过程安全性不佳等难题，依托中国环境监测总站、杭州谱育科技发展有限公司联合体，研发了基于ICP-MS/ICP-OES（电感耦合等离子体质谱/电感耦合等离子体发射光谱）的水质在线重金属多元素自动检测系统，实现了水质多元素的在线检测，提高了检测效率。以基于ICP-MS的水质在线重金属为例，该系统包括依次连接的进样系统、ICP（电感耦合等离子体）离子源、接口、传输系统和分析系统，通过不同部件的协同工作，最终实现多元素同时检测，且元素检出限低、系统稳定性好、检测结果准确。基于光谱/质谱技术的在线重金属检测技术为环境各项重金属监测需求提供了有力的技术支撑。在线水质重金属电感耦合等离子体光谱/质谱监测系统作为目前全球首次使用的技术，填补了国内外技术的空白，为相应规范、标准的制定提供了依据。

（2）土壤-地下水污染监控预警与处置关键技术研发及集成应用

该项目由中国环境科学研究院牵头，针对目前，土壤、地下水污染监控预警方面仍未形成较完善的方法和体系，且缺乏土壤与地下水协同组合治理方法，影响土壤、地下水污染防治与协同修复治理效果的问题，项目组开展土壤-地下水污染监控预警与处置技术应用研究。项目建立了土壤、地下水污染风险源识别及分类分级方法，开发污染场地分类分级系统，开发了基于全流程监控的土壤、地下水环境采样装备和管理系统，建立多层次复合要素的地下水污染监控预警技术和污染预警平台，建立了地下水突发污染事故应急快速预判技术体系，发明便携式多参数土壤、地下水深度修复装备，开发土壤地下水跨介质修复系统和突发环境事件应急事故分析评价平台，有效提高土壤、地下水环境污染协同修复能力与突发环境事故应急处置水平。项目成果广泛应用于北京、河北、四川、湖南、福建等地的土壤与地下水修复工程，近三年累计新增销售额9159.48万元，新增利润1354.79万元，显著提高了我国土壤、地下水监控预警与处置技术水平。

（3）排口污染通量动态移动监测及扩散预估技术

该技术作为国家先进污染防治推广技术，适用于污（废）水排放口及周边水域污染通量监测和管理、水质污染分析、污染扩散预估，排放总量控制。利用水面移动机器人搭载小型化移动水质监测仪器、流量测量仪器和无人船水下暗管探测技术，在同一时间对特定的水域范围各参数进行监测，并通过计算和数据分析，实现排污口及周边水域污染通量的动态监测核定和趋势预估。COD（化学耗氧量）监测时间间隔最大2s，氨氮、TN（总氮）、TP（总磷）监测数据时间间隔最大150s，温度、pH值、电导率、溶解氧监测时间间隔最大5s，监测数据实时回传。该技术将水面机器人和无人船水下暗管探测产品应用于环境监测，扩大了监测范围，并可实现区域性污染成因分析和水质预警，为应急决策提供依据。

通过以上成果为代表的水污染监测监控技术，实现以“自动监测为主、手工监测为辅”的水环境质量监测与评估的体系，实现了关键水质参数的实时检测、精准预测、监控预警，持续推进生态环境监测体系和监测能力现代化，为打赢打好污染防治攻坚战提供了坚强有力的支撑。

8.3.2.3 污水处理全流程控制优化

针对水污染治理过程，坚持推进污水应收尽收、高效输送、节能处理。通过污水管网改造修复、污水处理工艺控制优化、高能耗设备更替、智慧化管理等多种组合措施，提高水污染收集处理效能。以重点行业水污染全过程低成本控制为目标，致力于全行业绿色发展，构建先进适用的工业水污染全过程控制技术系统，实现基于污染物生命周期的全过程综合优化控制。污水处理全流程控制优化代表性技术成果如下所述。

（1）城市污水处理过程控制关键技术及应用

该项目由北京工业大学牵头，围绕国家重大需求，以解决当前城市污水处理厂运行成本高、异常工况频发、出水水质不稳定的问题为目标，从城市污水处理过程模型、控制、优化及控制系统集成等四个方面着手：提出了污水处理过程智能特征建模方法和细胞自动机建模方法，获得了污水处理过程自组织智能特征模型和动态可视化模型；提出了模糊推理规则自组织控制方法和神经网络结构自组织控制方法，获得适用于不确定、时变、大惯性的污水处理过程控制的核心技术，使得智能控制器结构随着任务的变化实现了自组织设计；提出了基于分工策略的粒子群优化方法，形成了满足排放或回用指标的污水处理过程可控参量实时优化技术；提出污水处理控制系统的体系结构与通信规范，形成了成套的综合自动化技术。研究成果已经在华南、华东、东北等地区18家污水处理厂（处理工艺包括A2/O、CASS、A/O等）得到应用，吨水处理电耗平均降低5%，累计处理污水60480万吨，经济效益达到3.5亿元（近三年2.5亿元）。实践证明该技术对于保护淡水环境、实现水资源循环利用发挥了重要作用，取得了显著的经济效益和社会影响。

（2）全过程优化的焦化废水高效处理与资源化技术及应用

该项目由中国科学院过程工程研究所牵头完成，属于化学工业废物处理与综合利用和水污染防治工程领域。焦化废水已成为影响生产企业环保达标的主要障碍。焦化废水含有高浓度氨、酚，以及有机芳烃污染物，国内外普遍采用“萃取脱酚-蒸氨-生物降解”集成工艺处理，但由于废水中的难生物降解有机物浓度高，加之水质波动大等原因，导致工艺稳定性差、难以满足新的环保要求，成为污染治理难题。项目基于污染全过程综合控制的思路，提出基于资源化减排-无害化降解优化组合的处理新方法，研发突破了酚油萃取协同解毒、非均相催化臭氧氧化等核心关键技术，并集成优化形成了焦化废水全过程强化处理成套技术，构建了工业设计基础工艺数据包，建成产业化工程，实现焦化废水资源回收和低成本稳定达标处理，满足行业和地方环境管理要求。项目研发的核心产品及技术已在煤化工、钢铁等行业得到大规模应用，包括首台（套）、处理规模最大在内的数十项水污染控制工程，产生了显著的环境、经济和社会效益，推动了我国煤化工行业水污染控制由国际跟跑向领跑转变，显著推动了难降解工业废水处理科学技术进步，为不同难降解废水体系达标处理提供可借鉴案例。

（3）全流程节能降耗精准运行控制技术

该技术被列为国家绿色低碳先进技术成果，适用于污水处理厂站提标、扩容、增效及低碳运行管理。该项目先进创新处体现于首创基于模型和大数据分析的系统化控制技术，填补了精准除砂和精准泥龄控制的空白，突破了全流程精准控制技术工程化应用瓶颈，破解了腐蚀性环境中在线过程稳定控制的难题，实现动态过程中的精准控制和大幅节能降耗，显著减少值守人员。同时，针对污水处理厂进水水质水量波动剧烈、处理过程复杂多变、腐蚀性环境中仪表稳定性和可靠性难以保障等突出问题，提出了基于模型和大数据分析的自适应精准控制方法，建立了基于目标量、操作量与相关量的多因子调控模式，开发了高效智能沉砂提砂分砂除砂系统、三重精准曝气控制系统、精准除磷系统、实时精准泥龄控制系统、多因子实时动态调控系统，实现了全流程精准控制。该技术已在北京中心城区总规模413万立方米每天的11座再生水厂应用，并辐射至雄安、南宁等地污水处理厂的提标增效项目。率先应用于国内首座百万吨级污水处理厂高碑店污水处理厂提标改造工程，实现高碑店污水处理厂无新增占地条件下的原址提标。近三年累计节省电费及药费上亿元。与常规工艺相比，节省工程费用上亿元，对全国污水处理厂站提标增效工作从传统到精准转型具有示范作用，具有良好的经济和社会环境效益。

包括上述代表性的污水处理全流程控制优化新技术与新成果为污染全过程控制治理提供新的科学支撑，指导了重点行业水污染全过程控制技术系统的构建。全面提升了我国水污染综合治理能力和整体技术水平，不仅成为我国重点行业、城市生活和农业面源领域的有效参考，也为水污染防治攻坚战、长江生态保护和城市黑臭水体治理等国家重大战略行动提供有力支撑。

8.3.3 固废污染治理行业自动化新技术、新成果

8.3.3.1 检测过程新技术、新成果

城市固废焚烧过程中的关键污染物指标如氮氧化物、二氧化硫、二噁英等，这些气体

排放至大气中对生态环境和人类健康产生巨大危害。在新环保形势下，国家和地方政府对污染物排放要求日益提高，为了降低城市固废焚烧厂关键污染物的排放，首要工作是对关键污染物的排放浓度进行准确检测，以便实现城市固废焚烧厂的闭环控制。

（1）仪器仪表检测法

目前，我国大部分城市固废焚烧发电厂采用仪器仪表对烟气中的氮氧化物浓度进行检测。检测方法主要有光谱法和气相色谱法。其中光谱法中的紫外差分气体分析法、傅里叶红外分析法和非色散红外分析法最为常见。深圳市吉顺安科技有限公司研发的固定无线二氧化氮检测仪适用于各种复杂环境中的二氧化氮浓度检测，具有信号稳定和精度高的特点。青岛景弘环保科技有限公司研发的便携式烟气分析仪可以测定烟气中的二氧化氮、一氧化氮和硫化氢等气体浓度。为满足城市固废焚烧发电厂中烟气连续测量的要求，烟气连续监测系统采用模块化结构设计，集成了气态污染物CEMS、颗粒污染物CEMS、烟气参数测量系统和数据采集系统四个模块，在城市固废焚烧厂中广泛应用。此外，针对二噁英排放浓度的检测，工业现场和环保部门仍采用实验室化验分析法测定二噁英排放浓度。常用的检测技术包括高分辨气相色谱-高分辨率质谱联机法、生物检测法以及免疫法等。这些检测技术通常需要抽取烟道中的烟气并保存，在实验室完成样品的分析和检测，测试周期一般较长。

此外，数据驱动软测量技术利用现代数据分析技术和计算能力，能够适应不同环境和条件下的检测需求，可用于需要离线化验的难以检测参数。

（2）阿里云工业大脑AI计算平台

为解决人工操作和PID自动调节两种模式下造成的污染物排放超标、环保制剂成本过高的问题，阿里云研发的工业大脑AI计算平台通过对固废焚烧过程、烟气净化和排放监测的数据进行采集上云，建立数据训练模型，实现了排放指标如氮氧化物、二氧化硫和氯化氢的实时预测和报警。通过工业预测引擎进行实时预测，预测结果可有效解决滞后性操作问题，预测数据可用于人工操作参考，也可用于烟气净化自动投运。

该项技术成果已在浙能锦江环境公司的多家垃圾焚烧发电厂获得成功应用，通过AI技术助力垃圾焚烧发电产业数字化转型，帮助发电厂降低了烟气排放超标的风险。然而，受入料成分、操作手段等影响，城市固废焚烧过程呈现复杂的运行工况，导致烟气排放具有很强的动态时变特性，预训练好的模型难以适应复杂多变的运行工况，需要对模型进行调整以提高其在固废焚烧发电厂中的适用性。

（3）数据驱动的智能检测技术

为了实现氮氧化物排放的准确预测，构建了一种动态模块化神经网络模型。首先，采用主成分分析实现复杂工况的动态分解，在实际的城市固废焚烧工业数据集上，能够有效地分析燃烧段炉排空气流量、干燥段炉排空气流量、一次燃烧室、一次风量和二次风量等过程变量的重要性变化情况，并根据变量变化情况对工况进行划分。然后，针对每个工况下的过程变量，建立了完善的模型自组织机制理论方法，从而准确地构建氮氧化物和温度、空气流量等过程变量之间的非线性映射关系。技术成果已成功应用在北京首钢生态科技有限公司，在实际应用中，测试均方根误差为6.8653，实现了对固废焚烧发电厂氮氧化物排放的实时监测和预报，满足了脱硝系统的控制需求，取得了良好的经济和社会效益。该成果除应用于氮氧化物排放预测，还可进一步作为城市固废焚烧过程二氧化硫、一氧化碳等其他污染物排放检测的有效措施，推广应用前景广阔。为了实现二噁英的在线检测，研发了一种基于虚拟样本优化选择的二噁英排放浓度预测策略以及基于粒子群算法和等间隔插值虚拟样本产生的二噁英排放浓度软测量技术。该项技术结合了各项工艺环节中二噁英生成、吸附和排放机理，基于实验室离线化验数据进行了样本扩展、样本生成、优化选择和模型构建。实验结果表明所提方法可整体提高小样本建模性能78.81%，经粒子群选择后的虚拟样本在数量减少52.74%的情况下，混合样本建模测试的均方根误差均值改善了16.58%，解决了小样本环境下二噁英在线检测的问题。该项技术成果在北京高安屯垃圾焚烧有限公司获得了成功应用，解决了二噁英排放检测难度大、成本高、周期长的难题，加强了企业对于固废焚烧的监督，降低了检测成本，为企业创造了显著的经济效益。

8.3.3.2 控制过程新技术、新成果

固废焚烧控制过程主要是指固废从进入焚烧炉料斗到在炉腔内进行燃烧直至燃尽排除炉渣和排放烟气的过程，其主操作对象包括助燃风机及其风门挡板、引风机、推料器、分段炉排或一段式炉排等设备及其液压动力装置，主要被控变量包括烟气含氧量和炉膛温度等。固废焚烧的智能控制技术是一种将数字化、自动化和智能化技术应用于固废焚烧过程的方法，其融合控制系统、智能算法和大数据等技术，实现对固废焚烧设备的智能控制。研发固废焚烧过程的控制技术，对提升固废焚烧过程的安全性、运行效率和环境友好性具有重要意义，下面结合企业、高等院校等近年来取得固废控制过程的前沿技术与核心成果，具体介绍如下。

（1）“大数据+人工智能”ICC数字化智能燃烧控制系统（中国恩菲工程技术有限公司）

针对固废焚烧过程具有多变量、强耦合、大滞后等特征，难以实施全自动控制等问题，该项目提出了智能低碳型垃圾发电厂建设方案符合数字化转型理念，创建了数字化智能燃烧控制系统架构，将新旧体系有机结合，在传统DCS自动化控制基础上，采用数字化、智能化技术，对全流程、全要素进行智能控制。

研发了基于大数据+人工智能的数字化智能燃烧控制（intelligent combustion control，ICC）系统，该系统搭载工程技术前沿的大数据技术和机器学习技术，是结合垃圾焚烧“3T+E”控制原则开发的全新一代垃圾焚烧炉人工智能燃烧控制系统。ICC系统将焚烧过程中“人工智能算法+海量运行数据+烦琐人工控制指令逻辑”有机结合，通过数据挖掘、算法优化，建立起核心控制算法库，形成了具有人工智能的燃烧控制系统，使人工智能技术在焚烧炉控制中的功能由辅助提升到了主导。该系统克服了传统ACC系统的缺陷，更加适合含水量、有机物量高的垃圾特性，其通过将炉内火焰图形“数字化转变”为实时温度场数据，实现炉内燃烧情况的定量分析，从而为燃烧控制提供决策依据。

技术成果已应用于中国恩菲投资建设运营的赣州市垃圾焚烧发电厂，运行结果表明，ICC系统能够替代ACC系统，可实现在手动模式、ACC模式、ICC模式之间的自主切换。与人工控制相比，主要控制变量的运行标准差可减小20%以上，系统24h的投用率可达到97.2%。

（2）工业大脑AICS垃圾焚烧智能控制系统（阿里云计算有限公司）

针对固废焚烧中的固废组分复杂、工艺稳定运行难度大、安全风险高等问题，该项目通过对系统数据、设备数据、传感器数据、人员管理数据等多维工业数据进行汇集，借助语音交互、图像/视频识别、机器学习和人工智能算法，为建设固废焚烧厂的智慧工业大脑提供了方案。

研发了工业大脑AICS（artificial intelligence control system）人工智能控制系统，其通过学习历史数据、识别火焰形态信息、构建预测模型，可预测出垃圾焚烧炉内十多个变量

的变化趋势，并自动把控制指令下发到设备，实现了焚烧炉的自动运行。算法核心解决的是炉内燃烧稳定的问题，选取了风压、风温等100个特征测点构建模型，可以实时识别进料厚度，将大数据和控制算法相结合，通过实时计算与分析，实现对垃圾的自动均匀进料。同时，AICS可以方便地实现数据探索、特征工程、模型训练，建立AI算法模型，实现云边一体的算法建模和生活垃圾焚烧的自动控制。

技术成果已应用于瀚蓝环境广东佛山南海垃圾焚烧厂、三峰环境重庆百果园垃圾焚烧发电厂等多家焚烧厂，运行结果表明，云计算和人工智能可以进行更精准更稳定的监测、预判和及时调整，垃圾焚烧的自动投运率达到96%以上，大幅降低了操作工人的工作强度，控制稳定性提升20%。

（3）城市固废焚烧过程智能控制技术

针对固废焚烧过程中由于操作员的经验、专长与水平不同，对炉膛温度、烟气含氧量等关键被控变量控制的主观随意性较大，且易发生运行状态异常和污染物排放超标等问题，北京工业大学设计了基于数据驱动的城市固废焚烧智能控制方案，其对提升其固废焚烧全流程工艺智能化程度、提高其运行效率、减少污染物排放具有实际意义。

研发了炉膛温度抗扰控制器以解决焚烧过程中抗扰性差的问题。首先，设计了自组织TS模糊神经网络控制器，并在其基础上引入紧格式的无模型自适应控制方法。接着，对系统进行动态线性化处理的基础上设计指数趋近律的离散滑模趋控制策略，增强了控制器干扰抑制能力，以减弱焚烧过程中扰动对炉膛温度的影响。

研发了烟气含氧量自适应模型预测控制系统。首先，设计基于自组织LSTM神经网络的模型预测控制方案，建立基于自组织LSTM神经网络的烟气含氧量预测模型。其次，为保证优化效率，利用梯度下降法求解控制律，对焚烧过程烟气含氧量进行控制。最后，设计基于累积误差的预测模型在线更新机制，解决因不确定干扰、设备老化等引起的模型失配问题。研发了基于多任务学习的协同事件触发多变量控制系统。首先，建立了模糊神经网络多变量控制器，实现了炉膛温度和烟气含氧量的同步控制。其次，设计了一种基于多任务学习的动态自组织机制，通过计算连续时间内神经元的动态时间弯曲距离和累积贡献度来分裂和融合神经元。接着，引入协同事件触发机制，在降低机械磨损和计算量的同时提高控制器更新效率，在多变量设定值跟踪与外部扰动条件下，实现对炉膛温度和烟气含氧量的协同控制。

技术成果已应用于北京市门头沟鲁家山垃圾焚烧发电厂，提出的城市固废焚烧自适应智能控制技术能够精准地跟踪炉膛温度与烟气含氧量，在不同设定点和扰动条件下，提出的控制方案具有良好的控制性能和较低的控制律计算次数，和同类控制技术相比，其对炉膛温度的控制精度至少提升了29.8%、对烟气含氧量的控制精度至少提升了25.9%，执行机构的触发次数至少减少了29.3%。

8.3.3.3 优化过程新技术、新成果

城市固废焚烧过程的特点决定了其实现运行优化的核心是实现其运行操作参数的智能优化决策。目前，固废焚烧过程的优化决策主要依赖于多个专业岗位上的领域工程师，通过个体分工与群体决策机制借助DCS，凭借经验以先进行感知与预判后再进行协调与沟通的不间断工作模式实现运行优化。人工决策的随意性大且不够及时准确，常造成污染物排放浓度高、固废减量化效果差、燃烧效率低等问题。为了实现最优运行，需要动态更新城市固废焚烧过程操作参数的最优设定值。由于城市固废焚烧过程具有多变量、强耦合、多目标、动态、时变等特点，如何设计准确的运行指标评价模型、如何优化过程操作参数的

最优设定值，是实现城市固废焚烧过程优化运行亟待解决的难题。因此，开展了城市固废焚烧过程运行优化技术的研究并取得了以下进展。

（1）阿里云工业大脑AICS固废流程优化平台

针对固废焚烧行业亟待解决的三大难题，即固废热值变化较大、人工技术水平参差不齐、行业技术型人才较少，阿里云工业大脑AICS开创性地将大数据、人工智能与传统的智控技术做了有效、有机融合，实现自助式的人工智能焚烧优化。

依托阿里云全球领先的人工智能技术，在架构上支持焚烧过程机器建模、动态参数寻优、多变量协调控制、视觉人工智能看火分析等功能，并整合工艺专家经验知识，辅助工人现场操作。在全局优化层面，采用工艺模式、规则挖掘技术对工艺模式中的历史数据进行分类、采集，并识别出当前工况所属的工况状态，根据优化的目标，通过非启发式及启发式优化算法搜索当前工况最优的参数设定值。

中节能江西抚州生活垃圾发电厂引入阿里云工业大脑AICS固废流程优化平台后，固废焚烧的自动投运率达到95%以上，稳定性提高20%以上，有效降低了烟气排放超标风险，提高了蒸汽品质和单位固废的发电量。三峰环境集团旗下重庆百果园环保发电厂通过引入阿里云工业大脑智能算法，解决了固废焚烧稳定性的行业难题。目前，固废焚烧的自动投运率达到了96%以上，锅炉蒸发量稳定度提升了38%，汽机进气压力稳定度提升了60%，发电效率进一步提升，人员操作强度大幅降低。

（2）“无废城市数字大脑”系统

利用数字化手段对固废处理各个环节进行统计分析和监控，实现全产业链数据互通、全过程监控管理及固体废弃物溯源，降本增效的同时，提升固废全产业链综合资源利用率、提升管理科技含量和监管效率。以优化固废焚烧发电厂运营为切入点，将云计算、大数据等新技术引入生产应用环节，构建固废焚烧发电工艺优化的人工智能算法模型，有效地提升固废焚烧稳定性。提供从数据接入到数据消费全链条的智能数据构建与管理的大数据能力，帮助工艺专家沉淀经验、机理，利用数据驱动的方式快速提升固废焚烧发电效益，为城市固体废弃物的无害化、减量化、资源化处置提质增效。

瀚蓝与阿里云公司合作打造环境治理行业“无废城市数字大脑”，开发的固废焚烧发电厂优化算法项目取得显著成效：提升焚烧稳定性23.08%，部分主要烟气排放数值降低超过10%。

（3）清洁高效协同处置工业有机固废的装备与技术

技术成果涉及基础理论研究、高效发电技术、烟气再循环技术、污染物深度控制技术、火焰图像识别算法、智能焚烧系统等十余项技术成果，并已在康恒环境及参与单位超20个运行项目推广应用，掺烧项目总处理量超2万吨/日，超1900吨/日新增掺烧量，总掺烧比约10%。其中“嘉兴市一般工业固废信息化监控系统”已投入商业运行，该系统覆盖固废收集、分拣、储存、转运全流程，不仅实现了嘉兴市中小企业工业固废网络化收集、数据化监管、集中化处置的全过程追踪，还实现了产废企业、收集平台、运输单位、处置单位及相关固废管理部门的实时信息共享，实现各方精准调配，实时监控管理，提高环保监管部门的固废管理全覆盖能力。

（4）城市固废焚烧过程智能优化系统及应用

构造了集城市固废焚烧过程数据的采集与处理、运行优化建模、运行优化求解于一体的城市固废焚烧过程智能优化系统，为城市固废焚烧厂实现高效、环保运行提供了一整套综合智能解决方案。基于Hampel滤波异常值处理、“最大相关最小冗余”特征提取算法，采用基于误差校正的径向基函数神经网络建立了城市固废焚烧过程优化目标模型，为运行优化求解奠定了基础。以多目标粒子群优化算法为载体，建立了收敛性档案和多样性档案，从而获得了能显著提升固废焚烧性能的操作参数优化解集，并结合多属性决策方法进行优化决策，实现了燃烧效率的提升和氮氧化物排放浓度的降低。针对城市固废焚烧过程多工况运行特性，研发了基于自适应知识迁移的运行优化技术。基于工况的划分和识别方法，设计了代理模型辅助的多目标粒子群优化算法，结合知识迁移策略，解决了单一代理模型难以准确描述不同工况下运行特性的问题，同时可以高效地求解不同工况下的最优操作参数。

该项技术已在鲁家山垃圾焚烧发电厂获得成功应用，实现了工况频繁波动下的最优运行，固废焚烧过程的燃烧效率平均提高了22.38%，燃烧产生的氮氧化物排放浓度平均降低了24.88%，具有重要的实际应用价值。

8.4 环保行业自动化发展趋势

8.4.1 环保自动化行业市场需求分析

2021年3月11日，十三届全国人大四次会议表决通过了关于国民经济和社会发展第十四个五年规划和2035年远景目标纲要的决议，以加快构建新发展格局为战略基点，推动社会主义现代化国家建设高质量发展。在环保领域方面，描绘了2035年基本实现社会主义现代化的远景目标，明确要求深入实施可持续发展战略，促进经济社会发展全面绿色转型，建设人与自然和谐共生的现代化。

“十四五”规划对环保自动化行业的发展有重要的影响和指导作用：从目标上看，“十四五”规划提出了推动高质量发展，构建新发展格局，促进经济社会发展全面绿色转型，建设人与自然和谐共生的现代化的总体目标，为环保自动化行业提供了明确的方向和要求，要求环保自动化行业以满足国家和社会的绿色发展需求为出发点和落脚点，提供更加高效、智能、节能、低碳的环保产品和服务；从任务上看，“十四五”规划提出了实施节能减排重点工程，加快推进绿色低碳发展，持续提高环境质量，提升生态系统质量和稳定性，全面提高资源利用效率等重大任务，为环保自动化行业提供了广阔的市场空间和应用场景，要求环保自动化行业针对不同行业、地区和场景的环保需求，开发更加适用、专业、创新的环保自动化解决方案；从措施上看，“十四五”规划提出了完善生态文明领域统筹协调机制，健全节能减排政策机制，加强监测评估和考核问责等重要措施，为环保自动化行业提供了有力的政策支持和制度保障，要求环保自动化行业积极配合国家和地方的环境管理部门，提供可靠的数据支撑和技术支持，参与环境监测、评估、治理和保护等各个环节。

结合“十四五”规划，分析环保自动化行业市场需求包括以下方面：提高环保自动化设备的技术水平和可靠性，满足环境监测和污染治理的精准性、实时性和全面性的要求，实现对重点行业、园区、城镇、交通物流等领域的绿色升级和节能减排；构建环保自动化系统的集成和协调机制；创新环保自动化服务模式，提供更加便捷、高效、专业的环保解决方案，满足不同行业、地区和场景的环保需求；加强环保自动化标准体系的建设，制定统一的技术规范、质量要求、安全规则和评价指标，规范环保自动化行业的发展方向和质量水平，提升环保自动化产品和服务的信任度和认可度。具体内容如下所述。

（1）环保自动化设备可靠性需求

提升环保效果和效率，满足国家和社会对环境质量的更高要求，例如利用高性能、低成本、易部署的二氧化碳传感器和监测系统，实现对工业园区、交通运输、城市建筑等重点排放源的覆盖监测，为碳达峰碳中和的规划、实施和评估提供科学依据。

降低环保成本和风险，增强环保产业的竞争力和发展潜力，例如利用智能化、数字化的能源管理系统，实现对工业生产、建筑物运行、交通出行等能源需求场景的精细调度和优化控制，实现能源资源的优化利用和节约消耗，为碳达峰碳中和的过程降低成本和风险。

促进环保创新和转型，拓展环保应用和市场，例如利用云计算、大数据、人工智能等技术，为用户提供遥感在线、气象预测、数据治理、AI视觉识别等数字化服务，创新环保自动化服务模式，满足不同行业、地区和场景的环保需求。

（2）环保自动化系统的集成和协调机制构建需求

构建环保自动化系统的集成和协调机制，实现各类环保设备和数据的互联互通，形成统一的环境信息平台，支持环境管理的数据分析、决策支持和智能调度，例如需要整合水质、水文和生物等多源数据和预警模型，构建基于物联网、大数据、人工智能等技术的生态环境风险分级预警、应急监测响应的智能化技术平台。

加强环保自动化系统的安全性和稳定性，实现对环保设备的远程监控、故障诊断和维护管理，提高环保设备的运行效率和可靠性，例如需要开发高性能、低成本、易部署的传感器和监测系统，实现对大气、水、土壤、固废等多介质的覆盖监测，并通过云计算、人工智能等技术实现对设备状态的实时监测和故障预警。

促进环保自动化系统的创新和升级，实现对新型污染物、新型污染源、新型污染场景的快速适应和响应，提高环保设备的技术水平和竞争力，例如需要开发高效、低耗、稳定的污染物质回收利用或无害化处理技术，实现对工业园区、城镇生活、农业生产等重点排放源的污染治理，并通过物联网、人工智能等技术实现对设备性能的优化和升级。

（3）创新环保自动化服务模式需求

实现对环保客户的个性化、定制化和差异化的服务，满足不同行业、地区和场景的环保需求，提高客户满意度和忠诚度，例如需要提供基于云计算、大数据、人工智能等技术的数字化服务，如遥感在线、气象预测、数据治理、AI视觉识别等。

实现对环保项目的全流程、全方位和全生命周期的服务，提高环保项目的效果和效率，降低环保项目的成本和风险，例如需要提供基于物联网、区块链、智能合约等技术的智能化服务，如环境监测、污染治理、资源节约、生态修复等。

实现对环保市场的拓展和创造，提高环保行业的竞争力和发展潜力，促进绿色经济的增长和转型，例如需要提供基于绿色金融、绿色信用、绿色投资等模式的金融化服务，如环境信用评价、碳交易市场等。

（4）环保自动化标准体系建设需求

建立环保自动化标准体系，实现对环保自动化设备、系统、服务等的技术规范、质量要求、安全规则和评价指标的统一制定和执行，提高环保自动化行业的发展水平和质量水平，增强环保自动化产品和服务的信任度和认可度，例如需要制定环保自动化设备的性能测试、安装调试、运行维护等标准，规范环保自动化设备的生产和使用过程。

完善环保自动化标准体系，实现对环保自动化技术的创新和升级的及时反应和支持，提高环保自动化行业的创新能力和竞争力，适应不断变化的环保需求和市场，例如需要制定新型污染物、新型污染源、新型污染场景等的监测和治理标准，引导环保自动化行业开发更加先进、高效、低耗的污染治理技术。

开放环保自动化标准体系，实现对国内外先进的环保自动化技术和标准的借鉴和参与，提高环保自动化行业的国际合作和交流水平，促进环保自动化行业的国际化发展，例如需要参与国际智能制造标准体系的建设，推动我国环保自动化标准与国际标准的对接和融合。

8.4.2 环保自动化发展趋势

我国“十四五”规划中提出的“创新驱动”和“绿色发展”战略为环保自动化行业提供了广阔的市场空间和政策支持，促进了环保自动化行业的转型升级和创新发展。与此同时，我国工业和信息化部出台的《“十四五”工业绿色发展规划》提出了以高端化智能化发展为导向，坚持“创新驱动、应用牵引、基础提升、融合发展”，为环保自动化行业提供了明确的目标和路径。在上述背景下，工业互联网和工业元宇宙逐渐成为环保自动化行业发展的两大主题，利用物联网、云计算、大数据、人工智能、虚拟现实、增强现实、数字孪生等新技术，实现对环保设备、工艺、系统的数字化和智能化，提高环保系统的效率、质量、创新和生态性，推动环保自动化行业的转型升级和创新发展。

在环保自动化领域，工业互联网可以有效促进环保数据智能化处理和环保服务创新供给能力发展，为环境治理提供更强大的资源高效利用和保护技术支撑。环保自动化行业中，受工业互联网平台主导的发展趋势包括：在智能建模方面，工业互联网平台通过物联网技术，实时收集各类环保设备和工艺的运行参数、状态、故障等数据，并通过云计算技术，对数据进行存储、处理、分析等操作，为智能建模方法提供充分的数据基础和计算资源，从而建立更加精准的过程智能模型；在智能控制方面，工业互联网平台实时监测各类环保设备和工艺的运行状况，并提供对监测数据的分析、挖掘、预警等功能，为智能控制方法提供及时的信息反馈和决策指导，从而实现环保设备和工艺的智能控制，提高运行效率和稳定性；在智能优化方面，工业互联网平台通过人工智能技术，对各类环保设备和工艺的运行效果进行评价，并根据不同的优化目标（如成本、效率、排放等），给出相应的优化方案和建议，为智能优化方法提供多样化的评价标准和优化方向，实现环保设备和工艺的全局优化，使环保企业提高效益的同时实现绿色化运行。

工业元宇宙是指基于虚拟现实、增强现实、数字孪生等技术，实现工业设备、工业流程、工厂之间的数字化映射，提高生产安全、质量和创新能力的虚拟空间。在环保自动化领域，工业元宇宙可以有效提高智能建模、智能控制及智能优化方法的设计效果和验证效率，进而提高环境治理效果和可靠性。环保自动化行业中，受工业元宇宙平台主导的发展趋势包括：在智能建模方面，工业元宇宙通过虚拟现实技术，将各类环保设备和工艺的物理模型转化为虚拟模型，并通过增强现实技术，将数字模型与真实环境进行融合，为智能建模方法提供直观的场景模拟和数据展示，从而更好地反映环保系统的实时状态和历史趋势；在智能控制方面，工业元宇宙使用户可以通过手势、语音等方式，对数字孪生体进行控制和调整，并通过增强现实技术，精准反映执行控制操作后数字孪生体与实际控制需求的匹配程度，为智能控制方法提供直观的反馈效果，从而指导智能控制精度进一步提高；在智能优化方面，工业元宇宙使用户可以在不同的视角和尺度下，观察数字孪生体的运行状况及其与真实环境的差异，为智能优化方法提供多维度、全方位的数据支持和决策依据，从而提高过程优化效果。

综上所述，“工业互联网”“工业元宇宙”等主题是未来环保自动化发展的重要趋势，同时，也需要注意这些技术的挑战和风险，如数据安全、隐私保护、技术标准、法律规制等，以确保环保自动化行业的高质量发展。

本章负责人　　乔俊飞　北京工业大学

参加编写人员　李文静　杨翠丽　蒙　西　郭　楠

第9章 纺织自动化

9.1 纺织智能检测

9.1.1 纺织智能传感器与控制单元

9.1.1.1 纺织智能传感器与控制单元概述

纺织基传感器是通过敏感元件（导电传感材料）感受被测量并转换成直接可测量的电信号的智能化纺织品。纺织基材既是承受外界刺激的受体，又是对外界刺激感知的载体，它的选取对柔性传感器的传感性能有至关重要的作用，例如选择与皮肤贴合性良好的纺织材料，需要纺织材料具有导电性及变形恢复能力，当纺织材料受到外力作用时产生形变，从而有效地检测和感知应变、触觉和压力的变化，并将它们转换成电信号。因此，导电性是纺织基传感器获得优异性能的必要前提条件。

传感器的控制单元是传感器的重要组成部分，它主要负责控制传感器的运行，并对传感器采集的数据进行处理。控制单元通常由微处理器、存储器、输入/输出接口等组成。微处理器是控制单元的核心部件，它能够处理和存储来自传感器的数据，并根据预设的程序对数据进行处理和控制。存储器用于存储程序和数据，它可以是内置的或外部的。输入/输出接口用于连接传感器和其他设备，例如计算机或显示器。通过输入接口，控制单元可以接收来自传感器的数据，通过输出接口，控制单元可以将数据传输到其他设备或进行显示。此外，控制单元还可以包括一些其他的辅助功能，例如电源管理、故障诊断等。电源管理用于确保传感器的正常供电，故障诊断则用于检测和解决传感器可能出现的问题。总之，传感器的控制单元是传感器的重要组成部分，它通过对传感器数据的处理和控制，实现了对传感器运行的有效管理。

9.1.1.2 纺织基智能传感器发展现状

先进的纺织技术制造了各种类型的纤维、纱线以及织物等。从纺织基材的角度，纺织基智能传感器可以分为一维线性纺织传感器和二维平面织物传感器。

（1）一维线性纺织传感器

一维线性纺织传感器包括长丝纤维、纱线、绳索，它们细而长，可以被弯曲、扭转，具有一定的可实现变形能力、灵活的外观设计，易于嵌入，结构简单，应用相对更加普及。

① 天然导电纤维。天然导电纤维包括金属纤维和碳纤维。常规的不锈钢纤维、铜纤维、铝纤维、钛纤维等是通过对金属进行直接拉丝制造而成的。这些纤维具有很多优点，如导电性极好、强度高、防辐射、耐腐蚀等，但很难纺纱，因为纤维刚度大，纤维间的联系力很弱，同时，可穿戴性差，易刺伤人体皮肤，所以金属纤维在柔性传感器中应用受到很大限制。

碳纤维的导电率与金属纤维接近，适合用于高温、高力学性能、刚性大的条件下，不适合用于常规服用产品的柔性传感器。把氧化锌薄膜包覆在碳纤维表面，然后制成应变传感器，当受外力作用时，氧化锌和碳纤维接触面积发生变化，从而引起电流发生变化。

② 纺丝法制备导电传感器件。一般纺丝方法有两种：一种是直接将导电材料进行纺丝；另一种是将一定量的导电物质添加或填充到高分子材料中，制得导电纤维。后一种方法更为常用。导电物质有导电高分子材料以及纳米导电材料，如聚吡咯、石墨烯、碳纳米管、炭黑、MXene等，其中，纳米导电材料是近些年来研究的焦点。它们拥有优异的柔韧性、机械强度和导电性，具有低维性和大比表面积，在传感器领域中有着很大的应用潜力。

具有多孔的石墨烯纤维长丝，由其制备一种可以识别脉搏跳动和眼球转动的柔性传感器，测试者佩戴感觉舒适性很好。将石墨烯与其他纳米材料复合成纤维，制备成应变传感器，两种纳米材料的协同作用增强了传感器的性能。经测试，该应变传感器拉伸变形表现出极高灵敏度，信号响应快速，重现性高。

③ 碳化法制备导电传感器件。碳化指的是在隔绝氧气的环境下材料被加热至高温，从而成为碳材料。纤维、纱线、织物都可以是碳化材料。碳化处理的材料由原来的不导电变为可导电。此方法工艺过程简单、环保，如利用碳化方法处理棉纤维制备应变传感器，因为棉纤维易获取，所以制备传感器成本低，经过测试，该传感器可以在较广的变形范围中应用，灵敏度高，可检测微小应变。对蚕丝进行碳化，碳化过程简便，然后将碳化后的蚕丝纤维加工成织物，制造可穿戴的传感器，该应变传感器响应快、性能稳定、耐久性好，能够对人体的细微活动进行检测。

④ 包缠法制备导电传感器件。导电包缠纱线常以弹性纤维为芯纱，外包导电纤维，这样纱线具有两种纤维的性能。利用芯纱的优异弹性，可实现在拉伸条件下传感器的传感性能稳定。相对来说，此工艺简单、易操作。很多研究者采用包缠纱制备柔性传感器，如以橡胶纤维为芯层，外包层为螺旋状的银纳米线制备了皮芯型的导电纱线，在反复拉伸测试中表现出优良的传感性能。

⑤ 后处理法制备导电传感器件。研究者将金属粉末、其他导电性材料通过物理或化学方法沉积在多孔纤维表面制备具导电性的纤维。常见的制备方法有喷涂法、浸渍法等，这类纱线传感器的制备过程比较简单。在预拉伸的聚氨酯纤维表面涂覆银纳米线油墨，从而在纤维的表面形成褶皱的微观结构形态，可利用该纤维制成柔性压电传感器。该传感器因褶皱的纤维表面，灵敏度得到显著提高，适合制备可穿戴设备和智能织物。

⑥ 编织法制备导电传感器件。编织是利用细而长的纱线进行相互交错或钩串，形成条状或者块状纺织品。研究者将纱线编织成一体成型结构的绳索，经过结构设计沿着圆周方向上的纱线交叉点可以导电，使导电点增多，即便高形变下其传感性能也很稳定。如采用单编链方法制作绳索柔性传感器，相互串套的线圈，增加了纱线间的接触点，增加导电通路而呈网格状，传感性能得以提高。在高弹的氨纶纱表面编织涤纶复丝形成绳索，然后对绳索进行导电处理，制备成柔性应变传感器。

（2）二维平面织物传感器

织物传感器具有柔韧性、反复拉伸变形能力，可与皮肤大面积接触，因此，具有导电能力的织物在柔性传感器领域应用有广阔的发展前景。

① 织造法制备导电传感器件。将导电纤维或导电纱线等通过机织、针织、刺绣等方法织入或嵌入织物中，使其具有良好的导电性。

a. 织物显示传感器。复旦大学彭慧胜团队通过熔融纺丝离子液体掺杂的聚氨酯凝胶制备了导电纬纱纤维，其透射率超过90%，并通过在镀银导电纱上涂覆商用ZnS磷光体制备了发光经纱纤维，这种基于溶液的涂层是获得连续长度发光经纱纤维的简单方法。为了确保ZnS的涂层均匀，将导电纱浸涂在ZnS磷光体浆料中，并在干燥前通过自制的刮削微型针孔“刮一下”，这样就能剥离不均匀的涂层，而采用不同直径的微针孔，就能调节ZnS磷光体粉层的厚度，可谓简便又实用，在这项实验中，研究人员选择使用了大约70μm的优化厚度。在织布环节，在工业织机上编织导电纬纱和发光经纱时，每个交织的纬纱和经纱能形成一个EL（电致发光）单元，其他合成纤维材料，如尼龙和聚酯纤维，也可以与导电纬纱和发光经纱纤维共织，用于各种用途。最终制造出了一块6m×25cm（长×宽）的大面积显示织物，包含大约50万个（5×10^5）EL单元。其中，600个EL单元的发光强度的相对偏差变化小于8%，如此微小的强度差异表明，这些纤维非常适合规模化制造大面积显示纺织品。另外，该团队还研制出面向应用的纤维电子器件及纤维电池。

b. 织物应变传感器。利用碳化的聚丙烯腈纳米纤维纱制成纬编针织物应变传感器，传感器的传感性能优异、灵敏度高、稳定性好。

② 负载处理法制备导电传感器件。涂层、浸渍、印刷等方式复合到织物的表面制备导电织物。织物导电负载的一些方法也适用于处理纱线。该类织物的导电材料因在织物的外表面，能更灵敏地检测外界压力的变化。

a. 涂层法制备导电传感器件。涂层法是将导电传感材料通过物理或化学方法与纺织品进行结合，在纺织品表面形成一层导电膜。涂层方法适用于大多数织物，操作简便，适合大批量生产，成本低，例如将聚苯胺涂在尼龙/莱卡织物表面，制备检测肘部、膝盖处弯曲运动的电阻传感器。

b. 浸渍法制备导电传感器件。浸渍法不需要复杂的设备，简便易行，但在织物表面为了获得足够多的负载量，一般需要多次浸渍-干燥的过程，比较耗费时间，导电层的均匀性不易掌控，例如对聚酯织物用等离子技术预处理后，放入氧化石墨烯分散溶液中浸渍，再进行还原处理，建立了多层导电通路，可检测关节部位的活动、呼吸、声带等变化。

c. 喷涂法制备导电传感材料。喷涂法设备及操作均较简单，涂层较均匀、高效，但是喷涂液体耗费量大，易分散在空气中，造成环境污染，例如制备灵敏度高的应变织物传感器，通过自旋涂覆方式将石墨烯纳米片、聚苯胺和少量硅橡胶与莱卡弹性织物结合，该织物传感器可检测手指的弯曲度。

d. 化学聚合法制备导电传感器件。化学聚合法包括气相沉积、原位聚合等，只需要一步即可在织物表面涂覆导电材料。气相沉积法涂层均匀性好，但设备复杂，此法制备导电传感材料工艺过程复杂，难以实现规模化生产。原位聚合法简单、高效，但涂层均匀性不易控制。

e. 印刷法制备导电传感器件。印刷法是将不同形状、大小的导电线路或图案直接印刷在织物上，具有高效、成本低廉、制造过程简单、适应性好的优势，但是适合印刷用的墨水种类选择较少。

9.1.2 智能检测与分析器件

9.1.2.1 纺织品智能检测与分析器件概述

纺织智能检测是利用人工智能技术对纺织品进行检测的技术。它可以分为广义和狭义两种：狭义的纺织智能检测技术是指利用人工智能技术对纺织品物理性质、化学性质以及生产工艺等方面进行检测，以实现对纺织品的质量控制和生产工艺的优化；广义的纺织智能检测技术则是指利用人工智能技术对纺织生产过程进行全面监控和管理，包括对纺织原料的质量检测、生产工艺的优化、生产过程的监控和管理以及产品的质量检测等方面。纺织智能检测技术的主要优势在于可以提高检测精度和效率，同时可以降低检测成本和人力成本，提高企业的生产效益和市场竞争力。目前，纺织智能检测技术已经广泛应用于纺织生产领域，包括棉纺、毛纺、丝绸等领域。其中，基于机器视觉的纺织智能检测技术是应用最广泛的一种，它可以通过对纺织品的图像进行采集和处理，实现对纺织品的自动检测。

现阶段，智能检测技术在纺织品检测领域正在逐渐取代传统的人工检测方法与自动检测方法，纺织品检测主观性过强问题得到有效解决，确保检测结果不会受到人为主观因素的影响。与此同时，智能检测技术在实际应用期间也遇到一些问题，这些问题限制了检测效率及精度的提升。典型问题包括算法复杂、部分检测缺乏针对性等。为克服纺织品智能检测的缺陷不足，需要重点推动智能检测技术向算法优化、深度学习、大数据化三方面发展。其中，在算法优化发展方面，智能检测系统中灵活应用了遗传算法、差分进化算法、粒子群算法、免疫算法等新型智能算法，配合神经网络算法，并行处理检测数据，有利于提高纺织品检测过程的速度。在深度学习发展方面，向纤维含量检测、验布、横截面检测等卷积神经网络模型中导入各类数据样本，由系统对同类样本进行自学习训练，形成面向各类纺织品检测项目的正确深度神经网络系统，起到提高检测准确性和检测效率的作用，并具有出色的可扩展性。在大数据化发展方面，考虑到人工智能检测系统在运行期间需要采集、处理庞大数据量，导致检测效率降低，因而需要应用到大数据技术，由大数据平台负责完成计算任务。

智能分析器件是一种用于智能检测系统的分析工具，它能够对输入的信号或数据进行实时分析，并根据预设的算法和规则，对分析结果进行判断和决策，以实现自动化检测和控制。智能分析器件通常由多个不同的功能模块组成，包括信号处理模块、特征提取模块、分类器模块等。这些模块协同工作，能够实现对输入信号或数据的全面分析。信号处理模块是智能检测系统分析器件的基础，它负责对输入的信号进行预处理，包括降噪、滤波、放大等操作，以提取出有用的信号信息。特征提取模块负责对信号进行特征提取，它通过对信号的时域、频域、时频域等不同方面的特征进行分析，提取出与检测目标相关的特征信息。分类器模块则是根据预设的分类算法和规则，将提取出的特征信息进行分类和判断，以实现对检测目标的自动化识别和分类。

此外，智能检测系统分析器件还可以包括其他的功能模块，例如数据融合模块、决策模块等。数据融合模块能够对多个不同来源的数据进行融合处理，以提高数据的准确性和可靠性。决策模块则根据分析结果进行决策和输出，以实现对检测目标的自动化控制。

9.1.2.2 纺织智能检测与分析器件发展现状

（1）智能验布

智能验布系统（如图3-9-1所示）主要负责完成纺织品色差、表面疵点等检测项目，纺织企业可选择配置卷布机，搭载摄像头拍摄样本图像，对图像进行预处理后提取特征值，在其基础上判断是否存在疵点、疵点形态超标，在形态不超标时继续开展生产活动，由系统自动记录疵点位置，而在疵点形态超标或是频繁出现疵点问题时，则停止织造生产活动，通过检查工艺、改进工艺，预防同类质量问题的反复出现。

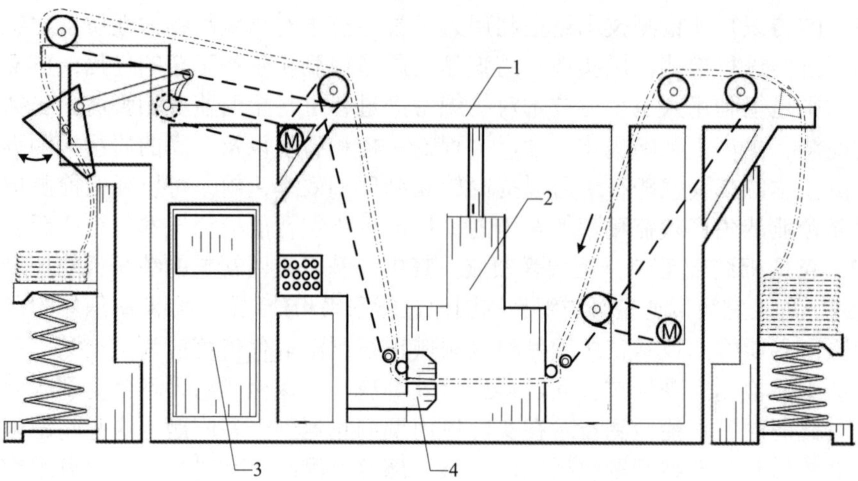

图 3-9-1　智能验布系统硬件架构设计纵向示意图

1—布料自动化传送系统架构；2—织物图像获取光源、CCD组件箱；3—疵点检测和识别处理系统集成柜；4—打标记器件

根据实际应用情况，传统人工验布技术的作业效率较低，单个验布工在1h内最多发现200处疵点，验布速度仅为5～20m/min，且持续验布30min后出现注意力下降、视觉疲劳问题，时常出现漏检现象。AI验布机具备布匹分等、疵点打标签、记忆存储等多项功能，一般情况下，其验布速度保持在120m/min，基本不会出现漏检问题。

智能验布分析模块依据提取的疵点组合特征和分类器对织物疵点自动分类识别，主要从三个方面进行讨论：首先，组合特征集的提取，几何特征参数被定义，并基于疵点二值图像统计出疵点的几何形状特征参数，用于描述织物疵点的六个几何特征（纬长、经长、纬经长度比、周长、面积和圆度）；同时，纹理特征参数也被定义，基于疵点能量纹理图像计算出疵点的能量纹理特征参数，用于描述织物疵点的三个纹理特征（粗糙度、对比度和方向度），把六个几何特征参数和三个纹理特征参数提取过程合并起来，组建获取九个特征的组合特征提取器，使提取的组合特征能定量描述疵点表面特征的差异，这些参数被用作优化的分类器的输入，以便识别出符合织物中国国家标准（GB/T 22851—2009）规定的疵点类别（断经、筘路、断纬、稀密路、破洞和污渍）；其次，疵点图像分类采用径向基核SVM分类器来实现，并对通用的SVM（支持向量机）分类模型进行优化，使其更加适合色织物疵点的分类。对分类器的两个主要参数通过网格搜索的方法进行最优化选择，以便在应用中能取得最高的分类准确率。当组合特征集被用作SVM分类器的输入时，留一法交叉验证方案被用来防止有偏的分类。用白坯布和色织物180幅疵点图像进行测试，实验表明，这些多种类样品中超过91%的疵点能被正确分类识别。与获得89.4%平均分类准确率的BP（反向传播算法）神经网络分类方案相比，新的分类算法更加鲁棒和有效。

（2）智能检测纤维种类含量

现代纺织产品普遍由多种类纤维所织成，传统检测方法由检测人员使用电子显微镜来鉴别纤维种类，根据种类鉴别结果来使用相应化学试剂，通过拆分或溶解方式来测定各类纤维组分含量。根据实际检测情况来看，人工检测方法的精确度较差，需要同时设立3组及以上的纺织品样本，重复开展检测操作，将各组试样检测平均值作为最终的检测结果，整体操作流程较为复杂。为简化纤维含量项目的操作流程，需要应用智能技术来完成纤维含量检测工作，配置智能毛绒仪、智能棉麻仪等设备，通过计算机视觉方式，拍摄高清晰度混纺纤维图像，从中提取多项特征值，将特征值导入智能算法中进行计算，根据计算结果来描述羊绒、羊毛、棉纤维、麻纤维等多种纤维的组分含量。

在检测纺织品中棉纤维与麻纤维含量时，纺织企业可选择配置智能棉麻仪设备，提前在系统中设定两种纤维的特征值。麻纤维具备轮廓硬朗特征，棉纤维具备天然转曲特征，由智能棉麻仪提取特征值进行对比，可以在10min内获取准确的纤维含量检测结果。

（3）智能检验纤维横截面积

在纺织品横截面检测项目中，传统检测方法是由检测人员使用显微镜设备来观察纤维横截面分布情况，在A4纸上手工绘制纤维横截面轮廓图，确定轮廓图比例，按照比例来计算纺织品纤维横截面积。这一方法存在计算流程烦琐、精确度低下的局限性，而且检测人员的专业素养决定着纺织品检测质量。相比之下，人工智能检测技术通过配置智能横截面仪，由显微镜设备获取纺织品纤维横截面轮廓信息，拍摄纤维横截面图像，再将图像导入系统后台，执行预分类、数据统计、边缘绘制等操作，在短时间内生成精准度极高的纤维横截面轮廓，在其基础上计算纤维横截面积。

（4）智能纺织品菌落计数

在纺织品菌落计数项目中，配置智能菌落计数仪，该款仪器由计数器、计数池、CMOS（互补金属氧化物半导体）摄像头、探笔等组成。由摄像头拍摄培养皿菌落图像，将图像导入成像分析软件中，执行图像调节、图像增强、文字图形嵌入、直径分类统计与颜色分类统计等操作，再由软件将计算结果导入Excel当中，准确描述纺织品菌落直径、面积、形态等信息，完成纺织品菌落计数检测任务。以广州冠图视觉科技公司推出的全自动菌落计数仪为例，根据实际使用情况，一般采用成像分析法实现自动计数，能确保在0.5s内获得菌落图像。分析器件能够自动校正背景、将严重粘连在一起的团状、链状分布菌落自动分割开来，能自动识别菌落计数分类以及对抗生素效价分析、药敏分析功能等。

（5）智能检测纤维细度

在纺织品纤维细度检测项目中配置自动化细度仪，该设备将采取称重法、图像法、光学测量法、气流法等多种方法，借助显微镜设备与视觉技术，快速测量纺织品样品中单根纤维的长度、粗细均匀度和直径等参数，将各根纤维的平均值作为最终细度检测结果，检测效率与精确度明显超过人工目测方法。其中：称重法是对单根纤维长度与重量进行称重测量；图像法是使用较高智能化水平的激光纤维细度仪、振动纤维细度仪等设备，通过拍摄图像、提取特征值来测量纤维细度；光学测量法是在光学投影条件下直接测量纤维直径来获取细度值；气流法是向纺织样品吹入空气，观察纤维在气流通过时的阻力情况，进而推算纤维细度及比表面积。

（6）智能异味评级

相比于纤维含量检测、纤维种类鉴别等检测项目，异味评级检测有着主观性强的特征，自动检测技术无法用于异味评级项目中，需要由检测人员凭借自身嗅觉来检查纺织品是否散发芳香烃、高沸程石油、霉味、鱼腥味等异味，检测效率低下，常出现误检问题。智能检测与分析器件要求配置电子鼻嗅辨仪设备，主要由取样操作器、气体传感器阵列、信号处理模块三部分组成，取样操作器负责从纺织品样品上采集气体试样，再由气体传感器阵列检测气体样品并获取数字信号，最后由信号处理模块使用神经网络和辨别函数分析算法，将数字信号转换为可识别的异味评级检测结果。

根据实际应用情况来看，智能异味评级技术优势体现在检测效率、检测范围两方面。其中，在检测效率方面，使用电子鼻嗅辨仪设备，可以迅速获取检测结果，并自动脱除传感器上附着分子，进入下一检测环节，一般情况下，纺织品异味评级单次检测时间不超过60s。在检测范围方面，搭配使用气质联用仪、吸附浓缩装置等仪器设备，将鱼腥味、香水味、芳香烃等多种异味纳入检测范围。

（7）智能检测pH值

在纺织品pH值测试项目中，使用平头电极pH传感智能设备，此类设备具备自动校准、自动识别及自动读数等多项功能。检测人员仅需提前将纺织试样在水中浸泡湿润，再将纺织品与电极头进行接触，即可在短时间内获取pH值测试结果，且检测精确度较高。

9.2 纺织智能装备与车间自动化

9.2.1 化学纤维智能产线和自动化生产车间

9.2.1.1 我国化纤行业智能制造是发展的必然选择

化学纤维是纺织业重要的纤维原材料，涤纶是产量最高的化学纤维，产量占比超过80%。中国是全球化纤最大生产国，根据中国化纤协会统计，2022年我国化学纤维总产量6488万吨，占我国纤维加工总量的85%以上，占世界化纤总产量的70%以上。作为纺织工业的源头和新材料产业重要组成部分，我国化纤工业是国际竞争优势产业，是化纤设备的重要制造国，也是我国纺织产业链稳定发展和持续创新的核心支撑。

传统化纤行业是典型的劳动密集型产业。化纤生产流程长，产品品质一致性要求高，传统作业模式主要依靠人工，特别是在涤纶长丝生产车间，主要的生产工艺是不同卷绕头按照生产计划进行不同品种卷装的成型，卷绕机完成卷装卷绕成型后，由人工进行落丝作业并按批号分类存储或装车送出车间。前纺车间是涤纶长丝生产作业中工人劳动强度大、用工最多、产品损耗最大、作业环境最差的车间之一。传统作业模式下，除卷绕成型由卷绕头自动完成以外，其余作业包括生产任务下达、产品质量管理、产品信息管理、落丝作业、物流作业全部由人工完成。

近年来，随着人口红利的逐渐消失，招工难、用工贵成为困扰化纤企业的难题。此外，由于工人素质及责任心参差不齐问题，人工搬运和码垛会造成部分丝饼损坏，人工按级分拣漏误也会造成潜在质量损耗。

劳动力缺乏、信息不通畅、生产过程难以协调、效率低下、损耗大、管理分散等问题成为化纤行业高质量发展的瓶颈，而随着市场需求的不断增长，传统化纤企业面临着提高产能的迫切需求，降本增效尤其重要。适应大数据、云计算、人工智能、机器视觉等新技术蓬勃发展趋势，依托相关软硬件技术、装备制造等基础工业的技术进步，智能制造实乃破解以上难题的最有效方法之一，制造装备智能化、生产车间自动化改造成为化纤行业发展的当务之急。

另外，化纤生产装备机台尺寸、设备功能和控制端口等硬软件的标准化特点使整个行业具有自动控制技术应用基础好、产品标准化程度高等优势，且单个化纤企业生产规模较大，非常利于推进智能制造。

综上所述，启动化纤生产车间的“机器换人”工程，推进产业“智能转型”，是突破产业“发展极限”、提升企业自身竞争力、推进企业创新发展的必然选择之一。

9.2.1.2 国家及产业政策支持我国化纤行业智能化发展

2022年4月21日，工业和信息化部、国家发展改革委联合发布了《化纤工业高质量发展的指导意见》，提出：到2025年，全面建设化纤强国，构建高端化、智能化、绿色化现代产业体系，数字化转型取得明显成效，企业经营管理数字化普及率达80%，关键工序数控化率达80%；加强智能装备研发应用，推进大集成、低能耗智能物流、自动落筒、自动包装等装备研发及应用；加快涤纶加弹设备自动生头装置及在线质量监测系统的研发及应用，提高涤纶、氨纶、锦纶的纺丝、卷绕装备智能化水平；推动新兴数字技术在化纤企业的应用，提升企业研发设计、生产制造、仓储物流等产业链各环节数字化水平；鼓励重点企业打造主数据、实时数据、应用程序、标识解析、管理信息系统、商务智能一体化集成的工业互联网平台，推动产业链上下游企业通过工业互联网平台实现资源数据共享，加强供需对接，促进全产业链协同开发和协同应用。

同时，行业协会充分发挥行业组织引领作用，在化纤智能制造方面及时积极推进标准编制工作。自2021年1月25日起，中国纺织工业联合会相继发布了《聚酯长丝智能车间》（T/CNTAC 73）体系架构、数据规范、制造执行系统功能要求、车间物流要求、系统集成规范等5项团体标准。团体标准的推广实施丰富了聚酯长丝智能制造评价体系，为广大涤纶制造企业开展智能化改造和数字化转型提供了参考和示范。

日前，全国纺织机械与附件标准化技术委员会和中国纺织机械协会等单位参与起草了国家标准《纺织装备互联互通与互操作　第3部分：化纤》（征求意见稿，计划号：20221693-T-608），标准主要规定了化纤装备互联互通与互操作的架构、基本要求、信息模型、数据字典和测试与评价，明确了通信接口、通信协议、网络、信息安全、软件系统、信息集成编码等层面的要求。在聚合、纺丝、加弹、自动落筒、自动包装设备等全流程联网和集中控制系统建设以及化纤设备的选择方面，为企业提供指导和依据。

9.2.1.3 我国化纤行业智能制造取得的成效

基于以上原因，以及《新一代人工智能发展规划》等纲领性文件和计划的指引推动，我国化纤产业在新一代纤维智能制造基础和支撑技术、纤维智能制造新模式技术、化纤装备的智能化发展等方面实现全面突破，并取得初步成效。

（1）化纤设备互联互通初具条件

从自动化设备经过数字化及信息化向智能化迈进是化纤行业智能制造的可行途径，我国化纤设备控制端口标准化使得化纤设备具备高速化通信网络技术数据接口能力，能够满足互联互通技术要求和工业互联网传输条件，为行业转向智能化、自动化提供了信息交换基础。我国化纤生产较大规模及以上企业也积极探索大数据、企业资源计划（ERP）、互联网+、云平台、物联网等先进技术和理念，推进信息技术在化纤行业设计、生产、营销、物流等环节深入应用，初步实现物流信息的全面采集和数据分析以及化纤装备之间、装备与辅助系统之间、装备与制造系统之间的信息整合与共享，为建立化纤企业生产决策、质量管控和全流程追溯的智能生产车间和工厂打下基础。如新凤鸣集团搭建化纤产业5G+工业互联网平台“凤平台”和盛虹集团开发的“虹云”智慧管理平台等，均实现了内外部的互联互通，为提升行业智能制造整体水平提供了有力的技术支撑。

（2）示范引领带动智能制造水平提升

为提高化纤行业整体的竞争力和创新能力，推动可持续发展，工信部组织开展了智能制造试点示范专项行动，福建百宏聚纤科技实业有限公司的涤纶长丝熔体直纺智能制造数字化车间、江苏国望高科纤维有限公司生物基纤维智能制造试点示范项目等被评为工信部智能制造示范项目，另外6家化纤企业项目被评为智能制造综合标准化与新模式应用项目，涵盖聚酯涤纶、锦纶、氨纶、聚对苯二甲酸丙二醇酯（PTT）纤维、新溶剂法纤维素纤维和碳纤维等领域。这些带有企业特色的自动化装置、信息化集成应用及智能制造模式的建设及应用，在化纤生产行业内形成了很好的示范效应。在此行动带动下，加上系列标准的示范引领，伴随着化纤装备制造企业“智改数转”的推进，整个化纤行业正逐渐向着数字化、智能化升级，自动化车间建设进展顺利，已从骨干企业深入到中小规模企业。目前，新增产能或更新换代产线已基本实现智能化，整个行业的自动化、数字化、智能化水平均有相当程度提升。

（3）智能化装备和工艺取得新突破

“十三五”期间，我国化纤机械领域以电子信息技术为主导，以新材料和高精度自动化机械加工技术为基础，大量引入数控新技术，使国产化纤装备在自动化、智能化方面与国外先进水平的差距不断缩小，如在智能落筒系统、智能铲板系统、智能喷丝板检测和组件组装系统、基于机器视觉技术的卷状外观在线智能检测及管理系统、智能包装系统、智能自动化立体仓库、输送系统均取得了一定突破，并在行业龙头企业得到应用，节约了大量人力，缓解了劳动力成本上涨带来的压力，大大提高生产效率。

值得一提的是，智能立体仓库已在我国化纤行业规模化企业广泛建设。智能仓储系统之间的效率匹配是立体仓库达到实际使用需求的关键，化纤卷装也需要兼容匹配的特殊载具和智能设备，我国新开发的智能仓储系统很好地解决了这些问题。智能化系统由高度达到二三十米的高位立体货架、非标异形托盘、巷道堆垛机、出入库输送系统、信息识别系统、自动控制系统、计算机监控系统、计算机管理系统以及接口系统、电控系统等辅助设备组成。采用创新的集成化物流理念设计，通过先进的控制、总线、通信和信息技术应用，协调各类设备动作实现自动出入库作业。三维可视化中央控制系统实现对库内物流设备和信息数据的监控、管理及维护。智能仓储系统的使用大大提高了仓库单位面积的仓储能力和空间利用率，提升企业仓库的运营效率，降低人工作业强度。

在智能装备的支持下，化纤工业也加强了智能工艺的研发，建立了从原料输入、聚合反应、熔体输送、纺丝全流程数字化仿真系统，主要包括聚合过程数字化与精准控制、熔体输送过程数字化与工艺优化以及全过程信息互联互通，实现了工艺可视化与优化，产品质量得到有效提升。

还有和物联网进行结合的化纤工业自动化，开发了集在线监控、在线分析、在线开发，品种切换、专家系统等多功能于一体的全流程优化平台，建立全流程高效制备体系，实现小批量、多品种的柔性化定制，大大缩短产品开发周期，降低单位时间内的成本，从而增大盈利空间。

9.2.1.4 我国化纤生产自动化工厂案例

（1）中国化纤行业首座5G智能化工厂——福建百宏集团涤纶工业丝车间

中国化纤行业首座5G智能化工厂——福建百宏集团涤纶工业丝车间于2020年7月投入运行，包括16条纺丝装置、16条自动化落筒设备、10台智能转运车、3条自动化包装线和一座智能立体库，设计产能25万吨/年。从自动导引车自动落筒到移动机器人运输丝饼再到在线检测、自动包装、自动进库、出库等全部实行自动化无人操作，完全实现从硬件到软件的可视立体化生产和监控。纺丝、卷绕完成后，设备自动发出信息，接到信息的自动化落筒机到达指定纺位，接收丝锭并暂存在丝箱，当暂存丝箱满载后，智能运转车按预设路线将成品丝运送到自动化包装线上，最后通过提升机、智能分配车输送至成品智能立体库，完成整套生产、入库流程。每一个丝锭都有一个独立的身份标识，可动态追踪到前道工序的每个生产环节，大幅度提升产品质量，还便于新产品开发。和传统生产线相比，在用工成本和生产管理上具有明显的优势。

（2）聚酰胺6纤维智能化工厂——景丰科技锦纶智能化车间生产线

聚酰胺（俗称锦纶、尼龙）是耐磨性最高的纤维，是纺织领域仅次于涤纶的第二大化学纤维。其中，锦纶6占据锦纶市场85%份额。传统锦纶行业属劳动密集型产业，人均生产效率不及涤纶行业的1/3，随着产能扩张，市场竞争不断加剧，对生产线自动化和智能化程度的要求越来越高，行业大力推进锦纶6纤维生产线智能制造转型升级。

福建永荣控股集团旗下的景丰科技建成了国内锦纶行业第一条符合工业4.0标准的智能自动化生产线，也是全球单体面积最大、最先进的智能化锦纶生产线，景丰科技因此成为锦纶行业内自动化程度最高、最节能、最环保的生产企业。生产线通过智能投料、纺丝、运输、包装、仓储等系统组合，产品实现了从订单开始到原材料调配、生产、检验、包装、入库的全流程智能化管理。年产20万吨锦纶的生产规模，每年可节约人工成本约4500万元，还大大提高了生产效率。

（3）高品质氨纶纤维智能化产线

高品质氨纶纤维是近年快速发展的一种高弹性纤维。我国高端氨纶纺丝设备一向依赖国外进口。为打破国外技术垄断，解决行业痛点，我国自主研发系列“智能化氨纶纺丝成套设备”并成功实现产业化。智能化氨纶纺丝成套设备技术涵盖机械和气动控制技术、传感器控制技术、变频控制技术、PLC控制技术、上位计算机监控、三维仿真及优化等多项尖端技术，并首创双层立体化结构和独特的隔振设计，使其卷绕速度可达1300m/min，实现了氨纶丝高效与精密卷绕下的高速纺丝，研制的多循环槽辊机构保证卷绕机长期运行的可靠性，采用双层模块化组合设计的智能化技术可适应细旦、差别化、高品质氨纶丝等满足不同市场需求的纤维产品的自动卷绕。智能化成套装置拥有24饼、双层40饼、双层48饼及大丝饼等智能化卷绕机型号，主要用于纺丝和后处理工段，包括原液过滤、计量、喷丝、热风吹干、加捻、上油、卷绕成形等工序，能够实现氨纶纤维无人或少人值守的智能化生产，可用于生产不同规格符合机织、经编、圆编、卫材要求的氨纶丝卷装，卷装的丝饼成型好，且退绕张力稳定，并赋予氨纶长丝天然纤维状的卷曲性能，增加氨纶长丝纺纱时的抱合力，改善其纺纱性能。真正实现氨纶纤维工业高品质、智能化、绿色化生产。

“十四五”我国化纤行业更加注重生产线的自动化、数字化、智能化，进一步提高生产效率和产品质量。未来，我国化纤行业的智能制造应加强化纤产业链数字技术应用基础研究，加大智能装备研发及应用，提升智能制造关键技术及软件水平。在重视数据安全的基础上，进一步推动设备互联互通和生产环节数字化连接，加强数字化网络智能化示范工厂的建设，提高企业智能化服务水平构建化纤行业智能制造标准体系。

9.2.2 纺纱智能装备和自动化生产车间

9.2.2.1 精梳自动运输、自动上卷及自动接头

精梳机是纺纱过程中精梳工序所用的关键设备，精梳是纱线产品高档化的重要手段之

一，是纺织品向高档化、高附加值和深加工方向发展的手段。近年来，自动化、智能化技术的发展，使精梳工序全自动化操作、故障远程诊断成为可能，设备具有了更好的人机交互可操作性。先进精梳设备在注重高速度、高产量的同时，更注重高效率、自动化，即自动运输系统和自动生头换卷系统，该技术充分体现在瑞士立达SERVOlap E26/E36条并卷机、E86/E90精梳机的全自动棉卷运输和棉卷运输小车及自动生头系统上。国产精梳机自动运输系统和自动生头换卷系统也在不断完善并推向市场，如经纬智能纺织机械有限公司的JWF1286型全自动智能精梳机、江苏凯宫机械股份有限公司JSFA2188型精梳机、JSFA016型智能棉卷运输系统，等等，实现了自动化、连续化、高速化、智能化以及无人操作化的智能生产，为纺织企业的智能、高速、省工、节能、节约原料和功能化升级改造需求提供了设备技术支持。

（1）棉卷运输系统

JWF1286型全自动智能精梳机在生产系统中，根据国内棉纺生产企业布局要求，配置两种棉卷运输方案，即棉卷智能物流系统和半自动棉卷运输。

棉卷智能物流系统包含桁架部件、提升部件、行走部件、机械手部件、水平运输框架部件、棉卷水平运输部件、筒管运输部件、气动执行部件等，此外，控制检测部分由电气和气动部件组成，实现了最多4台条并卷机与24台精梳机间的智能化、自动化运输。在条并卷机输出端与棉卷水平运输机构连接，以8个棉卷为一组合，通过水平运输机构连续自动运输到精梳机的区域，由桁架提升和行走装置根据精梳机的棉卷使用需求信号，运送8个棉卷到所需的精梳机棉卷备卷架上备用，同时将空管运送至精梳机的区域空管存储平台，通过水平运输机构输送到条并卷机输出端，根据条并卷机的需求自动将空管喂入条并卷机，完成条并卷机-运输系统-精梳机的连续化循环生产。同时，在条并卷机输出端可配各种棉卷回转台，提高精梳工序车间布局的灵活性，以节省空间方式布置机器，满足不同客户端的需求。

为满足不同客户群体，全自动智能精梳机可配半自动棉卷运输系统，同时运输4个棉卷和4个筒管，棉卷由条并卷机自动放置在上面，通过人工的方式移动和定位在精梳机备卷位置，精梳机的棉卷使用完毕，空管自动落回，棉卷自动移动到精梳机上。通过精梳机的自动退管系统、自动换卷系统、自动接头系统，完成退管、换卷、接头，同时实现精梳机自动启动开车。

（2）棉卷自动换卷系统

在精梳机的中段设置了棉卷自动换卷系统，包含筒管剩余尾卷清理系统、筒管拉管系统、棉卷翻卷系统，实现精梳机上空筒管拉取和棉卷喂入智能化。空管拉取机构主要由气缸带动拉管机构完成压管和拉管动作。

当检测到棉卷即将用完的信号，接头罗拉和加压皮辊开始工作，拉筒管气缸向前翻转，将筒管压紧，承卷罗拉通过伺服电机驱动下旋转拉断棉网，实现棉网留头技术。吸棉嘴风管插板打开，开始吸剩余棉网，待所有剩余棉网退绕完成，检测到信号后拉筒管机构后摆将空筒管拉回到筒管架，实现了空筒管的自动回位。当检测到承卷罗拉上的筒管退到空管架上后，承卷架在气缸作用下自动翻转，将备用的八个棉卷放到承卷罗拉上，待自动接头系统启动，实现无人操作自动换卷技术，减少用工。

（3）棉卷自动接头系统

棉卷自动接头系统是将精梳机上新、旧棉卷进行智能优化搭接，同时将搭接好的棉网顺利喂入到钳板组件的给棉罗拉钳口。与传统手动棉卷接头相比，JWF1286型全自动智能精梳机自动接头系统接头质量明显提高，棉条均匀度也有明显提高，其效果可直接反映在精梳条条干均匀度的全程稳定性方面，自动换卷接头段的CV%下降2%。自动接头系统主要由喷吹气管、压棉皮辊、罗拉、吹气导板、废棉吸嘴等组成。

当检测到精梳机上新棉卷到位，棉卷自动接头系统开始工作，伺服电机驱动承卷罗拉先反转，实现棉网自动找头。吸风插板打开，承卷罗拉正转，当棉网头端经过吸风嘴时棉网头端被吸风嘴中吸走，到达设定长度时吸风嘴夹紧棉网，承卷罗拉反转同时将8个眼的棉网扯断，实现棉网头的扯齐。吹气导板抬起，承卷罗拉带动棉卷正转，将棉网头向前转动到吹气板上方时吹气板吹气，棉层被剥离到吹气板上的同时吹气板回位，完成新旧棉网搭接，实现自动接头。自动接头与手工接头相比，换卷接头时间减少3min，换卷停车时间减少5min，生产效率提高了2%。自动接头成功率达到90%以上，生产效率达到96%以上。

JWF1286型全自动智能精梳机是国内首台创新应用输送、换卷、接头国产全自动精梳机，为夜间无人值守的全流程智能纺纱创造有利条件。该项目是工业和信息化部2018年智能制造综合标准化与新模式应用项目，目前已在武汉裕大华、湖北天舒、河南永安、无锡一棉、山东魏桥等全面应用，提升了我国精梳装备的自动化水平。

9.2.2.2 细纱断纱检测与自动接头

随着纺织行业向着无人工厂、高速化、连续化的方向发展，细纱断头后，采用人工接头用工多、劳动强度大、效率低、接头质量不易保证等问题凸显，但细纱机自动接头技术长期以来都是纺纱领域中一个尚未突破的装备难题。伴随时代进步和技术发展，纺纱技术应用的自动监测技术、人工智能技术以及工业机器人技术为环锭纺自动接头奠定了基础。

（1）断纱自动监测

细纱纺纱断头是影响生产连续化的重要因素，传统上只能通过人工巡回检查，发现断头进行人工接头，由于纺纱断头具有一定随机性，无法预测，人工按巡回路径巡查，工作强度高，看台数不多。

环锭纺断头监测方案可分为单锭式监测和巡回式监测（即往复式监测）：单锭式监测即在每个锭子处配置1个监测装置，以便于及时发现断纱；巡回式监测即在每台细纱机的两侧各配置1个监测头，在钢领板外侧设置监测头移动轨道，每个监测头沿轨道往复运动，周期性依次监测各锭位。目前，单锭式光电和电磁监测技术得到了较普遍应用，断纱监测技术已经较成熟。环锭细纱机单锭监测技术是反馈纺纱断头、弱捻的有效手段，从原理上主要分为光电式和电磁式，都是通过检测钢丝圈的运行情况获取纺纱信息，进而判断纺纱断头和弱捻情况。现有单锭检测装置多安装在钢领板上，纺纱状态下实时检测钢丝圈运行状态，检测细纱断头情况，在断头处及车头车尾进行灯光提示，可通过电子屏显示机台断头数量和位置，给予挡车工指引，降低挡车工劳动强度，提高看台率。同时，基于单锭监测技术，还发展出粗纱停喂装置，安装在后罗拉后方位置，在纺纱断头后，粗纱自动停喂，有助于节约原料和生产管理。

断纱自动监测技术具体包括：钢丝圈运动光电监测、钢丝圈运动电磁感应监测、钢丝圈运动声音监测、纱线光路遮断监测、导纱钩摩擦热敏传感监测和导纱钩受力监测等。

① 钢丝圈运动光电监测。利用光反射原理环锭纺断纱在线监测系统可监测钢丝圈运动，实现断纱监测和故障定位报警提示。瑞士Rieter（立达）公司单锭式锭子管理系统ISM（individual spindle monitoring），利用调制光束的投反射获取钢丝圈运转频率，其工作可靠、

没有磨损、维护方便，可全程监控锭子运转状态。

② 钢丝圈运动电磁感应监测。通过安装在每个锭子上的磁性传感器监测环锭纺中钢丝圈的运转速度，从而监测每个锭子的运转情况，得出各种细纱工序中需要的数据（例如锭子速度、产量、断纱次数、断纱时间、弱捻位置、落纱留头率等参数），并通过LED指示灯、人机界面或无线远程传输到集中控制室等方式显示。瑞士乌斯特公司的巡回式监测系统Uster Ring Expert、印度普瑞美公司的纺纱监测系统Ringi或Ringeye5000-SSM、德国青泽公司的单锭式断纱监视器FilaGuard和西班牙品特凯普集团的棉纺单锭监测系统Effispin是目前较为成熟的钢丝圈运动电磁感应监测系统，结构简单、稳定性良好。

③ 钢丝圈运动声音监测。利用定向拾音头作为传感器，采集钢丝圈转动的声音信号，通过对比正常纺纱和断纱时声音信号的波峰分布监测断纱，该方案是一种低成本的非接触式监测方法，但对声音传感器的检测精度、测量范围以及算法适应性有较高要求。

④ 纱线光路遮断监测。比利时巴可公司设计了一种单锭式导纱钩纱条运动光路遮断监测系统，可实现纺纱断纱、纱线气圈速度和纱线直径的监测，能在线分析和监测纱线质量，具有很强的实用性。

⑤ 导纱钩摩擦热敏传感监测。上海二纺机股份有限公司提出了一种导纱钩摩擦热敏传感监测方案，但热敏传感器监测存在监测灵敏度低、系统响应差的缺陷，目前该技术方案鲜有应用案例。

（2）自动接头机器人

单锭监测是细纱自动接头机器人的基础，只有准确获取断头信息，自动接头机器人才能精确定位实施接头操作。细纱自动接头机器人是对细纱工序自动化具有重要意义的一项数控技术，为实现细纱无人值守车间提供了可能。

2019年巴塞罗那ITMA（国际纺织机械展）上，瑞士立达公司推出了环锭纺细纱机自动接头机器人ROBOspin。该型自动接头机器人可处理细纱机运行或落纱过程中出现的断头，在接头装置里有专门的空管绕纱装置，该型自动接头机器人接头成功率尚未有明确实践数据。瑞士立达自动接头机器人采用更换备用管纱（留尾管纱）接头的方案，省去了在原断纱锭位寻找断头的过程，提高了接头的成功率，但后续需要对原断纱筒管进行处理，同时需要对备用管纱进行生头（即找出备用筒管上的纱头，用于自动接头），在一定程度上增加了环锭纺自动接头的成本和流程的复杂性。

2019年巴塞罗那ITMA上，印度朗维公司也展出了一款与LRJ9-SXL型细纱机配套的自动接头机器人。该型接头机器人采用的是不取下筒管进行接头的方法，从接头方案到断纱捕获装置、末端执行器设计等方面，均不同于立达公司的ROBOspin。印度朗维自动接头机器人采用了原锭位接头的方案，其使用一种真空吸嘴捕获牵引断纱筒管上的断头，且不需要将断纱筒管取下，简化了接头流程，但如断纱缠绕紧密，则断头捕获的成功率会受到一定程度的影响。

2023年米兰ITMA上，西班牙品特凯普集团展出了一款环锭细纱机自动接头机器人Automatic Piecing Robot，该型自动接头机器人可用于多种纤维的自动接头，并集成在该公司的EffiMill监控系统中，其具体技术方案并未透露，目前已知的技术细节来自该公司申请的相关专利，从专利来看，其采用工业机械臂（至少为6自由度）作为接头末端执行器的载体，其特殊的接头末端执行器（纱线操作装置）是该公司技术方案的一大亮点。

9.2.2.3 筒纱智能运输与包装

筒纱作为纺纱最后一道工序的产物与织造首道工序的材料，起着“纺”和“织”的桥梁作用。传统的筒纱打包多为人工包装，用工量大，工作环境差、强度高，包装效率低，质量难以控制。近年来，随着互联网、大数据、云计算、人工智能等技术加速创新与融入，国内纺织产业制造技术从自动化、数字化向智能化方向发展已经起步，全流程筒纱输送与包装系统，进一步提升包装工序的自动化与智能化。

筒纱自动运输打包入库技术主要利用筒纱取放机械手、堆栈机械手、堆垛机械手和拆垛机械手等四种机械手使筒纱从自络输送线到达筒纱包装系统，依次通过单纱封膜机、单纱分拣系统、大小头翻转装置、编织袋无人成袋机、整袋称重机、在线打印贴标机、自动打包机、自动码垛机、托盘、AGV（自动导引车）叉车完成筒纱自动运输打包入库的全流程无人化、智能化生产管理。

筒纱取放机械手主要负责将自络输送线上的筒纱转运至筒纱输送线上和将筒纱从输送线上分品种取下放置到筒纱摆放平台上，并将筒纱摆放成列，以便堆栈机械手抓取堆垛。堆垛机械手将筒纱分品种按预定排列方式堆垛。拆垛机械手将成垛筒纱拆开，逐列喂入筒纱包装系统。单纱封膜机将单个筒纱覆膜、热封。单纱分拣系统对单个筒纱进行不合格品筛除，并将合格筒纱按照预定数量配置成预定质量。大小头翻转装置对筒纱进行大小头翻转，以便筒纱在编织袋内排列更紧密。编织袋无人成袋机将筒纱按照预定数量及排列方式装入编织袋打包；整袋称重机称出整袋筒纱质量，并将信息输送到打印贴标系统。在线打印贴标机将筒纱信息实时打印在标签上，并贴附在筒纱编织袋上。打包机将整袋筒纱进行自动捆扎，并由输送装置运送至下道工序。码垛机按预定码垛规则将筒纱码垛在托盘上。AGV叉车完成最后的成垛筒纱周转。

2016年，青岛环球集团股份有限公司研发的HTBW-01筒纱智能包装物流系统通过鉴定，该成果具有完全自主创新性，是国内首套无人化筒纱智能编织袋包装物流系统，卷状编织布自动成包技术、配重系统、视觉在线监测、激光导航AGV等技术填补了国内外空白，达到了国际领先水平。该系统是筒纱成型后实现全流程智能化、无人化操作的包装物流系统。HTBW-01筒纱智能包装物流系统主要包括HQLS筒纱自动输送系统、HQTD筒纱自动堆垛系统、HQSJ机器视觉检验系统、HQTB筒纱编织袋自动包装系统、HQTC筒纱堆垛自动缠绕系统、HQTZ筒纱纸箱自动包装系统、HQTR筒纱热缩膜自动包装系统、HQTM筒纱自动码垛系统、HQTW筒纱物流仓储系统共九个子系统。自络取纱→输送→品种识别→机器人卸纱、堆垛→机械手拆垛→配重筛选→自动套袋→编织袋自动成包→自动贴标→自动码垛→自动入库，整个流程无人工直接参与，是国内首套无人化筒纱智能包装物流系统，解决了筒纱的品种识别、自动落纱、输送、堆垛、拆垛、在线检验、套膜、称重分拣、配重成包、打包、贴标、整袋（箱）码垛、仓储物流的连续化生产工艺难题，可以实现筒纱缠绕、编织袋包装、纸箱包装、热缩膜包装等多种包装形式的共线生产和筒纱物流的自动化、连续化、智能化生产，满足纺纱厂多品种生产的自动化需求。

2019年巴塞罗那ITMA上，经纬纺机新技术有限公司展出了“全自动、全流程”的JWG0101型筒纱自动运输包装系统。该系统产品模块包含轨道输送系统、滚筒输送系统、筒纱码垛/拆垛机器人、筒纱自动打包机、筒纱视觉外观检测五部分。实现筒纱的自动上纱、自动运输、下纱排纱、自动码垛、移栽装运、拆垛检验、自动套膜、开袋套袋、自动缝袋、称重贴标扎袋、自动仓储等功能。筒纱自动包装系统减少了80%以上的包装工人，大幅降低用工成本和员工劳动强度，同时提高工作效率，降低生产能耗，提高棉纺车间的自动化、智能化水平。

2022年7月，青岛双清智能科技有限公司全智能筒纱输送与包装系统顺利通过科技成果鉴定，整体技术达到国际先进水平。该项目主要创新点为：提出了一种筒纱空中配重与地面双通道配重相结合的优化方法，确保了多品种混合配重打包的可靠性和精确度，实现了输送包装系统的准确配重；发明了一种袋内悬浮机构，为连续上袋、裁剪、缝纫、装袋提供了基础，实现了无人值守的卷装编织袋筒纱自动化包装；设计了基于机器视觉与深度学习的筒纱纸管花纹及纱线外观瑕疵智能检测算法，能有效区分品种、识别各种筒纱成型不良以及疵筒，保证了产品质量；通过计算机仿真技术对筒纱输送与包装系统在后台进行预测仿真及监控，可及时、有效识别用户的误操作及其他异常信号，并及时报警通知用户进行检查，可避免生产事故的发生。双清智能筒纱输送与包装系统具备在线配重，筒纱纸管自动内贴标，多重品种识别等特色功能，从络筒到装袋码垛，全流程智能、高效、精准。

9.2.2.4 信息化智能纺纱工厂——经纬e系统

随着时代和技术发展，经纬纺机商业模式也在不断创新，逐步形成产业链上下游和跨行业融合的数字化生态体系，着力构建“原料供给数字化-设备数字化-生产工艺数字化-工厂数字化-企业数字化-产业链数字化-数字化生态”的典型范式：自2000年开始，经纬纺机公司的清梳联、自动落纱细纱长车实现了产业化应用；2013年，国内第一条国产粗细络联产品投产使用；2014年，粗细络联产品实现了大规模产业化应用；2015年，国家数字化纺纱车间项目完成验收；2016年，工业一体化设计、电气一体化开始实施；2019年，智能化项目开始落地实施；2020年，智能化项目完成验收。截至2021年，已联合30余家规模以上的纺纱企业共同打造成套纺纱项目约400万锭，比如：与如意集团合作，首次实现了粗细络联的规模化应用；与南阳纺织集团有限公司联手，首次实现了国产粗细络联最大单体车间的应用，总规模20万锭；与江苏大生集团有限公司合作，打造了国内首个数字化纺纱车间，推动了数字化纺纱设备的推广和发展；与夏邑恒天永安新织造有限公司合作的25万锭成套设备，配备了“全流程智能纺纱系统”，成为了中高端纺织产业示范基地，为纺织产业转型升级发挥示范带动作用；与武汉裕大华联手打造的首个全流程智能化纺纱项目、工业和信息化部示范项目，目前已经完成验收。

经纬e系统一直致力于全面解决纺织行业工厂信息孤岛、管理效率、生产效率等问题。系统以棉纺设备数据采集为中心，构建了完善的物联网智能信息采集系统，为企业搭建大数据平台，进行深入分析，反向指导生产管理。实现以订单流程为核心的智能调度、优化排产、挖掘设备产能，实现订单进度预警、设备状态预警、质量超标预警、环境超标预警、能耗超标预警。搭建纺织企业“管控一体化”平台，实现纺织企业管理效率和经济效益的双提升。该系统自2008年投入市场，深受广大用户青睐，2010年，经纬e系统实现了产业化应用。2018年6月，V2.0版本正式上线，更注重在纺织生产的信息化、智能化方面的提升，在纺织行业物联网、智能控制等领域具有明显优势，主要特点包括：模块可裁剪、移动办公与快速响应、服务受众范围更广、具备大数据深度智能分析功能、具备图形报表自定义功能、具备工作任务智能化考核功能、具备设备全生命周期管理功能、具备大屏看板功能、具备PC端和移动端双向办公管理功能。据了解，V2.0版本更新发布后，通过国内一流纺织企业的试用总结，使用用户综合生产效率提高可达10%，一线管理人员重复劳动大幅减少，工作效率提高30%以上，纱管半制品减少20%以上，电量消耗减少2%，订单调度时间减少30%以上。

2023年3月，恒天集团经纬纺织机械股份有限公司推出经纬e系统V3.0版本，与江苏大生集团共同打造纺纱智慧工厂数字化、智能化管理新模式。经纬e系统V3.0采用当前最先进的基于“云-边-端”的微服务架构，应用了物联网技术、边缘计算技术、移动互联技术，实现了设备与设备，设备与人之间的互联互通。江苏大生集团10万锭智慧纺纱工厂项目是工信部“十四五”规划纺纱智能制造标杆项目，2022年底工厂建成达产，是全国纺织行业首个运用5G数据传输技术和智能管理云平台的工厂。工厂采用全流程智能化纺纱成套装备，实现运营智能化、装备智联化、制造数字化，生产效率与数字化车间相比有进一步提升，成为国内用智能化改造传统纺织产业的新标杆。

纺纱智能化工厂包括智能化主机设备、环境智能监控系统、智能物流系统、智能纺纱管理系统、纺纱工艺智能系统。可以提供从原料到仓储的“五位一体化”纺纱项目解决方案，实现了纺纱企业的自动化、连续化、数字化、信息化、精细化、智能化生产，万锭用工可减少到10～15人，经济效益显著提高，并为实现智慧工厂奠定了坚实的基础。

（1）智能化主机设备

智能化主机设备包含清梳联、并条机、精梳机、粗纱机、细纱机、自动络筒机等各道工序的全流程纺纱生产设备和空调滤尘设备及AGV小车输送、粗细联轨道输送，以及筒纱码垛打包系统均采用数控系统，主机设备数控化率达到100%。纺纱主机设备及其智能化功能见表3-9-1。

表3-9-1 纺纱主机设备及其智能化功能

设备（分项）名称	主要技术参数及先进性指标	智能化功能
清梳联合机	1. 清花产量最高1600 kg /h； 2. 清梳联原料品种可根据需要增加； 3. 梳棉机单产最高120 kg /h； 4. 生条内不匀率CV ≤ 1.3%； 5. 生条外不匀率CV ≤ 1.8%	1. 清梳联系统智能控制，实现对棉流、各单机运转率、连续喂棉、各单机工艺参数的在线调整； 2. 清梳联节能系统，清花流程输棉风机根据工艺需要自动调速； 3. 清梳联纺纱管理专家系统，工艺配方实现柔性定制、实现设备故障诊断和维护； 4. 安全联锁，提高安全防护可靠性
异性纤维分拣机	1. 最大产量1000 kg/h； 2. 综合检出率＞ 80%； 3. 采用彩色、黑白高速线阵CCD、偏振光检测技术	1. 可检出地膜、白色不发荧光丙纶丝（提升质量，减少人工）； 2. 自动清洁（减少人工）； 3. 分布式硬件架构图像处理系统； 4. 多光谱融合； 5. 在线流速测量技术； 6. 接入信息化管理系统
条并卷	生产速度最高180m/min	1. 棉卷自动收尾技术、自动落卷输送、自动上管技术； 2. 棉条动态检测； 3. 卷绕压力自动化控制
精梳机	1. 最高转速：500钳次 /min； 2. 落棉率：8%～25%	1. 精梳机自动退空筒管、自动换棉卷、自动新旧棉卷接头技术； 2. 精梳机大条筒（1m直径）卷装智能圈条控制技术； 3. 棉条质量监控和检测系统、车尾漏条检测、条筒过满超重检测
并条机	1. 实际出条速度在500 m/min； 2. 末道重不匀指标5m重偏0.6%以内	1. 自调匀整系统； 2. 并条机工艺专家系统； 3. 吸风系统负压控制功能； 4. 并条机头末道之间的条筒运输系统； 5. 牵伸区罗拉监控系统

续表

设备（分项）名称	主要技术参数及先进性指标	智能化功能
自动落纱粗纱机	1. 锭翼最大工艺转速: 1500r/min； 2. 取满纱成功率: 99.7%； 3. 放空管成功率: 99.7%； 4. 自动生头成功率: 99.7%； 5. 空满管交换成功率: 99.7%； 6. 精确定长: 定长误差≤1m（含台差）	1. 全自动完成尾纱清除、纱管筛选、空满管交换; 2. 纺纱工艺数据库，存储不同品种的纺纱工艺，用户直接调用，方便快捷; 3. 粗纱张力在线调节; 4. 在线故障检测，故障信息精确显示; 5. 设备运行的远程监控和故障远程诊断，指导用户快速进行故障处理; 6. 输送系统采用 RFID 射频识别技术对满筒粗纱或粗纱空管的品种进行跟踪与监控，实现品种识别、管理和质量追溯
集体落纱细纱机	1. 最高工艺转速 22000rad/min； 2. 集体落纱的插管率: ＞99.5%； 3. 集落留头率: ≥97%； 4. 集体落纱的时间: 3min	1. 精密电子卷绕技术，采用精密电子卷绕技术，控制钢升降，精确控制管纱成形，卷绕参数设定实现数字化; 2. 电子牵伸技术，细纱机罗拉由伺服控制器比例控制，牵伸倍数设定实现数字化; 3. 电子加捻技术，主轴与罗拉传动采用独立电机驱动，通过精密控制，实现同步运行，捻度的设定实现数字化; 4. 断纱单锭监控，精确定位开车断头锭位，智能统计、汇报运行参数，指导最优挡车路线，弱捻监控，准确定位弱捻锭位，实现智能检修; 5. 粗纱自动打断，以断纱单锭监控指令，控制断头锭位单纱停喂; 6. 工艺参数的在线调整、数据的实时采集、传递、设备故障诊断和维护，网络化、信息化工厂设备管理; 7. 纺纱工艺专家系统，纺纱工艺参数预存储、调用，主流产品工艺参数预存，特殊品种自定义存储，调用便捷
自动络筒机	1. 单生头能力 >22 支 /min； 2. 二次生头成功率≥96%； 3. 落筒成功率≥96%； 4. 络纱工艺速度 1500m/min	1. 管纱轮廓智能识别技术（正常管纱、残纱、空管、大小头等智能识别); 2. 自动生头技术; 3. 智能化自动落筒技术; 4. 智能化单锭循环技术

（2）工厂环境智能监控系统

对工厂各个车间环境支持的设备包括空调、除尘、压缩空气、电力供应进行监测。通过系统集成，对车间环境温湿度调节、除尘、压缩空气、电力供应进行统一调度管理，实现数据分析和自动调节，保障车间运转的工况环境指标优化和能源利用优化。

采用自动监测监控车间环境：自动检测生产车间温湿度状态，自动报警、自动调节；自动检测车间烟、火情况，自动扑救；自动检测车间含尘量；自动检测电网系统、生产设备、辅助设备和照明设备的用电情况；自动检测压缩空气的生产和使用情况；自动检测自来水使用情况。工厂环境智能监控系统包含的设备如表3-9-2所示。

表 3-9-2　工厂环境智能监控系统

设备	智能化功能
空调除尘设备	1. 实现空调除尘的全过程自动控制、故障预警和远程控制; 2. 实现所有粉尘和纤维的自动输送处理，粉尘固态化
智能照明	1. 照明分普通灯光照明、故障机台和故障操作点的 LED 直射照明; 2. 指示出故障点后故障消失后关闭该点照明; 3. 作为无人值守工厂的功能配置
自动清飞花小车	自动定时清洁车间飞花
自动消防系统	自动检测车间烟、火情况，自动隔离或扑救

续表

设备	智能化功能
能耗管理系统	1. 自动检测电网、生产设备、辅助设备和照明设备的用电情况； 2. 自动检测压缩空气的生产和使用情况； 3. 自动检测自来水使用情况
智能温湿度控制系统	根据生产纱线的品种智能调节车间温湿度

（3）智能工厂物流系统

如图3-9-2所示，使用传感器、条码、射频识别、工业机器人、自动导航和数据库等技术实现智能工厂传输体系，包括条筒输送和存储、棉条自动接头、管纱输送和存储、筒纱自动输送码垛和产品打包。通过自动化设备实现各工序之间实现物料的自动转移，减少人工使用。

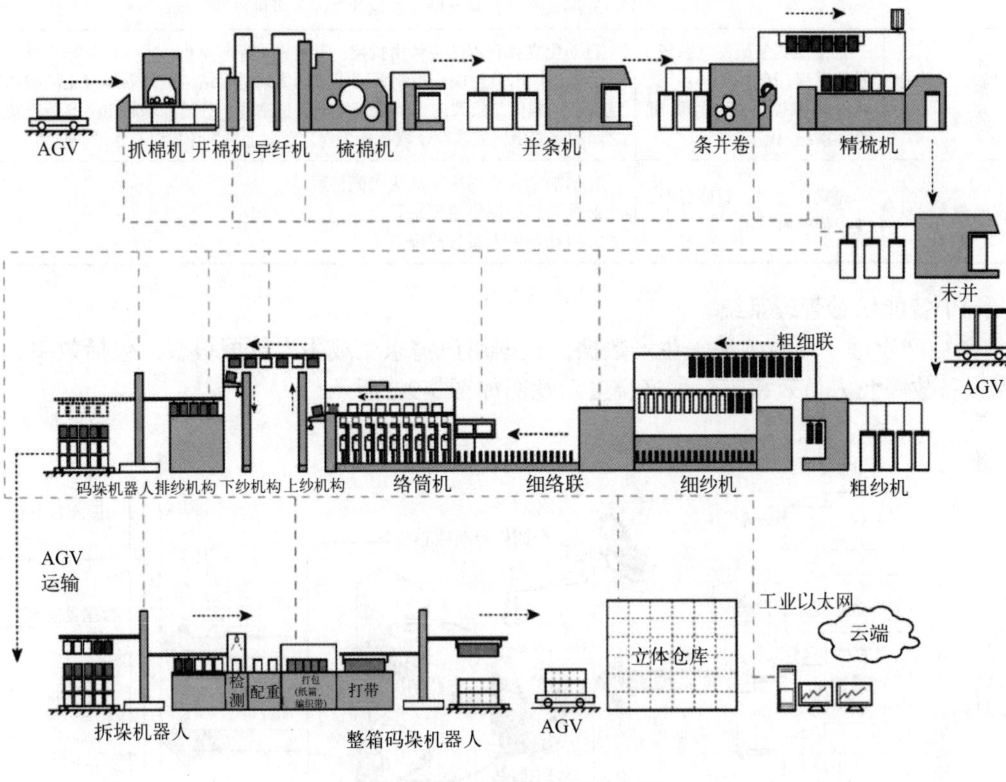

图3-9-2　智能工厂物流系统

工厂物流系统的设备及其智能化功能见表3-9-3。

表3-9-3　工厂物流系统的设备及其智能化功能

设备	主要技术	智能化功能
条筒输送和存储系统	射频技术、智能导航、工业机器人	实现梳棉机到头道并条机、头道并条机到末道并条机、并条机到条并卷、精梳机到并条机的条筒自动输送。在前道工序设备纺完后提供信号，AGV或固定导轨将条筒自动输送到满筒的存储库，在后道工序的原料筒纺完后需要进行更换时，将空筒自动输送到空筒的存储库，再将满的原料筒按顺序送到导条架下准备生产

续表

设备	主要技术	智能化功能
精梳棉卷输送系统	智能导航、工业机器人	棉卷自动运输系统可将条并卷生产出的棉卷自动输送到需要更换棉卷的精梳机
粗细联轨道自动输送系统	工业软件、传感器技术	物料全自动输送，无需人为干预。将满筒粗纱送至满筒纱库，待细纱机发出需求信号后再将满筒粗纱送至细纱机；将细纱机用完的空管送回空管库，待粗纱机发出需求信号后再将空管送至粗纱机，供粗纱机自动落纱使用，实现粗细联合。自动完成尾纱自动清除、纱管筛选、空满管交换
络筒筒纱自动输送系统	工业软件、RFID 射频技术、传感器技术	筒纱输送系统包括上线装置、筒纱输送、下线装置、筒纱筛查、电控系统五个部分，全流程自动模式。实现筒纱的自动抓取、自动分类、自动输送
自动码垛、打包系统	工业机器人、RFID 射频技术、传感器技术	1. 利用直角坐标机器人或多关节机械手实现筒纱（隔板）的自动抓取，自动摆放； 2. 打包系统可实现筒纱多种形式的密封包装、自动称重、配重、包装自动喷码； 3. 形成产品自动仓储及发运数据库，可供查询、统计
自动化立体仓库	尺寸检测条码阅读系统、通信系统、自动控制系统、计算机监控系统、计算机管理系统	自动化立体仓库的主体由货架，巷道式堆垛起重机、入（出）库工作台和自动运进（出）及操作控制系统组成。货架是钢结构或钢筋混凝土结构的建筑物或结构体，货架内是标准尺寸的货位空间，巷道堆垛起重机穿行于货架之间的巷道中，完成存、取货的工作。管理上采用计算机及条形码技术
智能载人设备	电动车技术、智能导航、现代传感器技术	1. 增加个人终端显示断头大概位置； 2. 优化路径提供用户指导； 3. 自动导引人员去故障点

（4）智能纺纱管理系统

① 生产管理子系统。采集生产数据，根据用户需求生成生产数据报表，包括效率、能耗和设备故障及人员效率等。生产调度示意图如图 3-9-3 所示。

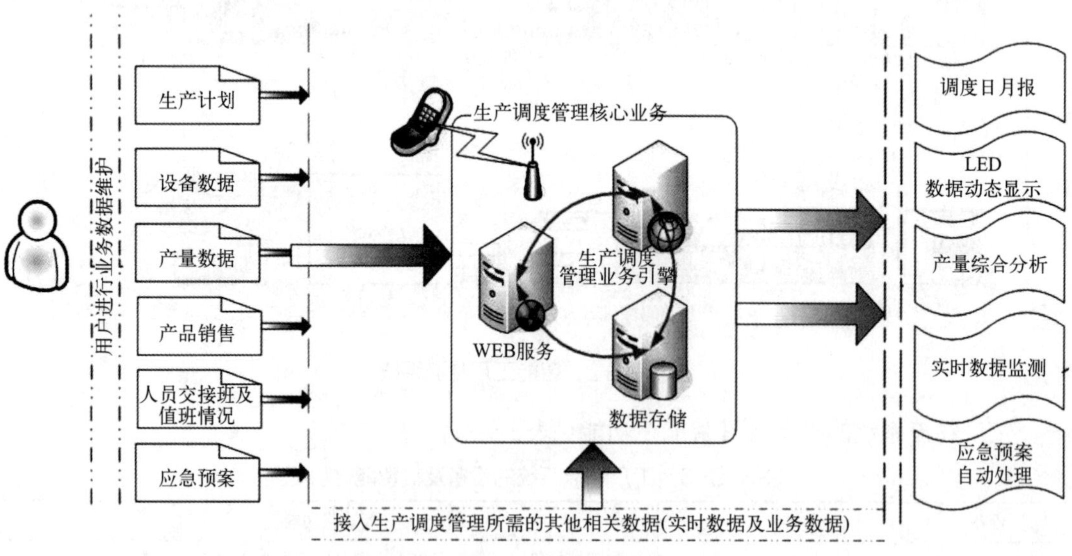

图 3-9-3　生产调度示意图

实现生产过程可视化：主要体现在能实时了解生产现场中在制品、人员、设备、物料等制造资源和加工任务状态的动态变化。信息能有效与上层管理系统进行集成，方便进行过程管理和生产决策。

保证制造过程信息的真实性：现场数据信息取消人工录入人机交互界面的信息，保证数据的正确性，排除人工的主观因素。

增强制造过程信息的实时性：作业任务随市场需求的频繁调整变化，制造过程信息的实时采集可以加快企业对市场变化的响应速度，适应市场需求变化。

根据以前生产数据和后续生产需求提示目前生产调度需调整的地方，自动调整生产设备或机台运行指标，如根据生产计划、前后道工序的生产能力和库存情况，自动调整机台的生产速度或停台，在不影响性能的情况下调节产能。

可以采集现场各控制系统的数据，并以可视化图形画面展示，系统支持通过网络发布，可以在因特网上授权访问、授权操作，及时准确掌握生产的动态。实时数据库将采集来的数据以统一的格式进行缓存，实现了有效的数据共享与统一管理，保证快速历史存储与检索。系统自身提供了自由报表组件，支持打印、打印预览、报表导出、导入功能。通过多种查询工具可以快速查询生产实时数据、历史数据，给管理者决策提供帮助，可以对数据进行横向比较，也可以对历史数据进行分析。系统提供多种趋势分析组件，可以同步查看多个采集点的历史或者实时曲线。系统提供短信报警功能，当系统出现重要报警信息时，会自动将相关信息第一时间以短信方式发送到相关人的手机中。

订单管理：订单生产智能化、调度智能化、信息可追溯，用户可远程跟踪和查看自己订单的生产进度、质量指标。生产调度智能化，实现前道工序根据后道工序的需求精确生产，减少在制品库存，降低消耗，实现柔性化生产。

② 质量管理子系统。质量管理子系统的功能主要包括产品信息、产品库存、产品工序工艺、产品制造、原材料采购、产品销售、生产设备管理、实验室管理、检验人员管理、检验方案、品质检验、产品试验、检验分析、检验整改、产品追溯与产品召回、产品售后其中一部分的内容，必须要有检验部分和产品、制造、检验三者关联的部分。按照一般的功能模块划分可以划为产品信息管理、存货管理、销售管理、采购管理、生产管理、设备管理、实验室管理、品质管理、售后管理等模块，质量管理绝非仅仅检验，或者常说的批检、巡检、首检、自检等，质量管理是对影响产品质量的各个环节都要管理，比如车间的环境要检验温度、湿度、洁净度，生产设备、检验设备、实验设备的保修与校验，产品的存储与运输保养，材料的品质保证，实验室的结论，检验项目与抽样设置。

③ 设备使用期管理子系统。设备使用期管理子系统的主要作用是提高工厂技术设备素质，充分发挥设备效能，保障工厂设备完好，取得良好设备投资效益。

发挥成套设备的优势，建立使用生命周期的管理系统，提供用户使用、维护、检修、改造和升级等阶段的系统支持，提供设备故障的远程诊断功能，具备设备故障分析的专家数据库。

（5）智能纺纱工艺系统

传统的棉纺织工艺设计方法工作量大，工艺变更频繁，工艺让步处理带有盲目性，难以对工艺过程进行预测和控制，影响了产品的生产效率以及质量的稳定性。

纺纱工艺智能系统实现了提高棉纺织品设计效率，缩短设计周期，能够在以往工艺、相关特征和参数的基础上产生新工艺，从而获得低耗、优质、高附加值的棉纺织品，使得棉纺织企业降低生产成本、提高产品质量，进而提升市场竞争力。

① 自动配棉系统。基于几种纺纱工艺下生产出来的纱线的品质，系统能仿真出不同的原料。将原料（或几种原料配比）的几个指标（如原棉的颜色、长度、马克隆值等）输入

并选择工序流程和机型及配置工艺参数后，系统能模拟出完成后的纱线情况，仿真结果和实际纺纱效果接近，方便用户配棉和试纺。

② 纺纱工艺专家系统。该系统模块的主要功能包括：根据订单要求自动生成设备的工艺参数、建模仿真工艺设计的结果、将工艺参数自动下传到设备、根据最终的质量数据实时调整工艺。结合各道工序的主力机型，对每道工序上和工艺相关的参数进行分析。能在用户选择了机型、纺织品种和原料等前提条件后，自动生成合适的工艺参数值或范围给用户提供指导，并给出纱线成品的基本质量数据，在用户修改参数值后相应显示出成品的哪些指标会发生什么趋势变化。建立各纺纱工序的工艺数据库，对纺纱的不同品种、原料、定量、纤维特性等工艺指标，提供工序设备合适的工艺参数值或范围，对棉纺工艺进行优化。建立纺纱工艺的数学模型，对新的工艺进行仿真和模拟生产，对后期投入使用作出预判和指导。

9.2.3 机织智能装备和自动化织造车间

作为纺织工程的重要组成部分，机织工程承担着生产机织物的任务，是服装用、装饰用和产业用纺织品加工中的重要环节。机织智能装备是新一代信息技术与纺织技术相融合的载体，对提高生产效率和产品质量具有关键作用。近年来机织装备正朝着高速高效、数字化和智能化等方向发展，以不断满足面料产品开发及终端市场的新需求，提升纺织企业的核心竞争力。

本小节概述了近年整经、浆纱、穿结经、织机等工序的机织智能装备先进技术，以及织造车间自动化运输系统在纺织企业的应用情况和效果。通过推动人工智能技术与纺织技术的深度融合，充分发挥人工智能在纺织生产过程中的智能决策、智能生产与控制、质量监测、设备故障智能处理等方面的优势，是未来纺织智能工厂的发展趋势。

9.2.3.1 机织智能装备

机织设备通过应用信号传感与检测、自动化、智能化等高新技术，实现生产设备和生产过程的自动化与智能化，主要体现在机织设备的自动化、集成控制和智能监控等方面。

（1）整经

当今整经技术发展迅速，已实现机、电、气、液及计算机技术一体化，具有设备智能化、整经速度高速化、整经质量高质化、控制技术自动化等特点。

① 计算机控制技术与整经张力恒定控制系统。整经机采用功能强大的计算机控制技术，增加信息管理功能、故障显示与诊断功能，在整经过程中不间断对各类数据进行采样、分析、运算，使整个系统始终运行在最佳状态，确保在高速整经时经纱排列平整，密度均匀，张力恒定，经轴质量佳。

整经过程中，经纱张力保持恒定是提高经轴质量的关键，张力控制是整经设备控制系统中很重要的一个环节。目前采用的是变频调速张力控制系统和伺服闭环张力控制系统。变频调速张力控制系统是以变频电机为执行部件，调速范围宽，可以达到无级调速，但变频系统较为复杂，成本相对较高。在伺服闭环张力控制系统中，伺服控制器的内部转矩检测功能可以精确地检测输出的电流，实现输出转矩的高精度控制，控制功率较小，过载能力强，可靠性好，可使整经速度调节更加精确。

② 整经自动上纱系统。整经自动上纱系统可实现垛板纱自动上纱、纸箱自动开箱取纱

上纱、整经架自动卸筒、自动装筒等功能，能有效减轻工人劳动强度，降低安全隐患。

③ 整经自动装筒系统。整经自动装筒系统是针对整经机V形筒子架、H形筒子架在装筒、落纱时生产效率低，生产质量差，员工工作负荷大的行业现状而研发，由机器人智能抓纱工作站，送纱系统，自动上、落筒子纱系统等组成，可以实现垛板纱、袋装纱、箱装纱等的自动上、落纱作业，可大幅提升企业生产效率，降低生产成本，提高生产质量。

（2）浆纱

随着织造速度的不断提升以及生产产品品种的更加多样化，通过浆纱赋予经纱抵御外部复杂机械力作用的能力，提高经纱的可织性，保证织造过程的顺利进行，变得更为重要，随之而来也推动了浆纱技术的发展。我国新型浆纱机已实现了高速、高效、高精控制，并提升了机器的配套能力与节能化生产，具有良好性能和品种适应性。利用计算机技术集成化控制，全变频多单元传动，在传动方式、伸长控制、张力控制、压浆力控制、温度控制、上浆率控制等方面已达国际先进水平。此外，注重用户需求与互联网技术相结合，具有远程诊断及远程视频监控功能，给浆纱生产管理带来极大便利。

① 浆液黏度在线检测装置。为实现高质量上浆，黏度在线监测装置必不可少。其主要用于在线实时监测浆纱机浆液的黏度，具有数据存储、温度补偿及控制功能，以保证最佳的过程运行环境与产品质量，从而提高生产效益。

② 浆纱回潮率在线检测装置。检测烘燥后的浆纱回潮率，主要是采集测量微波通过试样后的衰减量和试样介电特性之间的关系，可以连续在线测量出试样的回潮率。该在线监测装置采用特有的传感器结构，大大提高纱线回潮率的检测精度，具备高速中央处理器与友好的人机界面通信，系统操作简单方便，高精度隔离DA输出模块，可直接接入PLC等控制系统。

③ 浆纱上浆率在线检测装置。上浆率在线监测系统主要采用微波传感器在线测量浆纱出浆槽时的含水率（或压出回潮率），同时采用折射计在线检测浆液浓度，并通过主控计算机计算出浆纱上浆率。该项系统将检测上浆率与工艺要求的额定上浆率进行比较，通过控制压浆辊压力变化来保证浆纱上浆率达到额定值并稳定。

④ 无浸没辊的单上浆辊上浆技术。近年来国产新型浆纱机采用无浸没辊的单上浆辊上浆技术，在浆槽中取消浸没辊，上浆装置内仅含有预压辊、上浆辊与压浆辊，纱线被浆辊完全包覆，在湿区始终得到浆辊的引导与握持。采用单根上浆辊配合预压辊或喷淋装置对传统上浆形式进行改进，在确保纱线得到充分浸压作用的同时减少独立部件，提高结构紧凑性。上浆装置无消极转动辊，避免了传统上浆方式中浸浆辊与上浆辊存在速度差异导致的纱线拉伸，可有效降低浆纱湿伸长率。纱线在浆槽中无位移，断纱缠绕浆辊的概率降低70%～80%，大大提高了浆纱机的运行效率，更有利于提高织机效率。

⑤ 智能调浆系统。模块化智能调浆系统主要包括原料存储计量模块、预调浆模块、浆料生产及供给系统、智能化控制系统。智能调浆系统可在浆纱机浆槽需要补浆时，根据当前浆槽浆液含固率自动调配相应含固率的浆液，使混合后浆液含固率达到工艺需求的最佳值。该系统自动化程度高，可节省人力资源，降低运营成本，运行安全、稳定、可靠。

⑥ 浆纱落轴自动剪切装置。浆纱落轴自动剪切装置安装在浆纱机车头牵引卷取辊两侧墙板上，可以实现在浆纱换批落轴过程中，自动快速剪断经纱，取代以往靠人工剪纱的操作，可有效减少浆纱机换批落轴时间，提高工人的操作效率，杜绝人身伤害事故的发生。

（3）穿结经

自动穿经机是一种集机械、光电、气动为一体的精密纺织机械设备，具有运行速度高、穿经准确的特点，穿经速度达100根/min以上，可将经纱一次性穿入停经片、综丝及钢筘。该设备自动化程度高，控制和操作方便，可大大提升生产效率和穿经质量，减轻工人劳动强度，缩短交货时间，例如史陶比尔SAFIR S60自动穿经机采用了独有的纱线循环控制系统AWC（active warp control，主动经纱控制），对纱线进行光学检测和非接触式测量，由高性能的处理器进行图像分析，并在经纱有待处理的情况下，以毫秒为时间间隔提供精确的数据；通过将测量数据与目标数据进行精准对比，从而减少误差，并确保纱线在经纱层的正确顺序。该系统不仅可以自主设定穿经循环，还可以通过织造厂自身的经验值获得目标数据。

当前自动结经机的发展和应用水平越发成熟，如史陶比尔推出的TOPMATIC自动结经机，采用独有的分纱工艺、自动反转功能和新型电子双经检测技术，可用来加工几乎所有短纤纱和长丝经纱，适用的纱线范围广泛。该结经机能够实现单结、双结或单双结，结头选择灵活，对于单双结的切换，只需按钮即可实现。此外，其采用新型电子双经检测技术，重复编程可显著提高彩色经纱的结经质量，速度可达600结/min，具有高效、高灵活性、高品质的特点。

（4）织机

近年来，机织装备的技术继续朝着高速、高效、智能、节能、模块化应用方向发展，织机在提高智能化控制、产品适应性和降低成本方面，更加贴近市场需求，这是织机发展的必然趋势。

① 剑杆织机。剑杆织机作为无梭织机的主流机型之一，在织机控制系统方面凸显了现代高速织机高度自动化、智能化和网络化的特点。织机采用全新处理器技术，计算速度大幅提高，性能更强，数据存储容量更大，在其电子平台上可实现远程诊断、设备运行监控、生产状况统计、织机参数设定、电脑花型编辑、送经卷取伺服补偿、变速织造、变纬密织造、电子平综调节等诸多功能，可满足各种织造需求。剑杆织机采用主驱动直接控制技术，调速电机系统主要为开关磁阻电机直接驱动，启动力矩大，节能效果明显，可自动变速和变纬密织造，同等条件下比使用传统电机节能15%以上。采用共轭凸轮打纬和空间曲柄连杆机构，配以无剑带导钩自由飞行式引纬，实现对经纱低损伤引纬，大幅降低了剑带的磨损，从而提高织物质量和织机效率。

② 喷气织机。喷气织机的技术进步主要体现在高速高效、智能控制、节能降耗与品种适应性等方面。目前喷气织机车速已接近或达到极限，其最大入纬率窄幅与阔幅分别达到1530～2210m/min（190cm筘幅）和2310～2666m/min（360cm筘幅）。织机的智能化控制先进，能够通过工业互联网实现远程联网功能，通过PC机或者手机实现在线远程监控、数据传输、生产统计、故障诊断等功能。整个电控系统能满足喷气织机各项生产要求，在抗干扰、同步协调方面有良好稳定性和可靠性。借助强大的软件处理能力和便于扩展的功能，织机实现了高度的网络集成，达到先进的智能化控制。采用电子开口机构，对综框的运动参数、运动顺序、开口运动规律、自动找纬等均可自由设定，对上、下层经纱张力差异大的品种不受限制，对复杂组织的产品拓展开发及变组织织造具有积极意义。

喷气织机采用APR故障自动处理系统，配备自动抽纬装置。当织机在运转过程中产生纬停时，借助控制系统自动启动拨纱装置，将错误纱拨开，并切断纬纱，再由取纱装置将错误纱自织口内取出，由喷气单元将其排除，以完成自动除纬过程，并引入新纬纱恢复重新运转，可提高织机的运转效率，降低工人的劳动强度，提高看台能力，节约人工成本。

喷气织机是耗能大户，尤以气耗占较大比例，因此针对喷气织机通过硬件（织机配件）和软件（控制系统）两个方面来降低气耗的创新从未停止过。采用对引纬过程实施闭环控制，提高探纬精度措施，例如：采用较低气压引纬技术，使纬纱低张力柔和引纬；改进喷嘴结构，提高气流的集束性；采用多个气包分别供给主、辅喷嘴用气；采用储存不同气压压缩空气的辅气包，用于差异大的纬纱织制，引纬主喷嘴压力可调，辅助喷嘴可进行二段气压自动切换；选择高敏小容腔电磁阀、缩短气路、优化电磁阀控制喷嘴数等措施，以达到降耗节能目的。

③ 喷水织机。喷水织机的发展主要体现在高速化、智能化、节能降耗等方面。目前高速喷水织机的入纬率可达2500m/min，采用直驱电机、电子送经、电子卷取、自动加油系统、ARP自动抽纬系统和断经自停装置等，自动化程度显著提升。织机采用提高喷射水流集束性的新型喷嘴，实现了小开口引纬和超高速下柔和引纬，同时降低了水耗，单台织机节水可达10%。新一代控制系统及永磁直驱电机的应用，使整机耗电量降低20%以上。

织机的智能化控制先进，通过触控屏幕和语音识别等技术实现人机协作，可进行电子储纬参数、电送电卷参数及机台变速功能的设置和记忆，实现纬纱密度变化等功能，方便操作者对设备进行控制和管理，从而实现自动调控功能、实时监控功能、数据采集和分析功能以及人机协作功能。

（5）织物疵点在线检测系统

织物疵点在线检测系统由检测部件和用于信息分析的高性能计算机组成。计算机对疵点的位置、类别、尺寸等信息可储存和打印，通过屏幕实时显示疵点图形，同时指示装置在织物相应部位自动标记，由报警器发出疵点信号，可以按照需要，做停车修正和不停车记录的不同处理。通过联网技术，对全车间的数据进行统计分析，查找疵点产生原因，有利于质量控制和提高，提升企业的工作效率和智能化管理。

9.2.3.2 自动化织造车间

（1）自动导引运输车

自动导引运输车（简称AGV）采用自动导航、自主避让等技术实现物流运输的自动化和智能化。在织造过程中，AGV已被广泛用于不同工序间半成品或成品的输送，保证各工序间有效地进行科学衔接、路线优化、动态监控。在织造自动送纬、运轴、落布系统中，AGV与车间调度系统相配合，可远程操控、精准定位，实现无人跟随纱线、经轴、织轴、布匹等的自动运输。

（2）代步平衡车

代步平衡车主要用作织布挡车工处理织机停台和巡回作业的代步工具，可提升织机的运转效率，并有效解决工人行走路程长、作业强度大的问题。亦可用于车间其他生产和技术人员骑行代步、短程运输、清洁卫生等作业，有效降低工作强度。

（3）面料自动包装系统

面料自动包装系统在节省人工、提高生产效率和质量等方面发挥着重要作用。面料自动包装机可对布匹进行自动包装和自动标签打印，对布匹的检验、录入、入库、出库等进行数字化管理，实现对布匹信息的精细化管理，为事后的责任分析和工作量计算提供可追溯的数据支持。

（4）准织在线管控系统

准织在线管控系统依托ERP系统（企业资源计划系统），紧密结合织造生产实际，利用先进技术实现由劳动密集型生产方式向信息密集型生产方式的转变。通过充分利用数据采集系统、生产制造过程管理和优化的集成运行系统（MES）以及ERP系统实施织造智能化，从产品设计、原料采购、生产、仓储、物流、服务全过程进行系列智能控制。保证生产的稳定、均衡、高效进行的同时，为生产成本核算、资源配置等提供准确的数据支持，可节约大量的人工统计工作。

9.2.4 针织智能装备和自动化针织车间

智能针织是将针织工艺智能化，包括针织设备智能化、针织产品设计智能化及针织产品智能化。利用针织技术与传感器、信息控制、材料等高新技术的结合，生产出满足用户监测生理信号、信息处理、变色、调温、形变等功能的智能针织产品，让无生命的纺织材料具有越来越多的生物特性是智能针织的目标。新型智能针织正朝着高效优质化、控制智能化、产品差异化和管理网络化等方向发展，经编机、圆纬机和电脑横机等在新技术的应用下都有显著的技术进步，特别是短流程生产技术、成形编织技术、经编横移控制技术、4D提花技术、智能传感技术等新技术的推广应用将促使新型针织装备性能等方面进一步提升。针织行业在互联网应用方面取得了显著的成效，智能化装备、自动化的生产车间、智能化的管理控制系统，为针织行业向智能化和科技化的进一步发展提供了新的机会。

9.2.4.1 针织智能装备

（1）针织成形编织技术

针织设备智能化是将计算机技术应用在针织设备上。在圆纬编织装备技术方面，圣东尼的SM8-TR1S型单面无缝圆机，可用于内衣、外套、运动装等全成形无缝服装的编织。圆纬机电子提花技术可以实现针盘、针筒双向提花，改善了纬编技术提花结构的缺陷，扩大了纬编产品的花色品种。目前德国的迈耶西、日本的福原和我国的泉州源、晋江宏基等均推出相应机型。电子调线技术也称嵌花技术，该技术使纬编机可以根据花型任意调线，形成竖条、方格或任意图案嵌花产品，且颜色变换处反面无浮线，也可以形成凹凸单面色调线电脑提花衬经组织。电子翻针技术，即针盘、针筒线圈互相转移，形成网眼或单、双面结构转换及双反面效应，为纬编结构和花样的多样化提供了技术支撑。电子移床技术，即针盘相对针筒移动一定针距的技术，结合翻针技术，可以实现针筒线圈或针盘线圈左右移圈和罗纹单、双面交换编织。恒张力喂纱技术，可实现电子控制多速喂纱，即根据张力传感器改变喂纱量实现对多色提花的均匀编织，帮助改善产品布面效果、提高生产效率。定长喂纱系统已初步实现了智能化。定长喂纱需要根据预设的喂纱量，当发现预定纱长变化时，做出一定的处理动作。日本福原开发了一种用于单面针织圆纬机的定长喂纱检测系统，可有效检测出导纱器前端的纱线张力变化，并据此对该成圈系统三角压针深度进行微调，保证纱线张力的均匀，从而保证各个成圈系统的线圈长度均匀一致。国内的纱长检测在检测到纱长变化时，会发出停机指令，如禾田HILC2型纱长监控器。

在横机装备技术方面，斯托尔的ADF 830-24kiW型和CMS 830ki型织可穿电脑横机、岛精的MACH2VS213型全成形电脑横机、宁波慈星的KS系列电脑横机，分别通过织可穿技术、Wholegarment四针床全成形编织技术、“Knit to Shape”一线成形技术等，均可完成整件毛衫服装的成形编织，省去昂贵、费时的后道对目缝合等工序，实现真正的全成形立体编织，生产更具弹性，效率更高，组织结构更完美，呈现了代表当前电脑横机技术的前沿发展趋势。横编机数字化技术应用较为成熟，德国斯托尔电脑横机除了实现了双向提花、嵌花针床横移等技术的数字化，还开发了导纱器独立控制技术，实现了每把导纱器由单个电机独立控制驱动，上下移动编织，实现任意停放在所需位置，如德国斯托尔的ADF530-32多针距电脑提花横机，为横编产品生产带来了更多的花式和功能性。在横编装备的智能送纱系统方面，实现了在机头往返运动时智能调整送纱量和张力控制，如日本岛精开发的DSCS数控纱环系统，可实现输入目标线圈长度后能自动对纱线消耗情况进行在线监控，通过调整纱线的输送量，使张力控制在1%公差范围内，以保证整体织物的质量一致性，该技术已成功应用于MACH2X系列全成形电脑横机上。

（2）横移控制技术

随着计算机技术和运动控制技术的不断发展，信息技术、自动化技术与制造技术相结合，被广泛应用于针织机的各种控制与驱动机构中，如电脑横机的机头驱动/横移/送纱、经编机的送经/梳栉横移/牵拉等，其中经编机电子梳栉横移控制要求精度高、响应快，多年来一直是高速经编机全面数控化的关键。卡尔迈耶的HKS3-MON型高速特里科经编机，配有电子梳栉横移装置，生产速度可达2900r/min，花高可达2500横列以上。除了机速外，HKS3-MON的电子横移机构提供了多样化起花。通过key可将机器连接至KM.ON的安全云端，直接获取所需要的垫纱数据并加载到联网的机器上，不再导致生产延迟，还能有效减少人力。其强大的起花能力确保用户能快速适应千变万化的市场需求。不仅如此，基于KM.ON网络的k.innovation CORE允许大于36个线圈的花高。KM.ON新发布的k.management仪表盘也能随时监控所有机器的运行数据，以便快速高效地制定决策和规划。

（3）数字提花技术

卡尔迈耶RDPJ 6/2 EL型双针床双贾卡经编机，其两栅状脱圈板间距可以在1.5～8mm范围内进行调整，属于间隔型贾卡提花经编机。通过适当的原料与组织结构的搭配，并结合巧妙的梳栉配置和技术创新，再加上精湛的卡尔迈耶双贾卡提花控制技术，为创新型双针床双贾卡间隔提花经编机开辟出了新的途径：可用于生产正反面拥有多样化4D花型的面料，凹凸立体花型的形状、位置和高度可自由调节；细小平缓的浮雕外观或是凹凸庞大的立体设计都可以生产；此外还可根据设计需要自由分布网眼，以获得透气或透光效果。

五洋纺机GE2596提绣花双针床智能经编机采用智能贾卡，在数字化提花的基础上，对织物表面进行绣花，通过智能总线运动控制器，搭载嵌入式智能经编管理系统，个性化定制，满足消费者多样化需求，其产品广泛应用于服用、家居、医疗、交通等各个领域。

（4）智能监测技术

智能监测技术主要利用机器的视觉原理，通过图像采集、分析计算、特征匹配等实现疵点识别与归类，可分为离线检测与在线检测。

离线检测的一般方式是在普通验布机上加装视觉系统，对已生产完的织物进行分段式疵点检测。如深圳灵图慧视科技有限公司的智能验布机结合云计算、大数据、物联网、人工智能等技术，支持任意类型面料的检测，打破面料的局限性，通过完善布面疵点类型大数据库，实现疵点打码功能。在线检测是将视觉系统安装在生产设备上，采用自动跟随技术，实时在线检测织物瑕疵，并且可结合自动跟随瑕疵打码，将瑕疵点信息上传到MES

系统，出现重大瑕疵点时可主动报警并及时停止生产设备。卡尔迈耶的高速特里科经编机将织物疵点检测的照相自停装置作为标准配置，并作为经编机KAMCOSQ2.0操作系统的子模块，直接在线检测经编机成圈区域附近、位于牵拉辊前方的织物，其照相镜头能持续提取织物并送到系统处理，发现织物疵点并发出停车指令，通过一定的数据处理，能测定并记录织疵位置。国内江南大学研发的经编集成控制系统具有疵点在线检测的照相自停装置，另外苏州三立也发布了其自主开发的照相自停装置。海康威视机器视觉团队与福建中织源网络科技有限公司联手开发了一套布匹疵点在线视觉检测系统，监控大圆机布匹织造过程，并且可识别多类疵点，应用信息化技术，实现与ERP的数据对接，对布匹生产质量进行智能管控。厦门大学将圆柱坐标机器人应用于针织圆纬机生产过程，可智能检测纱疵，从生产源头上把控产品质量。

9.2.4.2 针织智能化车间

（1）针织互联网应用技术

物联网与信息化技术的联合实现设备互联互通、车间智能化生产、企业智能化管理，补短板，促应用，打基础，扩大开放，推动整个针织行业的转型升级，完善标准、模式等基础构架，深入推动智能制造的发展。卡尔迈耶推出KM.ON远程服务系统，如HKS3-MON型高速特里科经编机和RSJ 4/1 ON型贾卡经编机均可连入KM.ON系统网络，可以通过key将机器安全地连接至受到保护的云端，使用户可在任何时间与地点都可查看当前工厂的实际生产数据，同时很方便地实现远程服务与维护，有效提高机器生产效率。德国斯托尔的Knitelligence系统，从快速图片样稿到编织程序，个性化的推码和花型以及生产管理将整个毛衫生产链囊括其中。Artwork进行设计图片的处理，GKS编织推码系统进行版型创建和推码，自动创建M1PLUS及SIN文件，进入PPS生产规划系统，控制、规划及优化生产，最后在EKC（扩展编织控制系统）按需求进行生产，中间过程不需要人为控制。日本岛精的Shima KnitPLM采用最新IoT物联网技术将产品与顾客ERP、SCM等重要系统连接，在价值链全阶段提供跟踪服务，确保高效率生产。Shima KnitPLM全面支持APEX系统进行的产品企划、产品数据库管理、生产计划、生产、缝合、洗涤、检品、包装到发货的整个工作流程，系统之间无间断数据传输，省去每个工序的数据输入，实现工作流程的自动化。江南大学基于Wi-Fi无线网络、采用B/S的架构开发纬编MES系统，并与ERP系统、CAD系统进行信息集成，构建纬编智能车间MES系统，该系统人机交互友好，极大提高了企业生产效率和管理水平，加快了企业信息化建设。慈星股份基于5G、互联网、大数据对传统行业的改变，将互联网、大数据等信息化融入传统行业的每个环节，开发了柔性定制平台成功搭建了C2M个性化定制服务，实现个人互联网向工业互联网的转型。

（2）集纺纱和针织于一体的针织机

德国迈耶·西、德乐和中国佰龙分别生产了集纺纱和针织于一体的针织圆纬机，可缩短生产工艺流程，同时获得了特殊效果的针织产品。迈耶·西的Spinit 3.0E型纺纱-针织一体式单面提花圆纬机，集纺纱和针织于一体，省去了环锭纺纱、清洁和复绕等工序，大大缩短了工艺流程，能够在线感应并自动清洁，实现了在线实时调整纱条配比、线密度等成纱工艺，形成横条、规则或不规则的提花等编织。从纺纱到织造的一体化针织物生产方式，成纱区域紧靠编织区，保证低捻度的纱线顺利进入编织，使得织物更柔软，适用于婴儿服等轻柔面料的编织。德国德乐的Corizon纺纱供纱装置I3P196 OW型棉毛机，实现集纺纱和针织于一体。德乐的Corizon纺纱供纱装置是相对独立的一个由粗纱条到针织成纱的单元，可以根据需要配装于任何机型。

（3）针织EMS系统

针织智能化生产管理是在针织领域实现“两化融合”的重要组成部分，同时也是企业调整管理模式、提升管理水平、提高生产效率的有力途径。国外诸多针织机械制造企业都已着眼于此，并开发出相关系统推向市场，例如：德国Stoll（斯托尔）PPS生产管理系统，各台机器的生产进度用不同颜色的图形表示，鼠标移动至某处，即可显示当前订单的信息；日本岛精生产报告（shima production report，SPR）系统，将岛精的横机连接于电脑服务器，自动输出生产状况报告；德国美名格-艾罗NETWORKE织网者圆机车间管理系统实现圆机车间实时生产数据采集与远程显示；德国卡尔迈耶研发的基于移动互联网技术的生产管理和在线服务系统开发的卡尔迈耶连线APP，可以实现机器用户和技术支持人员之间快速高效的信息交流；比利时barco公司研发的中央控制及生产计划系统为针织机提供了DU8P终端，生产人员在终端采集到速度、产量、运行状态等数据，并输入停车原因，也可以连接秤盘和条形码扫描器，管理人员可以在监控器上获得反映生产现状的数据信息；意大利LONAT公司研发的NAUTILU终端，将针织机数据和采集到的生产数据传输到数据库中，达到数据共享的目的。

9.2.5 非织造布智能产线和自动化车间

我国非织造布行业已经进入高速发展的新时代，智能生产和自动化管理是实现进一步高质量发展的必由之路。非织造布依据工艺不同可以分为纺粘、水刺等，具有生产工艺流程短、单线产能大的特点。在最初的非织造布生产过程中主要依靠设备自带的控制系统，难以形成生产装备的信息监测、汇总、贯通、整合和应用，长期存在有生产效率低、质量稳定性不足和工艺优化难度大等行业技术问题。近几年，随着产业升级和市场竞争压力的不断提升，非织造布产线的智能化生产和自动化车间建设已经成为提升非织造行业先进制造能力的重要手段，并取得了成果。

（1）水刺非织造布智能生产线及智能服务系统

水刺非织造布智能生产线主要由开松、混合、梳理、铺网、牵伸、水刺、烘干和卷绕等多个设备组成。恒天重工股份有限公司所提供的水刺非织造布生产线可根据水刺非织造布智能生产的整体要求，结合实际生产情况，针对非织造布生产过程中的各个环节和装备，包括生产线单元机、生产工艺、产品在线检测和设备维护等核心环节进行数据采集、数据特征提取和生产线调控。通过高速梳理机和宽幅水刺机等多种智能化生产设备的研制，增加传感器等检测设备，利用互联网云平台，对全线生产参数、产品指标及设备状态的所有数据进行实时监测，并采用自行研制非织造布成套装备智能服务系统，通过对生产参数、产品指标及设备状态的数据采集和分析，反馈给控制系统，实现生产线的自动适应调整、故障诊断以及故障预警等功能，提高公司管理人员的工作效率。如图3-9-4所示为智能检测设备参数监测界面。

（2）800米高速智能纺熔复合生产线

宏大研究院采用自主研发的高速纺熔生产线智能控制系统，配合纺熔生产线主、副设备的高度集成，实现生产线从原料喂入-熔体控制-纺丝成网-产品输出完整流程的智能控制，具有以下特点：a.自研了PROFINET工业以太网架构的系统数据传送网络，实现了设

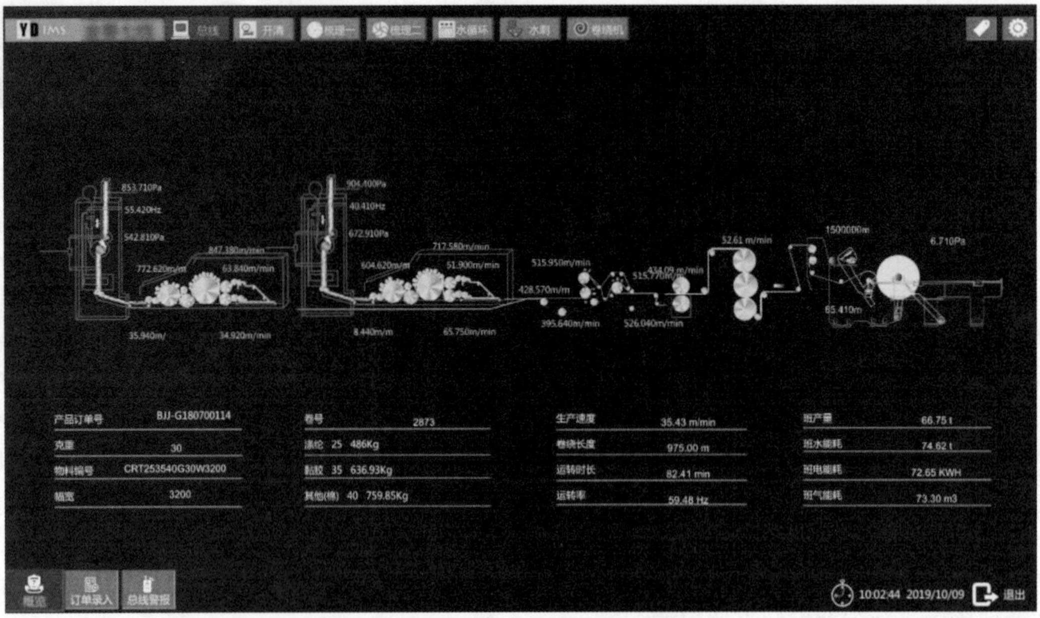

图 3-9-4 智能检测设备参数监测界面

备互联互通、远程运维、订单系统、自动排刀、自动包装系统功能，初步形成了非织造智能装备控制模式；b.针对纺熔生产线联动设备较多的特点，开发了生产线升降速过程中的各工艺参数同步改变的功能，缩短开停机过程，减少了开停机故障率；c.新增成网机各辊轴承温度传感器，实时监测温升和提前预警，为成网机高速、安全、稳定运行提供保证；d.生产线工艺数据集中管理及提高设备一体化、智能化，并增加智能网关，利用无线移动终端通过浏览器显示和操作专用界面，将过去主机与辅助单元机分管各自工艺数据的模式改成了集中管理模式。800m/min高速智能纺熔复合生产线智能控制系统如图3-9-5所示，技术路线如图3-9-6所示。

图 3-9-5 非织造布复合生产线智能控制系统

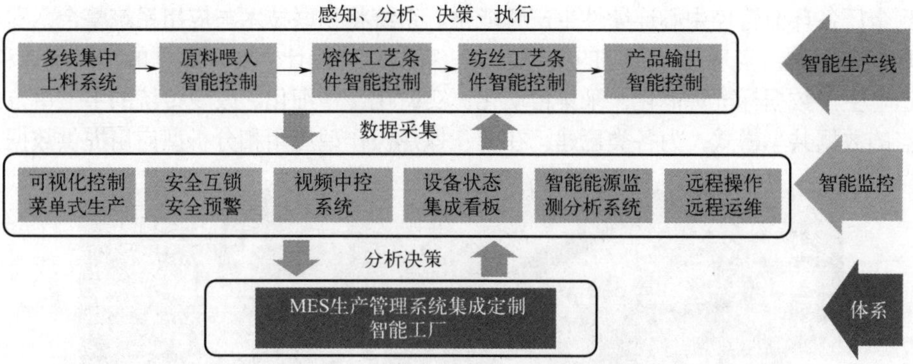

图 3-9-6　智能控制系统的技术路线

(3) 江苏蓝天环保集团股份有限公司的新型环保滤料智慧工厂

蓝天环保新型环保滤料智慧工厂解决方案主要由企业资源管理系统ERP、生产制造执行系统MES、客户关系管理系统CRM、生产高级排产计划APS、数据采集与监控系统SCADA等几个系统一起构成销售、计划、控制、反馈、调整的完整闭环系统，从多业务应用逐步向统一平台化过渡，形成统一的业务链条，实现全面整合企业资源，旨在提升内部协调和外部服务能力（图3-9-7）。销售人员通过CRM系统实现对客户信息的数据化管理，建立客户数据库，通过软硬件接口实现销售订单、生产计划、工艺文件的编制、下达、调整，对设备运行和产品加工等信息进行采集、分析。在车间每台设备加装数据采集卡，通过数据采集卡的串口协议实现设备联网，生产和设备管理人员可查看设备运行和生产实时情况。通过设备工艺数据采集监控系统，实时掌握设备运转状态和产品工艺数据快速调整异常状况，设备状态和工艺数据实时在线，形成生产工艺大数据，历史数据可追溯。

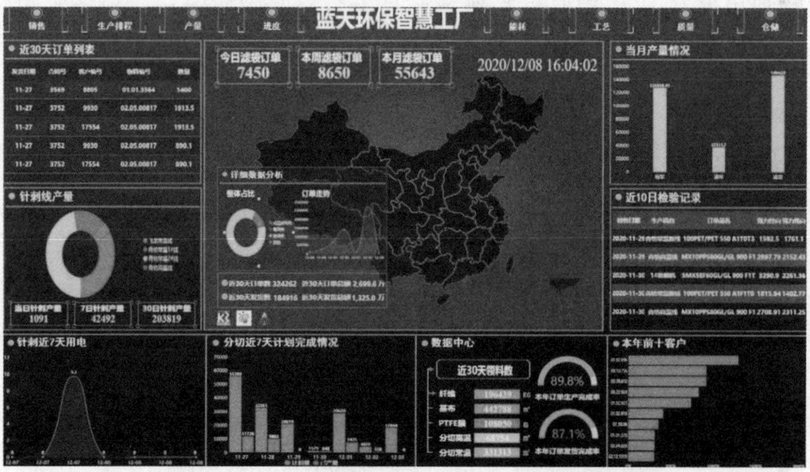

图 3-9-7　新型环保滤料智慧工厂数据面板

(4) 浙江金三发卫生材料科技有限公司的新型非织造布智能工厂项目

浙江金三发卫生材料科技有限公司构建了智能仓储系统、生产运行、全流程优化、产品质量安全追溯体系、环保监测、视频监控、资源管理等多个信息系统于一体的智能制造管理系统（图3-9-8）。利用在线监控手段，优化设备的工艺技术，提升产品的质量。采用资源管理系统和组织管理，从供应链源头优化企业的资源，优化现代企业的运行模式，实现从一线生产线到全厂各环节管控中心连续性生产智能化。系统将物联技术与应用系统整合，实现系统数据管理的末端化，实现自上而下的无缝连接。系统独立设计，实现数据的实时统计和分析，实现制造业生产数据标准规范化，采集自动化、实时化、精细化。改变传统的手工单方式和传统点对点的数据共享模式，为各类已建、在建、拟建操作型应用和分析型应用提供数据共享。

图 3-9-8 新型卫生材料智慧工厂

（5）广东必得福医卫科技股份有限公司的非织造布生产线智能化系统

广东必得福医卫科技股份有限公司打造全新智能化的管理系统（图3-9-9），提升产品质量的档次。从原料的进入到产出，产品质量的管理及设备健康管理等实行全数字智化管理，使原料利用率100%，提高良品率，产品不合格品率零流出，设备零故障率。采用先进的工艺技术和设备、先进的自动化控制系统及先进的管理方法，使传统工厂实现现代

图 3-9-9 非织造布生产线智能化系统

化。以计算机和网络为代表的信息技术覆盖到工厂各个环节，以数字化工厂为目标，在产品设计研发、生产制造、经营管理、办公管理等方面数字化、信息化水平不断提高。实现了生产、经营管理一体化，集成化水平进一步提高，并向柔性化、敏捷化、虚拟化发展。完成了数据化工厂与智能化工厂互相交融，自动化、数字化、网络化、模型化、智能化等综合集成应用，为建立内外协同的信息平台，提高企业工作效率和竞争能力，提供全面的支撑。在运营过程中可以对生产计划、生产运营、能源消耗等环节进行模拟，完善设计和施工时的缺陷，对工厂运行状态进行描述和预测，发现瓶颈和问题，给出调整和改造建议。

（6）大连瑞光非织布集团有限公司非织造布智能织造项目

大连瑞光非织布集团以精益生产为核心管理思想、以ISA-95标准为设计指导、以生产过程实时信息为基础贯通计划层/执行层/控制层的管控一体化，打造非织造布智能织造系统。该系统实现物流、资金流和信息流的三流合一，支持全方位的企业模型管理（图3-9-10）。MES作为智能制造建设的基础，覆盖了整个智能制造的生产过程，与制造企业的各项业务紧密相连。MES与企业的生产信息采集、工艺设计、排产管理、生产流程、资源管理和调度设备调度等都有密切联系。通过增加数据收集数量和频次，实现数据化决策：项目中整合了OA系统以及MES系统对生产数据、销售数据、采购数据、成本数据、库存数据、技术数据、品质数据等进行收集及分析，增加同比和环比分析，从而为决策提供有力的数据支持；增加管理层界面，支持OA与SAP系统集成，提供实时数据抓取分析，在线预警；上线设备预警模块，并实现对不可拆线单元的全生命周期管控（需求计划、采购、到货安装、保养、故障、更换、报废）。该系统实现了生产工艺参数的管理，工艺参数与现场PLC系统联动，可以读取现场参数，确保工艺单与现场一致，确保所有的变化可控；实现了设备维修台账管理，包括设备的维修保养记录，设备状态监控及数据采集，以及利用率；实现了信息和资源共享，提高组织及个人办公效率，同时实现无纸化办公，降低企业运营成本，最终实现在集团范围内对行政人力资源、经营、综合计划管理、库存、生产、物流、工艺、研发、品保等流程进行有效管理。

图3-9-10　非织造布智能织造系统

（7）济南永信新材料科技有限公司生物质纤维非织造新材料智能织造项目

济南永信新材料科技有限公司以智能化设备为基础，数字化设计为源头，辅以建设生产自动控制系统、车间制造执行系统、能源数据采集及智能管理系统、智能仓储及物料跟踪系统等，实现工程协同设计智能化、生产装备智能化、生产过程智能化、企业管理流程量化。构建统一的数据交换平台，通过数据交换平台，实现ERP、条码系统生产订单系统、智能排产系统的联动与交互（图3-9-11）。针对传统水刺非织造布生产工艺，在集成、应用一系列安全可控核心智能制造装备的基础上以智能化水刺非织造布装备为基础，以全流程智能化物流为依托，构建以MES+ERP+大数据为核心的智能制造软件系统，连接市场、研发、生产、仓储等各个环节，实现企业生产运营管理智能化。集成了ERP+MES+大数据平台的信息化工业化水刺非织造布智能制造平台，实现了产品优良率提升至99%以上，产能提高20%，运转率提高至93%以上，减少生产用工25%，综合指标大幅提升。实现了非织造布生产装备自动化、流程控制智能化、产品性能稳定化，产品指标明显提升，横向断裂强力、纵向断裂强力等指标有综合提升。

图3-9-11　非织造新材料智能生产系统

（8）山东路德新材料股份有限公司工程用高性能纤维经编土工格栅智能化织造

山东路德新材料股份有限公司通过理论分析、优化设计、仿真分析、样机试制、加工制造、试验验证等方式，从数字化车间总体设计入手，研制核心智能制造装备和关键短板装备、智能物流与仓储装备，开发数字化车间信息化管理平台，建成智能工厂并开展智能工厂集成应用验证（图3-9-12）。实施重点在于通过智能化生产装备研制与智能传感装置、工业互联网及工业软件的应用，建成智能工厂，实现研发设计、计划排产、柔性制造、售后服务集成和协同优化。实现现场数据与生产管理软件实现信息集成，MES系统与ERP系统实现协同与集成，实现生产管理全过程的状态可控。建成了高参数自动化立体仓库，采用车间智能物流系统取代了传统的人工输送方式，立体库物流管理系统实现了与企业MES系统的整合，实现物流输送的高度智能化。实现了产品与大数据平台的互联互通和对生产设备的智能化管理，建立覆盖装备、在制产品、物料、人员控制系统、信息系统的工厂无线网络，建设了统一的计算平台、网络以及数据中心。

图3-9-12　智能化生产系统

9.2.6 染整智能装备和自动化染整车间

染整工艺流程多、原料品种丰富，因此染整的智能化需要考虑不同工艺流程之间的衔接度，如前处理、染色、后整理设备之间的连接，既要完成类似纺纱、化纤、针织等管理系统、生产系统和装备自动化等系统对接，同时还要解决涉及染化料注料系统、染料输送系统以及废水的处理和排放等环节的问题。相对来说，染整的智能化是一个难度较大的项目。

近年来，随着科学技术的高速发展，染整行业在技术创新方面取得了显著的突破，各种智能装备的研发和应用，使得染整车间的生产过程变得更加智能化和自动化。染整行业的数字化、智能化、自动化转型升级已经成为一种趋势。目前，染整企业已有先进的自动化设备和智能化生产管理系统，可以实现从织物输送、染色到定型的全过程自动化生产，例如新型的染色机、定型机和印花机等设备，可以实现染色、定型和印花等工艺流程的自动化，大大提高了生产效率和质量。此外，自动化计量装置和染化料添加设备，可以实现对染整过程中的化学反应进行精准调控，进而降低人工操作带来的误差和风险，可明显提高企业的生产效率和确保产品质量的稳定性。

（1）染整工程智能化系统整体架构

智能工厂在智能化、数字化的基础上，利用物联网和设备监管技术加强设备信息管理的服务，打通各个环节的信息孤岛，掌控产销流程，提高生产过程的可控性，减少人工干预，构建高效节能、绿色环保、环境舒适的人性化智能工厂。对生产各环节使用水、电、气、汽、煤、油等能源及设备进行实时监控，调节优化能源分配方案，最大化节省能源成本。

通过信息化手段，实现资源（订单、人员、资金、设备、物料等）从静态管理到动态管理，从人工管理到系统自动管理。

三技工业以自主研发的工业云平台系统、生产管家系统以及各种现场自动控制系统（例如染机自动控制系统、定型机自动控制系统、中央输送料系统等）为核心，搭配其他辅助系统，结合染厂的实际情况，以实现工厂自动化、信息化为目标，为染厂量身定制出一套整体解决方案，如图3-9-13所示。

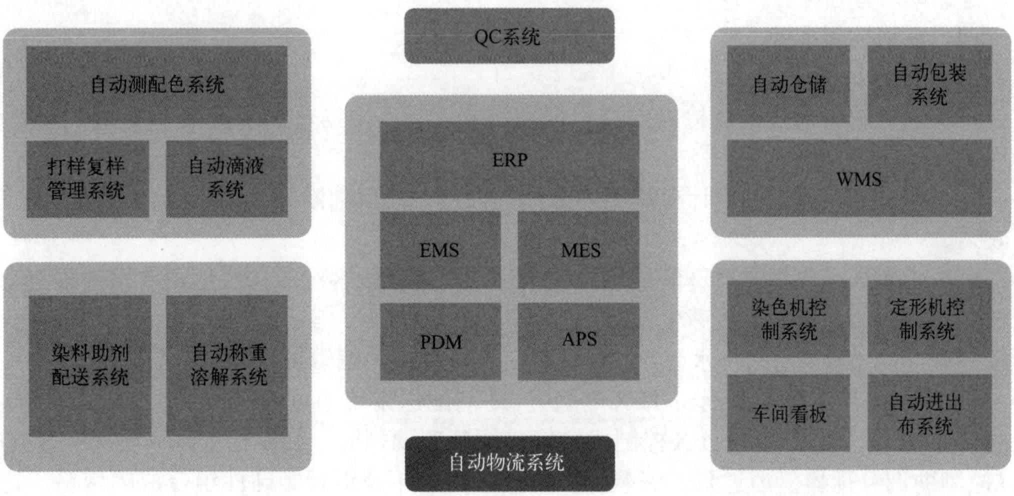

图3-9-13 智能化管理系统（图片来自三技工业）

（2）工业云平台系统

云平台系统可以将染厂现场的各种设备及生产数据实时传输到云服务器，并根据预设模型对数据进行分析处理，管理人员随时随地都可以掌握生产现场情况。

① 部署简单。新旧设备均适用，无需在工厂内部部署服务器，只需加装边缘智能网关便可将设备及生产数据同步到云端，网线、Wi-Fi、4G等多种联网方式可选。

② 可采集各种类型的现场数据。例如过程参数（温度、流量、压力）、设备参数（速度、电流、报警）、工艺参数（染色温度、主链速度）、能耗数据（水、电、汽）、视频数据等，数据采集周期可低至1s，数据存储周期长达3年。

③ 多终端支持。例如PC、平板、手机、看板等，可随时随地查看生产情况。

④ 可为每台设备配备专用摄像头。通过终端可以随时监控设备情况，同时内置的视觉算法可以自动识别异常情况，并通知管理人员处理。

⑤ 预设多种数据分析模型。可对能耗、OEE、工艺等数据进行分析处理，从而帮助企业优化生产效率及质量。

⑥ 内置设备预维护管理系统。通过分析设备状况自动提醒管理人员进行设备维修与保养。

⑦ 集成售后服务支持系统。通过扫描设备二维码，便可提交工单，并随时跟踪处理过程。

（3）生产管家系统

工业生产管家系统可对染色机、定形机、长车等设备及其生产流程进行集中管理与控制，生产管理人员只需在车间办公室就可以进行操控，无需随时守在设备旁边。

① 同时对多台设备进行监控。包括设备的状态、运行参数、报警等。

② 提供视频监控功能。例如可实时查看定形机机头及机尾的现场视频。

③ 可在线修改工艺参数。同时提供配方功能，可一键设定参数。

④ 对设备运行产生的水。电、气等能耗数据进行统计，并与批次相关联，便于成本计算，同时当能耗超出设定范围时可进行报警提醒。

⑤ 实时采集并储存生产数据。以便进行产品问题追溯。

⑥ 可与ERP关联。获取订单及批次信息，进行自动排产，实现柔性化生产模式。

⑦ 可对人员进行管理与审计追踪。例如指定批次生产人员的追溯，人员权限、电子签名、操作记录管理等。

（4）自动控制系统

① 智能水洗。

a. 功能目的：通过浊度检测，达到规范洗水工艺，数据化洗水效果，提高生产效率，节约洗水耗水。

b. 功能原理：通过浊度计检测缸内液体的浊度，用以判断染液内染料含量进而确定洗水效果。

c. 功能效果：洗水效果具体量化、数字化，洗水程度客观掌握；达到洗水效果自动完成洗水步骤，节约用水，提高生产效率；标准化洗水效果，实现洗水效果的可重现性；多阶段参数可设，量身打造洗水终点；分段控制，优化工艺编辑过程。

② 自动加料系统（举例SETEX电脑）。助剂配送系统通过SETEX中控OrgaTEX软件内的CDC模块，在配有SETEX控制器染缸需要呼叫助剂时，会发指令到一套配有SETEX 787控制助剂分配器，通过泵、流量计、阀门、无缝不锈钢管等硬件组合成的网络，把助剂精确地配送到染缸的药缸内。自动加料系统见图3-9-14。

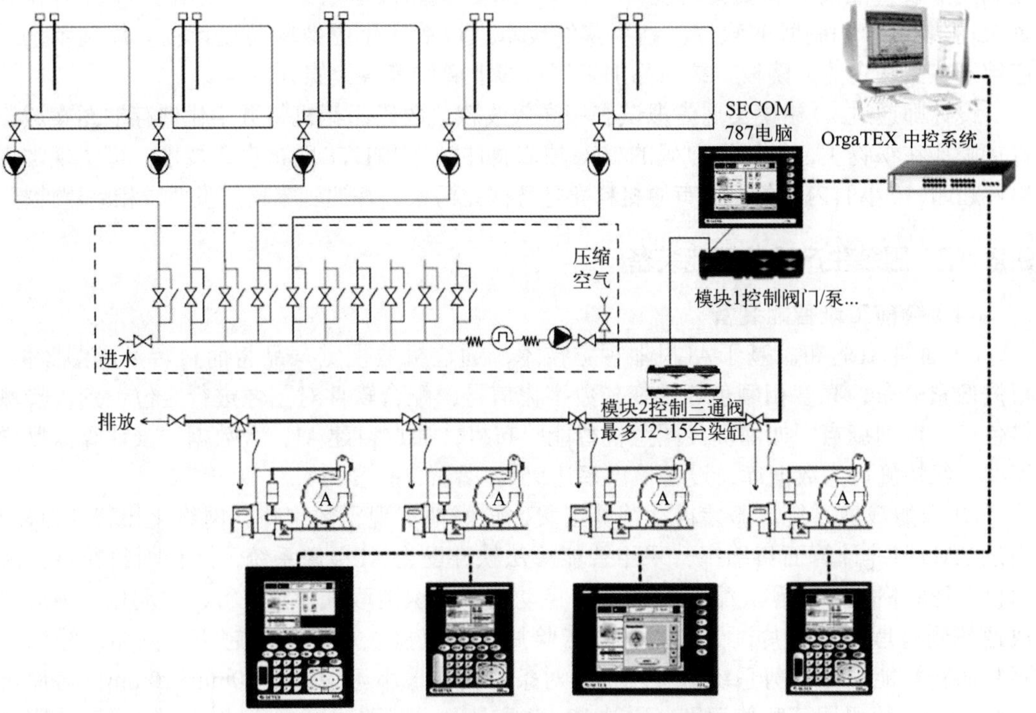

图 3-9-14　自动加料系统（图片来自三技工业）

染料配送系统通过SETEX中控OrgaTEX软件内的CDC模块，在配有SETEX控制器染缸需要呼叫染料时，会发指令到一套配有SETEX 575CE控制器管理的溶料桶，进行染料化料，然后通过泵、阀门、无缝不锈钢管等硬件组合成的网络，把化好的染料配送到染缸的料缸内。

9.2.7　服装智能装备和自动化服装车间

面向“中国制造2025”战略目标，我国服装制造业向服装智能制造生产方式转型升级，全面推进服装数字化设计与柔性化生产，使企业在面临市场及客户个性化、多样化的需求时具有相应的弹性和灵活性，保持品质稳定、生产周期短、交货快的竞争优势。随着人工智能、大数据、5G等新一代信息技术在各行业应用的不断深入，智能机器人、图像识别、计算机视觉、语音识别、文字识别、机器学习、深度学习等AI技术在服装智能制造中落地，一系列智能装备在服装的设计、生产、物料及成品配送环节投入实际工业应用。

9.2.7.1　服装数字化设计与智能装备

数字化设计是时尚和技术的融合，它利用AR/VR、人工智能（AI）、云端存储和区块链等技术的组合，来实现虚拟仿真设计，呈现的效果与真实产品接近，满足设计师与客户的要求。AI技术除了服装流行趋势预测和服装设计外，服装虚拟3D设计、3D试衣、3D走秀及服装色彩、款式、面料等仿真技术已经趋于成熟，其机器视觉技术、图像识别技术的精准度已远超人的视觉和识别能力，因此仿真过程与AI技术相结合所呈现的效果更好更真实，让设计师和客户通过虚拟展示的服装进行沟通，对服装作品做出修改与调整，进而快速确定服装产品而不需要真人模特试衣。比如，杭州凌迪数码公司推出的Style 3D作为一款3D服装设计和制版的软件，利用软件技术进行数字化虚拟服装设计和立体展示，广泛应用于各品牌企业、院校、纺织品加工厂、线上商城等各大媒介。

设计师通过3D建模实现虚拟试衣和高效改款，数码印花机将数字化储存的图案或影像直接喷印在织物上，如康丽数码的DTG成衣直印技术和DTF匹布直印技术，可实现零库存单件起印、72小时内交付，所有原材料安全环保无污染，并达到零售质量要求和耐用性标准。

9.2.7.2 服装生产环节智能装备

（1）缝前工段智能装备

① 面料AI验布。基于AI机器视觉技术，通过机器视觉产品将面料转换成图像信号，根据像素分布、亮度和颜色等转变成数字化信号，配合软件对图像进行定位识别，检测面料色差、识别疵点。如深圳灵图慧视智能验布机，通过自建AI、大数据、云计算深度学习模型、织物疵点大数据库，设备检出率达95%，验布速度1m/s。

② 智能裁剪系统。服装自动裁剪工段比较好地实现了数字化、网络化和智能自动化。通过CAD精准计算面料缩率、采用智能算法软件配合AI摄像系统，定位面料花型，解决面料对花对格技术问题。配合AI验布、自动铺布与识别瑕疵同步进行，自动化裁剪后，能快速找到有瑕疵的裁片，无需人工逐张验片，可直接入库到裁片超市，例如：经纬数控服装面料智能视觉裁剪系统可实现精准对条对格（最小可识别至10mm×10mm，最厚可加工15mm）、数码印花智能识别（最快10s生成图形，识别精度提升2倍以上）、智能服装裁剪流水线系统（从铺布、排料到裁剪完成是传统手工裁剪时间的1/12）。经纬数控FHD08-4516-PM服装智能裁切系统见图3-9-15。

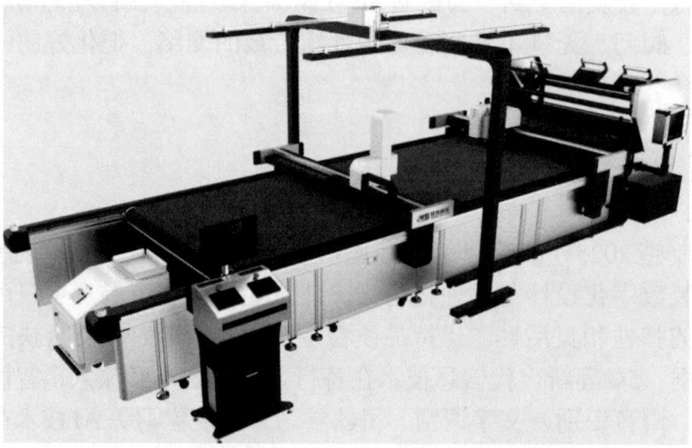

图3-9-15　经纬数控FHD08-4516-PM服装智能裁切系统

自动化裁剪设备的效率和质量也进一步得到优化，如力克系统（上海）有限公司的多层面料裁剪系统Gerber Atria70采用真空吸风系统，通过传感器自动调节裁剪速度，优化裁剪算法，提高裁剪效率和质量。

（2）服装缝制工段智能装备

我国缝制机械行业已经呈现出产品功能智能化、智能设备与机器人（机械手）组成的智能缝制单元集成化和生产模式整套解决方案数字化的趋势。

① 缝制设备产品功能智能化。功能智能化是指缝纫机在缝纫过程中能够检测、识别

缝纫品的实时状态，并通过控制系统的智能化功能，自动处理和调节缝纫机的相关缝纫参数、辅助功能，使缝制质量更稳定的技术。通过机器学习和人工智能技术实现自我学习和自我优化，设备能够自动识别缝料和检测缝制的产品质量，利用互联网和物联网技术，专业技术人员直接通过手机等设备实时了解设备运行状态，在线诊断和解决缝纫机出现的问题。如杰克科技股份有限公司生产的小单快反专用平缝机，采用A.M.H面料自适应系统和AI算法，能够快速感知面料变化，实时精细化调整针距、压脚高度、送布、穿刺力的协同和自适应，实现了不同厚度面料连续缝纫。

多种缝纫功能和辅助功能集成实现自动化，如IMB的MB1002H双机头自动冷折贴袋机实现折边、对位、车缝、打套结、花样、剪线、收料的一次完成，苏州琼派瑞特科技股份有限公司生产的ET-5875全自动双头旋转多功能包边机集成自动送料、自动裁断、自动缝纫、自动收料等功能。此外，使用步进电机可实现自动剪线、自动抬压脚、自动调试针距等，例如：汇宝G23-1全步进智能一体平缝机、标准一体式数字化单针平缝机“T6”等设备的数字化针距机构，实现针距调节精确到0.1mm；富山HI-250X95智能缝纫平台，依据投影图形摆放定位裁片，机针与旋梭的距离和勾线角度在触摸屏上可视数字调整，匹配自动摆放裁片机，只需把裁好的布片放在布片无人输送装置上，在视觉传感等一系列技术的系统配合下，实现缝制的全智能化和无人化，灵活快速面对不同款式的羽绒服装缝制。

② 智能缝制单元。智能化缝制单元是指由电控自动缝纫机和其他辅助功能的程控驱动器组合而成，具备自动定位、自动送料、自动缝纫等功能的机电一体化缝制设备。智能化多工艺组合集成的缝制单元以几台工作缝纫机为母机，配置各种辅助装置，通过数控系统控制各机构按照预制程序运行，完成复杂、完整的缝纫工序。服装设计工艺复杂，“机器人+智能缝制设备”价格昂贵，目前以“人+智能缝制设备单元”为主，借助智能机械手臂抓取缝料并输送定位缝纫，实现送料和车缝等多工序的自动化生产，如上海富山公司推出的HSAT-K2 T恤自动开口下摆包缝无人工作站系统（图3-9-16），采用了工业机器人抓取和传送技术、机器视觉技术、自动缝纫技术、机械手自动输送技术、自动收料技术等。

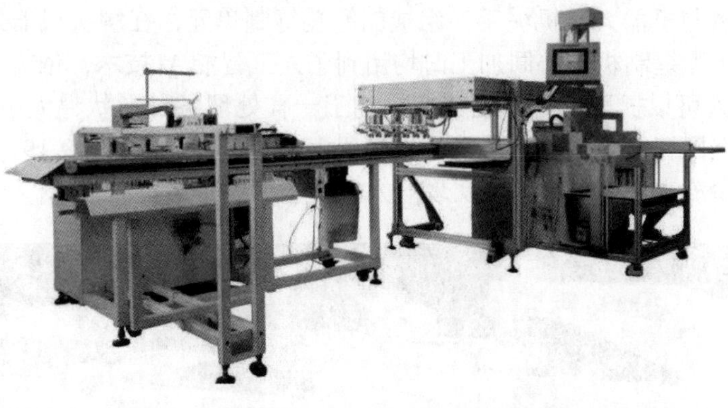

图3-9-16　HSAT-K2 T恤自动开口下摆包缝无人工作站

常州祥泰针车的IMB AMB9006A无人集聚缝制工作站实现全程无人化操作（图3-9-17），各节点均设置布料对齐机构，保证布料衔接位置精准。它采用视觉识别系统校正，确保牛仔裤裤身入料位置稳定可靠。各工位信号串联控制，出现故障及时报警。

目前许多工业机器人都已经配备了视觉系统，使用多臂式机器人协助进行布料切割和缝纫加工，并配合视觉识别系统以完成各种复杂处理操作。山东珞石机器人公司与西安标

图 3-9-17　IMB AMB9006A 无人集聚缝制工作站

准股份公司联合推出了XB7机器人协同智能缝制系统（图3-9-18），采用一台六轴工业机器人吸附衣片，通过视觉识别技术，由机器人进行精准传送，控制缝制设备完成包缝与平缝的加工。

图 3-9-18　XB7 机器人协同智能缝制系统

智能缝制设备与机器人（机械手）组成的智能缝制单元，在解决机器人抓取和精准传送衣料以及机器人和缝制机械协同加工时均用到了人工智能AI技术，依靠一些高级技术和算法支持，机器人可以抓取衣片，能够像缝纫工一样处理各种形状、大小和材质的布料。如川田JT-001物联网智能模板缝制单元通过机器人来传送物料（图3-9-19），搭载自动换梭芯的模板机，减少流水线停顿时间，实现一人操作多台设备，提高效率。

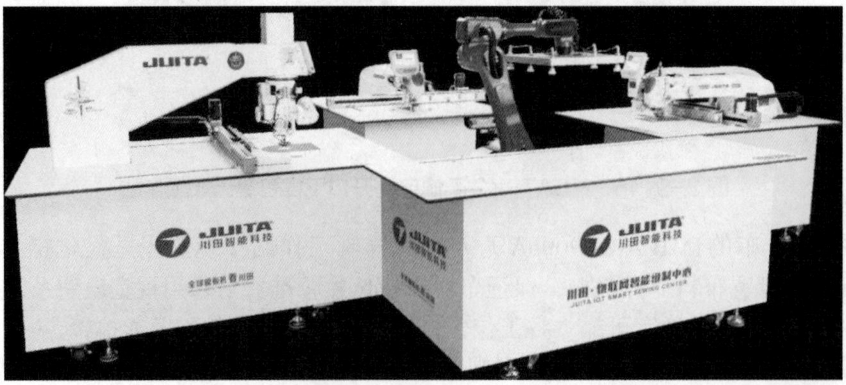

图 3-9-19　川田 JT-001 物联网智能模板缝制单元

③ 工厂数字化智能物联管理系统。为满足客户多款、少量、快速补货的需求，工厂要实现在一条缝制线上同时生产4～5款产品，缝制设备从传统的提供设备转变为设备集成加数字化网络化服务，例如：杰克智屏解决方案（图3-9-20）基于缝纫机、吊挂设备的底层数据打通，并结合杰克MES等软件，配置简洁智屏系统操作，让生产数据一屏呈现，实现设备层、传输层、云平台以及软件的实时互通，能全面把握设备上线率，识别闲置资源；对车工行为精确计算拿、缝、挂工时，帮助即时识别瓶颈工序，评估车工技能，便于及时优化产线，提升产线平衡率；后台将工艺参数与设备绑定下发到车位，减少产前培训和换款等待时间。实时显示员工产量、进度、返修、工时等信息，实现生产过程自动化、业务流程系统化、生产信息数字化。杰克物联网缝纫工位如图3-9-21所示。

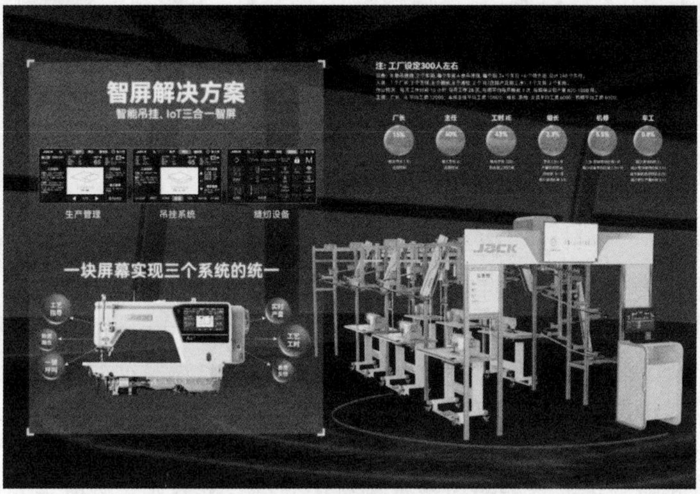

图3-9-20　杰克智屏解决方案

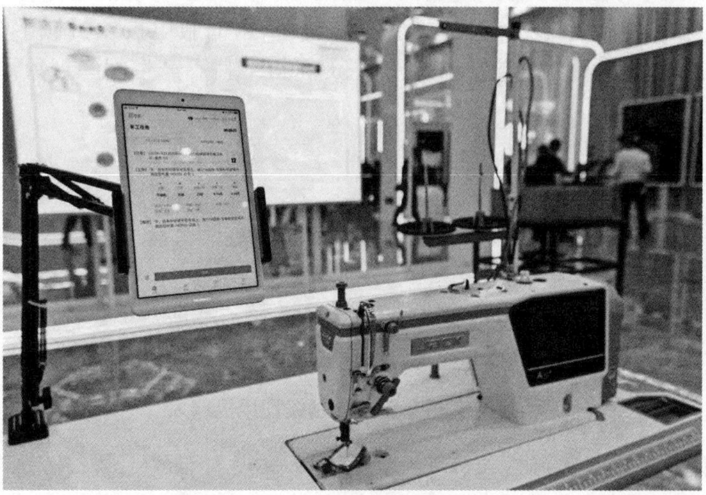

图3-9-21　杰克物联网缝纫工位

相比于通过工作人员进行数据获取和统计可能造成人为误差，数字孪生实现生产的可视化、可追溯、可仿真，及时掌握生产运营数据、设备异常问题等，如瑞晟智能AI数字孪生赋能平台（图3-9-22），方便实时远程管理本地和异地工厂的生产情况。

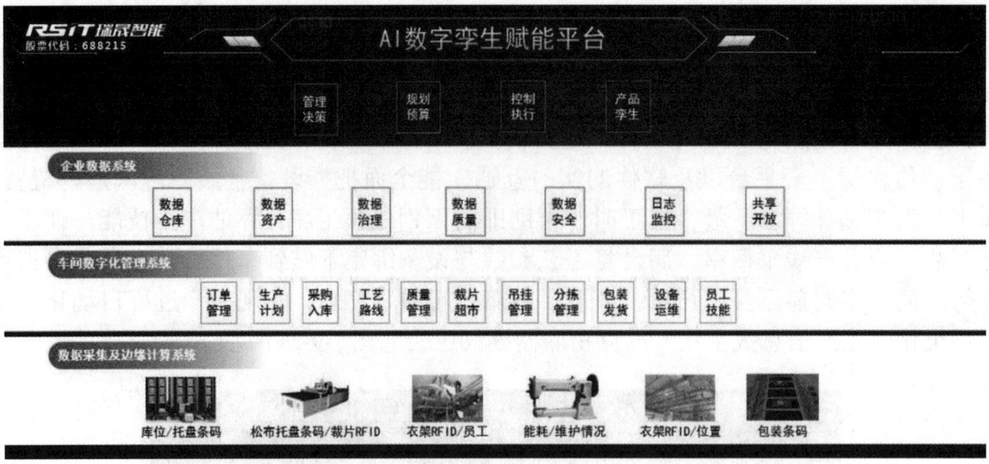

图 3-9-22　瑞晟智能 AI 数字孪生赋能平台

（3）服装后整理整烫工段智能装备

① LOGO识别自动送扣机。采用机器视觉系统及自动旋转调整系统，将视觉图像识别技术运用在送扣机上，根据算法将每个纽扣按照设定的要求调整到一个特定角位输出，可以让纽扣在缝制时完全按照设定的方向进行有序排列并送扣缝制。

② 成衣AI质检。运用AI视觉识别和深度学习技术，自动提取成衣图像特征，自动化检测成衣尺寸、对称性、瑕疵等质量问题，如苏州琼派瑞特科技股份的TP-1118服装视觉云检平台，可以快速按照给定的检测标准工程文件进行自动识别检测，识别精度高达0.1mm，识别准确率达90%以上。

③ 智能整烫设备。依靠一些高级技术和算法支持，机器人（机械手）可以抓取、固定服装进行整烫，像技术工人一样处理各种部位、形状的整烫（图3-9-23）。此外，整烫设备的多功能集成也是自动化的方向，如上海威士的ADT-A162FL腰袖缝拉伸压烫机，机器集成机架、上下模和加热、冷却、电控、气控系统，采用伺服电机和机械手控制技术，使抓取面料和绷紧力度的设置更加精准，保证了压烫面料平整不产生回弹现象。

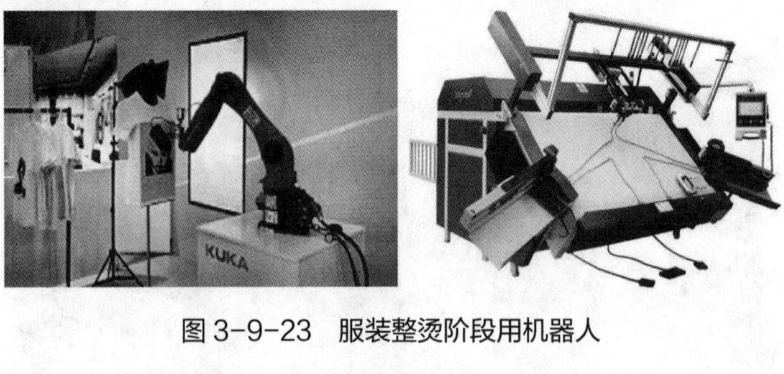

图 3-9-23　服装整烫阶段用机器人

④ 智能包装设备。包装场景包含了成衣折叠、包装、分拣、装箱等环节，智能包装系统配置智能成衣缓存、悬挂分拣、自动分款、分色、分码、自动包装和输送，实现快速分拣、精准装箱，如浙江衣拿智能科技的挂钩载具空中分拣仓储系统，采用G格线及鸟钩线的组合方式，每条主线单线吊挂输送量8000件/时。配合机器人（机械手）组成的服装后道成品自动分拣/打包系统，融入检针机、机械手臂/分拣机、称重、封箱机、喷码/贴标机、AGV、提升机等设备，自动完成服装的折叠、分拣、装箱和码垛，如图3-9-24所示。

图 3-9-24　衣拿自动化打包机械手臂

9.2.7.3　服装仓储物流配送工段智能装备

服装半成品存储通常使用周转箱作为存储单元，涵盖货柜托盘类AGV、料箱垂直搬运AGV、SLAM机器人、Shuttle货到人、机械臂等。目前许多工业机器人都已经配备了视觉系统，并且能够通过学习算法自主地分辨出不同类的服装并进行相应处理，例如使用多臂式机器人协助进行物料搬运和分拣（图3-9-25），但目前大多数应用场景都是4轴和6轴普通通用型工业机器人以及AGV，很少有人形机器人的应用。未来随着人形机器人的识别和抓取技术的提升、高度仿人机械手的实现，人形机器人可用于服装面料、辅料的直接抓取、识别和加工，如图3-9-26所示。

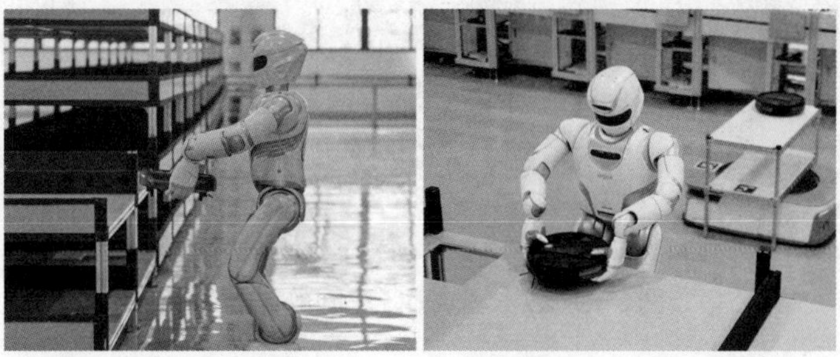

图 3-9-25　人形机器人 Walker 的智能分拣和性能测试

图 3-9-26　人形机器人 Digit 运输和搬运货物

作为现代物流系统的重要组成部分，自动立体仓库系统是当代仓储技术、通信技术、自动化技术与计算机技术高度集成化的产物。自动化立体仓库一般由立体货架、堆垛机、输送搬运系统、尺寸检测条码阅读系统、通信系统、自动控制系统、计算机监控系统以及其他辅助设备组成的复杂自动化系统，如宁波圣瑞思的面料自动储存系统，包含有智能存箱入库、自动配送出库及智能信息扫读等。

9.2.7.4 5G智能柔性制造车间

相比传统服装车间，5G车间内有数千个点位的联网需求和大流量数据交互需求。基于5G网络和人工智能技术，将裁床、缝制、吊挂设备的数据采集到本地MES系统，将生产信息实时上传到企业云平台进行数据的实时共享交换。通过大数据和人工智能，企业可以进行能耗监控、车间智能排产、产线自适应、自动化、质量、效率、成本问题自动定位等，实现对每笔订单、每台设备的实时管控。现场智能IE机器人，实施物料配送的基础功能外，还承担车间巡检、现场6S巡查、视频录像、员工SOP指令下达及智能教学的管理职能。春晓5G车间数字化平台如图3-9-27所示。

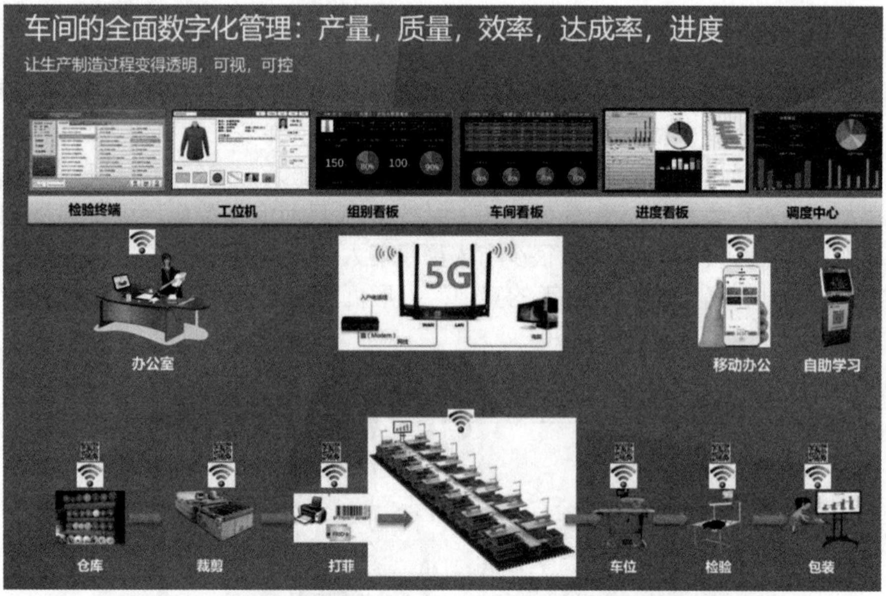

图3-9-27　春晓5G车间数字化平台

（1）智慧红豆车间

红豆集团依托于智慧红豆项目，以客户需求为核心，推进数据驱动、制造柔性化，搭建智慧工厂数字化生产管理平台，通过5G连接，打通了从设计端到生产制造端再到营销端的整个渠道，有利于整个生产制造的柔性化。通过5G跟整个生产系统的对接，每个工位上的数字屏幕便可以快速地了解到每个岗位的工作内容，包含工序、工艺、数量、工时以及工资和考勤等。同时通过工位数字屏幕和产线大屏（图3-9-28），管理人员可以及时了解产能以及排产的整体情况。

（2）中国服装科创研究院服装数字化场景实验室

在科创研究院服装数字化5G未来工厂实验室，智能仓储、智能裁剪、智能齐套管理、智能缝制、定制印绣花、智能成品仓储及一站式解决方案等，是实现行业数字化转型的直

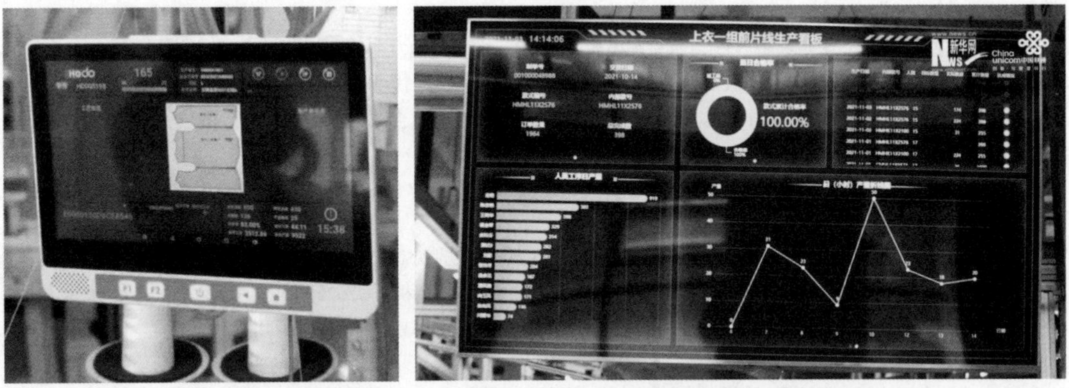

(a) 智慧红豆车间工位数字屏幕　　(b) 智慧红豆车间产线大屏

图 3-9-28　智慧红豆车间工位数字屏幕和产线大屏

接助力。杰克科技提供以服装设备工业物联网平台和应用软件生态平台为支撑的“成套智联”解决方案，从面、辅料仓-智能裁剪房-缝纫后分拣等核心环节，把缝前、缝中和缝后的整个服装智造场景都模拟呈现出来，并用PDM、MES、WMS等软件进行数据的互联互通，配置智屏系统操作，让生产数据一屏呈现，实现设备层、传输层、云平台以及软件的实时互通，如图3-9-29所示。

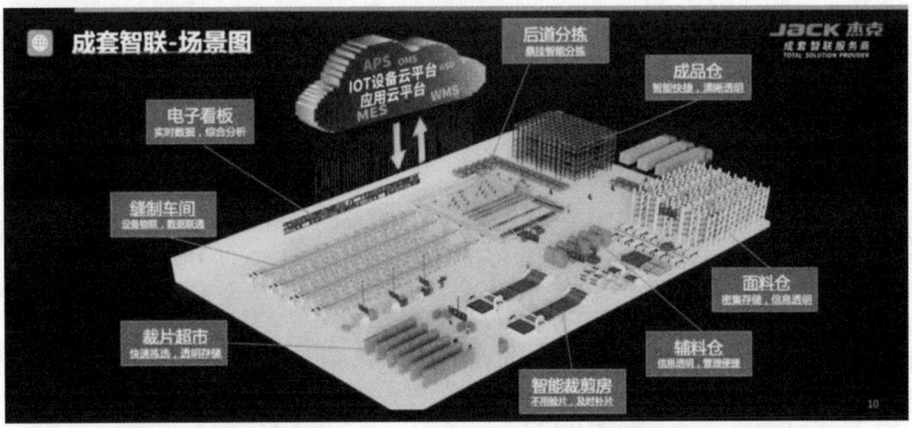

图 3-9-29　杰克科技的成套智联场景图

参考文献

[1] 杨杨，武松梅．纺织基柔性传感器的研究与应用概述[J]. 西部皮革，2023, 45(17):30.

[2] Shi X, Zuo Y, Zhai P, et al. Large-area display textiles integrated with functional systems[J]. Nature, 2021, 591 (7849):240.

[3] 潘静娴．纺织品的人工智能检测技术分析[J]. 化纤与纺织技术，2021, 50(12):100.

[4] 李文羽．基于机器视觉和图像处理的色织物疵点自动检测研究[D]. 上海：东华大学，2014.

[5] 中国化学纤维工业协会．2022年中国化纤行业运行分析与2023年展望[R/OL]. (2023-03-15)[2023-10-18]. https://www.ccfa.com.cn/19/202303/348 1.html.

[6] 秦亚丽．《关于化纤工业高质量发展的指导意见》解读[J]. 中国宽带，2022, 18(6):2-3.

[7] 中国纺织工业联合会．聚酯长丝智能车间第1部分：体系架构:T/CNTAC 73.1 -2021[S]. 北京：中国纺织标准网．http://

www.cnfzbz.org.cn/zgfzbz/index.
[8] 中国纺织工业联合会.纺织装备互联互通与互操作 第3部分：化纤20221693-T-608[S]. 北京：全国标准信息公共服务平台.https://std.samr.gov. cn/gb/search/gbDetailed?id=053404E3EEF08F91E06397BE0A0A9209.
[9] 王国良，朱伟锴，张桂萍，等.涤纶纺丝车间智能铲板机器人的应用[J]. 合成纤维，2020, 49(04):49-51.
[10] 纺织科学研究. 数字引擎 智慧未来[J]. 纺织科学研究，2023(2):24-56.
[11] 王玉. 化纤巨头新凤鸣的智能制造与物流改善—访新凤鸣集团股份有限公司副总裁赵春财[J]. 物流技术与应用，2020, 25(05):92-95.
[12] 王会成，钟云杰，张潮阳，等.化纤行业互联网平台(凤平台)建设的探索性研究[J]. 聚酯工业，2022, 35(06):32-36.
[13] 任捷，叶贺，冯培. 机器视觉技术在化纤行业的研究应用进展[J]. 纺织机械，2022(05):62-64.
[14] 付重先，吴华新，刘冰灵，等. 锦纶6智能高效生产及立体仓储系统集成技术研究与应用[R]. 福建景丰科技有限公司. 2019.
[15] 章林."涤纶长丝熔体直纺智能制造数字化车间" 项目通过验收[J]. 纺织服装周刊，2018(31):14.
[16] 袁春妹. 专注解决纺企的"卡脖子"问题 访北自所(北京)科技发展有限公司董事、总经理王勇[J]. 纺织服装周刊，2022(11):23.
[17] 墨影，袁春妹，徐长杰. 福建景丰科技有限公司 加快智能制造[J]. 纺织机械，2017(05): 24.
[18] 江苏天明机械集团：创新引领发展 专注成就专业[J]. 纺织报告，2022, 41(12):1-2.
[19] 潘如如，张宁，向军. 纺织智能工厂关键技术及应用现状分析[J]. 棉纺织技术，2023, 51(10):105-110.
[20] 曾海宁，钱春芳. 纺织工厂智能化设计浅析[J]. 合成纤维，2022, 51(5):41-45.
[21] 洪海沧，李雪清. 近期国内外织造技术的进步与发展趋势(上)[J]. 纺织导报，2019,7:71-74.
[22] 洪海沧，李雪清. 近期国内外织造技术的进步与发展趋势(下)[J]. 纺织导报，2019,9:59-67.
[23] 马磊，王新力. 从ITMA2019看制造装备的技术进展[J]. 纺织导报，2019, 12: 18-28.
[24] 刘凯琳，张涛. 织造装备的技术现状及发展趋势——ITMA 2023展会亮点产品评析[J]. 纺织导报，2023, 4:16-28.
[25] 李杰. 棉纺织行业智能制造进展及改进方向[J]. 纺织导报，2023, 4:66-68.
[26] 周建，潘如如，高卫东. 机器视觉在纺织中的应用现状与发展趋势[J]. 棉纺织技术，2019,47(2):15-17.
[27] 祝成炎，田伟，李艳清，等. 喷气织造技术现状与发展[J]. 棉纺织技术，2023, 51(10):97-103.
[28] 张建祥，曹五虎，殷翠红，等. 准织设备自动化信息化技术探讨[J]. 纺织导报，2019, 12:30-33.
[29] 马磊，王新力. 浅析整经机恒张力控制技术[J]. 棉纺织技术，2016, 44(8):82-84.
[30] 高卫东，姜为民，王静安，等. 国产浆纱机的技术发展历程与展望[J]. 棉纺织技术，2023, 51(10):41-46.
[31] 朱博，刘建立，高卫东.当前浆纱机最新发展现状及关键技术[J]. 棉纺织技术，2019, 47(2):6-9.
[32] 梁颖，刘汉申，崔云喜. 浆纱机智能调浆系统研发[J]. 上海纺织科技，2018, 46(2):59-62.
[33] 崔建成. 自动穿经机的应用历史和发展[J]. 纺织报告，2022, 1:46-48.
[34] 胡旭东，沈春娅. 针织行业的智能制造及其实践[J]. 针织工业，2019(08): 1-6.
[35] 蒋高明，高哲. 针织新技术发展现状与趋势[J]. 纺织学报，2017, 38(12): 169-176.
[36] 戴昱昊，袁嫣红，胡旭东，等. 针织圆纬机纱线输送状态监测技术研究[J]. 针织工业，2021(03):1-5.
[37] 段玉堂. 针织无人车间智能换筒控制系统及路径规划方法研究[D]. 杭州：浙江理工大学，2023.
[38] 刘德滨. 针织圆纬机自动接纱机器人控制系统研究与开发[D]. 厦门：厦门大学，2020.
[39] 夏风林. 针织装备技术的最新发展——ITMA 2019国际纺织机械展览会针织机述评[J]. 纺织导报，2019(10): 65-66+68-70.
[40] 汪松松，彭来湖，沈春娅，等. 针织装备云平台的构建技术[J]. 纺织学报，2018, 39(10): 149-155.

本章负责人 杨红英、瞿博阳 中原工学院

参加编写人员 任家智 李文羽 王艳芝 冯清国 李 虹 杜 姗 梅 硕 张 恒 汪 青 刘宏臣 郑 艳

第 4 篇

装备设备自动化

CHINA AUTOMATION INDUSTRY
DEVELOPMENT REPORT (2025)

第1章　车辆驾驶自动化

1.1 》 行业背景简介

1.1.1　车辆驾驶的自动化一直在进行

车辆驾驶自动化覆盖了汽车、交通、互联网、电子、测绘等多个产业，集成了5G通信、人工智能、物联网、先进机器人、大数据、云计算、智能制造等多项对未来科技和人类社会产生重大影响的颠覆性技术。车辆驾驶的自动化是汽车产业发展的一个重要的阶段，目前已经成为全球汽车业关注的焦点，无论是政府还是企业都在大力推动汽车自动化技术的发展和应用。

从汽车驾驶任务的角度来讲，无论是新能源汽车还是传统内燃机汽车，有人驾驶的汽车还是自动驾驶的汽车，汽车驾驶的主要任务并没有改变，即实现从起点到终点的行驶，反映在操作层面上主要是对转向、油门、制动和挡位的操作。图4-1-1是汽车驾驶控制示意图。人类驾驶员是智能度最高的驾驶控制器，汽车在行驶过程中，人做出制动、驱动和转向等操作，车辆的执行系统会根据这些驾驶操作意图，结合车辆和交通道路状态，计算出相应的车辆纵、侧、垂向运动控制信号，实现节能、安全和舒适等驾驶需求。在此过程当中，人的身体可以感受到车辆的震动、惯性、方向盘的反力等，驾驶员的感官（如眼睛、耳朵、大脑）的感知功能对周围的行车环境进行充分的感知和理解，然后根据驾驶经验、环境认知给出相应的驾驶决策。而汽车驾驶的自动化实际上是利用先进传感、自主交互，在完成驾驶任务的前提下，以提升安全、节能、环保、舒适等性能指标为目标，实现转向、驱动、制动等的自动化操作。从控制的角度来看，这种操作层面的自动化是对人-车-路-环境闭环系统的感知认知、决策规划、执行控制各个环节的增强或彻底替代。

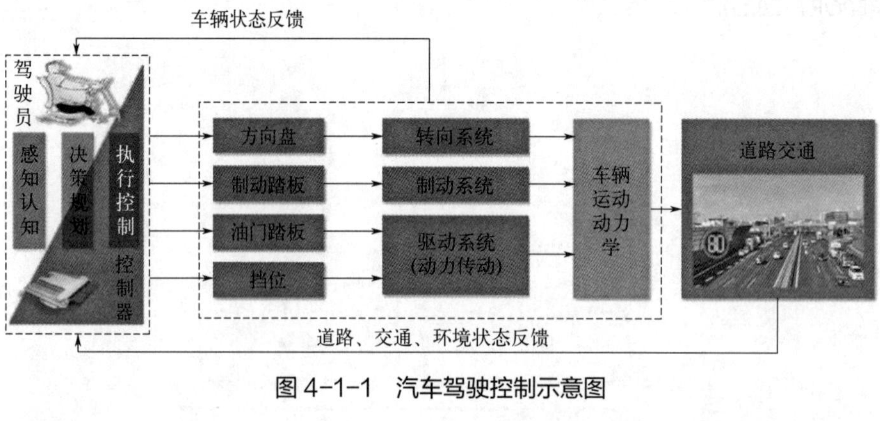

图4-1-1　汽车驾驶控制示意图

在汽车驾驶自动化的发展过程中：感知层面的自动化就是增强、替代驾驶员的眼睛、耳朵、大脑的感知功能，进而辅助或替代驾驶员对环境的理解，如增加车载感知的摄像头、雷达，增加V2X、GPS等；决策与规划层面的自动化就是增强、替代驾驶员大脑的决策规划功能，比如在自适应巡航当中，车辆的辅助驾驶控制器对前车或障碍物的位置、速度、加速度进行识别，实现驱动和制动的决策与规划，其他辅助驾驶功能如自动泊车、自动超车等部分工况的自动驾驶都是在特定场景下替代或增强驾驶员的决策；在执行层面上的增强主要体现在转向、制动、驱动、换挡控制系统功能与性能的提升。

对驾驶员感知、决策、执行各个方面的增强与替代程度其实也是驾驶自动化的分级的依据，替代和增强程度越高，自动化程度就越高。可以看出，这种发展不是突然出现的，而是伴随着汽车技术的发展一直都在进行。在驾驶自动化发展的初期，由于传感技术、控制及计算芯片的性能的限制，传统汽车自动控制技术主要集中在执行层面上，例如：自动变速箱实现纵向行驶时换挡的自主决策与执行，彻底释放了左脚并减轻了右手的操作负担；自适应巡航系统可以在有限范围内实现加减速的自主决策与执行，一定程度上释放了右脚；电子稳定控制器（ESC）、自动紧急制动（AEB）、车道保持辅助（LKA）等技术的出现，都对驾驶员的操作起到很好的辅助增强的作用。

在智能时代下，随着泛在传感、泛在计算的快速发展，在先进控制技术的赋能下，驾驶自动化逐渐渗透到了感知、规划、决策等各个环节，从而实现汽车安全、经济、环保、舒适等各个方面性能的提升。

1.1.2 驾驶自动化的发展路径与分级

美国汽车工程师学会（SAE）在J3016自动驾驶分级中，根据自动化的程度将自动驾驶汽车分为L0～L5这6个等级，如图4-1-2所示。L0级是完全驾驶员驾驶，L1和L2级是驾驶辅助与部分自动化，L3级是有条件自动化，L4级是高度自动化，L5级是完全自动化。欧洲道路交通研究咨询委员会在*Automated Driving Roadmap*中，以美国SAE自动化分级为基础，对不同类型的车辆进行进一步的讨论。如从功能和自动驾驶场景的角度对乘用车各级自动化发展进行规划。我国也给出汽车自动驾驶发展的阶段目标，以及关于汽车驾驶自动化的研发和产业化发展规划。此外,自动驾驶发展所涉及的道路测试环境和信息获取等相关政策也在逐步放开。

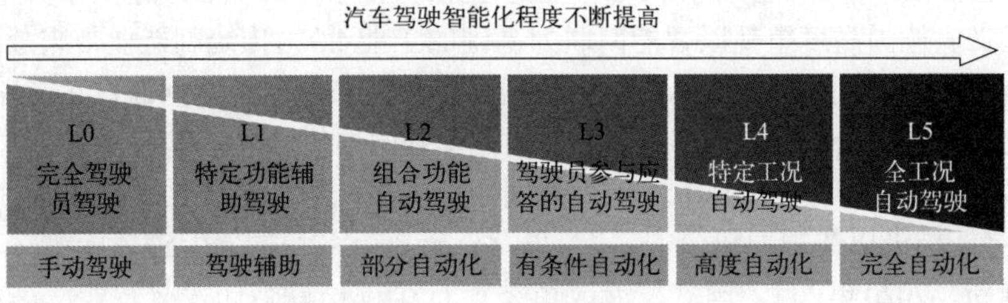

图4-1-2 驾驶自动化分级

目前，城市低速区与高速公路是L3级自动驾驶技术率先应用的两个场景，即在高速公路的标示牌、车道线等结构化特征清晰的简单交通环境中实现人机共驾。同时，车辆运动控制系统为典型的多输入多输出、强耦合非线性系统，在侧纵向耦合工况中，如何设计高品质的运动控制策略已成为实现自动驾驶技术的重点和难点。目前，可实现侧纵向完全自动驾驶的车辆仍然处于研究当中，其主要针对特殊车辆，并在特定环境下使用，如矿山、校园等。

1.2 》 国内外情况简述

1.2.1 国内发展现状

（1）自动驾驶国家发展战略和政策

当前，全球汽车产业正处于从传统工业向数字工业加速转型的大变革时代，以智能化、网联化为核心特征的自动驾驶技术，已经成为全球汽车产业发展的潮流和趋势。美国、德国、英国、中国等工业大国均高度重视自动驾驶汽车产业的发展。美国2020年至2025年的智能交通系统战略规划提出把具有颠覆性的创新技术引入交通系统，推动自动驾驶车辆测试和商业应用，保障自动驾驶技术的安全性，提供全人群、全链条的完整出行服务。德国2021年出台的《自动驾驶法》，规范了无人驾驶车辆在众多应用场景中的运行，允许自动驾驶汽车（4级）可以在限定运营区域的公共道路上正常行驶，并建立技术监督制度，允许监督人员对自动驾驶车辆进行远程监控并及时发布关停等操作指令。英国早在2014年就设立了专项基金给予自动驾驶技术资金支撑，并随后成立互联和自动驾驶汽车中心，随着自动驾驶竞争日趋激烈，英国瞄准2025年的行业市场，出台了详细的规则计划《互联和自动化移动2025：实现自动驾驶汽车的优势》，从确保安全、产业和市场发展、社会效益等方面考虑，制定了2022年至2025年自动驾驶汽车使用的路线图。2020年2月，我国国家发展和改革委员会等部门在《智能汽车创新发展战略》中提出要加快突破自动驾驶关键技术，提升产业核心竞争能力。同年，交通运输部在《关于促进道路交通自动驾驶技术发展和应用的指导意见》中指出，力争到2025年自动驾驶基础理论研究取得积极进展，道路基础设施智能化、车路协同等关键技术及产品研发和测试验证取得重要突破，推动自动驾驶技术产业化落地。

智能网联汽车是中国汽车工业转型升级的重要方向，也是当前和未来一段时间之内汽车行业发展的主要方向。全球主要发达国家和地区都将智能网联汽车作为国家发展的重要战略方向，加快推进智能网联汽车发展进程。美国能源部高级能源研究署在发布的《节能移动系统2021年度进展报告》中指出，利用数字化信息和智能节能技术，预计可降低20%的能源消耗。因此，开展车-车、车-路协同的智能汽车节能控制研究，提高车辆行驶的能源利用效率和道路通行效率，符合国家和汽车行业的重大战略需求，对推动我国汽车产业转型升级具有重要意义。德国高度重视以智能网联为基础的工业4.0为传统制造业带来战略性的重大变革，2015年9月，德国联邦交通和数字基础设施部发布了《智能网联汽车战略》，提出确保领先地位、成为领先市场，进一步巩固德国汽车强国地位。考虑车辆智能化、网联化在道路通行效率与节能减排方面的巨大潜力，我国国务院在《新能源产业发展规划（2021—2035年）》中指出，推进以数据为纽带的“人-车-路-云”高效协同，促进新能源汽车与信息通信的融合创新。2020年2月，国家发展改革委等11个部门联合印发《智能汽车创新发展战略》，明确提出建设中国标准智能汽车和实现智能汽车强国的战略目标，勾勒出未来较长一段时间中国智能汽车发展的宏伟蓝图。

通过数字技术赋能推动交通运输等行业数字化转型升级，已经逐步形成了产业数字化新模式新业态，有效服务于城市道路、高速公路交通安全和效率提升。通过数字化技术，车辆之间和车辆与道路基础设施之间的信息交流变得更加智能化，实现了交通系统的协同优化。在当前智能网联汽车技术快速演进的关键时期，自动驾驶技术的不断创新将推动整个产业的蓬勃发展。这种发展将不仅仅影响到智能交通领域，还将深刻改变智慧能源、智慧城市等多个领域。自动驾驶技术的引入将使交通系统更加智能高效，提高能源利用效率，同时为城市治理和规划提供更多元化的数据支持。为了实现智能网联汽车和自动驾驶技术的全面发展，我国正在坚持车路云一体化的发展路线，这意味着不仅要加强车辆本身的智能化水平，还要优化道路基础设施，使之更好地适应智能交通的需求。同时，政府将加强创新驱动，为相关产业提供更加有力的政策支持，推动智能网联汽车产业化。这一系列的举措将有助于我国在数字经济时代实现交通运输等领域的全面升级，推动产业结构的优化和经济的可持续发展。

（2）自动驾驶国内技术和产业现状

自动驾驶汽车是未来汽车行业发展的重点方向。经过十多年发展，我国自动驾驶技术已经走向产品过渡期。目前，全国多地已经开展了不同程度的自动驾驶商业化示范，伴随着自动驾驶技术的发展，我国先后推出一系列支持政策，推动自动驾驶技术发展和商业化落地。

目前国内自动驾驶行业主要面向的应用场景可以分为3类：载人（Robotaxi、Robobus等）、载物（干线物流、末端配送、同城货物等）以及特殊场合（环卫或特种车辆）等。在“单车智能+车路协同”的自动驾驶发展思路下，中国的自动驾驶汽车将在与城市智能化基础设施、智慧交通平台协同的趋势下，逐步加快商业化落地和发展。国内自动驾驶产业如图4-1-3所示。

图4-1-3　国内自动驾驶产业图谱

自动驾驶中的载人场景介绍如下。

① Robotaxi。Robotaxi是指自动驾驶出租车，是基于自动驾驶技术提供出租服务的车辆。与传统出租车服务相比，Robotaxi可实现对人力的替代，具有降低成本、提高出行效率的优点。Robotaxi是市场空间最大的自动驾驶场景之一，是全面验证自动驾驶系统能力的重点应用。2018年，小马智行在广州进行自动驾驶出租车的试运营，开展了国内最早一批Robotaxi的示范运行，并于2022年在广州举办自动驾驶混行试点首发活动。2021年，智行者与T3出行合作的百台规模的Robotaxi车队落地苏州进行“指定区域内自动驾驶+其他区域内正常驾驶”的商业化混运，实现常态化运营。2022年7月，北京开放无人化出行商业试点。百度和小马智行成为首批获许企业，将在经开区核心区60km^{2}范围内投入30辆主驾无人车辆，开展常态化收费服务。国内生产厂商的Robotaxi的车型如图4-1-4所示。

(a) 小马智行Robotaxi

(b) 智行者Robotaxi

图4-1-4　国内自动驾驶企业的Robotaxi

目前，Robotaxi虽然已在许多地区开展常态化测试，并在一些区域投入使用，但由于Robotaxi所使用的城市道路驾驶环境是典型的开放道路场景，要想实现Robotaxi的全车无人自动驾驶，需要大量的数据用于算法测试，从而保证行驶安全。此外，当前国家及地方所制定的道路测试及示范应用政策，并未细化至针对Robotaxi场景的明确的管理规定，规模化落地缺乏政策支撑。

② Robobus。Robobus是指低速自动驾驶公交车（包括固定路线公交车和短途接驳车）。目前，Robobus领域的主要参与者为自动驾驶初创企业以及传统汽车生产企业，比如百度、文远知行、智行者、轻舟智航、元戎启行等科技公司。百度与金龙客车合作生产的自动驾驶小巴阿波龙自2018年7月量产至今，先后在北京、广州等22个城市园区部署。智行者无人驾驶巴士于2022年7月落地北京东升科技园，启动园区内人员接驳常态化运营。轻舟智航自主研发的自动驾驶小巴龙舟ONE先后在深圳、武汉、北京等城市的公开道路提供接驳服务，可应对超10万个城市复杂交通场景，并能以20～50km/h的速度在城市开放道路上运营。国内自动驾驶厂商的Robobus如图4-1-5所示。

综合来看，我国的Robobus已经进入规模化道路测试与应用阶段，由于运营场景限制更多、行驶速度相对更低，其安全性相比Robotaxi更能得到保障。虽然仍需安全员全程监控，并未完全实现无人驾驶级别应用，但今后在法律法规限制放开、技术瓶颈突破的情况下势必会快速发展。

载物场景介绍如下。

① 干线物流。干线物流即借助无人驾驶进行运输、收货、仓储、运送的物流作业流程。由于近些年传统物流面临着成本上涨、驾驶员易疲劳驾驶等成本和安全问题，加之高

(a) 百度阿波龙Robobus

(b) 智行者Robobus

(c) 轻舟智航龙舟ONE

(d) 文远知行无人驾驶小巴

图 4-1-5 国内自动驾驶企业的 Robobus

速公路的道路基础设施及行驶条件较好，推动了自动驾驶在干线物流领域的发展。目前，致力于干线物流的自动驾驶公司包括：图森未来、嬴彻科技、智加科技、小马智行等。2021年7月，京东物流与小马智行在广州市共同启动国内首条L4级别自动驾驶重卡干线物流示范运营线路。2023年6月，图森未来宣布成功完成中国首次自动驾驶重卡在公开道路的全无人化测试，全程无安全员值守和任何人为干预。国内相关厂商的无人驾驶卡车如图4-1-6所示。

(a) 图森未来自动驾驶卡车

(b) 挚途科技与一汽解放自动驾驶卡车

图 4-1-6 国内用于干线物流的自动驾驶卡车

得益于我国物流行业及快递运送行业的飞速发展，自动驾驶干线物流场景将会得到更加快速的发展。由于重卡存在车身较高、车辆视觉盲区大、需重点覆盖的感知范围更大等因素，重卡自动驾驶对车辆感知和控制的精准度要求更高，精度技术的发展也将影响干线物流场景规模商业化进程。

② 末端配送。末端配送即帮助物流行业提升物流时效性和质量，解决“最后一公里”配送工作，具有高频次、小批量的典型特征。在传统配送环节中，由于存在配送节点多、交通路况复杂等问题，需要耗费大量时间和成本。而自动驾驶中的末端配送场景具有相对封闭的特点，且技术实现难度较小，有望率先实现规模化应用。

目前国内无人配送车的企业大致可以分为三类，第一类是以阿里、京东、美团等自带物流配送业务的互联网大厂，采用软件自研+硬件采购+自运营的方式推进。京东于2017年将无人车投入日常配送运营，并于2019年下半年开始，在北京通州的物资学院及房山等地进行了人车混行的开放道路的完全L4级别测试。第二类是从自动驾驶技术切入特定场景的初创公司，比如智行者、白犀牛、新石器等。新石器除布局快递物流场景外，还开始布局无人零售场景，在世园会、冬奥园区等诸多线下场景得到了实际应用。第三类是有主机厂及Tier1背景的企业，比如东风集团于2019年率先推出可应用在“最后一公里”配送的Sharing Box。国内相关厂商的无人配送车如图4-1-7所示。

(a) 新石器无人车 X3 Plus　(b) 行深智能奔霄系列

(c) 智行者“蜗必达”无人配送车　(d) 东风Sharing Box无人配送车

图 4-1-7　国内自动驾驶在末端配送领域的应用

目前，无人配送车的商业模式已初步形成，但是当前行业仍存在着一定的问题。首先是技术层面，我国的无人配送车目前仅在部分地区路段进行了小范围的测试，以及在道路状况并不是特别复杂的工业园区测试。其次，在成本层面，无人配送车制造成本相对于市场预期来说还相对较高。之后，在法律法规层面，针对无人配送车行业的相关文件指引只涉及技术标准层面，还未扩展至行驶过程中的法律法规及政策。最后是场景应用层面，无人配送车仍为低速配送，在很多场景还无法落地使用，且仍无法实现真正的无人，需要人机协作共同完成配送。

还有一些特殊的应用场景介绍如下。

① 港口场景。由于港口是典型的封闭+低速的场景，与城市和高速公路场景不同，港口具有交通标识简易、车辆干扰度低、路线复杂度低、基建完善度高的优势，被认为是自动驾驶率先实现商业化落地应用的典型场景。与港口合作参与自动驾驶应用项目的企业主要包括西井科技、主线科技等企业，通过与主机厂合作，将自身研发的解决方案配置在整车上，为港口提供自动驾驶解决方案并落地应用，进行试验验证和商业化运营。

目前，港口场景下的自动驾驶面临着一些技术层面的挑战，技术尚未成熟，非产品级的自动驾驶解决方案的无人驾驶集卡（集装箱卡车）仍处于测试阶段，无人集卡适应多变的港口环境的能力有待提升。

② 矿区场景。矿山环境封闭，不存在公开道路的交通法规问题，且车辆路线相对固定，车速大多低于40km/h，矿区自动驾驶场景相对简单。当前，自动驾驶矿山场景几乎都集中在露天采矿运输。

目前，在矿区场景下的自动驾驶，已经有部分公司达到了商用阶段。踏歌智行率先实现了矿区无人运输运营模式，运作规模化的无人驾驶车队。易控智驾2020年5月与准东露天煤矿就无人驾驶运输运营项目达成合作，截至2022年6月无人驾驶在准东露天煤矿开展了多作业场景、不同气候条件下的运营服务。

矿区自动驾驶仍存在自动驾驶供应链环节的技术成熟度有待提升、部分关键零部件价格昂贵的问题，成为今后规模化商用时不可忽视的挑战。

③ 环卫场景。环卫场景是利用自动驾驶车辆代替传统由人驾驶的环卫车辆。无人环卫是自动驾驶特种作业中发展最快的场景，能够在普通道路、街道等开放道路以及园区、学校等封闭道路实现道路清洁、洒水、消杀等工作，当前仍主要在智能网联汽车测试与示范区进行封闭区域测试。智行者旗下的无人清扫车已经在火车站、医院等诸多场景用于清洁、消杀等方面的工作。文远知行推出中国首款前装量产全自动驾驶环卫车。针对市政道路的清扫保洁作业正向开发，采用无驾驶舱设计，在无人驾驶模式下，可全天候、全无人开展道路清扫、洒水降尘、喷洒消杀等多种城市环卫作业。

目前，无人驾驶环卫车也存在着一些问题，首先是政策上缺乏统一的管理标准。技术上，精细贴边清扫、自主路线规划等功能对自动驾驶扫路车的技术要求较高，且面对大量树荫、隧道、高架桥等对卫星信号产生干扰的场景，相关技术仍有待提升。在成本上，虽然一些核心零件已实现国产化与规模化生产，但其价格优势仍不明显。

综合来看，我国自动驾驶产业仍然受到法律法规、技术限制、成本等多方面因素的制约从而导致商业化规模有限。首先在法律法规层面，针对具体场景的自动驾驶商业化的法律法规仍需要完善。其次，在技术层面，高级别自动驾驶相关硬件技术和性能不断提升和升级迭代，但在算法及数据训练等软件开发方面仍面临着不少难题和挑战，仍需积累大量的行驶数据作为支撑。此外，安全问题是另一个限制自动驾驶大规模商业化落地的因素，提升并完善车联网相关技术，降低车辆自主感知的不确定性、提升安全性能，也是推动自动驾驶商业化落地关键要素。

1.2.2 国外发展现状

在国外，对于驾驶自动化技术的研究早于国内，自20世纪50年代以来，许多国家就开始了驾驶自动化的相关研究，到20世纪80年代，自动驾驶技术突飞猛进。1984年，美国卡内基梅隆大学开始了相关研究，自动驾驶实验车辆Navlab1是其代表之一，如图

4-1-8所示。1987年，德国的梅赛德斯-奔驰公司开始推行驾驶自动化相关的尤里卡计划。从此以后，许多大型公司与研究机构开始进行驾驶自动化的研究，包括美国的通用汽车、谷歌公司、斯坦福大学，德国的宝马、博世公司、德国工业大学卡尔斯鲁厄大学，日本的日产汽车、东京大学，法国的雷诺汽车，瑞典的沃尔沃集团，英国的牛津大学，意大利的帕尔马大学，等等，如今驾驶自动化的研究已经成为国际科技领域的一个热点话题。

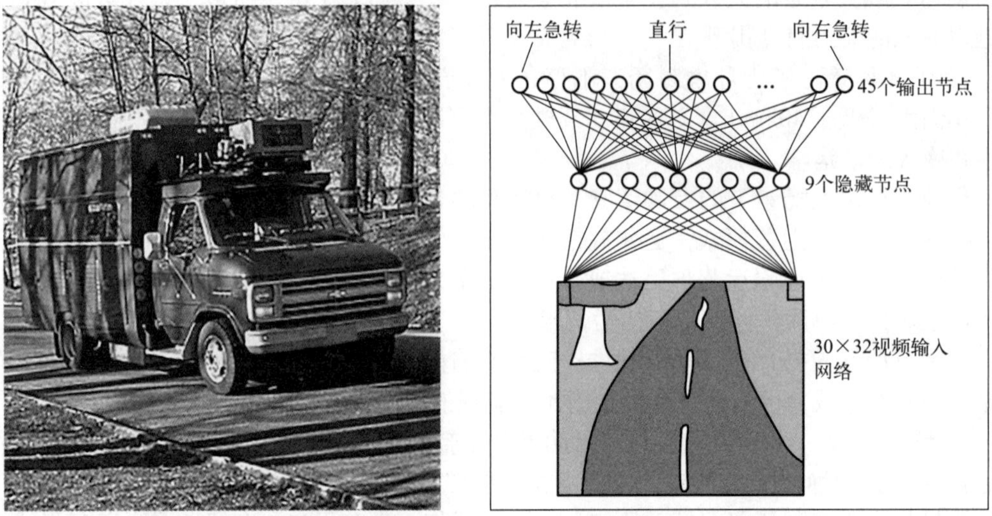

图4-1-8　1984年Navlab 1及其自动驾驶神经网络系统结构

近年来，国外驾驶自动化领域研究一直以迅猛的速度发展，许多相关技术的研究领先于国内。随着高性能计算硬件的不断发展和成本的降低，相关技术的提升变得愈加迅速，各个领域的研究机构、高等教育机构和企业都在积极推动自动驾驶领域的不断进步。

（1）驾驶自动化的国外高校团队与技术现状

在驾驶自动化的技术革命前沿，国外高校团队扮演着关键角色，这些团队在感知、决策、控制、安全性和系统集成等方面进行了深入研究，通过研究和创新推动着自动驾驶技术的前进。

美国卡内基梅隆大学、斯坦福大学以及麻省理工学院是驾驶自动化研究领域的先驱，并一直在该领域的前沿进行研究，他们的工作涵盖了感知、决策、控制和自动驾驶系统的安全性等多个方面，同时每个高校都有其自身的研究特点和重点领域。斯坦福大学曾在2005年的美国国防高级研究计划局自动驾驶城市挑战中获得第一名，标志着自动驾驶技术的一个重要里程碑。针对城市交通的特点，斯坦福大学在自动驾驶中“人”的影响因素研究较为深入，例如：针对自动驾驶车辆与人类驾驶车辆共同竞争的混合路况，利用博弈论、多智能体强化学习等方法，提高自动驾驶规划的安全性及效率；建立人类驾驶员的决策模型，通过逆强化学习及对抗模仿学习，使自动驾驶车辆模仿人类驾驶员。

卡内基梅隆大学在传感器融合和环境建模方面有着深入的研究。感知系统作为自动驾驶系统获取周围环境状态的核心模块，对安全运动规划和决策至关重要。卡内基梅隆大学研究传感器融合的深度信息增强方法：通过融合稀疏激光雷达和RGB相机数据，实现与高清激光雷达相似的感知能力；研究鲁棒车道检测算法以及基于卷积神经网络的端到端自动驾驶系统，从而能够基于纯视觉数据或摄像头数据实现自动驾驶；研究动态视觉流算法、语义分割算法，提高了自动驾驶系统对动态场景、真实场景中物体的识别能力。同时，研究场景生成仿真平台及软件，以生成真实世界中出现概率较低的关键场景。

麻省理工学院在计算机和深度学习方面有着深厚底蕴，注重研究智能决策算法以提高自动驾驶系统的行动规划和策略能力。麻省理工学院针对自动驾驶车辆所要面对的复杂驾驶环境，研究不确定环境下自动驾驶系统的风险感知规划和概率预测问题，研究多智能体决策算法，构建能够在对抗场景中鲁棒运行的自主智能体。另外，麻省理工学院尝试将驾驶自动化技术应用于城市交通，研究包括设计了新型城市移动服务车辆、在自行车道和低速城市环境中自主运行，以及与城市交通基础设施的互动，以实现更智能的城市交通流管理。

欧洲及亚洲高校团队在自动驾驶领域同样具有卓越的研究实力，对自动驾驶技术的发展起着重要作用。德国的慕尼黑工业大学团队曾成功参与多个自动驾驶挑战竞赛，研究人员现在可以使用高性能平台来测试和评估他们的自主算法，并将其应用于乘用车上，以提高自动驾驶技术的安全性及社会效益。其研究包括：通过竞赛开发能够掌握最具挑战性和罕见情况的自动驾驶算法，研究了残差控制器以提高自动驾驶车辆在竞赛中的行驶速率，展示并验证了相关技术在实际环境中的应用潜力；提出了一个基于优化的速度规划，可以处理空间和时间变化的摩擦系数，并将比赛能量策略转移到城市道路上。

日本东京大学从多角度研究提高自动驾驶的性能，包括：提取并建立动态交通流的基于信息的图像表示，从而捕捉周围交通流的综合动态特征；提出了一种低计算代价的线性二次型调节器算法，以降低自动驾驶汽车的能耗；并考虑现阶段自动驾驶无法完全替代手动驾驶的情况下，如何在自动控制情境中保持驾驶员的代理感。

另外，英国的牛津大学、法国的巴黎高科大学、瑞典的查尔默斯理工大学在驾驶自动化技术方面都进行了深入研究。图4-1-9展示了从2013年到2022年10年期间Web of Science数据库中，国外发表的驾驶自动化技术相关论文的数量，可以看出从2017年起相关论文数量爆发式增长，并受到持续关注。近年来，国外高校团队在驾驶自动化技术的感知系统、决策系统、整体结构以及社会经济影响等方面的研究中发挥了关键作用，为适应不同交通情境下自动驾驶汽车的行为和安全性提供了重要支持。

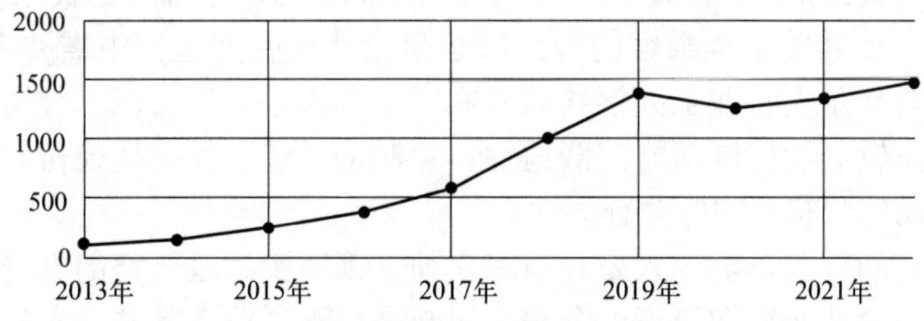

图 4-1-9　国外驾驶自动化技术相关论文数量

（2）驾驶自动化的国外企业分布与技术现状

高校团队的研究致力于解决驾驶自动化领域的核心科学问题，推动技术的前沿。而为了将理论研究转化为实际应用，需要企业的研究与试验，开发解决方案将基础研究成果应用于实际产品，推动驾驶自动化的应用与落地。近年来驾驶自动化的产业发展日趋活跃，美国、欧洲、亚洲涌现了大量的进行驾驶自动化研究的企业，其分布如图4-1-10所示，这些企业都在争夺自动驾驶技术的领导地位。

图 4-1-10 国外自动驾驶企业分布

2023年2月，美国加利福尼亚州机动车辆管理局（DMV）公布了2022年度报告，汇集了26家自动驾驶公司提交的年度自动驾驶车辆测试数据，包括总测试里程、实际路测车辆数、人工接管次数、平均接管里程等。作为世界上第一个制定实证自动驾驶道路测试法规的官方机构，加利福尼亚州DMV的路测数据报告已成为衡量企业自动驾驶水平的标准之一。其中路测里程及平均接管里程的数据如图4-1-11所示，标注的数据为（路测里程/平均接管里程），N表示无数据。对比国内外研究现状可以看出，美国的自动驾驶汽车企业分布数量最多，研究成果更为成熟。

企业的重点是提供安全可靠的驾驶自动化技术，减少交通事故，从而提供更安全、高效和便捷的出行方式。因此，企业更注重驾驶自动化技术的准确性、实时性及实现成本。美国特斯拉公司为满足自动驾驶的高计算性能需求，研发D1芯片作为全自动驾驶机器学习训练处理器，具有高性能、可扩展和模块化结构的特点。法雷奥公司不断研究提高包括雷达、鱼眼摄像头等传感器的探测感知精度。Waymo公司提出了一种新的数据驱动的距离图像压缩算法，以降低激光雷达产生的大量数据导致的数据存储和传输成本。现代汽车公司研究测试了不同激光雷达的精度，以及其在自动驾驶汽车中部署的实用性。

另外，保证自动驾驶车辆乘客的舒适度也是企业在生产过程中需要考虑的实际问题。为此，日产公司与代尔夫特理工大学共同研究了晕车模型。现代汽车公司与韩国工业技术研究院共同研究车辆制动控制策略的舒适性再生制动系统。保时捷公司研究主动悬架控制算法，以提高自动驾驶车辆的低频舒适性。

在任何新的自动驾驶车辆进入公共道路之前，都需要经过严格的驾驶质量评估，这些质量测评技术也是企业研究的重点。奔驰公司与慕尼黑工业大学共同提出了动态汽车制造过程中诊断试验在线调度管理的概念，以减少诊断测试时间。Waymo公司提出了一个流水式分层事件审查配置框架，以确保关键安全事件的高召回率和高精度。aiMotive公司与布达佩斯城市大学共同研究自动驾驶汽车测试和验证中尚未解决的问题。

相较于高校团队，企业能对驾驶自动化技术进行更全面的实地测试，并获得更丰富的实验数据。沃尔沃汽车公司为查尔姆斯理工大学提供其驾驶轨迹组成的真实世界数据集，以研究主动学习框架来发现未知的驾驶场景轨迹。Waymo公司于2020年10月公开了其百万千米的行驶数据集，将大量自动驾驶算法在密集城市中进行了大规模应用，帮助自动驾

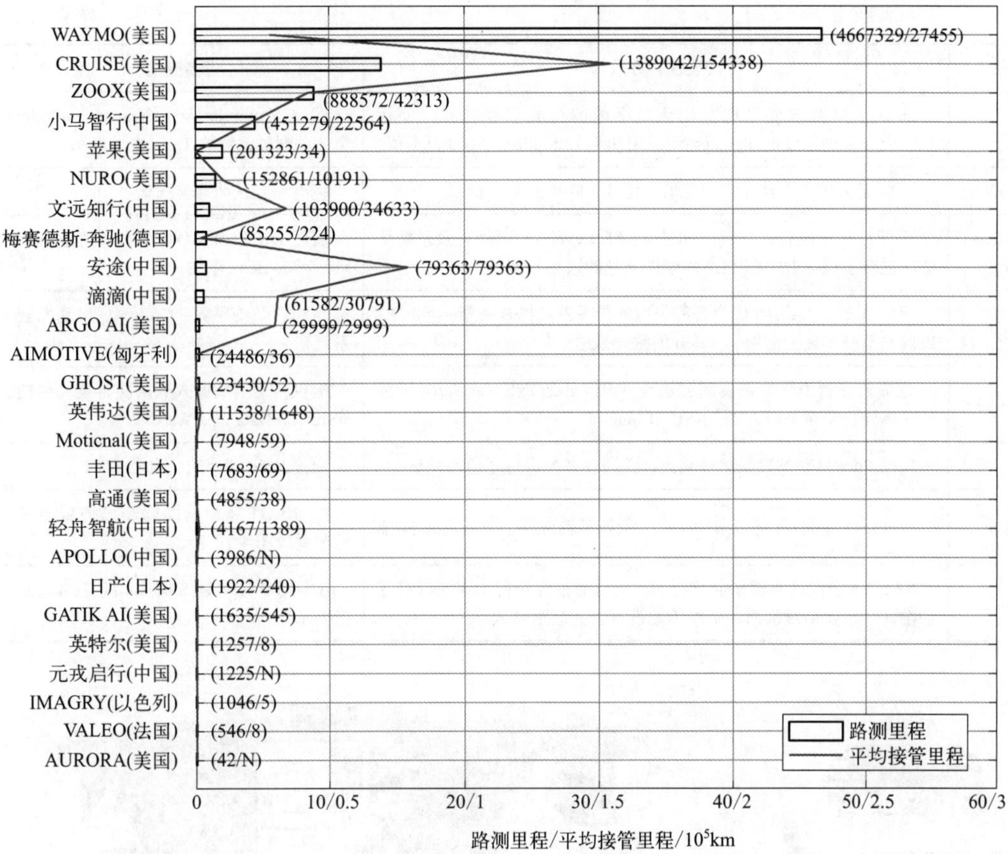

图 4-1-11 美国加州 DMV 2022 年自动驾驶路测数据

驶走出试验区。奔驰公司为了识别交通控制手势，建立并公开了一个交通手势的三维人体骨架输入数据集，在每个时间步上进行交通控制手势分类。

为了证明自动驾驶能够有效减少交通事故，特斯拉公司从2018年开始对车辆安全信息进行统计，2022年的数据显示，在驾驶中使用Autopilot自动辅助驾驶功能时，其平均发生碰撞事故的行驶里程远高于未使用Autopilot。Waymo公司对2008年至2017年期间，亚利桑那州钱德勒的致命人为碰撞进行了调查，用Waymo驾驶员代替事故中任意一方驾驶员，都可以有效避免或减轻碰撞伤害。

对国外研究自动驾驶的代表性企业的研究数据及应用成果进行统计，其官方数据统计结果如表4-1-1所示，可以看出这些企业不仅在硬件和软件技术方面取得了显著进展，还在自动驾驶车辆的安全性和性能方面进行了大量研究和改进。

表 4-1-1 国外自动驾驶领域代表性企业官方数据

企业	代表性官方数据	主要应用
Waymo	自动驾驶系统包含激光雷达、相机、雷达及车载计算机，在封闭道路中完成超过 40000 个独立场景测试	全自动驾驶出租（图 4-1-12），正在开发通用的 Waymo 自动驾驶系统能够与各种车辆平台和商业应用集成
Cruise	15 个月内总共行驶了 100 万英里（1 英里约为 1.6km），基准测试中相较于人类驾驶员总体减少 54% 的碰撞，作为主要责任方可以减少 92% 的碰撞	全自动驾驶出租，2023 年开始生产的无人运输车每次最多可交付五份订单（图 4-1-13）

续表

企业	代表性官方数据	主要应用
Tesla	2022 年第四季度平均发生碰撞事故的行驶里程对比：使用 Autopilot 辅助驾驶时 485 万英里，未使用 Autopilot 时 140 万英里	配置 Autopilot 及 Enhanced Autopilot 全自动驾驶系统的 Tesla 电动汽车
ZOOX	可创建 360°、重叠冗余的视场，超过 100 项安全创新	纯电动全自动驾驶汽车
Mercedes-Benz	全球首家获得有条件自动驾驶（SAE Level 3）国际有效系统认证，进行了包括 L1 级和 L2 级辅助驾驶的数百万英里测试	装配 DRIVE PILOT 自动驾驶系统的 Mercedes-Benz 车系
Valeo	已经生产了大约 15 亿个各种类型的传感器，梅赛德斯 - 奔驰 L3 级自动驾驶车辆上配置了 Valeo 的激光雷达	自动驾驶传感器、Cruise4U 自动驾驶系统
aiMotive	建成匈牙利最大的仿真测试轨道 AVL ZalaZONE，aiWare4 神经处理单元已获得 ISO 26262 ASIL B 认证	提供自动驾驶嵌入式解决方案，包括 aiSIm、aiData 及 aiWare
Volvo	Ride Pilot 自动驾驶系统在瑞典、美国等多地进行了道路测试	配置 Ride Pilot 的全电动 SUV
Nissan	ProPILOT 超智驾测试车在东京、伦敦等地进行了公共道路测试	ProPILOT 超智辅助驾驶已搭载至多种车型（图 4-1-14）
Hyundai	SAE L4 级自动驾驶车辆具有 360°的视野并保证每个系统都有冗余设计，在拉斯维加斯、上海等地进行公共道路测试	IONIQ 5 纯电动 SAE L4 级自动驾驶出租车

图 4-1-12　2020 年 3 月第五代 Waymo

图 4-1-13　Cruise Origin 无人运输车

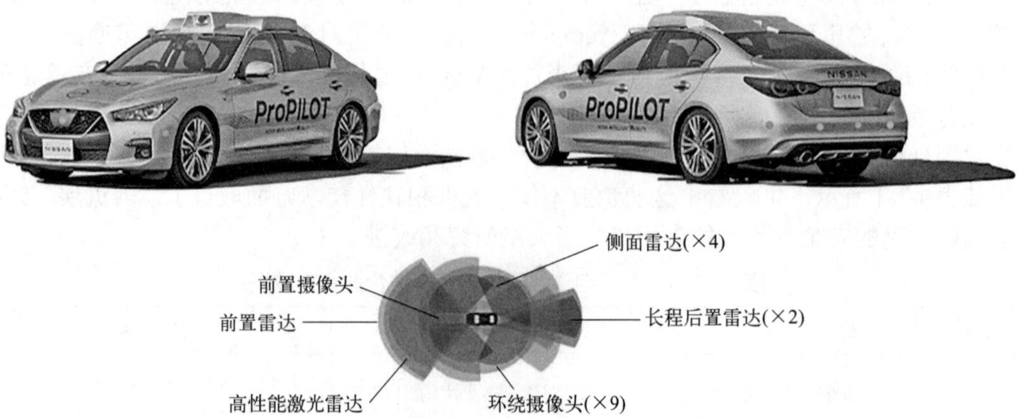

图 4-1-14　日产 ProPILOT 测试车

(3) 驾驶自动化各国发展战略和政策

驾驶自动化技术将在未来改变交通方式、城市规划和汽车行业，也会改变交通方式、城市规划和汽车行业水平的新赛道。因此，全球主要国家都在积极促进驾驶自动化的发展，据不完全统计，全球有30多个国家和地区发布了相关政策或法律法规。其中，美国、欧盟、英国、日本、韩国和中国走在了驾驶自动化发展的前端，正在加速构建良好的政策环境，推动自动驾驶技术的研究、开发和商业化，并确保其安全性和可持续性。

美国制定驾驶自动化相关政策的起步较早，政策环境相对宽松，推动了驾驶自动化技术及相关产业的快速发展。2013年美国国家公路交通安全管理局（NHTSA）发布了《自动驾驶汽车政策声明》，为自动驾驶技术的发展提供了初步指导，并每几年对该政策进行更新，2016年发布《自动驾驶汽车系统2.0》，到2020年发布了《自动驾驶汽车系统4.0》，详细说明了美国政府在自动驾驶发展上的权威、研究和投资。2022年NHTSA发布了《自动驾驶车辆乘客保护规定》，是全球首个此类最终规定，以确保自动驾驶车辆中乘员的安全。自2013年开始，美国交通部发布的相关政策文件如表4-1-2所示，在自动驾驶的安全性、开发、测试、应用等各方面提供了指导意见，以便美国能够继续领导自动驾驶技术的研究、开发和集成。

表 4-1-2　美国交通部发布的驾驶自动化相关政策

时间	文件名称
2013 年	关于自动化车辆的初步政策声明
2016 年	联邦自动化车辆政策：加速道路安全的下一次革命
2016 年	自动驾驶系统 2.0：安全愿景
2018 年	自动化车辆 3.0：为未来的运输做准备
2020 年	自动化车辆 4.0：确保美国在自动化车辆技术方面的领先地位
2022 年	配备自动驾驶系统车辆的乘员保护

欧盟、英国都在全面推广驾驶自动化的发展。欧盟秉承完善统一的监管框架，强力推动驾驶自动化的发展。2018年，欧盟委员会通过了一项关于网联自动化出行方式的欧盟战略，2022年发布自动驾驶车辆的型式认证法规Reg.（EU）2022/1426-全自动车辆自动驾驶系统型式认证的统一程序和技术规范，确保欧盟成员国采用统一方法批准自动驾驶汽车的豁免程序。2022年正式实施要求汽车制造商在新认证车型上强制配置30种安全功能的法规，以强制普及新车辅助驾驶功能，包括智能车速辅助系统、盲点信息提示系统、行驶区域信息提示系统等。

英国政府及汽车行业已投入超过5亿英镑用于智能网联和自动驾驶汽车的研发及测试。2022年，英国数字、文化、媒体和体育部数据伦理与创新中心发布*Responsible Innovation Intelligent Transport Systems in Self-Driving Vehicles*政策报告，以支持英国2025年实现自动驾驶汽车商用的路线图。

德国作为传统汽车强国，正在加速完善驾驶自动化的相关政策，以引领产业发展。2017年，德国率先修订《道路交通法》，规定在特定时间和条件下，高度或全自动化驾驶系统可接管驾驶人对汽车的控制，《自动驾驶法》开始生效，为自动驾驶车辆上路提供法律保障。2021年，德国联邦议院和参议院通过新的《自动驾驶法》，建立了L4级自动驾驶汽车的监管框架，2022年德国首次呼吁为公共交通中的自动驾驶和联网驾驶提供资金，并已拨出5500万欧元，规定每个项目至少要有3辆L4级自动驾驶汽车在2025年之后投入运营。

在亚洲，日韩也将发展驾驶自动化作为重要的发展战略。日本警察厅于2016年发布了《自动驾驶系统道路实证测试指南》，真正从制度上指导自动驾驶路测的进行。2020年，日本自动驾驶商业化研究会发布《日本自动驾驶政策方针4.0》，提出了自动驾驶商用推进计划。2022年，日本警察厅发布《道路交通法》修正案，允许高度自动驾驶车辆上路，促进L4级自动驾驶车辆的商业化发展。韩国政府于2019年发布《未来汽车产业发展战略》，计划于2024年完成全国主要道路自动驾驶所需基础设施建设。2022年，韩国政府发布《移动创新路线图》，表示2022年底允许L3级自动驾驶车辆上路，2025年实现L4级自动驾驶巴士商业化。

总体而言，全球主要国家及地区都在加速推进驾驶自动化的发展，持续更新迭代相关政策法规以促进技术发展和商业化应用落地。信息科技的飞速发展，5G、人工智能融入汽车产业，更加速了驾驶自动化驾驶的智能化、网联化发展。驾驶自动化成为了大国展示科技、生产实力，开展技术、商业博弈的核心。

1.3 关键新技术与新方法

1.3.1 智能网联车辆控制技术

（1）智能动力系统与能量管理

在汽车经济性驾驶的发展历程中，智能动力系统与能量管理始终是研究热点。目前，智能化、网联化进程的不断推进为汽车提供更充分的信息基础，成为推动汽车经济性驾驶革新的重要力量。整体而言，通过智能动力系统进行能量管理技术的开发主要分为三个阶段（图4-1-15）：a.动力总成节能，主要通过优化车辆自身进行节能，轻量化、采用新能源等；b.智能网联节能，通过利用ADAS地图信息（如本车位置、道路状况、交通状况等）开发智能系统，利用外部数据有效优化车辆自身状态，该阶段节能目标为6%～15%；c.群体智慧大交通节能，主要侧重于多智能体互联，如车与人、车、路及云等智能信息交换、

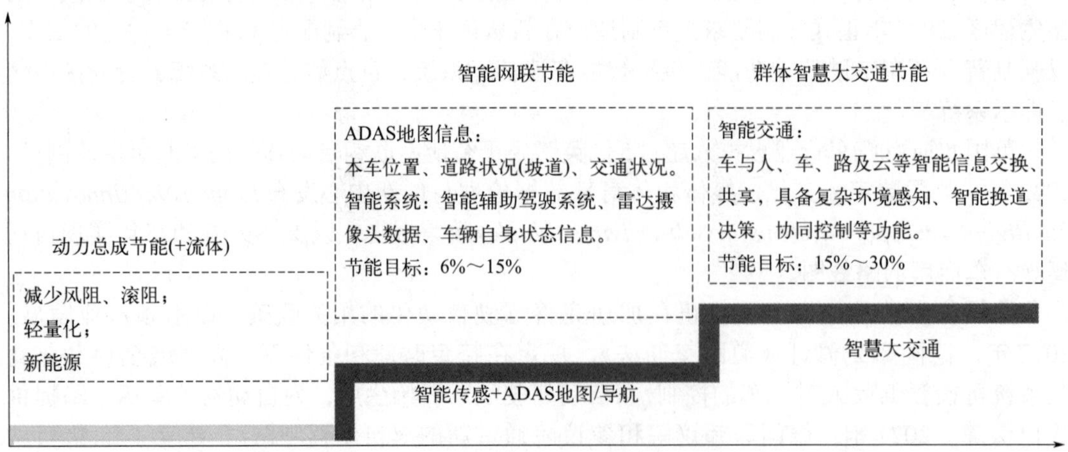

图4-1-15 智能动力系统节能路线

共享，车辆高度智能化，具备复杂环境感知、智能换道决策、协同控制等功能，节能目标为15%～30%。

随着传感技术与计算技术的快速发展，智能交通系统（ITS）中的多智能体交互与即时通信成为影响整体燃油经济性、安全性的关键因素，目前智能信息数据主要来源于人-车交互、车-车通信、车-路感知，最终实现整车节能优化。

在智能交通系统中，驾驶风格/习惯对于汽车经济性造成显著影响，不同驾驶员、不同道路环境，甚至同一驾驶员在不同的时间驾驶行为均可能存在差异，例如同一辆重卡由不同驾驶员在同一条线路驾驶，其百公里油耗能相差10%以上。网联汽车可以根据历史驾驶数据、驾驶员风格或习惯进行驾驶特性辨识，对未来较短时间内的驾驶需求进行预测。进一步地，可以基于此开发驾驶辅助系统，实现节能环保，主要通过设计优化控制策略，对驾驶员的实际驾驶行为进行指导、修正甚至接管驾驶员驾驶。实现上述目标的途径可以包括：针对实时驾驶情况对驾驶员的驾驶行为进行语音提示，提示信息包括加减速提醒等；针对驾驶员踩踏油门的深度进行修正，以避免频繁踩踏油门或踩踏油门过深导致的能耗异常升高；根据历史、当前以及未来驾驶信息，预测出最优的驾驶状态，进而接管驾驶员进行驾驶行为的控制。这样的优化控制策略由于不需要对汽车的结构进行改变，可以直接集成到车辆控制系统中，具备一定的易用性与可移植性。为了消除人为因素对油耗的影响，欧洲重卡很早就开展了驾驶员培训工作，培训重点内容是预见性驾驶，要求尽量减少频繁制动和急加速，并且在连续坡道上通过手动换挡干预来充分利用车辆动能，从而有效降低油耗等。同济大学汽车学院提出了驾驶员人工驾驶时的行为引导和力矩修正优化方法，实现了覆盖全场景的人工/自主商用车节能优化。

车辆除通过控制器局域网总线（CAN）获取本车当前状态信息外，还可以通过最新的传感器技术有效提升自身对交通系统的感知能力，包括对驾驶环境的认知和对周车状况与其他车辆状态的认知。常见车辆状态感知传感器包括全球定位系统（GPS）、惯性测量单元、地理信息系统（GIS）、先进雷达技术（如激光雷达、毫米波雷达等）和视觉传感器等。而针对车辆状态感知的研究主要分为两类：a.直接利用可以提供准确信息的先进传感器，但这些传感器价格昂贵且难以维护；b.间接使用或融合现有的车载传感器信息，这种方法过去常常受制于传感器误差的困扰。广汽传祺开发了智能能量管理策略，依赖于先进的传感器和数据处理技术感知，感知周围环境和路况，实时调整动力分配和部件工作状态，使得动力系统在不同驾驶场景下都能表现出较高的性能，如在城市拥堵时，系统将优先选择纯电驱动，保持车辆平稳行驶，节省能量。

随着无线通信技术的不断发展和日趋成熟，车-设备通信V2I可以收集到更为全面丰富的交通环境信息，并进一步实现信息整合，为车辆经济性提升提供基础。近年来，高精度地图、路域环境感知、基础设施感知等技术的进步为智能控制技术提供了有效的信息数据。以地图为例，其发展路线为车载导航地图-ADAS地图-高精度地图，其中ADAS地图包含道路形状、拓扑和其他高级属性，如道路坡度、弯曲曲率、车道数或限速数值，而高精度地图不仅包括了更加丰富、精确的车道级信息（目前车道误差不超过20cm），同时还将融入动态道路状态信息，能够实现道路状态的实时更新。目前，许多高校和企业通过充分利用未来道路信息，制定纵向驾驶策略，在保证行车安全性和舒适性的同时，最大限度降低燃油消耗。奔驰卡车推出的PPC动力系统预见性巡航就是将当前卡车的GPS信息与存储的数字高精度地图连接起来，通过计算得出一个“电子视野”模型，然后让卡车的驾驶风格来自动适应这个模型。借助车辆内置的高精度地图可以提前“知道”前方2km范围内的道路状况。同时自动控制发动机和变速箱的匹配关系，动态调整车辆速度、发动机转速和对应挡位，让车辆在行驶时及时滑行以确保最大程度地利用能量，从而最大程度地节省燃油。

除上述智能信息采集外，如何利用好这些信息也很重要。随着车载控制器算力的逐渐提升，越来越多的高校或者汽车厂商将先进的控制策略越加广泛地应用于实车上。其中，同济大学汽车学院开发了预见性智能节能巡航技术，进而研制预测节能优化控制系统。该系统包括道路与交通数据采集、地图存储与匹配、优化问题快速计算等多模块，可实现纵向全速域巡航模式和驾驶辅助模式：制定了多源信息存储、匹配机制，提出了机理知识增强数值求解方法，充分满足车规级VCU（电动汽车整车控制器）应用算力需求；开发节能优化控制系统工具链，研制了系统软硬件集成架构；设计了人机交互系统，实现车辆驾驶状态可视化和操作语音提示等功能。整体控制系统可应用于乘用车、商用车、电动车等多平台，且能够根据需求进行个性化功能定制。国外的汽车厂商，尤其是商用车厂商同样基于巡航信息和地图信息开发相应的控制策略，如稀疏动态规划等算法，可调节车辆状态，包括但不限于上坡提前升速、下坡提前减速、避免不必要的降挡、充分利用滑行等措施，在降低驾驶员劳动强度的同时将制动片磨损和排放量降至最低。比亚迪开发了以电为主的全新的混动系统DM-i，其可以根据车辆状态和路况等因素，智能地控制电池电量的消耗和充电，达到最佳的能量利用效率，加之车速控制、停车启动、能量回收和离合控制等各方面的智能优化，具有高度智能化和优化能源利用的特点，以满足混动车低功耗的需求。宇通新能源客车智慧节能系统是基于视觉传感器，对前方车辆相对速度、相对距离进行感知，形成行车安全态势评估，并将两车之间运动场景划分四种模式，分别为远距离远离、远距离接近、近距离远离、近距离接近，并搭建碰撞危险态势评估模型，自适应调节混合动力系统工作模式，实现在保证安全行驶条件下的整车节能控制，并对不同模式下的驱动扭矩和制动回馈扭矩进行优化，在实际线路中能耗可降低近15%。

近年来，随着人工智能领域包括大模型在内的技术的快速发展，基于学习的能量管理策略越来越成为研究热点，包括监督学习、无监督学习、强化学习、深度学习、深度强化学习等途径。基于强化学习的能量管理策略的主要思想是通过智能体与驾驶环境间不断进行交互，以使收益最大化，进而得到最优的控制策略。其实现途径包括Q-学习、近端决策优化、Dyna-H算法等。具体而言，基于学习的能量管理策略主要可以包括离线训练和在线应用两个部分：离线训练阶段使用状态信息作为主网络的输入并输出操作指令；在线阶段则是使用训练好的神经网络进行能量管理。其实现途径包括人工神经网络、深度Q网络、演员-评论家算法、深度确定性策略梯度算法等。受限于训练时间长和部署算力需求大等因素，目前基于学习的能量管理策略算法大都还在科学研究阶段，相信随着技术的发展，越来越多的基于学习的智能算法将会应用于车辆终端。

（2）智能底盘与运动控制

智能线控底盘是自动驾驶中一个重要的执行端技术。它通过电子信号取代机械或液压部件，实现动力学参数的智能控制，主要包含四个关键技术领域。

① 线控驱动技术。它利用电子信号控制驱动电机，实现车辆的加减速。计算平台通过环境信息计算出最佳行驶策略，并发送控制指令给驱动执行机构，实现无级变速。线控油门商业化成熟度较高，海外企业核心技术领先，国产替代空间有限。国内主要为宁波高发、奥联电子、凯众股份。线控换挡市场格局稳定，海外企业凭借先发优势占据市场，宁

波高发变速器操纵系统国内市场占有率第一，有望切入线控换挡国际市场。

② 线控转向技术。它以电动助力转向为基础，利用电子信号控制转向执行器完成方向操作，适用于高阶自动驾驶。浙江世宝作为汽车转向系统国产化龙头，布局线控转向系统较早，2017年已向多个客户交付线控转向系统样件。

③ 线控制动技术。它通过电子控制取代原有液压系统，实现电子踏板和制动执行器的协同工作，同时具备再生制动功能。目前Two-Box方案产品技术最为成熟，伯特利是国内首家研发出One-Box产品的供应商，产品性能优越，在外资垄断下实现自主突破。

④ 线控悬架技术。它根据路面和车辆状态调整悬架参数，优化舒适性和操控性能。线控悬架核心部件技术壁垒较高，且直接影响行车安全，主机厂对产品品质把握严格，此前主要以采购外资供应商的成熟产品为主。国内企业中鼎股份于2016年完成对空气供给单元海外龙头企业AMK的收购，正式切入空悬领域，于2021年建成国内空气供给单元组装线，实现空气供给单元国产化。

长城汽车公司是国内领先的自主品牌，重视自主研发智能化技术。公司于2021年6月发布智慧线控底盘，全栈自研包括线控油门、线控换挡、线控制动、线控转向、线控悬架在内的线控底盘系统。

近年来，将电池、电动传动系统、悬架、刹车等部件提前整合在底盘上的滑板底盘受到业界人士的关注，国内悠跑、盒子汽车、拓普集团、阿尔特、PIX Moving、北汽蓝谷等公司相继投入研发。其中，悠跑于2022年发布UP超级底盘。2023年悠跑启动交付悠跑超级VAN，这是在UP超级底盘之上的首个整车产品。阿尔特2019以来一直致力于滑板底盘的研发，2022年2月投资设立了深圳壁虎新能源汽车科技有限公司，重点用于打造滑板底盘技术和产品。

智能底盘通过独立控制每个车轮，为汽车运动控制提供了广阔可能，例如在避险中实现不同制动模式、在越野时根据地形调整各轮扭矩输出，从而提升性能。总体来说，它通过多轮协同，有效发挥和提升汽车动力学潜力，对自动驾驶水平提升贡献颇大。

智能底盘多轮协调控制的新模式为控制算法开发带来了广阔的发展空间，目前车辆运动控制模块的主流且核心技术可分为逐渐进步的三类：第一类是无模型的方法，主要指PID（比例-积分-微分）控制器，该方法在工业界得到长久且广泛的应用，单独的传统PID控制算法已经无法满足如今多变的智能汽车参数及道路环境，无法适应高度自动驾驶汽车轨迹跟踪控制，现多用于复合控制；第二类方法基于几何学模型，如纯追踪、Stanley算法，该类方法根据车辆运动学的阿卡曼转向模型，每一时刻瞄准期望轨迹上的前方固定距离的点，计算出当前时刻需要的运动曲率与方向盘转角，据此进行轨迹跟踪；第三类是基于车辆动力学模型的预测优化方法，此类方法以控制量（纵向加速度和前轮转角）为优化变量，将各类行车指标纳入代价函数，用解优化的方法得到实时的控制反馈，具有预测的特性，其典型代表为线性二次调节器（LQR）和模型预测控制（MPC）。

这三类方法的控制性能依次显著提升，同时计算负荷也快速变大。得益于计算机水平的进步，目前LQR方法和线性的MPC方法得到了日渐成熟、广泛的应用。无人驾驶面临着动态变化的复杂环境，必须满足关键的安全约束和执行器约束等条件，而模型预测控制算法具有系统地考虑预测信息和处理多约束优化问题的能力，并且理论和计算能力的并行发展扩大了实时MPC的应用范围，因此近年来学者们对基于模型预测控制的无人驾驶车辆运动控制应用开展了诸多研究。由于传统轨迹跟踪控制算法大多只能适用于智能汽车中低速工况，高速工况下可能会失稳，精度降低。为提高跟踪精度，通常会采用卡尔曼滤波、粒子滤波、强化学习、深度学习、迭代控制学习等优化算法对轨迹跟踪算法进行优化。

芯片算力的提升使得一些复杂的方法得以实现。神经网络不仅可以用于优化控制算法的参数，还可以用于车辆参数估计，例如建立传感器测量得到的车辆动力学变量与侧滑角之间的映射，从而实现侧滑角的估计。如何利用有限数量的车载传感器，为神经网络表征车辆侧滑角提供足够的信息是当前研究的热点。对于车辆运动控制而言，车辆模型的建立是至关重要的，基于数据驱动的建模方法通过对可用数据集进行特征提取与学习，能够有效弥补传统物理建模方法精度不足和难以处理不确定项的缺点。对于目标车辆，在实际驾驶条件下，简单的线性数据驱动模型优于线性和非线性物理模型。这对无人驾驶汽车中的控制设计方法具有重要的意义。

一项新技术的引入必然伴随着诸多问题。在实际应用中，神经网络的结构设计、参数选择、初值设定，目前多通过经验设定。学习样本的选取等往往根据所要解决的实际问题具体分析，限制了它更加广泛地应用。神经网络在无人车运动控制中的验证，目前多使用软件仿真和典型道路测试，如何设计具有强适应性、低运算成本的控制器有待研究。

工况的覆盖也至关重要。当前运动控制研究多集中于常规工况，为实现无人驾驶车辆在处理人类驾驶员认为具有挑战性或缺乏操纵能力的复杂动态场景下的潜力，运动控制研究须从常规工况向极限工况拓展，例如对车辆漂移的控制。现有极限工况运动控制研究较少，极限工况下运动控制系统存在着时变不确定性、强非线性和空间域上的多维运动耦合等科学挑战，相关问题尚未得到很好解决。因而，分析非线性因素影响以及纵/侧/垂多维运动耦合作用机理，构建高保真且便于控制实现的数学模型，设计鲁棒性优越且运算成本低的控制方法需要进一步深入研究。

1.3.2 自动驾驶技术

（1）自动驾驶多源传感与信息融合

自动驾驶技术作为人工智能和工业智能的交汇点，正逐步改变着交通方式和工业生产模式。在这一变革浪潮中，多源传感与信息融合产业作为自动驾驶技术的核心部分，正迅速崛起并成为智能交通和工业智能领域的重要组成部分。本小节对中国自动驾驶多源传感与信息融合产业的现状、发展趋势，以及工业界应用中的关键挑战和前景进行深入分析。在自动驾驶多源传感与信息融合产业中，各种类型的传感器是实现环境感知的基础。国内传感器制造技术在近年来得到了显著提升，涵盖了激光雷达、摄像头、毫米波雷达、超声波传感器等。摄像头是传统视觉解决方案的基础，价格较低，而且可以根据不同功能的要求安装在不同位置上。毫米波雷达是指工作在毫米波波段探测的雷达，波长1～10mm，介于微波和厘米波之间，兼具微波制导和光电制导的优点。超声波雷达是利用超声波从发射到反射接收的时间差来计算与障碍物之间的距离，常用在泊车系统中。激光雷达主要通过发射激光束来探测目标的位置、速度等特征量。多传感器信息融合是实现自动驾驶的必由之路。不同类型的传感器优劣分明，单一的传感器难以满足自动驾驶复杂的应用场景，多传感器信息融合已成为行业共识。多源传感与信息融合技术旨在将不同传感器获取的信息进行融合，实现对环境的全面感知和理解。融合后的信息可用于障碍物检测、车道识别、交通标志识别等任务，为自动驾驶车辆的决策和控制提供准确数据支持。国内传感器制造商不仅提高了传感器的精度和可靠性，还在成本效益方面取得了巨大进展。多源传感与信息融合的关键在于将来自不同传感器的数据整合，以获得准确的环境感知。国内科研机构和企业在数据融合算法方面进行了深入研究，提出了一系列创新性的算法。这些算法能够将传感器数据进行校准、配准和融合，从而实现更准确的环境模型和车辆状态估计。

中国自动驾驶多源传感与信息融合产业的布局正迅速演变，涵盖了传感器制造、软件开发、系统集成等多个环节。一些大型互联网企业、汽车制造商和创新型初创企业相继涉足该领域，推动了自动驾驶多源传感与信息融合技术的快速发展。传感器作为自动驾驶的“眼睛”和“耳朵”，在多源传感与信息融合中发挥着至关重要的作用。国内的传感器制造商积极投入研发，不断提高传感器的精度、稳定性和成本效益，为整个产业提供了坚实的基础。自动驾驶多源传感与信息融合的核心在于数据融合算法的开发。国内的科研机构和企业在这方面展开了广泛的研究和创新。通过智能算法，不同传感器采集的数据可以进行配准、融合和处理，从而实现更准确的环境感知和车辆状态估计。这些算法的不断优化和创新将进一步推动自动驾驶技术的发展。国内自动驾驶多源传感与信息融合技术在过去几年取得了显著进展。众多科研机构和企业在传感器融合算法、数据处理、深度学习等方面取得了突破，完成了在不同复杂交通环境下的自动驾驶实验。

在实际应用中，自动驾驶车辆需要将传感器数据融合并与决策系统进行集成，从而实现自主驾驶。中国的企业积极投入系统集成领域，研发能够将多源传感器信息融合为高质量环境模型的系统。这些系统需要能够实时处理大量数据，并进行高效的决策和控制，确保车辆在复杂环境中安全行驶。中国的自动驾驶多源传感与信息融合产业，正在逐步形成以汽车制造商、科研机构、技术公司和初创企业为主体的格局。一些大型汽车制造商，如蔚来、小鹏等，已经在自动驾驶领域投入了大量资源，涵盖了传感器制造、软件开发、系统集成等多个环节。同时，互联网巨头，如百度、腾讯、阿里巴巴，也在自动驾驶技术方面展开了积极的布局。

在自动驾驶多源传感与信息融合产业中，各个环节之间的紧密合作至关重要。汽车制造商、传感器制造商、软件开发公司以及研究机构需要共同合作，共享技术和资源，以推动产业的协同发展。中国的产业链合作不断加强，为产业的快速发展奠定了坚实的基础。创新型初创企业在这一领域中扮演着重要角色，它们通常能够更加灵活地推动技术创新和实验性应用。这种创新生态的存在促使产业中的各个环节都保持敏锐的竞争意识和创新动力。我国政府对自动驾驶多源传感与信息融合产业的支持也在不断加强。政府发布了一系列政策和法规，为产业提供更好的发展环境，以鼓励企业投入自动驾驶领域的研发和创新，例如交通运输部发布的《智能网联汽车道路测试管理规定》明确了自动驾驶汽车在道路测试过程中的管理要求。规定中对测试车辆、测试人员、测试场景等方面都有详细规定，以确保测试的安全性和合规性。该规定为自动驾驶多源传感与信息融合技术的开发和测试提供了明确的指导，有助于规范测试行为，降低测试风险。

我国自动驾驶多源传感与信息融合产业的布局意义重大。合理的产业布局不仅能够推动技术的创新和进步，还能够加速自动驾驶技术的商业化进程。产业布局的成功将有助于中国在全球自动驾驶领域的竞争中取得更大的优势，同时也能够促进智能交通和工业智能等领域的创新和发展。

多源传感与信息融合在发展过程中也有很多挑战，包括融合复杂性以及安全性与可靠性。其中，数据融合复杂性包括不同传感器数据的格式和精度差异，如何有效融合这些数据仍然是一个技术挑战。安全性与可靠性意味着自动驾驶系统在多源传感与信息融合过程中必须保障安全性和可靠性，防止因信息不准确而导致的事故。

随着中国自动驾驶多源传感与信息融合产业的崛起，中国在全球自动驾驶领域中的国际竞争力也在不断提升。中国的技术实力和产业布局使得其在全球自动驾驶多源传感与信息融合领域具备了一定的竞争优势，有望在全球市场中发挥重要作用。中国的自动驾驶多源传感与信息融合产业在技术创新和合作方面都有着巨大潜力。科研机构、企业和政府可以加强合作，共同攻克技术难题，推动行业的迅速发展。自动驾驶多源传感与信息融合产业的发展将深刻影响智能交通的未来。随着技术的进步，自动驾驶车辆将逐步走向商业化应用，推动交通方式和出行模式的变革。随着自动驾驶多源传感与信息融合技术的发展，相应的法规和标准制定也将成为必要。政府、产业组织和专家可以合作制定相应的技术规范，保障自动驾驶的安全性和可靠性。

中国自动驾驶多源传感与信息融合产业正处于蓬勃发展的阶段。技术的持续创新、企业的积极布局、政策的支持以及应用场景的扩展，都为产业的快速发展提供了有力支撑。虽然面临一些挑战，如数据融合的复杂性和安全性问题，但通过持续的努力和合作，中国自动驾驶多源传感与信息融合产业有望在未来成为智能交通和工业智能领域的重要引擎，推动社会的进步和发展。

（2）自动驾驶自主决策与规划控制

自动驾驶自主决策与规划控制是指在自动驾驶系统中，车辆能够基于感知到的环境信息和预定的目标，自主地作出决策和规划行驶路径的能力。自主决策是指车辆根据感知到的环境信息和预定的目标，通过算法和模型来进行决策制定。这些决策可能涉及如何行驶、何时变道、如何超车、如何应对交通信号等。自主决策的目标是在保证安全的前提下，实现高效、稳定和智能的驾驶行为。规划控制是指根据自主决策制定的行驶策略，通过路径规划和轨迹控制来实现车辆的运动控制。路径规划是指在给定的地图和目标位置下，确定车辆行驶的最佳路径。轨迹控制是指根据规划的路径，通过控制车辆的加速、减速、转向等动作，实现车辆按照预定的路径行驶。自动驾驶自主决策与规划控制的关键是通过感知和理解环境，进行场景分析、决策制定和路径规划，最终控制车辆按照规划的路径行驶。这需要依赖高精度的传感器、先进的算法和强大的计算能力来实现。同时，也需要考虑到复杂交通场景的处理、环境感知的不确定性、系统可靠性与安全性等因素，以确保自动驾驶系统的性能和可靠性。当前，自动驾驶自主决策与规划控制存在两类主流的技术路线，分别为循序规划和端到端规划。循序规划较为传统，有感知、定位、规划、控制几个部分，层次较为清晰。端到端规划基于深度学习、深度强化学习等算法，借助大量的数据作模型训练，获得从图像等感知信息到方向盘转角、油门开度等车辆控制输入的关系。

① 循序规划。循序规划又称模块规划，在行业中已经得到了广泛的应用。这种方法起源于自主移动机器人的开发架构，包含了感知、定位、规划和控制。根据规划对象的不同，可进一步细分为全局规划和局部规划。全局路径规划负责在道路网络中找到一条最佳的路径，该路径呈现为一个包含数百万条边界和节点的有向图。路线规划器在有向图中进行搜索，以找到连接起始节点和目标节点的最小成本路径。在此，根据查询时间、预处理的复杂性、内存占用率和所考虑的解决方案的鲁棒性来定义成本。Dijkstra是基于图搜索算法的先驱，他创新性地提出了Dijkstra算法。同时，A*算法也是非常知名的基于图搜索的算法，它利用了启发式函数的优势，简化了研究。这些算法都大大缓解交通效率的问题，并在智能交通系统领域引起广泛关注。局部规划是基于所识别出的全局

路径，计算出一条安全、舒适、连续的局部轨迹。名义上，局部规划是通过求解一个最优控制问题（OCP）来完成的，目的是使具有多种类型的硬或软约束的预定义代价函数最小化。由于这种OCP的解析解通常不可用，因此需要两种类型的操作来构造轨迹：第一种操作是识别一个状态网格序列；第二种操作是在相邻的状态网格之间生成原语。状态网格识别可以通过搜索、选择、优化或潜在的最小化来完成。基于搜索的算法将与上述OCP相关的连续状态空间抽象成一个图，并在那里找到一个状态的链接。代表性的基于搜索的方法有A*算法和动态规划，同时，基于两者也衍生出了诸如Hybrid A*、双向A*、半优化A*和线性二次高斯问题（LQG）等工作。基于选择的算法通过寻找具有最优代价函数的候选对象来决定下一个或几个步骤中的状态网格。贪婪选择和马尔科夫决策过程（MDP）即为这类算法的代表。基于优化的算法将原始的OCP离散成一个数学程序。求解器进一步分为梯度求解和非梯度求解：梯度求解的求解器通常用来解非线性程序、二次程序、二次约束的二次程序和混合整数程序；非梯度求解的求解器通常用元启发式表示。原语生成通常表现为封闭形式的规则、模拟、插值和优化。基于规则即使用具有封闭形式解的解析方法进行计算，典型方法有多项式插值、Dubins/Reeds-Shepp曲线。基于插值的典型方法有样条插值。

② 端到端规划。端到端规划表示从原始传感器数据直接映射到轨迹点或控制信号。相比于传统的循序规划，端到端规划没有模块间的传输差距，很少嵌入人类的启发式方法，也可以更高效地处理车辆与环境间的交互行为。端到端的技术具有更高的上限，有潜力在自动驾驶领域取得优异性能。端到端规划方法从学习方法分为三种不同的类型：使用有监督学习的模仿学习、使用无监督学习的强化学习，以及包含混淆学习的并行学习。

模仿学习：模仿学习（IL）是指基于专家知识的智能体学习策略，通常提供专家决策和控制信息。每个专家知识包含一系列的状态和动作，并提取所有的“状态-动作”对来构建数据集。在IL任务中，模型利用所构建的数据集来学习状态和动作之间的潜在关系，状态代表一个特征，动作演示了标签。因此，IL的具体目标是评估状态和动作之间的最适合度映射，从而使智能体尽可能多地实现专家的轨迹。模仿学习也存在三种分类，分别是行为克隆（BC）、直接策略学习（DPL）和逆强化学习（IRL）。行为克隆是自动驾驶中模仿学习的主要方法。智能体利用专家知识训练模型，然后使用分类器/回归器复制策略。BC是一种被动的方法，其目标是通过被动地观察命令的完整执行情况来学习目标策略。使用该方法的前提条件是所有专家知识中的状态-动作对都是独立的。Codevilla提出过一个著名的基于行为克隆的IL模型，即条件模仿学习（CIL）模型，包含了车辆纵向与横向控制。然而行为克隆也存在局限性，当训练数据集存在偏差或过拟合问题时，该方法的泛化能力不足。此外，当智能体被引导入一个未知的状态时，其很难学习到一个正确的恢复行为。直接策略学习DPL是一种基于BC的训练方法，它对当前策略进行评估，获得更适合的训练数据进行自优化。与BC相比，DPL的主要优势是利用专家的知识来指导智能体如何从当前的错误中恢复。这样，DPL就减少了由于数据不足而导致的BC的局限性。它是一种迭代的在线学习策略，减轻了对数据集数量和分布的需求，同时通过有效消除错误来促进策略的持续改进。逆强化学习IRL是为了通过推断输入和输出之间的潜在原因来规避上述方法的缺点。与之前的方法类似，IRL需要在开始时收集一组专家知识。然而，不是简单地学习状态-行动映射，而是首先推断出这些专家知识，然后基于复杂的奖励函数优化行为策略。

IRL方法可分为最大边际法、贝叶斯法和最大熵法三类。最大边际方法利用专家知识来评估奖励函数，使最优策略和估计次最优策略之间的边际最大化。这些方法利用线性组合算法来表示具有一组特征的奖励函数，其中所有特征都被认为是独立的。贝叶斯方法通常利用优化的轨迹或奖励的先验分配来最大化奖励的后验分配。最大熵法通过在优化程序中使用最大熵来估计奖励函数。与先前的IRL方法相比，最大熵法对连续空间的应用效果更好，且具有潜在的应用能力解决专家知识带来的次优影响。然而，逆强化学习鲁棒性和可解释性的问题，将会是未来的研究方向。综上，IL方法的目的是从专家的知识中获取状态到动作的映射。然而，当数据集存在本质缺陷时，该方法可能会存在通用性问题。此外，当智能体被引导到一个未知状态时，其很有可能无法预测正确的行为。IL方法需要大量的人工标记数据，当面对相同的情况下，不同的驾驶员可能会做出完全不同的决策，这就导致了训练过程中的不确定性。为了消除对标记数据的需求，一些研究人员已经努力利用强化学习（RL）算法来进行自主决策规划。

强化学习：强化学习是指通过与环境交互而实现的智能体学习策略。RL智能体的目标不是模仿专家的行为，而是通过试错来最大化其环境的累积数字奖励。通过与环境的持续互动，智能体逐渐获得最优策略的知识来达到目标。目前有两种实现最优策略的RL方法，即基于价值的强化学习和基于策略的强化学习。基于价值的强化学习方法试图估计给定状态下不同行为的价值，并学习根据在该状态下采取该行动所能获得的预期奖励为每个行动分配价值。智能体学习将奖励与环境中所采取的状态和行动联系起来，并利用这些信息来做出最佳决策。基于价值的方法仅限于提供离散的命令。然而，自动驾驶是一个连续的过程，在不间断跨度内的连续命令可以控制车辆在一个精确水平。因此，连续的方法更适合车辆控制。基于策略的方法具有在连续控制命令的高维动作空间中达到高水平的潜力。该方法比基于价值的方法具有突出的收敛性和探索性。

并行学习：IL需要大量的数据集与专家知识，RL需要占用相当数量的计算资源。为解决上述挑战，并行学习的概念被提出，并被运用到端到端规划中。在动作阶段，并行学习遵循RL范式，使用状态转移来表示模型的移动，从大数据中学习，并将学习到的策略存储在状态转换函数中。值得注意的是，并行学习利用了计算实验来改进策略。通过特征提取，小微知识可以应用于特定的场景或任务，并用于并行控制。并行系统理论为复杂系统的控制和管理提供了一个有效的工具，特别是在自主控制领域，并行学习有效地缓解了端到端规划模型的数据短缺、学习效率低和鲁棒性差的问题。

1.4 》 技术应用情况

1.4.1 L2～L3级自动驾驶应用情况

(1) L2～L3级自动驾驶的定义和特点

自动驾驶可以提供更安全、更高效、更节能、更舒适的出行体验，其意义不仅在于改变人类的车辆驾驶习惯，更重要的是在交通安全、出行效率、节能减排、产业变革等方面推动社会整体发展和进步。2022年以来，国家层面及地方政府适时出台一系列政策和规划，促进自动驾驶相关产业健康快速发展。2022年11月，工业和信息化部印发《关于开展智能网联汽车准入和上路通行试点工作的通知》，对准入试点的智能网联汽车产品提出了一系列规划和指导要求，进一步推进了自动驾驶的发展进程。自动驾驶技术分为多个等级，不同机构提出过多种分级标准，目前业界常用的两种分级标准是NHTSA分级（美国高速公路安全管理局提出）和SAE分级（美国汽车工程协会提出）。两种分级在具体级数划分方面存在差异，但是在特征描述方面存在共性。根据两种分级的定义，L2级自动驾驶实现的是部分自动化，驾驶主角为人类驾驶员，车辆对方向盘和加速度的多项操作提供驾驶操作。L3级自动驾驶实现的是有条件自动化，驾驶主角均由驾驶员操作转换为车辆自主驾驶，并且车辆将完成绝大部分的驾驶操作。本小节采用SAE的分级标准。

（2）应用情况

截至2023年11月，中国尚未批准L3级自动驾驶正式投入市场应用，故在市场上应用搭载的自动驾驶系统均标称为L2，按照提供功能和面向场景的不同又细分为传统L2和L2+。传统L2主要搭载了自适应巡航控制（ACC）系统、车道保持辅助系统（LKAS）、自动紧急制动（AEB）系统和盲区监测系统（BSM）等。目前，传统L2正成为车企应用于产品的主流选择，根据乘联会发布的《2023年7月汽车智能网联洞察报告》，2023年上半年，新能源汽车传统L2级别的装车率高达34.9%，燃油车装车率为18.1%。2023年，车企价格战打响，车企使用的自动驾驶技术路线也因产品定价出现分化，实现传统L2功能，仅需要“摄像头+超声波雷达+毫米波雷达”的经典配置，成为了车企追求极致性价比路线下的首选。L2+用以描述介于L2级和L3级之间的自动驾驶系统，通常表示在实现传统L2功能的基础上，增加了一些更高级的功能，如自动变道辅助系统、领航辅助驾驶系统等。其中，领航辅助驾驶因能实现一定道路场景范围内的点到点自动驾驶，被认为是“L3在L2+技术下的演绎”。根据场景的不同，领航辅助可进一步分为高速领航和城市领航。

高速领航普遍在特定高速公路和城区高架路启用，包含自动进出匝道、调整车速、变换车道等功能。中国的高速领航首先落地于2019年6月，特斯拉向中国大陆选装了FSD的车型推送了NOA功能，随后蔚来、小鹏和理想三家也分别于2020年10月、2021年1月、2021年12月入局。2022年，吉利、上汽等自主品牌亦开始在旗下的部分车型上搭载该功能（图4-1-16）。目前，高速领航已完成“从0到1”的阶段，正走向“从1到10”的放量阶段。

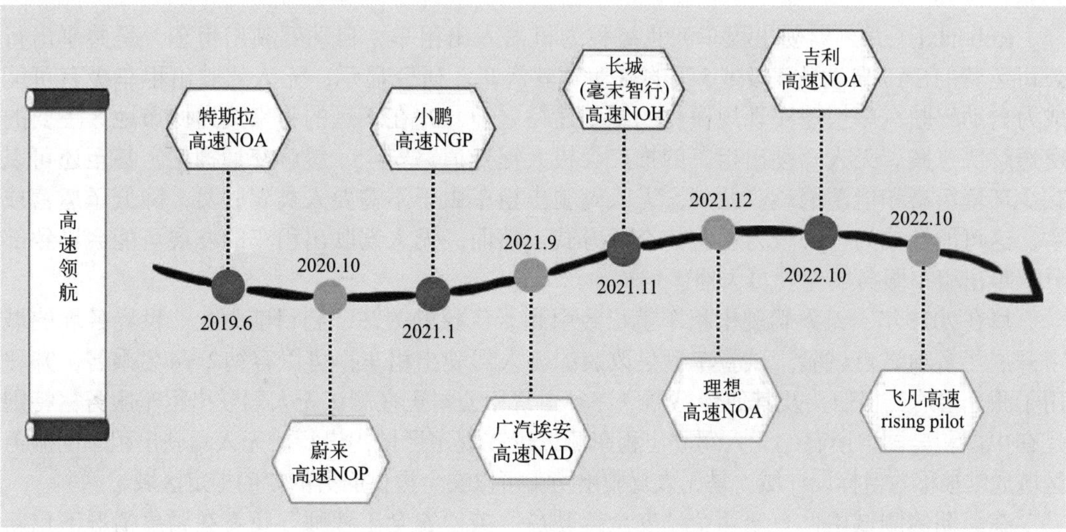

图4-1-16　高速领航技术发展历程

2022年，中国前装市场高速领航搭载量突破20万台，渗透率接近1%。此外也可参考高工智能汽车研究院的监测数据，高工智能汽车研究院测算2022年中国乘用车市场前装标配高速领航搭载量约21.2万辆，同比增长近80%。城市领航则针对复杂城区道路场景进行升级，包含信号灯识别、自动变道、自动避障等功能。在小鹏、华为的领衔下，各大车企和方案商向城区领航进发，部分于2023年开始上车。城区领航作为乘用车的“L3演绎”，代表了乘用车自动驾驶的“技术制高点”，率先落地这一功能的车企/智驾供应商有望大幅强化消费者对汽车智能化的体验和认知，从而真正形成车企的技术护城河和品牌溢价。但鉴于城市领航技术难度远高于高速场景，想要实现较理想的驾乘体验，落地后或仍需3年左右的时间进行技术迭代和产品打磨。

目前城市领航仍较为依赖高精度地图，因此在初始落地时，可运行区域范围仍较小，普遍按城市进行开放。小鹏和华为的方案已于2022年9月开始落地，并在逐步拓宽开放区域。除此之外，理想、长城等车企也计划推出各自的城市领航功能。

据小鹏2022年10月24日披露的数据，小鹏P5在城市导航辅助驾驶（NGP）推送后，城区辅助驾驶周渗透率达84%，城市NGP里程渗透率达63%，通行效率可达人类驾驶员的90%，平均百公里被动接管次数为0.6次。

北汽极狐＆长安阿维塔（华为）：均选择HI（huawei inside）模式，依靠华为ADS高阶自动驾驶全栈解决方案打造城区NCA功能。极狐在2023年4月20日的华为全球分析师大会数字化沙龙上表示，自交付起，阿尔法S全新HI版的城区智驾领航辅助驾驶已安全行驶超30万公里，在深圳及上海使用高阶智驾里程占比达40%，使用依赖正在逐步形成。阿维塔11也已在上海、深圳、广州和重庆开启城区NCA试驾体验。

据小鹏介绍，城市NGP的代码量是高速NGP的6倍，感知模型的数据是高速NGP的4倍，预测/规划/控制相关的代码是高速NGP的88倍。此外，目前城市领航功能在使用时仍需要驾驶员保持较高的专注度，行车过程中存在刹车过急、绕行较为激进、弯前减速不够等现象，容易增加驾驶紧张感，人机共驾体验有待进一步优化。

1.4.2 Robotaxi研究及应用情况

Robotaxi（无人驾驶出租车）也被称为机器人出租车、自动驾驶出租车，是共享出行公司运营的SAE自动化4级或5级的自动驾驶汽车。研究显示，无人驾驶出租车极有可能成为自动驾驶汽车快速实现规模化的重要途径之一，并在不远的将来成为城市地区主要的交通解决方案。无人驾驶出租车的推广会极大提升道路安全、缓解交通拥堵，甚至还可以减少环境污染和能源消耗。此外，无人驾驶出租车由于不需要人类驾驶员，降低了运营成本，这可能会成为一种较为便宜的交通方式。然而，无人驾驶出租车的发展可能会导致部分从事出租车服务的驾驶员失业。

早在2018年，无人驾驶出租车就已经引起了广泛的关注。到目前为止，世界各地的城市开展了多项试点试验。试验车辆是改装的无人驾驶出租车，可以容纳2～4名乘客，并使用了激光雷达、摄像头及其他传感器。许多国家和公司正在测试无人驾驶出租车服务，特别是在中国和美国。所有的无人驾驶出租车测试仅在规定区域内进行。无人驾驶出租车的服务区域通常被称为目标设计域，是无人驾驶出租车可以安全提供服务的专门指定区域。

在早期的测试中，有一两个“安全驾驶员”或“安全工程师”负责在紧急情况下重新控制车辆。进一步在没有安全驾驶员的情况下进行测试。如果车辆出现无法自动操纵的情况，可以通过驾驶员或者远程操作使车辆安全运行。

第一次无人驾驶出租车试验是在2016年8月，麻省理工学院的衍生公司NuTonomy成为第一家向公众提供无人驾驶出租车的公司，开始在新加坡的规定区域内由6辆改装雷诺Zoes和三菱i-MiEV提供乘车服务。

2016年9月，Uber开始允许匹兹堡的部分地区用预约使用无人驾驶出租车，每辆出租车的前排乘坐两名Uber的测试驾驶员。2017年3月，一辆Uber的无人驾驶出租车被一辆未让行的汽车撞击并侧翻，2017年10月开始，每辆出租车只乘坐一名测试驾驶员。

2017年4月，Waymo在亚利桑那州凤凰城的郊区开始了大规模无人驾驶出租车测试，并由一名测试驾驶员监控车辆，服务区域约为260km^2，2017年11月，开始进行一些没有驾驶员监控的测试，2018年12月，Waymo在亚利桑那州推出了Waymo One的无人驾驶出租车付费服务，商业运营于2019年11月开始。

2017年8月，通用汽车于2016年收购的自动驾驶初创公司Cruise Automation使用46辆雪佛兰Bolt车，为其旧金山的员工推出测试版无人驾驶出租车服务。

2018年8月，Yandex在俄罗斯Innopolis使用两辆无人驾驶出租车进行试验。

2019年4月，小马智行在广州为员工和受邀附属公司推出了覆盖50km^{2}的无人驾驶出租车试点，为预先定义的接送点提供服务。2019年11月，小马智行在加利福尼亚州欧文市开始了为期三个月的无人驾驶出租车试验，使用10辆汽车在停靠点提供接送服务。

2019年11月，文远知行RoboTaxi在广州和黄埔开始无人驾驶出租车试点服务，使用20辆无人驾驶出租车，覆盖面积144.65km^2。

2020年4月，百度在长沙向公众用户开放45辆无人驾驶出租车免费试乘，在135km的路线上为100个指定地点提供服务。服务运营时间为上午9:20至下午4:40，配备一名安全驾驶员和一名领航员，为后排留出两名乘客的空间。2020年8月，百度在沧州试行通过应用程序预订提供免费无人驾驶出租服务，通过预先定义的路线为55个指定地点提供服务。2021年5月，百度在北京西部首钢园区3km^{2}的区域内启动商业无人驾驶出租车服务，配备10辆Apollo Go，设有8个接送点。2021年7月，百度在广州向公众开放试点，由30辆无人驾驶出租车为黄埔区160km^{2}的区域服务，每天上午9:30至晚上11点为200个接送点提供服务。

2020年6月，滴滴Robotaxi服务在上海正式运营，覆盖上海汽车会展中心、地铁站、酒店等。

2020年12月，AutoX在深圳启动了25辆无人驾驶出租车的非公开试验，该服务于2021年1月向公众开放。

2021年7月，DeepRoute.ai开始免费试用，在深圳市中心有20辆无人驾驶出租车为100个接送点提供服务。

2022年2月，Cruise在旧金山向公众开放其无人驾驶汽车。

2023年2月，亚马逊旗下的自动驾驶初创公司Zoox在加利福尼亚州福斯特城首次使用机器人出租车载客。

2023年8月，Waymo和Cruise获得加利福尼亚州公用事业委员会（CPUC）授权，在旧金山收取无人驾驶乘车费用。

2024年7月，上海临港新片区正式启动了无人驾驶出租车公开道路测试，吸引了包括百度、上汽赛可智能、小马智行和AutoX在内的多家企业参与。

2025年2月，中国公司文远知行Robobus在法国德龙省开启了纯商业化运营；随后在2025年9月，Robotaxi和Robobus业务也分别进入瑞士苏黎世和比利时鲁汶。

2025年7月，北汽新能源与小马智行联合开发的L4级无人车——基于极狐阿尔法T5车型的测试平台，展开路测。

2025年9月，谷歌姊妹公司Waymo已获批准，在纽约市曼哈顿和布鲁克林有限度地开展测试。

无人驾驶汽车将对汽车行业产生重大影响，颠覆商业模式，促使消费者寻求多种出行方式。无人驾驶出租车还可能引发一个巨大的移动即时服务市场。如果完全实现，无人驾驶出租车将具有改变出行行业的巨大潜力，迫使企业决定如何在这个大环境中实现盈利和可持续发展。

1.4.3 特定场景自动驾驶应用情况

自动驾驶技术，作为现代交通和物流变革的核心推动者，已逐渐从理论阶段演进到实际部署。功能性自动驾驶车辆在矿山运输、无人小巴和港口物流等一些特定应用场景中表现尤为显著。这些场景由于其封闭性和操作规律性，为自动驾驶技术的快速发展和商业化创造了条件。

在矿山方面，虽然中国在无人驾驶矿卡的发展上起步较晚，但随着《安全生产“十三五”规划》《关于进一步加强矿山安全生产工作的意见》等一系列政策的推出，尤其是2020年《关于加快煤矿智能化发展的指导意见》，明确提出到2025年实现露天煤矿的智能化与无人化，大力推动了我国在无人矿卡领域的发展。国内矿区自动驾驶技术的研发和应用已经从单车测试、多车编组测试，发展到现阶段的三班生产、安全员下车和项目验收，已具备一定的基础条件，正从小规模示范运营迈向大规模商业化落地阶段。在技术研发方面，踏歌智行、易控智驾、中科慧拓、伯镭科技和盟识科技等高新科技公司，已成为该领域的重要力量，并与北方股份、同力重工、徐工集团等矿卡制造商密切合作，推动无人矿卡的测试及其商业化应用。踏歌智行的“旷谷”解决方案融合了车载系统、地面系统和云控平台，已在白云鄂博矿区等多地进行无人矿卡的测试与应用。2018年在白云鄂博矿区与包钢集团和北方股份进行国内首辆无人矿卡测试。截至2022年底，踏歌智行部署了300多辆无人驾驶矿卡，业务已超过10亿元人民币。易控智驾的“著山”方案聚焦于新能源线控平台和智能云控平台等系统融合，自2019年对矿区进行实测，之后实现在特变电工、国家能源集团等大型矿区的落地运营。截至2023年10月，易控智驾已组建全球最大单矿区无人驾驶车队，超过200台新能源线控矿卡常态化无人驾驶运行。中科慧拓推出的“愚公YUGONG”系统则实现了多机型、多矿种、全场景适配，2019年在宝日希勒煤矿等地实现商业化应用。同年在江铜集团城门山铜矿作为首个国内有色金属行业无人运输项目落地。2022年在云南华联锌铟矿实现无人编组运行。此外，伯镭科技在智能矿山解决方案上推出了“天地一体，多设备协同”的整体解决方案。2020年在酒钢智慧矿中实现了24小时连续无安全员作业。2022年完成了内蒙古铧尖露天煤矿智能化建设项目验收。盟识科技推出“云边端”三级递阶系统产品，2020年签约江苏成达新能源矿山无人驾驶项目。2021年部署5辆无人驾驶矿卡在安徽铜陵董冲矿。2023年提供无人矿卡在中联水泥青州矿。

在无人小巴方面，自2020年底交通运输部发布《关于促进道路交通自动驾驶技术发展和应用的指导意见》后，无人驾驶客运服务在封闭式快速公交系统等区域的探索与应用得到了显著推进。2021年百度和金龙客车联合研发的阿波龙Ⅱ在广州发布，其技术在环视摄像头、激光雷达、车内屏幕信息及语音交互等多方面取得了显著进步，并且无人小巴已在全国多地投入使用。青飞智能的G200无人小巴针对工业园区、科技园等封闭区域提供了高效的接驳服务，其多传感器融合技术展现了在自动驾驶解决方案方面的先进性，已在南京、苏州、广东等地多个区域应用。轻舟智航2020年推出的龙舟ONE无人小巴则在城市开放道路上实现了360°无盲区感知，通过5G和V2X技术，实现了车辆与周边环境的智能互联，已在苏州、武汉和深圳等多个城市展开常态化运营。宇通的第二代无人驾驶巴士“小宇2.0”体现了自动驾驶技术在城市公共交通领域的应用前景，它能够在开放道路上安全行驶，并具备超车、换道等高级驾驶辅助功能。东风悦享科技的SharingVAN无人小巴在上海车展上展现了诸如动态避障、多车编队行驶等先进技术，现已在浙江、山东、云南等多个地区展开示范运营。智行者2021年推出的Robobus和追势科技2022年推出的无人小巴在国内外多个城市的园区、机场等场景中实现了落地运行。中科天极和青牛智驾2023年推出的无人小巴分别计划在未来几年内实现批量生产和投入运营。此外，一汽红旗、上汽、陕汽等主机厂以及驭势科技、斑马智行等创业公司也都在自动驾驶小巴领域积极布局。

在港口方面，国家高度重视智慧港口的建设，各部委相继出台了一系列政策来推动智慧港口的发展，如交通运输部发布的《关于推进港口转型升级的指导意见》。众多科技公司正在积极推进无人驾驶重卡技术的应用和示范。西井科技研发的全时无人驾驶重卡Q-Truck是全球第一辆真正意义上的多场景全时无人驾驶重卡，在珠海港实现了L4级的无人驾驶货运，凸显出自动驾驶在港口卓越的应用潜力。主线科技则在天津港、宁波舟山港和深圳妈湾港等地成功部署了无人驾驶重卡，在天津港主线科技成功部署了25辆无人驾驶重卡，在宁波舟山港交付了13辆无人驾驶卡车，展示了在港口自动化和智能化方面的实际应用能力。飞步科技则在梅山港成功交付了12辆自动驾驶集卡并开启编队运营，进一步体现了港口自动化的前景。此外，图森未来、智加科技、中科云杉、斯年智驾、振华重工等也在上海、青岛、深圳等地开展示范。

无论是在矿山、无人小巴还是港口物流领域，自动驾驶技术都体现出了显著的发展潜力和应用价值。随着技术的不断进步和政策的支持，自动驾驶将在更多特定场景应用，推动相关行业向智能化、自动化转型。

1.5 存在问题与挑战

1.5.1 关键技术瓶颈

随着智能交通系统的快速发展，车辆自动化技术取得了非常大的进步。但是，当前车辆驾驶自动化在多个技术方面依然面临着深刻的挑战，例如传感器技术的可靠性、数据的实时处理和智能决策、高精度地图的更新和维护、人工智能和机器学习的作用以及法规、伦理问题和安全性等方面挑战。

首先，传感器技术的可靠性至关重要。雷达和摄像头等传感器必须在各种极端天气条件和复杂交通环境下表现出色，例如雷达在强降雨或大雪、大雾中可能受到信号干扰及散射影响，摄像头则可能因为强光、低光或逆光条件而产生误判。其次，实现实时感知和智能决策需要高效的数据融合和处理。从雷达和摄像头等多个传感器中收集的数据需要实时整合，形成一致的环境模型，这对计算能力和算法的性能提出了极高的要求。在地图方面，高精度地图是自动驾驶系统的基础。这涉及准确维护和更新包括道路几何、交通标识和交叉口信息在内的地图数据，特别是在城市环境中。这要求先进的测绘技术和实时更新机制，以确保车辆准确了解周围环境。人工智能和机器学习在自动驾驶技术中扮演关键角色。在决策制定方面，深度学习和强化学习算法使系统能够理解并预测其他道路用户的行为，并做出适应性决策。在行为规划方面，机器学习技术则用于规划车辆的行为，确保其与周围环境合理互动。

除了技术方面的挑战，法规和伦理问题也是自动驾驶技术面临的挑战之一。责任分配、安全标准和法规框架的制定都需要仔细考虑，以确保自动驾驶车辆在各种情境下的合规性和安全性。

1.5.2 产业发展瓶颈

车辆驾驶自动化的产业发展面临着多个关键瓶颈，这些瓶颈涵盖了技术、法规、社会和市场等多个方面。

首先，技术方面的挑战主要体现在感知和认知能力上，车辆驾驶自动化技术的首要挑战在于系统对周围环境的感知和认知能力。虽然现代自动驾驶汽车配备了各类传感器，如雷达和摄像头，以获取环境信息，但在复杂的交通状况中，如城市拥堵或不同天气条件下，确保对周围环境的高效感知仍然是一个技术上的难题。对于复杂的交叉口、行人和其他车辆的准确识别，需要更先进的计算机视觉技术和深度学习算法，以确保自动驾驶系统的可靠性。其次，决策和规划也是一个重要的技术挑战。一旦车辆感知了周围的环境，下一步是做出合适的决策和规划行车路径。在城市环境中，可能会出现复杂的交通状况，涉及与其他车辆的交互、合理超车以及应对紧急情况等。这要求自动驾驶系统具备高级别的人工智能，能够在瞬息万变的情况下做出明智而安全的决策。系统需要适应不同的行车场景，从高速公路到繁忙的城市街道，以及处理不同车速和行车方向的情况。安全性和可靠性问题也是技术发展的焦点。在自动驾驶领域，安全性和可靠性是最为重要的考量之一。系统必须能够在各种环境条件下保持高度的安全性，防范潜在的故障和危险情况。这不仅要求系统具有高度的可靠性，还需要对软硬件进行深度测试，以确保其在各种实际场景中的稳定性。此外，随着自动驾驶车辆的互联性增加，网络安全也成为一个不可忽视的问题，需要防范潜在的网络攻击，确保车辆的数据和控制系统安全。

在法规和法律方面，车辆自动化的发展还受到各国法规和法律的制约。由于缺乏全球性的标准和认证程序，不同国家和地区的法规标准存在差异，这阻碍了自动驾驶技术的跨境应用。同时，在自动驾驶车辆发生事故时，责任归属问题变得尤为复杂，需要法律体系对于自动驾驶技术引发的责任进行明确和完善。社会和公众接受度问题同样需要应对。公众对于自动驾驶技术的接受度与信任度是推动产业发展的关键因素。目前，许多人对自动驾驶技术存在疑虑，特别是在发生事故时。因此，除了技术创新，还需要通过广泛的公众教育，提高人们对于自动驾驶技术的了解，以建立对该技术的信任。此外，不同文化和社会对于自动驾驶的接受程度存在差异，需要在推广过程中更加细致地考虑文化适应性。

成本和商业模式是产业发展中的另一个瓶颈。成本问题是自动驾驶技术大规模商业应用的重要瓶颈之一。目前，自动驾驶系统所需的传感器和计算设备成本相对较高，限制了技术的广泛应用。因此，产业需要不断努力降低硬件成本，以促使技术更好地融入商业应用。另外，自动驾驶车辆的维护和更新可能造成高昂的成本，产业需要寻找更经济有效的解决方案，推动技术的商业可行性。

最后，基础设施问题。基础设施的现状也是自动驾驶产业发展中的一个瓶颈。不同地区的道路基础设施标准化程度不一，这对自动驾驶车辆的正常运行提出了挑战。产业需要与政府和相关部门密切合作，推动基础设施的升级和标准化，以适应自动驾驶技术的发展和推广。

1.5.3 政策法律法规

随着自动驾驶技术的快速进步，各国纷纷制定了一系列政策法律法规，以确保这一引领未来交通革命的技术能够在全球范围内安全、高效地融入日常生活。国际层面，联合国的《道路交通公约》和《车辆规则》为各国提供了一个共同的法规框架，为自动驾驶技术的全球推广奠定了基础。

在美国，国家公路交通安全管理局（NHTSA）在自动驾驶法规方面发挥着关键作用。通过发布《自动化汽车3.0》，NHTSA为制定自动驾驶汽车的规范和要求提供了指导。同时，各州也积极参与，加利福尼亚、密歇根等州通过先进的法规框架成为自动驾驶技术的前沿试验场所，推动了技术的创新和实践。

在欧洲，欧盟致力于协调各成员国内的自动驾驶技术发展。相关指令和法规，尤其是关于新型电动汽车批准的法规，为技术提供了法律支持。这有助于确保技术在整个欧洲范围内的标准化，提高其在不同国家间的可行性，促进技术的更广泛应用。

中国交通运输部在自动驾驶领域的法规制定上也走在前列，发布了一系列关于自动驾驶技术的指导意见和规范。这些规定不仅涵盖了自动驾驶汽车的测试和上路，还强调了对技术监管的重要性，为产业提供了清晰的法规方向，推动了自动驾驶技术的迅速发展。

除了这些主要国家和地区外，其他一些国家，如日本、韩国、加拿大等，也在积极推动自动驾驶技术的法规制定。通过明确定义的法规框架，这些国家为技术创新提供了合理的法律保障，加速了社会对自动驾驶技术的接受，推动了技术的广泛普及。

政策法律法规的制定不仅有助于确保自动驾驶技术的安全性和可靠性，也为其在全球范围内的推广提供了法律基础。未来，这些法规将持续演进，以适应自动驾驶技术的新挑战和机遇，推动其更好地服务于社会。

1.6 》发展建议

1.6.1 技术发展建议

自动驾驶产业技术发展要注重多方面。首先，要加强跨行业合作，促进汽车制造商、科技公司、科研机构及政府之间的紧密合作，共同制定统一的标准及规范，推动技术统一及车辆和基础设施之间的信息共享，提高系统的效率。其次，政府和行业应加大对人工智能、深度学习等关键技术以及车联网基础设施的投资，推动自动驾驶感知、决策、控制技术的不断升级，提高自动驾驶系统的安全性与可靠性。同时，要注重数据隐私及网络安全。自动驾驶技术的发展必须以安全为首要任务，确保车辆传感器、通信系统的信息受到充分保护是至关重要的。鼓励数据共享，但同时要确保用户的隐私得到保护。数据共享可以促进城市规划和智能交通管理，但需要建立合适的数据隐私法规和机制。此外，积极推动自动驾驶技术的发展还需要政策与法规的支持，需要制定相应的标准法规，鼓励企业投入市场并推动社会接受度的提高。最后，要加强基础设施建设，确保道路环境及交通基础设施能够适应自动驾驶车辆的部署以及运行。

1.6.2 人才培养建议

自动驾驶技术是一门涵盖车辆、控制、计算机科学、机械工程等多个领域的交叉学科，其关键在于培养具备跨学科知识的综合性专业人才。首先，在学校层面要注重基础学科与专业知识的教育，让学生熟悉并掌握计算机科学、电子工程、通信技术和汽车工程等相关领域的基础知识以及涉及自动驾驶感知、规划、决策、控制等多方面的专业知识。其次，要重点关注学生的动手能力，注重于编程能力及硬件知识的讲授，与相关行业合作，建立以工程实践为导向的课程，让学生在工程实践中深度了解自动驾驶系统的各个方面，而不是仅局限于书本。同时，建议学校与行业相关企业开展合作，提供更多的实际案例与实习项目，为学生提供更多的实践经验。要持续关注行业发展趋势，及时调整培养方案，确保人才培养能够适应自动驾驶技术不断演进的需求。最后，要注重对学生自动驱动能力与创新能力的培养，培养自动驾驶技术人才需要综合的技术和跨学科知识，因为这是一个快速发展的领域，对综合技能的需求也很高。要不断更新知识，积累实践经验，并与行业专家和同行保持联系，以确保跟上技术的最新发展。

1.6.3 政策措施建议

随着自动驾驶技术的迅猛发展，政策制定者在确保技术安全性和社会接受度的同时，面临着巨大的挑战。对此，相关的法律政策应涵盖法规制定、交通基础设施、保险与责任、技术创新、数据隐私等多个方面。

在自动驾驶技术领域，明确的法规和标准对确保技术的安全性至关重要。为确保自动驾驶车辆的技术符合高质量和安全性的标准，需要详细规定硬件和软件的技术规范，例如传感器的精确性、反应时间、通信协议等方面的具体要求应在法规中明确定义。同时，建立全面的安全测试和认证流程，法规应明确定义测试的标准、流程和要求，包括在仿真环境中进行的测试以及在封闭测试场地和实际道路上的测试，并且涵盖各种情景。法规应明确规定自动驾驶车辆之间及其与基础设施之间的通信标准，包括数据格式、传输协议、通信频率等，确保车辆之间能够实时共享信息。进一步地，法规应该明确规定车辆软件的定期更新和维护频率，并要求车辆具备自动监测和报告软硬件故障的机制，以及相应的修复程序。

自动驾驶技术的成功应用需要现有交通基础设施的升级和优化，以适应新型智能车辆的运行需求。政府应投资升级交通基础设施，提高自动驾驶车辆在不同环境中的性能。升级交通信号系统以适应自动驾驶技术的需求，使信号系统能够实时感知路况，智能调整信号灯的时序，减少交通拥堵。优化道路标志和标线，确保道路标志和标线符合自动驾驶车辆的感知需求，提高自动驾驶系统对道路环境的识别和理解能力。建立车道级别的高精度数字地图，提供自动驾驶系统所需的详细道路信息，包括道路几何、交叉口布局、标志标线等。为电动自动驾驶车辆建立更多的充电基础设施，以推动可持续出行，提高电动汽车的普及率。针对自动驾驶车辆的特殊需求，建立紧急救援基础设施，包括自动驾驶车辆事故的紧急求救系统、自动驾驶车辆的事故救援培训等，以提高应急响应效率。

制定明确的保险和责任法规对于解决自动驾驶车辆事故责任至关重要。政府应明确事故责任的界定，并推动建立相应的保险制度，以确保在事故发生时能够迅速解决责任问题。制定明确的事故责任法律框架，明确自动驾驶车辆事故中不同利益方的责任，包括技术提供商、车辆制造商、驾驶员等各方的责任分配规则，以便在事故发生时能够迅速解决责任问题。确定法律责任的适用范围，包括在不同级别的自动驾驶模式下，对车辆制造商、技术提供商、驾驶员等的法律责任进行明确划分。制定专门适用于自动驾驶车辆的保险产品，包含事故责任、技术故障、数据安全等方面的保险覆盖。对于需要驾驶员介入的自动驾驶系统，要明确驾驶员在系统操作中的责任，并规定相关的培训标准。

为了推动技术的不断创新，政府可以提供资金和支持，鼓励学术界与产业界在自动驾驶技术领域进行研发，设立专门的研发基金，提供补贴或提供税收优惠。资金的提供应该注重技术创新的前沿领域，例如传感器技术、人工智能算法、车辆通信等。此外，确保知识产权的有效保护对于激励企业进行自动驾驶技术研发至关重要，政府可以提供知识产权注册的支持，同时加大知识产权保护的执法力度，防范技术盗窃和侵权行为。政府应通过与产业界和学术界的合作来制定长期的自动驾驶技术研发战略，明确技术发展的方向和目标，避免短期行为对技术创新的限制。

在自动驾驶车辆中，大量的数据被收集和处理，政府应制定明确的数据隐私保护法规，确保自动驾驶系统在数据收集和处理方面遵循高标准的隐私保护。首先，确保在收集用户数据之前，用户必须明确同意数据的收集和使用目的。政府可以推动制定法规，要求自动驾驶技术提供商清晰、简明地向用户解释数据收集的目的、范围和使用方式，同时要求自动驾驶技术提供商在数据存储和传输过程中采用有效的匿名化和脱敏技术。其次，政府可以制定法规，要求技术提供商确保车主或驾驶员对其车辆产生的数据具有所有权，并规定明确的访问权。最后，政府可以鼓励技术提供商进行定期的风险评估，以及建立应对数据泄露或滥用事件的紧急响应计划，并建立审查和监管机制，负责审查数据处理的合规性，并对违规行为进行处罚。

自动驾驶技术的发展对社会和经济产生深远影响。通过制定明晰的政策，政府可以在促进技术创新的同时确保社会的安全和可持续发展。

参考文献

[1] 国家发展改革委，中央网信办，科技部，等. 智能汽车创新发展战略[EB/OL]. [2020-02-24].https://www.ndrc.gov.cn/xxgk/zcfb/tz/202002/t20200224_1221077.html.

[2] 中华人民共和国交通运输部科技司. 关于促进道路交通自动驾驶技术发展和应用的指导意见[EB/OL]. [2020-12-20]. https://www.gov.cn/zhengce/zhengceku/2020-12/30/content_5575422.htm.

[3] 李寒洋. 浅谈智能网联汽车发展现状及趋势[J]. 汽车工业研究,2020(1):2-9.

[4] 刘广杰，陈艳茹，高艳芳. 智能网联汽车在城市运输中的应用分析[J]. 农机使用与维修,2021(9):46-47.

[5] U.S. Department of Energy. Energy efficient mobility systems 2021 annual progress report[R]. 2022.

[6] Federal Ministry of Transport and Digital Infrastructure. Strategy for automated and connected driving[R]. Berlin: Federal Ministry of Transport and Digital Infrastructure, 2015.

[7] 国务院办公厅. 新能源汽车产业发展规划（2021—2035 年）[R]. 2020.

[8] 国家发展改革委，中央网信办，科技部，等. 关于印发《智能汽车创新发展战略》的通知[EB/OL]. (2020-02-24)[2020-03-26]. https://www.ndrc.gov.cn/xxgk/zcfb/tz/202002/t20200224_1221077.html

[9] 36氪研究院. 2023 年中国自动驾驶行业研究报告[R]. 2023.

[10] 中国汽车工程研究院股份有限公司，中国汽车信息化推进产业联盟，北京智行者科技股份有限公司. 场景驱动的自动驾驶商业化发展与展望白皮书[R]. 2023.

[11] Pomerleau D A. Efficient training of artificial neural networks for autonomous navigation[J]. Neural computation, 1991, 3(1): 88-97.

[12] Rouff C. Experience from the DARPA urban challenge[M]. London： Springer-Verlag London Limited, 2012: 3-15.

[13] Toghi B, Valiente R, Sadigh D, et al. Social coordination and altruism in autonomous driving[J]. IEEE Transactions on Intelligent Transportation Systems, 2022, 23(12): 24791-24804.

[14] Fu C. 3D Object Detection with Depth Completion for Autonomous Driving via Camera and LIDAR Fusion[D]. Pittsburgh： Carnegie Mellon University, 2022.

[15] Ding W, Xu C, Arief M, et al. A survey on safety-critical driving scenario generation—A methodological perspective[J]. IEEE Transactions on Intelligent Transportation Systems, 2023.

[16] Shen M. Robust and Scalable Multiagent Reinforcement Learning in Adversarial Scenarios[D]. Cambridge： Massachusetts Institute of Technology, 2022.

[17] Wu M. Information, Learning and Incentive Design for Urban Transportation Networks[D]. Cambridge： Massachusetts Institute of Technology, 2021.

[18] Wischnewski A, Geisslinger M, Betz J, et al. Indy autonomous challenge-autonomous race cars at the handling limits[C]//12th International Munich Chassis Symposium 2021: chassis. tech plus. Berlin, Heidelberg: Springer Berlin Heidelberg, 2022: 163-182.

[19] Herrmann T, Wischnewski A, Hermansdorfer L, et al. Real-time adaptive velocity optimization for autonomous electric cars at the limits of handling[J]. IEEE Transactions on Intelligent Vehicles, 2020, 6(4): 665-677.

[20] Hattori M, Fujimoto H, Hori Y, et al. Simple tuning and low-computational-cost controller for enhancing energy efficiency of autonomous-driving electric vehicles[J]. IEEJ Journal of Industry Applications, 2020, 9(4): 358-365.

[21] Nakashima R, Kumada T. Explicit sense of agency in an automatic control situation: Effects of goal-directed action and the gradual emergence of outcome[J]. Frontiers in psychology, 2020, 11: 2062.

[22] 加利福尼亚州车辆管理局. Disengagement Reports[EB/OL].[2023]. https://www.dmv.ca.gov/portal/vehicle-industry-services/autonomous-vehicles/ disengagement-reports/.

[23] Wu K W, Wu W F, Liao C C, et al. Risk Assessment and Enhancement Suggestions for Automated Driving Systems through Examining Testing Collision and Disengagement Reports[J]. Journal of Advanced Transportation, 2023.

[24] Fischer T C, Nivarti A K, Ramachandran R, et al. 9.1 D1: A 7nm ML training processor with wave clock distribution[C]//2023 IEEE International Solid-State Circuits Conference (ISSCC). IEEE, 2023: 8-10.

[25] Kumar V R, Yogamani S, Rashed H, et al. Omnidet: Surround view cameras based multi-task visual perception network for autonomous driving[J]. IEEE Robotics and Automation Letters, 2021, 6(2): 2830-2837.

[26] Zhou X, Qi C R, Zhou Y, et al. Riddle: Lidar data compression with range image deep delta encoding[C]. Proceedings of the IEEE/CVF Conference on Computer Vision and Pattern Recognition. 2022: 17212-17221.

[27] Schulte-Tigges J, Förster M, Nikolovski G, et al. Benchmarking of various LiDAR sensors for use in self-driving vehicles in real-world environments[J]. Sensors, 2022, 22(19): 7146.

[28] Wijlens R, van Paassen M M, Mulder M, et al. Reducing Motion Sickness by Manipulating an Autonomous Vehicle' s Accelerations[J]. IFAC-PapersOnLine, 2022, 55(29): 132-137.

[29] Jurisch M. Vertical trajectory planning: an optimal control approach for active suspension systems in autonomous vehicles[J]. Vehicle System Dynamics, 2022, 60(11): 3788-3809.

[30] Takacs A, Drexler D A, Galambos P, et al. Automotive safety in the development pipeline of highly automated vehicles: Rethinking traditional automotive product-creation methods[J]. IEEE Systems, Man, and Cybernetics Magazine, 2020, 6(1): 35-40.

[31] Jarl S, Aronsson L, Rahrovani S, et al. Active learning of driving scenario trajectories[J]. Engineering Applications of Artificial Intelligence, 2022, 113: 104972.

[32] Ettinger S, Cheng S, Caine B, et al. Large-scale interactive motion forecasting for autonomous driving: The waymo open motion dataset[C]//Proceedings of the IEEE/CVF International Conference on Computer Vision. 2021: 9710-9719.

[33] Wiederer J, Bouazizi A, Kressel U, et al. Traffic control gesture recognition for autonomous vehicles[C]//2020 IEEE/RSJ International Conference on Intelligent Robots and Systems (IROS). IEEE, 2020: 10676-10683.

[34] 特斯拉. Vehicle Safety Report[EB/OL].2023. https://www.tesla.cn/VehicleSafetyReport.

[35] 中国信息通信研究院政策与经济研究所人工智能与经济社会研究中心. 全球自动驾驶战略与政策观察——自动驾驶开启商业化元年[R/OL]. [2022-01-26].https://www.caict.ac.cn/kxyj/qwfb/ztbg/202201/P020220126549881872325.pdf.

[36] 美国国家公路交通安全管理局. Automated Driving Systems[EB/OL].https://www.nhtsa.gov/vehicle-manufacturers/automated-driving-systems.

[37] 中国信息通信研究院政策与经济研究所人工智能与经济社会研究中心. 全球自动驾驶战略与政策观察——政策助力L4级自动驾驶开启无人化商业应用[R]. 长沙：第七届世界智能大会. 2023

[38] 陈桂华，纪蕴家，纪梦雪，等. 智能网联汽车产品管理研究及发展建议[J]. 汽车工程学报，2022, 12(05): 567-582.

[39] 陈琦. 英国、法国、意大利，那些越来越“卷”的自动驾驶战略[J]. 汽车与配件，2022, (19): 45.

[40] Federal Ministry for Digital and Transport. Germany will be the world leader in autonomous driving[EB/OL]. [2021]. https://bmdv.bund.de/SharedDocs/EN/Articles/DG/act-on-autonomous-driving.html.

本章负责人　陈　虹　同济大学

参加编写人员　郭露露　高炳钊　张　琳　黄岩军　洪金龙　褚洪庆　许　芳　南　熠　王宇雷

第2章　列车运行自动化

2.1 》 列车运行控制定义

列车运行控制系统（简称“列控系统”）是集计算机、通信和控制等技术于一体的行车指挥、列车运行控制和管理自动化系统，是用于控制列车运行速度、确保行车安全和提高运输能力的复杂控制系统，是列车的关键技术和核心装备，也是一个国家轨道交通技术装备现代化水平的标志。

根据列车运行控制的功能需求和原理，列车运行控制系统由中央控制子系统、地面控制子系统、车载控制子系统和通信网络子系统四部分构成。通过通信网络子系统可靠的数据传输链路进行数据交换，协同完成系统功能，以达到控制列车安全和高效运行的目的，其基本原理如图4-2-1所示。

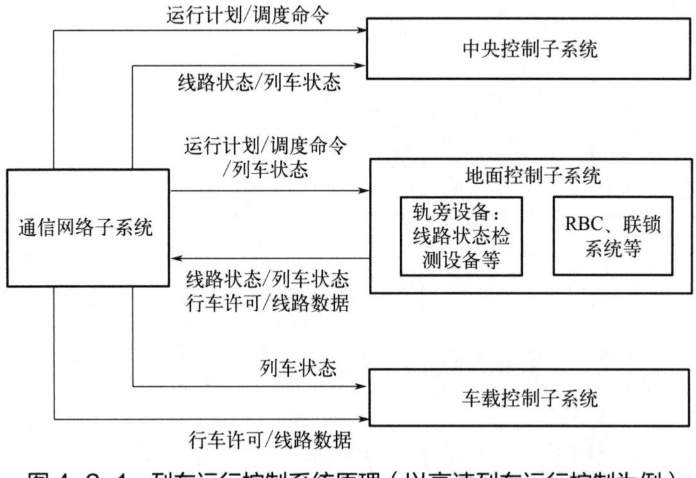

图4-2-1　列车运行控制系统原理（以高速列车运行控制为例）

以高速列车运行控制系统为例：中央控制子系统根据列车基本运行图所制定的日、班计划和列车运行正、晚点情况，编制各阶段计划，下达给其管辖范围内的各地面控制子系统，进行统筹规划；地面控制子系统接收到中央运行控制子系统的命令后，根据计划实时为列车建立进、出站及站内行车的安全进路，同时，地面控制子系统根据车站进路、前行列车的位置、安全追踪间隔等，通过车-地通信网络向列车提供行车许可和线路数据等信息，由车载控制子系统对列车运行速度实施监督和控制。高速列车运行控制系统的物理结构如图4-2-2所示。高速列车运行控制系统不仅包括中央控制子系统、位于每个车站的地面控制子系统和每列列车上的车载控制子系统，还包括覆盖控制区域内的所有轨旁设备。无论从系统覆盖的区域，还是从控制的规模和精度来讲，对于高速列车运行控制系统这样一个复杂系统，任何一部分出现故障，都会极大地影响行车安全和行车效率。

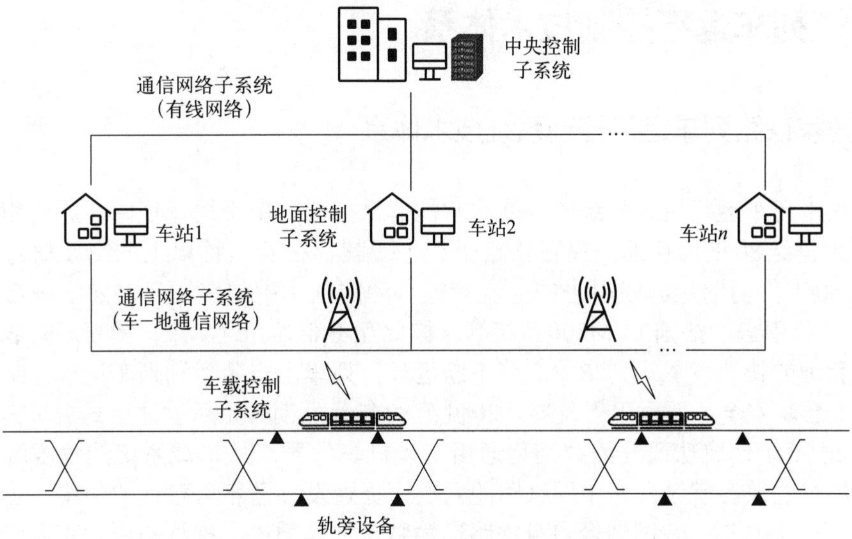

图 4-2-2　高速列车运行控制系统物理结构图

① 中央控制子系统。高速列车运行控制系统的控制中心，具有控制和监督列车运行的功能。根据列车运行图，系统编制运行命令并将其传向地面控制子系统和车载控制子系统，在中央控制中心显示管辖区域内的列车实际运行状况。中央控制子系统具备列车运行计划人工调整、自动调整和实际运行图自动描绘，行车日志自动生成、储存和打印，调度命令传送，车次号校核等功能。同时，向车站和乘务室等部门发布调度命令以及经调度命令无线传送系统向司机下达调度命令（含许可证和调车作业通知单等）。

② 地面控制子系统。包括位于车站信号楼的室内控制系统和位于车站控制区域内的轨旁系统，其中室内控制系统包含车站联锁系统、无线闭塞中心（RBC）等，轨旁系统包含道岔信号机和查询应答器等。根据从中央控制子系统接收的调度命令和车站列车的状态信息办理列车进路，并生成列车控制所需要的基础数据，通过车-地通信网络（即车-地传输通道）将有关信息传送给列车，经车载控制子系统进行处理后，生成列车速度距离模式曲线，监督控制列车安全和高速运行。

行车许可是指列车被允许运行的凭证和运行距离。线路数据则包括静态速度距离曲线、坡度曲线、轴重速度曲线、线路条件、进路适合性数据、临时限速和分相区信息等。

③ 车载控制子系统。安装在高速列车上，根据地面控制子系统提供的行车许可和线路数据，生成速度距离模式曲线，连续地、实时地监控高速列车的运行速度，自动控制列车的牵引和制动系统，实现列车的超速防护等功能，并向司机提供驾驶列车的相关信息。车载控制子系统还包括车载记录装置，即列车的“黑匣子”，用于记录列车的运行工况、位置、速度信息以及车载控制子系统自身的运行状况和司机的操作状况等。另外，车载的测速和定位装置也属于车载控制子系统。列车智能控制的程度越高，车载控制子系统功能要求越高，系统的复杂度也越高。

④ 通信网络子系统。包括有线网络（固定传输网络）和车-地通信无线网络（也称车-地传输通道）。有线网络用于连接中央控制子系统和地面控制子系统，实现子系统间安全和可靠的数据传输。车-地通信无线网络用于地面控制子系统和车载控制子系统的信息交换，实现地面控制子系统和车载控制子系统之间的安全和可靠的数据传输。

2.2 》 列车运行控制技术体系

2.2.1 国家铁路列车运行控制系统技术体系

中国铁路列车运行控制系统的发展同欧洲非常类似。由于地域辽阔、历史和技术发展的原因，20世纪80年代初期，仅在铁路干线上，就存在着六种以上的主要信号制式，包括20世纪50年代初期从苏联引进的交流计数自动闭塞、中国自主研发的移频自动闭塞和20世纪90年代引进的法国TVM300系统等，彼此互不兼容。近年来，随着既有线提速和高速铁路在我国的快速发展，列车的交路不断延长，列车上安装多种列车运行控制系统，既不经济，又影响安全，严重阻碍发展。20世纪80年代后期开始研发通用式机车信号，特别是在20世纪90年代成功研发的数字化通用主体机车信号，从车载系统的角度解决了不同地面信号制式的兼容问题，为中国铁路的六次大提速发挥了不可替代的作用。也正是在这样的背景下，2002年，我国结合自身铁路运输特点，遵循统一规划的原则和铁路信号技术发展规范技术体系，提出了中国列车运行控制系统（CTCS）。CTCS标准的建立，解决了铁路信号系统统一技术标准的难题，为我国铁路信号系统确立了数字化、网络化、智能化及一体化的发展方向。CTCS不仅规范了既有铁路信号系统的技术标准，而且为快速发展的中国高速铁路的列车运行控制系统确定了标准，是国家铁路信号发展史上一个重要的里程碑。

按结构层次分类，CTCS系统可分为铁路运输管理层、网络传输层、地面系统层和车载系统层，其关系如图4-2-3所示。

① 铁路运输管理层。行车指挥中心，以CTCS为行车安全保障基础，通过传输网络实现对列车运行的集中控制和管理。

② 网络传输层。分布在系统的各个层面，通过有线和无线通信方式实现数据传输。

③ 地面设备层。主要包括无线闭塞中心、列控中心轨道电路及点式设备、接口单元和无线通信模块等。无线闭塞中心和列控中心是地面系统的核心，根据行车命令、列车进路、列车运行状况和设备状态，通过安全逻辑运算产生控车命令，实现对运行列车的控制。

④ 车载设备层。对列车进行操纵和控制的主体，具有多种控制模式，能够适应轨道电路传输、应答器点式传输和无线传输方式。车载系统主要包括车载安全计算机、连续信息接收模块、点式信息接收模块、无线通信模块、测速模块、人机界面和记录单元等。

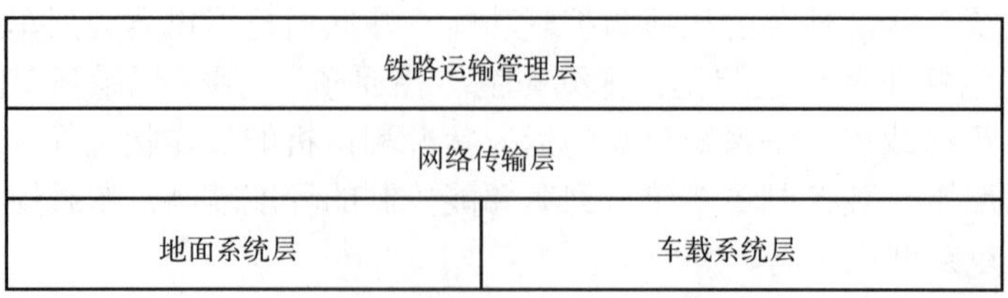

图4-2-3 CTCS体系结构关系图

CTCS的目标主要有三个方面：提高列车运行的安全性能和运输效率、满足互联互通运营和规范列控系统的设计。采用系统分级的方式以适应不同类型列车的运营需求，如表

4-2-1所示，CTCS分为CTCS-0级、CTCS-1级、CTCS-2级、CTCS-3级和CTCS-4级共5个等级。

表4-2-1 CTCS应用等级

应用等级名称	简要描述
CTCS-0 级	由通用机车信号和列车运行监控记录装置构成
CTCS-1 级	由主体机车信号和安全型运行监控装置组成，面向运行速度为 160km/h 及以下的区段
CTCS-2 级	基于轨道电路和点式信息设备传输信息的点 - 连式列车运行控制系统
CTCS-3 级	基于无线通信系统（如 GSM-R）实现车 - 地连续、双向信息传输的列车运行控制系统
CTCS-4 级	基于无线通信且实现移动闭塞的列车运行控制系统

① CTCS-0级。由机车信号和运行监控记录装置构成的列控系统，面向速度120km/h以下的区段，目前干线铁路应用的地面信号设备和车载设备被定义为CTCS-0级。

② CTCS-1级。由主体机车信号和安全型运行监控装置组成，面向运行速度为160km/h及以下的区段。在既有设备基础上强化改造，达到机车信号主体化要求。增加点式设备，实现列车运行安全监控功能。利用轨道电路完成列车占用检测及完整性检查，连续向列车传送控制信息。

③ CTCS-2级。是基于轨道电路和点式应答器传输信息的列控系统，用于设计速度为250km/h及以下的高速铁路。其系统结构主要包括轨道电路、应答器、列控中心和车载设备等，它们之间相互配合，构成了车-地信息传输的完整过程，系统结构图如图4-2-4所示。

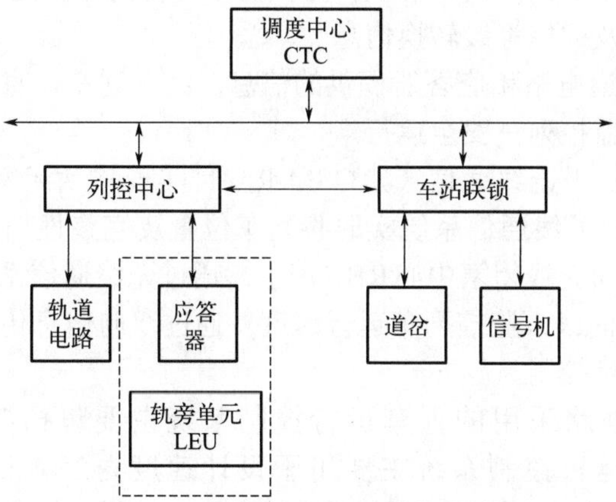

图4-2-4 CTCS-2级系统结构图

轨道电路：负责列车轨道占用检测及完整性检查，连续向列车传送列车前方轨道空闲数量。

应答器：传输位置校正信息、进路参数、线路参数以及临时限速等。

车载设备：根据轨道电路和应答器提供的信息，结合列车自身参数，自动生成连续速度控制模式曲线，实时监控列车安全运行。

列控中心：实现轨道电路编码、应答器的实时报文编制和发送、列车运行方向控制等功能。

④ CTCS-3级。是采用铁路移动通信系统GSM-R实现车-地信息双向传输、无线闭塞

中心生成行车许可、轨道电路实现列车占用检查、应答器实现列车定位的列控系统，并具备CTCS-2级功能的列车运行控制系统。其系统结构主要包括：轨道电路、应答器、列控中心、车载设备、RBC、GSM-R网络等，其结构图如图4-2-5所示。

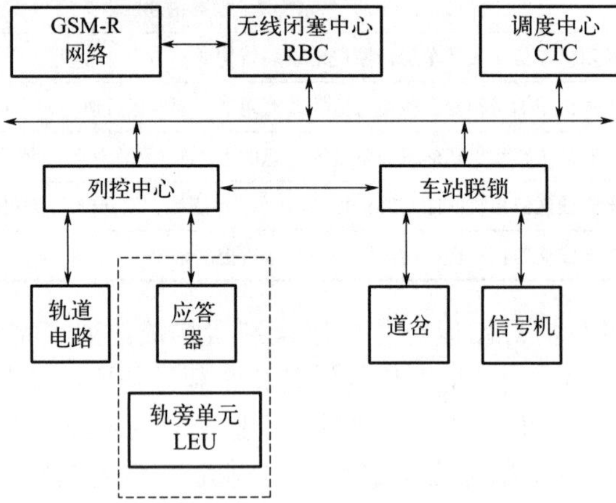

图4-2-5　CTCS-3级系统结构图

无线闭塞中心：根据从联锁设备获得的进路信息，从车载设备获得的列车位置信息等生成行车许可（MA），并通过GSM-R将行车许可、线路参数和临时限速等信息传输给车载设备。

GSM-R网络：用于实现车载设备与地面设备之间连续、双向、大容量信息传输。

轨道电路：实现列车的区间占用检查，提供列车运行前方空闲闭塞分区数量信息。

应答器：提供定位及列控等级转换信息。

车载设备：根据轨道电路和应答器提供的信息，结合列车自身参数，自动生成连续速度控制模式曲线，实时监控列车安全运行。

⑤ CTCS-4级。是基于无线通信（如GSM-R）且实现移动闭塞的列车运行控制系统。由车载设备通过车-地间无线通信系统实时将列车位置及完整性信息等传送给地面无线闭塞中心。行车许可由地面无线闭塞中心RBC产生，通过无线通信系统传送到车载设备，并实时计算目标距离模式曲线，监控列车运行速度，通过双向信息传输，实现地面控制设备与移动体车载设备的闭环控制。

目前，我国高速铁路采用的列车运行控制系统主要包括CTCS-2级和CTCS-3级。其中，CTCS-2级列车运行控制系统主要用于设计速度为250km/h及以下的高速铁路，CTCS-3级列车运行控制系统主要用于设计速度为250km/h以上的高速铁路。

随着通信技术及人工智能技术等新一代信息技术的快速发展，在中国高速铁路网络安全、高效运营需求不断提高的驱动下，高速铁路列车运行控制系统的相关技术和内涵也在不断更新和完善。移动闭塞、智能驾驶和车-车通信等多种列车运行控制系统新技术正在引领新的发展方向，列车运行控制系统的发展前景必将更加广阔。

2.2.2　城市轨道交通运行控制系统技术体系

城市轨道交通系统作为大容量公共交通工具，其安全性直接关系到广大乘客的生命安全，为保证该系统有计划、有组织、安全、高效地运行，需要有指定行车计划和组织行车的行车组织系统、保障各个部门协调工作的通信联络系统及指挥列车准点、安全、高效运行的信号系统。

城市轨道交通列车自动控制（ATC）系统是保证行车安全、提高区间和车站通过能力、实现行车指挥和列车运行控制自动化、提高运输效率关键设备的总称。一般由自动列车监督（ATS）系统、列车自动防护（ATP）系统、列车自动运行（ATO）系统、计算机联锁（CI）系统四部分组成。这些系统之间的关系如图4-2-6所示。

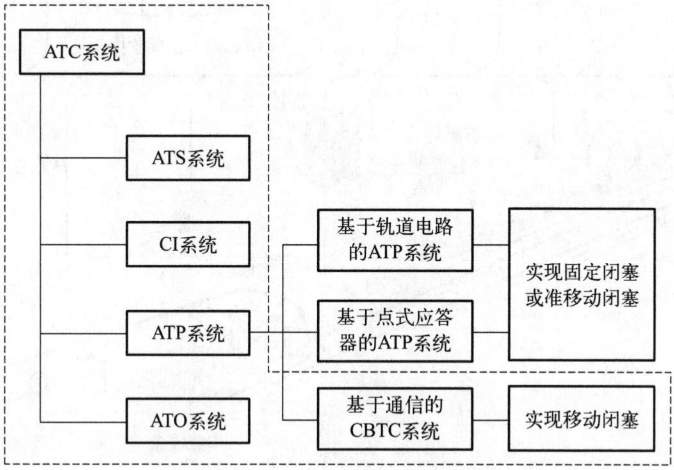

图 4-2-6 ATC 系统的组成关系框图

城市轨道交通ATC系统中最核心的子系统是列车自动防护ATP系统，ATP安全控制技术的发展方向是基于通信的列车运行控制（CBTC）系统，采用CBTC系统实现移动闭塞变得更为简单和可行，一般将基于点式应答器的ATP系统作为CBTC系统的后备模式。

CBTC系统应用计算机、通信、网络、人工智能和自动控制等先进技术，并结合行车组织、列车运营、维修维保等地铁现场实际运维需求，构建了以行车岗位为核心的集行车调度指挥、区间闭塞、车站联锁和车载运行控制等于一体的列车运行控制系统，实现了不同列车运行级别与模式的车辆维保、整备作业、出库、正线运行、回库等全过程防护控制与运检修一体化管理，使城市轨道运营指挥与控制实现了自动化、数字化、智能化，同时也实现了车载设备与地面设备之间连续、高速度、大容量、安全、可靠的数据信息交换，促进了城市轨道交通系统技术装备和管理现代化、自动化、智能化。

CBTC系统是一个复杂的分布式控制系统，主要由控制中心设备、车站设备、轨旁设备、车载设备及网络通信设备五大部分组成，整个系统的组成结构示意图如图4-2-7所示。

① 控制中心设备。主要包括ATS子系统设备，负责列车整体运行控制及调整功能。

② 车站设备。主要包括区域控制器设备、数据存储单元设备、计算机联锁设备及车站ATS设备，负责联锁逻辑处理、临时限速管理、移动授权计算、车站级运行控制等功能。

③ 轨旁设备。主要包括应答器设备、计轴设备等，负责列车位置校正、后备级别下的移动授权授予、区段占用/空闲状态监测等功能。

④ 车载设备。主要包括车载ATP设备、车载ATO设备、人机交互设备（MMI）等，

负责列车运行中的安全防护、列车自动驾驶以及系统与司机间的人机交互等功能。

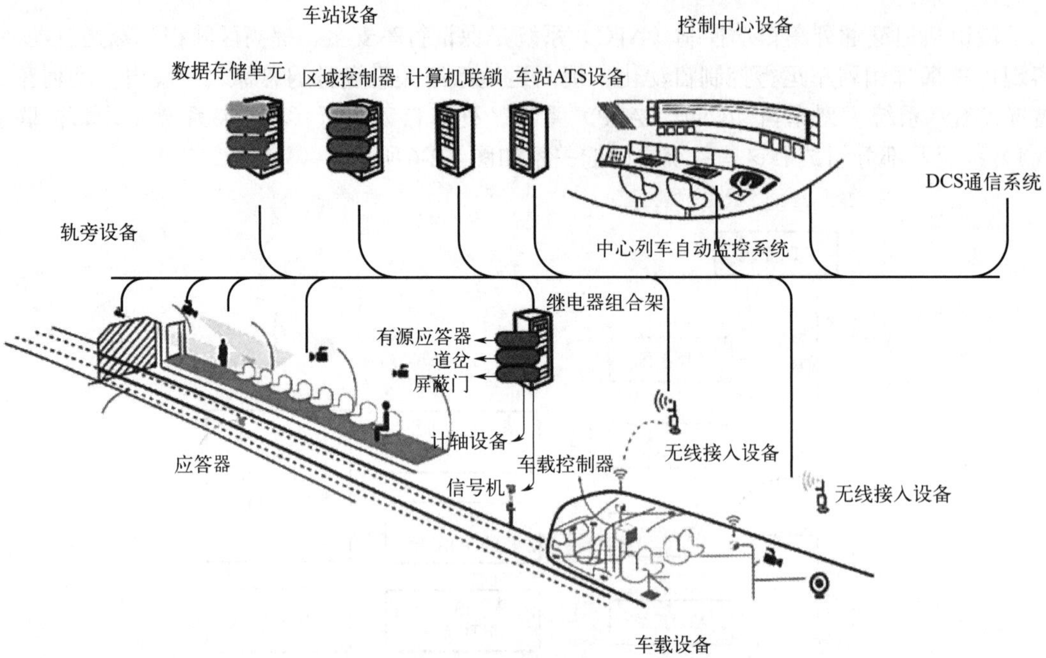

图 4-2-7　CBTC 系统组成结构示意图

⑤ 网络通信设备。由有线网络设备与车地无线通信网络设备组成，负责CBTC系统各部分设备间的网络连接，其中控制中心设备、车站设备及轨旁设备通过有线骨干网进行连接，而上述三部分设备与车载设备间的通信通过沿线布置的车地无线通信网络设备实现。

通过这五大部分设备协同工作，组成完整的CBTC信号系统，各个子系统可通过协同合作，实现保证行车安全、保护和辅助乘客、辅助列车运行、辅助驾驶以及提供技术支持五大功能，并能够满足轨道交通高速度、高密度的要求，对确保列车行车安全和高效运营有着至关重要的作用。

为了使轨道交通达到深层次的网络化运营，需在线路、土建、车辆、信号等多方面加以统一和适配，其中列车运行控制系统的提升尤为关键。目前普遍采用的CBTC信号系统因其列车进路和安全防护等关键功能均是基于车-地-车的体系结构，存在：ATS、车载、地面ATP及联锁子系统，种类繁多，轨旁设备繁多；子系统之间耦合度较高，功能交叉、设备冗余、交互复杂；子系统之间需进行交互通信，信息周转及系统处理周期长；对列车的移动授权在地面进行集中管理，单个设备故障则影响整个区域等问题，造成系统复杂度较高，给系统的可靠性和建设/运营/维护均带来较多困难，也无法满足未来对运营效率提升、互联互通、大规模设备更换等需求。以列车为核心构建的列车自主运行系统（TACS），以基于LTE-M的车-车通信为基础，将传统的车地两层列车控制系统进行重新架构和功能分配，并与车载网络控制系统、牵引系统、制动系统等进行高度融合，从运营管理的角度出发，围绕列车安全与高效运行这一核心，采用一体化设计思想，实现支持列车主动进路、自主防护的新型列车自主运行系统，达到提高系统安全性、可靠性和运行效率，降低建设和运营维护成本的目的，同时还支持全自动运行（FAO）

及自动化车辆段。

TACS取消了传统CBTC信号系统的轨旁联锁（CBI）和区域控制器（ZC）设备，优化了传统CBTC系统的车-地-车结构，列车车载控制单元（OBCU）集成了原CBTC轨旁的CBI与ZC的功能，轨旁仅保留与现场设备接口的目标控制器（OC），减少了控制环节与接口复杂度，并通过车-车通信方式实现行车资源的交互。两者架构图的对比如图4-2-8所示。

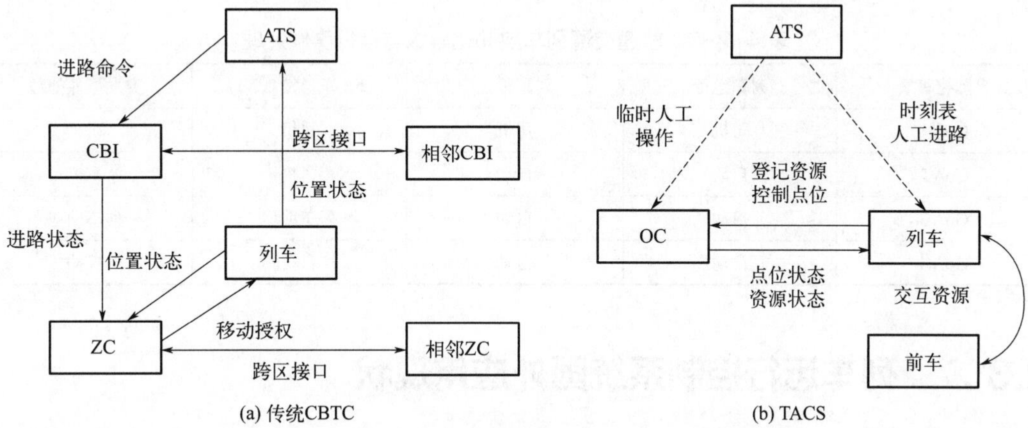

图4-2-8　传统CBTC架构图与TACS架构图的对比

TACS相比传统CBTC大大精简了系统架构，车-地子系统之间的通信在数量和通信内容上都有了极大的简化。列车成为城市轨道交通运行控制系统的控制主体后，TACS的车-车通信方案使得同一区域多列车之间协商运行成为可能，这有利于丰富日渐庞大的地铁网络的行车组织方式，降低运营组织的复杂度，并提高运营组织的灵活性。TACS的特点和优势，使其成为新一代具有更高可靠性和运行效率、更低全生命周期成本的列车运行控制系统，将为城市轨道交通实现深层次网络化运营提供极大的支撑。

随着城市轨道交通自动化程度不断提升，伴随智能化、信息化技术的发展，列车自动驾驶发展迅速，通过列车自动控制系统实现列车自动唤醒、自动行驶、精确停车、站台自动化作业、无人折返、自动运行调整等功能，以减少人员介入，降低人工成本并减少人为失误。

根据国际公共运输联合会（UITP）的定义，ATO自动运行等级（GoA）分成五等。

第零等（GoA 0）：列车目视运行，主要是路面电车、轻轨使用。

第一等（GoA 1）：列车手动运行，驾驶员负责控制列车的运行及停止、开关车门和处理突发事件。

第二等（GoA 2）：列车半自动运行（STO），列车自动运行及停止，但需要驾驶员开关车门和处理突发事件。大多数的列车自动运行系统均是第二等。

第三等（GoA 3）：列车无驾驶员运行（DTO），列车自动运行及停止，但需要列车助理开关车门或处理突发事件。

第四等（GoA 4）：列车无人看守运行（UTO），列车自动运行及停止、开关车门和突发事件的处理均完全自动化，列车上无人员值守。

轨道交通列车自动化等级与运行类型的对应关系，以及轨道交通列车自动化等级与运行事件处理的对应关系分别如表4-2-2、表4-2-3所示。

表 4-2-2　轨道交通列车自动化等级与运行类型

自动化等级	运行类型
GoA 1	ATP 和司机
GoA 2	ATP、ATO 和司机
GoA 3	无驾驶员
GoA 4	无人看守

表 4-2-3　轨道交通列车自动化等级与运行事件处理

自动化等级	列车运行	列车停止	车门控制	突发事件处理
GoA 1	司机	司机	司机	司机
GoA 2	自动	自动	司机	司机
GoA 3	自动	自动	列车助理	列车助理
GoA 4	自动	自动	自动	自动

2.3 列车运行控制系统国外应用现状

2.3.1　国外列车运行控制系统装备体系

国外对列控技术的研究和应用起步比较早，诸多国家都有一套独具特色的列车运行控制系统，技术比较先进且发展成熟的具有代表性的列控系统包含欧盟ETCS系统、日本新干线ATC系统、德国及西班牙铁路采用的LZB系统、法国和韩国高速铁路的TVM300及TVM430系统等。

2.3.1.1　欧盟列车运行控制系统

欧盟有超过20种铁路控制系统，每套系统都是独立的、不兼容的，这为列车在欧洲各国之间安全行驶增加了铁路控制系统交叉区域总交接成本，需要高昂的集成成本和繁重的工作。欧洲铁路联盟及相关铁路设备供应商制定了统一的、系列化的、标准化的欧洲列车运行控制系统（ETCS），针对铁路地面和车载设备的框架和设计原则，划分成不同的控制等级，以满足不同线路的运输需求，同时确保列车运行的安全性。ETCS列控系统在普速铁路和高速铁路都有应用，共分5级，包括ETCS-0、ETCS-STM、ETCS-1、ETCS-2和ETCS-3级，如表4-2-4所示。为了满足列车在不同等级线路上运营的互联互通需求，通常在不同等级线路的边界附近，设置等级转换点。具有多种等级控车功能的列车，在不停车情况下，在等级转换点处可自动完成等级转换功能。

表 4-2-4　ETCS 应用等级

应用等级	简要描述
ETCS-0 级	装备了 ETCS 的列车，可以在未装备 ETCS 地面系统或者无本国（本地）信号系统的线路上运行，或者在处于试运行的 ETCS 线路中运行
ETCS-STM 级	装备了 ETCS 的列车，在装备了本国（本地）信号系统的线路上运行，使用 STM（专用传输模块）接口

续表

应用等级	简要描述
ETCS-1 级	装备了 ETCS 的列车，在装备有欧洲应答器的线路上运行，线路上安装欧洲环线或者无线注入单元，ETCS-1 级分成带注入信息和不带注入信息两种模式
ETCS-2 级	装备了 ETCS 的列车，在由无线闭塞中心控制的、装备了欧洲应答器和 GSM-R 的线路上运行，由地面系统提供列车定位功能和列车完整性检测
ETCS-3 级	与 ETCS-2 级相同，但是列车定位和列车完整性检测由车载设备实现

ETCS系统的技术特点：

① 使用轨旁设备对列车定位，应答器满足ETCS各个级别列车定位的基本功能。在ETCS-2级中列车使用速度传感器、加速度计和雷达等传感器判定自身的位置信息。欧洲应答器通常被用来作为校正距离测量误差的参考点。

② 列车的行车控制判断主要由车载设备完成。在ETCS-1级中，列车控制中心通过轨旁电子单元，将行车信息数据发送给应答器，当有车经过该应答器时，应答器向车载设备发送该应答器管辖线路范围内的行车数据信息。在ETCS-2级和ETCS-3级中，行车许可和其他重要行车信息交由RBC统一管理和发送。通过在铁路沿线架设全球移动通信系统（GSM）天线，将车载设备和RBC通过GSM-R无线通信网络进行连接，行车信息通过GSM-R网络进行数据交互。

③ 地面子系统由列车控制中心和相关设备组成，用于监测和控制铁路交通。列车控制中心负责下发列车运行计划、监控列车位置、管理列车间的距离以及处理应急情况。

④ ETCS系统使用各种通信技术。如无线通信、卫星通信等，以便列车和地面设备之间传输信息和指令。

典型ETCS系统的构成如表4-2-5所示。

表 4-2-5 典型 ETCS 系统的构成

系统等级	列车完整检查	地面系统组成	车载设备组成	车 - 地传输		适应最高速度
				车载设备	地面设备	
ETCS-1	轨道电路或计轴	联锁 + 自动闭塞 + 点式应答器（可注入补充连续信息）	ATP（接收应答器的信息，通过 STM 模块可接收既有信息）	需兼容既有列控系统，通过接收轨道电路提供连续信息	由应答器向车载设备提供移动允许线路参数等信息	250km/h 以下
ETCS-2	轨道电路或计轴	联锁 + 占用检查 +RBC	ATP+GSM-R 接收模块	连续信息经 GSM-R 传输	应答器提供公里标信息	350km/h 以下
ETCS-3	列车自身实现完整性检查	列车定位（应答器或 GPS）+RBC	ATP+GSM-R 接收模块	—	无线传输的列车移动命令	低速、低密度等特殊区段

ATO over ETCS技术即基于ETCS的列车自动驾驶技术，是列车高度自动化和全自动化运行相关领域需遵循的技术标准，该标准不仅能够实现跨欧洲铁路运输系统的互换作用，而且还支持基于标准化接口的组件生产，从而增强产业竞争优势。ATO over ETCS技术的基本理念是在传统ETCS设备的基础上补充用于列车自动控制的组件（即ATO系统设备）。其将列车控制系统功能划分为“ATO系统控制”和“ETCS监控”两部分。这一方面使监控建立在技术成熟、值得信赖并在欧洲具有统一标准的ETCS基础上，可保障列车安全运行，另一方面得益于ETCS的监控，ATO系统可以作为非安全相关组件发挥其作用。这在系统实施和调试方面具有巨大的优势。

① 列车控制任务主要由ATO系统车载设备完成，其根据当前列车运行时刻表数据和前方闭塞区段信号计算出列车的最佳速度曲线，然后使用适当的牵引和制动命令引导列车沿着计算出的速度曲线行驶；

② ATO系统轨旁设备负责存储列车运行时刻表及基础设施等相关数据，并将其分发给区域内的所有ATO车辆；

③ ETCS负责根据动态计算出的且不断更新的制动曲线对列车运行进行不间断监控。

2.3.1.2 日本列车运行控制系统

日本列车运行控制系统可以分为4级，如表4-2-6所示。日本国家铁路（JNR）为防止列车相撞，引进了“0级”列车自动停车（ATS-S）装置。为了消除ATS-S的缺点，后续开发了“一级”系统ATS-P。自动列车控制系统最初是为了支持安全、超高速的铁路运输而开发的，利用日本的新干线，并引入传统的通勤线路，以缩短列车间隔。然而，由于现有空管技术的限制，高密度线路难以实现高效作业。采用ADS技术开发了D-ATC系统作为“二级”系统。在D-ATC系统中，每列列车上的装置自动计算每列列车的允许速度，该系统分别以D-ATC和DS-ATC的形式引入京东北线和新干线。“三级”列车控制系统被称为高级列车管理和通信系统（ATACS），ATACS是采用信息技术和ADS技术的新型列车控制系统。

表 4-2-6　日本列车运行控制系统等级

等级	描述
0 级	ATS-S：司机根据铃声或报时声确认信号，列车在接近停车信号时以红色显示器的形式发出警报。如果司机在设定的时间（5s）内没有确认情况，制动将自动启动，列车将停止
1 级	ATS-P：不需要司机验证，当列车速度接近危险速度模式时，列车发出警报，引起司机的注意。当速度模式处于危险模式的边缘时，系统自动在最大功率下使用制动
2 级	D-ATC：地面端只发送列车必须停车的位置信息，列车识别自己的位置并计算从地面传输到停车点的距离，然后，列车根据道路曲线、坡度等信息，采取适当的制动
3 级	ATACS：各区域地面控制器具有列车定位、区间控制、切换控制、平交控制、维护工作保障等功能。无线电基站与机载计算机交换信息。车载计算机根据地面控制器提供的控制数据进行制动控制，并通过车载移动无线电台将列车位置数据传输给地面控制器

日本ATS-S系统通过在轨道上安装的信号设备和车载设备之间的通信来监控列车的速度，确保列车在规定的速度范围内运行，如果列车超速，系统将发出警告，并在必要时触发制动，以确保列车安全停车。该系统的技术特点如下：

① 由安装在轨道上的ATS-S信号机负责向列车发送速度限制信息，车载设备检测轨道上的信号来获取速度限制信息实现速度监测；

② 如果列车的实际速度超过了规定的速度限制，ATS-S系统会向列车驾驶员发出警告，并在需要时触发列车上的制动系统；

③ 通常会在列车上的驾驶员室内配备有ATS-S系统的驾驶员操作台，这个操作台可能包括显示当前速度、收到的ATS-S信号、警告信息等的信息显示器，以及相应的操作按钮和指示灯，供驾驶员参考和操作。

ATS-P系统可以根据制动性能产生速度监测模式，不仅可以为每个列车实现最合理的速度监测，而且可以避免不必要的制动。系统使用能够双向发送多项数据的应答器。双向应答器的使用使得ATS-P系统能够实现如下三项功能：

① 响应停止信号执行防护；

② 根据速度控制点，给列车提示相关信息来进行控制；

③ 使用列车的通过/停止信息进行详细的铁路道口交叉控制。

ATC系统的基本原理为：地面设备依据检测到的前行列车轨道占用情况为后方每个闭塞分区生成具有限制速度含义的信号，并将该信号通过轨道电路实时传输至车载设备；车载设备将从地面接收到的ATC信号固定允许速度值与列车实际速度值实时比较，若列车实际速度大于ATC信号固定允许速度值，则车载设备会自动实施制动；若列车实际速度小于ATC信号固定允许速度值，则缓解制动。通过设备自动实施减速的方式，保证了列车运行安全，为实现列车的高速运行发挥了不可或缺的作用。ATC系统由模拟轨道电路设备、沿线电缆及钢轨、车载轨道电路接收电路、车载测速发电机、车载逻辑电路速度校核单元和车内信号速度表等组成。ATC系统的技术特点：

① ATC系统最初采用电源同步单边带音频（SSB-AF）轨道电路，后期使用双频组合SSB-AF轨道电路；

② 通过检测列车前方轨道占用/空闲情况，地面轨道电路触发相应继电逻辑电路，输出列车所在闭塞分区具有限制速度含义的信号类型，并将调制好的模拟ATC速度信号通过钢轨向列车传送；

③ 车载设备通过模拟轨道电路接收天线，接收ATC信号并进行译码处理，然后，将译码后的ATC信号固定允许速度值与列车实际运行速度进行比较，如果超速则施加制动，如果速度低于限制速度则自动缓解；

④ 车载设备运行至最后一个闭塞分区时，允许速度降为30km/h，当列车在本闭塞分区内接收到特殊点位置信息后，生成停车信号，列车停车。

D-ATC系统在ATC基础上发展起来，地面轨道电路检查列车占用状态并与联锁设备结合，通过轨道电路发送列车位置、目标速度、进路条件和轨道电路状态等报文信息。车载设备采用数据库方式存储线路数据及列车数据，车载控制单元完成数据调用并生成一次制动模式。如果列车超速或冒进停车信号，设备自动制动。列车速度低于目标速度后，设备制动自动缓解。D-ATC系统由ATC逻辑控制器、ATC监控器、数字轨道电路设备、车载数字轨道电路接收器、应答器装置、测速发电机、车载数据库及显示界面等组成。

① 地面ATC设备实时检测轨道的占用/空闲状态，并根据状态生成轨道电路报文信息，经调制后形成轨道电路信号，再沿钢轨传送。

② D-ATC系统采用自然衰耗式有绝缘轨道电路，数据信息主要包括正线/侧线信息、制式切换信息、当前轨道电路编号信息、临时限速信息、列车紧急停车信息、停车轨道电路编号、运行方向信息和历程信息等。

③ 地面约每3km设置类似应答器的位置修正设备，列车通过这些位置修正设备后，车载设备进行位置校正和位置确定。

④ 车载设备采用三取二安全计算机，车载数据库预先存储了至停车位置的速度参照曲线，这个参照曲线反映了坡道、道岔限制速度及制动性能等全部情况。

ATACS的核心技术特点是具有互补功能，其中包括：联锁功能，即通过计算机联锁设备控制路线；保护功能，可根据平交道口和车站站台发出的紧急信号，通过无线电向列车发送信息，以实现自动制动；特定位置的速度限制功能，可根据曲线等特定地点的限速实施速度检测和自动制动控制。此外，列车速度可根据恶劣天气等情况进行调整。ATACS车载装置由车载控制装置、脉冲转发器收发装置（包含在车载控制装置内）、车载无线基站、驾驶台界面、速度传感器、ID收发装置构成。其列车控制的流程如下：

① 列车在线位置的识别。车载装置通过按一定间隔设置在线路内的应答器位置修正，用地面装置和速度传感器计算出的运行距离，来识别出列车自身的在线位置；

② 列车在线位置的信息传输。列车在线位置信息的传输，车载装置通过无线传输将列车自身的在线位置发送到地面装置；

③ 运行线路停车临界点的制定。地面装置收集所有列车的在线位置，并根据列车防护信息及信号机的开通状况等，可以针对各个列车计算出运行线路及停车临界点；

④ 运行线路停车临界点的发送。地面装置通过无线传输将计算出的运行线路和停车临界点发送给各个列车；

⑤ 比对速度模式的制作。车载装置接收到运行线路和停车临界点的信息后，再依据车载数据库里的车辆性能、线路曲线、坡度等限速条件，制作出比对速度模式；

⑥ 制动控制。列车自身的速度和比对速度模式相比较，保持在不超越模式的状态下进行制动控制。

此外，基于无线通信的结构简单、高性能的列车自动控制系统SPARCS是日本信号有限公司自主研发的先进列车控制系统，其有效地运用了地面-车载双向无线电通信，2011年引进到中国北京地铁15号线。SPARCS由以地面装置为中心的地上保安装备、车载设备和无线电装置等构成。无线网络由车站无线电设备（SRS）、设置在轨道沿线的沿线无线电设备（VRS）和安装在列车上的车载无线电设备构成。车载装置由无线电天线、无线电装置、车载控制装置、传动装置界面（DMI）、测速发电机（TG）以及车载传感器构成。

2.3.1.3 法国列车运行控制系统

法国列车运行控制系统发展经历了从传统的地面信号系统到高速列车专用系统，再到欧洲标准化系统的演进。TVR是法国最早的列车控制系统之一，是一种基于地面信号的系统，用于监控列车的位置和速度，于20世纪20年代和30年代初期投入使用。KVB系统是20世纪50年代投入使用的一种列车控制系统，采用地面装置和信标来监测列车速度，并在必要时发出警告或停车命令，主要用于法国的传统铁路线路。TVM系统是为适应法国高速列车（TGV）的运行而引入的，于1981年首次投入使用，通过地面信号系统向列车发送信息，控制其速度和位置。TVM系统有不同的版本，如TVM300和TVM430，对应着不同的技术规范和性能要求。2000年法国引入ETCS，逐步替代一些传统的列车控制系统，以提高整个铁路系统的效率和安全性。

法国TVM300列控系统以UM71无绝缘轨道电路作为连续信息的传输通道，以点式信息作为连续信息的补充，通过车载连续和点式信息传感器，利用电磁感应的原理将钢轨中传输的信息感应上来。车载设备处理后将得到的各种速度信息通过机车信号显示器向司机显示，并通过比较列车实际运行速度与指令速度，时刻监督司机是否严格按机车信号显示的指令速度运行，以保证列车运行的安全。TVM系统主要由UM71无绝缘轨道电路设备、点式数据发送器、车载连续式信息接收设备、车载点式信息接收设备及列车速度监督控制电路等组成。

① UM71无绝缘轨道电路用于发送连续式数据信息。

② 点式数据发送器主要用于系统控制的辅助信息和机车信号工作的条件信息，传输

的信息共有14个。点式设备主要设置于机车出/入库线、接近区段、站内正线中部及站内侧线等地点，这些信息主要用于实现启动或关闭机车信号、识别上/下行方向切换载频等功能。

③ 环线检查接收器即电流检查继电器部分，用来检测流经环线的数据信号是否在要配的点式数据范围内，同时作为电缆环线的断线检查。

④ 车载连续式接收设备主要安装在机车前、后两侧，该设备接收并解析出低频信号后，控制该低频信号所对应的继电器电路作为输入条件送入“给定速度发生器”电路，并产生所接收到的允许速度值。

⑤ 点式接收设备安装在机车前、后轮对中部正对于两钢轨之间，用于接收轨间电缆环线传输的点式单频数据信息。

⑥ 车载列车速度监督设备将地面信息给定的速度值与列车实际运行速度进行比较，如果超速则发出报警并要求司机减速，若无减速则自动施加制动。

早期TVM300的阶梯式速度防护系统虽然能够保证列车的安全，但是在追踪效率最高控车速度、制动时的舒适性等方面还不尽如人意。因此，法国在北方线开通时，开始使用新一代列控系统——UM2000/TVM430列控系统。TVM430系统采用了UM2000无绝缘数字轨道电路和速度-距离模式曲线控制方式，其基本原理为地面设备根据列车占用情况和线路条件，确定线路的最大允许速度、临时限速和线路坡度等参数，计算出目标点和目标速度，将这些结果编程为一个27bit的信息码并使用UM2000无绝缘数字轨道电路向列车发送。车载设备根据轨道电路报文生成分段速度-距离模式曲线，控制列车安全运行，并采用司机控制优先方式。TVM430系统由UM2000无绝缘数字轨道电路设备、列车运行控制中心、地面维护系统、车载连续式机车信号设备、车载点式数据接收器及车载列车速度监督控制设备等组成。

① 地面列车运行控制中心采用安全计算机技术，大约每隔12km设置一台。

② TVM430拥有两条地-车数字传输通道，一条是利用UM2000调制轨道电路的连续式通道，另一条是利用环线的点式传输通道。

③ 点式传输设备采用数字环线设备，以相移键控（PSK）调制方式，通过轨道上的两个环线进行串行传输。

④ 维护系统对地面设备实行远程诊断与监测管理。

⑤ 车载设备采用与地面现有的计算机技术解析地面传送的信息。车载设备显示器可以显示列车当前实际运行速度、控制速度、目标速度和目标距离等。

2.3.1.4 美国先进列车运行控制系统

美国先进列车控制系统（ATCS）和先进铁路电子系统（ARES）出现在PTC（主动列车控制，也称为精确列车控制）系统之前。ATCS的特点是使用无线电通信在列车控制中心和路旁设备之间传输数据。ATCS主要包括机车车载设备、线路维修车载设备、沿线设备、数据通信网、调度中心等模块，其最大的特点是分布式、模块化和灵活性。ATCS按复杂程度分为4个功能级，分别称作10级、20级、30级和40级，以便不同的线路根据具体情况选用。

① 10级系统属于电气集中系统，由调度中心的微机装置提供联锁逻辑，通过无线移动电话实现调度中心和机车的通信。

② 20级系统装备了双向通信系统，使得调度中心和机车之间可以传输一些关键数据。

③ 30级系统引入了列车定位和识别系统，可以跟踪列车的位置，可以完成列车自动控制、辅助司机驾驶、机车安全系统等高级功能。

④ 40级系统引入调度中心对沿线设备的控制即沿线设备与调度中心计算机间的数据传输。

继ATCS之后，1992年秋，Burlington Northern开发了ARES。ARES的基本思想是通过整个系统提供可靠的检查与平衡手段，从而大大降低了人为错误的影响，实现安全行车的目的。ARES包括集中运输控制（CTC）、利用GPS定位的线路保证控制（TWC）、运动分析和报告系统（LARS）、能源管理系统（EMS）和铁路运营控制系统（ROCS），ARES被安装在苏必利尔和大急流城之间的主线上，以及明尼苏达州到凯利湖之间的主线上。

美国PTC系统的理念与世界主流列车运行控制系统相关标准不同，这些特征反映出美国铁路的运营需求及发展特点。该系统基本的列车运行控制原理为：使用GPS计算列车到授权边界的距离；如果司机没有在限速范围内减速，PTC系统给出警告；如果司机没有在限速范围内制动，PTC系统触发紧急制动，大多数PTC系统依靠轨旁的固定转发设备与GPS结合的方式来和列车进行单向信息通信，以满足PTC系统的基本要求。只有少数系统能够与计算机辅助调度系统进行实时双向通信。PTC系统主要由中心、轨旁、车载以及通信等子系统组成。轨旁子系统由平交道口轨旁接口单元、轨旁信号接口单元、轨旁信标等组成，叠加在既有的道岔控制器、联锁等单元之上。车载子系统由车载控制器、定位器等组成。通信子系统由车载通信单元、轨旁通信单元、中心通信单元等组成。调度/控制子系统是中央控制中心，负责线路运营。PTC系统的基本构成并没有一个细化的系统技术规范，具体的功能需求及子系统配置，因不同的项目实施而存在较大差异。PTC系统适用于货运铁路和城际高速铁路。FRA按照PTC系统实现的功能和能力制定了其等级标准：

① PTC等级1。PTC等级1提供基本的列车控制功能，主要包括列车位置监测、速度监测和自动列车停车功能。这个等级的PTC系统主要用于避免超速和防止列车与信号设备之间的冲突。

② PTC等级2。在等级1的基础上增加了一些功能，例如自动列车控制和列车位置报告，这使得列车能够在运行中自动调整速度，以确保列车在规定的速度范围内运行。

③ PTC等级3。PTC等级3进一步提高了自动化程度，具有更高级的列车控制功能。它可以实现更加灵活的列车运行和更高级的列车位置和速度监测。

④ PTC等级4。PTC等级4是最高级别的PTC系统，提供了最先进的列车控制和监测功能。它通常包括更高级的通信和数据处理能力，以支持复杂的列车运行需求。

其技术特点如下：

① PTC系统通过GPS获取列车位置的地理坐标并与相邻地理数据进行对比，从而得出该时刻的列车位置信息。考虑到GPS获取的列车位置信息偏差，加速度计、陀螺和转速计作为辅助设备同样对列车精确位置判定起着重要作用。

② PTC系统中列车运行重要信息和保证列车安全行驶过程的主要信息均使用数字无线电网络传输。

③ 车载设备将自身状态和位置信息通过数字无线通信网络传给PTC系统服务器。由系统服务器根据行车信息数据和列车调度系统得到的控车信息，计算列车的制动曲线，通过数字无线通信网络传回车载设备，车载设备根据该制动曲线对列车运行进行监控。

④ PTC服务器通过数字无线电接收列车的位置信息，实时跟踪列车。通过接收到的站

场条件信息，实时监控轨道电路、道岔和故障探测器。

⑤ 计算机辅助调度系统主要完成人为干预列车运行的功能，人为启动和停止列车。

美国开发的主要PTC系统如表4-2-7所示。

表4-2-7 主要PTC系统

类型	描述
先进民用速度执行系统（ACSES）	美国铁路公司在波士顿和华盛顿之间的NEC上实施了ACSES，补充了现有的出租车信号/自动列车控制系统。目前用于确定列车位置的基于应答器的系统将被基于无线电的系统取代
防撞系统（CAS）	阿拉斯加铁路正在实施一个全州范围的列车控制系统，该系统使用基于无线电的通信基础设施、GPS跟踪列车运动和计算机辅助调度系统
电子列车管理系统（ETMS）	ETMS是一个覆盖系统，在现有技术的基础上运行，用于执行列车的移动授权和速度限制。BNSF将在35个BNSF分部部署ETMS的第1版。ETMS的第二个增强版本将部署在德克萨斯州和俄克拉何马州另外300英里（约483km）的共享货运和客运服务上。芝加哥地铁公司正在芝加哥郊区实施基于ETMS的PTC系统
基于通信的列车管理（CBTM）	该系统已在南卡罗来纳州和佐治亚州之间的CSXT轨道上实施。CSXT将修改CBTM体系结构以实现基于ETMS的体系结构。港务局跨哈德逊河捷运（PATH）正在新泽西州和纽约市之间的跨哈德逊河通勤铁路线上开发基于CBTM的PTC系统
增强列车控制系统（ITCS）	ITCS安装在芝加哥和底特律之间的美铁密歇根线上。该系统的特点是使用列车和道口之间的无线电通信的高速公路铁路平交道口警告系统
优化列车控制（OTC）	诺福克南部铁路（NS）正在南卡罗来纳州实施一个独立的安全系统（非覆盖）
列车哨兵	俄亥俄州中央铁路系统（OCRS）正在开发一种PTC系统，该系统以前在巴拿马实施过，是一种覆盖在现有的无信号操作方法上的系统
重要列车管理系统（V-TMS）	UP(联合太平洋）正在开发一种功能类似于BNSF ETMS的非覆盖系统。V-TMS正在怀俄明州和华盛顿州实施

2.3.1.5 德国列车运行控制系统

德国铁路系统采用了多种列车运行控制系统。PZB系统是德国传统铁路线路上使用的列车运行控制系统。它是一种基于地面设备和列车上的设备相互作用的系统，用于监测和控制列车的速度。PZB的等级包括PZB90和PZB2000，分别代表了不同的技术规范和性能标准。LZB是德国高速铁路线路上采用的列车运行控制系统。该系统通过在轨道上的电子信号来控制列车的速度和位置，提高了高速列车的运行效率。目前，德国的高速铁路线路和一些主要线路已经引入ETCS。

LZB系统采用基于轨道电缆传输（交叉环线）方式作为传输媒介来传输车-地信息，使用S-Bahn实现列车占用和完整性检查，地面列车运行控制中心负责计算列车运行目标距离模式控制曲线，通过轨道电缆传给车载系统安全计算机，安全计算机生成连续速度-距离模式曲线控制列车安全运行，并采用司机控制优先方式。LZB系统由地面控制中心、传输设备、轨道电路和车载设备组成。LZB系统主要包含两个等级：

① LZBⅠ。LZBⅠ是LZB系统的基本等级，用于监测列车的位置和速度，并通过在轨道上的电子信号来控制列车的速度。这个等级旨在提高高速列车的运行效率，确保列车之间的安全间隔。LZBⅠ系统被广泛应用于德国的高速铁路线路；

② LZBⅡ。LZBⅡ是LZB系统的升级等级，相比于LZBⅠ，LZBⅡ提供了更高级别的列车运行控制功能，包括更准确的列车位置和速度监测，以及更复杂的列车运行计划。LZBⅡ系统的应用使高速列车能够更加灵活地在高速线路上运行。

LZB系统的技术特点：

① 地面LZB控制中心采用三取二安全计算机系统，存储了线路参数等固定信息及区间允许最高速度、限速区段等数据。控制中心与联锁系统和调度系统间有接口，具有维护、改造、故障查询的人工输入装置，同时产生的报文通过轨道电缆传输。

② 轨道电缆铺设在轨道上，电缆每隔100m交叉一次，能够实现地-车双向通信，在交叉点形成零电平用于列车定位。

③ 车载设备收到报文信息并处理后，根据列车当前位置，生成一次连续速度-距离模式曲线，并在司机室显示允许速度、实际运行速度、到下一个目标速度的距离等信息。

④ 车载设备向地面发送应答器报文信息。

⑤ 列车占用检查采用FTGS/FTGL两种音频轨道电路。

2.3.2 国外列车运行控制系统应用现状

2.3.2.1 欧洲列车运行控制系统

欧洲列车运行控制系统ETCS是一种标准化铁路信号系统，旨在提高铁路运营的互操作性、安全性和效率。1989年，欧盟委员会通过了EURET研究和开发计划，研究列控系统的组成及体系结构。1991年，国际铁路联盟UIC下属的欧洲铁路研究所ERRI成立专门的研究小组（A200），研究开发欧洲铁路运输管理系统ERTMS的需求。1995年，欧盟委员会制定了ERTMS整体发展战略，其中包括开发和认证阶段。2001年，欧盟通过立法形式确定ETCS作为强制性技术规范，通过一系列的技术论证、仿真试验和工程验证。随着ETCS规范的正式发布，2003年至2004年间，在意大利、卢森堡、西班牙和瑞士进行了ETCS工程化应用。2008年，正式发布ETCS技术规范基线2（2.3.0d）版本。随后在正式版本的基础上，相关标准规范结合现场试验和运营经验不断完善和修改，2016年，欧洲铁路局ERA正式发布了基线3版ETCS规范。2009年制定了第1版ERTMS欧盟部署计划，提出2020年前在欧洲相关国家建设6条ERTMS客运通道，2010年又确定了9条货运走廊，但由于缺乏ERTMS实施经验及严重的经济危机等多重原因，导致该计划推迟至2030年。随着需求的增加和技术的演进，欧洲铁路工业协会工作组通过立项和工程等形式不断推动ETCS体系规范的完善和发展，具体项目包括TEN-T、NGTC及Shift2Rail等。2021年，由德国铁路股份公司（DB）与西门子交通公司联合开展的汉堡数字化轻轨项目首次将基于欧洲列车控制系统的列车自动驾驶（ATO over ETCS）技术应用到德国铁路领域，是德国“数字化铁路”战略实现道路上的一个里程碑。目前，包括德国、法国、意大利、西班牙、瑞士、瑞典、荷兰、比利时、奥地利等在内的多个国家已经采用ETCS系统，其应用统计如表4-2-8所示。

表4-2-8 ETCS系统应用统计

国家	系统类型	闭塞方式	制动模式	传媒介质
西班牙	ETCS-1和2级	固定	连续速度控制	GSM-R+点式应答器
德国	ETCS-2级	固定	连续速度控制	GSM-R+点式应答器
意大利	ETCS-2级	固定	连续速度控制	GSM-R+点式应答器

续表

国家	系统类型	闭塞方式	制动模式	传媒介质
英国	ETCS-1 和 2 级	固定	连续速度控制	GSM-R+ 点式应答器
荷兰	ETCS-1 和 2 级	固定	连续速度控制	GSM-R+ 点式应答器
法国	ETCS-2 级	固定	连续速度控制	GSM-R+ 点式应答器

欧洲关于新型列控系统的研究始于2013年，启动了下一代列车控制（NGTC）计划，该计划将既有列控系统的技术特点与基于无线通信的列车控制（CBTC）系统的优势相结合，提出叠加自动驾驶功能的欧洲列车控制系统（ATO over ETCS）的运营理念。例如，研究ETCS和CBTC系统在功能、架构、硬件构成等方面的异同点，将它们的通用部分组成NGTC系统的核心功能模块（NGTC-core functions），非通用部分组成与应用领域相关的特殊模块，如干线铁路模块（NGTC-Mainline）和城市轨道交通模块（NGTC-Urban），从而使NGTC系统的核心部分能够同时兼顾两类轨道交通应用，提升经济效应。此外，该计划还提出要将基于无线电通信技术和卫星定位技术引入NGTC系统，并希望NGTC系统未来能够实现更短的行车间隔、更少的地面设备、更低的造价。欧盟的Shif2Rail计划前所未有地联合了欧洲铁路部门的所有利益相关方，旨在共同进行投资和创新以保持欧洲铁路行业在世界范围内的竞争力。Shif2Rail计划提出了5大创新项目（IP1～5），其中IP2与列车运行控制系统关系最为密切，IP2的相关工作包括：研究一种全新的通信系统以克服ETCS和CBTC系统的缺点；探索更好的移动闭塞方式以提升列车运行效率；提升列车自动驾驶系统的自动等级以达到GoA3/4；引入卫星定位技术，发展包含多种传感器且符合“故障-安全”原则的列车安全定位系统；研究新的实验室测试方案以减少现场测试；等等。

2.3.2.2 日本列车运行控制系统

日本ATC系统最早于1961年在东京地铁系统线路中应用，以此为基础，日本研制了适用于高速铁路的ATC系统。

日本东海道新干线。20世纪80年代，微电子化ATC车载设备在日本铁路投入使用。然而，ATC由于采用多级制动方式且传输信息量较小，导致运行效率较低且乘坐舒适度较差。为了解决这些问题，20世纪90年代日本铁路开发了D-ATC系统。2002年，数字D-ATC系统在东北新干线投入运用。2008年4月开始，东日本铁路公司开始部署2020年新一代轨道交通系统研究计划。为了应对新的发展阶段运输能力、运输成本和节能环保给轨道交通带来的挑战，东日本铁路公司提出了新的列控系统框架。目前，在东日本运营的东北新干线、山形新干线、秋田新干线、上越新干线等新干线，以及在西日本经营的山阳新干线、山阴新干线、北陆新干线等新干线，均使用了ATC系统，以实现高速列车的精确控制。不同新干线地区使用不同版本的ATC系统。D-ATC系统广泛应用于新干线的不同路段，包括东海道新干线、东北新干线、山阳新干线、山阴新干线、北陆新干线等。日本的城市地铁系统广泛采用CBTC系统，以提高列车运行的安全性、可靠性和效率，其在东京、京成、京急、大阪以及名古屋地铁线路均有使用。

在新型列控系统研制方面，东日本铁路公司于2008年启动了新型列控系统研究计划，预计未来在东京市中心50km范围内部署全新的列控系统。该计划提出利用一套先进的网络通信系统连接列控系统的相关设备，并采用网络信息对它们进行控制，替代原先使用电力电缆传递信号的控制方式。同时，计划希望通过重新配置系统功能，逐步将地面多套逻辑控制设备整合为一套，并在未来由车载设备承担更多列车运行控制功能。

2.3.2.3 法国列车运行控制系统

法国高速铁路列控系统主要采用TVM300系统和TVM430系统。20世纪70年代，作为法国高速铁路TGV项目的组成部分之一，法国铁路开发了TVM300列控系统。1983年，TVM300系统首次在法国高速铁路线上进行试验。1987年，其第一个版本正式投入使用。之后，TVM300系统逐渐扩展到不同的高速铁路线上，如东南线和大西洋线，系统经过多次升级和改进，为高速列车提供更高的运行速度和更高的安全标准。为了进一步提高控制系统的性能，20世纪90年代，法国国家铁路公司SNCF开发了TVM430系统，适用于320km/h以上的高速列车。巴黎到比利时边境及经里尔到英吉利海峡隧道的TGV Lord高速铁路首先应用了该系统。作为一种计算机化的列车控制和监测系统，SACEM系统最早在20世纪80年代初开始使用，为高速铁路提供了更高级别的列车控制和支持。

在新型列控系统研制方面，法国阿尔斯通公司在法国里尔1号线的技术改造项目中，推出了一款精简的CBTC系统——Urbalis Fluence系统。它将传统列控系统里的联锁功能，整合到车载设备和轨旁目标控制器中，并通过运用列车对列车的直接通信技术形成了一种以车为核心的系统架构，减少地面设备的同时将列车与列车间的追踪间隔缩短至1min左右。

2.3.2.4 美国列车运行控制系统

自1971年开始，美国国家运输安全委员会（NTSB）已经强烈要求采用先进的技术措施来防护人因故障。1994年美国联邦铁路管理局（FRA）关于铁路通信与列车控制方面，向国会提交了一份报告，提出了“Positive Train Control-PTC”的概念。2000年，FRA又提交了一份关于PTC系统实施的报告，并于2004年向国会拨款委员会提交了关于PTC系统优势和成本的报告。2005年，FRA为了促进PTC系统的推广，发布了一份关于信号与列车控制系统设计性能的最终规定。2010年基于PTC的理念，通用电气公司（GE）铁路运输部研发了增强列车控制系统（ITCS），它是一款以列车为核心的列控系统，由车载设备负责处理所有列控数据并对列车运行进行安全控制，利用GPS卫星定位系统进行列车定位，运用无线通信技术实现车-地双向通信，采用了虚拟的信号机和闭塞分区。美国交通部的联邦铁路管理署在“2013—2017五年研究和发展计划”中，提出在保证安全的前提下，提高轨道交通的运输效率和系统的可靠性，重点建设基于移动通信技术的PTC系统和融合智能交通信息的管理系统。2020年12月，FRA宣布，PTC系统已经在全部所需的货运和客运铁路线路中运行，所有部署PTC的干线（主干线与私营支线）已完成互联互通认证。基于美国铁路货运居多的特点，PTC标准在制定之初，决定通过在既有传统信号系统上叠加车载列控来加强安全保障，并侧重考虑了低成本、兼容通用无线通信、卫星定位、集中控制以及易于维护等原则。目前在北美，PTC系统可以粗略划分为两种实现方式，已经被FRA批准，并被主流的铁路运营商接受。虽然功能相似，但是却代表两种不同的技术，即依靠轨旁信标作为列车定位主要方式的ACSES系统和依靠GPS作为列车定位主要方式的I-ETMS系统。ACSES系统已经在客运铁路线路东北走廊铁路（NEC），以及从华盛顿到波士顿的铁路上得到应用。中国2006年开通的青藏铁路格拉段采用了GE公司的ITCS系统，可以认为是PTC实现方式之一I-ETMS的同类系统。其他PTC系统或者未被FRA完全批准而使用有限，或者与以上两种在技术上相似，例如：GE在芝加哥至底特律之间为全美铁路客运公司研发的ITCS系统，可以视为类似I-ETMS构架，加州高铁局为加州高铁考虑的ETCS系统，类似于ACSES构架；Wabtec在美国早期开展先行试验的ETMS系统，则可以认为是类似IETMS构架的早期非互联互通版本。

2.4.2.5 德国列车运行控制系统

德国高速铁路列控系统主要采用LZB系统。20世纪60年代，为适应铁路提速及发展高速铁路的需要，德国铁路公司开发了LZB列控系统。LZB系统广泛应用于德国干线铁路（如科隆-法兰克福高速铁路、汉堡-柏林高速铁路等）、奥地利铁路及西班牙高速铁路AVE。

在新型列控系统研制方面，德国宇航中心的研究团队针对欧洲铁路控制系统ETCS因造价高昂而在偏远地区部署不足的问题，提出了铁路避撞系统（RCAS），该系统提出了由车载设备通过列车间直接通信和卫星定位等手段，在基本不依赖地面设备的情况下，直接获取线路上其他列车的运行信息和自身的位置速度信息，然后自主完成列车预警和制动的设计思想。

2.3.3 国外城际/市域（郊）铁路列控装备发展应用现状

国外城际/市域（郊）铁路系统采用了多种不同的列控系统。欧洲ETCS系统在统一欧洲信号系统制式的同时，考虑按照STM方式兼容欧洲各国既有信号系统，如KVB、PZB等。在欧洲近郊铁路，多采用CBTC系统，以提高列车的精确调度和安全性。日本城际和市域铁路通常采用ATC系统。加拿大城际铁路采用ACSES系统。

CBTC的概念最早出现于20世纪60年代，到20世纪80年代，许多国家都开始进行针对CBTC的系统性研究与测试工作，例如日本的计算机和无线通信辅助列车控制系统（CARAT）、美国的高级列车控制系统（ATCS）、德国的无线电列车控制（FZB）系统等。20世纪90年代开始，欧美发达国家为了统一CBTC技术规范，解决各技术间的互联互通问题，做了很多研究开发工作。在欧洲方面，欧洲铁路联盟、欧洲铁路信号工业与国际铁路联盟（UIC）共同开发建立了欧洲铁路运输管理系统（ERTMS），该系统以欧洲列车控制系统ETCS作为列车控制系统，铁路移动无线通信（GSM-R）系统作为车地无线通信系统等系统组成。ETCS使用了GSM-R作为车地之间双向通信的手段，属于严格意义上的CBTC系统。与此同时，为了使CBTC在未来有一个正确的发展方向，国际电气和电子工程师协会（IEEE）也针对美国的轨道交通系统制定了CBTC标准，如1999年制定的IEEE1474.1-1999，2004年制定的IEEE1474.1-2004。在国外的轨道交通线路中，新加坡、日本、美国以及欧洲多个国家的多条地铁线路均使用了CBTC系统。

国外CBTC系统解决方案中，一些主流供应商已经实现了轨旁控制系统一体化，将CBI和ZC这两个轨旁核心控制系统进行合并，功能重新划分，精简系统结构。如法国的SelTrac CBTC系统、德国的Srius CBTC系统、日本的SAINT CBTC系统等。这些CBTC系统均不在轨旁单独设置CBI子系统和ZC子系统，而是通过轨旁控制系统一体化减少了地面设备数量，降低了维护工作量，已在国外多条城市轨道交通线路上投入使用。

德国西门子公司研发的基于WLAN通信的CBTC系统Train Guard MT ATC系统。该系统的通信方式为点式与连续式并存的方式，连续式通信为无线通信，是构成移动闭塞的基础，点式通信依赖于应答器，是构成固定闭塞的基础，由于某种原因列车不能或者不适合使用移动闭塞运行时，可以切换为固定闭塞行驶，系统在有需要时可以方便地从低级的运行模式升级到更高级别的运行等级，系统在故障时也可以轻易地从移动闭塞降级到点式级别的固定闭塞模式，有需要的情况下还可以降级到联锁级别模式。美国纽约的Canarsie线采用了西门子公司的CBTC系统。目前国内应用该系统的线路有北京地铁10号线、南京地铁2号线、广州地铁4号和5号线等。

加拿大阿尔卡特公司研发的Seltrac S40移动闭塞ATC系统有两种通信方式，一种是基于无线通信的系统，另一种是使用交叉感应电缆环线通信的系统。基于交叉感应电缆环线通信的CBTC系统能使列车与控制中心之间一直保持通信，采用高安全的计算机系统与遥控技术手段来实现，它集中了ATP与ATO的功能。美国华盛顿的杜勒斯机场线、巴黎地铁13号线、美国拉斯维加斯Monorail线等都采用了阿尔卡特公司的CBTC系统。在国内，该系统应用于武汉轻轨。基于无线通信的Seltrac S40系统目前应用于上海地铁6号线、8号线与9号线，该系统采用无线空间天线方式，保证车-地信息能够稳定地传输，该系统的通信设备与车载设备是双套冗余，保证系统的容错性。

法国阿尔斯通公司针对轨道交通应用提出了标准解决方案URBAL ISTM系统。该系统采用无线裂缝波导专利技术进行车地通信，系统多种设备采取冗余措施，系统的容错性较强，并且该系统使用直线线性电机，增强了系统的电磁抗干扰性，使系统更加可靠。纽约长岛铁路、瑞士洛桑2号线、新加坡东北线等采用了阿尔斯通公司的CBTC系统。该系统在国内北京地铁首都机场线、上海地铁10号线有所应用。法国里尔地铁1号线采用的Urbalis Fluence精简CBTC系统，已经实现车车通信、列车自主控制等功能。

英国伦敦Crossrail实现了ETCS-2和CBTC列控系统切换，并于2022年投入运营。

东日本铁路客运公司正在为该公司研制开发AT-ACS系统（属于CBTC），并实施面向该公司线路应用CBTC的计划。此外，西日本铁路客运公司推进了能满足其公司需求的CBTC系统的开发。

2.4 » 列车运行控制系统国内应用现状

2.4.1 国内列车运行控制系统装备体系

2.4.1.1 CTCS系统

我国列控系统在借鉴国外相关技术规范和系统运营经验的基础上，结合我国高速铁路运输特点，遵循全路统一规划原则，经过技术探索、技术引进、消化吸收、集成创新再到自主创新的历程，成功打造了多个技术先进、功能完善、自主可控的高速铁路列控技术平台和成套装备，在标准体系、系统研发、装备制造、试验测试、工程实施、运营维护等方面不断创新和完善，电务装备现代化水平快速发展，成为保障铁路运营安全和运输效率的核心系统。其不断发展并逐渐形成以中国列车运行控制系统CTCS和基于通信的列控CBTC系统为核心的局面。其中，CTCS信号系统的标准制定和建设管理，由中国国家铁路集团有限公司主导，分为CTCS-2级和CTCS-3级，未来会逐步演进发展到CTCS-4级，并在相应等级叠加ATO子系统实现自动驾驶。CBTC信号系统的技术标准由中国城市轨道交通协会牵头制定，运营维护由各级地方政府下属的轨道交通集团公司或地铁公司负责。

目前，我国高速铁路CTCS-2级和CTCS-3级均属于准移动闭塞制式。CTCS-2级或CTCS-3级列控系统理论上可以实现列车最小追踪间隔3min的要求，但在实际运营过程中，往往仅能满足4～5min的追踪间隔要求。其运输能力难以完全满足高密度、大运量、公交化运营的市域铁路。同时，其列车驾驶自动化等级水平为GoA1级，即带ATP防护的司机人工驾驶模式。CTCS由车载和地面两部分子系统组成，通过两者间的协调配合控制列车运行，从而保障行车安全、提升运输能力。地面设备的功能是首先保证列车运行进路的安全，然后将与进路相关的行车许可及其线路描述信息发送给车载设备。各级系统构成如表4-2-9所示。

表4-2-9　CTCS系统构成

系统级别	列车完整检查	地面系统组成	车载设备组成	车-地传输		适应最高速度
				车载设备	地面设备	
CTCS-0	轨道电路	联锁＋自动闭塞	机车信号+LKJ	基于自动闭塞信息向车载感应传输	—	160km/h
CTCS-1	轨道电路	联锁＋自动闭塞＋进、出站口处应答器及编码控制器LEU	主体机车信号+LKJ（安全型）＋应答器信息车载接收设备BTM	基于自动闭塞信息向车载感应传输	应答器提供进路信息和公里标信息	160km/h
CTCS-2	轨道电路	联锁＋自动闭塞＋进、出站口处、区间应答器及编码控制器＋列控中心	LKJ+列车自动防护（ATP）（含有机车信号、应答器信息接收功能）	基于自动闭塞信息向车载感应传输	应答器提供进路线路参数及允许速度（含临时限速过分相等信息）	250km/h（理论分析可以适应300km/h）
CTCS-3	轨道电路	联锁＋自动闭塞＋进、出站口处、区间应答器及编码控制器＋列控中心+RBC	ATP+GSM-R接收模块	基于自动闭塞信息向车载感应传输（兼容CTCS-2时）	应答器提供进路线路参数、无线传输列车移动命令（含临时限速命令）	适应350km/h
CTCS-4	列车自身实现完整性检查	列车定位（应答器或GPS）+RBC	ATP+GSM-R接收模块		经无线传输列车移动命令	

列控地面设备由ZPW-2000系列轨道电路、地面电子单元（LEU）、应答器、列控中心（TCC）、临时限速服务器（TSRS）、无线闭塞中心（RBC）、信号系统安全数据网等组成，主要负责接收行车调度命令、列车运行动态信息等，以及检查轨道占用，据此为每一受控列车生成相应的行车许可，并通过地-车信息传输系统将行车许可、线路描述信息等传送给列控车载设备。

① ZPW-2000系列轨道电路实现列车占用检查，同时，连续向列控车载设备发送列车前方空闲闭塞分区数量等信息。

② 应答器向列控车载设备发送特定的地面信息，包括线路参数、临时限速等。地面电子单元控制有源应答器，接收来自外部控制设备（如列控中心）的数据信息。

③ 列控中心负责实现区间运行方向与闭塞的控制。列控中心根据进路状态和轨道区段状态，实现站内和区间轨道电路的载频、低频信息编码功能，控制轨道电路的发码方向，并通过地面电子单元控制有源应答器发送相关进路信息、临时限速信息等。

④ 临时限速服务器集中管理高速铁路的临时限速命令，完成管辖范围内临时限速命令的存储、校验、撤销、拆分、设置、取消及临时限速设置时机的辅助提示功能。

⑤ 无线闭塞中心（RBC）是CTCS-3级列控系统地面核心设备之一。RBC从外部地面系统接收轨道占用及进路信息，通过GSM-R接收到的列车位置信息等，生成管辖范围内各列车的行车许可，并通过GSM-R将生成的行车许可、线路数据及临时限速等信息传送给列车，实现列车运行安全控制。

列控车载设备主要采用CTCS-2级和CTCS-3级两种级别。CTCS-2级列控车载设备和CTCS-3级列控车载设备的基本工作原理、测速定位原理、速度监控原理相同，人机界面基本相同，但在结构组成、行车许可及控车原理、工作模式等方面有差异。

CTCS-2级列控车载设备由车载主机和车载外围设备组成，并通过车载设备外部接口与列车和列控动态监测系统（DMS）等外部设备连接，其系统架构图如图4-2-9所示。车载主机包括主控单元、轨道电路信息读取器（TCR）、应答器传输模块（BTM）、列车接口单元和数据记录单元。车载外围设备包括人机界面单元（DMI）、应答器信息接收天线、TCR天线、速度传感器。

① 主控单元。列控车载设备的控制核心，负责从其他模块及相关地面设备获取信息，根据列车参数、线路参数、行车许可、临时限速信息生成动态速度监控包络线，将列车运行速度与动态速度监控包络线相比较，必要时输出相应等级制动，确保列车安全运行。

② 轨道电路信息读取器及其天线。轨道电路信息读取器是轨道电路信息的解码器，具有接收多个载频、解调相关低频信息的功能。通过轨道电路接收天线读取轨道电路信号，经过处理获得轨道电路的载频信息和低频信息，传输给主控单元进行处理。

③ 应答器传输模块及其天线。应答器传输模块通过应答器信息接收天线不断地向地面发送信号，当列车经过地面应答器时，地面应答器被激活并将存储的报文信息发送给应答器传输模块，应答器传输模块接收并解码得到应答器报文。

④ 列车接口单元是车载设备与动车组的接口。车载设备通过列车接口单元获得来自动车组的各种开关量和反馈信息，并通过它将制动和相关控制命令输出至动车组。

⑤ 人机界面单元。是司机与车载设备的交互接口，司机可通过人机界面输入司机号、车次号、列车长度、载频等信息，界面以图形、文本及语音等方式向司机提示列车运行速度、允许速度、工作等级和模式、车载设备状态和报警信息。

⑥ 速度传感器。车载设备采用不同类型的速度传感器来采集列车速度信号，并将处理后获得的列车运行速度、走行距离和运行方向传送给主控单元，速度传感器安装在车辆的不同轴端（至少一个为非动车轴），并且冗余配置，单个速度传感器的故障不影响车载设备安全运用。

⑦ 数据记录单元。数据记录单元用于记录车载设备的工作等级、工作模式、设备状

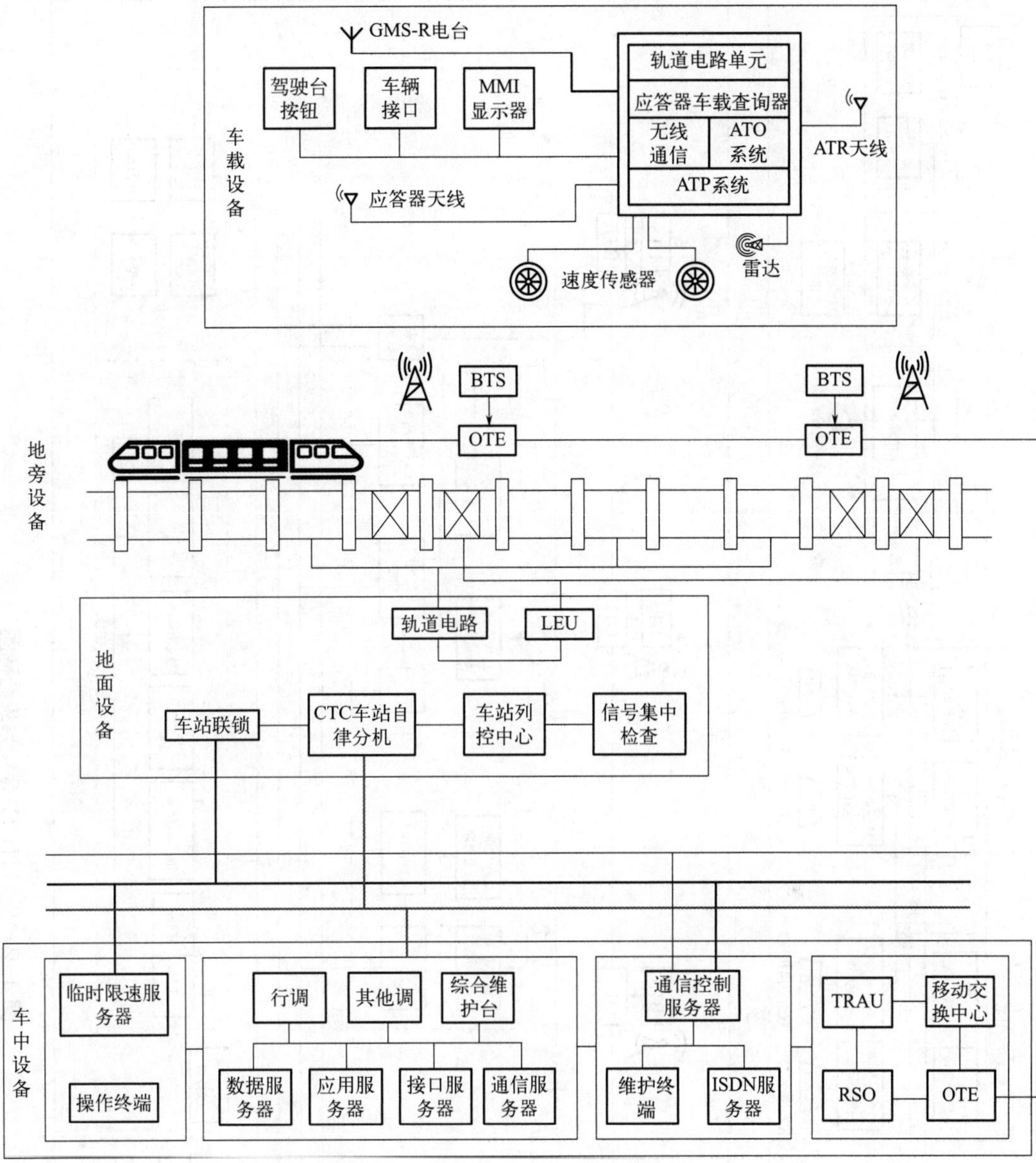

图 4-2-9　CTCS-2 级系统架构图

态、司机的操作及车载设备与地面设备间的全部交互信息等，目的是清楚地了解车载设备的功能及司机驾驶列车的过程。

⑧ LKJ接口。当列车运行到CTCS-0级区域时，CTCS-2级列控车载设备将控制权交给LKJ，CTCS-2级列控车载设备与LKJ的接口用于提供控制权的转换及LKJ常用制动信号和紧急制动信号的输出。

⑨ 动态设备监测接口。列控系统动态设备监测接口（DMS）与CTCS-2级列控车载设备记录单元接口，实现车载设备相关信息实时向地面设备传输。

CTCS-3级列控车载设备由车载主机和车载外围设备构成，其系统结构如图4-2-10所示。车载主机包括主控单元、无线传输单元、轨道电路信息读取器、应答器信息接收单元、列车接口单元、测速测距单元、司法/数据记录单元、隔离/冗余开关。车载外围设备

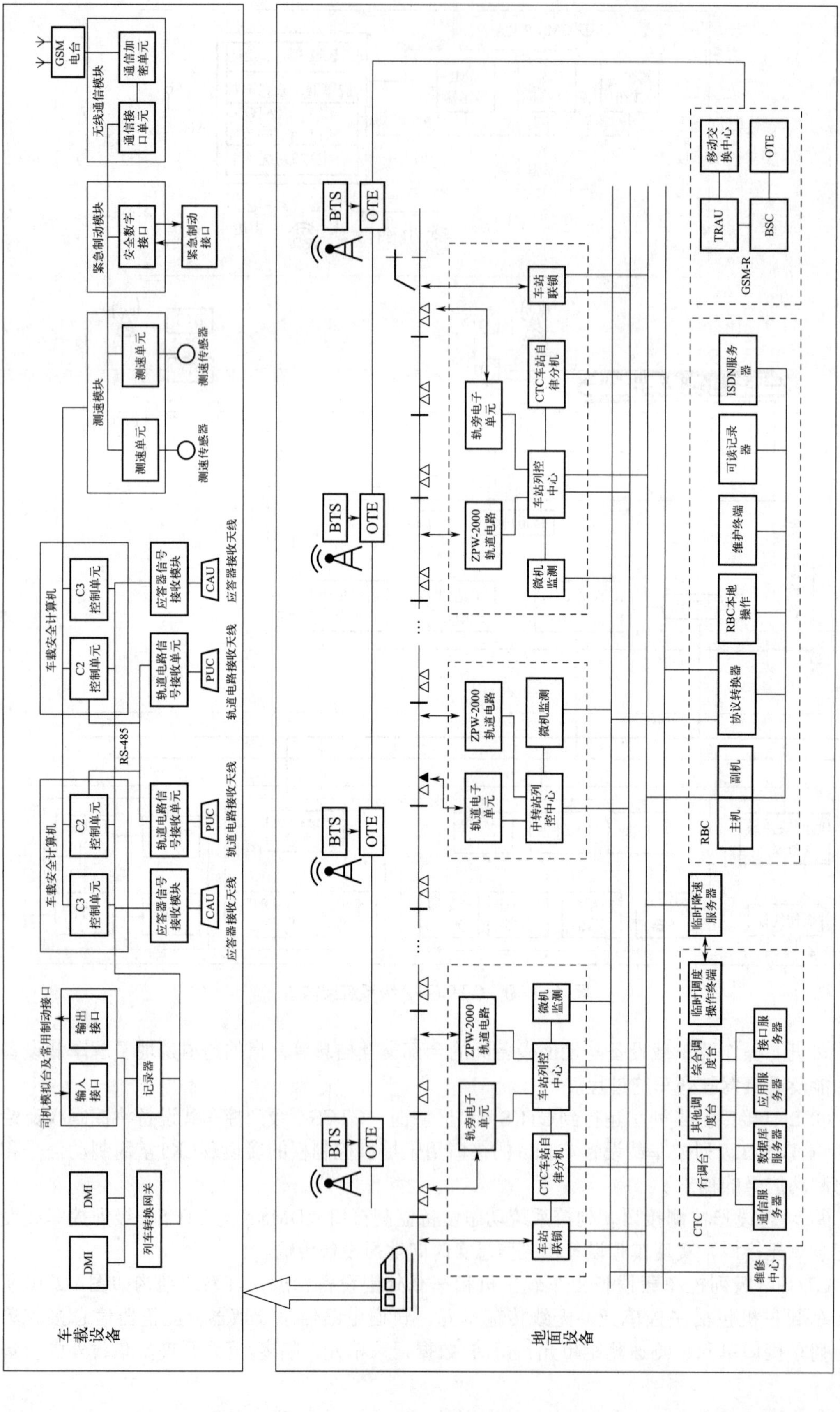

图 4-2-10　CTCS-3 级系统结构图

包括人机界面单元、速度传感器、GSM-R电台、应答器接收天线和TCR天线。车载设备通过外部接口与列车等外部设备连接CTCS-3级列控车载设备，在CTCS-2级列控系统车载设备基础上，增加CTCS-3主控单元无线传输单元及GSM-R电台。

城际铁路CTCS2+ATO系统是在城际铁路CTCS-2级列控系统的基础上进行功能扩展，地面新增通信控制服务器（CCS），车载新增ATO单元和无线通信单元，股道设置精确定位应答器，实现了列车的站间自动运行、折返作业、定点停车、车门与站台门联动、列车运行自动调整、列车运行节能控制等功能。地面设备由ZPW-2000轨道电路、车站列控中心、调度集中系统CTC、通信控制服务器CCS、临时限速服务器TSRS、应答器、地面电子单元、车站联锁、信号集中监测系统和ATO无线接口设备等组成。车载设备由列车自动防护（ATP）和列车自动驾驶（ATO）构成，其中ATP由车载安全计算机（VC）、GSM-R无线通信单元（RTU）、轨道电路信息接收单元（TCR）、应答器信息接收模块（BTM）、司法记录单元（JRU）、人机界面（DMI）、列车接口单元（TIU）、测速测距单元（SDU）等组成。

① ZPW-2000轨道电路完成列车占用检查、完整性检测以及向车载设备传输行车许可，与既有城际铁路线路的ZPW-2000轨道电路功能原理一样。

② 车站列控中心负责控制轨道电路编码，向车载设备发送行车许可。控制有源应答器发送临时限速信息、线路参数等。新增与ATO功能模块接口，进行车门/站台门的状态信息、车站停站及车站跳停信息的交互。新增站台门防护、站台门联动控制功能，负责接收通信控制服务器CCS发送的开关站台门命令，实现站台门控制功能。采集站台门、防淹门、紧急关闭相关信息，并发送给CCS。

③ 通信控制服务器作为CTCS2+ATO系统车地通信的重要组成部分，负责车载设备与地面设备的通信，将车载设备发送过来的门控信息转发给列控系统，实现车门/站台门的联动；负责与调度集中系统CTC进行通信，将CTC运行计划转发给车载ATO。通过与TCC的接口，实现站台门、防淹门、紧急关闭信息的交互，并发送给CTC。

④ 车载设备通过BTM及BTM天线接收应答器中的定位信息、线路参数和临时限速等信息。ATP根据地面设备提供的行车许可等信息和列车参数，按照目标距离连续速度控制模式生成动态速度曲线，监控列车安全运行，同时具备GSM-R车地通信、车门防护功能，具备支持车门与站台门联动控制及ATO自动驾驶等功能。

⑤ ATO具备站间自动运行、车站定点停车及车站通过、列车运行自动调整、列车运行节能控制、折返驾驶、车门自动控制及设备自诊断、记录、报警等功能，能提供起车、加速、巡航、惰行、制动、停车等多种工况的控制，满足不同行车间隔和节能的运行要求。

CTCS3+ATO系统在既有CTCS-2/CTCS-3系统功能的基础上，主要新增功能包括：自动发车、区间自动运行、车站自动停车、车门自动开门（防护）、车门/站台门联动控制。在CTCS-2/CTCS-3级列控系统的基础上，车载增加ATO单元、GPRS电台及相关配套设备，地面在临时限速服务器（TSRS）、调度集中（CTC）、列控中心（TCC）等设备上增加功能，车站股道增加精确定位应答器，构成CTCS3+ATO系统。CTCS3+ATO系统各设备新增或修改功能如下所述。

① ATP车载设备在保留原有功能的基础上增加列车开门防护功能，在DMI显示界面中增设ATO相关功能显示及操作，并根据ATO自动驾驶的需要可适当调整。车门及站台门联动控制功能由ATO实现。

② TCC需实现站台门防护和控制接口功能，TCC具备相关的采集和驱动接口，增加RBC-TCC之间的通信数据，TCC接收RBC发送的站台门联动控制命令，并向RBC反馈站台门状态和报警信息。实现发送运行计划信息、站台门联动控制命令的功能，并完成对站台门状态信息的采集和对列车运行计划的处理。

③ CTC在实现既有功能的基础上，增加CTC与RBC间运营计划信息交互功能，实现对在线列车实时管理、自动发送对应的运行计划及自动调整运行计划等功能。

④ TSRS增加高速铁路地面ATO相关功能，新增无线接口服务器通信，实现与ATO车载设备双向通信。接收CTC发送的运行计划和站间数据，实现运行计划的转发功能。向ATO车载设备发送站间线路数据，运行计划确认信息。新增站台门控制及状态信息，实现对站台门门控信息管理和对车门/站台门联动控制功能及状态的采集。

⑤ 为了使ATO系统能实现股道的精确定位停车，在股道增设精确定位应答器。精确定位应答器既要描述到站距离和开门侧信息，用于ATO在站台停车点停车，也要考虑高速铁路实际应用中站台可不安装站台门，因而精确定位应答器中还需要描述是否有站台门信息。

CTCS2+ATO系统与CTCS3+ATO系统的主要区别如下：

① 车地通信模式。CTCS2+ATO系统是在地面新增CCS，车载新增无线通信单元，通过GSM-R网络，采用CTCS-3级列控系统的车地通信协议进行车地无线通信。CTCS3+ATO系统简化了设备，减少了通信接口，程序更简便。地面取消了CCS，车地无线通信由既有的TSRS来实现，充分利用了既有设备，减少了施工工程量。

② GSM-R接入方式。CTCS2+ATO采用的是基于电路交换（CSD）的GSM-R通信，通信方式与通信协议与高铁CTCS-3系统的一样，技术可靠、传输速度快、交换方式灵活，完全满足城际铁路ATO系统的车地通信需求。CTCS3+ATO系统ATO的车地通信采用的是基于分组交换（GPRS）技术的GSM-R通信，将GSM-R网络与高铁既有的信号安全数据网对接在一起，组成一个全IP网络。

③ 运行计划处理方面。在CTCS3+ATO系统中，TSRS除了向ATO发送运行计划外，还发送到前方站整个区间的线路数据，以便ATO调整控车策略。城际CTCS2+ATO系统采取的运行策略是贴近ATP允许速度曲线运行，而高速铁路CTCS3+ATO系统增加了人工调整驾驶策略的功能，司机可根据线路状况，控制ATO按照低于ATP模式曲线2km/h、5km/h或8km/h的速度运行，其中低于ATP模式曲线5km/h为默认策略。

2.4.1.2 ATC系统

城市轨道交通信号系统对自动化控制技术要求较高，需具有较高的安全性、可靠性、可用性和可维护性，是属于一种复杂的自动化控制系统，也就是常说的城市轨道交通列车自动控制系统。城市轨道交通列车自动控制系统由ATP、ATO、ATS、CI、DCS、MSS共六大子系统组成。

① ATS子系统是分布式的监控系统，可以实现中心调度控制或车站值班员控制，根据运行计划自动触发相关进路，控制列车运行路径，可进行临时限速命令的下发、监视全线的运营情况等。

② ATP子系统主要由ZC、DSU、LEU、VOBC系统组成，一般按照设备的位置划分，又将ZC、DSU、LEU称为地面ATP系统，VOBC划分为车载ATP系统。地面ATP系统主要负责列车的移动授权计算，车载ATP主要负责列车的安全运行控制。

③ ATO子系统主要实现列车的自动驾驶功能，ATO子系统按照设备位置可以分为轨旁ATO设备和车载ATO设备，其中轨旁ATO设备主要为精确停车应答器，车载ATO设备是ATO子系统的核心设备，ATO子系统在ATP子系统安全防护下，计算自动驾驶速度曲线并自动输出牵引制动值和命令控制列车运行。

④ 计算机联锁系统主要负责道岔、信号机、区段以及站台状态的联锁关系，根据ATS子系统发送的命令或上位机办理的命令办理相关进路及其他控制，联锁计算机由接口柜、驱采柜和主机柜三部分组成，接口柜主要负责联锁与继电器组合的接口，驱采柜主要负责继电器的驱动和采集，主机柜是联锁系统的核心，主要负责逻辑运算及系统间通信。

⑤ 数据通信DCS子系统主要为各个子系统提供透明的数据传输通道，按照设备位置可以分为地面冗余环网和车地冗余无线网络，地面冗余环网包括ATS冗余网络、ATC冗余网络及维护网。车地冗余无线网络主要负责车载ATP/ATO与地面各系统的信息传输，一般采用WLAN和LTE的无线通信方式，可以实现车地大量双向实时信息传输。

⑥ 信号维护监测子系统主要通过维护网采集ZC、DSU、ATS、CI、DCS、VOBC等各个信号系统的设备状态信息和报警信息，提供整个信号系统的远程监测和报警平台，并通过统计分析为运营维护提供辅助信息，提高系统的可维护性。

2.4.1.3 CBTC系统

CBTC系统主要由列车自动监控（ATS）、列车自动防护（ATP）、联锁、ATO、数据通信子系统（DCS）等子系统构成，车辆基地一般采用计算机联锁和微机监测系统，车地通信多采用LTE技术方案，其中，ATP为包含联锁的列控联锁一体化模式，ATO覆盖范围包含城轨正线与车辆段。地铁ATC系统主流列控系统也为CBTC系统。目前，国内大多数CBTC系统均采用IEEE1474.1标准中所描述的典型CBTC系统。这种系统架构将传统联锁（CBI）和区域控制器（ZC）作为独立的轨旁控制子系统，设备间功能耦合度高、接口复杂、系统时延较大，难以适应用户对城市轨道交通智能化、一体化的要求。CBTC系统运行级别可以分为联锁级、点式和CBTC连续式3个等级。CBTC系统功能强大，与线路、运输组织、车辆等专业的关系越来越密切。典型的CBTC系统结构主要由地面设备、车载设备和数据通信设备三大部分组成。其中，地面设备包括控制中心设备、车站设备和轨旁设备，系统结构图如图4-2-11所示。

① 控制中心（OCC）主要设置列车自动监控系统设备，负责列车整体运行监控和运行计划调整。列车根据ATS的运行组织命令行车。

② 车站设备主要包括车站ATS设备、区域控制器、数据存储单元（DSU），负责移动授权（MA）计算、临时限速（TSR）管理、车站级列车运行控制等。联锁设备负责收集轨旁设备发送的信息，下达排列进路、扳动道岔、点灯灭灯等命令。每一列车的车载控制器（VOBC）把位置速度等信息通过无线通信方式传输给地面的区域控制器ZC，ZC根据管辖区域内所有车的位置信息生成列车运行权限MA返回给车载设备VOBC完成整个闭环的控制过程。

③ 轨旁设备主要包括信号机、应答器、计轴器，负责列车位置校正、后备模式下移动授权发送、区段占用状态监测等。

④ 车载设备主要包括车载ATP设备、车载ATO设备，以及测速和定位传感器等，负责列车定位、列车允许速度限制、移动授权确定等。

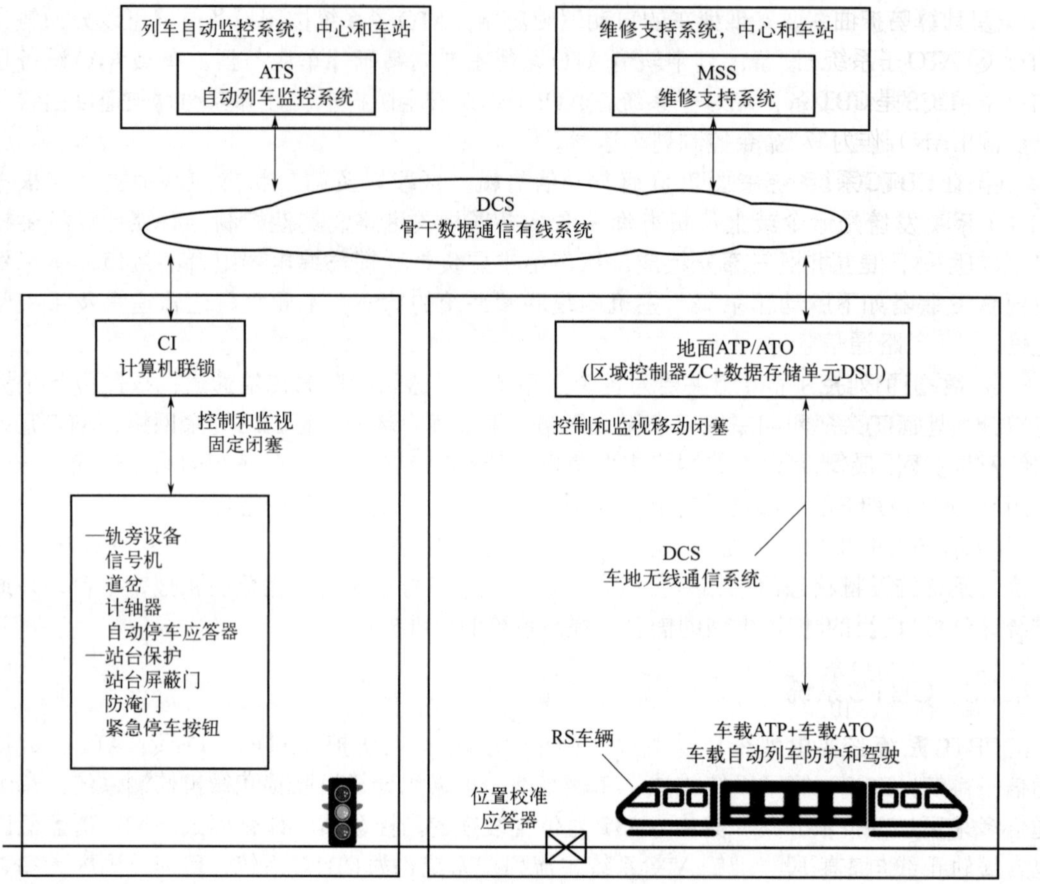

图 4-2-11　CBTC 系统结构图

⑤ 数据通信设备由地面有线通信网络设备、车地无线通信网络设备和车载有线通信网络设备组成，负责CBTC系统各部分设备间的网络连接。其中，中心设备、车站设备及轨旁设备通过有线骨干网进行连接，而上述三部分设备与车载设备间的通信通过沿线布置的车-地无线通信网络设备实现。

从系统功能上划分，典型CBTC系统由ATS、ATP、ATO、CI、数据通信系统（DCS）等（子）系统组成，还宜配置维护监测子系统。其中，ATS、CI、ATP、维护监测子系统宜通过单独组网的DCS子系统相互连接，ATP系统根据位置不同又可分为地面ATP（核心设备为区域控制器）和车载ATP子系统两部分。

① ATS子系统是CBTC系统的重要组成部分，主要负责站场信息、列车信息的监督和对列车运行的控制功能。

② CI是利用计算机对车站作业人员的操作命令及现场表示的信息进行逻辑运算，从而实现对信号机及道岔等进行集中控制，使其达到相互制约的车站联锁设备。

③ 地面ATP子系统是CBTC系统的核心控制设备，是车-地通信信息处理的枢纽。ZC是地面ATP子系统的核心设备，主要工作职责是根据CBTC列车所汇报的位置信息以及联锁所排列的进路和轨道占用/空闲信息，为其控制范围内的CBTC列车计算生成移动授权，确保在其控制区域内CBTC列车的安全运行。

④ 车载ATP子系统是CBTC系统的重要组成部分，主要负责根据移动授权、线路和车

辆信息计算防护曲线，并根据测速定位信息对列车提供超速防护。

⑤ ATO子系统在ATP子系统的防护下实现列车自动驾驶功能。

⑥ DCS是CBTC各个子系统之间传输报文的通道。传统CBTC系统主要采用无线局域网（WLAN）作为车地无线通信方式，但随着通信技术的发展，近些年基于LTE的通信方式逐渐在CBTC系统中得到应用，成为新的趋势。

CBTC系统是一个安全苛求系统，车地通信将列车和地面设备紧密联系起来，构成一个有机整体，是实现闭环控制的重要技术手段。目前，成熟应用于国内轨道交通线路的主要CBTC装备如下所述。

北京全路通信信号研究设计院研发的FZL300型CBTC系统，采用DS6-60型计算机联锁子系统、列控中心、ATS子系统、DS6-60型区域控制器设备、数据通信子系统等。FZL300型CBTC系统可以实现列车混运与灵活的列车控制等级的升降功能，在点式后备模式下可以满足最低3min运营间隔的要求。2012年该系统的部分子系统顺利通过了欧洲标准最高安全等级SIL4级标准，其他子系统也先后获得了安全认证，该系统已应用于伊朗地铁、长春市轻轨3号线与4号线中。

北京交控科技有限公司自主研发的LCF-300型CBTC系统是国内研制成功最早、目前国内应用最广泛的一套CBTC系统。该系统实现了ATO自动驾驶模式下按照移动闭塞制式运行的ATP/ATO系统的各项功能。系统车载设备自动计算列车速度，根据通信系统传输的后续列车位置，由车载设备实时计算最佳制动曲线，有效提高了列车区间通过能力。LCF-300型CBTC系统主要安全功能满足欧洲标准最高安全等级SIL4级，且已在北京地铁亦庄线、昌平线、14号线、7号线中得到应用。

中国铁道科学研究院研发了MTC-I型CBTC系统，最大限度地减少硬件设备使用，使系统尽可能提高通用化水平，采用统一的安全计算机平台，ATP列车防护系统采用二乘二取二冗余结构，提高系统的容错性，降低维护成本。系统具备联锁级别、点式级别、CBTC级别的运行控制等级且在不同控制等级下有多种驾驶模式，不同制式和编组的列车均可在同一条线路上同时运行。系统安全设备均获得了SIL4级认证，且应用于广州地铁中。

卡斯柯信号有限公司研发了iCBTC系统，该系统中后车追踪目标为前车车尾减去一段安全距离，系统使用两条网线使车载设备能够实现互相首尾热备，不仅提高了系统的容错性还减少了连接电缆与设备，且车载设备界面更加友好，驾驶人员易于学习掌握。系统的车-地通信方式采用空间波和波导等多种方式，允许多种方式同时通信。目前该系统已应用于呼和浩特地铁2号线、上海地铁10号线等。

表4-2-10、表4-2-11对比了CTCS系统和CBTC系统的车载设备和地面设备的差异。

表4-2-10 CBTC车载和CTCS车载主要核心功能及轨旁接口对比

系统	CBTC车载	CTCS2+ATO/CTCS-2	CTCS3+ATO/CTCS-3
测速传感器	速度计/雷达/加速度计	速度计/雷达/加速度计	速度计/雷达/加速度计
定位设备	欧标应答器	欧标应答器	欧标应答器
线路地图维护方式	车载存储、可动态下载	动态更新	动态更新
次级位置检测	轨道电路/计轴	ZPW-2000轨道电路	降级为CTCS-2
车-地传输	LTE-M+应答器	GSM-R+轨道电路+应答器	GSM-R+轨道电路
轨旁列控设备	区域控制器、数据存储单元、欧标应答器	临时限速服务器、列车运行控制中心、通信控制服务器、轨道电路、欧标应答器	临时限速服务器、列车运行控制中心、无线闭塞中心、轨道电路、欧标应答器

表 4-2-11　CTCS 列控系统和城轨 CBTC 系统的地面设备差异

设备类别	CTCS-2/3 等级列控系统地面设备	城轨 CBTC 列控系统地面设备
轨道电路	实现列车占用检查并向车载设备发送行车许可信息	无
应答器	遵循 ERTMS Subset-036 标准，信息包定义格式遵循《CTCS-3 级列控系统应答器应用原则（V2.0）的通知》（科技运 210121 号），CTCS-2 等级下向车载设备传输移动授权	遵循 ERTMS Subset-036 标准，信息包定义格式遵循 T/CAMET 04011.1-2018 城市轨道交通 CBTC 互联互通接口规第 1 部分应答器报文，点式后备模式下向车载设备传输移动授权
计算机联锁	基于传统的轨道区段信息，实现站内进路、信号、道岔的联锁控制	基于精确定位转换的逻辑区段信息，实现站内和区间联锁一体化功能
列控中心	实现轨道电路发码、区间信号机点灯、有源应答器报文控制、闭塞方向控制及占用逻辑检查等功能；CTCS2+ATO 线路，列控中心同时增加了站台门的状态采集功能	相关功能通过联锁实现
无线闭塞中心 / 区域控制器	CTCS-3 等级下 RBC 实现列车移动授权的管理；RBC 向车载设备发送地面线路信息；临时限管理由单独的 TSRS 负责	ZC 同时具备移动授权管理和临时限速管理功能；ZC 不涉及线路数据信息管理功能线路数据存储在车载设内部
列车调度集中 / 列车自动监督系统	不涉及站间、站内运行时间调整功能；显示轨道区段占用信息	具备站间、站内运行时间调整功能；显示列车精确位置占用信息

2.4.2　国内列车运行控制系统应用现状

我国干线铁路大都采用CTCS制式（CTCS-0/CTCS-2/CTCS-3/CTCS2+ATO/CTCS3+ATO，系统向下兼容）。城际铁路大部分采用CTCS-2、CTCS2+ATO，如珠三角城际铁路等，小部分线路采用CBTC，如宁天城际铁路。市域（郊）铁路大都采用CTCS-2，如成灌铁路等，部分采用CBTC。城市轨道交通绝大部分都采用CBTC。

2.4.2.1　CTCS系统

2003年，原铁道部在UIC大会上提出中国列车运行控制系统（CTCS）框架，明确CTCS-2级为既有200km/h以下的线路采用的列控模式，CTCS-3级为基于GSM-R的超速防护系统设备，主要用于高速铁路。2004年颁布了《CTCS技术规范总则》，结合中国铁路需求特点提出了CTCS的总体目标和整体框架，确定了等级的划分、基本配置和基本功能。2004年至2006年，我国颁布了CTCS-2级列控系统相关规范，并在2007年第六次大提速中大规模实施。为了满足高速铁路建设发展需要，2007年原铁道部成立了CTCS-3级技术攻关组，开展了CTCS-3级列控技术攻关，组织开展系统和部分装备的自主创新及部分核心装备的引进、消化、吸收等工作。2009年完成CTCS-3级列控系统成套装备研制，并成功开通全球第一条350km/h的高速铁路——武广高速铁路，随后开通了中西部第一条高速铁路——郑西高速铁路。

在CTCS基础上，经过功能扩展，我国已在世界范围内率先实现了高铁ATO系统的商业运用。CTCS2+ATO城际列控系统是在CTCS-2级列控系统增加ATO相关功能，不仅适用于250km/h以下的城际铁路，也同样适用于300km/h以上高速铁路。

CTCS3+ATO列控系统适用于350km/h及以下高速铁路，2019年中国铁道科学研究院集团有限公司根据自身设备特点和技术优势，完成了CTCS3+ATO系统设备的研发和现场试验工作，并在京张（北京—张家口）高速铁路线上投入使用，首次实现了350km/h动车组自动驾驶技术的应用。京张高铁是集智能建造、智能装备、智能运营为一体的现代化建设，其CTCS-3级列控系统与ATO系统完美结合，能满足8辆、16辆以及17辆编组列车的站内精准停车以及安全运营，实现了不同车载设备间以及CTCS-3标准线路与CTCS-2标准线路间的互联互通，该技术的成功实施对于后续高速铁路ATO系统工程设计与装备运用具有一定的借鉴和参考价值。此后，中国高速铁路进入完善推广应用阶段。在此过程中，我国积累了大量的列控运行数据和运营经验，为列车运行控制系统的创新研究提供了大量的素材，推动我国高速铁路列控系统不断向前发展。

2.4.2.2 CBTC系统

在CBTC系统真正出现之前，我国城市轨道交通在很长一段时间内使用基于轨道电路的列车控制（TBTC）系统。TBTC系统主要使用轨道电路进行列车定位与车地之间行车安全信息的传输工作。轨道电路虽然具有可靠性高、保障行车安全的优点，但是随着城市轨道交通需求的日益增长，轨道电路自身性能和效率的缺陷日渐明显。

① 列车定位的精度有限。由于闭塞分区固定，控制中心只能根据轨道电路判断闭塞分区是否被占用，无法准确获取列车在闭塞区间内的真实位置。因此，低精度的列车位置识别使基于TBTC的城市轨道交通行车效率无法得到有效的提高。

② 数据传输容量低，只能实现单向数据传输。由于牵引电流的干扰、频率特性、传输距离的限制，以及信号系统对数据的实时性要求，轨道电路只能进行单向较小容量的信息传输。

随着计算机技术、通信技术和控制技术的发展与无线通信技术的成熟，基于无线通信技术的新型信号系统CBTC系统逐步取代了TBTC系统，成为了目前城市轨道交通中的主要列车运行控制系统。无线通信技术的快速发展和逐步完善成熟，使轨道交通中进行车地之间双向、连续、大容量的数据交互成为了可能。相较于TBTC系统，CBTC系统具有以下几点优势。

① 实现独立于轨道电路的高精度列车定位，实现移动闭塞，大大缩短了行车间隔，提高了城市轨道交通运行效率。

② 在车地之间高效地进行列车控制信息的传输，实现列车自动运行ATO，提高了行车效率。

③ 除满足列车控制系统的信息传输需求之外，还可以实现调度指挥等信息的传输，满足铁路信息化带来的车地大容量信息交换需求。

自2004年以来，我国城市轨道交通新建线路与旧线改造大部分都采用CBTC系统。我国依靠从国外如阿尔卡特、西门子等一些公司引进城市轨道交通系统的核心技术，也已开始在地铁、轻轨等城市轨道交通建设项目中进行CBTC系统设计和应用。我国第一条采用CBTC技术设计的城市轨道交通线路是湖北省武汉轨道交通1号线。为了实现国产化和自主创新的目的，北京交控科技有限公司通过消化吸收国外厂商CBTC系统的先进技术，依托北京交通大学国家重点实验室的科研平台，成功研制出一套符合国际标准的CBTC系统，并于2010年12月31日成功应用于北京地铁亦庄线，这标志着我国成为继德国（西门子）、法国（阿尔斯通）和加拿大（阿尔卡特）之后第四个成功掌握CBTC核心技术并顺利应用于实际工程的国家。目前，CBTC系统凭借其技术的成熟性与先进性，已经在国内外的城市轨道交通系统运营过程中扮演着重要的角色。目前我国已有超过90条轨道交通线路使用了CBTC系统作为信号系统，例如北京地铁1号线、2号线、4号线、6～10号线、14号线、16号线、S1线、亦庄线、昌平线、房山线和燕房线，上海地铁1号线、3号线、6～11号线、16～17号线，广州地铁1号线、2号线、4～6号线和8号线，成都地铁1～4号线，武汉地铁6～8号线，等等。上海地铁3、4号线信号系统改造采用基于车车通信的列车自主运行系统（TACS）实现列车主动间隔防护，能够显著提升线路运输能力，降低系统改造风险，缩短系统改造周期。

在目前国内已经开通的城市轨道交通线路中，已经有多条线路使用基于LTE-M的地面中心CBTC无线通信系统进行车地间的信息交互。2013年12月开始运营的郑州地铁1号线使用LTE-M进行乘客信息系统（PIS）和闭路电视等视频信息的传输。2016年开通的武汉地铁6号线则是我国首条使用LTE-M系统作为信号系统中车地通信系统的城市轨道交通线路。随着LTE-M技术的成熟，我国在2017年后开通的所有城市轨道交通线路均放弃WLAN，采用LTE-M系统作为列车控制系统的车地通信系统。此外，一些既有线路，如重庆地铁2号线，均已开始进行LTE-M系统的换装工作。

我国CBTC系统广泛应用在市区轨道和市域轨道线路，CTCS广泛应用在高速铁路和城际轨道线路，其中CTCS系统的CTCS-2级系统在城际铁路应用最广泛。表4-2-12对目前CTCS和CBTC列控系统的主要应用情况进行了简要对比。

表4-2-12　国内CTCS和CBTC系统的主要应用情况简要对比

类型	典型信号制式	车地通信方式	信号系统互联互通性	高速运行速度/（km/h）	最小行车间隔/min	平均站间距/km	平均线路长度/km	典型应用
高速铁路	CTCS-3/CTCS-2	GSM-R	不同厂家设备可互联互通、可跨线运行	350	3	50	>300	京沪、京广等
城际铁路	CTCS2+ATO	GSM-R	不同厂家设备可互联互通、可跨线运行	250	3	5	100～300	珠三角莞惠线、佛肇线等
市域铁路	CTCS2+ATO/CBTC	WLAN/LTE-M/GSM-R	根据信号制式确定	160	3	3～5	50～80	大兴机场线、温州S1线等
地铁系统	CBTC	WLAN/LTE-M	2020年重庆开始实现互联互通跨线运行，之前无法互联互通	120	1.5	1	30～50	各城市主流地铁线路
轻轨系统	CBTC	WLAN	各厂家系统无法互联互通	80	2	1～3	30	北京13号线、长春4号线等

2.4.3　国内城际/市域（郊）铁路列控装备发展应用现状

在国内已开通的部分城际铁路、市域铁路中，信号系统制式也各不相同。干线铁路、城际铁路、市域（郊）铁路与城市轨道交通的“四网融合”已成为我国轨道交通发展的重要方向。轨道交通融合发展基本是以统一或相互兼容的制式为基础来实现，国际上普遍参考既有线路标准并以此为基础发展建设。

城际铁路主要承担城市群内部主要核心城市及节点城市的快速联系功能，其列控系统主要采用CTCS-2级系统，系统设备由地面和车载两部分组成。装备了CTCS-2设备的城际列车通过轨道电路，获取列车占用检查、行车许可及闭塞分区数量等列控信息，通过点式应答器获取临时限速和进路信息、线路参数、线路限速、定位和闭塞分区长度等信息，通过综合轨道电路信息、应答器信息、线路静态参数、临时限速信息及有关列控参数等信息，生成目标距离速度模式曲线，从而实时控制列车安全运行。城际铁路CTCS2+ATO列控系统适用于250km/h及以下城际铁路，2013年发布的《城际铁路CTCS2+ATO列控系统暂行总体技术方案》规定："城际铁路列控系统在CTCS-2级基础上，应具备站间自动运行、车站定点停车及车站通过、折返作业、列车运行自动调整、车门/站台门（安全门或屏蔽门）防护及联动控制、列车运行节能控制等自动运行相关功能。"珠三角城际部分线路为适应城际铁路站间距短、行车密度高、运营组织灵活等特点，采用CTCS2+ATO的信号系统实现了列车自动驾驶、精确停车车门与站台门联动并自动开关等功能。目前，装备CTCS2+ATO系统的动车组已经超过40余列，运行在莞惠、佛肇、珠机、广清、广州东环等6条线路上。由广东省主导建设的莞惠城际、广佛肇等城际铁路，采用CTCS2+ATO信号系统。由北京市主导建设的北京地铁大兴机场线采用了CBTC信号系统。深大城际、大鹏支线采用CBTC列控系统。目前，国内已建成的各城际铁路统计如表4-2-13所示。

表4-2-13　城际铁路列控系统统计

线路	速度/(km/h)	信号制式	通信系统	线路	速度/(km/h)	信号制式	通信系统
京津	350	CTCS-3	GSM-R	长珲	250	CTCS-2	GSM-R
武孝	250	CTCS-2	GSM-R	武九	250	CTCS-2	GSM-R
昌九	250	CTCS-2	GSM-R	郑焦	250	CTCS-2	GSM-R
武咸	250	CTCS-2	GSM-R	沪宁	300	CTCS-2	GSM-R
武冈	250	CTCS-2	GSM-R	郑开	250	CTCS-2	GSM-R
广珠	250	CTCS2+ATO	GSM-R	莞惠	200	CTCS2+ATO	GSM-R
广佛肇	200	CTCS2+ATO	GSM-R	穗莞深	140	CTCS2+ATO	GSM-R
长株潭	200	CTCS-2	GSM-R	郑机	200	CTCS-2	GSM-R
中川	160	CTCS-2	GSM-R	成灌	200	CTCS-2	GSM-R
深惠城际龙岗至大鹏支线	160	CBTC	GSM-R	深圳机场至大亚湾城际深圳机场至坪山段	160	CBTC	GSM-R

市域铁路介于城际铁路和城市轨道交通之间，具有高密度、小编组、公交化的特点，最高运行速度为100～160km/h，最小行车间隔为4min。根据《市域铁路设计规范》，市域铁路列控系统应与其线路特点和运营需求相匹配，可采用CTCS制式，也可以采用城市轨道交通ATC制式。对于CTCS制式，有列车自动驾驶功能需求的市域铁路一般采用CTCS-2列控系统，ATC制式主要以CBTC为主。CTCS2+ATO系统综合了高速铁路和城市轨道交

通的列控技术特点，可实现与采用CTCS-2/CTCS-3的国铁线路互联互通。目前，长三角地区上海市域铁路机场联络线、两港快线、江苏都市圈如通苏湖城际和水乡旅游线采用CTCS2+ATO系统。京张铁路采用的CTCS3+ATO是在CTCS-3级列控系统基础上叠加了自动驾驶ATO的功能，具备自动驾驶、精确停车、车门自动开门、车门/站台门联动控制等相关功能，由于地面设备完全与既有CTCS架构一致，故能与国铁CTCS列控系统实现互联互通的要求。但CTCS2/CTCS3+ATO并不能改变其准移动闭塞的制式。目前运营的市域铁路以利用既有铁路居多，除上海的金山铁路外，还有北京市郊铁路S2线和城市副中心线、重庆的重庆西至重庆北市域铁路、成都的成灌铁路、浙江宁波至余姚市域铁路等。新建的已正式运营的市域铁路有成都的成蒲铁路温州S1线。目前在建的市域铁路一般由地铁公司负责建设和运营，主要有上海机场联络线、广州18号线等。国内代表性的已开通市域铁路如表4-2-14所示。

表4-2-14　国内代表性市域铁路运营状况统计

城市	线路名称	线路长度/km	车站数量/座	站间距/km	设计时速/(km/h)	列控系统制式	开通时间
北京	昌平线	31.9	12	2.9	100	城轨CBTC	2008-08-06
	大兴线	21.8	11	2.2	80	城轨CBTC	2010-12-30
上海	金山铁路	56.4	9	7.1	160	国家铁路CTCS	2012-09-28
	11号线	82.4	38	2.2	100	城轨CBTC	2009-12-31
	16号线	59	13	4.9	120	城轨CBTC	2013-12-29
	17号线	35.3	13	4.9	100	城轨CBTC	2017-12-30
成都	成灌铁路	71.8	15	5.1	120～200	国家铁路CTCS	2010-05-12
	18号线	69.11	13	5.7	140	城轨CBTC	2020-09-27
广州	3号线	64.4	30	2.8	120	城轨CBTC	2005-12-26
	4号线	43.6	16	2.0	100	城轨CBTC	2010-09-25
	13号线	27	11	2.7	120	城轨CBTC	2017-12-18
	14号线	6.3	22	3.6	140	城轨CBTC	2018-12-28
温州	S1线	34.8	12	3.2	140	城轨CBTC	2018-10-01

表4-2-15对市域铁路列控制式进行了对比。

表4-2-15　市域铁路列控制式对比表

项目	CTCS2+ATO制式	CBTC制式	CTCS2+CBTC制式
公交化需求	对于高密度市域线路，有一定风险	支持高密度运营	支持高密度运营
互通性需求	支持国家铁路线网内互通	城轨线网内互通	国家铁路、城轨及市域线网内及线网间互通
对既有标准的突破	自动折返功能会突破国铁集团既有标准	通过独立第三方安全认证	在国铁集团既有标准下对修改部分进行相关认证
车-地通信方式	需要向国铁集团申请GSM-R	LTE-M	支持GSM-R/LTE-M

2.5 列车运行控制系统装备重点厂商分析

2.5.1 国外重点厂商分析

2.5.1.1 亚洲

（1）日本

① 日立制作所（Hitachi）。日立制作所是一家全球性综合电子制造商，在铁路领域拥有丰富的经验，提供信号系统、列车控制系统和列车保护系统等装备。

日立制作所为东京新干线提供了列车运行控制系统、信号系统、车辆设备等关键装备，帮助确保列车运行的安全和高效，为英国高铁HS1提供了列车运行控制系统、信号系统和车辆设备等关键技术，为巴西圣保罗地铁系统提供了列车信号系统和自动列车运行控制系统，这些系统帮助提高了圣保罗地铁的运行效率和安全性，加强了乘客的出行体验。

② 三菱电机（Mitsubishi Electric）。三菱电机是一家跨国电气设备制造公司，提供广泛的列车运行控制系统装备，包括信号系统、列车控制和监控系统等。

三菱电机为日本新干线列车提供了关键的电力设备，包括牵引变流器、电机和电力供应系统等，这些设备保证了新干线列车的高速、高效和稳定运行；参与了韩国高速铁路KTX项目，为其提供了列车电力设备和信号系统等关键技术；为马来西亚的电气化铁路项目提供了列车电力设备和自动化控制系统，这些设备用于确保列车运行的安全和高效，改善了马来西亚的铁路交通系统。

③ 东芝（Toshiba）。东芝是一家综合电子制造商，提供列车信号系统、列车控制和监控系统等装备。

东芝为英国的铁路和地铁项目提供了信号系统、列车控制系统和供电设备等，其中包括伦敦地铁的信号系统升级和铁路路线的电气化项目；参与了阿拉伯联合酋长国（UAE）的铁路项目，为其提供了列车供电和信号系统等关键技术，这些系统用于支持UAE的高速铁路网络，连接了迪拜、阿布扎比和其他城市；为美国的铁路运营商提供了先进的信号系统和列车控制设备，以提高运行的安全性和效率。

④ 京成电铁株式会社（Keisei Electric Railway）。京成电铁是一家铁路运营公司，也在列车控制和监控系统领域有相关经验和技术，提供列车控制和监控系统等装备，并为内部运营使用。

京成电铁的空港线是连接东京市区和成田国际机场的重要交通线路，引入Skyliner高速列车，采用了先进的技术和设计，列车具有高速运行和舒适的乘坐体验，帮助旅客快速、便捷地前往机场。京成电铁本线连接东京市区和千叶县地区，通过引入现代化列车车辆和信号系统，提高了列车的运行效率和乘客的出行舒适度。京成电铁押上线连接东京市区和押上地区，该线路通过与东京地铁的协同运营，提供了便捷的交通选择，通过投入现代化的车辆和设备，为乘客提供高品质的出行体验。

⑤ 西日本旅客铁道株式会社（West Japan Railway Company）。西日本旅客铁道是一家铁路运营公司，涉足列车控制和监控系统领域。

西日本旅客铁道提供列车控制和监控系统等装备，经营多条地方铁路线路，涵盖西日本地区的城市和乡村，不断引入新的列车设备和技术创新，推出了一系列新型列车，如“Hello Kitty Shinkansen”和“Twilight Express Mizukaze”等，为乘客提供独特的旅行体验，积极探索无人驾驶列车技术，进行一系列的实验和试点项目，旨在提高列车运行的安全性和效率。

（2）韩国

① 韩国现代Rotem公司（Hyundai Rotem）。韩国现代Rotem公司是韩国主要的轨道交通设备制造商，虽然其主要业务集中在车辆制造，但也涉足列车信号控制系统的开发与提供。

② LS电缆公司（LS Cable & System）。LS电缆公司是韩国领先的铁路通信和信号设备供应商，主要提供信号电缆和通信电缆，在铁路信号传输领域有显著贡献。

（3）印度

① Bharat Heavy Electricals Limited（BHEL）。BHEL是印度的国有企业，除了电力设备外，也为印度铁路提供信号和通信设备。该公司专注于列车信号系统和自动控制技术。

② Titagarh Wagons Limited。该公司是印度一家轨道车辆制造商，近年来逐渐进入信号系统领域，特别是为印度地铁和快速铁路项目提供解决方案。

2.5.1.2 欧洲

（1） 德国

① 西门子（Siemens）。西门子是全球知名的工业制造和解决方案提供商，提供全面的列车运行控制系统，包括信号系统、列车保护系统和自动化控制系统等。

例如：西门子为德国的ICE高速列车提供列车控制和监控系统，参与了其他欧洲国家的高速列车和城市轨道交通系统的信号和自动化设备供应，如西班牙的AVE高速列车、英国的Crossrail等；为美国东北走廊的Amtrak高速列车提供列车信号和自动化系统设备；此外，还为美国的城市轨道交通系统，如华盛顿特区的地铁系统，提供信号和列车控制设备。

② KONTRON Transportation。KONTRON Transportation专注于提供铁路车辆控制和监控系统，在欧洲地区有多个应用案例，包括德国的城市轨道交通系统和铁路车辆。

（2）法国

① 阿尔斯通（Alstom）。阿尔斯通是一家国际性铁路运输和能源设备制造公司。他们提供各种类型的列车运行控制系统，包括信号系统、列车控制和监控系统等。例如，阿尔斯通为法国城市轨道交通系统提供信号和列车控制系统，如巴黎地铁和里尔轻轨，此外，还参与了欧洲其他国家的高速列车项目，如意大利的ETR高速列车系列。阿尔斯通在南美洲地区的铁路项目中也有重要地位，包括为巴西的城市轨道交通系统和阿根廷的铁路系统提供装备。

② 泰雷兹（Thales）。泰雷兹是一家跨国电子技术和解决方案提供商，在铁路运输领域有着广泛的经验，提供列车信号系统、列车控制和监控系统等先进的列车运行控制装备。

③ 阿尔卡特（Alcatel）。阿尔卡特（Alcatel）是国际知名的电信设备制造商，总部位于法国。该公司专注于通信和网络技术的全球供应商。在铁路领域，阿尔卡特提供了各种通信和信号解决方案，以增强铁路系统的效率、安全性和可靠性。

阿尔卡特与法国国家铁路公司（SNCF）合作，提供了先进的列车控制系统，该系统利用无线通信技术和实时数据传输，实现了列车位置跟踪、信号控制和列车调度等功能，提高了列车运行的安全性和效率。与英国铁路公司合作，为其提供了通信网络解决方案，这个方案包括了铁路专用的数据通信网络和传输设备，用于支持列车间通信、信号传输和视频监控等应用，提升了铁路系统的通信效率和可靠性。阿尔卡特与荷兰铁路公司（NS）合作，部署了现代化的乘客信息系统，该系统通过在车厢内安装显示屏和音频设备，向乘客提供实时列车信息、到站时间、换乘指南和旅游信息等，提升了乘客的旅行体验。

（3）意大利

Ansaldo STS。Ansaldo STS专注于提供铁路信号系统和列车运行控制系统，在欧洲地区有广泛的应用案例，包括高速列车、城市轨道交通系统和传统铁路网络，如意大利国家铁路的Frecciarossa高速列车，该公司目前已被日立制作所（Hitachi）收购。

（4）西班牙

CAF Signalling。CAF Signalling公司提供列车信号系统和列车控制系统，在欧洲地区拥有多个应用案例，包括西班牙的高速列车和城市轨道交通系统，比如AVE高速列车。CAF Signalling在南美洲地区也有应用案例，为巴西、智利和墨西哥等国家的城市轨道交通系统提供列车控制和监控系统。

2.5.1.3　北美洲

（1）加拿大

庞巴迪（Bombardier）。庞巴迪是一家加拿大的跨国交通运输设备制造公司。他们在列车运行控制系统领域具有丰富的经验，提供全面的信号系统、列车控制和监控系统等解决方案。

庞巴迪为德国的城市轨道交通系统提供列车控制和监控系统，如柏林地铁和汉堡地铁，此外，还参与了欧洲其他国家的高速列车项目，如瑞典的X2000高速列车，为美国和加拿大的城市轨道交通系统提供列车控制和监控系统，包括为纽约市地铁和多伦多地铁系统提供设备，在巴西和阿根廷等国家的铁路项目中也有一定的应用。2020年7月，法国阿尔斯通（Alcatel）收购加拿大庞巴迪铁路业务的计划获欧盟委员会有关条件批准，于2021年1月29日完成收购。

（2）美国

① 洛克希德·马丁（Lockheed Martin）。洛克希德·马丁是一家国防和航天公司，为美国的交通运输系统提供列车信号和通信设备，也提供列车运行控制系统装备。洛克希德·马丁在北美洲地区的铁路项目中具有一定的参与度，例如为纽约和芝加哥的地铁系统提供信号系统。

② 通用电气（General Electric）。通用电气是一家全球性工业制造公司，提供列车信号系统和列车控制系统等装备。通用电气为美国和加拿大的铁路系统提供列车信号和列车控制系统等装备，也在南美洲地区提供列车信号系统和列车控制系统等装备，例如在巴西、阿根廷等国家的铁路项目中有一定的参与度。

③ 贝克休斯（Bechtel）。贝克休斯是一家美国工程和建设公司，在铁路项目中提供列车信号系统和列车控制系统等装备，参与了多个高速铁路项目的建设，包括美国的加利福尼亚州高速铁路项目和沙特阿拉伯的麦加至麦地那高速铁路项目。

④ 温莎（Wabtec）。温莎是一家交通运输设备制造公司，提供列车控制和监控系统等装备，在铁路项目中有广泛的应用，包括车辆信号系统、列车通信设备等。

⑤ TransCore。TransCore是一家交通技术公司，专注于提供列车通信和列车控制系统等装备，是磁悬浮列车（maglev）技术的领先供应商之一，也提供轨道交通管理系统，用

于监测和控制铁路运输网络，提高铁路系统的效率和运行性能。

2.5.1.4 南美洲

（1）巴西

TTrans Sistemas。TTrans Sistemas专注于铁路信号和列车控制系统，提供信号设备、列车控制中心、轨道电路和通信系统等解决方案。

（2）阿根廷

TATSA（Tecnología Avanzada en Transporte SA）专注于铁路和公共交通领域的技术解决方案，提供列车控制系统、信号系统、通信设备和车辆装备等产品和服务，这些装备帮助提高铁路运营的安全性、准确性和效率。此外，TATSA还参与了阿根廷铁路现代化项目，包括对信号系统和列车控制设备的升级和改造。

2.5.2 国内重点厂商分析

2.5.2.1 北京全路通信信号研究设计院集团有限公司

北京全路通信信号研究设计院集团有限公司，前身为铁道部电务设计事务所，现为中国铁路通信信号股份有限公司下属全资子公司。公司以轨道交通领域为核心，形成了覆盖信号、通信信息、电力电气化、土建、建筑等专业的系统研究、标准制定、应用开发、设计咨询、检验检测、集成交付、生产制造、运营维护的完整业务链。已完成7000余项通信、信号、电力及自动化工程设计，承担了一批国务院试点项目和国家重点工程设计，70余项自主创新的系统技术首次应用于铁路和城市轨道交通领域，高铁列控系统市场占有率达到80%，在轨道交通领域具有先进的技术水平。作为铁道行业“通信信号设备制式标准化技术归口单位”，协助国家铁路局承担通信信号领域铁道国家技术标准、行业技术标准制定修订过程中的组织管理和质量把关工作，结合国家“高铁走出去”“一带一路”倡议，在国内外铁路市场上取得了显著成绩。

2.5.2.2 中国铁道科学研究院集团有限公司

中国铁道科学研究院集团有限公司（中国铁道科学研究院）是中国铁路唯一的多学科、多专业的综合性研究机构，已发展成为集科技创新、技术服务、成果转化、咨询监理、检测认证、人才培养等业务于一体的大型科技型企业。

中国铁道科学研究院集团有限公司通信信号研究所致力于铁道通信信号领域共性、关键性、前沿性的研究开发工作。研究应用新技术、新理论、新工艺、新器件，采用计算机及微电子技术、现代通信网络技术、智能控制技术，实现数字化、网络化、智能化的通信信号技术体系。围绕铁路技术发展，大力开发有自主知识产权的、有市场竞争能力的技术装备产品，提供先进、成熟、经济、安全、可靠的通信信号技术装备，在通信信号技术领域的研究开发、大型综合试验、与产品有关的工程设计、重大工程项目、电磁环境评估和相关技术标准规范制定等方面取得了显著成绩。

2.5.2.3 和利时科技集团有限公司

和利时科技集团有限公司专注于工业自动化、交通运输和能源领域的技术研发和产品制造，提供集成化的列车自动驾驶和自动运行控制系统，包括信号系统、车辆控制系统、通信系统和监控系统等。它的解决方案在中国和国际市场上得到广泛应用，并具备高度可靠性和安全性。作为一家国内知名的自动化控制系统企业，和利时科技集团在铁路行业有着丰富的经验和技术实力，为高速列车运行控制系统提供了成熟的技术和装备。

2.5.2.4 卡斯柯信号有限公司

卡斯柯信号有限公司专注于为铁路运输行业提供信号系统、列车控制系统和列车保护系统等装备和解决方案，在铁路信号系统领域具有丰富的经验和技术实力，其产品和解决方案符合国际标准，并在全球范围内得到广泛应用。卡斯柯信号公司研发的信号系统涵盖了信号设备、联锁系统、列车控制系统和列车保护系统等关键组成部分，并提供相关技术支持、培训和维护服务，以确保系统的正常运行和安全性。

2.5.2.5 交控科技股份有限公司

交控科技以具有自主知识产权的CBTC技术为核心，从事城市轨道交通信号系统的研发、关键设备的研制、系统集成以及信号系统总承包、维保维护服务及其他相关技术服务等。公司主要产品包括基础CBTC系统、CBTC互联互通列车运行控制系统（I-CBTC系统）、全自动运行系统（FAO系统），产品的应用市场包括新建线路市场、既有线路改造市场和重载铁路市场。公司是多项行业标准制定的重要参与者，推动了全自动运行、互联互通、车-车通信等行业技术的发展和进步。

2.5.2.6 思维列控

思维列控主要从事铁路运输安全保障技术研究、应用软件开发。公司自主研发的以防超速、防冒进著称的LKJ系列列车运行控制系统，服务于铁路列车安全控制、列车运行安全管理、列车运行安全信息化建设等方面。目前，LKJ系统覆盖了全国18个铁路局、7家机车制造厂、地方铁路公司等客户，已经在全国铁路2万余台机车和200km/h速度级别动车组上普及应用。近年来，产品延伸至列控动态监测领域，包括列控设备动态监测系统（DMS）、动车组司机操控信息分析系统（EOAS）、高速铁路列控数据信息化管理平台、信号动态检测系统等。

2.5.2.7 湖南中车时代通信信号有限公司

湖南中车时代通信信号的前身是中车株洲所通信信号事业部，经过20多年的发展，通信信号事业部已成功建立起自主、先进的列控技术体系和标准，其中自主研发的列车“黑匣子”等产品应用于全国2万多台各类型机车、600多列高速动车组上，并出口至中亚、非洲等地。所研制的CTCS2-200C型ATP设备，已装载国内200～250km/h等级高速动车组。城市轨道交通信号系统也已应用于湖南省首条地铁线路——长沙地铁2号线以及国内首条中低速磁浮商业运营线——长沙磁浮线。

2.5.2.8 浙江众合科技股份有限公司

浙江众合科技股份有限公司（简称众合科技）前身是浙江大学半导体厂公司，立足科技惠民，致力于高科技、“卡脖子”的国家重点战略业务领域，聚焦智慧交通、半导体、产业数智化及大健康四大战略经营单元。

作为智慧交通行业数字化和智能化的先行者，从行业数字化向行业智能化不断开拓创新，产品涵盖轨道交通信号系统、自动售检票及线网清分系统（AFC/ACC/MLC）、系统集成、列车智能化、智能运维、城轨数字化等系统产品，并搭建了基于大数据移动互联的智能运维平台、基于时空大数据的城轨云平台、芯片国产化的安全计算机开发验证平台等平台，构建了智慧交通解决方案的核心能力。

2.5.2.9 上海电气泰雷兹交通自动化系统有限公司

上海电气泰雷兹交通自动化系统有限公司是上海电气集团旗下的一家公司，主要从事轨道交通领域的自动化系统和设备的研制和应用，其产品和解决方案涵盖列车信号系统、列车控制系统、列车运行控制系统、列车调度系统、轨道交通通信系统、电气化供电系统等。公司的产品和技术广泛应用于城市轨道交通、高速铁路、轻轨等交通领域，致力于提供先进的交通自动化系统，以提高交通运输的安全性、效率和智能化水平。

2.6 列车运行控制系统装备推动行业发展作用分析

2.6.1 运输服务安全可靠性

作为攸关旅客生命及财产安全的大型地面运输系统，铁路运行的安全性和可靠性至关重要。近年来国内外发生的列车安全事故造成了重大的人员伤亡和经济损失，更带来了一些负面的社会影响。排除人为失误、自然原因等，主要由于系统设备在运行过程中的性能退化、设备老化及其运行安全隐患导致列车在极端情况下发生重大事故。列车运行控制系统装备集信号指示、运行控制、调度集中、通信等多项功能为一体，是软硬件高度耦合的大型分布式安全苛求系统，是保障铁路行车安全、提高运输效率的核心系统。列控关键设备的正常工作需要各个组成单元本身的正常运行和各单元之间完备的信息交互，如果任何一个组成单元发生故障，都会导致整个系统可靠性下降，甚至发生故障，影响行车安全。列控系统的安全性和可靠性对于客运安全、列车运行效率和铁路经济效益都有重大意义。

为了保证系统高安全、高可靠，列控系统采用冗余结构，系统各组成设备均由主系和备系构成，当主系出现故障时，唤醒备系代替主系完成系统功能。列控系统通常具有内置的故障检测和诊断功能，可以检测任何潜在的问题，并通知操作员或控制中心，这有助于预防事故和维护系统的可靠性。配备有实时监控和响应功能，以快速应对突发事件。

在列控系统遵循“故障-安全”原则实施系统设计、装备研制的基础上，轨道交通系统中众多与生命安全有关的服务、应用，均能以此得到良好启示与借鉴，进而为轨道交通担负重要运输任务提供支持。此外，列控系统装备方向对轨道交通及相关行业发展提供的重要作用还在于系统有关标准规范的制定与应用。

2000年，国际电工委员会（IEC）发布安全领域的国际标准IEC 61508《电气/电子/可编程电子安全相关系统的功能安全》，该标准旨在为各个领域的可编程电子系统提供“功能安全”国际规范。在IEC 61508的基础上，一系列专门为铁路信号系统服务的规范相继发布，包括EN 50126、EN 50128、EN 50129、EN 50129.1等。其中，EN 50126提出了对铁路设备的可靠性、可用性、可维护性和安全性（reliability、availability、maintainability and safety，RAMS）的详细规定和要求。2006年，我国以国际安全标准IEC 61508为依据，提出了适应我国发展需求的安全研究领域技术标准GB/T 20438—2006。为保证铁路信号系统的可靠性和安全性，我国在参考安全领域国际标准IEC 62278和IEC 62280的基础上于2008年提出了GB/T 21562—2008（《轨道交通　可靠性、可用性、可维修性和安全性规范及示例》）。

列控系统的安全可靠性评估能够对系统的工作性能进行评估，挖掘出系统的薄弱环节，对故障的发生进行预警，预测系统的剩余寿命，为系统的维护维修提供视情建议，保证系统处于较高的工作状态水平，保证高速列车安全、高效运行。国际公认的铁路列车控制系统安全评估方法遵循上述国际标准，由独立并具有法定资质的机构（ISA）实施。不同于我国主要采用的测试或试验结果结合专家技术审查或鉴定进行列车控制系统安全评价的方法，它能够实现铁路列车控制系统从概念、系统定义、风险分析、需求、设计、制造、安装、调试、验收、运营等生命周期阶段以及所有软硬件子系统、部件、网络的全方位覆盖，大大拓展了安全评估的深度和广度，提高了安全评估的充分性。基于国际标准的铁路列车控制系统可靠性评估方法采用安全完整性等级SIL的概念来表征系统安全性，以安全完整性等级SIL作为安全评估的综合指标。国际铁路信号安全标准明确指出列车控制系统中关键子系统，如列车运行控制、计算机联锁等，安全完整度应达到4级（SIL4级），并要求进行独立安全评估。伴随着高速铁路CTCS-3级列车运行控制系统、城市轨道交通CBTC系统核心技术和装备的自主创新，我国建立了轨道交通装备安全评估认证机构（中铁检验认证中心，简称CRCC），国外知名的独立第三方安全评估机构相继进入中国，多个高速铁路、城市轨道交通信号装备通过了安全评估并获得SIL4安全认证证书，有力地促进了我国铁路信号装备研发单位安全技术水平、安全保障能力的提高，对保证自主研制的高速铁路、城市轨道交通列车控制系统安全性、优化列车控制技术自主创新、形成生命攸关行业安全可靠性保障服务辐射效应等发挥了重要作用。

2.6.2　运输服务优质高效性

高效的列车运行可以降低运输成本、减少等待时间、减少能源消耗、减少事故风险等。列控系统装备在铁路运输和行业发挥了关键的推动作用，其高效性主要体现在以下内容：

① 自动列车控制。该技术可以在没有人类干预的情况下进行列车调度、运行和监控，确保列车按照预定的路线、速度和间隔行驶，消除了人为驾驶引起的错误和事故，加快了列车的运行速度、提高了整个运输网络的产能；

② 实时监测响应。列控系统可以实时监测列车位置、信号状态和设备运行情况，预测和预防潜在问题，在出现紧急情况时，系统能够迅速采取措施，如制动列车或改变行驶路线，以确保安全和高效的列车运行；

③ 调度优化。列控系统可以实时监测列车位置、速度和信号状态，并根据实际情况进行列车调度，以最大程度地减少列车之间的间距，从而提高线路的运输容量，确保列车在不同路段上的平稳运行，优化轨道交通运输效率；

④ 列车编组。列车编组技术的研究不断发展，能够满足不断增长的运输需求、提高运输效率和安全性，并减少对环境的影响，这些工作有助于铁路运输系统更好地适应现代社会的需求，提供更高效、可持续和更安全的交通解决方案；

⑤ 通信交互。列车运行控制系统依赖于高速、可靠的通信系统，通信技术主要用于列车之间、列车与控制中心以及列车与乘客之间的通信，5G技术和卫星通信等先进通信技术

也在不断被引入新型列控系统装备体系，以确保列车与控制中心之间的实时数据传输。

列控系统的自动化、智能化等多个技术研究，旨在提高铁路运输的效率、可持续性和安全性，推动铁路系统朝着更加高效、可靠方向发展。

2.6.3 轨道交通相关技术引领性

列车运行控制技术的不断发展和现代化，对于许多领域的创新起到了催化作用，推动了大数据、云计算、人工智能、卫星定位等技术的创新和进步。

① 人工智能技术能够对轨道交通海量信息进行处理。探索人工系统运行规律，实现机器对人类意识及思维过程的简单模拟，使轨道交通系统具有自主决策能力。

② 引入5G等新一代移动通信技术。特别是正在面向西部高原艰险山区线路、城际/市域铁路等条件设计研发的新型列控系统架构及装备，能够为列车控制系统相关组件、业务提供更高数据传输速度，支持大规模设备之间的实时通信，使得轨道交通系统能够更好地监控列车运行状态和设备工作状况，有助于构建更智能、高效、安全的交通系统。

③ 以全球卫星定位技术、基于图像/激光雷达的环境主动探测技术。在轨道交通中将能发挥越发重要的作用，能够以更高的车载设备自主性、灵活性为列车提供准确可信的运行状态信息、环境特征信息，支持列车定位、跟踪、调度及主动安全防护，确保列车按计划行车、避免冲突、提高整个轨道交通系统运输能力，也为其他交通载运工具在特定需求模式下对自主状态感知技术的运用与发展提供了有力借鉴。

④ 新一代信息技术。包括物联网、云计算、边缘计算、视频图像分析及信息融合等技术，伴随着列控系统以信息驱动的各项功能的智能化、网络互联的移动化和泛在化、信息处理的集中化和大数据化、信息服务的智能化和个性化，列控系统作为一类与行车安全紧密相关的核心装备，其在新型信息技术方面的应用及其对相关行业衍生的辐射作用显著。

2.6.4 环境生态效益

轨道交通列车是典型的低污染、可持续性发展的绿色交通载运工具。列控系统的引入有助于提高轨道交通系统的运输效率和安全性，从而减少对环境的不利影响，提高轨道交通的生态可持续性，也有助于维持生态平衡和保护自然环境，具体体现在以下方面。

① 节省能源，减少碳排放。铁路运输通常较为节能，且列车运行控制系统可以通过优化列车的速度、加速度和制动等操作来提高能源效率，有助于降低列车的能耗，减少温室气体排放，减轻对大气层的污染，降低碳排放。

② 均衡压力，高可持续性。通过更优的列车调度组织和运行控制，轨道交通系统可以更有效地管理列车之间的间距和运行速度，提高轨道交通网络容量，在与城市道路交通等方式的协调和整体优化中，提升关键枢纽、大型城市的交通流畅性，均衡不同交通系统模式所担负的交通承载压力，提高交通运输系统服务的可持续性。

③ 减少用地，保护生物多样性。铁路运输通常占用较小的土地面积，相对于道路和航空运输，铁路的生态影响较小，高效的列控系统可以在减少铁路线路占地面积的基础上进一步发挥运输效率，降低对铁路交通周围生态系统的干扰，保护邻近的自然生态系统和野生动植物，且更好的列车控制技术可以减少野生动物与铁路交通的冲突。

④ 降低噪声污染。更加精确的列车运行控制可以减少列车的紧急制动和急减速，能够

有助于减少列车运行过程中产生的噪声，降低周边社区的噪声污染，减轻噪声对野生动物的干扰，有助于提高居住环境的质量。

2.6.5 社会经济效益

列控系统的应用有助于提高铁路交通的效率、安全性和可持续性，从而促进经济增长，提高社会福祉，降低运输和维护成本，改善交通流畅性，促进可持续发展，可以带来诸多的社会经济效益。

① 提高运输效率。列控系统可以优化列车的运行和调度组织，减少延误和运输时间，提高货物和乘客的交通效率，减少等待时间，提高出行用户体验，且有助于降低运输成本，提高生产率，促进经济增长。

② 提高安全性。列车运行控制系统可以减少人为错误和事故的风险，在减少人员伤亡和财产损失的同时，可以降低相关的社会成本，有助于减少交通事故对社会的负面影响，提高铁路运输的安全性。

③ 降低维护成本。列控系统结合更好的设备监测和维护功能，可以帮助铁路运营单位及时监测和预防设备故障，降低维护成本，延长设备寿命。

④ 提高运输容量、提高经济增长。铁路系统特别适用于长途和大容量货物和乘客运输，可以促进商业活动和贸易，加速物流、降低商品成本，从而推动经济增长，这对于国家和地区的经济有积极的社会经济效益。

⑤ 增加就业机会。铁路行业的发展和现代化需要各类专业人才，可以创造就业机会，提供职位和培训，从而促进社会就业，促进地区发展。

2.7 》 列车运行控制系统装备发展应用趋势及预测

2.7.1 装备发展应用需求

2.7.1.1 更高安全保障

在高铁技术装备领域牢固树立高铁安全万无一失理念，以引进先进技术为基础，持续深化自主创新，充分发挥科技保安全的作用，全面强化高铁技防安全保障技术攻关，开发自主认知、健康管理、故障诊断等列车运行在途监测技术，实现对列车运行的全方位实时监测；建立由高速综合检测车、沿线检测传感装置等设备组成的高铁线路设备在线监测系统，运用大数据分析，实现对高铁基础设施运行状态的精准掌握；研发风雨雪等自然灾害监测、异物侵限报警和地震监测预警系统，实现对自然灾害和治安风险的立体防控。在保障列车运行控制系统功能安全的基础上，进一步进行网络信息安全风险的主动防护，实现功能安全与信息安全防护系统的协同设计。

2.7.1.2 更高运行效率

世界经济的快速发展对高速铁路的运营效率提出了更高的要求：引进先进的智能信息化技术，加强客流预测和分析，结合客户信息，在客流预测分析基础上，不断优化列车开行方案，实现运能与运量最佳匹配的列车开行方案；利用车-车通信、移动闭塞、虚拟连挂、群组运行等技术，减小列车最小追踪间隔，提升行车密度；利用远程通信、大数据、人工智能等技术，将车站、调度、运行、维修等各类数据进行采集、分析，实现各业务系统的相互协调，对轨道交通系统运行进行统一控制与管理，提高轨道交通整体运行效率。

2.7.1.3 更全制式兼容

通过轨距调整技术、电气化系统兼容设计技术、通信信号兼容设计技术、车辆设计与适配技术、标准与规范统一等技术和措施，使轨道交通系统能够适应并支持多种不同的铁路制式，提供更广泛的服务范围和更高的运营效率，推动干线铁路网、城际铁路网、市域（郊）铁路网、城市轨道交通网“四网融合”，构建运营管理和服务“一张网”，实现设施互联、票制互通、安检互认、信息共享、支付兼容，打造轨道上的城市群都市圈，提高轨道交通的连接性、贯通性，构建高效、便捷的一体化轨道交通网络，全面提升运输服务品质，实现轨道交通高质量、健康、可持续发展。

2.7.1.4 更优成本效益

在轨道交通勘察设计、建设施工、运营维护一直到报废处置等各阶段综合考虑成本因素，以实现成本的最优化和整体效益的最大化，即从微观投资控制最优扩展到系统全生命周期内全局成本最低。在效益导向下，智能化技术能推动高铁基础设施系统实现整体效能提升，在全生命周期范围内提升管理效率、保障安全质量，同时降低建设运营全过程整体成本，为实现全生命周期成本最优目标提供了更优路径。围绕新时期轨道交通智能化发展需求，应进一步加强对生命周期各阶段多元信息分析整合及协调，在管理理论、方法、体系、实践领域取得突破，从而全面提高系统建设运维管理水平，助力智能可持续创新发展，使其在满足运营安全及旅客舒适度要求的基础上，降低建设成本，实现经济效益最优。

2.7.2 装备发展应用趋势

轨道交通是国家战略性、先导性、关键性重大基础设施，是国民经济大动脉、重大民生工程和综合交通运输体系骨干，在经济社会发展中的地位和作用至关重要。为实现新时代交通强国铁路先行发展目标，《规划纲要》提出从2021年到21世纪中叶分两个阶段推进的发展目标：到2035年，将率先建成服务安全优质、保障坚强有力、实力国际领先的现代化铁路强国。基础设施规模质量、技术装备和科技创新能力、服务品质和产品供给水平世界领先；运输安全水平、经营管理水平、现代治理能力位居世界前列；绿色环保优势和综合交通骨干地位、服务保障和支撑引领作用、国际竞争力和影响力全面增强。

到2050年，全面建成更高水平的现代化铁路强国，全面服务和保障社会主义现代化强国建设。铁路服务供给和经营发展、支撑保障和先行引领、安全水平和现代治理能力迈上更高水平，智慧化和绿色化水平、科技创新能力和产业链水平、国际竞争力和影响力保持领先，制度优势更加突出。形成辐射功能强大的现代铁路产业体系，建成具有全球竞争力的世界一流铁路企业。中国铁路成为社会主义现代化强国和中华民族伟大复兴的重要标志和组成部分，成为世界铁路发展的重要推动者和全球铁路规则制定的重要参与者。

2.7.2.1 干线铁路

随着我高铁线路不断增长，列控系统运用经验不断丰富，以及LTE无线通信、北斗卫星定位、移动网络和智能信息技术的进步，为列控系统的技术创新提供了可能。我国列控系统的发展趋势体现在如下方面：

① 通过简化系统结构和优化功能分配提升性能，最大限度地降低系统建设成本和维护成本；

② 优化在网络中所有列车运行移动授权限制的管理方法和保证这些权限的执行方法，支持基于“移动闭塞”的信号控制原则，替代“固定闭塞”模式，并进一步延伸虚拟连挂等更高运行密度、协同能力的运行模式，使列车控制可以有效降低成本，提高运输能力、业务操作能力和系统灵活性；

③ 智能化管理和调节列车运行，采用优化算法和决策支持系统来保证网络运营的稳定性，即使是在业务操作容量受限，或运营环境受到干扰情况下，也能保证运输的高效执行和快速调整，满足调度计划、车流预测、枢纽管理、能源优化等多指标协调的需求，实现“列车控制和管理系统”功能的深度集成；

④ 提升智能化、自动化水平，丰富控车信息，提高控制精度，实现列车运行更为主动的安全防护；

⑤ 通过构造统一的系统框架，建立标准化技术体系，方便实现系统之间的互联互通。

随着经济和科学技术的进步，世界范围内铁路投资建设发展迅速，列控系统作为保证铁路基础设施投资回报的关键装备，仍处于重要战略机遇期，随着学科交叉和技术融合加快、网络和信息技术加速渗透并深度应用，列车运行控制技术的发展应用将出现新的突破。

2.7.2.2 城轨铁路

近年来，我国城市轨道交通行业发展迅速，建设智能化、可持续发展的城市轨道交通已成为业内关注的焦点，将信息化、大数据分析和人工智能等智能化技术应用到城市轨道交通行业，使其管理更高效，也可以在提高其运营、维护、安全和服务水平的同时降低成本，因此，城市轨道交通智能化及可持续发展的五大方向如下所述。

（1）列车全自动驾驶

列车全自动驾驶是指通过列车自动控制系统实现列车自动唤醒、自动行驶、精确停车、站台自动化作业、无人折返、自动运行调整等功能，以减少人员介入，降低人工成本及减少人为失误。在城市轨道交通网络化运营的背景下，应在发展和完善全自动驾驶技术的同时，不断收集和对比相关数据，做好设施设备全寿命周期的运维管理，以确保其可靠性，并综合分析全自动驾驶线路的寿命周期成本，通过数据证明全自动驾驶技术的价值。

（2）互联互通

通过建立城市轨道交通行业统一的标准体系，为车辆、信号、供电和站台门等系统制定成套的统一标准，实现城市轨道交通互联互通。城市轨道交通互联互通不只是实现设备接口协议的标准化和设备的信息互换，其实质在于列车跨不同线路的过轨运行，这将改变原有城市轨道交通以单线为基础的行车调度指挥模式，可以实现降低成本、提高运输服务质量的目的。

(3)智能运维

通过对设备状态数据进行采集、存储、加工，分析和判断数据信息与设备的健康状态是否吻合，并输出判断的结果，进而实现对维修策略的指导。将设备状态数据与设备的可靠性、可用性、可维护性和安全性（RAMS）进行充分关联，在此基础上对维修策略进行调整和优化。通过物联网和不同新型功能的实现，确定基于RAMS的最优寿命周期成本（life cycle costs，LCC），并通过合理的LCC来保证RAMS的实现，形成RAMS&LCC最优方案报告，以指导城市轨道交通的智能运维。

(4)智慧服务

智慧的内涵是感知、记忆、理解、分析、判断、升华等能力，其在城市轨道交通行业里涉及最多的领域是服务与调度，如智慧客服、智慧安检、智慧应急指挥、一键开关站、客流监测与引导、无感支付等。列车运行控制作为轨道交通运行相关核心装备，其高度智慧化的发展以及与其他装备智慧能力的协同实现，将在行业里起到显著的带动作用。

(5)节能减排

在城市轨道交通智能化发展进程中，节约能源、降低二氧化碳排放对于行业的可持续健康发展具有重要意义。目前，节能技术（如光伏、永磁电机、车辆轻量化、智慧照明、能源管理、风水联动等）在单个专业领域的应用较为深入，列车运行控制技术及装备对节能优化、运行优化等因素的不断强化，将能使轨道交通移动装备、基础设施形成综合化节能效益成为可能，在节能减排的同时还能够降低城市轨道交通全寿命周期成本。

2.7.3 市场供需及产业规模预测

列控系统作为轨道交通运输的关键技术之一，在全球范围内受到广泛应用和重视。随着城市化进程的加速和交通运输需求的增加，对于安全、高效、准时的铁路运输的需求也在不断增长。截至2024年末，全国铁路营业里程16.2万公里，其中高铁4.8万公里。

按照我国“交通强国铁路先行”的发展目标，铁路在未来将趋于稳定增长。同时，作为备受关注的“一带一路”基建领域，一大批重点铁路项目也相继落地，包括中吉乌铁路、中老铁路、中泰铁路、匈塞铁路、雅万高铁等。中国铁路装备已经从零部件出口到系统总包，从发展中国家走进发达国家，从收入占比来看仍具备较大的增长空间。此外，“碳达峰”助力铁路投资平稳增长，使高铁、轨道交通作为高效、低碳排放出行方式的“绿色交通工具”特征愈发凸显。“碳达峰”对深入推进交通运输结构调整提出要求，而铁路运输作为“绿色交通”为节能减排、保护环境等方面作出了很大贡献，未来或以适合铁路运输、需求量较大的货类为重点，持续推动大宗货物“公转铁”，强化铁路运输对公路等运输方式的替代。

受益于《加快建设交通强国五年行动计划（2023—2027)》，在高铁里程平稳增长、高铁追踪间隔缩短带动下，预计动车组新增市场规模每年在200组以上的水平。列控系统作为轨道交通列车的核心控制装备，其更新周期短于部分硬件更新周期和列车全生命周期，因此，较列车载运工具具备更可观的存量替换市场。

综合考虑以上因素，列控系统市场的供需和产业规模预计保持稳步增长。随着全球铁路运输的发展和相关技术的进步，列控系统的需求将持续增加，这也进一步促进市场的扩大。同时，政府的大力支持和行业标准规范的推动也将为市场提供稳定的发展环境。

2.8 》 列车运行控制系统装备应用发展建议

（1）列控制式谱系化

轨道交通系统经过多年发展，逐步由高速建设阶段转入高质量发展运营维护阶段，部分早期线路已达到更新改造周期，在此过程中，列控系统装备的维护维修一直是一个大规模、多专业、非常复杂的系统性工程。为此，要面向我国轨道交通建设、运营的需求，站在全系统、全生命周期的高度，着重在状态评估、系统优化、装备提升、数字化转型等方面统筹考虑，在以下四个方面开展持续创新。

① 状态评估，统筹实施。更新改造要以设备健康状态评估为基础，结合现场的实际应用情况，采用“化整为零”“无感衔接”等思路，综合考虑，统筹实施。

② 系统优化，提升能力。在既有列控系统技术框架下，从系统层面研究、挖掘既有装备的能力，实现突破创新，提高不同制式、等级间切换、协作的适应能力。

③ 装备升级，便捷维护。在既有系统框架下进行结构性补强，研究跨网调度控制一体化、列控设备控制容量优化，提升在极端、恶劣环境下的系统能力补强效应。

④ 数字转型，服务运维。结合新时期轨道交通列控系统维护与管理工作信息化、数字化发展需求，整合当前零散的、系统间非兼容的架构形态，构建轨道交通列控系统更新改造建设全过程的数字化技术，实现建设和运维的高质量同步发展。

（2）更全维度安全化

随着川藏铁路、轨道交通四网融合等重点重大工程的不断深化，列车运行控制系统作为一类关键装备，其发展趋势为继续通过减少轨旁设备提升系统鲁棒性，通过车-车通信提升系统安全性，采用多源融合列车自主感知和列车完整性检测提高车载自主智能化水平，结合最新信息技术研制新一代铁路专用网络安全技术，进一步提升列控系统安全性，以适应轨道交通运营里程日益增长的运用需求，以及更高速度、更大密度的运营需求。

在基本的功能安全基础上，进一步叠加对网络信息安全的防护能力，充分吸取工业控制系统领域在抗干扰、防入侵、抗损毁等方面的技术手段，对现有针对列控系统装备的安全防护手段进行补强。此外，考虑到系统装备底层的自主安全发展应用需求，还需进一步在自主底层器件方面引入能够摆脱国外依赖的新型技术手段，运用自主芯片、自主操作系统、片上安全设计与分析技术等，加速打造独立自主的列控系统体系化自主安全能力。

（3）更高等级智能化

新型列控系统将逐步实现从人工驾驶到自动驾驶再到智能驾驶的转变，在现有自动驾驶功能基础上，研究增加列车环境自感知、安全态势自评估、设备故障自诊断等智能技术，进一步减少司机操纵，更高水平改善广大旅客的旅行体验。在列控装备的智能化机制支撑下，将深入实施列车群协同控制模式，通过对智能驾驶系统与调度指挥系统、车载中心化的控制系统、牵引供电系统等协调配合实施列车群联动控制，使车站接发车高效化、电能内部利用等机制得到更好实现。

（4）更广技术集成化

在列控系统装备层次之上，将进一步聚焦全系统装备领域关键技术，推进更高速智能移动载运装备、现代工程装备研制，加快关键核心技术攻关，推动技术装备高端化、智能化、谱系化发展，打造现代化装备体系。通过大力推进北斗卫星定位、5G-R（铁路5G专网）、人工智能、大数据、物联网、云计算、区块链等前沿技术与轨道交通技术装备、工程建造、运输服务等领域深度融合，加强智能轨道交通关键核心技术研发应用，促进轨道交通系统全面能力和品质的优化。

参考文献

[1] 宁滨, 唐涛, 李开成, 等. 高速列车运行控制系统[M]. 北京: 科学出版社, 2012.

[2] 唐涛, 李开成. 高速列车运行控制系统[M]. 北京: 中国铁道出版社, 2021.

[3] 唐涛, 张铁增, 林瑜筠. 列车运行控制系统[M]. 北京: 中国铁道出版社, 2016.

[4] 郜春海. 基于通信的列车运行控制（CBTC）系统[M]. 北京: 中国铁道出版社, 2018.

[5] 吴昊. 采用列车自主运行技术提升城市轨道交通网络化运营能力[J]. 城市轨道交通研究, 2018, 21 (05): 40-42.

[6] 赵磊, 何春明. 美国PTC系统和欧洲ERTMS的差异分析[J]. 铁通信信号, 2011, 47(11): 56-59.

[7] 鲁志彤. 欧洲列控系统与中国列控系统的比较[J]. 天津科技, 2009, 36(2): 71-73.

[8] 苏靖棋. ATO over ETCS技术在德国的首次应用——汉堡数字化轻轨[J]. 现代城市轨道交通, 2022(2): 114-117.

[9] Matsumo M. The Revolution of Train Control System in Japan[C]. Proceedings Autonomous Decentralized Systems, 2005. Chengdu: ISADS 2005, 2005.

[10] Richard C, 管明华. 东日本铁路公司的Atacs系统[J]. 国外铁道机车与动车, 2023(4): 31-32.

[11] 松村明彦, 陈海. 东日本铁路公司ATACS的最新动向[J]. 国外铁道车辆, 2019, 56(4): 31-35.

[12] 齐藤庆一, 李烨. 无线电式列车控制系统SPARCS的概况[J]. 国外铁道机车与动车, 2018(2): 35-39.

[13] 李平, 张莉艳, 杨峰雁, 等. 国外铁路智能运输系统研究现状及分析[J]. 中国铁道科学, 2003, 24(4): 12-18.

[14] Hartong M, Goel R，Wijesekera D. Communications Based Positive Train Control Systems Architecture in the USA[C]//2006 IEEE 63rd Vehicular Technology Conference, Melbourne, VIC, Australia . New York: IEEE，2006: 2987-2991.

[15] 耿宏亮, 张超, 孙野, 等. ETCS体系发展技术分析[J]. 控制与信息技术, 2020(2): 80-84.

[16] Gurník P. Next Generation Train Control (NGTC): More Effective Railways through the Convergence of Main-line and Urban Train Control Systems[J]. Transportation Research Procedia, 2016, 14: 1855-1864.

[17] Schuette J. Next Generation Train Control (NGTC) Applicability for APMs[C]//International Conference on Automated People Movers and Automated Transit Systems. 2016: 187-196.

[18] 肖代宁, 刘红燕. 国外高速铁路列车运行控制系统[J]. 铁道标准设计, 2008(4): 125-127.

[19] 王海峰, 李开成, 刘宏杰, 等. 列车运行控制系统技术发展趋势分析[J]. 铁道通信信号, 2016, 52(8): 1-4.

[20] Nakamura Y. Overview of the Next-generation Railway Operation System in the Tokyo Metropolitan Area[J]. Jr East Technical Review, 2011(19).

[21] David B. Alstom’s simplified CBTC technology to debut in Lille[J]. International Railway Journal, 2013(6).

[22] 唐一哲, 陶维杰, 王剑. 美国PTC列控系统研究[J]. 铁道通信信号, 2016, 52(11): 13-18.

[23] Frittelli J. Positive Train Control (PTC): Overview and Policy Issues [R]. Washington: The Congressional ResearchService, 2018.

[24] ERTMS/ETCS SUBSET-026, System Requirements Specification, V3. 3. 0, 2012, UIC, EU.

[25] ERTMS/ETCS FRS, Functional Requirements Specification, V5. 0, 2007, UIC, EU.

[26] Strang T, Michael Meyer Zu Hörste, Gu X. A Railway Collision Avoidance System exploiting Ad-hoc Inter-Vehicle Communications and GALILEO[C]//Proceedings of the 13th World Congress and Exhibition on Intelligent Transportation Systems and Services, 2006.

[27] Hasegawa Y. Computer and radio aided train control system (CARAT) [J]. Japanese Railway Engineering, 1995, 35(2): 14–16.

[28] Burns, Roger D, Turner, et al. Safety and productivity improvement of railroad operations by advanced train control system [C]//Proceedings of Railroad Conference, Philadelphia, USA. New York: IEEE，1989: 33-38.

[29] Kornaszewski. Sygnalizacja kabinowa stosowana na kolejach europejskich [J]. Logistyka, 2011(6): 14-20.

[30] 朱力. CBTC车地通信系统跨层设计研究[D]. 北京: 北京交通大学，2012.

[31] IEEE Standard for Communications-Based Train Control (CBTC) Performance and Functional Requirements [S]. IEEE Std

1474. 1-1999, 1999.
[32] IEEE Standard for Communications-Based Train Control (CBTC) Performance and Functional Requirements [S]. IEEE Std 1474. 1-2004 (Revision of IEEE Std 1474. 1-1999), 2004. 1-45.
[33] 李雷，王海峰，唐涛. 安全苛求系统综合功能危险源分析方法的研究[J]. 铁路计算机应用，2011, 20(7): 1-4.
[34] 张博，杨展，刘中举. CBTC系统列车识别与追踪技术研究[J]. 铁路计算机应用，2015, 24(07): 45-48.
[35] 苏靖棋. 城市轨道交通 CBTC 系统测试综述[J]. 现代城市轨道交通，2020(09): 110-113.
[36] 辛静. 基于IEEE802. 11n的城市轨道交通车地通信研究[D]. 兰州：兰州交通大学，2014.
[37] Briginshaw D. Alstrom' s Simplified CBTC Technology to Debut in Lille[J]. International RailwayJournal, 2013, 53(6): 29-30.
[38] Arpaci M, Eichhorn M. Case Study: Coexistence Of CBTC And ETCS On Crossrail Project In London[C]. CORE 2016, Maintaining the Momentum, Conference on Railway ExcellenceMelbourne, 2016.
[39] 姜宏阔. 城际和城轨线路贯通运营的列车控制方法研究[J]. 控制与信息技术，2022(1): 107-113.
[40] 丁一. 高速铁路CTCS -3级列控系统等级转换工程应用研究[J]. 铁道标准设计，2021(6): 134-138.
[41] 王东方，李红侠. 京张高铁CTCS-3+ATO系统工程设计方案研究[J]. 铁道标准设计，2021(5): 162-167.
[42] 龙时丹. 面向高速铁路的全自动运行系统应用[J]. 中国安全科学学报，2020(S1): 92-97.
[43] 智国盛. 轨道交通"三网融合"信号技术研究[D]. 北京：北京交通大学，2020.
[44] 窦磊. 列控车载设备安全功能测试序列优化方法研究[D]. 四川：西南交通大学，2020.
[45] 匡燮镛. 既有城际铁路CTCS-2级列控系统上融合ATO的方案研究[D]. 北京：中国铁道科学研究院，2019.
[46] 何志彬，程林芳，易海旺，等. 高速铁路CTCS3+ATO系统优化方案研究[J]. 铁道运输与经济，2021, 43(4): 80-85.
[47] 王珮瑶. 多网融合下的市域铁路列车控制系统方案研究[J]. 城市轨道交通研究，2022, 25(11): 53-56.
[48] 乔高锋，耿鹏，宿秀元，等. 基于通信的列车控制(CBTC)系统中轨旁控制子系统一体化研究[J]城市轨道交通研究，2021, 24(7): 125-128.
[49] Zhu L, Yu F R, Ning B, et al. Cross-layer Design for Video Transmissions in Metro Passenger Information Systems[J]. IEEE Transactions on Vehicular Technology, 2011, 60(3): 1171-1181.
[50] 田晓莉. 基于CBTC的ATS列车进路控制技术研究[D]. 成都：西南交通大学，2014.
[51] 刘宏杰. CBTC系统中列车安全定位方法的研究[D]. 北京：北京交通大学，2008.
[52] 朱力，宁滨. 基于80211g的CBTC车地通信子系统建模与分析[J]. 铁道学报2011, 33(5)72-77.
[53] 丁润成. CBTC叠加在CTCS-2列控系统下车站能力分析方法研究[D]. 北京：北京交通大学，2021.
[54] 张雁鹏. CBTC系统车地通信切换策略研究[D]. 兰州：兰州交通大学，2018.
[55] 王晓轩. 城市轨道交通CBTC无线通信系统可信性分析及优化[D]. 北京：北京交通大学，2020.
[56] 张兵兵. 国产CBTC系统的应用研究[J]. 铁道通信信号，2011, 47(08): 49-50.
[57] 李巍. 无线通信技术在城市轨道交通CBTC系统中的应用分析[J]. 通讯世界，2020, 27(06): 15-16.
[58] 徐杰. 城市轨道交通CBTC系统列车自动驾驶关键技术的研究与实现[D]. 北京：中国铁道科学研究院，2012: 18-37.
[59] 马卫. CBTC系统在天津地铁3号线的应用[J]. 铁道通信信号，2013, 49(10): 20-22.
[60] 杨俐. 上海机场联络线列车自动折返方案研究[J]. 城市轨道交通研究，2022, 25(11): 9-13.
[61] 吕新军. 四网融合车载信号系统技术研究[J]. 铁路技术创新，2021(z1): 69-74.
[62] 林瑜筠. 城市轨道交通信号[M]. 北京：中国铁道出版社，2011.
[63] Pascoe R D, Eichorn T N. What is communication-based train control? [J]. IEEE Vehicular Technology Magazine, 2009, 4(4): 16-21.
[64] 郜春海. 自主创新 CBTC 系统的核心技术研究[J]. 都市快轨交通，2011, 24(4): 1-4.
[65] Su S, Tang T, Li X, et al. Optimization of Multitrain Operations in a Subway System [J]. IEEE Transactions on Intelligent Transportation Systems , 2014 , 15 (2): 673-684.
[66] 倪尉. TACS系统在城市轨道交通信号系统更新改造工程中的应用研究[J]铁道通信信号，2022, 58(8): 73-78.
[67] 席武夷. 国铁CTCS与城轨CBTC列控系统的多网融合方案研究[J]. 铁道通信信号，2021, 57(10): 81-85.
[68] 朱士友. 城际铁路CTCS2+ATO系统自动折返能力提升方案研究与验证[J]. 铁道通信信号，2023, 59(5): 1-7.
[69] 莫志松. 智能铁路列控系统技术发展方向展望[J]. 铁道通信信号，2022, 58(8): 1-7.
[70] 陈恒宇，杜萌. 深圳都市圈城际铁路跨线运营列控系统适配分析[J]. 铁道运输与经济，2023, 45(7): 91-96.
[71] 刘明. 对城际铁路运输的几点思考[J]. 铁道建筑技术，2021(z1): 64-66.

[72] 全宏宇，张敏慧．市域铁路CTCS-2与CBTC列控系统切换方案[J]. 铁路通信信号工程技术，2023, 20(1): 61-66, 94.
[73] 宁咏梅．苏虞张市域铁路列控系统技术方案探讨[J]. 智能城市，2023, 9(3): 119-121.
[74] 刘智平，王松林．市城(郊)铁路功能定位与系统制式选择分析[J]. 铁道通信信号，2020(9): 81-84.
[75] 赵博．上海市域铁路STCS列车控制系统方案研究[J]. 铁道工程学报，2023, 40(7): 69-72, 79.
[76] 周晓琦．对当前市域铁路发展的思考[J]. 城市轨道交通研究，2021, 24(5): 11-14.
[77] 童超．市域铁路列车运行控制系统方案选择研究[J]. 铁道运输与经济，2022, 44(7): 35-41.
[78] 李佳玉，员春欣．IEC61508功能安全国际标准及安全性分析[J]. 中国铁路，2001, (1): 44-45.
[79] 燕飞，唐涛．IEC61508及其在铁路安全相关系统研制开发中应用研究[J]. 铁道学报，2005, 27(3): 124-128.
[80] 中华人民共和国铁道部科学技术司．列控中心技术规范[S]. 铁道部科学技术司，2010.
[81] Abel P, Rita A, Ribeiro, et al. Ensuring the Quality of Occupational Safety Risk Assessment[J]. Risk Analysis, 2013, 33(3): 409-419.
[82] 周东华，徐正国．工程系统的实时可靠性评估与预测技术[J]. 空间控制技术与应用，2008, 34(4): 3-10.
[83] Zhang Y, Li S. A study on the real-time reliability of on-board equipment of train control system[C]//IOP Conference Series: Materials Science and Engineering. IOP Publishing, 2018. 351(1): 012004.
[84] Xu Z G, Wang W H， Sun Y X. Performance Degradation Monitoring for Onboard Speed Sensors of Trains [J]. IEEE Transactions on Intelligent Transportation Systems, 2012， 13（3）: 1287-1297.
[85] Wang F, Tang T, Yin J, et al. A signal segmentation and feature fusion-based RUL prediction method for railway point system[C]//2018 21st International Conference on Intelligent Transportation Systems (ITSC). New York: IEEE, 2018: 2303-2308.
[86] 邸丽清，袁湘鄂，王永年．CTCS-3级列控系统RAM指标评价方法研究 [J]. 中国铁道科学，2010, 31 (06): 92-97.
[87] Flammini F, Marrone S, Mazzocca N, et al. Modelling system reliability aspects of ERTMS/ETCS by fault trees and Bayesian networks[C]//In: Safety and Reliability for Managing Risk. 15th European Safety and Reliability Conference. Estoril: ESREL, 2006: 2675-2683.
[88] 陆东福．打造中国高铁亮丽名片[J].“一带一路”报道(中英文)，2021, (05): 93-97.
[89] 卢春房．高速铁路技术发展趋势[J]. 现代交通与冶金材料，2021, 1 (04): 1-5.
[90] 王同军．智能高速铁路基础设施全生命周期管理框架研究[J]. 铁道学报，2021, 43 (11): 1-7.

本章负责人　　**蔡伯根　北京交通大学**

参加编写人员　**刘　江**

第3章 航空航天自动化

3.1 航空航天行业发展概况

航空航天行业是国家综合国力的集中体现和重要标志，是推动国防建设、科技创新和经济社会发展的战略性领域。航空航天行业主要分为航空业和航天业。航空是指利用飞行器在地球大气层中的航行活动，航天是指利用飞行器在地球大气层之外的航行活动。航空航天的先进性代表着一个国家科学技术实力，属于战略性先导产业。航空航天行业具有如下特征：

① 国家战略先导性产业。航空航天制造业的发展能够提高国家国际地位，提升国家综合竞争力，它不仅对一个国家领空的安全进行保障，还象征着国家的国防实力，对于社会发展与国民经济起到了巨大的支撑与推动作用。航空航天制造业在各国的军事与经济中具有重要的战略性地位，发展航空航天技术无论在过去、现在还是将来都是国家安全战略发展的重要一环。

② 具有高垄断性。航空航天产品技术是高尖端的科学技术，属于知识密集型与资本密集型制造业，有很高的资本壁垒与技术壁垒，体现在航空航天产品的开发与研制周期较长，具有很高的风险。航空航天领域由为数不多的几家大公司控制着，具有非常强的垄断性。

③ 对国民经济的带动性。航天技术具有先导性和高度综合性的特征，推进了高技术及相关产业的大力发展，推动其他相关产业的升级。航空航天产业技术的研发一定会带动先进技术的发展，推动机械、化工、通信和新材料等行业的技术进步，从整体上提升国民经济技术水平。

3.1.1 行业运行情况

（1）民用航空行业

民用航空行业，作为现代交通运输体系的重要组成部分，不仅极大地缩短了人与人之间的距离，促进了全球经济一体化进程，还深刻影响着人们的生活方式。下面围绕航空公司运营、机场管理与服务、航空器制造与维护、空中交通管理、航空安全监管、航空物流运输、航空旅游服务，以及航空教育与培训八大方面，对民用航空行业进行全面概述。

① 航空公司运营。航空公司是民用航空业的核心，负责航班计划的制定、机票销售、客户服务及航班执行等工作。随着市场竞争的加剧，航空公司不断优化航线网络，提升服务品质，通过引入先进的订座系统、开发多元化产品（如商务舱、经济舱+、常旅客计划等）来吸引旅客。同时，航空公司还面临成本控制、燃油效率提升及应对突发事件的挑战，如疫情期间的航班调整与运营策略调整。

② 机场管理与服务。机场作为航空运输的枢纽，其管理与服务水平直接关系到旅客的出行体验。机场管理包括基础设施建设与维护、航班协调、地面交通接驳、安全检查、商业零售等多个方面。为提升服务质量，现代机场注重旅客流程优化、智能化技术应用（如自助值机、人脸识别过检）以及绿色环保理念的实施。此外，机场还积极拓展非航业务，如会议展览、酒店住宿等，以增加收入来源。

③ 航空器制造与维护。航空器制造是技术密集型和资金密集型产业，涵盖飞机设计、研发、生产、试飞及交付等环节。随着科技的进步，航空器制造商不断推出更加高效、环保、舒适的机型。同时，航空器维护也是保障飞行安全的重要环节，包括定期检修、故障排除、部件更换等，确保飞机处于适航状态。数字化和智能化技术在维护领域的应用，提高了维护效率，降低了维护成本。

④ 空中交通管理。空中交通管理负责确保航空器在空中和地面运行的安全、高效和有序。它利用先进的通信、导航、监视和自动化技术，对航空器的飞行轨迹进行监控和调度，避免空中碰撞和航班延误。随着空中交通流量的增加，空中交通管理系统也在不断升级，如实施区域导航、性能基导航等新技术，提升空域容量和飞行效率。

⑤ 航空安全监管。航空安全是民用航空业的生命线。航空安全监管机构负责制定和执行安全标准、规章制度，对航空公司、机场、航空器制造商等进行监督检查，确保所有参与者遵守安全规范。通过定期审计、安全评估、事故调查等手段，不断提升行业整体安全水平。

⑥ 航空物流运输。航空物流运输以其速度快、灵活性高的特点，在全球供应链中扮演着重要角色。它涵盖了货物收运、仓储、装卸、运输、清关及配送等全链条服务。随着电子商务的蓬勃发展，航空货运需求持续增长，促进了航空物流企业的快速发展和模式创新，如跨境电商物流、冷链物流等。

⑦ 航空旅游服务。航空旅游服务是连接旅游目的地与旅客的桥梁，包括旅游产品设计、机票预订、酒店住宿、旅游保险、地接服务等。随着人们生活水平的提高和旅游观念的转变，个性化、高品质的航空旅游服务成为市场新趋势。航空公司与旅行社、酒店、景区等合作，共同打造一站式旅游解决方案，满足旅客多元化需求。

⑧ 航空教育与培训。航空教育与培训是支撑民用航空业持续发展的基础。它涵盖了飞行员、机务人员、空管员、安检员等多个职业领域的专业培训。通过理论教学与实操训练相结合的方式，培养具备专业素养和职业技能的航空人才。同时，随着技术的不断进步，航空教育与培训也在不断适应新的行业需求，如无人机驾驶、航空大数据分析等新兴领域的培训。

民用航空行业是一个复杂而庞大的系统，各个环节紧密相连、相互促进。随着技术的不断进步和市场的不断变化，民用航空行业将持续发展，为人类社会带来更加便捷、安全、高效的空中交通体验。

民用航空行业作为全球经济的重要支柱之一，其生产情况直接反映了该行业的发展状况与趋势。下面从运输总周转量、旅客运输量、货邮运输量、航班运营情况、飞机利用率、机场吞吐量、航线与通航城市，以及安全与服务质量八个方面，对民用航空行业的生产情况进行深入分析。

① 运输总周转量。运输总周转量是衡量民用航空业整体运输能力的关键指标，它反映了航空公司在一定时期内完成的客货运输任务总量。近年来，随着全球经济的稳定增长和航空技术的不断进步，运输总周转量呈现出稳步增长态势。特别是在全球经济复苏期，这

一指标的增长尤为显著，显示出民用航空业强大的市场潜力和发展动力。

② 旅客运输量。旅客运输量是衡量民用航空业客运需求的重要指标。随着人们生活水平的提高和旅游观念的转变，越来越多的人选择乘坐飞机出行，导致旅客运输量持续攀升。特别是国际航线，随着全球化进程的加速和跨国旅游的兴起，旅客运输量增长尤为迅速。同时，国内航线也受益于经济快速发展和消费升级，旅客运输量保持稳定增长。

③ 货邮运输量。货邮运输量反映了民用航空业在货物运输方面的能力和市场需求。随着电子商务的蓬勃发展和全球经济一体化的深入，货物运输需求不断增加，推动了货邮运输量的持续增长。特别是一些高附加值、时效性强的产品，如电子产品、医药品等，更倾向于选择航空运输方式，进一步促进了货邮运输量的提升。

④ 航班运营情况。航班运营情况是衡量民用航空业运营效率和服务水平的重要标尺。它包括航班准点率、航班取消率、航班延误时间等多个方面。近年来，随着航空公司管理水平的提升和航空技术的进步，航班运营情况整体向好。航空公司通过优化航线网络、提升航班计划的科学性、加强地面服务保障等措施，有效提高了航班准点率和运营效率。

⑤ 飞机利用率。飞机利用率是衡量航空公司运营效率和经济效益的关键指标。它反映了飞机在单位时间内完成飞行任务的能力。为了提高飞机利用率，航空公司通常会采取加密航班、优化机型配置、延长飞行时间等措施。同时，随着航空技术的进步和飞机性能的提升，飞机利用率也在不断提高。

⑥ 机场吞吐量。机场吞吐量是衡量机场规模和繁忙程度的重要指标。它包括旅客吞吐量和货邮吞吐量两个方面。随着航空运输需求的不断增长和机场基础设施的不断完善，机场吞吐量也在逐年攀升。一些大型国际机场甚至出现了旅客吞吐量和货邮吞吐量双双突破千万级别的壮观景象。

⑦ 航线与通航城市。航线与通航城市是民用航空业发展的重要基础。随着全球航空网络的不断拓展和完善，越来越多的航线和通航城市被开辟出来。这不仅为旅客提供了更多的出行选择，也促进了国际经贸合作和文化交流。同时，为了提升竞争力，航空公司还不断优化航线布局和航班时刻安排，以满足不同旅客的出行需求。

⑧ 安全与服务质量。安全与服务质量是民用航空业发展的生命线。安全是航空运输的前提和基础，只有确保飞行安全才能赢得旅客的信任和社会的认可。因此，航空公司始终把安全放在首位，通过加强安全管理、提升飞行员技能水平、完善应急处置机制等措施来确保飞行安全。同时，服务质量也是衡量航空公司竞争力的重要指标之一。航空公司通过提升客舱服务、优化地面服务流程、加强客户服务等手段来提升服务质量，满足旅客的多元化需求。

综上所述，民用航空行业在生产方面取得了显著成效，各项指标均呈现出稳步增长的态势。然而，面对日益激烈的市场竞争和不断变化的市场需求，民用航空业仍需不断加强自身建设和管理水平提升，以适应行业发展的新形势和新要求。

（2）航天行业

航天行业是一个高度综合、技术密集且不断发展的领域，涵盖了载人或非载人的航天器在地球大气层之外的航行活动。以下是对航天行业的全面概述。

① 航天行业定义与范围。

定义：航天是指载人或不载人的航天器在地球大气层之外的航行活动，又称空间飞行或宇宙航行。航天的实现必须使航天器克服或摆脱地球的引力。

范围：航天行业包括空间技术、空间应用、空间科学三大领域。具体产业包含利用火箭发动机推进的跨大气层和在太空飞行的飞行器及其所载设备、武器系统，以及地面设备的制造业、发射服务业和应用产业。

② 航天行业的技术基础与发展趋势。

技术基础：力学、热力学和材料学是航天技术的科学基础；电子技术、自动控制技术、计算机技术、喷气推进技术和制造工艺技术对航天的进步发挥了重要作用；医学、真空技术和低温技术的发展也促进了航天的发展。

发展趋势：随着全球环保意识的提高和可持续发展理念的深入人心，航天产品将更加注重节能减排和循环利用等方面的设计和生产。同时，低空经济的兴起也为通航产业提供了新的发展机遇。

③ 中国航天行业的发展现状。

市场规模：近年来，中国航天行业快速发展，市场规模持续增长。

重要成就：中国空间站建设和载人月球探测工程取得显著进展，航天发射任务频繁且成功率高。例如，2024年上半年，我国共实施30次发射任务，比2023年同期增长20%，发射卫星数量超过80颗。

技术创新：国内企业在技术创新方面表现突出，如蓝箭航天成功发射了朱雀二号遥二液氧甲烷运载火箭，填补了国内技术空白。此外，火箭发射形式也更加多样化，陆海两用车载发射等新技术不断涌现。

④ 航天行业的市场需求与驱动因素。

市场需求：主要来自国防安全、民用航空和航天探索等多个方面。随着国防现代化建设的推进和民用航空市场的快速发展，航天制造市场需求持续增长。

驱动因素：提升了对先进军用飞机、火箭及其发动机等装备的需求；推动了民用飞机、通用飞机和无人机等装备的需求增长；为航天制造行业提供了新的增长点，吸引了大量投资和关注。

⑤ 航天行业的风险与挑战。

研发失败风险：新技术、新产品的研发过程中存在不确定性，可能因技术难题无法攻克或研发方向错误而导致项目失败。

技术迭代风险：随着科技的快速发展，现有技术可能迅速被新技术取代，导致企业面临技术落后的风险。

市场风险：包括市场需求波动、市场竞争加剧和国际贸易环境变化等方面。市场需求受多种因素影响，如经济形势、政策导向、国际政治环境等。

管理风险：企业内部管理不善可能导致运营效率低下、成本控制不力等问题。

⑥ 政策与法规。

政策支持：中国政府高度重视航天产业的发展，出台了一系列政策支持航天科技创新和产业发展。例如，《中共中央关于进一步全面深化改革、推进中国式现代化的决定》中明确提出支持有能力的民营企业牵头承担国家重大技术攻关任务，并向民营企业进一步开放国家重大科研基础设施。

国际合作：中国积极参与国际航天合作，与多个国家和地区在航天领域开展广泛合作，共同推动世界航天技术的发展。

综上所述，航天行业是一个充满挑战与机遇的领域。随着技术的不断进步和市场需求的持续增长，航天行业将继续保持快速发展态势。同时，企业也需要密切关注市场动态和技术发展趋势，加强技术研发和创新能力建设，提高市场竞争力和抗风险能力。

3.1.2 投资情况

我国航天行业投融资规模呈现上升趋势，投融资总金额上升较快，2021年达到新高度，近120亿元，说明中国航天行业资本活动达到了新的高度，资本投资较为活跃。从航天行业的企业融资区域来看，目前北京的融资企业最多。

近年来，我国商业航天市场迅速扩张，越来越多的产业资本加速布局商业航天赛道。据不完全统计，2023年我国商业航天行业共发生投融资事件14起，已披露的交易金额中，星河动力获得金额最高，达11亿元。

3.2 》 航空航天行业自动化应用情况

3.2.1 飞行器GNC技术

（1）高精度自适应返回GNC（制导、导航与控制）技术

国内方面，针对探月三期月球采样返回、新一代载人飞船试验船以及载人登月等重大任务的高精度安全返回需求，开展了月地返回跳跃式再入制导导航与控制、高速安全返回制导导航与控制等技术研究，提出月地返回跳跃式再入自适应预测校正制导导航与控制技术、月地转移轨道在线规划-高速再入一体化制导策略，研制了IMU（惯性测量单元）高精度对准技术验证试验系统，突破了自适应预测校正技术，解决了返回再入速度大、再入过程约束严格、航程需求不确定性、再入位置与能量不确定性等条件下的高可靠、高精度制导控制问题。探月三期再入返回过程示意图如图4-3-1所示。相关技术已在新飞船试验船、嫦娥五号中得到成功应用，例如：2020年5月8日，新飞船试验船完成全程自主制导导航控制，返回舱成功着陆；2020年12月17日，嫦娥五号实现了首次带月壤以第二宇宙速度返回地球，月地返回落点精度处于国际领先水平；2023年5月8日，我国可重复使用试验航天器在轨运行276天后，成功返回预定着陆场，这是我国航天器自适应返回GNC技术的又一重大成功应用。

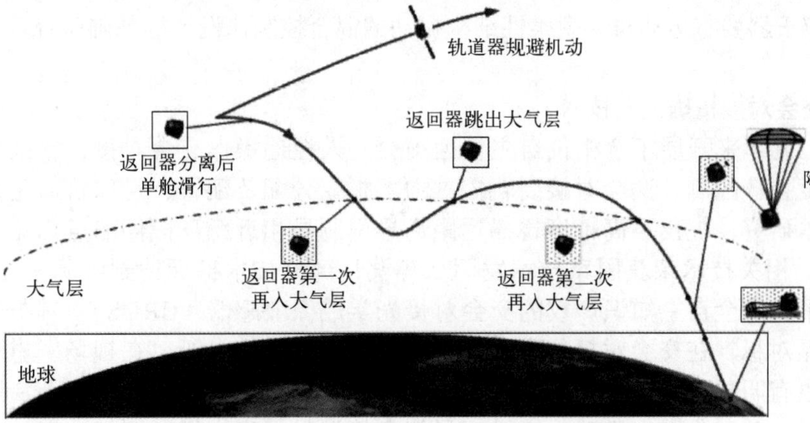

图4-3-1 探月三期再入返回过程示意图

国际方面，研究人员在再入飞行的参数辨识、制导回路的自适应调节、轨迹的在线快速规划等方面均提出了新的解决思路，以提升轨迹规划和跟踪控制方法的适应性和鲁棒性，发展出轨迹规划与闭环制导相结合的数值预测校正再入制导、小升阻比航天器进入制导中倾侧角剖面的参数化方式等多种理论方法。

（2）大尺度柔性航天器动力学行为辨识与分布式控制技术

国内方面，开展了大尺度柔性航天器分布式测量与控制研究，突破了大尺度柔性结构形状测量与参数辨识、大尺度柔性航天器高精度全局指向分布式控制、分布式形状控制等关键技术，研制了基于重力梯度力矩的力矩平衡姿态控制方法，实现了100吨级大质量惯量组合体控制，设计载荷运动与基座控制的协调控制方法，实现在轨组合体组装控制。分布式振动控制方法支撑我国空间站建造工程，在空间站进行舱段转位时，大尺度柔性航天器分布式姿态轨道与挠性振动协调控制技术使转位过程中振动幅值减少80%以上，空间站梦天舱转位组装效果图如图4-3-2所示。

图 4-3-2　空间站梦天舱转位组装效果图

国际方面，近年来围绕大型柔性航天器在轨运行状态的动力学建模与振动响应分析、大型柔性结构振动与航天器姿轨控耦合动力学和混合控制等航天重大装备中涉及的动力学与控制问题，开展了多刚柔体系统动力学建模与模型降阶、复杂结构状态空间模型构建与能控性研究、航天器姿态运动与大型柔性结构振动的混合控制律设计等基础研究项目，取得丰硕结果。

（3）自主交会对接精确控制技术

国内方面，近年来开展了全相位自主快速交会、人控遥操作交会对接、复杂航天器交会对接高精度鲁棒控制、交会对接姿轨控推力器指令分配及配置、月球轨道无人自主交会对接等技术研究，提出了高精度鲁棒远距离导引制导和近距离段停泊点优化等理论方法，2020年，相关技术荣获国家技术发明二等奖，部分技术指标达到国际领先水平。此外，还研制了具有全自主知识产权的交会对接光学成像敏感器（CRDS），其与国际同类光电感知产品对标，在交会对接位姿测量精度上领先一个数量级，在视场、重量、功耗等主要指标也有明显优势，技术水平达到国际领先。这些关键技术已在载人二期货运飞船、载人飞船、新一代载人飞船、嫦娥五号等在轨型号得到应用，例如：相关技术为2020年我国首次月球采样返回任务的成功实施提供了重要支撑；2022年11月12日，天舟五号货运飞船实现了2h快速交会对接世界新纪录。图4-3-3为嫦娥五号月球轨道交会对接瞬间。

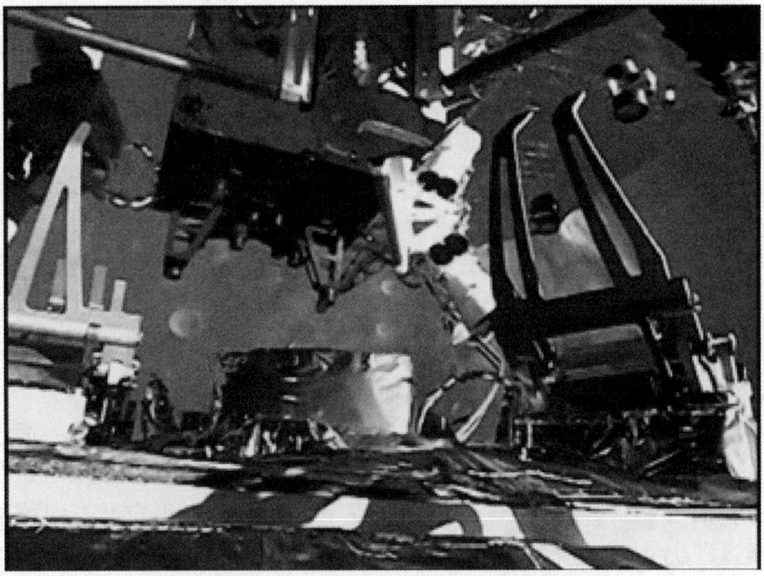

图 4-3-3　嫦娥五号月球轨道交会对接瞬间

国际方面，近年来，围绕对合作及非合作故障航天器的在轨修理和回收、碎片清除、燃料补给等在轨服务，以及地外星表取样返回等任务背景，相关学者在空间交会与接近停靠控制技术方面提出了许多新的理论方法。此外，利用深度学习从空间目标的点云和图像测量数据中提取目标特征，进而获得相对位姿估计，也是当前国际上备受关注的研究方向。

（4）深空软着陆与表面起飞上升智能自主GNC技术

国内方面，根据地外天体着陆巡视、采样返回及载人月球探测等任务需求，以智能自主软着陆、天体表面定位对准和地外天体起飞上升为重点，开展了地外天体精确定点软着陆导航制导与控制、月面自主起飞上升等关键技术研究：提出了一种精确垂直接近与智能避障相融合的控制方法，实现了崎岖地形下的安全软着陆（图4-3-4）；提出了一套大质量、

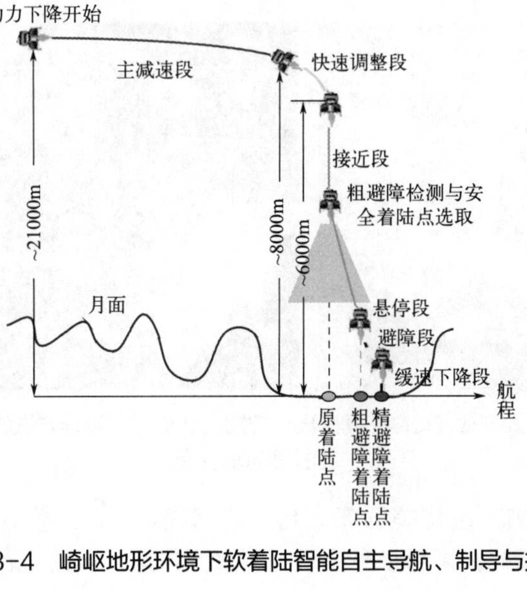

图 4-3-4　崎岖地形环境下软着陆智能自主导航、制导与控制

液体晃动约束下的月面高精度时间优化避障软着陆控制方法，实现了满足采样返回需求的指定落点安全着陆；提出了一套自主定位定向强适应月面起飞上升和精确入轨控制方法，实现了高可靠的月面自主起飞上升入轨；提出了一种适应着陆、起飞和交会任务于一体的控制系统架构及变结构运行模式，实现了系统资源受限条件下无人全自主高可靠高稳定控制。相关技术已成功应用于嫦娥四号月球着陆器和嫦娥五号飞行器，实现了国际首次月球背面软着陆与首次月面自主起飞，为嫦娥四号和嫦娥五号任务的圆满成功提供了支撑。

国际方面，近年来美国在与深空软着陆相似的火箭回收着陆领域取得重大进展，截至2023年6月13日，美国火箭已完成200次火箭一级回收作业，极大降低了商业航天的发射成本，并展现出了极高的可靠性。

（5）航天器超精超稳超敏捷复合控制技术

航天器的精准指向、稳定控制、敏捷机动是重要的技术指标。国内方面，为满足先进航天器超高指向精度和超高姿态稳定度的需求，首先研究了一种“振源与载荷动静空间隔离、控制主从协同”的卫星平台设计方法，实现了高精度和高稳定度指向控制，并于2022年8月在“羲和号”太阳探测科学技术试验卫星中得到在轨成功验证（图4-3-5）。针对航天器高品质控制所面临的世界性难题，即复杂系统“快、稳、准”相互制约的矛盾和“宽频、多点、多源”扰动消除的难题与航天器精稳敏捷指标数量级跨越之间存在激烈冲突，进一步提出了航天器超精超稳超敏捷（简称“三超”）控制架构，提出了“集中消除、多级协同”的航天器控制新理念，在卫星平台和载荷之间设计了载荷控制回路，在载荷安装点处集中消除星上各类干扰，使航天器“快、稳、准”性能指标提高了10～100倍。此外，“三超”控制方案还广泛集成了具有我国自主知识产权的SOC2018和多核SOC2012高可靠处理器、光纤陀螺以及控制力矩陀螺（CMG）等单机产品，以作为相应执行机构的CMG为例，其输出力矩远大于传统惯性飞轮的输出力矩，具有较高的能效比，在同样单位重量下，其角动量和输出力矩优于国外同规格产品，这些国产单机产品有力支撑了“三超”控制中的测量、计算与执行。目前，“三超”控制技术已经应用于天文观测、对地详察等领域最高水平的光学舱等多个重点型号，指向精度、长期稳定度、短期稳定度和敏捷机动等控制指标均优于国外最先进航天器的控制指标。

图4-3-5　采用“振源与载荷动静空间隔离、控制主从协同”设计方法的“羲和号”太阳探测科学技术试验卫星

国际方面，近年来，围绕美国新一代“詹姆斯-韦伯”空间望远镜（JWST）0.007″（24h）的指向稳定度指标，采用了多级控制方案，其第一级为平台姿态控制，第二级为精

级稳像控制，采用双轴快反镜（FSM）视线稳定控制。经过FSM补偿后，精级指向稳定度达到0.0073″。2022年1月24日，JWST进入运行轨道，并在多级控制系统帮助下观测到大量空间科学数据。

（6）强鲁棒高可靠航天器控制技术

国内方面，针对新一代静止轨道气象卫星的跨代需求、复杂CMG配置控制系统应用面临的单机故障失效等问题，从提升敏捷航天器控制性能及系统鲁棒性与可靠性等方面开展了系统研究，提出一种多层级容错的强鲁棒控制方法，实现了面向多重故障稳定控制的系统设计架构，提升了卫星稳定运行能力，设计了模型自校正前馈与反馈复合控制律，实现两台动载荷安装在一颗卫星平台的高精度控制。研究成果已成功应用于海洋二号、风云四号等型号卫星，风云四号卫星采用姿态与动量自主协同控制方法、多层级的强鲁棒控制方法实现的姿态控制性能国际领先，为我国首颗第二代静止轨道定量遥感气象卫星全天时稳定高水平运行提供基础条件。

针对双CMG系统欠驱动控制的鲁棒性难以适应空间复杂环境扰动的技术问题，提出了双CMG与磁力矩器组合的零动量混合控制方法，突破大差异混合执行机构配置下姿态控制技术难题，实现航天器在轨稳定运行的鲁棒性能提升。研究成果在配置有CMG的航天器型号中得到了广泛应用。

国际方面，近年来学者利用不同理论进行了研究：考虑外界干扰的影响，研究了采用自适应控制、自抗扰控制、滑模控制、基于估计器的控制或模糊控制等理论方法；考虑敏感器测量误差，研究了滑模观测器、自适应观测器等处理方法；考虑执行器输入受限或饱和问题，研究了利用饱和函数、双曲正切函数等来处理；考虑执行器故障，基于自适应控制、滑模控制和控制分配等理论设计容错控制方案。这些研究均取得了丰硕的理论和应用成果。

（7）航天器控制系统的自主诊断重构技术

国内方面，针对提升航天器安全可靠自主运行能力的重大需求，航天科研机构创建了一种航天器控制系统可诊断性与可重构性理论和方法，发明了一种航天器控制系统可诊断性评价技术与设计方法、一种航天器控制系统可重构性评价技术与设计方法、一种基于可诊断性与可重构性理论方法的天地结合故障诊断与重构技术，突破了航天器控制系统自主故障诊断与重构亟需解决的重大基础问题和技术难题，相关技术成功应用于导航试验卫星任务。

国际方面，与机器学习、智能决策等新一代人工智能技术相结合，实现基于数据挖掘的智能故障诊断，已成为目前的技术研究热点。基于数据挖掘的智能故障诊断技术，通过对海量的历史数据进行处理来获得系统的行为模型，在此基础上，利用先验知识来及时发现并准确定位故障。

（8）多航天器/星座编队控制技术

卫星编队构型保持的难点突出表现在需要获取高精度的编队构型参数，其中两星的相对漂移速度是最关键的参数。国内方面：提出了周期平均漂移速度的估计算法，实现了对漂移速度的准确估计；提出了基于相对轨道根数的控制方法，实现了对不同编队构型的保持，可将编队飞行的半长轴控制在几米的范围内，故而几圈甚至十几圈才需要进行一次保持控制喷气，很好地满足了长期编队构型保持的应用需求；此外，考虑到多星协同任务的复杂计算需求，相关单位还开发了具有自主知识产权的、以宇航级FT-M8024V众核DSP芯片、玉龙A810计算处理器（内嵌多个SPARC/ARM处理器核以及神经网络智能加速引擎）

等为代表的高性能星上计算系统，可支撑多星协同编队、自主协同观测等复杂控制任务。

国际方面，近年来还出现了多种无需推进剂的编队控制方法的探索研究，包括利用大气阻力差、电磁力、磁通钉效应等，展现出良好的应用前景；围绕多星编队飞行协同控制的理论和应用研究，例如主从式、行为方式及虚拟结构方式的协同控制，基于一致性算法的分布式协同控制等，可为未来多星编队飞行的分布式自主控制提供基础。

（9）在轨服务GNC技术

在轨服务是众多空间操作中最具研究价值的方向之一，是指在空间通过人、机器人或两者协同完成涉及延长各种航天器寿命、提升执行任务能力、降低费用和风险的一类空间操作。

国内方面，航天科研机构针对在轨服务中的GNC技术开展深入研究，近年来在翻滚目标运动特性探测识别、主被动探测成像测量、协同抓捕控制、网捕拖曳控制等技术领域取得一定突破。2021年10月24日，我国实践二十一号卫星发射入轨，用于空间碎片减缓技术试验验证，这是我国航天器在轨服务GNC技术的重大成功应用。

国际方面，2020年，美国的任务延寿航天器（MEV-1）采用喷管对接的技术手段接管InterSat901卫星辅助延寿是一个标志性事件，实现了对稳定非合作目标的“零距离”对接。2021年4月，MEV-2又对另一颗在轨卫星实现了喷管对接。

（10）航天器自主任务规划技术

航天器自主任务规划是指根据航天器个体能力及其功能分系统、有效载荷的当前状态，利用人工智能中的计算机建模技术、自动搜索和推理技术等，针对一段时间的某个任务目标，对可选的动作和所涉及的时序、资源等约束进行推理，自主生成一组按照时间顺序有序排列、满足各类约束的动作执行序列。

国内方面，航天科研机构和相关高校近几年来在规划建模语言与建模方法、多约束自主任务规划建模、规划模型轻量化快速优化求解、自适应规划修复等关键技术方面取得一定突破。2021年6月11日，北京三号遥感卫星成功发射入轨，其成功应用了单星自主任务规划技术，在轨首次实现了点、线、区域、单视、立体、凝视等多类复杂观测模式的自主规划，生成符合卫星资源状态的成像任务序列以及姿态机动序列，兼顾规划时间与优化效果，大幅提升了任务规划在轨应用效能。

国际方面，美国研制了混合主动任务规划系统（MAPGEN）、观测规划与分析工作站（CPAW）等地面离线任务规划系统，以及星上自主规划系统（APS）、星上自主探测系统（OASIS）等星上在线任务规划系统，实现了动态滚动规划、多星协同任务规划以及星地一体联合任务规划，并应用于深空探测、对地遥感等多个领域。2021年6月30日，美国“黑杰克”LEO军用星座系统完成部署了两颗先导卫星，并已通过试运行期，其搭载的Pit Boss自主任务规划系统采用了分布式决策处理计算架构，能够快速适配多类型载荷，并具备高密度星座的自主任务规划能力。

3.2.2 自动化制造技术

航空航天领域对零件要求极高，零件必须满足高质量、高可靠性等更加严格的要求。因此，航空航天自动化制造技术具有周期长、成本高、技术难度大等特点，是国家尖端设备制造技术的前沿，在我国发展中具有重要地位。航空航天自动化制造作为技术科学领域重要组成部分，是根据生产过程中的技术经验而产生，主要运用在航空航天制造业的设计、开发以及操作等各项理论和实际问题中。现阶段我国航空航天产品发展速度不断加快，航空航天制造技术及装备种类日渐增多。为从根本上提高我国航空航天制造业国际竞争水平，满足航空航天制造业对生产产品的更高层次要求，需要大力发展航空航天自动化制造技术，提高航空航天制造业的生产效率和产品质量，推动国家航空航天制造业的发展，从而极大地促进国民经济建设，加快国防现代化和社会科技前进步伐，提高国家的综合国力。

（1）数字化模拟技术的应用

数字化制造技术起源于美国，经过多年的发展，现已进入了基于产品数字样机的虚拟制造阶段，并形成了完备的应用体系。波音公司设计的777型大型客机是世界上首架以三维无纸化方式设计出的飞机，它的制造成功已经成为虚拟制造技术从理论研究转向实用化的一个里程碑。目前，美国、欧洲、日本等地在新产品研制中，均全面应用了以敏捷制造、精益制造和虚拟制造、复合高效加工、自适应控制为代表的先进制造技术，大大缩短了产品的制造周期。目前，数字化制造技术已经用于航空航天产品的装配和加工过程仿真、产品维修性分析等。数字化技术在航空航天自动化制造中的应用逐渐成熟。通过数控编程和数字化仿真，可以实现航空航天零件的快速设计和制造，大大缩短了产品的研发周期。

（2）工业机器人技术的应用

工业机器人技术在航空航天制造领域发挥重要作用。工业机器人定位精度和运动精度高，广泛应用于钻孔、喷涂、焊接、切割等工艺。如采用喷漆机器人进行航天固体发动机表面的喷涂工作，可以提高产品质量和生产效率、减少环境污染、降低漆雾对喷涂工人的危害。使用工业机器人可实现全自动的装配操作，由机器人接触式测量系统、视觉测量系统、对接调姿机构、对接固定平台、工装夹具等组成，实现平台上工件的平移、横移、升降、偏航、俯仰及滚转6个自由度的调姿定位。两段圆筒吊装至对接调姿设备上之后，由工装夹具将两段圆筒夹紧固定，测量机器人分别对两段圆筒的外圆、端面等进行测量，建立空间坐标系。采用视觉检测相机对工装上的靶标拍照，确定空间坐标。同时将测量机器人的坐标系进行转化，导入至视觉检测系统中，采用双检测系统相互验证的方式，确保测量精度。通过自动化设计的改造，大幅度提高了产品的生产效率，减少了人力成本，保障了生产质量，同时也避免了人工装配造成的安全隐患。

（3）虚拟化技术的应用

在传统航空制造业制造过程中，通常都会发生因为设置相关数据不够准确，导致产品并没达到规定标准，从而对原材料造成很大程度浪费的现象。然而使用自动化制造技术当中的虚拟化技术，在虚拟的前提下能够对数值进行设置，对产品的制造进行参考，看有没有达到预期标准，多次对数据进行对比，不断进行优化和调整，最后就可以开展实物制造生产，制造出符合预期要求的高质量产品。实际运用虚拟化技术过程中，一定程度上能够节省很多原材料，避免在传统航空制造业中出现问题，进一步推动航空制造业经济发展水平。

3.2.3 信息化技术

（1）增材制造技术

增材制造技术是制造技术原理的一次革命性突破，形成了最能代表信息化时代特征的制造技术，即以信息技术为支撑，以柔性化的产品制造方式最大限度地满足个性化需求。作为一种三维快速自由成形制造技术，增材制造技术具有成本低、周期短、可一次成形复杂零件等优势，在航天领域复杂整体关键构件、精密熔模铸造原型等制件的生产中应用前景广阔。美国率先将增材制造技术实用化，应用目标包括战术导弹、人造卫星、超音速飞行器的薄壁结构等。在航空航天制造领域，增材制造技术主要包括金属材料增材制造技术、空间增材制造技术、3D打印技术。金属材料增材制造是近年来迅速发展起来的高端数字化制造技术。根据能量源不同，可分为高能束增材制造技术、电弧增材制造技术及其他增材制造技术。其中，以激光束、电子束为能量源的高能束熔化金属材料的增材制造技术特别适用于航天型号研制，得到了发达国家政府、大企业及研究机构的高度重视。美国太空探索技术公司（SpaceX）利用金属材料增材制造技术实现钛合金、镍基合金任意复杂的流道以及气膜冷却孔的航天发动机直接制造，采用Inconel合金增材制造SuperDraco引擎，提高了耐高温性能，并成功进行了点火试车。在空间增材制造技术发展方面，NASA、ESA、德国航空航天中心（DLR）等都在积极开展相关研究工作。2015年，太空制造公司承担了“太空建筑师”（archinaut）项目的开发，目标是制造一台带有机械臂的3D打印机并将其安装在国际空间站（ISS）外部的一个分离舱上，在无需舱外航天员介入的情况下，利用增材制造技术进行太空中大型复杂结构制造及组装能力的研究。2017年，该项目的3D打印机在类似太空环境下打印出了85cm的聚合物合金横梁，标志着太空制造迈出了关键一步。3D打印技术是计算机辅助设计与制造技术、逆向工程技术、分层制造技术、材料增加成形技术及其集成的总称，目前正在成为一种迅猛发展的潮流。在航天领域，3D打印技术在大尺寸零件一体化制造、异型复杂结构件制造、变批量定制结构件制造方面具有巨大的优势。目前，卫星领域的增材制造技术尚处于研究和评估阶段。2017年，美国火箭工艺公司（RCI）发明了一种用塑化剂和高能纳米铝颗粒的混合物安全生产火箭燃料的方法，展示了使用3D打印技术制造混合火箭发动机用高性能燃料颗粒的工艺。

（2）云制造技术

云制造融合与发展了现有信息化制造技术及云计算、物联网、智能科学、高效能（性能）计算、大数据和电子商务等新兴信息技术，将各类制造资源和制造能力虚拟化和服务化，构成制造资源和制造能力的服务云池，并进行协调的优化管理和经营，使企业用户通过终端和网络就能随时按需获取制造资源与能力服务，进而智慧地完成其制造过程全生命周期的各类活动。2009年，李伯虎院士率先提出了我国的云制造理念。同时，国家863计划也适时地提出了云制造服务平台关键技术研究的重大研究项目，有力地推动了我国制造业信息化的进程，在关键技术、支撑平台及应用技术方面已取得阶段性成果。通过对现有网络化制造与服务技术进行延伸和变革，将各类制造资源和制造能力虚拟化、服务化，并进行统一、集中的智能化管理和经营，跨界构建动态技术网、动态制造网、动态营销网，实现航天制造的智能化、高效化、集成化。

3.3 》 航空航天行业自动化发展预测

3.3.1 需求分析

3.3.1.1 飞行器GNC技术

我国正在实施和即将实施地外行星探测、月球科研站、载人登月、在轨服务与维护、大规模星座计划等重大工程任务，对航天GNC技术的智能自主化发展提出了新的需求。未来航天GNC系统一方面应具备可被人类智能赋能以及主动获取并生成知识的能力（即“智能生成”能力），另一方面，航天GNC系统还要能够主动适应环境变化，在线生成优化控制策略，并具有在运行中使自身知识和智能水平不断进化的能力（即“智能生长”能力）。

3.3.1.2 自动化制造技术

自动化制造技术的发展需求主要包括提高生产效率、降低成本、提高产品质量、实现智能化和数字化转型。这些需求源于制造业对更高效率、更高质量和更智能化的生产方式的需求，以适应全球市场竞争和消费者需求的不断变化。

具体来说，自动化制造技术的发展需求包括以下几个方面。

提高生产效率：通过自动化技术减少人工干预，实现生产过程的自动化和连续化，从而提高生产效率。

降低成本：自动化技术可以减少人工成本和材料浪费，通过精确控制和优化生产流程来降低总体成本。

提高产品质量：自动化技术可以实现对生产过程的精确控制，减少人为错误，提高产品质量。

实现智能化：通过融合人工智能、大数据、物联网等技术，实现制造过程的智能决策和优化，提高制造业的竞争力和创新能力。

实现数字化转型：通过数字化技术实现制造过程的可视化、可追溯和可分析，提高制造过程的透明度和可控性。

自动化制造技术的应用范围非常广泛，包括生产线自动化、质量检测自动化、物流运输自动化、生产资源调度自动化等。这些技术的应用可以提高生产效率、降低成本、减少人工干预、提高生产效率。自动化技术可以减少人工成本和材料浪费，通过精确控制和优化生产流程来降低总体成本。通过实现对生产过程的精确控制，减少人为错误，提高产品质量。通过融合人工智能、大数据、物联网等技术，实现制造过程的智能决策和优化，提高制造业的竞争力和创新能力。通过数字化技术实现制造过程的可视化、可追溯和可分析，提高制造过程的透明度和可控性。

3.3.1.3 信息化技术

信息化技术的发展需求是多方面的，它随着时代的进步和社会的发展而不断变化。以下是对当前信息化技术发展需求的详细分析。

（1）技术创新与突破

① 关键核心技术攻关：持续加强在集成电路、基础软件、量子信息等领域的技术突破，这是信息化技术发展的基石。例如，鸿蒙操作系统和欧拉服务器操作系统的广泛应用，显示了我国在操作系统领域的创新成果。

② 人工智能技术发展：人工智能技术作为信息化技术的重要组成部分，其持续发展对于提升各行业智能化水平至关重要。未来，人工智能将在医疗、金融、交通等领域发挥更大作用，推动经济社会高质量发展。

③ 云计算与大数据技术：云计算技术通过提供虚拟化的计算资源和服务，使得用户可以按需获取和使用资源。大数据技术则通过对海量数据的处理和分析，为决策提供支持和参考。这两者的结合将进一步提升信息化技术的服务能力。

（2）数据资源开发利用

① 数据资源质量提升：通过加强数据资源开发利用水平，提升数据资源质量，为信息化技术的深度应用提供有力保障。例如，提高数据生产总量、大数据产业规模等。

② 数据要素市场培育：健全数据基础制度体系，培育壮大数据要素市场，促进数据合规高效流通和交易。这将有助于发挥数据在信息化技术发展中的核心作用。

（3）行业应用与融合

① 数字经济赋能高质量发展：推动数字经济与实体经济深度融合发展，通过实施制造业数字化转型行动、工业互联网创新发展工程等举措，提升传统产业数字化水平。同时，大力发展数字商务、数字金融等新兴业态，推动数字经济与现代服务业深度融合。

② 信息化赋能高品质生活：加强重要民生领域信息化建设，如国家教育数字化战略行动、智慧医疗等。通过信息化技术提升公共服务水平和社会治理能力，增强人民群众的获得感、幸福感、安全感。

3.3.2 发展趋势

3.3.2.1 飞行器GNC技术

飞行器GNC技术的总体发展趋势可以概括为智能化、一体化和分布式。

（1）智能化

落实到功能层面，应具有以下特征。

感知与导航层面：未来航天GNC系统中的感知与导航环节，不仅包括传统的导航，还包括对航天器与目标、环境组成的整个任务场景以及交互过程的理解和认知，需要综合处理不同模态的跨时空信息，实现数据融合，形成对环境的层次化透彻建模，并通过推理学习，实现场景理解和态势预测。

决策与制导层面：未来航天GNC系统中的决策与制导环节，直接面向任务和环境，针对顶层任务需求，根据感知/导航结果，对数据进行综合分析，通过知识推理和迭代优化，形成序列化的最优决策和制导指令，使航天器能够根据动态任务、运行环境和自身状态，自主完成任务调整、分解、规划与编排。此外，当航天器组成群体时，未来航天GNC系统还能够根据任务需要和环境变化，涌现出自组织、自演化的群体智能行为，达到“1+1>2”的协同控制效果。

执行与控制层面：未来航天GNC系统中的执行与控制环节，是针对整个航天器的，不仅包括平台部分的姿态轨道控制，还包括对载荷、目标的操作和控制。由于先验知识欠缺，执行与控制过程中的交互作用复杂，目标的材质、质量特性等未知，需要通过学习和训练，使得执行过程具备对环境和对象的主动适应能力。

健康管理层面：未来航天GNC系统中的健康管理环节，不仅包含传统的数据有效性判断、故障诊断和硬件重构，还包括故障预警、寿命预测、健康评估和进化修复。健康管理作为独立模块，与GNC各模块都可进行信息交互，通过建立状态特征与异常之间的映射关系实现故障预警，构建从正常到异常再到失效的故障演化模型，实现系统性能退化分析和寿命预测，完成重构和进化修复，评估航天器健康状态与执行任务的能力。

（2）一体化

未来航天GNC系统将具备“制导-导航-控制”一体化深度融合的系统级智能，相应系统架构将具有多层级、多回路、深耦合、时间/事件混合触发的特点，在此情况下，具备自适应消解时间和资源冲突的能力，能够根据需求合理、高效地分配传感、计算、存储等资源，使系统总体性能达到最优，降低对星上资源的依赖，提升航天器应对突发事件和任务的能力。

（3）分布式

未来航天器正由传统单星应用向“多星组网、多网协同”的体系化、集群化应用转变，航天器集群由于功能聚合、构型分布、配置灵活、成本低、发射组网迅速等特点，已成为未来航天系统发展的方向，在军民用航天领域均具有重大应用需求。实现大规模航天器集群的自主管控，主要包含两种控制模式：集中式控制和分布式控制。集中式控制模式由中央控制节点进行全局优化计算，具有良好的全局性能，但当集群规模较大时，控制难度成指数上升。分布式控制模式尽管会使系统的整体效能有所降低，但其具有良好的鲁棒性和可扩展性，很符合未来航天器集群组网协同的趋势。目前，分布式航天器集群控制仍有计算求解空间大、群智涌现机理可解释性差等关键问题尚未得到圆满解决，难以满足航天工程的高可靠性需求和星载算力约束条件，未来亟待突破相应的GNC技术，实现大规模异构航天器集群智能自主协同控制。

（4）未来需关注的重点问题

结合我国未来的空间任务和世界航天发展前沿，提出了需要重点关注的六个技术方向和基础性问题，牵引未来航天器智能自主控制技术的创新发展。

① 超大结构航天器姿态轨道控制。载人航天等重大航天工程使得未来航天器正向超大尺度的方向发展，目前亟待突破大尺度柔性航天器动力学建模与动态响应分析、结构振动与航天器姿轨机动的混合控制等GNC关键技术。针对上述需求，未来需重点关注多刚柔体系统动力学建模与模型降阶、复杂结构状态空间模型构建与能控性研究、航天器姿轨运动与大型柔性结构振动的混合控制律设计等基础科学问题，实现超大结构航天器的振动抑制和精准控制，相关成果对促进我国空间太阳能电站和下一代空间站的建设具有重大意义。

② 轨道空间博弈控制。近年来，轨道空间冲突事件频发，我国航天器的在轨安全面临严重威胁。针对严峻的空间安全形势，亟待开展融合了轨道动力学、博弈论，以及人工智能的轨道空间博弈GNC关键技术研究，未来需重点关注非合作全天时精准感知测量、不完全信息博弈策略求解与任务规划、动态目标高精度跟踪指向控制等基础科学问题，实现对非合作航天器和空间碎片的安全适度应对。

③ 网络化航天器集群控制。集群化、网络化是未来航天器发展的重要趋势，中国和美国均已开展相关星群项目的布局与建设工作（中国的星网项目，美国的星链项目、黑杰克项目）。随着星群的规模逐渐增大，其调度和控制难度也成几何级数上升，因此亟待突破多航天器姿轨分布式协同控制、大规模异构星座调度管控等GNC关键技术。针对上述需求，未来需重点关注分布式异构多智能体系统决策控制、类脑集群行为智能涌现等基础科学问题，实现大规模异构星群的自主组网、协同控制与快速重构，支撑我国低轨卫星互联网和遥感星座的建设。

④ 地外探测智能无人系统控制。我国嫦娥五号探测器成功实现了月球探测采样返回，后续计划进行火星采样返回任务，相应的地外探测无人系统控制技术关系着任务的成败。然而，巡视探测任务面临环境复杂不确知、通信时延大，以及器上资源约束严苛之间的冲突，为进一步提高任务效能，实现星表大范围安全巡视探测，亟需突破地外探测无人系统智能感知与精准操控等GNC关键技术。针对上述需求，未来需重点关注先验知识欠缺带

来的小样本训练问题、地外环境物理化学特性不确知导致的操控风险问题、低功耗、低主频和低存储约束下的智能计算问题，支撑我国月球科考站、载人登月、火星探测任务的实施。

⑤ 跨域航天器自主控制。跨域航天器是近年来国内外涌现出的新概念特种航天器，其飞行环境变化大，导致控制对象具有强非线性、强耦合性、强不确定性，对GNC技术提出较高的要求。目前亟待突破全速域高抗扰飞行控制、制导控制一体化、任务降级与故障可重构等GNC关键技术。针对上述需求，未来需重点关注复合抗扰、预设性能、在线学习等先进控制理论的研究与应用，支撑我国航班化航天运输系统的建设。

⑥ 在轨建造与维护控制。在轨服务相关技术在未来天基基础设施建设、载人航天等任务中具有举足轻重的地位，目前亟待突破翻滚空间目标探测识别和主动消旋控制、非合作目标多机械臂协同抓捕控制、受限空间下的柔顺精细操作控制等GNC关键技术。针对上述需求，未来需重点关注多模态智能感知、多智能体协同控制等基础科学问题，支撑我国下一代空间站、空间太阳能电站等大尺度航天器的在轨建造与维护以及空间碎片清除等重大航天工程的建设。

3.3.2.2 自动化制造技术

自动化制造技术的发展趋势主要包括以下几个方面：智能化和自适应性增强、协作机器人和人机合作、灵活性和快速变化的适应能力、物联网和云计算的整合、可持续性和环境友好性，以及个性化生产的实现。这些趋势将推动制造业的转型和创新，提高生产效率和市场竞争力。

首先，智能化和自适应性增强是自动化制造技术的一个重要发展趋势。随着人工智能（AI）和机器学习技术的发展，自动化系统不仅仅是简单的程序执行机械动作，而是具备了智能化的决策和自适应能力。这意味着系统能够根据环境变化和实时数据作出调整和优化，以提高效率和适应性。

其次，协作机器人和人机合作也是未来的一个重要趋势。传统的自动化生产往往是机器在独立执行任务，而未来的趋势是机器人与人类工作更加紧密地协作。协作机器人能够安全地与人类共享工作空间，进行复杂的任务执行和协同作业。

此外，灵活性和快速变化的适应能力也是自动化制造技术的重要发展方向。随着市场需求和技术的快速变化，自动化系统需要具备更高的灵活性和快速响应能力，包括快速切换生产线、快速调整产品配置、快速适应新技术等方面的能力。

物联网和云计算的整合也是自动化制造技术的一个重要趋势。自动化系统越来越多地与物联网设备和云计算平台整合，实现远程监控、数据分析、预测维护等功能，使得生产管理更加智能化和高效化。

最后，可持续性和环境友好性以及个性化生产的实现也是自动化制造技术的发展方向。随着消费者个性化需求的增加，自动化生产系统需要能够灵活地应对定制化和小批量生产的需求，从而实现更高的客户满意度和市场竞争力。

3.3.2.3 信息化技术

未来信息技术的发展趋势主要包括云计算、大数据与数据分析、人工智能、物联网（IoT）等关键领域的发展。

首先，云计算和边缘计算将继续发展，边缘计算将与云计算结合，使得计算更靠近数据源，减少延迟，特别是在物联网设备迅速增长的背景下，边缘计算将在智能交通、智慧城市、无人驾驶等领域发挥重要作用。

其次，大数据与数据分析将进一步发展。随着互联网和物联网设备的普及，数据量将呈指数级增长。企业通过对这些数据的分析，可以更好地理解市场需求、优化业务流程、预测市场趋势。大数据分析技术的进步将使企业能够将海量数据转化为有价值的洞察，帮助其在市场竞争中保持领先地位。

人工智能将是未来信息技术发展的核心。AI的应用范围正在迅速扩展，包括自动驾驶、智能客服、图像识别、自然语言处理等领域。随着深度学习和神经网络技术的突破，AI系统已经能够在某些任务上超越人类的效率和准确性。未来的AI将从“弱人工智能”迈向“通用人工智能”，能够在更多场景下执行复杂任务。

最后，物联网将进一步普及。物联网通过将物理设备连接至互联网，实现了设备与设备、设备与人的智能交互。无论是智能家居、智慧农业还是工业物联网，物联网设备正在不断增加。随着5G技术的普及，物联网设备的连接速度、稳定性和能效都将大幅提升，为自动驾驶、智能城市、远程医疗等领域提供技术支持。

参考文献

[1] 包为民，祁振强，张玉．智能控制技术发展的思考[J]．中国科学：信息科学，2020, 50(8): 1267-1272.

[2] 袁利，姜甜甜，魏春岭，等．空间控制技术发展与展望[J]．自动化学报，2023, 49(3): 476-493.

[3] 袁利．面向不确定环境的航天器智能自主控制技术[J]．宇航学报，2021, 42(7): 839-849.

[4] 胡军，张锦江，宗红．我国载人航天器制导导航与控制技术发展成就及展望[J]．航天器工程，2022, 31(6): 139-146.

[5] Chai R, Savvaris A, Tsourdos A, et al. A review of optimization techniques in spacecraft flight trajectory design[J]. Progress in Aerospace Sciences, 2019, 109: 100543.

[6] 曹登庆，白坤朝，丁虎，等．大型柔性航天器动力学与振动控制研究进展[J]．力学学报，2019, 51(1): 1-13.

[7] 解永春，张昊，胡海霞，等．我国载人航天工程交会对接控制技术发展[J]．航天器工程，2022, 31(6): 130-138.

[8] Murtazin R, Sevastiyanov N, Chudinov N. Fast rendezvous profile evolution: From ISS to lunar station[J]. Acta Astronautica, 2020, 173: 139-144.

[9] 郑永洁，王泽国．嫦娥五号探测器GNC系统设计[J]．空间控制技术与应用，2021, 47(5): 68-74.

[10] 郭杰，相岩，王肖，等．基于hp伪谱同伦凸优化的火箭垂直回收在线轨迹规划方法[J]．宇航学报，2022, 43(5): 603-614.

[11] 张伟，赵艳彬，廖鹤，等．动静隔离、主从协同控制双超卫星平台设计[J]．上海航天，2014, 31(5): 7-11, 30.

[12] Tang L, Feng X, Guan X, et al. Modeling and control of spacecraft with multiple active pointing ultra-quiet platforms[J]. IEEE Transactions on Aerospace and Electronic Systems, 2022, 58(4): 3524-3537.

[13] 徐广德，武江凯，苟仲秋，等．国外航天器高精度高稳定度高敏捷指向技术综述[J]．航天器工程，2017, 26(1): 91-99.

[14] 袁利，王淑一．航天器控制系统智能健康管理技术发展综述[J]．航空学报，2021, 42(4): 525044.

[15] 沈毅，李利亮，王振华．航天器故障诊断与容错控制技术研究综述[J]．宇航学报，2020, 41(6): 647-656.

[16] Hasan M N, Haris M, Qin S. Fault-tolerant spacecraft attitude control: A critical assessment[J]. Progress in Aerospace Sciences, 2022, 130: 100806.

[17] Lasemi N, Shaker H R. Spacecraft attitude control: Application of fine trajectory linearization control[J]. Advances in Space Research, 2021, 68(9): 3663-3676.

[18] 孙俊，黄静，张宪亮，等．地球轨道航天器编队飞行动力学与控制综述[J]．力学与实践，2019, 41(2): 117-136

[19] Andrievsky B, Popov A M, Kostin I, et al. Modeling and control of satellite formations: A survey[J]. Automation, 2022, 3(3): 511-544.

[20] 肖余之，靳永强，陈欢龙，等．在轨服务若干关键技术研究进展[J]．上海航天，2021, 38(3): 85-95.

[21] 李侃. 全球首次商业在轨服务任务成功实施[J]. 国际太空, 2020, (3): 17-19.
[22] 杜永浩, 邢立宁, 姚锋, 等. 航天器任务调度模型、算法与通用求解技术综述[J]. 自动化学报, 2021, 47(12): 2715-2741.
[23] 陈雄姿, 杨芳, 谢松, 等. 北京三号自主任务规划设计与在轨应用[J]. 空间控制技术与应用, 2022, 48(5): 29-38.
[24] Tipaldi M, Glielmo L. A survey on model-based mission planning and execution for autonomous spacecraft[J]. IEEE Systems Journal, 2017, 12(4): 3893-3905.
[25] 刘韬, 陈双. "黑杰克"之"赌台官"自主任务系统进展[J]. 国际太空, 2020, (504): 32-37.
[26] 王帅. 2021年全球深空探测领域发展综述[J]. 国际太空, 2022, (518): 20-24.
[27] 赵力冉, 党朝辉, 张育林. 空间轨道博弈概念、原理与方法[J]. 指挥与控制学报, 2021, 7(3): 215-224.
[28] Yang C, Zhang H, Fu W. Pattern control for large-scale spacecraft swarms in elliptic orbits via density fields[J]. Chinese Journal of Aeronautics, 2022, 35(3): 367-379.
[29] 邢琰, 魏春岭, 汤亮, 等. 地外巡视探测无人系统自主感知与操控技术发展综述[J]. 空间控制技术与应用, 2022, 47(6): 1-8.
[30] 张远, 黄旭, 路坤锋, 等. 高超声速飞行器控制技术研究进展与展望[J]. 宇航学报, 2022, 43(7): 866-879.

本章负责人　袁　利　空间智能控制技术全国重点实验室

参加编写人员　刘　磊　张海博　吴健发　黄盘兴　李　栋

第4章　船舶工业自动化

船舶工业自动化，作为现代船舶技术发展的核心驱动力之一，正以前所未有的速度改变着船舶制造与运营的面貌。从最初的机械控制到如今的智能化、网络化系统，船舶工业自动化的发展历程见证了人类科技进步的辉煌篇章。本章将深入探讨船舶工业自动化的发展概况，回顾其历史背景与演进过程，分析当前的应用现状，并展望未来的发展趋势。

船舶工业自动化的历史可以追溯到19世纪末的工业革命时期。随着蒸汽机的广泛应用，船舶动力系统的革命性变化为自动化技术的应用奠定了基础。这一时期，虽然船舶控制还相对简单，主要依赖机械手柄和杠杆，但这一进步为后续自动化技术的发展播下了种子。

进入20世纪初，电气化技术的发展进一步推动了船舶自动化的发展。电动机的引入使得船舶动力传输更为高效灵活，电动舵机等自动化设备的应用则使得船舶操纵更加精确可靠。两次世界大战期间，军舰对自动化技术的迫切需求极大地加速了这一进程，自动火炮控制系统、雷达系统等先进技术的广泛应用，不仅提高了军舰的作战能力，也为民用船舶的自动化技术发展提供了宝贵的经验。

20世纪中叶，随着计算机技术的崛起，船舶工业自动化迈入了全新的数字化和计算机化时代。数字化控制系统、自动化船载管理系统等技术的应用，使得船舶的操作和管理更加智能化、高效化。这一时期，船舶工艺模拟技术的引入，更是为船舶设计、建造和维护带来了革命性的变化，大大提高了整个行业的生产效率和质量水平。

进入21世纪，信息技术的飞速发展进一步推动了船舶工业自动化的进程。物联网、大数据、人工智能等新兴技术的应用，使得船舶逐渐成为一个集感知、决策、执行于一体的智能系统。自动化导航系统、自动避碰系统、智能船舶管理系统等技术的应用，不仅提高了船舶的安全性和运营效率，还降低了运营成本，为船舶工业的可持续发展奠定了坚实基础。

当前，船舶工业自动化技术已经广泛应用于船舶设计、制造、运营和维护等各个环节。在船舶制造领域，通过引入机器人、数控机床等先进设备，实现了船舶制造过程的自动化和智能化，显著提高了生产效率和产品质量。同时，数字化技术的深度融合，如CAD/CAM/CAE等技术的应用，使得船舶设计更加精确高效，缩短了产品开发周期，降低了制造成本。

在船舶运营方面，自动化技术的应用更是带来了革命性的变化。自动导航系统、自动装卸货系统、机械状态监控及远程控制系统等技术的应用，使得船舶的航行更加安全高效，运营成本大幅降低。同时，智能化管理系统的引入，使得船舶的运营更加灵活便捷，能够根据市场需求及时调整航线和运输计划，提高了船舶的市场竞争力。

此外，船舶工业自动化还在环保领域发挥着重要作用。通过优化船舶动力系统和航线规划，减少燃油消耗和排放，船舶工业自动化为全球环保事业做出了积极贡献。未来，随着绿色航运技术的不断发展，船舶工业自动化将在环保领域发挥更加重要的作用。

尽管船舶工业自动化已经取得了显著成就，但其发展仍面临诸多挑战。首先，技术标准和规范的不统一限制了自动化技术的普及和应用。不同国家和地区的技术标准存在差异，导致自动化设备和系统难以实现互联互通。其次，数据安全与隐私保护问题日益凸显。随着船舶自动化系统的广泛应用，大量敏感数据需要在网络上传输和存储，如何确保这些数据的安全性和隐私性成为亟待解决的问题。

然而，挑战与机遇并存。面对全球贸易的持续增长和航运业的快速发展，船舶工业自动化迎来了前所未有的发展机遇。一方面，市场对高效、安全、环保的船舶需求不断增加，为自动化技术的发展提供了广阔的市场空间；另一方面，新兴技术的不断涌现为自动化技术的创新提供了强大动力。人工智能、大数据、物联网等技术的快速发展，将为船舶工业自动化带来更加广阔的发展前景。

展望未来，船舶工业自动化将呈现出更加集成化、智能化、网络化的发展趋势。一方面，随着技术的不断进步和应用场景的不断拓展，各类自动化系统和设备将实现更加紧密的集成和协同工作，形成一个高度集成的智能化系统；另一方面，人工智能技术的应用将使得船舶具备更强的自主学习和决策能力，实现更加精准的航行和管理。

同时，绿色环保将成为船舶工业自动化发展的重要方向。面对全球气候变化的严峻挑战，船舶工业将积极探索绿色、低碳、环保的自动化解决方案，推动航运业向更加可持续的方向发展。船舶工业自动化作为现代船舶技术发展的核心驱动力之一，正以前所未有的速度推动着船舶制造与运营的变革。随着技术的不断进步和市场的不断发展，船舶工业自动化将迎来更加广阔的发展前景，为全球航运业的持续健康发展贡献重要力量。

4.1 》 船舶工业自动化发展概况

4.1.1 船舶工业自动化的历史背景与发展历程

4.1.1.1 船舶工业自动化发展的历史背景

船舶工业自动化的历史背景源远流长，具体可以追溯到19世纪末20世纪初的工业革命，当时蒸汽动力船舶逐渐取代了传统的风帆船，为自动化技术的应用奠定了基础。随后，电气化技术的发展使得电力成为主要的动力来源，为船舶自动化提供了更多的控制和监测手段，如电力驱动舵机、自动化传感器等。20世纪初至中叶的两次世界大战期间，军舰的需求推动了自动化技术的迅速发展，诸如自动火炮控制系统、雷达系统等的广泛应用，这些技术也逐渐在商船中得到采用。

随着20世纪中叶计算机技术的崛起，船舶工业自动化进入了一个全新的阶段。数字化控制系统、自动化船载管理系统等技术的广泛应用大大提高了船舶的操作效率和安全性。其中，船舶工艺模拟技术的引入使得船舶设计、建造和维护过程更加精确和可靠。卫星导航系统的发展也使得船舶的自主导航能力得到了显著提升，进一步增强了船舶的自动化程度，如图4-4-1所示的船舶自动化系统，其中包含导航系统、操纵系统、动力系统、通信系统、火灾控制系统等，集成为自动化船体。

随着全球贸易的扩张和船舶运输的日益发展，船舶工业面临着更多的挑战和机遇。为了应对这些挑战，船舶工业不断引入先进的自动化技术，以提高效率、降低成本，并满足国际标准和规范的要求，例如船舶动力系统的优化和节能技术的应用，以及船舶智能化系

图 4-4-1　船舶自动化系统

统的发展，都是当前船舶工业自动化的重要趋势。同时，为了应对环境保护和气候变化等全球性挑战，船舶工业也在积极探索绿色航运技术，如LNG动力船、电动船舶等，以实现更加可持续的发展。

船舶工业自动化的发展历程是一个不断演进和应用的过程，从19世纪末期的机械控制到20世纪中叶的数字化和计算机化技术的广泛应用，再到如今的智能化和绿色化发展趋势，不断推动着船舶工业向着更安全、更高效、更环保的方向发展。

4.1.1.2　船舶工业自动化的发展历程

（1）蒸汽动力船时代（19世纪末期）

在蒸汽动力船的时代，船舶工业开始从传统的风帆船转向了更加现代化和机械化的方向。蒸汽机的引入标志着船舶动力系统的革命性变化，这也意味着船舶控制系统必须跟随其发展。虽然最初的蒸汽船舶控制还相对简单，主要是通过机械手柄和杠杆来控制蒸汽机的速度和方向，但这个时期的进步为后续自动化技术的应用奠定了基础。

（2）电气化时代（20世纪初期）

随着电气化技术的发展，船舶动力系统逐渐转向了电力驱动。电动机的使用使得船舶的动力传输更为高效和灵活。电气化技术的应用不仅改变了船舶动力系统，还为船舶自动化技术的发展提供了更多的可能性，例如电动舵机的引入使得船舶操纵更为精确和可靠，同时也为自动化系统的应用奠定了基础。

（3）两次世界大战期间的发展（20世纪中期）

两次世界大战期间，军舰的需求推动了船舶自动化技术的迅速发展。自动火炮控制系统、雷达系统等先进技术的广泛应用提高了船舶的作战能力和生存能力。这一时期的技术进步也为民用船舶工业的自动化技术提供了启示，促进了自动化技术的迅速普及和应用。

（4）数字化和计算机化时代（20世纪末期）

随着计算机技术的崛起，船舶工业进入了数字化和计算机化时代。数字化控制系统、自动化船载管理系统等先进技术的引入使得船舶的操作和管理更加智能化和高效化。船舶设计、建造和维护过程也得到了数字化模拟和优化。计算机化技术的应用不仅提高了船舶制造和运营的效率，还大大提升了船舶工业的竞争力和发展速度。

（5）信息技术时代（21世纪）

进入21世纪，信息技术的快速发展为船舶工业自动化带来了新的发展机遇。物联网、大数据、人工智能等新兴技术的应用推动了船舶工业向智能化、集成化和绿色化方向发展。船舶智能化系统的引入使得船舶运营和管理更加智能化和可持续化。这一时期的技术进步为船舶工业自动化技术的不断创新和发展提供了更广阔的空间和更多的可能性。

4.1.1.3 船舶工业自动化发展历程的影响因素

在船舶工业自动化的发展过程中，还有一些其他重要的里程碑和影响因素值得关注。首先，随着航运业务的全球化和船舶规模的不断增大，对船舶自动化技术的需求也日益增加。大型集装箱船、油轮和散货船等大型船舶的运输需求促使船舶工业不断寻求更高效、更可靠的自动化解决方案，以应对复杂的船舶操作和管理挑战。

船舶工业自动化的发展受到国际安全标准和规范的影响。国际海事组织（IMO）颁布的安全规定和标准要求船舶必须配备先进的自动化系统，包括导航、火灾控制和排水等方面，以确保船舶的安全性和可靠性。自动化导航系统如GPS和惯性导航系统提高了航行安全性，自动火灾报警系统和火灾扑救系统能及时应对火灾，自动排水系统保障船舶在受损情况下的稳定性。IMO的安全规定推动了船舶工业自动化技术的不断创新和发展，为船舶运输的安全性和可靠性提供了重要保障。

船舶工业自动化的发展还受到船东和船舶运营者的需求和市场趋势的影响。船东和运营者追求通过自动化技术降低成本、提高运输效率、减少事故风险，以及满足客户对高品质服务的要求。因此，自动化技术不断向着智能化、集成化和用户定制化方向发展，以满足不同运营者的需求。这种发展趋势反映了船舶工业自动化技术与市场需求之间密切的互动和共生关系，为航运业带来了更高效、更安全、更可靠的解决方案，也推动了全球航运业的可持续发展。

随着信息技术的飞速发展，船舶工业自动化技术也面临着新的挑战和机遇。物联网、大数据、人工智能等新兴技术的应用为船舶工业自动化带来了更广阔的发展空间，例如通过物联网技术实现船舶设备的远程监控和故障诊断，通过大数据分析实现航线优化和能源管理，通过人工智能技术实现船舶自主导航和智能船舶管理，等等，都是当前船舶工业自动化技术发展的热点和趋势。

船舶工业自动化的发展并非一帆风顺，受到多种因素的影响，包括航运业务的需求、国际安全标准和规范、船东和船舶运营者的市场需求，以及信息技术的快速发展等。在这些因素的共同推动下，船舶工业自动化技术不断创新和发展，为船舶运输提供了更加安全、高效、可靠的解决方案，也为航运业的可持续发展做出了重要贡献。

4.1.2 船舶工业自动化在船舶制造中的运行情况

4.1.2.1 船舶制造行业运行情况

2003年以来，我国船舶工业进入了快速发展轨道。产业规模不断扩大，造船产量快速增长，造船完工量、新接订单量、手持订单量已连续多年居世界前列。综合实力稳步提升，已经具备散货船、油船、集装箱船（三大主流船型）自主开发能力，在高技术高附加值船舶、海洋工程装备领域也实现了突破，大型船舶企业造船周期和质量管理达到国际先进水平。2011年中国航海日活动新闻发布会上公布，我国港口货物吞吐量和集装箱吞吐量已经连续7年位居世界第一，水产品的总产量已经近20年位居世界首位。从2010年起，我国不仅是航运大国、海洋大国，更跃居为世界第一造船大国。我国船舶工业国际市场份额迅速上升，2010年我国造船完工6560万载重吨，新接订单7523万载重吨，手持订单19590万载重吨，分别占世界市场的43%、54%、41%，均居世界第一。

从近十年中国造船业占世界造船市场份额的变化可以看出，中国造船业在全球市场上所占的比重正在明显上升，中国已经成为全球重要的造船中心之一。而国际制造业的产业转移趋势是中国船舶制造业发展面临的最大机遇，短期内，国际及国内水运市场的繁荣为行业增长提供了有力的保障，而油价的持续高位运行以及钢铁等原材料价格的上涨则构成了行业运营的主要压力。国际产业转移的趋势已经把造船业的巨大机遇展现在中国企业的面前，但在激烈的市场竞争环境中，如何规避各种风险，如何把握机遇，是与企业发展命运攸关的问题。2022年，前三季度，中国船舶工业在国际市场份额继续领先，尤其高端船型占比不断提高。中国船舶工业行业协会2024年2月2日发布的《2023年船舶工业经济运行分析》显示，2023年中国船舶产品出口金额318.7亿美元，同比增长21.4%。其中散货船、油船和集装箱船三大主流船型出口金额合计187.1亿美元，占出口总金额的58.7%。中国船舶产品出口到191个国家和地区，向亚洲、欧洲、拉丁美洲出口船舶金额分别为177.3亿美元、29.0亿美元和28.4亿美元。

4.1.2.2 船舶工业自动化在船舶制造行业中的重要性

（1）提高生产效率

船舶制造是一项复杂而耗时的过程，涉及大量工艺流程和多个生产环节。自动化技术的应用可以极大地提高生产效率。通过自动化的生产线和工艺流程，船舶制造企业可以实现零部件的自动化加工和装配，大大缩短生产周期，例如：采用数控机床和机器人技术进行船舶零部件加工，可以提高加工精度和速度；自动化的装配线和系统可以实现船舶结构的快速装配和调整，提高装配效率和一致性。此外，自动化技术还可以实现船舶制造过程的数字化管理和优化调度，使生产过程更加智能化和高效化。

（2）提升产品质量

在船舶制造领域，产品质量直接关系到船舶的安全性和可靠性。自动化技术的应用可以提升船舶制造过程的质量控制和管理水平，从而保证产品质量。自动化系统可以实时监测和控制生产过程中的各项参数和指标，及时发现和纠正生产过程中的缺陷和问题，例如：利用传感器和监控系统对焊接质量进行实时监测和检测，可以避免焊接缺陷和质量问题；自动化的质量管理系统可以实现对材料和工艺的全程追溯和记录，确保产品质量符合要求。同时，通过自动化技术可以实现对船舶结构和装配过程的模拟和优化，提高了设计和制造的精度和一致性。

（3）增强船舶安全性

船舶安全是航运行业的核心关注点之一。自动化技术的应用可以增强船舶的安全性，降低事故风险。自动化船载管理系统可以对船舶各种设备和系统进行实时监测和控制，及时发现和解决潜在故障，保障船舶的正常运行，例如：自动化火灾探测和灭火系统可以实现对船舶火灾的早期发现和控制，降低了火灾造成的损失和风险；自动化导航系统可以实现船舶的智能航行和避碰，提高了船舶的航行安全性和事故预防能力。

（4）提升船舶性能

船舶性能直接关系到航运效率和经济效益。自动化技术的应用可以提升船舶的性能表现，实现航运业务的高效运作。自动化导航系统可以实现船舶的自主导航和航线规划，提高船舶的航行安全性和航程效率。同时，自动化动力管理系统可以实现对船舶动力系统的智能控制和优化调度，提升船舶的燃油利用率和航行性能。此外，自动化系统还可以实现船舶的智能化运营和维护，提高船舶的运输效率和服务水平。

（5）降低运营成本

在竞争激烈的航运市场中，降低运营成本是船东和船舶运营者的重要目标之一。自动化技术的应用可以降低船舶运营的成本，提高运营效益，例如：自动化设备和系统可以减少人力投入和运营成本，提高船舶的运营效率；自动化系统可以实现对船舶设备和系统的远程监控和维护，降低了维护成本和停船时间。同时，自动化技术还可以实现船舶运输过程的智能化管理和优化调度，提高了运输效率和客户满意度，降低了运营成本。

4.2 》船舶工业自动化技术和解决方案

4.2.1 船舶工业自动化技术介绍

船舶工业自动化利用自动化装置代替机械操纵，利用可编程控制器、现场总线技术对船舶部分或全船进行集中监控，并将网络技术、人工智能等最新技术应用到故障诊断、避碰等方面。

船舶工业自动化应用主要包括三个方面：轮机自动化、航行自动化以及装卸自动化。轮机自动化又称机舱自动化，是船舶自动化的重要组成部分，包括机舱监测报警系统、主机遥控系统、船舶电站自动化等方面。雷达、气象传真等技术提高了航行自动化水平，现在航行自动化研究主要集中在避碰等方面。装卸自动化是指通过自动化装置和监控系统来完成船舶进港后的货物装卸作业以及相关事项。

近年来，人工智能、自动控制、网络技术、数据库等迅猛发展，促使船舶自动化取得巨大进展，逐步成为一个集轮机自动化、航行自动化、装载自动化等于一体的多功能综合系统。

4.2.2 船舶工业自动化应用现状

（1）主机遥控系统

主机遥控技术始于20世纪60年代，是船舶自动化的重要组成部分。在主机遥控系统方面，由于PLC可靠性强、可扩展性高、通信功能强大、安装使用方便等特点，被大量应用到该系统中。

（2）机舱监控系统

机舱监控系统研究主要集中在网络技术、现场总线技术两方面。CAN总线具有突出的特点和优势，在实际中经常将CAN总线应用到机舱自动化系统中。目前较多文献研究采用无线通信技术实现对机舱的远程监控，一种是采用GPRS无线通信技术，运用.NET技术，实现基于Web方式的远程监控，并采用SHA512加密算法保证数据传输的安全性；另一种是采用无线以太网技术进行远程监控，效果也十分显著。

（3）电站管理系统

现代船舶日益大型化、高速化，船舶电站变得越来越复杂，船舶电站自动化管理在维持电站供电的连续性和可靠性、提高电站供电的品质等方面起着重要的作用。将数据融合技术应用在船舶电站故障诊断系统的效果较为突出，能够取得显著的诊断效果。另外，将CAN总线和PROFIBUS总线应用在船舶电站监控中也是目前研究的热点。

（4）自动避碰

避碰通常是指避免船舶间碰撞。在碰撞事故的原因调查中发现80%以上是由人为因素造成，自动避碰系统能降低人为因素在碰撞事件中的影响。1996年，国际海上避碰会议指出船舶自动避碰是今后10～20年航海技术的主攻方向。

（5）装卸自动化

液货船的装卸最为复杂，因此液货船的装卸自动化程度代表装卸自动化的水平。目前绝大部分液货船设有由人工操作的货油控制台，操作人员必须对管路和各个系统十分熟悉，否则容易发生人为操作失误。液货船的装卸自动化涉及的系统很多，以大型油船为例，有货油压载泵系统、液位遥测系统、报警系统、阀门遥控系统、可燃气体探测系统、油气回收系统、污油排放系统等。

4.2.3 船舶工业自动化关键技术

（1）现场总线与协议转换技术

① 现场总线技术。现场总线是安装在制造或过程区域的现场装置与控制室的自动控制装置之间的数字式、串行、多点通信的数据总线。采用现场总线技术的系统具有开放性、互操作性、互用性及高度分散性的特点，而现场设备一般拥有智能化程度较高、功能自治性好及对工业现场环境适应性强等优点，能充分体现“分散控制、集中管理”的分布式监控理念。

国际上，总线和总线标准有几百种，其中应用较多的总线有CAN、Profibus、LonWorks、WorldFIP等。它们的性能各不相同，如表4-4-1所示。

表4-4-1 几种主要现场总线性能比较

总线名称	传输速率	通信介质	标准	传输距离	ISO/OSI 模型	访问控制
CAN	5kb/s～1Mb/s	双绞线、同轴电缆、光纤等	ISO 11898 ISO 11519	10km	物理层、数据链路层	CSMA/CD
Profibus	9.6kb/s～12Mb/s	双绞线、光纤等	IEC 61158, IEC 61784 DIN 19245 EN 50170	100m～10km	物理层、数据链路层、应用层	主从、令牌
LonWorks	300kb/s～1.5Mb/s	双绞线、同轴电缆、光纤、电力线等	ANSI/EIA 709.1 ANSI/EIA 709.3 ISO/IEC 14908	2.7km	物理层、数据链路层、网络层、传输层、会话层、表示层、应用层	带预测CSMA
WorldFIP	2.5Mb/s～5Mb/s	屏蔽双绞线、光纤	IEC 61158 IEC 61784 ENSO 170	500m～5km	物理层、数据链路层、应用层	总线仲裁

② 协议转换技术。PLC和上位机软件进行通信的协议转换技术主要有五种方式：驱动程序包、OPC、Modbus、Modbus/TCP以及总线桥。

驱动程序包一般由现场设备厂家提供，例如西门子公司的PRODAVE软件包，使用简单方便，编程人员不需熟悉复杂的通信协议。

OPC（OLE for process control）规范是一个工业标准，以COM（组件对象模型）和DCOM（分布式组件对象模型）技术为基础。OPC定义了一套标准接口，在监控软件和现场设备之间增加一个抽象层，监控软件降低其与现场设备之间的耦合，增强监控软件和现场设备的独立性，同时向监控软件屏蔽了设备细节。

Modbus协议是另一个通用工业标准，与OPC不同的是，Modbus协议是一个公开协议，它定义了通信双方采用的帧格式、寻址方式等，通过Modbus协议，控制器之间、控制器和其他设备之间可以相互通信。Modbus协议现已成为一种通用工业标准。MODBUS采用主从的方式进行通信，即主设备发出询问请求，从设备应答响应。Modbus协议定义了两种传输模式，即ASCII和RTU，两者最主要的区别是前者每个字节作为两个ASCII字符，而后者将每个字节作为两个4bit的十六进制数值，前者可靠性更好（字符发送时间间隔1s不产生错误），后者在相同波特率下传送数据更多。

Modbus/TCP协议是以Modbus协议为基础定义的TCP/IP应用层协议，描述了Modbus消息如何通过Internet进行译码传输。和Modbus协议相比，其主要区别是Modbus/TCP协议是一种面向连接的通信方式，数据的完整性、同步等由TCP/IP协议中数据链路层、网络层和传输层保证。

总线桥是将第三方通信协议或异型总线协议转换到系统标准的总线协议，总线桥解决传统仪表及现场设备接入现场总线系统或异型总线设备互连问题。

以上几种通信方式中，采用驱动程序包进行通信的通信速率最快，可达197.5kbps，其次是总线桥，可达57.6kbps。Modbus以及Modbus/TCP协议的开放性、可扩展性最好，监控软件和现场设备之间的耦合最小，采用Modbus或Modbus/TCP协议通信，某些条件下，现场设备发生更新时，监控软件甚至无需任何修改。驱动程序包、OPC、Modbus、Modbus/TCP开发难度均比较小，总线桥开发难度最大，往往需要熟悉两个协议，有时还需要自定义协议。从经济性上来讲，采用Modbus或Modbus/TCP协议进行通信基本上不需产生额外费用，而其他几种通信方式均需一定的购买费用。

（2）电气自动化技术

① 自动监测技术。船舶的电力电子设备较多，机舱核心设备发生故障时会给船舶运行安全带来威胁。应用自动监测技术实时监控机舱设备，自动记录设备状态信息，比较采集数据与设定参数阈值，能够及时发现设备异常，发出预警提醒人员处理，有效消除故障隐患。

目前，船舶大多采用DCS自动监测系统实现电气设备数据信息的集中管理，能够通过微机控制系统显示报警信息，控制设备稳定运行。系统包含3层微机网络，主站位于控制室，分站位于机舱，包含通信站、转发站等多种类型，在实现独立监测的同时，将全部信息发送至主站。船舶电站监测方面多采用CAN测控系统，其由控制台、检修微机构成，通过网络与船舶发电系统连接，实现发电机节点组件数据测量。通过监测发电机的电压、频率、功率系数等参数，确定发电机状态，通过软件程序实现系统操控，通过硬件实现并车操作智能控制。

此外，船舶可以应用自动化综合系统加强故障监测与排除，维持电气自动化系统稳定运行。系统包含状态监测、能量管理、综合作业辅助决策等，通过为每台发电机配置控制器，实现分散控制和集中测量管理。采用CAN总线实现现场连接，能使各监测节点保持相互独立且相互联系，构成能够实现测量、控制、保护等功能的一体化系统，对相关系统的重要设备实施状态监测和故障报警。

② 抗干扰技术。船舶自动化仪表容易受电磁辐射干扰，采用电磁兼容性技术增强设备抗干扰能力，以确保自动化系统稳定工作。

首先，针对电感性负载，可以采用变压器隔离技术屏蔽电磁干扰，通过实现电路间的电气隔离，避免设备受环路电流干扰。在船舶电气系统中，需为监测报警装置配备独立的隔离变压器，并为电气网配备交流变压器，以有效抵抗电磁干扰。施工船舶配备泥浆泵、钻机等各种装备，需利用变频器调速，产生的高次谐波容易给仪表带来干扰，甚至引发船舶运行失误。配备移向变压器抑制谐波，并利用滤波器滤除噪声信号，能够保证自动化系统的运行安全。其次，船舶铺设大量电力电缆，在距离通信线路较近时容易引发电磁干扰问题，造成设备通信中断。为抑制干扰，需选用带铠装电源电缆，并根据监控信号强弱选择带有公共或单独屏蔽层的电缆。分开电压等级存在差异的敷设电缆和信号线，应做到长距离平行走线，使电缆之间至少保持50mm距离。针对变频驱动电机，应确认屏蔽层电导达到电缆各相导线芯的1/10，做到可靠接地。此外，需将电源进线接地点或接地母排可靠接地，并确认控制柜中各设备可靠接地，分开干扰源的接地端和其他设备接地端区。最后，设备启停也将引发船舶电网电压波动。为了向自动控制系统提供高质量电源，需采用独立直流稳压电源或不中断UPS供电，并为信号采集箱和输出端配备隔离装置，防止系统通信受电磁干扰影响。

③ 容错技术。船舶航运环境复杂、多变，也可能会遭遇多设备同时发生故障的情况。为增强电气自动化系统运行可靠性，需采用容错技术增强系统故障容忍能力。通过实时检测系统故障，及时判断故障性质和完成故障定位，系统可以自动隔离故障，避免给其他设备、系统运行带来影响，以维持船舶正常运转。采用故障控制技术，提前完成容错编程，使系统根据故障诊断情况执行处理操作，将故障单元检测信号由高电平转换为低电平，并结合故障类型采取相应处置措施。按照故障影响程度划分，Ⅰ类故障将直接影响船舶安全航行，如发电机过载故障，应启动备用单元完成负荷转移，确保发电机组稳定供电。Ⅱ类故障的发生可能给其他系统运行带来影响，如冷却系统故障可能导致发电机组温度过高，引发报警。启动备用机组并网，消除给发电机带来的影响，能够在船舶正常运行的情况下为维修系统故障提供时间。Ⅲ类故障影响相对较小，如冷却水温度高等情况，启用备用单元替代冷却系统后，可以安排故障机组适时停机检修。在Ⅱ类、Ⅲ类故障处理方面，机组停机将产生阻塞信号，重新投运前须擦除该信号，否则机组不仅无法正常启动，还会影响系统整体运行的稳定性。严格按照步骤处理故障，能够维持船舶电气系统可靠运行，为船舶安全航行提供保障。

（3）航海避碰技术

① 海图信息数字化技术。海图信息数字化技术在现代航海中扮演着极为关键的角色，将传统纸质海图转化为数字格式，显著提升了航海的精确性和效率。这一转变不仅使得船舶可以接收到更加详尽和即时更新的海洋地理信息，还能使船舶自动避碰系统的反应更加迅速和准确。

数字化海图的制作涉及复杂的数据采集和处理过程。通过卫星遥感和海洋测绘，收集大量的海洋地理数据，包括水深、潮汐、海流等信息。这些数据随后经过精确的数据处理，转换成标准化的数字格式，用于生成详尽的电子海图。在这一过程中，不断进行数据的校准和更新，确保海图的准确性和时效性。

电子海图系统（ECDIS）的应用，是海图信息数字化的重要成果。ECDIS不仅提供了动态的海图显示，还能够实时更新航道信息，为船舶航行提供准确的导航数据。与此同时，这一系统还能够根据船舶的实际位置和预定航线，自动标识出潜在的航行障碍和危险区域，极大地提高了航海安全。此外，数字化海图还能够与船舶的其他导航和避碰系统进行集成，如与AIS和雷达系统的联合使用，提供更全面的航海信息。通过这种系统集成，船舶可以更有效地分析周边环境，作出更精确的避碰决策。

总体而言，海图信息数字化技术不仅提高了航海地图的准确性和易用性，还为船舶自动避碰系统提供了强有力的支持，是现代航海技术发展中的一个重要里程碑。随着技术的不断进步，预计未来数字化海图将在航海安全和效率方面发挥更大的作用。

② 北斗导航技术。北斗导航技术作为中国自主研发的全球卫星导航系统，对船舶避碰自动化起到了重要作用。通过高精度的定位服务确保了船舶在全球范围内的航行安全，特别是在远洋航行或信号较弱的区域。北斗系统的关键优势在于其卓越的定位精度和稳定的信号覆盖能力。这一技术的运用大大提高了自动避碰系统的准确性，从而增强了船舶在复杂海况下的航行安全性。

北斗系统还具备独特的短消息通信功能，这一功能在海上通信和救援中非常关键，能够在无其他通信手段的情况下，为船舶提供实时通信服务。此外，北斗系统与其他海上监控系统如AIS、雷达等系统结合使用，为船舶提供更全面的导航和避碰信息。通过这种多系统集成，可以进一步提高船舶避碰自动化的效率和安全性。

北斗系统在精准导航和定位方面的应用，已经成为现代船舶避碰自动化不可或缺的一部分。随着北斗系统技术的不断发展和完善，预计其在未来航海安全和效率提升中将发挥更加重要的作用。

③ AIS技术。AIS技术的研究关注于船舶信息的高效整合和处理。通过GPS接收器，系统能够获取船舶的精确位置，同时结合其他传感器的数据（如速度和航向）进行全面分析。AIS系统内部包括数据编码、传输、显示和存储等多个模块，这些模块共同工作以确保信息的实时性和准确性。此外，研究还涉及信息的安全性和保密性，以防止数据泄露和滥用。系统的数据处理能力也是研究的重点，确保AIS可以处理来自大量船舶的信息流。

AIS系统的结构设计强调整体协调性和高效性，采用FPGA和DSP技术，不仅提高了数据通信和采集的效率，还加快了信息处理速度。结构设计还考虑了模块之间的互操作性，确保不同组件能够无缝集成，从而提高系统的稳定性和可靠性。系统的设计还包括冗余机制，以防单点故障，确保在关键组件出现问题时，系统仍能继续运行。每个模块都经过精心设计，以优化其在整个系统中的性能和作用。

AIS系统的模块设计关注优化避碰参数和信号接收功能。系统中的重要组件包括：DSP接口，用于处理信号和数据；FPGA接口，用于实现复杂的逻辑运算；信息采集模块，负责收集和传输船舶相关数据。这些组件的设计和优化，确保了AIS系统能够准确快速地处理船舶的避碰信息，提高了船舶避碰自动化的效率和安全性。此外，系统的模块设计还考虑了易用性和维护性，以便船舶操作人员有效管理和使用AIS系统。

④ 船舶自动识别技术。在以往的船舶航行过程中，主要通过船舶信息交换识别船舶，依据雷达获取船舶信息。但受到雷达覆盖范围的约束，船舶航行存在一定盲区和风险，这一技术局限性逐渐显露，难以满足船舶自动化发展需求。而应用船舶自动识别技术能够借

助传感器设备识别船舶信息，及时帮助船舶绕过障碍，保证安全航行。

船舶自动识别技术具体依靠智能传感设备的信息采集，快速完成航行信息的传递，在实现雷达传播信息的同时，也可以作为信息源向其他船舶发送信号，实现船舶间的互相避让，有效提升船舶驾驶安全性。在应用期间，通过传感器设备将本船舶航行目的地传递至其他船舶，并对本船舶运行状态和参数进行共享，包括避让角度、恢复时机等信息，其他船舶收到信息后可以主动避让。同时传感器可以接收周边船舶传递的信息，并通过传感器设备捕捉船舶动态资料，制定维持本船舶安全航行的计划，推动信息的有效沟通和共享。船舶自动识别技术能够实现全程自动化，不需要得到航海人员的操作，在一定程度上提高了船舶自动化水平。同时在产生风险的特殊情况下，可充分依靠传感器采集船舶信息实现自动规避，不需要分析其他船舶反馈的信息，具有更高的稳定性及安全性。

船舶工业自动化技术应用带有综合化、网络化特点，要求维持船舶高效航行的同时，确保船舶设备平稳运转。应用电力推进技术和导航定位等技术实现船舶高效、节能运行，并通过自动监测及时消除设备故障，利用可靠性保障技术增强船舶系统工作稳定性，能够提升船舶自动化控制水平。未来应加强各类自动化技术的应用，提升自动化系统运行效率、控制准度和集成水平，能够更好地满足船舶行业发展需求。

4.3 》 船舶工业自动化应用现状

船舶工业自动化应用涵盖了船舶设计、制造、运营和维护等各个环节。通过应用自动化技术，船舶能够实现设备控制、数据采集、状态监测、故障诊断等功能，从而提高船舶的整体性能，船舶工业自动化应用包括以下几个方面。

（1）船舶制造自动化

通过引入机器人、数控机床等先进设备，实现船舶制造过程的自动化和智能化。这不仅可以提高生产效率，降低人工成本，还能保证产品质量的一致性和稳定性。船舶制造自动化是指通过引入机器人、数控机床、自动化生产线等先进设备和技术，实现船舶制造过程中的自动化、智能化和数字化。这包括从设计、加工、装配到测试等各个环节的自动化，旨在提高生产效率、降低人工成本、保证产品质量和提升市场竞争力。

船舶制造自动化的现状如下所述。自动化设备的广泛应用：在船舶制造过程中，自动化设备如数控机床、焊接机器人、自动化喷涂系统等已得到广泛应用；这些设备能够精确地执行各种加工和装配任务，提高了制造精度和效率。数字化技术的深度融合：数字化技术，例如CAD/CAM/CAE等，已广泛应用于船舶设计、制造和管理中；通过数字化建模、仿真分析和优化设计，能够缩短产品开发周期、提高设计质量和降低制造成本。智能化生产的初步实现：随着人工智能和物联网技术的发展，船舶制造过程正逐步实现智能化；通过引入智能传感器、云计算和大数据分析等技术，实现对制造过程的实时监控、故障预警和智能决策，提高了生产效率和产品质量，如图4-4-2所示。

（2）船舶航行自动化

船舶航行自动化作为现代航运业的重要发展方向，正日益受到广泛关注。通过应用先进的导航、通信和控制技术，实现船舶的自主航行、智能决策和远程监控，不仅提升了船舶航行的安全性和效率，还降低了运营成本，为航运业的可持续发展注入了新的活力。接下来将全面探讨船舶航行自动化的现状、发展趋势及面临的挑战，以期为行业的进步提供

图 4-4-2 国内船舶智能制造车间

有益的参考。

船舶上的技术应用日益广泛，随着全球定位系统（GPS）、自动识别系统（AIS）、电子海图显示与信息系统（ECDIS）等技术的不断发展与普及，船舶航行自动化已经实现了从简单航行辅助到复杂决策支持的转变。这些技术的应用使得船舶能够实时获取航行环境信息，进行精确的航迹规划和导航，大大提高了航行的安全性和效率。在当前船舶电气自动化系统的作用之下，控制网常采取的是冗余结构，所以也就使得船舶电气自动化系统形成了分布式的系统，这样就能为整个系统的稳定运行打下坚实的基础。随着控制理论、传感器技术和人工智能等技术的不断进步，船舶航行自动化的水平也在不断提升。从最初的航向、航速自动控制，到如今的船舶动态避碰、智能路径规划等功能的实现，船舶航行自动化已经能够应对更加复杂的航行环境和任务需求。经济效益和社会效益显著，船舶航行自动化的应用不仅提高了航行的安全性和效率，还降低了运营成本，减少了人为操作失误，为航运企业带来了显著的经济效益。同时，航行自动化也减少了船舶对环境的污染，降低了碳排放，符合绿色航运的发展趋势，为经济的可持续发展做出了贡献。

船舶航行自动化的技术应用体现如下。首先，高度智能化与自主化，未来船舶航行自动化将更加注重智能化和自主化的发展。通过引入人工智能、机器学习等技术，实现船舶对航行环境的智能感知、决策和执行，提高航行的安全性和效率。同时，随着无人驾驶技术的成熟，船舶有望实现完全自主航行，进一步提高航运业的自动化水平。其次随着物联网和云计算技术的发展，船舶航行自动化将实现更加高效的远程监控和维护。通过实时监测船舶状态、采集航行数据，并进行远程故障诊断和预警，实现对船舶的全方位管理和维护，降低运营成本，提高运营效率。最后，协同化与网络化，未来船舶航行自动化将更加注重与其他船舶、岸基设施以及海事监管部门的协同化和网络化发展；通过构建船舶通信网络、实现信息共享和互联互通，提高航行的安全性和协同效率，促进航运业的整体发展。

随着船舶驾驶自动化和航海智能化技术的普及，相关的法律法规必须进行相应的改革，以确保其有效性和可持续性。虽然船舶驾驶自动化和航海智能化技术的应用已经成功地从理论上解决了航行过程中的安全问题，但卫星信号的使用已经成为必不可少的控制手段，但是由于信息反馈延迟，在面对突发情况时，船舶往往会处于被动的状态。船舶驾驶自动化和航海智能化技术的不断发展，为企业带来了更多的经济效益，但也导致了大量的劳动力流向市场，由于这些人员长期从事同一职业，缺乏其他技能，因此一旦失去工作，他们就很难迅速转向其他行业，这将影响社会的稳定性。随着船舶驾驶自动化和航海智能化技术的不断发展，无人驾驶技术的应用将使得航行中的货物无需人工看管，尽管船只上配备了一些安保设备，但由于外部环境的变化，可能会造成货物的损失，进而对企业造成经济损失，甚至可能引起争端与冲突。

目前，在中国，尽管船舶航行自动化取得了显著的进展，但仍面临一些挑战和问题，诸如技术标准与规范不统一、数据安全与隐私保护问题以及人才培养与培训不足等。

（3）船舶动力自动化

船舶动力自动化是现代船舶工业发展的关键技术之一，它涵盖了船舶动力系统的智能化控制、优化运行、故障诊断与维护等多个方面。随着信息技术的快速发展和航运业的不断壮大，船舶动力自动化已成为提升船舶性能、降低运营成本、保障航行安全等的重要手段。接下来将详细探讨船舶动力自动化的技术进展、应用情况以及未来发展趋势，以期为相关领域的研究和实践提供有益参考。

当前中国船舶动力自动化的技术进展，主要包括智能控制技术、远程监控与诊断技术、集成化技术。其中智能化控制技术是船舶动力自动化的核心技术之一。通过引入先进的控制算法和人工智能技术，实现对船舶动力系统的精准控制和优化运行，例如模糊控制、神经网络控制等算法的应用，使得船舶动力系统能够根据航行环境和任务需求，自动调节发动机转速、燃油供给等参数，达到节能降耗、提高运行效率的目的。远程监控与诊断技术为船舶动力系统的实时监测和故障诊断提供了有力支持，是船舶正常航行、完成任务的有力保障。通过搭建船舶动力监控系统，实现对船舶动力系统各项参数的实时监测和数据采集。同时，利用故障诊断算法和专家系统，对采集到的数据进行分析和处理，及时发现潜在故障并给出相应的处理建议，提高了船舶动力系统的可靠性和安全性。而集成化技术是实现船舶动力自动化的重要手段。通过将船舶动力系统的各个子系统进行集成和整合，形成一个统一的管理和控制平台，实现对船舶动力系统的全面监控和管理。这种集成化技术不仅提高了船舶动力系统的运行效率，还降低了维护和管理的成本。

我国船舶动力自动化的具体应用情况如下。在大型货船和集装箱船领域，船舶动力自动化技术的应用尤为广泛。这些船舶通常搭载了先进的发动机控制系统、燃油供给系统以及排放控制系统等，实现了对船舶动力系统的精准控制和优化运行。同时，通过引入远程监控与诊断技术，船东和运营商能够实时掌握船舶动力系统的运行状态，及时发现并处理潜在问题，确保船舶的安全航行。而在海洋工程船和科考船在深海作业和科研探索方面对船舶动力自动化提出了更高的要求。这些船舶的动力系统需要具备更高的可靠性和稳定性，以满足长时间、复杂环境下的作业需求。因此，船舶动力自动化技术在这些领域的应用也更为深入和广泛，包括智能化的推进系统、精确的导航和定位系统等，以确保船舶在恶劣海况下的安全作业和科研探索，在2019年的7月11日中国航海日，我国首艘自主制造的极地科考船“雪龙2号”交付给自然资源部中国极地研究中心，“雪龙2号”最大特点是结构强度满足PC3要求，双向破冰，并且均具有以2～3节船速、连续破1.5m冰加0.2m积雪的能力，为国际极地主流的中型破冰船型，且为全球第一艘采用船艏、船艉双向破冰技术的极地科考破冰船，其成熟的船舶动力自动化技术提供了稳定的航行保障，如图4-4-3所示。在民用领域，内河船舶和渔船亦是航运业的重要组成部分，也逐渐开始应用船舶动力自动化技术。虽然这些船舶的规模和复杂度相对较低，但动力自动化技术的应用同样能够带来显著的效益，例如通过引入智能化的发动机控制系统和燃油管理系统，可以降低船舶的燃油消耗和排放水平，提高经济效益和环保性能。

图 4-4-3 “雪龙 2 号”极地科考船

随着人工智能技术的不断发展，船舶动力自动化将实现更高水平的智能化，通过引入深度学习、强化学习等先进技术，实现对船舶动力系统的自主学习和优化决策，进一步提高船舶的性能和运行效率。同时注重绿色环保技术的应用，面对日益严峻的环保压力，船舶动力自动化将更加注重绿色环保技术的应用，例如通过引入新能源技术、排放控制技术等，降低船舶的碳排放和环境污染，实现航运业的可持续发展，如图4-4-4所示。最终实现综合能源管理系统的开发，未来船舶动力自动化将更加注重综合能源管理系统的开发和应用。通过整合船舶的各种能源系统，实现能源的合理利用和高效转换，提高船舶的整体能效水平。

图 4-4-4 世界上第一艘完全使用“绿色甲醇”燃料的集装箱船已实现首航

船舶动力自动化作为现代船舶工业的重要发展方向，具有广阔的应用前景和巨大的发展潜力。通过不断的技术创新和应用实践，我们可以期待船舶动力自动化在未来能够为航运业带来更加高效、安全、环保的航行体验。同时，我们也需要关注到船舶动力自动化在发展过程中所面临的挑战和问题，并积极寻求解决方案，推动其健康、快速地发展。

（4）船舶管理自动化

随着信息技术的迅猛发展和航运业的不断壮大，船舶管理自动化已成为现代航运业的重要发展方向。通过引入自动化、智能化技术，实现对船舶运营的全面监控、优化决策和高效管理，船舶管理自动化不仅提高了船舶运营的安全性和效率，还降低了运营成本，为航运业的可持续发展注入了新的活力。接下来将详细探讨船舶管理自动化的现状、面临的挑战以及未来发展趋势，以期为船舶管理自动化的发展提供有益参考。

船舶管理自动化的现状：监控与信息化系统普及，当前，船舶管理自动化在监控与信息化方面取得了显著进展，船舶监控系统通过实时采集船舶运行状态、航行轨迹、货物信息等数据，实现了对船舶运营的全面监控，同时，信息化系统的应用使得船舶管理更加便捷高效，如电子海图、船舶自动识别系统、船舶通信系统等，为船舶的安全航行和高效运营提供了有力支持；决策支持系统的发展，随着大数据、人工智能等技术的引入，其中模糊综合评判法应用最为广泛，在雷达模拟器评估系统的开发以及船舶自动避碰研究等方面取得较为满意的应用效果，船舶管理自动化在决策支持方面取得了重要突破，通过对船舶运营数据的深度挖掘和分析，决策支持系统能够为船舶管理者提供精准的市场预测、航线优化、能耗管理等决策支持，帮助船舶实现经济效益最大化；船员管理的自动化与智能化，船员管理是船舶运营中的重要环节，船舶管理自动化也在这一领域取得了进展，通过引入自动化设备和智能化系统，实现了对船员工作的辅助和监控，提高了船员的工作效率和质量。同时，智能化系统还能够对船员的工作状态进行实时监测和预警，确保船员的安全与健康。

当前船舶管理自动化还面临许多挑战，如技术标准与兼容性问题，船舶管理自动化涉及多个系统和设备，不同系统和设备之间的技术标准与兼容性问题是当前面临的一大挑战。缺乏统一的技术标准和接口规范，导致不同系统之间的数据共享和互通存在困难，影响了船舶管理自动化的整体效果。再者是数据安全与隐私保护，船舶管理自动化涉及大量的船舶运营数据和船员个人信息，数据安全与隐私保护成为亟待解决的问题。如何确保数据的完整性、真实性和机密性，防止数据泄露和滥用，是当前船舶管理自动化面临的重要挑战。还有便是人才培养与技能提升，船舶管理自动化的发展需要具备专业技能和知识的人才支持。然而，目前相关领域的人才培养和培训工作尚不完善，缺乏具备船舶管理自动化技能的人才。因此，加强人才培养和技能提升工作，提高从业人员的专业素质和技能水平，是船舶管理自动化发展的重要保障。

未来，船舶管理自动化的发展更加注重以下方面，首先是更高水平的智能化与自主化，随着人工智能技术的不断发展，船舶管理自动化将实现更高水平的智能化与自主化。通过引入机器学习、深度学习等技术，实现对船舶运营的全面自主管理和优化决策，提高船舶的运营效率和经济效益。其次是综合管理平台的建设，未来船舶管理自动化将更加注重综合管理平台的建设。通过整合船舶管理、船员管理、货物管理等多个方面的功能，形成一个统一的管理平台，实现对船舶运营的全面监控和管理。这种综合管理平台将大大提高船舶管理的效率和便捷性。最后是绿色环保技术的应用，面对环保压力的不断增大，船舶管理自动化将更加注重绿色环保技术的应用。通过引入节能减排技术、新能源技术等，降低船舶的能耗和排放水平，实现航运业的绿色可持续发展。

船舶管理自动化作为现代航运业的重要发展方向，具有广阔的应用前景和巨大的发展潜力。通过不断的技术创新和应用实践，我们可以期待船舶管理自动化在未来能够为航运业带来更加高效、安全、环保的运营体验。同时，我们也需要关注到船舶管理自动化在发展过程中所面临的挑战和问题，并积极寻求解决方案，推动其健康、快速地发展。

4.4 》 船舶工业自动化发展作用分析

4.4.1 船舶工业自动化对船舶制造和运营的影响

（1）对船舶制造的影响

船舶工业自动化技术的引入已成为船舶制造业革命性的里程碑。它涵盖了从设计到生产各个环节，改变了传统的建造模式和作业流程。数字化造船技术，如三维建模软件和计算机辅助设计（CAD）系统，为船舶设计提供了更高的精度和效率。这种技术的应用缩短了设计周期，减少了设计错误，并使得客户在设计阶段即可参与更多定制化需求的设计。此外，通过与计算机辅助制造（CAM）系统的结合，实现了设计与生产的无缝对接，进一步加速了产品的上市时间。

随着自动化和数字化工具的不断完善，例如使用虚拟现实（VR）和增强现实（AR）技术，设计师可以在一个高度沉浸式的环境中对船只进行设计和修改，这进一步提高了设计的精确性和直观性。这样的技术不仅使设计师能够更加精确地预见最终产品的性能，也让非专业的客户能够更直观地理解和评估设计方案，从而在设计阶段提供有意义的反馈。

生产过程的自动化也带来了质量控制方面的革新。自动化的质量检测系统，如基于机器视觉的检测技术，可以实时监控生产线上的缺陷和不一致性。这些系统通过提供几乎即时的反馈，使得问题能够在造成显著损失之前得到解决。这不仅提高了最终产品的质量，也减少了因返工或废品导致的材料和劳动力成本的损失。

船舶工业自动化技术的发展还带来了物流和供应链管理的改进。通过使用先进的供应链管理软件，船厂能够实时跟踪材料供应情况，确保及时交付并减少库存成本。这种软件还能够优化材料的切割和组装过程，减少浪费并提高效率。

在船舶的装配和建造过程中，自动化机器人被广泛用于焊接、切割、喷漆和组装任务。这些高精度机器人可以无间断地工作，在危险或极端环境中保护人类工人的安全。同时，自动化机器人还能执行超出人类能力范围的精密作业，从而提高整体建造质量和效率，还确保了高质量标准的一致性。这些技术降低了人工操作的需求，尤其是在危险或难以达到的工作环境中。随着船舶工业自动化的发展，大数据分析和人工智能也开始在生产过程中发挥作用，通过对生产数据的分析优化整个制造流程，实现资源和能源的最优利用。

自动化生产线是船舶工业自动化在船舶建造过程中的一个关键应用，通过引入高度自动化的生产流水线，例如使用自动化的吊装和定位系统，可以显著提高生产效率并减少人工成本。这些系统能够连续不断地完成大量的组装工作，而且几乎不需要人工干预，从而大幅缩短了生产周期。此外，自动化生产线上的各种类机器人可以在极端或危险的环境中工作，如高空作业或重型部件装配，这进一步提高了作业安全性并降低了工人受伤的风险。

智能物流系统也是船舶工业自动化技术重要的一环。利用自动导引车（AGV）和自动化存储及检索系统（AS/RS），将制造过程中所需的材料和组件及时送达指定位置，这种及时供货系统（JIT）确保了生产的连续性并减少了库存空间的需求。数据分析还能优化物料流动路径，降低物流成本，提升整体供应链效率。

智能机器人的应用也是对船舶制造行业的一个重大影响因素。在焊接、切割和喷涂等工序中，智能机器人的使用不仅可以提高工作质量，还能减少人工操作的需求，例如机器人焊接可以在更加精确和一致的条件下进行，相比手工焊接，它们可以提供更高质量的接头，并减少变形和误差。这些机器人能够不间断地工作在恶劣环境下，如高温或具有潜在危险的场合，从而确保了工人的安全和健康。

除了改善安全性和提升效率之外，智能机器人还可以通过高级传感器和反馈系统实时监控设备性能，确保制造过程的一致性和可重复性。这意味着每一道工序都可以达到几乎完美的质量控制水平，显著降低了后期的检验和返修率。此外，智能机器人的灵活性使得快速调整生产线以适应不同产品型号成为可能，这对于满足市场、个性化和定制化需求极为关键。

随着机器学习和人工智能技术的进步，现代的智能机器人正变得越来越自主。它们不仅能够执行预编程的任务，还能够根据从环境收集的数据自我优化作业流程。这种增强的自适应能力使机器人可以更好地应对未预见的情况和复杂的工作场景，进一步提高了船舶生产系统的鲁棒性和可靠性。

在喷涂工序中，智能机器人可以实现极其均匀和精确的涂层应用，这不仅提高了产品质量，还减少了涂料的浪费。结合计算机视觉系统，机器人能够识别不同的喷涂区域和特性，自动调整喷枪的速度和角度以适应不同的表面和形状，从而实现最佳的覆盖效果和材料利用率。

然而，自动化技术的引入也带来了劳动力结构的变化。一方面，对于传统手工技能的需求减少；另一方面，对于懂得管理和监控自动化系统的高技能工人的需求增加。因此，为了适应这一变化，船厂需要投资员工培训和发展新的技能教育计划，以充分利用自动化带来的优势。

（2）对船舶运营的影响

在船舶运营方面，自动化技术同样引发了变革。现代导航系统、自动装卸货系统、机械状态监控及远程控制技术的应用显著提升了运营效率和航行安全。动态定位系统（DPS）和自动避碰系统等导航辅助技术，减少了人为驾驶失误的可能性，提高了船只在复杂海洋环境中的安全性。

这些系统通过集成先进的传感器、全球定位系统和其他海上通信系统的数据，能够提供实时的船舶位置、航向和速度信息，确保船舶按照预定航线航行，同时及时响应潜在的碰撞风险。

自动化管理系统还能够实时监测船舶的运行状态，预测维护需求，从而安排更有效的维修时间，减少船舶的闲置时间，提高整体运营的效率。此外，随着信息技术的进步，物流和货物管理过程也实现自动化，大大提高了装卸效率和货物跟踪的透明度。

进一步地，自动化技术还有助于环保。符合环保要求的操作系统能够实时监控发动机排放，确保船舶在所有时间内都遵守相关的环境法规。通过优化航线和引擎功率设置，自动化系统还可以降低燃油消耗，减少温室气体排放，这在当前全球关注气候变化的背景下显得尤为重要。

智能化的负载管理系统也正在成为船舶运营管理中的一个重要组成部分。这类系统可以实时计算船舶的稳定性和载货量，确保在各种海况下的安全操作，同时最大化载货能力，提升经济效益。与此同时，通过采用大数据分析，运营商可以基于历史和实时数据优化船舶的运营模式，例如选择最佳的航道以减少航行时间和成本。

自动化管理系统还能够实时监测船舶的运行状态，预测维护需求，从而安排更有效的维修时间，减少船舶的闲置时间，提高整体运营的效率。这些系统通过收集和分析引擎性能数据、燃油消耗、排放水平以及其他关键指标，可以提前识别潜在的技术问题，并在出现故障前采取预防措施。这种预测性维护方法不仅减少了意外事故的发生概率，而且通过避免不必要的维护工作，进一步降低了运营成本和维护时间。

此外，随着信息技术的进步，物流和货物管理过程也被自动化，大大提高了装卸效率和货物跟踪的透明度。通过使用射频识别标签、条形码扫描以及实时数据传输技术，自动化系统能够精确追踪货物在运输过程中的每一个环节，从装货到卸货，直至最终交付。这种对货物流转的全面监控，确保了物流过程的高效和可靠，同时也为客户提供了实时的货物位置信息和服务更新。

航运公司还可以利用大数据分析和云计算技术来优化其物流网络。通过分析历史运输数据和市场趋势，公司可以优化航线规划，选择最经济的航道以减少燃油消耗和运输时间。同时，通过对港口操作的自动化管理和优化，如使用自动化码头和智能调度系统，船只的装卸作业可以更加迅速和高效，从而缩短港口停留时间并提高吞吐量。

这些技术使得航运公司能够提供更精确的货物到达时间和更高质量的服务。客户可以通过在线平台或移动应用程序随时获取有关货物状态的更新，这不仅增强了客户体验，也提高了服务的透明度和可追溯性。在竞争激烈的全球航运市场中，这种高效率和高可靠性的服务是赢得客户信任和满意度的关键。

虽然自动化带来了许多积极的影响，但同时也对船员的角色和职业路径产生了重大影响。随着自动化水平的提高，船上人员需要的技能从传统的航海操作转向了对复杂自动化系统的理解和管理能力，这要求船员接受新的培训并适应新的工作模式。此外，高级船员的职责变得更多集中于监控和管理，而非直接操控。他们必须掌握解读系统生成的数据，作出决策并下达指令的能力，同时还要能够处理自动化系统可能出现的故障或异常情况。

这种转变也意味着船员的工作更加依赖于技术。他们需要学会如何与先进的导航辅助设备、机械控制系统以及维护和诊断工具互动。这不仅包括操作技能，还包括了解这些系统的工作原理和它们如何与船舶的其他部分集成。因此，对于现代船员来说，跨学科的知识和技能变得越来越重要。

为了应对这些变化，模拟器和虚拟现实技术的使用在培训中变得普遍，它们可以提供安全的环境来模拟真实世界的情境，从而帮助船员练习应对各种海上情况，包括紧急状况。

自动化技术的引入正在深刻地改变着传统运营模式，需要确保在高度自动化的环境中依然保持船舶的安全和高效运营。

4.4.2 船舶工业自动化在提高生产效率、降低成本和改善安全性方面的作用

（1）提高生产效率

自动化技术在提升生产效率方面的贡献是显而易见的。在制造环节，通过使用高度精确的机器人和自动化流水线，制造时间大幅缩短，同时每艘船的质量也得到了保证。这不仅减少了人力成本，同时也加快了产品交付速度，提高了市场竞争力。数字化管理系统的实施，使得生产过程更加透明化，有助于及时调整和优化生产流程。此外，这些系统提供的数据分析功能可以帮助管理层监控生产效率，识别瓶颈环节，从而制定针对性的改进措施。

在船舶设计和研发阶段，自动化技术同样发挥着重要作用。利用先进的仿真软件，设

计师可以在计算机上构建船舶的数字孪生模型，进行应力分析、流体动力学模拟和航行性能预测。维护和检修工作也可以通过自动化技术得到优化。基于条件的维护系统能够根据设备的实时运行数据预测维修需求，避免过度或不足的维护活动，从而延长设备寿命并降低维护成本。同时，通过使用机器人进行船舶检查，可以减少人员在高危环境中的工作，提高工作效率。

（2）降低成本

从成本控制的角度看，虽然自动化技术需要较高的初期投入，但由于其在生产过程中高效率和低能耗的特点，长期而言将为企业带来显著的成本节约。自动化系统还能降低由于人为失误造成的材料浪费和返工率，进一步降低生产成本。同时，通过优化设计和减少材料浪费，自动化也为环境保护作出了贡献。此外，自动化技术的引入能够提高设备利用率，因为机器可以在无人监督的情况下长时间稳定运行，从而最大化生产效率并减少停机时间。这种连续生产能力意味着更快的周转时间和更高的产出，对于满足市场对快速交付的需求至关重要。

在人力资源管理方面，船舶工业自动化减少了对大量低技能劳动力的依赖，转而增加了对高技能工程师和技术人员的需求。这种转变促使企业投资员工培训和发展计划，以培养能够操作、维护和管理高度自动化系统的专业人才。虽然这可能在短期内增加人力资源成本，但长远来看，这种人才结构的转变将提升企业的创新能力和应对市场变化的能力。

自动化技术还带来了更加精准的资源管理和能源利用，例如通过实时监控能源消耗和实施优化策略，企业可以减少电力、燃料和其他资源的使用量，实现更高的能效和成本效益。这种精细化管理不仅有助于降低运营成本，也支持了可持续发展目标。

在质量控制方面，自动化系统提供的一致性和重复性确保了产品符合严格的质量标准。这不仅减少了因质量问题而导致的产品召回和品牌声誉损失的风险，也降低了与此相关的隐性成本。

（3）改善安全性

安全性是船舶行业的首要关注点。自动化技术通过减少人为操作和提高操作精度来改善安全性，例如自动导航系统可以在复杂的航行条件下保持船舶的安全行驶，而自动监测系统可以提前检测潜在的设备故障，从而预防事故发生。此外，自动化技术还可以在紧急情况下快速响应，减轻事故后果，保护船员和海洋环境的安全。

自动化系统的集成还提高了对关键系统的监控能力，如引擎室的火警、水淹或燃料泄漏等紧急情况。这些系统能够实时收集数据并进行分析，以便在出现问题时立即发出警报。这种实时监控和预警机制极大地提高了对潜在威胁的响应速度，从而有助于避免灾难的发生。

在船舶操控方面，动态定位系统和自动泊船系统等技术的应用，不仅提高了操作的精确性，也显著减少了由于人为失误导致的事故风险。这些系统能够在恶劣天气或繁忙水域中提供稳定的船舶控制，确保航行安全。

自动化技术还包括了先进的通信系统，它们能够确保船舶与岸基管理之间的连续连接，使船舶在远洋航行中也能及时获取到支持和协助。这些通信系统不仅传输位置和航向数据，还能提供船舶运行状态和货物信息，对于实施有效的船队管理和应急响应至关重要。

船舶工业自动化技术在提升船舶工业安全性方面发挥着重要作用。通过减少对人工操作的依赖，提高作业精度和监控能力，以及在紧急情况下的有效响应，自动化技术为船员的生命安全和海洋环境的保护提供了强有力的支持。随着这些技术的进一步发展和应用，船舶行业的安全性能将继续得到增强。同时通过提高效率、减少浪费、优化资源使用和提升产品质量，为企业带来了显著的经济和环境效益。这些因素共同作用，不仅降低了生产成本，也提高了企业的整体竞争力和市场地位。

4.4.3 船舶工业自动化对船员角色的影响

随着自动化技术在船舶工业的广泛应用，船员的角色和职责正在发生显著变化。传统的船员工作涉及大量的手动操作和监控任务，但随着自动化系统如自动导航、机械状态监测和远程控制技术的引入，这些任务逐渐被机器人和智能系统所取代。

首先，自动化技术减少了船员在日常操作中的直接参与，例如现代导航系统可以自动调整船舵和引擎功率，以保持预设航线，从而减轻了船员的工作负担。此外，自动化监控系统能够实时检测关键设备的性能，提前预警潜在的故障，减少了船员巡查和检查的必要性。

其次，自动化系统的集成使得船员可以专注于更加复杂和战略性的任务。船员需要学习如何操作和维护高度复杂的自动化设备，并利用这些系统提供的数据进行决策支持。这要求船员具备更高层次的技术知识和理解能力，以便在必要时介入自动化流程，处理一些特殊情况。

同时，自动化技术的发展也对船员培训提出了新的要求。为了适应新的工作环境，船员需要接受关于操作自动化系统的专业培训。这不仅包括技术操作技能的提升，还包括对于数据分析、故障诊断和问题解决能力的增强。因此，海事教育和培训机构需要更新课程内容，以包含自动化技术和相关软件的应用教学。

然而，自动化技术的应用也带来了对船员职业安全的新挑战。随着船上人员减少和任务自动化程度提高，船员可能面临技能过时的风险。此外，对于自动化系统的过度依赖可能会在关键时刻导致人为干预的延迟或不当，这需要通过适当的培训和应急预案来缓解。

最后，自动化技术可能会改变船员的雇佣模式。随着对传统航海技能需求的减少，对于能够操作和维护高科技设备的专业人才的需求增加。这可能会导致船员就业市场的结构性变化，其中一些传统职位可能会消失，而新的职位将会出现。

船舶工业自动化对船员角色产生了深远的影响，虽然其减轻了船员的日常工作量，但也提高了对高技能劳动力的需求，并对船员的培训和职业发展提出了新的挑战。船员必须适应这些变化，不断提升自己的技能，以保持在不断发展的海事行业中的竞争力。

4.4.4 总体发展作用分析

船舶工业自动化在船舶制造和运营中发挥了巨大作用，它不仅显著提高了生产效率，降低了成本，还改善了安全性，对传统的船舶制造和船舶运营模式产生了深远的影响。尽管存在初期投资高和劳动力市场变动等挑战，但自动化技术的长远利益使其成为推动船舶行业发展的关键因素。随着技术的不断进步，未来船舶工业自动化将继续深化其在船舶工业中的影响，并为整个行业的发展带来新的机遇。

4.5 》 船舶工业自动化市场主导者分析

4.5.1 领域主要厂商及供应商

船舶工业自动化是当今世界上一个充满活力和潜力的技术领域。这门技术将现代工业自动化技术巧妙地融入船舶设计、建造、运行和维护的方方面面，旨在提高船舶的效率、安全性和可靠性。随着全球贸易的不断增长和航运业的扩张，船舶工业自动化的发展变得愈发重要，为整个行业带来了全新的机遇和挑战。

在这个领域中，众多重要的厂商和供应商涌现，它们成为推动船舶业实现自动化升级的重要力量。中国船舶、ABB、西门子、欧特克、罗克韦尔自动化等公司，都在船舶工业自动化领域发挥着关键作用。这些公司不仅拥有雄厚的技术实力和创新能力，还积极投入市场资源，推动船舶业朝着更智能、更高效的方向发展。

在船舶工业自动化领域，产品和解决方案的创新是推动行业蓬勃发展所不可或缺的。各大厂商和供应商竞相推陈出新，提供更先进、更高效、更智能的产品和技术，以满足市场日益增长的需求。持续的技术更新和创新成为取得市场优势和领先地位的关键因素。

在技术的发展中，中国企业崭露头角，为船舶工业自动化领域注入了新的活力。这些企业在设计软件、控制系统、数据采集与分析等方面取得了显著的进展，成为全球船舶工业自动化市场上不可忽视的力量。中国企业通过提供先进的自动化解决方案，推动了船舶工业的现代化和转型。

特别值得一提的是，在数字化技术、智能控制系统和智能船舶解决方案方面，中国企业展现出了强大的竞争力。它们通过不断的技术创新和产品研发，不仅在本国市场上取得了显著成绩，也在国际市场上赢得了客户的青睐。

随着中国船舶工业自动化企业的不断壮大和成熟，它们为全球船舶行业的发展提供了新的动力和机遇。同时，这些企业也在积极应对行业面临的挑战，如能源效率提升、环保需求等，不断提出创新解决方案，推动船舶工业的绿色发展和可持续发展。

（1）中国船舶

中国船舶为船舶制造龙头企业，技术先进引领船舶工业发展。主营业务为造船、修船、造机（核心配套）三大业务（图4-4-5），并大力拓展海洋工程、机电设备等非船业务。作为国内造船行业的领跑者，中国船舶在造船、修船和低速柴油机等方面具有明显的规模优势，造船完工量、新接订单量、手持订单量等规模均处于国内领先地位。

公司军民品舰船产品线丰富，产品结构优势明显。公司造船业务涵盖了各式军用舰船、军辅船和散货船、油船、集装箱船、大型邮轮以及各类特种船等民船船型，产品技术先进、品类丰富，拥有国际竞争优势。

船舶按应用场景分为军用及民用船舶：军用船舶主要包含水面战斗舰艇、水下战斗舰艇及辅助战投舰艇三类；民用船舶依据用途不同可分为运输类船舶及功能类船舶，运输类船舶随航运周期需求波动较大，主要包含干散货船、油船、集装箱船、液化天然（LNG）船、载驳船、客船等。

（2）西门子

西门子公司船舶业务部始终致力于船舶电气和自动化设备与系统的设计、生产和调试

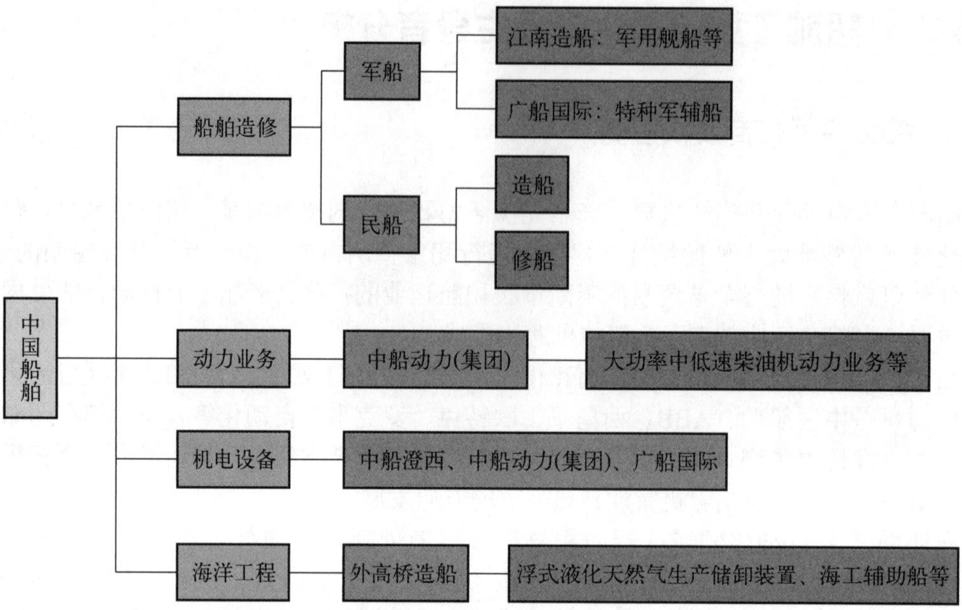

图 4-4-5　中国船舶公司主营业务

等技术服务。西门子公司的产品广泛应用于全球各类商用船、各类水面舰船和水下舰船，例如潜水艇。过去中国的很多船舶项目都是由西门子欧洲业务部门完成设计、设备供货、项目执行与管理。近十年内，随着本地化进程的不断深入，设置在上海的西门子中国船舶业务部已经日益成长为一个独立的成熟的业务单元，能够在业务全流程的各个阶段提供专业化的服务——从销售到项目执行、系统调试，以及船舶进入运营阶段的全寿命周期管理和服务。

（3）ABB

ABB新增的船舶自动化和控制系统解决方案包括广泛的船舶咨询和船队管理汇报解决方案、集成自动化、船舶管理和控制系统、船舶仪器仪表和感应装置。这些解决方案能优化船舶运行和性能，提高能源效率以及船载设备运行的可靠性和操作安全性。

随着船舶信息和控制系统升级需求的增长，船舶操作人员必须做好应对新环保要求的准备，同时确保降低船只能耗和燃油消耗。ABB的自动化和控制技术能够帮助应对和满足这些需求，同时减少操作成本。ABB的自动化解决方案已经成功在整个过程工业中改进了操作效率和能源效率，提升了资产可用性以及全方位的安全保障。应用这些技术，ABB将进一步为船舶行业研发更有针对性的解决方案，以满足海洋工程船和商船应用需求。

（4）天海防务

天海融合防务装备技术股份有限公司（天海防务）是国内首家船舶综合科技类上市企业、混合所有制民营控股公司及上海民营企业百强。公司秉承“技术引领、水陆并举、智能绿色”的发展战略，致力创新发展，以诚信和实力构建企业的发展之道。确立了“服务国家战略，打造船海工程、应急救援特装、新能源三位一体卓越企业”的战略目标。三大板块发挥协同效应，实现联动发展，成为集船舶设计与建造领域综合解决方案提供商、先进应急救援设备研发与制造供应商和新能源综合服务运营商于一体的特色化企业集团。

4.5.2 主营产品及市场分析

4.5.2.1 中国船舶

（1）主营产品

近年来中国船舶集团公司旗下所属企业技术品牌效应凸显，业务规模与协同方面优势显著。江南造船是我国历史最悠久、军品结构最齐全、造船效率最高的军工造船企业，民船业务方面打造了以超大型集装箱船、液化气船、公务科考船和特种船为主的高技术高附加值产品体系。外高桥造船是中国民船建造领军企业，技术实力雄厚，现有业务主要分为商船、海工、邮轮三大板块，产品包括大型邮轮、超大型集装箱船、20万吨以上超大型油轮（VLCC）。公司还设计研发了8.5万立方米超大液化气船（VLGC）、38m型宽油船、32m型宽超大液化气（VLGC）、LNG动力船舶、极地运输船舶等特种船舶。广船国际是中国华南地区最大、最强的军辅船生产保障基地，研发并建造了901型、904A/B型补给船、布缆船、救助船等保障船型，实现了油轮系列的全覆盖，MR船建造量长期处于国内第一，公司在半潜船、成品油船、客滚船、化学品船、极地模块运输船、极地凝析油轮等特种船舶领域优势显著。中船澄西是国内修船行业第一家通过中国船级社质量管理体系认证的企业，在高技术含量、高附加值特种船舶的修理和改装业务具有较大市场份额。中船动力集团是国内一流的动力企业，具备550万马力的低速机年产能，国际市场占有率居世界第二，交付安装的多项机型均为世界首台套，其余产品多领先于国内外。中国船舶子主营业务及主要产品见图4-4-6。

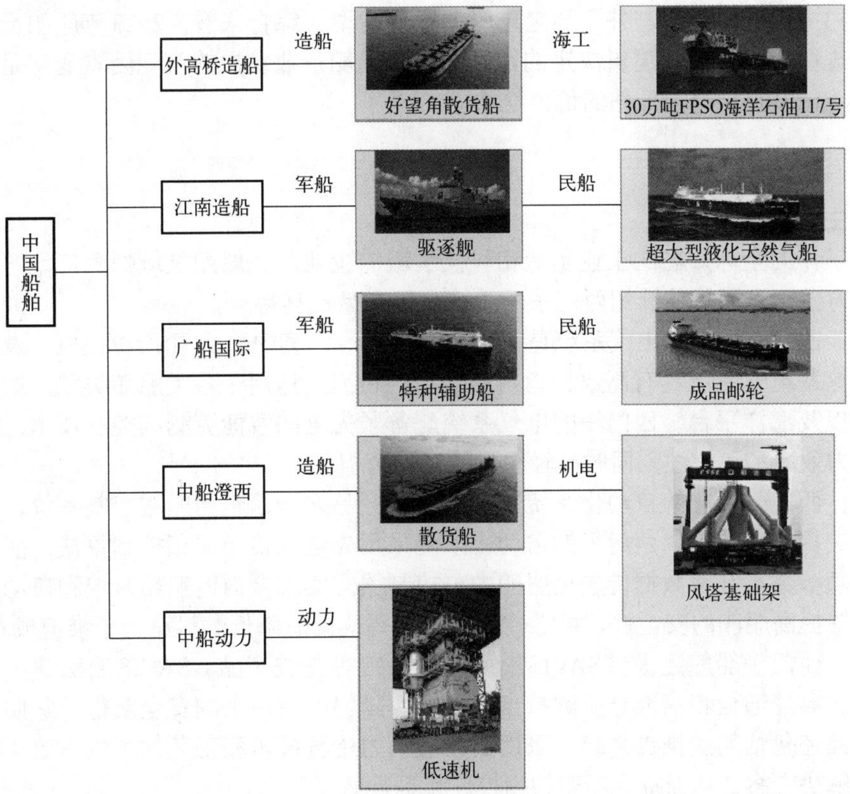

图4-4-6 中国船舶子主营业务及主要产品

（2）市场分析

2023年，中国船舶行业三大指标遥遥领先，造船完工量、新接订单量、手持订单量分别达4500万、7294.6万和15375.3万载重吨，全球份额分别高达52.1%、67.2%和57.8%，至此我国造船业三大指标已经连续14年位居世界第一。2023年，中国船舶行业“三颗明珠”独占鳌头。“爱达·魔都号”的交付标志着我国集齐造船业“皇冠上的三颗明珠”，成为全球唯一可同时建造航空母舰、大型液化天然气（LNG）运输船、大型邮轮的国家，中国船舶股份也成为全球独家三次成功“摘冠夺珠”的上市公司。中国船舶股份全力推进大型邮轮制造国产化，为上市公司价值创造和价值实现提供了新思路、新机遇。2023年，船舶行业以技术研发引领发展，“全球首艘”“国内首艘”应接不暇，船型产品高端化再上新台阶，市场开拓成绩亮眼。中国船舶股份发布全球首型、世界最大24000TEU级核动力集装箱船船型设计，标志着我国在“近零排放”船型研发领域取得了革命性成果。拿下中国造船业首笔超大型液氨运输船（VLAC）订单，涉及4艘93000m^3VLAC，该型船是目前全球最大型液氨运输船。签署“6+4”艘全球最大汽车运输船（PCTC）——10800车位PCTC合同，在该细分市场的接单量稳居全球第一。扬子江船业（新加坡上市）交付24346TEU超大型集装箱船“MSCNA”号，刷新世界最大集装箱船交付纪录。中船防务建造的中国首艘超深水大洋科考钻探船命名试航，标志着我国深海探测能力建设和海洋技术装备研发迈出关键一步。中国重工交付全球首艘M350型浮式液化天然气生产储卸装置（FPSO），实现了我国FPSO造船业的重大突破。联手中国船舶股份创下中国造船史最大单笔箱船订单纪录，包括两型16艘超大型集装箱船，金额达210多亿元。

工业和信息化部等五部委联合发布《船舶制造业绿色发展行动纲要（2024—2030年）》，助力中国造船业参与并主导全球船舶绿色转型。综合来看，2023年船舶行业走高是价值创造规律、行业投资逻辑决定的走高，影响船舶行业发展的客观因素变化足以证明当前船舶行业仍然是被严重低估的价值洼地。

4.5.2.2 西门子

（1）主营产品

西门子作为全球知名的工业制造和科技领域的企业，在船舶领域拥有广泛的产品线和技术解决方案。下面具体介绍西门子船舶的主要产品及其特点。

首先，西门子船舶的电气系统是其主要产品之一，其中包括SISHIP电机、发电机和配电系统。这些电气系统具有高效、稳定和安全的特点，适用于各类船舶类型，如客船、货船、军舰以及海洋平台。西门子的电气系统配备了先进的智能监测和控制技术，能够提高船舶的电力效率和可靠性，同时减轻船员的工作负担。

其次，西门子船舶的自动化系统也是其重要产品之一，包括船舶控制系统、船舶监控系统和火灾探测系统等。西门子的自动化系统采用先进的传感器和控制算法，能够实时监测船舶各项参数，并将数据传送至船舶中央控制器，实现全面的船舶监控和自动控制。这些系统能够提高船舶的安全性、可靠性和操作效率，同时降低燃料消耗和维护成本。

此外，西门子船舶还提供SAVIS船舶通信系统等先进产品。SAVIS船舶通信系统具有全球覆盖、高速通信和精准导航的特点，能够保障船舶在海上的安全航行。除此之外，西门子的产品还包括船舶推进系统，采用最新的动力传输技术和工艺，提供高效、节能、环保的动力解决方案，从而提高船舶的操控性和运行效率。

综上所述，西门子船舶的主要产品包括SISHIP电机、SAVIS船舶通信系统、船舶自动化系统以及推进系统等。这些产品以其高效、可靠、安全和环保等特点，在全球船舶市场上享有盛誉，为船舶行业提供了全面的技术支持和先进的解决方案。

（2）市场分析

西门子作为一家全球知名企业，在船舶领域的市场份额是相当可观的。其产品覆盖了各类船舶类型，包括客船、货船、军舰和海洋平台等，满足了不同客户的需求。

4.5.2.3 天海防务

（1）主要产品

公司的船海工程业务涵盖船舶与海洋工程研发设计、工程咨询和工程监理、总装集成制造等，形成了全方位、多层次的技术服务体系。按照用途可分为运输船舶、海工船舶和特种船舶及其他产品。按动力源划分可分为新能源船舶和传统能源船舶。

公司的设计团队专业配备完善，技术手段齐备，为客户提供项目方案设计、工程造价估算、基本设计、详细设计、施工设计、工程技术指导等服务，覆盖船舶与海洋工程全部设计过程，根据客户的需求提供特定的专业服务。对于特定的新型高端项目，公司还与国外有实力、有专长的伙伴合作，共同承担项目的开发和设计。天海防务主要产品见表4-4-2。

表4-4-2 天海防务主要产品

<table>
<tr><th>分类依据</th><th>产品类别</th><th>产品介绍</th></tr>
<tr><td rowspan="4">按用途划分</td><td>运输船舶</td><td>主要包括5000吨级至80000吨级的各型干散货运输船、油船、集装箱船、滚装船等运输船舶</td></tr>
<tr><td>海工船舶</td><td>主要包括多类型和多等级的海上风电安装平台以及为海上风电安装工程提供支持的起重、打桩、运输等功能型船舶，12000吨级抬浮力打捞工程船、新型深潜水工作母船、大型溢油回收船、插桩式打捞平台等交通部重大海上应急救援装备，LNG燃料油田供应守护船等海洋工程支持装备，等等</td></tr>
<tr><td>特种船舶</td><td>主要包括国内边检系统最大的50m边检巡逻船、海事执法巡逻艇、无人救助船、6000HP多功能供应船、极地破冰船等</td></tr>
<tr><td>其他产品</td><td>主要包括多型公务船舶、科考船舶、江海联运LNG运输加注船舶的咨询和工程监理业务等</td></tr>
<tr><td rowspan="2">按动力源划分</td><td>新能源</td><td>主要产品为LNG燃料油田供应守护船等</td></tr>
<tr><td>传统能源</td><td>主要包括5000吨级至80000吨级的各型干散货运输船、油船、集装箱船、滚装船等运输船舶，海上风电安装平台以及为海上风电安装工程提供支持的起重、打桩、运输等功能型船舶，抬浮力打捞工程船，新型深潜水工作母船，大型湿油国收船，插代式行捞平台，等等</td></tr>
</table>

（2）市场分析

公司船海工程业务贡献主要营收，近年收入占比持续提升。公司主要业务包括船海工程、防务装备、新能源三大板块。其中航海工程板块具体包括船海工程研发设计业务、船海工程总承包业务（EPC）、工程咨询和监理业务等，近年来营收占比持续提升，已成为公司核心业务板块，主业持续聚焦。公司能源板块具体包括车用天然气加注业务、工业用户供气业务等。

随着海上风电建设不断加速，对风电安装平台的需求日益强烈，公司连续接到风电安装平台订单。随着造船周期的到来，以及新船舶环保法案的实施，未来新能源船舶增速有望大幅提高，因此公司船海工程EPC业务将保持高速增长。

4.6 船舶工业自动化的优势和挑战

4.6.1 船舶工业自动化的优势

4.6.1.1 船舶高压电站自动化

（1）船舶高压电站的产生与发展

随着自动化技术，特别是电子技术的发展，船舶自动化发展迅速。以船舶电站为例，船舶电站在船舶上起着核心的作用，它给船舶上所有的设备，包括照明设备动力设备提供所需的电力。船舶电站运行的可靠性以及自动化程度直接关系到船舶电力系统的连续性和质量，船舶电站可靠地运行是保证安全航行的重要前提。

如今，船舶向着大型化、集成化以及自动化发展，这意味着其所需的电力负荷变大，采用的电压等级也随之变高，因此现代的船舶越来越多地采用了高压电站。实践证明，高压电站不仅满足了高电荷的需求，并通过减少发电机组数量节省了大量的船舶空间，还降低了电缆传输线路的损耗。船舶高压电站能够接受并分配船舶的电能，也能对船舶电网和各种船舶用电设备进行控制、保护和测量。船员合理地利用高压电站的自动化设备，不仅能够改善自身的工作环境，更有利于确保自身的安全，还能够大幅地提高船舶电站的可靠性以及供电的连续性。高压电站在现代船舶上取得了很好的效果，也将会被更多地应用到船舶电站中来，船舶高压电站系统随之得到飞快的发展。

作为智能船舶的核心技术与重点配套设备，《中国制造2025》中新一代船舶电控制技术的发展备受重视，我国力争在未来船舶技术领域中实现智能化船舶电力系统、船舶电力推进设备的国产化配套提供能力。在船舶工业自动化的研究里，船舶电站自动化及远程监控系统借助着高新技术的应用向着智能化、远程化迈进，智能船舶高压电站的操作和控制与传统船舶的操作和控制方式相比有着革命性的变化，对于船舶电力系统的控制不再局限于船舶上，而是可以在网络连接中在世界任何地点对船舶电站进行实时高效的操作。

随着新技术不断应用，未来的船舶高压电站的自动化系统将向着网络智能化、监控远程化发展。船舶电站自动化以及远程监控系统组成框图如图4-4-7所示，船舶电站自动化远程监控系统功能主要包含六个组成部分，船舶电站自动化功能的实现依靠发电系统管理模块、配电系统管理模块和用电设备管理模块完成。

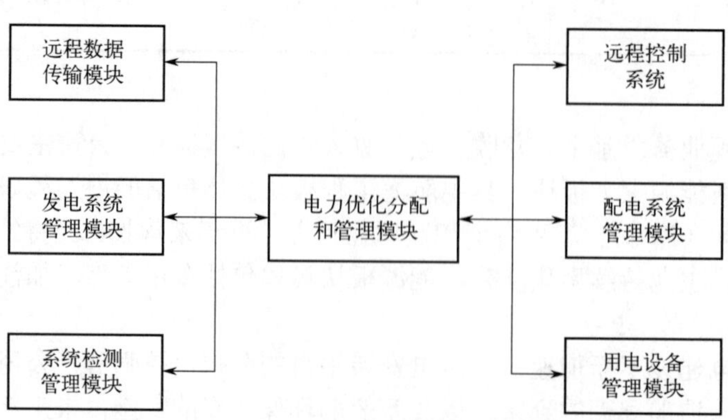

图4-4-7　船舶电站自动化及远程监控系统组成

船舶工业自动化中的船舶高压电站因电压等级高、容量大，满足了船舶大负荷设备的用电需求。因此，在未来的研究进程中，船舶的稳定性、安全性、经济性和自动控制程度仍然是研究重点。

（2）船舶自动化高压电站的构成与功能

船舶高压电站一般是由柴油发电机组和配电盘构成。柴油发电机组作为船舶电站的独立发电设备，一般位于船舶的辅机舱内。配电盘是集中、切换、分配电能的设备，一般由柜体、断路器、自动控制与保护装置、测量仪表及互感器以及其他二次元器件，按一定要求组合而成。配电盘一般位于集控室内，并由以下几部分组成。

发电机控制屏：每套发电机组都必须配备单独的控制屏。发电机控制屏面板是由测量仪表、转换开关、发电机状态指示灯、发电机开关、核心控制器以及自动励磁调节装置组成，其作用是监视、测量、控制与保护发电机组。

并车屏：各发电机组共用一套并车屏。通过操作并车屏上的转换开关可以完成两台发电机组手动并联运行，也可以通过并车屏上的自动并车单元完成机组的自动并车。通过操作发电机的调速按钮和断路器开关，可以给任意一台发电机组加、减速和合闸、分闸。另外，并车面板上还装有同步指示、同步表、熔断器和一些其他功能的操作按钮。

负载屏：负载屏上装有装置式空气开关、电压表、电流表和转换开关。负载屏可分为动力负载屏和照明负载屏。动力负载屏从母线馈电给重要负载，并对各重要的负载和线路进行保护。照明负载屏给船舶上所有的照明设备提供电能。而且它通常集中在配电屏上，以便于接线和操作。负载屏上还需配备反映整个电网绝缘水平的设备，例如绝缘指示灯、兆欧表或者电网绝缘检测仪。

船舶电站有两台及以上发电机组，当单台发电机组进行交替供电或者多台发电机组并联运行的时候，为了保证电网持续有电，需要进行并车以及负荷分配转移等操作，这就靠调频调载来实现。调频调载功能维持了发电机组频率的稳定，并且使得并联运行的发电机组承担的有功功率均分。船舶电站保护功能：船舶电站在运行过程中，往往会出现一些不正常运行或者故障的情况，为了保证船舶电站能够安全并可靠地供电，船舶电力系统中应装设对应的保护装置。短路、过载以及欠压是常见的几种故障。一旦系统出现故障，必须根据系统发出的报警信息，快速、准确地查出发生故障的位置，并迅速将故障部分从系统中切除，防止故障部分扩大成为系统性事故。

4.6.1.2 船舶舾装件自动化

（1）船舶舾装件自动化背景

舾装件（图4-4-8）是船舶建造主要物资，舾装件仓储内运输调度是舾装件运输配送的重要环节，关系到整个船舶制造效率。目前，船舶企业舾装件仓储内运输过程仍存在运输效率低、调度混乱、等待时间长等问题。国内已有少数船厂积极推进仓储智能化转型升级，引进智能舾装件仓储系统，配备了叉车式自动引导小车以及自动化立体仓库，如黄埔文冲船厂和招商重工船厂等。根据舾装件分类和立体货架存放特点，一般选取价值高、必须室内存储的管阀件、设备备件等舾装件托盘存入堆垛机立体仓库，并使用自动化设备执行仓储运输作业。据统计，舾装件自动化仓库出入库分拣基本作业量在260次/天，由于缺乏科学的仓储运输调度与管理方法，常常造成自动化立库的缓冲区舾装件托盘积压、舾装件不能在规定的时间内出库、面对紧急情况响应差等问题，后续舾装件就会受到影响。因此，对仓库内有限的自动化设备资源进行充分利用，发挥自动化设备的协同作业能力，保证出入库运输任务准时进行的情况下，提高自动化设备利用率、降低车辆总行驶时间，对船厂实际生产建造有较强的指导意义。

图 4-4-8 船舶舾装件

（2）船舶舾装件自动化的研究进展

在船舶舾装件自动化的进程中，车辆调度问题和无冲突路径规划问题是两个独立的研究领域，均被证明是复杂的NP难问题，两个问题的集成计算量极大。在柔性制造系统中存在一些车辆调度和无冲突路径规划联合优化的有趣探索，但总的来看，围绕集成优化这一主题通常有两种普遍的解决思路：一种思路是将无冲突路径规划融合到调度策略的制定中，这种思路求解时间非常不理想，大部分研究通过简化作业任务分配阶段降低求解时间，并且很难应用于大规模问题；另一种思路是将调度问题的最优解输入到无冲突路径规划算法求解，该思路完全割裂了调度与无冲突路径规划，没有将车辆冲突结果反馈于调度的制定。由于舾装件仓库重型AGV叉车运行速度慢且不够灵活，并且仓储车辆运输空间有限，因此，在求解多辆AGV任务调度问题的同时需要考虑多辆车路径干涉。

4.6.2 船舶工业自动化的挑战

（1）将数字化技术引入到船舶工业自动化生产中

数字化技术可以快速地在计算机端模拟和特征分析各种制造过程和船舶运行实际环境，提供更优的制造方案、节约更多的成本，为船舶工业自动化生产过程带来更高的效率和精度。数字化技术可以根据生产人员的经验和知识，通过对船舶生产的各个环节进行数字化建模和工艺流程优化，帮助生产线自动化程度提升，减少了人员的劳动力和工作量，使船舶制造流程更高效。基于数字化技术，可以实现即时控制、远程监视和智能化管理，实现对船舶工业自动化生产过程中的，全面监控，从而更好地掌握生产情况，及时解决生产中的问题，保证生产质量和进度。数字化技术可以支持和促进绿色船舶的设计和制造，减少材料、能源和资源的浪费，降低船舶对环境的影响，提高船舶制造过程的节能减排功效。

（2）船舶工业自动化的生产应追求绿色制造

船舶工程的生产过程面临着许多挑战，包括能源消耗、污染排放、资源浪费等问题。绿色制造是以一种环保为导向的生产模式，它强调在生产过程中最小化对环境的影响。船舶制造需要大量的能源，而绿色制造则强调使用清洁和高效的能源，减少能源浪费，降低生产成本。绿色制造强调使用环保材料，使用先进的污染防治技术，可以有效地减少这些污染物的排放。船舶工业自动化进程中，传统的生产方式往往会浪费大量的资源，绿色制造强调资源的最大利用，减少浪费，同时还可以回收再利用已经使用过的材料。

（3）优化船舶工业自动化的生产过程

通过优化生产过程，可以更好地规范工作流程，提升生产效率，缩短生产周期，优化劳动力资源配置，提高生产量，提高企业的竞争力。通过优化生产过程，可以降低制造成本，优化人工成本，减少生产耗材成本，提高能源利用效率，减少生产过程中的浪费问题，从而从整体上降低企业的生产成本。通过优化生产过程，能够更好地控制生产工艺，提升生产精度，降低人为误差，减少质量安全事故的发生，提高产品质量和可靠性，为企业树立良好的品牌形象。优化生产过程可以更好地利用原材料和能源减少浪费，同时开展清晰可见的生产管理，减少生产过程中的质量问题。

4.7 》船舶工业自动化发展趋势

4.7.1 船舶工业自动化发展方向和趋势

4.7.1.1 船舶工业自动化市场分析

当前我国船舶产业规模不断壮大，造船完工量、新接订单量、手持订单量三大指标保持全球领先。造船业产业结构调整取得成效，造船业正在不断壮大产业规模。随着国际船舶市场呈现回暖态势，中国船舶工业产业集中度保持较高水平，骨干船舶修造企业加快在高端绿色产品、绿色工艺、去碳化技术等方面发展，加快推进信息化、数字化和人工智能技术的实际应用。

由于国际政治变化，以及区域化贸易发展的增速等地缘政治和宏观环境的变动，全球航运市场正在经历深刻的结构性调整。目前，往返于欧洲（如黑海/地中海航线）和俄罗斯港口之间的航运需求激增，特别是苏伊士型和阿芙拉型等船型的需求尤为旺盛。同时，更为灵活的中小型集装箱船以及成品油船/化学品船等船型的运费也表现强劲。上述船型的船队平均年龄约为12年，相较于同类大型船舶而言明显偏高。未来，随着运力需求的进一步转化以及环保替代时机的成熟，新造船市场将迎来更为强劲的发展动力。据统计，2022年我国船舶行业的市场规模已达到3443.56亿元，如图4-4-9所示。

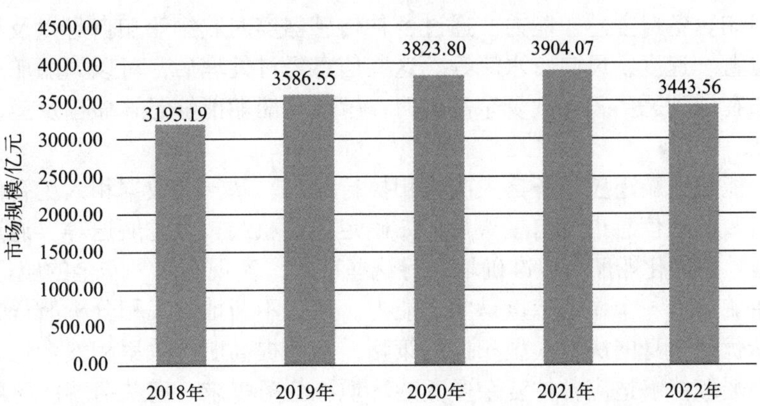

图4-4-9 2018—2022年中国船舶行业市场规模

此外，2023年造船产业集中度保持在较高水平，标志着船舶工业自动化的市场需求将持续增长，为相关企业和研究机构提供了广阔的发展空间。

4.7.1.2 船舶工业自动化发展趋势

我国需要重点关注海洋工程装备以及高技术船舶，努力推动相关产业发展。在这一大背景下，船舶制造业要突破自身发展瓶颈，应着重发展集成化、智能化、模块化、绿色化的船舶制造核心技术。

（1）集成化

随着全球航运业的不断壮大与科技的飞速发展，船舶工业自动化正逐步走向集成化。这种集成化趋势主要体现在以下两个方面：

① 船舶控制系统的集成化。传统的船舶控制系统往往由多个独立的子系统组成，如导航、动力、通信等。这些子系统之间缺乏有效的信息交互和协同工作，导致船舶在航行过程中存在诸多不便。而集成化的船舶控制系统则能够将这些子系统紧密地联系在一起，实现信息共享和协同控制，从而提高船舶的航行效率和安全性。

② 船舶管理系统的集成化。船舶管理系统涉及船舶的运维、调度、安全管理等多个方面。在传统的船舶管理模式下，这些方面往往是相互独立的，难以实现高效的信息共享和协同管理。而集成化的船舶管理系统则能够将各个方面紧密地结合在一起，实现信息的实时共享和协同管理，从而提高船舶的运营效率和管理水平。

为了实现这种集成化，船舶工业自动化需要借助先进的信息技术、通信技术和控制技术，例如：可以利用物联网技术将船舶上的各种设备和系统连接起来，形成一个庞大的信息网络；利用云计算技术对这些信息进行高效的处理和分析；利用大数据技术对船舶的运营数据进行挖掘和利用。这些技术的应用将使得船舶工业自动化在集成化方面取得更大的突破。

集成化发展对于船舶工业自动化具有重要意义。它不仅可以提高船舶的航行效率和安全性，还可以降低船舶的运营成本和管理难度。同时，集成化发展也有助于推动船舶工业与其他相关产业的深度融合，形成更加紧密的产业链和生态圈。

（2）智能化

在船舶工业自动化的发展过程中，智能化无疑是一个重要的趋势。智能化是指通过应用先进的传感器、控制器、执行器等智能设备，以及大数据、云计算、人工智能等先进技术，使船舶具备自主感知、决策、执行和学习能力的过程。这种趋势不仅将显著提升船舶的航行效率和安全性，还将为航运业带来前所未有的变革。

智能化船舶具备自主感知能力，通过各种传感器实时收集船舶自身以及周围环境的各种信息，如位置、速度、风向、水流等。这些信息经过处理后，可以为船舶的决策提供有力支持，例如在遇到恶劣天气或复杂海况时，智能化船舶能够迅速做出反应，调整航行策略以确保安全。

同时，智能化船舶还应具备自主决策和执行能力。基于大数据和人工智能技术，船舶可以根据实时收集的信息进行自主决策，如确定最佳航线、优化航速等。通过先进的控制系统和执行器，智能化船舶可以准确地执行这些决策，实现高效、安全的航行。

智能化船舶的另一个显著特点是学习能力。通过不断地收集和分析航行数据，智能化船舶可以不断优化自身的决策模型和控制策略，从而提高航行效率和安全性。这种学习能力使得智能化船舶能够适应各种复杂多变的环境和任务需求。海兰信智能船舶和智能航运系统见图4-4-10。

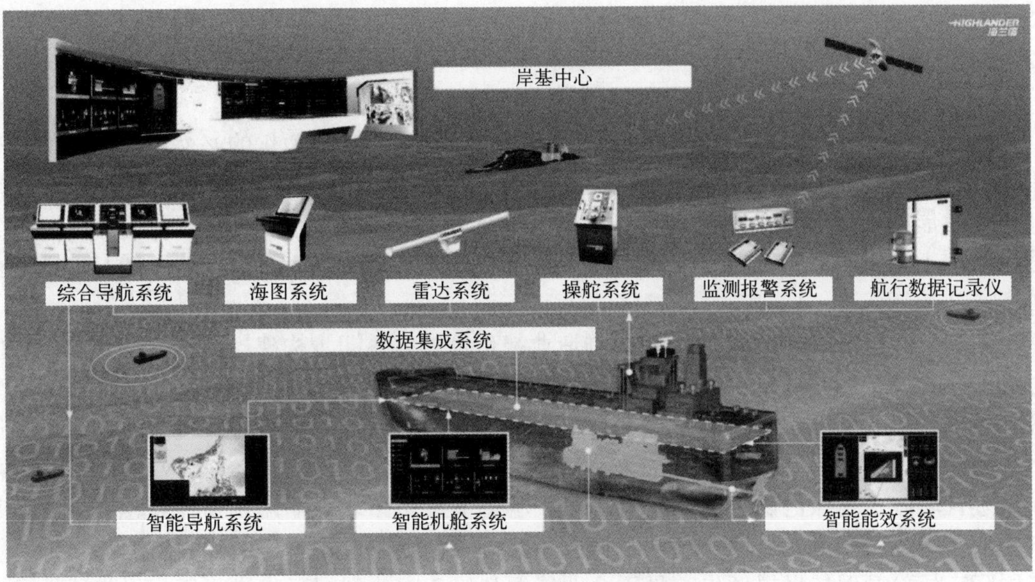

图 4-4-10　海兰信智能船舶和智能航运系统

实现船舶的智能化需要攻克多项技术难关，如传感器技术、信息处理技术、人工智能技术等。同时，还需要建立完善的标准和规范体系，以确保智能化船舶的可靠性和安全性。尽管面临诸多挑战，但随着科技的不断进步和应用需求的持续增长，船舶的智能化发展已成为不可逆转的趋势。

（3）模块化

模块化是船舶工业自动化的另一大发展趋势。模块化是指将船舶的各个系统和部件进行标准化、通用化设计，使其能够像搭积木一样进行灵活组合和拆卸。这种趋势有助于提高船舶的设计效率、建造速度和维护便利性，同时降低建造成本和运营成本。

在模块化发展趋势下，船舶的设计和建造过程变得更加简洁高效。传统的船舶设计往往需要根据具体需求进行定制化设计，这种过程不仅耗时耗力，而且难以实现标准化和通用化。而模块化设计则可以将船舶分解为多个独立的模块，每个模块都具有标准化的接口和尺寸，可以方便地进行组合和拆卸。这样，在设计新船型时，只需要对部分模块进行重新设计或调整，而无需对整个船体进行重新设计。这大大缩短了设计周期，提高了设计效率。

模块化建造还可以提高船舶的建造速度和质量。在传统的建造模式下，各个系统和部件需要在船体上进行逐一安装和调试，这个过程非常烦琐且容易出错。而模块化建造则可以将各个系统和部件预先在车间内进行组装和调试，形成一个完整的模块后再进行整体安装。这样不仅可以减少现场安装的工作量，还可以提高安装精度和质量。

模块化船舶在运营过程中也具有诸多优势。由于各个模块都是标准化、通用化的设计，因此在维护过程中可以方便地进行更换和升级，而无需对整个船体进行大规模改造。这大大降低了维护成本和停机时间，提高了船舶的运营效率。同时，模块化设计还有助于实现船舶的多样化和个性化需求。通过更换不同的模块组合，可以轻松地实现船舶的功能转换和升级换代。

为了实现模块化发展趋势，需要制定完善的标准和规范体系来指导各个模块的设计和制造过程。同时还需要加强技术研发和创新力度来提高模块的通用性和互换性水平。随着技术的不断进步和应用需求的不断增长，相信模块化将成为未来船舶工业自动化发展的重要方向之一。

(4) 绿色化

随着全球环保意识的日益提高，绿色化已成为船舶工业自动化的必然趋势。船舶制造业绿色发展是全球海事工业新一轮科技革命和产业变革的重要方向，是我国船舶工业实现高质量发展的必然途径。为深入贯彻党的二十大精神，认真落实我国实现碳达峰碳中和、推进新型工业化的战略部署，推动国际船舶温室气体减排战略实施，加快船舶制造业绿色转型。

我国发展目标：到2025年，船舶制造业绿色发展体系初步构建，绿色船舶产品供应能力进一步提升，船用替代燃料和新能源技术应用与国际同步，液化天然气（LNG）、甲醇等绿色动力船舶国际市场份额超过50%。骨干企业减污降碳工作取得明显成效，绿色制造水平有效提升，万元产值综合能耗较2020年下降13.5%。绿色低碳标准体系进一步完善，碳足迹管理体系和绿色供应链管理体系初步建立。到2030年，船舶制造业绿色发展体系基本建成。绿色船舶产品形成完整谱系供应能力，绿色船舶技术具备国际先进水平，绿色船舶国际市场份额保持世界领先。骨干企业能源利用效率达到国际先进水平，形成一批具有国际先进水平的绿色示范企业，全面建成绿色供应链管理体系。

绿色化发展趋势主要体现在节能减排、环保材料应用、绿色制造工艺以及智能环保系统等方面。

节能减排是绿色化发展的核心。船舶工业正在积极采用先进的动力系统和节能技术，以降低燃油消耗和减少排放，例如采用高效柴油机、电力推进系统、风力辅助推进等，都能显著提高船舶的能效水平。此外，优化船体设计和航线规划，也能实现节能减排的目标。

环保材料的应用也是绿色化发展的重要手段。船舶工业正在逐步淘汰传统的有害材料，如石棉、含铅涂料等，转而使用更加环保的材料，如环保涂料、复合材料等。这些材料不仅具有更好的性能，而且对环境的影响较小，有助于实现船舶工业的可持续发展。

绿色制造工艺也是绿色化发展的关键环节。船舶工业正在积极推广绿色造船技术，如精益造船、数字化造船等。这些技术能够减少造船过程中的材料浪费、能源消耗和环境污染，提高造船效率和质量。同时，加强造船废弃物的回收和利用，也能实现资源的循环利用和减少环境污染。

智能环保系统是绿色化发展的新亮点。通过引入先进的传感器、监测设备和信息技术，船舶可以实时监测和评估自身的环保性能。这些系统能够及时发现和解决环保问题，确保船舶始终保持在最佳环保状态。同时，智能环保系统还可以为船舶提供优化建议，帮助其实现更加高效的节能减排。

4.7.2 新兴技术对船舶工业自动化的影响及潜在应用领域

(1) 人工智能技术对船舶工业自动化的影响及潜在应用领域

人工智能技术的飞速发展对船舶工业自动化产生了深远的影响。作为一种模拟人类智能的技术，人工智能不仅提升了船舶工业自动化的效率，还为行业带来了全新的应用场景和发展空间。

人工智能技术在船舶导航和自动驾驶方面发挥了重要作用。通过深度学习算法和大数据分析，人工智能系统能够实时感知船舶周围环境，并根据航道条件、交通流量等信息，自主规划出最安全、最经济的航行路径。这极大地提升了船舶航行的安全性和效率，降低了人为操作的风险。

人工智能技术在船舶故障诊断和预测性维护方面也展现出巨大的潜力。通过监测船舶设备的运行状态和性能数据，人工智能系统能够提前发现设备潜在的故障，预测设备的寿命和维护周期，为船员和管理人员提供科学的决策支持。这有助于减少船舶的停机时间和维修成本，提高船舶的整体运营效率。

人工智能技术在船舶智能化管理方面也有广阔的应用前景，例如人工智能可以通过优化航线、减少能源消耗、降低运营成本等方式提升船舶的运营效率。同时，它还可以通过对船员行为、船舶交通流量等数据的分析，提升船舶的安全性。

随着技术的不断进步，人工智能在船舶工业自动化的潜在应用领域还将进一步拓展，例如：在船舶设计方面，人工智能可以通过模拟和优化算法，提高船舶的航行性能和舒适度；在船舶物流方面，人工智能可以通过智能调度和路径规划，提高物流效率和降低成本；在船舶市场监管方面，人工智能可以通过数据挖掘和分析，提供更为准确的市场预测和决策支持。

（2）物联网技术对船舶工业自动化的影响及潜在应用领域

物联网技术以其独特的优势，为船舶工业自动化带来了革命性的变革。通过将船舶内部的各个设备和系统连接成一个网络，物联网技术实现了船舶内部信息的实时共享和交互，为船舶的智能化管理提供了有力支持。

物联网技术为船舶的远程监控和管理提供了可能。通过安装在船舶上的各种传感器和监控设备，物联网技术可以实时收集船舶的运行状态、环境参数等信息，并将这些信息传输到岸上的控制中心。这使得船员和管理人员能够随时了解船舶的实时情况，对船舶进行远程监控和管理，提高了船舶的运营效率和安全性。

物联网技术在船舶设备维护方面也发挥了重要作用。通过实时监测设备的运行状态和性能数据，物联网技术可以及时发现设备的异常情况，并提前进行预警和维护。这有助于减少设备的故障率，延长设备的使用寿命，降低船舶的运营成本。

物联网技术还在船舶节能减排方面展现了巨大潜力。通过监测船舶的能源消耗和排放情况，物联网技术可以为船舶提供更为精准的能源管理方案，优化船舶的航行轨迹和速度，降低能源消耗和排放。这不仅有助于提升船舶的经济性，也符合环保和可持续发展的理念。

未来，随着物联网技术的进一步发展和普及，其在船舶工业自动化的潜在应用领域还将不断扩大，例如物联网技术可以与其他先进技术结合，形成船舶综合信息管理系统，为船舶提供全方位、高效的服务。

（3）大数据技术对船舶工业自动化的影响及潜在应用领域

大数据技术以其强大的数据处理和分析能力，对船舶工业自动化产生了深远的影响。船舶在运营过程中会产生大量的数据，包括航行数据、设备状态数据、环境数据等。通过大数据技术，我们可以对这些数据进行有效的收集、存储、处理和分析，为船舶的智能化管理和决策提供支持。

大数据技术在船舶故障预测和维护方面有着巨大的应用潜力。通过对船舶历史运行数据的分析，可以建立故障预测模型，提前发现设备的潜在故障，并制定相应的维护策略。这不仅可以减少意外停机时间，降低维护成本，还可以提高船舶的运营安全性。

大数据技术可以用于优化船舶的航行性能。通过对航行数据的分析，可以找出影响航行效率的因素，如航线选择、航行速度、船舶吃水等，并优化这些因素以提高航行效率。此外，大数据技术还可以用于船舶的能耗管理，通过分析船舶的能耗数据，找出能耗高的设备和区域，并制定相应的节能措施。

在潜在应用领域方面，大数据技术可以与人工智能、物联网等技术结合，实现更为智能化的船舶管理，例如：通过大数据分析，可以实现对船舶货物的智能调度和优化配置，提高物流效率；通过对船员行为数据的分析，可以评估船员的工作效率和安全性，为船员培训和管理提供支持。

（4）云计算技术对船舶工业自动化的影响及潜在应用领域

云计算技术为船舶工业自动化提供了强大的计算能力和存储空间。通过云计算技术，我们可以将船舶的数据和应用程序存储在云端，实现数据的集中管理和共享访问。这不仅可以提高数据的安全性和可靠性，还可以方便船员和管理人员随时随地访问船舶的数据和应用程序。

云计算技术可以用于船舶的远程监控和管理。通过将船舶的监控数据和应用程序部署在云端，船员和管理人员可以通过互联网实现对船舶的远程监控和管理。这不仅可以提高船舶的运营效率，还可以降低管理成本。

云计算技术可以用于船舶的协同设计和制造。通过云计算平台，设计师、工程师和制造商可以实现在线协作，共同完成船舶的设计和制造任务。这不仅可以提高设计和制造效率，还可以降低沟通和协调成本。

在潜在应用领域方面，云计算技术可以与大数据、人工智能等技术结合，实现更为智能化的船舶运营和管理，例如：通过云计算平台，可以实现对船舶运营数据的实时分析和处理，为决策提供更为准确和及时的支持；通过云计算技术，还可以实现船舶的智能化调度和路径规划，提高物流效率和降低成本。

（5）机器人技术对船舶工业自动化的影响及潜在应用领域

机器人技术是船舶工业自动化的重要组成部分。随着机器人技术的不断发展和完善，其在船舶工业中的应用范围越来越广泛。机器人可以代替人类完成一些危险、繁重或枯燥的工作，提高生产效率和安全性。

机器人在船舶建造和维护方面有着广泛的应用，例如：焊接机器人可以完成船舶结构件的焊接工作（图4-4-11）；喷涂机器人可以实现船舶表面的自动化喷涂；巡检机器人可以在恶劣环境下对船舶设备进行巡检和维护。这些应用不仅可以提高生产效率和质量，还可以降低工人的劳动强度和安全风险。

机器人在船舶运营方面也有着潜在的应用价值，例如：可以开发自主导航机器人，实现船舶的自动驾驶和智能避障；可以开发货物搬运机器人，实现货物的自动化装卸和运输；还可以开发水下机器人，进行海底探测和救援等任务。这些应用将进一步提升船舶的运营效率和安全性。

随着技术的不断进步和成本的降低，机器人在船舶工业自动化中的应用将更加广泛和深入。可以预见，船舶工业将实现全面的自动化和智能化生产和管理模式变革，为全球航运业的持续繁荣和发展注入新的活力。

综上所述，新兴技术对船舶工业自动化的影响是深远的，它们不仅提升了船舶工业的生产效率和质量水平，还为行业带来了全新的应用场景和发展空间。未来，随着这些技术的不断发展和完善，它们在船舶工业自动化中的应用将更加广泛和深入。

图 4-4-11　埃斯顿自动化 CLOOS 船舶焊接机器人

参考文献

[1] 刘擘. 浅析船舶自动化技术现状[J]. 船电技术, 2012, 32(3): 47-50.

[2] 沈万东. 船舶电气自动化技术的应用及其发展趋势[J]. 自动化应用, 2023, 64(10): 30-32+36.

[3] 邝任廷, 何智超, 王启茂, 等. 浅谈外带加劲环超大直径钢管熔结环氧防腐施工技术研究[J]. 湖南水利水电, 2022(3): 28-31+71.

[4] 郑枫凡, 蒋仲廉, 余诚强, 等. 基于AIS数据的蜿蜒河段船舶动态领域特征[J]. 中国航海, 2023, 46(1): 1-8+15.

[5] 李朋, 范利军. 船舶驾驶自动化与航海智能化分析[J]. 船舶物资与市场, 2023, 31(4): 11-13.

[6] 朱玉丹. 船舶驾驶自动化与航海智能化探究[J]. 船舶物资与市场, 2021, 029(7): 93-94.

[7] 曾祥富. 基于船舶电气自动化系统可靠性的保障技术探究[J]. 中国水运(下半月), 2018, 18(2): 114-115.

[8] 吴志强. 海上智能救援技术在船舶航运中的运用[J]. 船舶物资与市场, 2022, 30(3): 1-3.

[9] 王海超, 尹勇. 航海模拟器中人员落水救助操纵智能化评估[J]. 系统仿真学报, 2021, 33(11): 2647-2655.

[10] 胡可一, 王冰. 数字化变革——船舶设计高质量发展之路[J]. 船舶, 2023, 34(2): 1-13.

[11] 张丽. 基于虚拟现实技术的船舶三维建模[J]. 舰船科学技术, 2022, 44(09): 40-43+56.

[12] 刘俊杰. 基于机器视觉的船舶分段自动喷涂方法与系统研究[D]. 镇江: 江苏科技大学, 2019.

[13] 喻军, 王羽泽, 李超, 等. 船舶制造焊接机器人应用关键技术[J]. 船舶与海洋工程, 2019, 35(6): 49-53.

[14] 林加灶, 董飞. 船厂分段生产物流智能监控管理系统的建设与应用[C]//2017年数字化造船学术交流会议. [2024-03-19].

[15] 李兰秀. 船舶自动识别系统在内河船舶避碰技术的应用[J]. 舰船科学技术, 2020, 42(2): 16-18.

[16] 李书霖. 船舶电气自动化系统可靠性保障技术研究[J]. 今日自动化, 2023(4): 103-105.

[17] 郭永晋, 王鸿东, 张道坤. 智能航行系统可靠性测试验证关键问题研究[J]. 中国船检, 2023(1): 48-51.

[18] 谭新明, 梁瑞伟. 物联网在物流仓储管理中的运用探究[J]. 船舶物资与市场, 2019(12): 109-110.

[19] 王雁婷. 浅析船舶驾驶技术管理及船员素质培养[J]. 山东工业技术, 2018(1): 226.

[20] 连志刚. 船舶制造业MES与计划搭载网络优化技术研究[D]. 上海: 上海交通大学, 2013.

[21] 薛晨昊. 数字化技术在船舶设计与制造过程中的应用[J]. 船舶物资与市场, 2023, 31(10): 109-111.

[22] 邵荣. 船舶模块化设计与制造研究现状[J]. 船舶物资与市场, 2023, 31(6): 8-10.
[23] 王嘉亮, 顾晓峰, 尹学成. 港作船舶在线能耗监控系统的研究与应用[J]. 港口装卸, 2015(4): 30-32.
[24] 杨露露, 蔡林聪, 石永林. 船舶电气自动化控制安全性问题探析[J]. 山东工业技术, 2015(21): 203.
[25] 郭盛. 船舶电力推进实时监控系统的研究[J]. 华东科技（综合）, 2020(11).
[26] 包远青. 船舶动态定位系统结构研究[J]. 中国设备工程, 2023(7): 114-115.
[27] 卢时俊. 船舶电气自动化控制安全性问题探析[J]. 船舶标准化工程师, 2020, 53(6): 89-92.
[28] 郭盛波. 船舶自动化与节能技术应用[J]. 电子技术, 2023, 52(3): 256-257.
[29] 吴志良. 船舶电站[M]. 大连: 大连海事大学出版社, 2012.
[30] 姜锦范. 船舶电站及自动化[M]. 大连: 大连海事大学出版社, 2005.
[31] 张桂臣. 现代船舶电站[M]. 大连: 大连海事大学出版社, 2012.
[32] 王文义. 船舶电站[M]. 哈尔滨: 哈尔滨工程大学出版社, 2006.
[33] 周济. 智能制造——“中国制造2025”的主攻方向[J]. 中国机械工程, 2015, 26(17): 2273-2284.
[34] 陈琳, 杨龙霞. 世界主要造船国家智能船舶发展现状[J]. 船舶标准化工程师, 2019, 52(4): 10-14.
[35] 饶靖, 郄金波, 周楠, 等. 船舶舾装件智能化仓储模式构建[J]. 航海, 2021(5): 30-34.
[36] 梁晓霏. 船用燃料油市场现状及未来发展趋势分析[J]. 石油化工技术与经济, 2022, 38(5): 5-13.
[37] 李越塁, 郑卓, 吴拓等. 工业4. 0时代智能船舶发展趋势与挑战[J]. 船舶工程, 2023, 45(S1): 224-229.
[38] 刘同宣. 船舶维修保养管理研究[J]. 船舶物资与市场, 2021(1): 91-92.

本章负责人　谢少荣　上海大学

参加编写人员　李恒宇　谢永浩　刘靖逸